DICTIONNAIRE DES DIFFICULTÉS DE LA LANGUE FRANÇAISE AU CANADA

REMERCIEMENTS

Nous remercions vivement M. Louis-Paul Béguin, linguiste et chroniqueur de langue, qui, suite au décès de M. Gérard Dagenais, a aimablement assuré l'ultime révision du manuscrit de l'auteur.

L'Éditeur

COLLABORATION : Jean Pelletier

PHILOLOGUES CONSULTÉS :
Gilles Lefebvre, professeur à la Faculté des Lettres de l'université de Montréal
René Chicoine, professeur à l'École des Beaux-Arts de Montréal

MAQUETTE : Roger Le Garrec

COUVERTURE : Paule Girard

1411, rue Ampère
Boucherville
Québec J4B 6C5

Dépôt légal à Ottawa, 3e trimestre 1984

ISBN 2-7618-1037-6

Gérard Dagenais

DICTIONNAIRE DES DIFFICULTÉS DE LA LANGUE FRANÇAISE AU CANADA

les éditions françaises inc.
BOUCHERVILLE (QUÉBEC)

j'ai fait
ce dictionnaire
pour mes enfants

PRÉFACE

Boileau n'avait raison qu'à moitié quand il disait:

« Ce que l'on conçoit bien s'énonce clairement
Et les mots pour le dire arrivent aisément. »

On ne peut le disputer sur la première partie de son énoncé, mais qu'en est-il de la deuxième? Ils n'arrivent aisément qu'à bien peu de gens ces mots que pourtant nous appelons de tous nos vœux.

Et c'est bien là le drame de toutes ces personnes qui, intelligentes et réfléchies par ailleurs, n'arrivent pas à faire savoir aux autres qu'elles sont autre chose que des imbéciles, faute de pouvoir articuler dans la parole ce qui se conçoit bien dans le cerveau.

N'ayons pas peur d'une généralisation qui ne me paraît pas excessive: pour des raisons historiques que nous connaissons tous, les francophones du Québec et du Canada, pourtant pas plus bêtes que les autres, arrivent difficilement à exprimer toutes les ressources de leur intelligence et de leur pensée.

Ce n'est que tout récemment que nous avons rendu le français utile et nécessaire au Québec. Désormais, on peut espérer une nette amélioration de la langue parlée et écrite dans une société qui, assaillie de toutes parts et par tous les moyens par une Amérique anglaise, a bien besoin de se doter des instruments de communication les plus solides qui soient.

Mais, dans ce genre d'entreprise, la volonté et la générosité n'ont pas toutes les vertus et il faut que les usagers puissent, systématiquement, recourir aux lumières des meilleurs experts en la matière.

Gérard Dagenais est de ceux-là et la réédition de son diction-

naire permettra à des milliers de gens qui ne l'avaient déjà fait de découvrir la passion dévorante d'un homme pour une langue qu'il a défendue et illustrée toute sa vie.

Les dictionnaires ne sont pas des béquilles pour les poseurs qui s'efforcent de briller dans les salons. Ce sont des outils de précision pour tous ceux et celles qui, au-delà de l'effort, découvrent le plaisir du langage et s'y adonnent avec une ardeur non dissimulée.

Des dictionnaires, il y en a de toutes les sortes. Certains sont arides et froids; d'autres ont la chaleur et l'élan des œuvres les plus romantiques. C'est à cette dernière catégorie qu'appartient le dictionnaire de Gérard Dagenais. Là où tant d'autres affirment, Dagenais discute. Là où tant d'autres hésitent, Dagenais affirme. Là où tant d'autres alignent froidement les définitions, Dagenais peint des paysages anciens et crée des ambiances accueillantes.

Le plaisir de parler et d'écrire nous vient de bien des façons. À ceux et à celles qui ne le connaissent pas encore, Dagenais leur offre une façon bien agréable de le découvrir.

À ceux et à celles qui l'ont par ailleurs éprouvé, Dagenais leur permet d'en décupler l'intensité.

Au-delà des difficultés: le plaisir!

Pierre BOURGAULT

PRÉFACE

DE LA PREMIÈRE ÉDITION

Voici un ouvrage capital pour l'étude de la langue française au Canada. Avec la sûreté et l'étendue de l'information, la sobriété de l'expression, ce qu'il faut admirer particulièrement dans ce dictionnaire, c'est la lucidité. Les études sur l'idiome des Canadiens d'origine française ne manquent pas, mais aucun lexicographe, aucun grammairien n'avait encore abordé le sujet comme le fait M. Dagenais, à la fois sous tous ses angles et dans le style du récit. Sa manière propre d'examiner les questions de vocabulaire et de syntaxe, et de les exposer, lui vient certainement de son premier métier, le journalisme. M. Dagenais a dit ailleurs qu'il est un journaliste de la langue, et je serais d'accord avec lui si cette expression ne risquait de laisser croire à un travail quelque peu superficiel. Je dirai plutôt qu'il est un excellent narrateur des phénomènes linguistiques. Son dictionnaire acquiert de ce fait une valeur pédagogique véritablement unique.

Il n'est, pour ainsi dire, aucun domaine de notre langage qui échappe à l'esprit critique de l'auteur, et l'autorité avec laquelle il explique et résout un grand nombre de difficultés de la langue quotidienne fait de son dictionnaire un instrument indispensable non seulement à la jeunesse qui s'instruit, mais à tous ceux qui, leurs études terminées, ont conscience de la précarité du français au Canada.

Bien entendu, le Dictionnaire des difficultés de la langue française au Canada *de M. Gérard Dagenais ne remplace pas les dictionnaires français, même similaires, mais un ouvrage comme celui-ci était utile pour adapter leur enseignement aux circonstances canadiennes. Je suis honoré qu'on m'ait demandé de le préfacer.*

*Adolphe V. THOMAS**
Chef correcteur des Dictionnaires Larousse
Paris, le 16 juin 1967

* *Auteur du* Dictionnaire des difficultés de la langue française

AVANT-PROPOS

DE LA PREMIÈRE ÉDITION

Beaucoup de gens ont fini par admettre cette chose évidente aux yeux des pédagogues qui ne s'en faisaient pas accroire il y a déjà un demi-siècle : il est impossible d'enseigner le français avec succès aux Canadiens par le simple moyen de l'enseignement du français moderne. Agir par les seules méthodes positives, c'est tenter de leur enseigner une langue étrangère, un langage différent de celui qui se parle et de celui qui s'écrit dans leur milieu, à quelque niveau social qu'ils se situent.

Une langue, cela va de soi, est essentiellement un phénomène d'imitation. Un certain nombre d'êtres humains vivant ensemble se comprennent parce que leurs intelligences, à force de se heurter les unes aux autres et sous l'effet des mêmes circonstances, adoptent une manière collective de saisir les réalités, de se les représenter et, finalement, de les exprimer en se servant de vocables sur lesquels elles sont convenues par besoin de s'imiter les unes les autres. Tel est l'ordre naturel des choses qui, après un certain nombre de siècles, produit une langue de culture.

Il faut qu'un groupement humain soit très fort, moralement, politiquement, économiquement et culturellement, pour conserver le génie de sa langue, pour garder sa culture pendant qu'il s'adapte de siècle en siècle aux exigences nouvelles, c'est-à-dire, en somme, pour rester lui-même en résistant aux pressions qu'exercent sur lui les langues, les cultures, les civilisations des nations qui l'entourent. Autrement, il se met à imiter ces langues et ces cultures et il ne tarde pas à se transformer. Pour élaborer une personnalité ethnique et linguistique, un peuple a besoin d'une longue période de liberté dans un isolement relatif ou dans la sécurité que donne la force.

Un groupement faible et soumis à d'incessantes pressions extérieures est assimilé à plus ou moins longue échéance par ses voisins. À moins, s'il constitue une branche d'un groupe humain puissant parlant une grande langue de culture, de rester délibérément tributaire de celle-ci. Les structures culturelles ont besoin alors d'être étayées. Des appuis artificiels s'imposent. Le principe dit démocratique de la circulation libre des moyens d'expression invoqué, par exemple, pour permettre à des étrangers de dominer des instruments de diffusion de la pensée et de l'information d'un petit peuple devient une arme de génocide. Ce qui justifie le rôle actif que l'État du Québec doit jouer pour la protection du français au Canada.

Le fonds français est encore vivant au Canada. Il est comme un feu sous la cendre et son faible éclat est visible. Il peut être ranimé. Mais il ne suffit pas pour y réussir de se servir du tisonnier d'un nationalisme incertain et d'apporter dans l'âtre, de génération en génération, du bois sec sorti du bûcher des manuels d'enseignement positif. Il faut prendre la pelle et sortir de la cheminée l'épaisse couche de cendre formée par le mauvais bois brûlé pendant un siècle de séparation complète de la mère-patrie culturelle puis pendant un siècle d'anglicisation massive. Ce DICTIONNAIRE DES DIFFICULTÉS DE LA LANGUE FRANÇAISE AU CANADA est en premier lieu un coup de pelle dans cette cendre chaude.

Ce qui reste de français dans l'esprit des Canadiens d'origine française est encore assez vivace pour qu'ils comprennent ce en quoi ils s'écartent du français dans d'innombrables habitudes linguistiques du milieu. Encore faut-il le leur montrer. Cela, c'est l'aspect complémentaire que doit offrir l'enseignement du français. On doit redresser en même temps qu'éduquer.

Ce dictionnaire n'est pas un ouvrage de traduction. Les quelques notes de traduction qui s'y trouvent sont accessoires. Il y est cependant beaucoup question d'anglais, du vocabulaire anglais et de la syntaxe anglaise. Il est devenu impossible de restaurer le français au Canada sans s'occuper en même temps de désangliciser le langage. En indiquant ce qui distingue le français de l'anglais, dont tous les esprits sont imprégnés, on dissipe la confusion actuelle au sein de laquelle, de façon générale, les Canadiens ne se rendent plus compte qu'il leur arrive souvent de parler anglais avec des mots français. On constatera en parcourant le dictionnaire que c'est surtout à l'influence de l'anglais qu'il faut maintenant attribuer la déchéance du français au Canada.

L'entreprise de désanglicisation se heurte à bien des obstacles. Notons en premier lieu la pauvreté du vocabulaire, l'ignorance des mots français à employer au lieu des mots anglais entendus tous les jours. Beaucoup de Canadiens, d'autre part, ne comprennent pas que, s'il est vrai qu'une langue se nourrit d'emprunts à l'étranger, ils ne sont pas aussi libres d'adopter des termes anglais que le sont les usagers du français international. Chaque fois que l'occasion se présente de le faire, les éducateurs doivent rappeler que le français se désintégrerait rapidement si les usagers de chacune des régions de la francité, qu'il s'agisse de la Bretagne, d'un des nouveaux États francophones d'Afrique ou du Québec, pouvaient modifier le vocabulaire et les modes d'expression fondamentaux à leur guise. Toutes les parties de l'ensemble sont soumises à l'ensemble et c'est la majorité des usagers de la langue qui fait la loi. Chaque infraction à la loi générale est une faute de français. Pour que tous puissent se comprendre, tous doivent s'exprimer de la même façon.

D'autres, au contraire, regardent le français comme une langue morte et, lui interdisant tout nouvel emprunt, en sont réduits à pratiquer péniblement la traduction littérale. Sans le vouloir, ils introduisent ainsi la pensée anglaise, la syntaxe anglaise dans l'idiome dont ils croient sauvegarder l'intrégrité.

D'autres, enfin, prétendent justifier le maintien d'anglicismes flagrants, comme le titre d'*AUDITEUR GÉNÉRAL DU CANADA*, en invoquant l'autorité de la tradition et de la loi. S'il fallait passer l'éponge sur toutes les fautes que les législateurs ont commises pour la seule raison qu'elles ont reçu la sanction des Parlements et sur toutes celles, comme *CABANE À SUCRE*, qui sont enracinées dans nos traditions folkloriques, tout espoir d'une renaissance française au Canada serait illusoire. Ce n'est heureusement pas le cas. Les législateurs ne se croient plus tenus de respecter les barbarismes et les solécismes de leurs prédécesseurs. Au Québec, par exemple, on a aboli les titres incorrects que des membres du Conseil des ministres portaient depuis l'entrée en vigueur de l'Acte de l'Amérique du Nord britannique et la *COMMISSION DES LIQUEURS* a fini par y céder la place à une *Régie des Alcools* bien nommée.

Pour rétablir le sens des valeurs et celui des réalités, il importe d'enseigner ce qu'est une langue, comment une langue se forme, vit, évolue, et ce qu'il faut entendre par l'usage. Il faut rendre bien clair ce que l'on veut dire quand on parle des structures d'une langue.

Tout cela explique que le dictionnaire que voici vise à atteindre les buts suivants :

1 — Corriger le plus grand nombre possible de fautes répandues ;

2 — Mettre en garde contre les difficultés que multiplie l'omniprésence de l'anglais au Canada ;

3 — Enrichir le vocabulaire ;

4 — Éveiller chez l'élève le goût de la précision dans les termes;

5 — Aligner les modes d'expression des Canadiens sur le français universel;

6 — Fixer un certain nombre de règles générales pour la correction et l'élégance du langage;

7 — Faire prendre conscience du rôle essentiel que joue l'analyse de la pensée dans la construction du français écrit et du français parlé;

8 — Faire saisir certaines caractéristiques de la langue française;

9 — Rappeler comment s'est formé le français, par le moyen de notes d'étymologie, de sémantique et d'histoire générale.

Ouvrage de consultation assurément, puisque c'est un dictionnaire, c'est aussi un ouvrage qui se lit, un peu comme une encyclopédie. C'est du reste après avoir découvert l'*ENCYCLOPÉDIE* de DIDEROT et d'ALEMBERT à Paris (les chercheurs peuvent la trouver dans quelques bibliothèques publiques du Québec, mais combien le savent?) que l'idée m'est venue d'écrire à la manière d'un récit l'étude des mots français dont l'emploi offre des difficultés au Canada. On constatera que l'ouvrage emprunte beaucoup à la méthode pédagogique moderne qui consiste à procéder par association d'idées, à exploiter l'intérêt de curiosité plutôt qu'à imposer au lecteur de suivre une disposition rigoureuse des règles, des faits et des indications à retenir. C'est ainsi, par exemple, qu'il est question du bœuf dans l'article consacré au mot DARNE, terme dont on ne peut se servir qu'en parlant de poissons, et que la question des synonymes est examinée à propos de l'adjectif DISPENDIEUX. L'une des fonctions des renvois, qui sont nombreux, est de corriger l'impression de désordre que cette façon d'enseigner pouvait produire.

Un travail comme celui-ci ne peut être complet. Les défauts plus ou moins graves du langage parlé et du langage écrit des Canadiens d'origine française étudiés dans ce livre sont cependant assez nombreux pour mettre en relief tous les genres de difficultés que ceux-ci connaissent quand ils s'efforcent de s'exprimer correctement. La tâche la plus ardue est de se refaire une tête française, de réhabituer l'esprit à saisir toute chose selon l'ordre de la pensée française.

Gérard DAGENAIS.

Montréal, le 14 juin 1967.

BIBLIOGRAPHIE

PRINCIPAUX OUVRAGES CONSULTÉS

LANGUES ANCIENNES

Pessonneaux E. — *Dictionnaire grec-français*

Quicherat, Daveluy et Châtelain — *Dictionnaire latin-français et français-latin*

LANGUE FRANÇAISE

Académie Française — *Dictionnaires*

Bailly René — *Dictionnaire des synonymes*

Bescherelle Louis-Nicolas — *Dictionnaire national de la langue française*

Bloch Oscar et Von Wartburg W. — *Dictionnaire étymologique de la langue française*

Bruneau Charles — *Petite histoire de la langue française*

Brunot Ferdinand et Bruneau Charles — *Précis de grammaire historique de la langue française*

Catalogues contemporains

D'Alembert et Diderot — *Encyclopédie ou dictionnaire raisonné des sciences, des arts et des métiers*

Dauvel Jean et collaborateurs — Encyclopédie des sports

Dauzat Albert — *Dictionnaire étymologique*

Dubois J. et Lagane R. — *Dictionnaire de la langue française classique*

Georgin René — *Pour un meilleur français* et *Jeux de mots*

Godefroy F. — *Dictionnaire de l'ancienne langue française*

Gougenheim Georges — *Dictionnaire fondamental*

Grandsaignes d'Hauterive R. — *Dictionnaire d'ancien français*

Grandsaignes d'Hauterive R. — *Dictionnaire des racines des langues européennes*

Grevisse Maurice — *Le bon usage*

Huguet Edmond — *Dictionnaire de la langue française du seizième siècle*

Larousse — *Dictionnaire encyclopédique, Dictionnaire universel, Petit Larousse, Nouveau Larousse classique, Larousse gastronomique, Lexis, Grand Larousse de la langue française, Omnis, LI.*

Littré Émile — *Dictionnaire de la langue française*

Maroselle J.-C. et collaborateurs — *L'automobile et ses grands problèmes*

Mauger Gaston et Charon Jacqueline — *Manuel de français commercial*

Quemmer Thomas-A. — *Dictionnaire juridique*

Quillet - Flammarion — *Dictionnaire encyclopédique, Dictionnaire usuel*

Robert Paul — *Dictionnaire alphabétique et analogique de la langue française*

Thomas Adolphe-V. — *Dictionnaire des difficultés de la langue française*

LANGUE ANGLAISE

Evans Bergen et Cornelia — *A Dictionary of Contemporary American Usage*

Harrap's Standard French and English Dictionary

Larousse — *Dictionnaire français-anglais et anglais-français*

MacMillan's Modern Dictionary

Partridge Eric — *Origins*

The Encyclopaedia Britannica

The Oxford English Dictionary

DIFFICULTÉS PARTICULIÈRES AU CANADA

Académie canadienne-française — *Cahier de linguistique*

Barbeau Victor — *Le français du Canada*

Beaudry Pierre — *Chroniques (La Presse)*

Béguin Louis-Paul — *Chronique (Le Devoir)*

Bélisle Louis-Alexandre — *Dictionnaire général de la langue française au Canada*

Bruneau Charles — *Grammaire et linguistique*

Catalogues

Darbelnet J. — *Regards sur le français actuel*

Daviault Pierre — *Langage et traduction*

De Montigny Louvigny — *Au pays de Québec*

Geoffrion Louis-Philippe — *Zigzags autour de nos parlers*

Glossaire du parler français au Canada préparé par la Société du parler français au Canada

Journaux et revues du Québec

Lorrain Léon — *Les étrangers dans la cité*

Marie P.-Louis — *Flore — Manuel du Québec*

Marie-Victorin — *Flore laurentienne*

Mélançon Claude — *Nos animaux chez eux, Animaux canadiens, Charmants voisins, inconnus et méconnus, Les poissons de nos eaux*

Office de la langue française — *Communiqués, guides, etc.*

Service de linguistique de la Société Radio-Canada — *Fiches*

Vinay Jean-Paul, Daviault Pierre et Alexander Henry — *Dictionnaire canadien*

INDICATIONS TYPOGRAPHIQUES

1 *texte courant*: Times Roman, 9 points sur 26 picas:
En termes de finance, l'adjectif...

2 a *mots étudiés,* titres d'articles: majuscules grasses, Helvetica gras 8½ points:
ACCRU

b *mots étudiés,* dans le corps du texte: minuscules grasses, Helvetica gras 8½ points:
accru

c un en-tête d'article entre guillemets est un mot qu'on ne trouve pas dans les dictionnaires du français actuel:
«**ACHALER**»

3 *mots cités* et *exemples*: Times Roman, 9 points, italique:
les intérêts courent...

4 *sens des mots*: Times Roman, 9 points, entre guillemets:
a le sens d'«acquis par accumulation ininterrompue».

5 *mots étrangers*: Hanover bold, minuscules, 8 points:
l'expression... se dit **accrued interest** en anglais.

6 *fautes*: Hanover gras, 6 points, majuscules, entre crochets:
et c'est commettre un anglicisme que de dire intérêts [**ACCRUS**] au lieu...

7 *renvois*: Helvetica gras, 7 points, majuscules:
Voir **BOUCHON.**

8 *œuvres et auteurs consultés*: Times Roman, 7 points, majuscules:
LÉON LORRAIN, *LES ÉTRANGERS DANS LA CITÉ.*

9 Les textes en retrait sur 22 picas accompagnés d'une ligne verticale oscillante sont des *règles*, des *principes* ou des *préceptes* à retenir.

Exemple: **ACCRU**, page 8 du dictionnaire.

Exemple : extrait de la page 8 du dictionnaire.

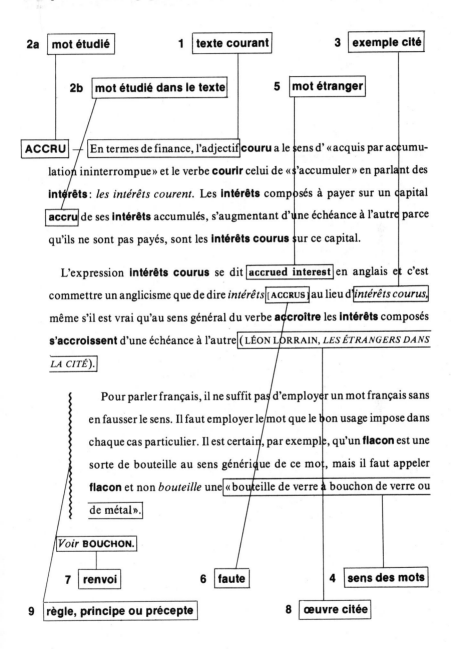

2a **mot étudié** **1** **texte courant** **3** **exemple cité**

2b **mot étudié dans le texte** **5** **mot étranger**

ACCRU — En termes de finance, l'adjectif **couru** a le sens d'« acquis par accumulation ininterrompue » et le verbe **courir** celui de « s'accumuler » en parlant des **intérêts** : *les intérêts courent.* Les **intérêts** composés à payer sur un capital **accru** de ses **intérêts** accumulés, s'augmentant d'une échéance à l'autre parce qu'ils ne sont pas payés, sont les **intérêts courus** sur ce capital.

L'expression **intérêts courus** se dit **accrued interest** en anglais et c'est commettre un anglicisme que de dire *intérêts* [ACCRUS] au lieu d'*intérêts courus*, même s'il est vrai qu'au sens général du verbe **accroître** les **intérêts** composés **s'accroissent** d'une échéance à l'autre (LÉON LORRAIN, *LES ÉTRANGERS DANS LA CITÉ*).

> Pour parler français, il ne suffit pas d'employer un mot français sans en fausser le sens. Il faut employer le mot que le bon usage impose dans chaque cas particulier. Il est certain, par exemple, qu'un **flacon** est une sorte de bouteille au sens générique de ce mot, mais il faut appeler **flacon** et non *bouteille* une « bouteille de verre à bouchon de verre ou de métal ».

Voir **BOUCHON.**

7 **renvoi** **6** **faute** **4** **sens des mots**

9 **règle, principe ou précepte** **8** **œuvre citée**

A

À — Voir **PRÉPOSITIONS (EMPLOI DES...)**.

ABANDONNER — Dans le sens de «renoncer à», ce verbe peut s'employer intransitivement. On dira correctement *un candidat qui abandonne.*

Transitif direct, **abandonner** exige que son complément soit un substantif: *abandonner (voir* **ANNULER**) *le commerce des meubles.* Mais il faut dire *il a cessé de vendre des meubles,* non *il a* [ABANDONNÉ] *de vendre...*

Si l'on veut souligner l'idée que la personne dont on parle n'a pas agi malgré elle en cessant de vendre des meubles, on s'exprime autrement: *il a décidé de cesser de vendre...*

ABATTEMENT — Ce mot n'a pas, comme le terme anglais **abatement**, le sens de «diminution», bien que dans le vocabulaire de l'impôt il ait celui de «déduction». [ABATTEMENT DE PRIX] est un anglicisme (*voir* **ANGLICISME**).

Voir **VENTE.**

ABATTIS — Dans le français courant moderne, **abattis** a deux sens: premièrement, celui d'«amas de choses abattues» en parlant particulièrement d'arbres et de gibier, mais il n'est plus beaucoup employé dans cette acception, et, deuxièmement, celui d'«abats de volaille», c'est-à-dire la tête, le cou, le gésier, le foie, le cœur, les ailerons et les pattes d'une volaille abattue pour être cuite.

Le mot, qui s'écrivait anciennement **abatis**, avait une troisième signification au XVIIe siècle, celle d'«action d'abattre en quantité» en parlant d'à peu près n'importe quoi. On disait, par exemple, *on a fait aujourd'hui un abatis d'arbres dans la montagne* et *il y a eu un grand abatis de maisons par le tremblement de terre.* Cet emploi est resté au Canada dans l'expression *faire un* [ABATTIS] au sens d'«abattre beaucoup d'arbres sur une parcelle de terrain comme première opération de défrichement».

On dit aujourd'hui **déboiser**, verbe qui n'a fait son apparition que vers 1830: *on déboise un coin de terre.*

Les défricheurs canadiens ont donné au mot **abattis** l'extension de sens suivante: «terrain entièrement ou partiellement déboisé mais encore inculte» et, plus particulièrement, «espace de terre où les arbres ont été abattus, mais qui n'a pas encore été essouché et nettoyé»: *pacager un troupeau dans un* [ABATTIS].

Comme canadianisme de sens *(voir* **CANADIANISME**), [ABATTIS] appartient au langage populaire. En français universel, il faut dire *terrain déboisé* ou *coin de terre déboisé* par opposition à terrain ou coin de terre tout à fait défriché, c'est-à-dire rendu propre à la culture.

ABÎMER — Verbe transitif du vocabulaire familier, **abîmer** signifie «endommager». Outre celui de «se détériorer», le verbe pronominal **s'abîmer** n'a d'autre sens, au propre et au figuré, que celui de «s'engloutir»: *un bateau s'abîme dans le Saint-Laurent* et *on s'abîme dans ses souvenirs.*

Toute autre acception prêtée à **abîmer** — *LE GLOSSAIRE DU PARLER FRANÇAIS AU CANADA* note, par exemple, l'emploi du verbe **abîmer** dans le sens de «s'effondrer»: *le toit* [A ABÎMÉ] — et à **s'abîmer** est désuète ou fautive.

ABOLIR — *Voir* **ANNULER.**

ABONNÉ — ABONNER (S'...) — ABONNEMENT — *Voir* **BANLIEUE** *et* **SOUSCRIPTEUR — SOUSCRIPTION — SOUSCRIRE.**

ABRÉGER — *Voir* **ABRÉVIATION.**

ABREUVER — ABREUVOIR — **Abreuver** ne se dit à propos de personnes qu'au figuré dans les expressions *abreuver quelqu'un de honte* et *abreuver quelqu'un d'injures.* **Abreuver**, c'est «donner à boire à» en parlant des bestiaux: *j'ai donné à boire aux chasseurs et abreuvé leurs chevaux.*

Le verbe pronominal **s'abreuver** ne se dit que des bestiaux qui boivent à l'**abreuvoir**, sauf, au figuré et péjorativement dans le langage familier, de personnes qui boivent beaucoup: *cet ivrogne s'abreuve à longueur de journée.*

Un **abreuvoir** est un lieu, un récipient, un vase où les animaux boivent. Une installation ou un appareil servant à débiter de l'eau pour étancher la soif des élèves *(voir* **ÉTUDIANT**) dans une maison d'enseignement, ou des ouvriers et employés dans un établissement industriel ou commercial est une **fontaine**: *on trouve des fontaines d'eau glacée dans beaucoup de bureaux.* Il ne faut pas dire *dans nos salles de récréation chaque* [ABREUVOIR] *permet à six élèves de* [S'ABREUVER] *en même temps,* mais... *chaque fontaine permet à six élèves de boire en même temps.*

Voir **BREUVAGE.**

ABRÉVIATION — L'usage a établi des règles pour l'**abréviation** des mots. Certains, comme **boulevard**, s'abrègent de diverses manières; d'autres, d'une seule, comme **compagnie**, mais ils ne s'abrègent pas n'importe comment.

Première règle: quand l'**abréviation** d'un mot n'en comprend pas la dernière lettre, elle est toujours suivie d'un point: *boul.* (boulevard) et *app.* (appartement) et, si la dernière lettre du mot s'y trouve, elle n'est jamais suivie d'un point: *cie* (compagnie) et *bd* (boulevard).

Deuxième règle: sauf le cas des titres indiquant la qualité d'une personne, qui est étudié ci-après, une **abréviation** se fait toujours au singulier quand elle ne comprend pas la dernière lettre du mot. Écrire [2 HS] pour *deux heures* est fautif.

Troisième règle: sauf les exceptions indiquées ci-après, il n'y a que quatre manières d'abréger un mot.

1 — La première lettre, ou les premières lettres quand ce sont des consonnes, par laquelle ou par lesquelles le mot commence: *ch.* (chèque) et *b.* (boulevard).

2 — La première syllabe et la ou les consonnes par lesquelles commence la deuxième syllabe: *av.* (avenue), *app.* (appartement) et *propr.* (propriétaire).

Quand il est nécessaire de faciliter la lecture de l'**abréviation** à cause de la longueur du mot ou parce que d'autres mots d'usage courant ont le même commencement, on abrège par les deux ou les trois premières syllabes et la ou les consonnes du début de la syllabe suivante: *électr.* (électricité) et *électron.* (électronique).

3 — Pour les mots qui commencent par une consonne: la première et la dernière lettre: *bd* (boulevard) et *ct* (crédit).

4 — Pour les mots qui commencent par une consonne: la ou les consonnes par lesquelles ils commencent et leur dernier phonème sans la ou les lettres qui en règlent l'articulation: *bard* (boulevard) et *cie* (compagnie).

Les abréviations [BLVD] pour **boulevard**, [AVE] pour **avenue**, [PROP.] pour **propriétaire**, [APT] pour **appartement** et [ENRG.] pour **enregistré** sont fautives.

Il importe que les **abréviations** prêtent le moins possible à la confusion. C'est ce principe qui détermine le choix de la façon d'abréger un mot. **Marchande**, par exemple, pourrait s'abréger par *me: Mme X, me,* mais qui devinerait que *me* veut dire marchande et non mère? Un trop grand nombre de mots commencent par *m* et se terminent par *e* pour que cette **abréviation** soit acceptable. Aussi abrège-t-on **marchande** de la deuxième façon possible et l'on écrit *Mme X, march.* ou de la quatrième façon: *mde.*

Les règles de l'**abréviation** comportent un certain nombre d'exceptions. Pour rendre plus facile la lecture des plaques indicatrices, par exemple, on combine la première avec la troisième façon d'abréger. C'est ainsi que les plaques de rues qui indiquent les arrondissements de Paris se lisent *Arr^t I, Arr^t II,* etc. On agit de même dans certains ouvrages de documentation, comme des dictionnaires: le verbe *activer* y sera abrégé par les lettres *activ.* et l'adverbe *activement* par les lettres *activt* (sans point); et de même, *spécialt* pour *spécialement* et *absolt* pour *absolument.* Enfin, les règles de l'**abréviation** ne s'appliquent pas aux symboles de chimie non plus qu'à certains vocabulaires techniques.

Reste le cas des titres. Ceux-ci prennent un *s* au pluriel s'ils s'abrègent comme au singulier : les *Drs X et Y*, et, s'ils se composent de deux mots, ils s'abrègent par leurs premières lettres doublées, chaque lettre doublée étant suivie d'un point : *NN. SS. les évêques* et *LL.AA. (Leurs Altesses).* Cela explique que le mot **monsieur** (M. au singulier), qui s'écrivit d'abord en deux mots : *mon sieur*, s'abrège au pluriel par *MM.* Les mots **madame** et **mademoiselle** s'écrivaient semblablement à l'origine *ma dame* et *ma demoiselle.* Pour les distinguer quand on les abrège, on suit la quatrième manière et l'on écrit *Mme* et *Mlle.*

À retenir : un nom propre de personne ou de lieu ne s'abrège pas. Il ne faut pas écrire *M.* [ST]-*Pierre*, mais *M. Saint-Pierre.* Il faut écrire *j'habite Saint-Bruno* et non *j'habite* [ST]-*Bruno.* Se garder de commettre l'archaïsme **abrévier**, première forme d'**abréger** jusqu'au XVIe siècle.

Voir **CORRESPONDANCE** *et* **SIGLE.**

ABRICOT — En anglais ce fruit s'appelle **apricot**. Se garder de substituer le *p* du mot anglais au *b* du mot français dans l'écriture et la prononciation.

«ABRIER» — «ABRILLER» — Le verbe latin **apricare** avait comme principale acception celle de «chauffer à la chaleur du soleil». Dès le XIIIe siècle, l'ancien français en avait fait le verbe **abrier**, qu'on employait pour signifier «mettre à l'abri, particulièrement du froid et de la pluie». On disait *abrier son corps* et *s'abrier sous des arbres.* Au XVIe siècle, le mot était courant dans tous les sens de **couvrir**. Le français s'en est servi durant quelque temps au début du XVIIe siècle pour dire «protéger», puis il est sorti de l'usage général, ne survivant que dans un certain nombre de patois des provinces françaises et au Canada. Sans doute sous l'influence d'*habiller*, les Canadiens écrivent [ABRILLER].

Se garder de dire, par exemple, à une gardienne d'enfant : [ABRILLEZ] *bien le petit quand vous le mettrez au lit, car il fera froid ce soir* au lieu de *couvrez bien le petit...* Il ne faut pas dire *mieux vaut se bien* [ABRIER] ou [ABRILLER] *et ouvrir la fenêtre de sa chambre pour la nuit que de* [S'ABRIER] *légèrement et laisser la fenêtre fermée,* mais *mieux vaut bien se couvrir et ouvrir la fenêtre de sa chambre pour la nuit que de se couvrir légèrement et laisser la fenêtre fermée.*

ABROGER — *Voir* **ANNULER.**

ABRUPT — *Voir* **À PIC.**

ABSENCE — *Voir* **BLANC.**

ABSOLUMENT — *Voir* **POSITIVEMENT.**

ABSORBANT — Bien que l'**absorbent cotton-wool** soit **absorbante** au sens propre de cet adjectif, on l'appelle **ouate hydrophile** en français. L'**ouate** ordinaire sert à doubler des vêtements et des objets de literie. L'**ouate hydrophile**

qui se vend dans les pharmacies est purifiée.

ACADÉMIE — ACADÉMIQUE — Deux des trois sens actuels du mot **académie** remontent au XVIIe siècle. Premièrement, «société littéraire ou scientifique»: *Académie française, Académie Goncourt, Académie de Médecine, Académie royale de Belgique, Académie canadienne-française.* Deuxièmement, «établissement où l'on étudie un art ou un sport, où l'on s'exerce à la pratique de cet art ou de ce sport». Sous le règne de Louis XIV, les nobles apprenaient à monter à cheval dans une **académie** d'équitation. On trouve actuellement à Montréal une *académie de quilles.* Par extension, on appelle **académie** une «reproduction dessinée ou peinte du corps humain faite d'après un modèle nu par les élèves d'une **académie** ou école de dessin ou de peinture ou par un peintre comme exercice préparatoire à l'exécution d'une œuvre».

La troisième acception moderne du mot lui a été donnée par Napoléon Ier, qui a partagé la France en un certain nombre de divisions administratives pour l'enseignement universitaire: chacune de ces circonscriptions est une **académie**. L'Université de France comprend une vingtaine de ces **académies** ayant chacune à leur tête un recteur qui préside un conseil **académique** *(voir* **UNIVERSITAIRE — UNIVERSITÉ**).

Retenir que le mot **académie**, pour désigner une maison d'enseignement, s'applique surtout aujourd'hui à des écoles de dessin, de peinture, de musique, de danse et de sport, très rarement à des écoles d'enseignement artisanal, technique ou commercial. On ne peut appeler *académie* ni une école primaire ni une maison d'enseignement secondaire.

Pour ce qui est du mot **académicien**, il ne se dit que des membres d'une société de gens de lettres ou d'artistes qui porte le nom d'**académie**.

L'adjectif **académique** est soumis à de graves abus. Le mot n'a d'autres sens que les suivants: «qui se rapporte à une académie»: *fauteuil académique, prix académique, conseil académique*; au figuré, en parlant du style, «froid, correct et quelque peu conventionnel ou pédant»: *trop académique, le style de cet écrivain manque tout à fait de naturel,* et «théorique»: *un débat académique,* c'est-à-dire un débat qui reste spéculatif, qui ne mène à rien de pratique.

L'adjectif anglais **academic** a deux autres acceptions: il traduit dans bien des cas les adjectifs **scolaire** et **pédagogique** et l'on commet un anglicisme chaque fois qu'on prête à **académique** l'une ou l'autre de ces significations. *L'année* [ACADÉMIQUE] au lieu de *l'année scolaire, la liberté* [ACADÉMIQUE] au lieu de *la liberté de l'enseignement* ou *la liberté scolastique* et *la direction* [ACADÉMIQUE] *des écoles* au lieu de *la direction pédagogique des écoles* sont des anglicismes.

À CAUSE DE — *Voir* **DÛ**.

ACCABLER — *Voir* «**ACHALER**».

ACCAPARER — Ce verbe transitif, qui a les deux sens suivants: «amasser en très grande quantité» et «s'emparer pour soi seul», ne peut s'employer sous la forme pronominale pour exprimer l'une ou l'autre de ces actions: on accapare des biens; on ne peut [S'EN] *accaparer.* **Accaparer** est généralement suivi d'un complément direct pluriel: *accaparer des honneurs, des marchandises.* **S'ac-**

caparer est, cependant, un verbe pronominal passif: *certains pouvoirs s'accaparent plus facilement que d'autres.*

ACCENT — Il existe plusieurs accents au Canada comme en France. Cela ne présente pas de difficultés. L'accent, c'est-à-dire la voix, la façon plus ou moins chantante, plus ou moins sèche ou voilée, selon les régions, d'émettre les sons, n'est pas ce qui compte.

L'important, c'est la qualité essentielle des sons eux-mêmes, c'est-à-dire, en somme, la prononciation correcte des voyelles et des consonnes, l'articulation.

L'important c'est de dire *lune* et non [LEUNE], *minute* et non [MENEUTE], *papa* et non [POHPOH] ou [POHPA].

Voir **MOTS ÉTRANGERS (PRONONCIATION DES...).**

ACCENTS (... SUR LES MAJUSCULES) — *Voir* **SIGNES ORTHOGRAPHIQUES.**

ACCEPTABLE — *Voir* **ÉLIGIBLE.**

ACCEPTER — *Voir* **CHÈQUE.**

ACCEPTION — Ne pas confondre **acception** et **acceptation.** L'**acception** est le sens dans lequel un mot est emloyé.

ACCÈS — *Voir* **ADMISSION.**

ACCOMMODATION — ACCOMMODER — Le verbe **accommoder** n'a que quatre significations dans le langage courant. Il veut dire, en premier lieu, «mettre à l'aise» pour les personnes et «rendre confortable» pour les choses: *accommoder quelqu'un dans un fauteuil, accommoder un nouvel appartement,* mais cette acception tombe en désuétude. Employer le verbe **accommoder** dans ce sens, c'est parler de façon surannée. Deuxièmement, **accommoder** signifie «régler»: *accommoder une affaire à l'amiable,* mais il n'y a plus que cette expression où le verbe soit encore usité dans ce sens. Ensuite, **accommoder** est synonyme d'«apprêter», au propre et au figuré: *veau accommodé à la sauce blanche, accommoder sa conduite aux circonstances.*

À la vérité, **accommoder** ne s'entend à peu près plus que de la bouche des cuisiniers et des gourmets, sauf dans sa quatrième acception qui est celle de «convenir»: *l'heure à laquelle vous me fixez rendez-vous (voir* **APPOINTEMENTS** *et* **ENGAGEMENT**) *m'accommode.*

Le verbe pronominal **s'accommoder** signifie «s'arranger»: *cet homme s'accommode de toutes les circonstances.*

Le nom **accommodation** ne s'emploie plus que dans le sens d'«adaptation»: *l'accommodation d'un écolier au pensionnat après les vacances ne se fait pas en deux heures* et le mot n'est guère usité.

Les termes anglais **to accommodate** et **accommodation** signifient «donner un logement à» et «logement». Les mots français **accommoder** et **accommodation** employés dans ces sens sont des anglicismes. Il ne faut pas dire *les touristes trouvent dans notre ville des* [ACCOMMODATIONS] *modernes,* mais *les touristes* *trouvent dans notre ville des chambres (des logis) modernes.* Il ne faut pas dire *nos hôtels peuvent* [ACCOMMODER] *tous les touristes qui viendront,* mais *nos hôtels peuvent accueillir (loger) tous les touristes qui viendront.*

Prendre garde, d'autre part, que le verbe **accommoder** n'a pas le sens de «rendre service à». On ne peut dire *je voudrais bien vous* [ACCOMMODER] au lieu de *je voudrais bien vous être utile* ou *agréable.* Ce sens prêté à **accommoder** est un autre anglicisme.

ACCOMPLIR — ACCOMPLISSEMENT — *Voir* **COMPLÈTEMENT — COMPLÉTER.**

ACCORDER — *Voir* **ALLOUER.**

ACCORDER (S'...) — *Voir* **ADONNER** *et* (**s'...**).

ACCOSTER — La plupart des dictionnaires continuent de considérer ce verbe comme transitif. Le *GRAND LAROUSSE DE LA LANGUE FRANÇAISE,* dont la publication est relativement récente, note cependant que l'écrivain MALRAUX, qu'il cite, a écrit *la chaloupe accoste au débarcadère de la gare* et il présente ce verbe comme transitif et intransitif. Pendant plusieurs années encore, règle générale, on continuera de dire *accoster le quai.*

ACCOTER — Issu d'un verbe latin populaire du Moyen Âge, dérivé d'un nom qui signifiait «coude», **accoter** a depuis sa formation au cours du XIIe siècle le sens d'«appuyer d'un côté»: *accoter sa tête contre le mur,* et il a acquis très tôt, en l'empruntant à l'ancien verbe **acoster**, celui de «soutenir ou empêcher de rouler à l'aide d'un morceau de bois ou, de nos jours, de métal»: *accoter des bouteilles.* Dans cette dernière acception, **accoter** est synonyme de **caler**. Par extension, il a pris dans le vocabulaire de la construction le sens d'«étayer»: *accoter une haute clôture* et, dans le vocabulaire de l'agriculture, celui d'«adosser une couche avec du fumier pour la préserver du froid».

Accoter n'a jamais eu les significations figurées d'«aider, seconder, soutenir moralement ou physiquement», d'«égaler, rivaliser, faire autant qu'un autre» et de «tenir tête à» qu'on lui prête au Canada. Il ne faut pas dire *ce candidat a beaucoup d'amis qui l'* [ACCOTENT], mais *ce candidat a beaucoup d'amis qui l'appuient* ou *sur l'appui desquels il peut compter.* Il ne faut pas dire *Jean n'est pas facile à* [ACCOTER] *dans une discussion,* mais *il n'est pas facile de tenir tête à Jean dans une discussion.* Il faut dire *s'il met mille dollars dans l'entreprise, je suis prêt à en mettre autant* et non *s'il est prêt à mettre mille dollars dans l'entreprise, je suis prêt à l'* [ACCOTER].

Le verbe pronominal **s'accoter** ne veut pas dire «s'appuyer sur» mais «s'appuyer contre» et, bien qu'il vienne d'un mot latin qui signifiait «coude», on ne peut l'employer à la place de **s'accouder**. Il ne faut pas dire *il s'* [ACCOTA] *sur la table et parut s'endormir* quand on veut dire *il s'accouda sur la table et parut s'endormir,* mais il est correct de dire *il chancela sous le coup et s'accota contre la table.*

Enfin, on doit se garder d'employer le participe passé **accoté** au sens de «qui vit en concubinage». Il ne faut pas dire *cet homme et cette femme sont* [ACCOTÉS] *depuis un an,* mais *cet homme et cette femme vivent ensemble depuis un an.*

ACCOUDER (S' ...) — *Voir* **ACCOTER.**

ACCROCHER — Au sens de «suspendre», le verbe **accrocher** ne se dit que des choses que l'on suspend à un crochet, à un clou, à un croc ou à un support fixe qui a plus ou moins la forme d'un croc. Il est correct de dire *accrocher son manteau (voir* **PARDESSUS**) *à une patère (voir ce mot),* mais il est fautif de dire [ACCROCHER] *son manteau à un cintre (voir ce mot).* On accroche à une patère le cintre auquel son manteau est suspendu.

Au sens d' «arrêter, aborder, interpeller, retenir par un bouton de son veston *(voir* **GILET**) quelqu'un dans la rue», **accrocher** ne se dit que dans le langage très familier et ce sont les verbes qui se suivent dans cette définition qu'il faut employer dans le langage parlé soigné et dans le langage écrit.

Le verbe pronominal **s'accrocher** n'a qu'un sens, celui de «se cramponner»: *le naufragé s'accrochait à la planche qu'on lui avait lancée,* c'est-à-dire qu'il tenait la planche aussi fortement que s'il l'avait retenue avec des crampons.

Au sens figuré, dans le langage familier, *s'accrocher à quelqu'un,* c'est se cramponner à quelqu'un, c'est-à-dire le poursuivre de demandes et compter sur lui comme on se cramponne à une chose dont on a absolument besoin.

S'accrocher et **se cramponner** sont des synonymes *(voir* **DISPENDIEUX**).

Des écrivains se servent du verbe dans sa forme pronominale pour dire que des choses sont retenues. MARTIN DU GARD a écrit, par exemple, en parlant de soldats, *paralysés par leurs fusils et leurs sacs qui s'accrochent au feuillage.*

ACCROIRE — Ce vieux verbe français ne s'emploie plus depuis le XVIIe siècle que dans l'expression *faire accroire,* qui signifie «faire croire ce qui n'existe pas en sachant que ce qu'on veut faire croire n'existe pas».

L'expression *s'en faire accroire* ne signifie pas qu'on se convainc de quelque chose qui peut être vrai ou faux, mais qu'on veut se prendre pour ce que l'on n'est pas. On ne dira pas: *si tu prends ton ami pour un génie,* [TU T'EN FAIS ACCROIRE] mais . . . *tu te trompes.* On dira correctement: *tu sais très bien que ton ami n'est pas un génie, tu veux m'en faire accroire.*

ACCRU — En termes de finance, l'adjectif **couru** a le sens d' «acquis par accumulation ininterrompue» et le verbe **courir** celui de «s'accumuler» en parlant des **intérêts**: *les intérêts courent.* Les **intérêts** composés à payer sur un capital **accru** de ses **intérêts** accumulés, s'augmentant d'une échéance à l'autre parce qu'ils ne sont pas payés, sont les **intérêts courus** sur ce capital.

L'expression **intérêts courus** se dit **accrued interest** en anglais et c'est commettre un anglicisme que de dire *intérêts* [ACCRUS] au lieu d'*intérêts courus,* même s'il est vrai qu'au sens général du verbe **accroître** les **intérêts** composés **s'accroissent** d'une échéance à l'autre (LÉON LORRAIN, *LES ÉTRANGERS DANS LA CITÉ*).

Pour parler français, il ne suffit pas d'employer un mot français sans en fausser le sens. Il faut employer le mot que le bon usage impose dans chaque cas particulier. Il est certain, par exemple, qu'un **flacon** est une sorte de bouteille au sens générique de ce mot, mais il faut appeler

{ **flacon** et non *bouteille* une «bouteille de verre à bouchon de verre ou de métal».

Voir **BOUCHON.**

ACCUMULATEUR — *Voir* **AUTOMOBILE** *et* **BATTERIE.**

ACCUSER — Le verbe **accuser** a deux sens généraux : celui de «tenir responsable d'un mal, d'une faute, d'un délit, d'un crime» et celui de «révéler, informer, montrer, indiquer (et, par extension, avouer: *accuser ses péchés* et faire ressortir: *accuser des ombres dans un tableau)*».

Au premier sens, le mot ne présente pas de difficultés. Il suffit de se rappeler qu'il est préférable d'en réserver l'emploi pour les personnes. *J'attribue aux mœurs modernes l'apparition de quelques maladies nouvelles* se dit beaucoup mieux que [J'ACCUSE] *les mœurs modernes d'avoir causé l'apparition de quelques maladies nouvelles,* même si, à travers les mœurs, c'est aux hommes modernes qu'on impute l'apparition de ces maladies. L'idée de responsabilité étant chevillée à celle de liberté, il ne convient guère de tenir des choses responsables de quoi que ce soit.

Au second sens, le mot a donné naissance à des expressions courantes dans la correspondance commerciale: *accuser réception* et *accusé de réception.* Certains enseignent qu'on ne doit pas écrire *je vous accuse réception*, mais cette tournure est correcte (ADOLPHE V. THOMAS, *DICTIONNAIRE DES DIFFICULTÉS DE LA LANGUE FRANÇAISE*). **Accuser** reste un verbe transitif dans *accuser réception de* et ce n'est pas fautif d'accuser réception à quelqu'un d'une lettre ou de marchandises.

On dit *cette femme accuse la trentaine* pour exprimer l'idée que son apparence «révèle», «indique» qu'elle a trente ans. Ce n'est ni favorable ni défavorable; c'est une simple constatation. Mais si une personne *accuse une défaite* ou *un insuccès*, elle l' «avoue», s'en «confesse». Les chroniqueurs financiers qui écrivent qu'*une société industrielle* [ACCUSE] *une perte à la fin d'une année financière* prêtent à cette entreprise une intention d'aveu que ses administrateurs n'ont nullement. Une compagnie ne confesse rien, elle n'avoue pas une perte. Mais son bilan l'indique: *un bilan accuse une perte ou un profit*, c'est-à-dire qu'il le montre et le met en relief.

«**ACHALER**» — Mot employé couramment au Canada dans les deux sens d' «écraser, accabler»: *une chaleur* [ACHALANTE] et de «contrarier, importuner, agacer, impatienter»: *tu m'* [ACHALES].

Si l'on s'en tenait au premier de ces sens, on serait porté à faire remonter [ACHALER] au mot de l'ancien français **achabler**, venu du normand, qui était une forme d'**accabler**, mais [ACHALER] existait tel quel dans quelques anciens parlers du Poitou et on le trouve encore dans ce qui reste du parler vendéen. Il vient du mot latin **calor**, comme *chaleur*, et signifiait «faire suer».

Le français n'a jamais adopté [ACHALER]. Le mot est donc à éviter, de même que ses dérivés [ACHALANT] et [ACHALAGE]. Employer plutôt les mots français **accabler, contrarier, importuner, agacer**, etc.

Voir «**BÂDRER**».

À CHARGE — Les mots **à charge** s'emploient adjectivement et sans complément, dans les vocabulaires administratif et juridique, seulement dans des expressions consacrées par l'usage. Une **personne à charge** est une «personne qui subsiste aux dépens de quelqu'un» (*voir* **DÉPENDANT**): *conjoint à charge*, *enfant à charge*, et un **témoin à charge** est un «témoin qui dépose contre un accusé». Par extension, on appelle **témoins à charge** l'ensemble des faits prouvés afin d'établir la culpabilité d'un accusé. Un témoin qui dépose en faveur d'un accusé est un **témoin à décharge**.

À charge de est une locution prépositive qui signifie «à la condition de»: *j'accepte votre offre à charge de revanche*, c'est-à-dire «à la condition de pouvoir vous rendre plus tard le même service».

Une **personne à charge** ne peut dire qu'elle est [À CHARGE DE] *quelqu'un*; elle doit dire qu'elle est *à la charge de quelqu'un*, c'est-à-dire qu'elle fait partie de ses obligations. Comme on rend un témoignage *à la décharge de quelqu'un*, c'est-à-dire en sa faveur *(voir* **EN FAVEUR DE**): *je dois dire à sa décharge qu'il a toujours manifesté de la bonne volonté.*

Voir **CHARGE — CHARGER.**

ACHAT — *Voir* **CENTRE.**

ACHETER — *Voir* **VENDRE.**

ACHÈVEMENT — *Voir* **COMPLÈTEMENT — COMPLÉTER.**

«**ACHIGAN**» — Il y a deux espèces d'**achigans** et ces deux espèces sont originaires de l'Amérique du Nord. Ce poisson porte au Canada un nom qu'il a reçu des Amérindiens (*voir ce mot*), mot algonquin qui signifie «celui qui se débat». Les Français de la Nouvelle-France qui firent cet emprunt à une langue étrangère pour désigner un poisson inconnu agirent normalement et le terme reste valable.

Les francophones d'Europe, où l'**achigan** n'a été acclimaté qu'à la fin du siècle dernier, n'ont aucun mot français pour désigner ce poisson. Ils le connaissent sous son nom anglais de **black-bass**. Il n'y a aucune raison pour qu'ils n'adoptent pas le canadianisme **achigan**.

Voir **POISSONS.**

ACOMPTE — En dépit du *HARRAP'S STANDARD FRENCH AND ENGLISH DICTIONARY*, il est fautif de dire *payer une somme* [EN ACOMPTE SUR ...] En français, *on paie un acompte sur une dette* ou *on paie une somme à compte sur une dette.*

Le substantif **acompte** signifie «somme versée pour payer partiellement une dette»: *payer un acompte de vingt-cinq dollars.* [PAYER UNE SOMME EN ACOMPTE SUR ...] ne peut vouloir dire que «payer une somme en somme versée pour payer partiellement une dette», ce qui n'a pas de sens.

La locution adverbiale **à compte sur** est synonyme de la locution **à valoir sur**. Les deux expressions signifient dans le langage commercial «pour diminuer» en parlant d'une somme due.

[PAYER UNE SOMME EN ACOMPTE SUR ...] au lieu de *payer une somme à compte sur* ou *payer une somme à valoir sur* n'est qu'une mauvaise traduction de l'anglais **to pay so much on account.**

Voir **DÉPÔT.**

ACOUSTIQUE — Mot féminin. Quand on parle de la qualité d'une salle de théâtre ou de concert au point de vue de la propagation du son, il faut dire *la salle a une bonne acoustique*, non *la salle a* [UN BON] *acoustique.*

ACQUITTER — *Voir* **PAYER.**

ACRE — Prendre garde que le mot **acre** est féminin: *un terrain d'une acre et demie.*

ACTE — ACTION — ACTIONNER — Les mots **acte** et **action** sont issus du verbe latin **agere**, d'où vient aussi le verbe **agir**. Le mot **action** a donné naissance au XVIe siècle au verbe **actionner**, qui signifie, dans le langage général, « mettre en mouvement »: *un ouvrier actionne une machine.* Dans le langage juridique (*voir* **LÉGAL**), **actionner** a le sens d'« intenter une action en justice contre »: *actionner son voisin.*

Le mot **acte** n'a fourni aucun verbe par dérivation. [ACTER] est une faute dont la naissance a sans aucun doute été favorisée au Canada par le fait que le verbe anglais **to act** a, entre autres, le sens de « jouer sur une scène, dans un spectacle ». Le verbe [ACTER] est inexistant en français.

Voir **FUSIONNER, PART** et **RÉACTEUR — RÉACTION.**

ACTE DE L'AMÉRIQUE DU NORD BRITANNIQUE — *Voir* **ADJECTIF (PLACE DE L'...).**

ACTES DE VIOLENCE CARACTÉRISÉS — *Voir* **ASSAUT.**

ACTIF — Le substantif **actif** est un terme collectif qui ne s'emploie pas au pluriel. Il désigne dans le langage commercial et financier « ce qu'on possède, ses biens », par opposition au **passif**, « ce qu'on doit, ses dettes ». L'anglais se sert de substantifs collectifs pluriels pour dire « ce qu'on possède » et « ce qu'on doit », les mots **assets** et **liabilities**. Ces deux termes sont cependant individuels au singulier: **asset** signifie « bien » et **liability** « dette ». Il est un peu surprenant de constater qu'on dise au Canada, sous l'influence de l'anglais, [LES ACTIFS] *de quelqu'un* au lieu de *l'actif de quelqu'un* ou *les biens de quelqu'un,* tandis qu'on s'exprime toujours correctement en parlant du **passif**. Quelle que soit l'explication de cette curiosité linguistique, il importe de retenir qu'**actif**, comme **passif**, est un collectif singulier. Il ne faut pas dire *ce marchand fera bientôt faillite parce que* [SES ACTIFS] *sont par trop inférieurs à son passif,* mais *ce marchand fera bientôt faillite parce que son actif* ou *ses biens sont par trop inférieurs à son passif* ou *à ses dettes.*

Voir **PART.**

ACTION — *Voir* **PART.**

ACTIVITÉ — Beaucoup de noms abstraits sont aussi employés comme noms concrets: *l'espoir, leurs espoirs; la vie, les vies humaines; la nouveauté,* *des nouveautés,* mais le bon usage résiste à ce qu'un nom abstrait prenne une acception concrète tant qu'une nouvelle nécessité d'expression ne l'impose pas.

Pour dire ce que l'anglais désigne par l'expression **the activities of a man (of a club, of an industry)**, il existe plusieurs mots français qui sont essentiellement concrets ou qui, au cours des siècles, ont pris un sens concret. On parlera des *affaires,* des *travaux,* des *œuvres,* des *actions* de quelqu'un et des *domaines, des branches* de l'activité d'une personne ou d'une société. On parlera aussi d'un **rapport d'activité** d'une société plutôt que de son [RAPPORT ANNUEL], calque d'**annual report.**

On peut, cependant, écrire **activité** au pluriel pour désigner ces domaines mêmes: *les travaux des hommes se partagent en plusieurs grandes activités* (art, commerce, enseignement, religion, etc.). Il reste préférable de n'employer le mot **activité** qu'au singulier: *l'activité de cette femme s'exerçait dans des milieux divers.* L'adjectif **actif** permet souvent d'éviter le nom. On dira: *cet homme d'affaires est très actif.* Ou encore: *ce commerçant est actif dans de nombreux domaines.* On peut aussi s'exprimer autrement: *cet homme s'occupe de nombreuses affaires.*

ACTUALITÉ — Voici un nom abstrait que le français moderne emploie aussi comme nom concret. Le cas est exemplaire. Le passage de l'abstrait au concret s'est opéré sous l'effet de la nécessité. Il n'existait pas de nom pour désigner l'«ensemble des événements les plus récents» auquel la presse donnait une importance nouvelle — le premier journal français, *LA GAZETTE DE FRANCE,* fut fondé en 1631 — et le nom concret **actualité** fit son apparition au début du XIXe siècle. Puis il fallut nommer un objet nouveau, les courtes bandes cinématographiques qui montrent les principaux faits de l'**actualité** et l'on créa le nom concret pluriel **actualités.**

Noter qu'on ne peut dire [UNE ACTUALITÉ] pour désigner un fait récent et que ce nom concret n'est employé au pluriel que dans le vocabulaire du cinéma. Les nouvelles diffusées par la radio et la télévision s'appellent *journal* ou *bulletin d'actualité* ou *d'information.*

ACTUELLEMENT — Se garder d'employer l'adverbe **actuellement**, qui signifie «maintenant, en ce moment, présentement», dans le sens que possède l'adverbe anglais **actually** de «réellement, de fait, effectivement». Ne pas dire, par exemple, *c'est ce qui se produit* [ACTUELLEMENT] quand on veut dire *c'est, de fait, ce qui se produit.*

ADAPTER — *Voir* **AJUSTAGE — AJUSTEMENT — AJUSTER — AJUSTEUR.**

ADDENDA — **Addenda** (prononcer *adinda*) est un mot latin qui signifiait «choses à ajouter». Il a gardé ce sens en français mais ne s'applique qu'à des choses écrites. Pluriel en latin, le mot est invariable en français: *un addenda, des addenda.*

Existe-t-il une différence de sens entre un **addenda**, une **annexe**, un **appendice** et un **supplément**? **Addenda** désigne tout ce qu'on ajoute à un texte pour le compléter: notes, explications, citations, indications historiques, etc. **Sup-**

plément désigne ce qui est devenu nécessaire pour mettre un ouvrage à jour ou en élargir la matière : supplément d'un dictionnaire, supplément d'un journal, etc. Un **appendice** s'ajoute à un ouvrage considérable. On parle d'**appendices** à propos d'ouvrages historiques, de manuels, de longs documents politiques ou économiques, etc. Une **annexe** s'ajoute à un document court : mémoire, contrat, dissertation, etc.

Voir **CÉDULE.**

ADDITION — On appelle **addition** un compte à acquitter dans un restaurant, un café, n'importe quelle salle publique où l'on mange ou prend des boissons (*voir* **BREUVAGE**). Le total de ce qu'on doit pour ce qu'on a mangé ou bu est l'**addition.**

On appelle **note** un compte à acquitter dans un hôtel. Au moment de sortir de table après un repas pris au restaurant de l'hôtel où il séjourne, un touriste s'exprime correctement s'il dit au garçon ou à la serveuse qui lui présente l'**addition :** *veuillez faire porter cette addition sur ma note.*

Se garder de dire *facture* au lieu d'**addition** ou de **note**. Le mot **facture** ne doit s'employer qu'à propos de marchandises ou de services, non à propos de consommations (*voir ce mot*), de repas ou d'un logis (*voir* **LOGEMENT — LOGIS**) loué dans un hôtel. L'emploi de **facture** au lieu d'**addition** ou de **note** au Canada s'explique par le fait que le même mot anglais **bill** traduit les trois termes français. Au lieu de *ce client est parti sans payer la* [FACTURE], une serveuse ou un garçon *(voir ce mot)* doit dire *ce client est parti sans payer l'addition.*

Voir **EXTENSION.**

ADDITIONNEL — L'adjectif **additionnel** se dit des choses, non des personnes. On parlera *d'employés supplémentaires, de fonctionnaires surnuméraires, d'un personnel complémentaire.* Même en parlant des choses, on emploie de plus en plus ces trois adjectifs de préférence à **additionnel.**

Voir **EXTRA.**

ADÉQUAT — Cet adjectif appartient aux vocabulaires de la philosophie et de la grammaire. Il signifie « complet, équivalent, synonyme » : *avoir une idée adéquate d'une chose, des expressions adéquates.*

Se garder d'employer ce mot en lui prêtant d'autres acceptions que l'anglais donne à son adjectif **adequate** : « raisonnable », par exemple, ou « suffisant ».

Le français moderne permet l'emploi de l'adjectif **adéquat** au sens de « parfaitement approprié » dans le langage des affaires : *une offre adéquate à la demande,* mais il faut alors indiquer ce à quoi le sujet est **adéquat.** On ne peut dire tout court *une offre* [ADÉQUATE].

Il reste préférable de s'abstenir d'employer l'adjectif **adéquat** dans d'autres terminologies que celles de la philosophie et de la grammaire. Il existe de nombreux adjectifs pour rendre les mêmes idées en français : **conforme à, tout à fait approprié, égal, équivalent, satisfaisant**, etc.

Les mêmes observations s'appliquent à l'adverbe **adéquatement.**

ADJECTIF (PLACE DE L'...) — Le français définit avant de qualifier.

On dira, par exemple, en parlant de Radio-Canada, *la société de radiodiffusion — télévision canadienne* de préférence à *la société canadienne de radiodiffusion — télévision.*

Voici un exemple frappant: il faut dire l'*Acte de l'Amérique du Nord britannique* et non l'[ACTE DE L'AMÉRIQUE BRITANNIQUE DU NORD]. Il n'y a pas une Amérique britannique du Nord et une Amérique britannique du Sud, mais il y a eu une Amérique du Nord britannique (le Canada jusqu'au statut *(voir* **STATUT — STATUTAIRE**) de Westminster signé en 1931) alors qu'il y avait une Amérique du Nord non britannique (les États-Unis d'Amérique et le Mexique).

ADJOINT — Nom ou adjectif, **adjoint** exprime toujours une idée d'aide permanente: *les adjoints aux directeurs, les directeurs adjoints.* **Assistant**, au contraire, exprime une idée d'aide occasionnelle: *chirurgien assistant* (pour une opération), *professeur assistant* (pour une certaine période de temps). Se garder de copier servilement l'anglais en disant [ASSISTANT PROFESSEUR].

C'est abusivement qu'on emploie **assistant** au lieu d'**adjoint** pour désigner une «personne associée à une autre pour l'aider dans ses fonctions de façon permanente». Une personne adjointe à une autre pour l'aider temporairement est une **assistante**. L'expression *assistante sociale* est une exception à cette règle.

Le verbe **adjoindre**, cependant, s'emploie également dans les cas d'aide permanente et dans les cas d'aide occasionnelle; il signifie simplement «associer».

L'adjectif anglais **assistant** signifie «adjoint» et «assistant». De là vient qu'on dise *assistant* pour **ADJOINT**.

ADMINISTRATEUR — *Voir* **DIRECTEUR.**

ADMINISTRATION — Ce mot a plusieurs sens: «action d'administrer», «manière d'administrer», «service public (l'*Administration de la Voie maritime du Saint-Laurent)*». Il n'a pas celui de «gouvernement» que l'anglais a donné à son mot **administration.**

On commet un anglicisme quand on dit, par exemple, que *c'est à l'*[ADMINISTRATION] *Duplessis* ou *à l'*[ADMINISTRATION] *Lesage qu'il faut attribuer le mérite (voir* **CRÉDIT**) *de telle ou telle œuvre.* On s'exprime correctement en employant le mot **gouvernement** *(voir ce mot).*

Par **Administration**, on désigne aussi les membres de la fonction publique.

ADMISSIBLE — *Voir* **ÉLIGIBLE.**

ADMISSION — Employer **admission** au sens de «possibilité d'entrer», de «droit d'entrer dans un endroit en une occasion particulière» ou de «fait d'entrer ou d'être entré dans un lieu», c'est commettre un anglicisme. **Admission** exprime l'idée de «possibilité, droit d'accès permanent», non occasionnel. *On admet un élève à une école,* c'est-à-dire qu'il aura la possibilité de la fréquenter. Quand *on admet quelqu'un à sa table,* c'est qu'il y sera le bienvenu chaque fois qu'il s'y trouvera. On dira correctement: *l'admission à ce cercle littéraire est un honneur.* Mais c'est une faute d'écrire *l'*[ADMISSION] *à ce spectacle est gratuite.* Il faut dire *l'entrée est gratuite.* On n'écrira pas à la porte d'une salle [ADMISSION INTERDITE], mais *accès interdit* ou *défense d'entrer.* Il ne faut pas dire *on a compté cent mille* [ADMISSIONS] *pour ce spectacle en une semaine,* mais *on a compté cent mille entrées.*

Outre le sens de «droit d'accès permanent», **admission** a aussi celui de «droit de participer»: *les conditions d'admission à un concours.*

Les fautes commises dans l'emploi d'**admission** sont des anglicismes. Le terme anglais **admission** traduit les trois mots **accès, admission** et **entrée.**

Voir **FRANCHISE.**

ADOLESCENT — Le mot anglais **teen-ager** se traduit par **adolescent.**

ADONNER et **(S'...)** — On pourrait écrire un long article sur les avatars du mot **adonner**, vieux vocable qui existait dans l'ancien français dès le XIIe siècle. C'est un dérivé du verbe *donner.* Il s'employa d'abord transitivement et pronominalement. Verbe transitif, il signifiait «livrer, remettre, consacrer»: *adonner un manuscrit à quelqu'un, adonner du temps à quelque chose,* et il a gardé ce sens jusqu'au XVIe siècle. Il eut vers le XIVe siècle un emploi intransitif au sens de «se livrer»: *il adonnait à la philosophie.* Verbe réfléchi ou pronominal, sa première signification, semble-t-il, fut «se diriger vers»: *une route s'adonnait au château.*

Adonner cessa d'être un verbe transitif vers le XVIIe siècle en même temps qu'il commençait à s'employer intransitivement dans le vocabulaire de la marine au sens de, en parlant du vent, «devenir favorable», c'est-à-dire «donner, souffler sur l'arrière du navire dans la bonne direction»: *le vent, qui était contraire, adonna ce matin-là.* Les marins français emploient encore **adonner** dans ce sens.

Il semble évident que c'est par le vocabulaire maritime, dont l'influence, on le sait, a été profonde sur le langage au Canada *(voir* **EMBARQUER**), que le verbe intransitif **adonner** s'y est introduit: c'est à partir de l'idée de hasard comprise dans le mot des marins qu'il a pris les significations dans lesquelles il y est employé depuis trois siècles. Ces acceptions sont patoises. En voici quelques-unes: «être par hasard approprié à», *ce chapeau vous* [ADONNE] au lieu de *vous va bien;* «s'adapter par hasard», *les extrémités des deux morceaux d'étoffe* [ADONNAIENT] *bien* au lieu de *s'adaptaient bien;* «être fortuitement à propos, favorable», *nous irons vous voir quand les circonstances* [ADONNERONT] au lieu de *s'y prêteront* et *je passerai par là si ça* [ADONNE] au lieu de *si ça m'accommode, si c'est pratique.*

Le verbe pronominal **s'adonner** est aussi employé au Canada à des sens qui ne sont pas français en parlant des personnes et des choses: «se trouver par hasard», *ça* [S'EST ADONNÉ] *ainsi* au lieu de *c'est arrivé ainsi par hasard, je* [M'ADONNAIS] *à passer devant chez vous* au lieu de *je passais par hasard devant chez vous;* «se présenter par hasard d'une certaine manière», *vous* [VOUS ADONNEZ] *mal* au lieu de *vous arrivez à un mauvais moment, sa proposition*

[S'ADONNAIT] *bien* au lieu de *sa proposition arrivait au bon moment, à un moment favorable, opportunément;* «s'accorder», *je* [M'ADONNE] *bien avec ce camarade de travail* au lieu de *je m'entends bien, je m'accorde bien,* etc.

S'adonner eut au XVIe siècle le sens de «se présenter de façon favorable» (F. GODEFROY, *DICTIONNAIRE DE L'ANCIENNE LANGUE FRANÇAISE): si le temps s'adonne,* mais pas celui de se présenter de n'importe quelle manière. On ne disait pas [S'ADONNER MAL]. Et cette acception, aujourd'hui, aurait un sens vieilli.

Se rappeler que le verbe pronominal **s'adonner** n'a pas d'autre signification moderne que celle de «s'appliquer de façon marquée, se consacrer, se livrer de façon habituelle»: *s'adonner à la musique, s'adonner aux oeuvres de bienfaisance, s'adonner à la politique, au commerce.*

Quant au vocable [ADON] employé pour dire «coïncidence, hasard, chance»: *c'est un* [ADON] *si je me trouvais là,* le mot n'a jamais existé en français.

ADRESSE — *Voir* **ANGLICISME** *et* **CORRESPONDANCE.**

ADRESSER — Dire **adresser** au lieu de *prendre la parole devant* (on prend la parole pour dire quelques mots, pour faire une allocution) ou *prononcer un discours devant,* c'est commettre un anglicisme. C'est là un sens du verbe anglais **to address** que le verbe français **adresser** n'a jamais eu. Il ne faut pas dire *le président a* [ADRESSÉ] *l'assemblée au début de la réunion,* mais *le président a prononcé une allocution au début de la réunion.*

Adresser exprime l'idée générale de «diriger vers, destiner à», d'où vient qu'*on adresse la parole à quelqu'un,* c'est-à-dire qu'on lui parle, mais il faut prendre garde que l'expression *adresser la parole* se dit à propos de personnes plutôt qu'à propos de groupes de personnes. *On adresse la parole* à une ou à quelques personnes qu'on rencontre dans la rue et *on prend la parole* ou *on prononce un discours* devant une assemblée.

Voir **RÉFÉRER.**

AÉRODROME — Aérodrome, aérogare et **aéroport** ne sont pas synonymes. Tout terrain aménagé pour l'envol et l'atterrissage des avions est un **aérodrome**, quelle que soit l'importance de ses installations. Un **aéroport** est un «ensemble d'installations et de services à la disposition des lignes aériennes de transport»: *l'aéroport de Mirabel comprend un service d'autocars (voir* **AUTOBUS — AUTOCAR** *) et de taxis pour le transport des voyageurs depuis les grands hôtels du centre de la ville jusqu'à l'aérogare* ou encore *l'aéroport de Dorval comprend, outre les pistes et l'aérogare, de vastes hangars pour l'entretien et la réparation des avions.*

L'**aérogare,** dans un **aéroport**, est l'«ensemble des bâtiments réservés aux voyageurs» et une **aérogare** ne se trouve pas nécessairement à un **aérodrome.**

AÉROGARE — Se garder de dire [ARÉOGARE].

Voir **AÉRODROME** et **TERMINUS.**

AÉROPORT — Se garder de commettre la faute [ARÉOPORT].

Voir **AÉRODROME.**

AFFAIRE — Au Canada, on emploie abusivement le mot **affaire** dans le langage familier comme synonyme de **chose**, d'**article**, d'**objet:** *as-tu vu la belle* [AFFAIRE] *dans la vitrine?* et *la table était couverte de belles* [AFFAIRES] au lieu d'*as-tu vu le bel article dans la vitrine?* et de *la table était couverte de belles choses.*

Le mot **affaire** peut s'employer dans le langage familier au sens d'**objet**, mais au pluriel seulement et seulement pour désigner un «ensemble d'objets usuels personnels»: *on range ses affaires, il met ses affaires en ordre dans ses placards (voir* **ARMOIRE**) et *elle est partie en voyage avec toutes ses affaires.* Il est fautif de dire, par exemple, *le comptoir des jouets était chargé de belles* [AFFAIRES], parce que ces objets sont des **articles** de commerce offerts aux clients et non des objets appartenant à quelqu'un pour son usage personnel, mais on dira correctement d'un enfant qui prend bien soin de ses jouets: *il ne laisse pas n'importe qui toucher à ses affaires.*

Il faut distinguer **faire des affaires** (du commerce) et **faire affaire, avoir affaire** et **avoir à faire** *(avoir quelque chose à faire)* et c'est **mon affaire** *(cela me regarde).*

AFFAIRES — *Voir* **OUVERTURE.**

AFFECTATION — *Voir* **ASSIGNATION — ASSIGNER.**

AFFECTER — Au sens de «produire un effet sur», le verbe **affecter** ne s'emploie qu'en parlant de l'organisme et de la sensibilité. Pour l'organisme, **affecter** comporte le plus souvent l'idée d'effet nuisible: *l'usage prolongé de stimulants peut affecter le cœur.* Pour la sensibilité, il signifie «produire un effet pénible sur»: dire de quelqu'un que *la mort d'un ami l'affecte beaucoup,* c'est dire qu'il en est très **ému**, très **affligé.**

On commet un anglicisme chaque fois qu'on emploie le verbe **affecter** à propos d'autres choses que l'organisme et la sensibilité dans l'un ou l'autre des sens suivants: «concerner, influer sur, porter atteinte à, nuire à», qui sont autant d'acceptions générales du verbe anglais **to affect.** Il ne faut pas dire *la direction de l'entreprise a pris une décision qui* [AFFECTE] *la plupart des employés,* mais... *une décision qui concerne la plupart des employés.* Il ne faut pas dire *la sécheresse* [AFFECTERA] *les prix de toutes les céréales,* mais... *influera sur les prix...* Il ne faut pas demander *le nouveau règlement municipal* [AFFECTERA]-*t-il votre commerce?* au lieu de... *nuira-t-il à votre commerce?* ou *en quoi cela vous* [AFFECTE]-*t-il?* au lieu d'*en quoi cela vous intéresse-t-il?*

Se garder d'employer le verbe **affecter** au lieu de **concerner, influer sur, intéresser, nuire à**, etc.

Voir **ASSIGNATION — ASSIGNER.**

AFFIDAVIT — **Affidavit**, d'origine latine, est venu au français par l'intermédiaire de l'anglais et le français l'utilise dans une acception particulière. Un **affidavit** est une «déclaration signée par un étranger, détenteur de valeurs mobilières d'un pays étranger, qui demande d'être affranchi de l'impôt dont ces valeurs seraient frappées dans le pays où il séjourne parce qu'elles sont déjà soumises à un impôt dans leur pays d'origine». C'est le seul sens du mot français **affidavit.**

Au Canada, on l'emploie abusivement dans la plupart des acceptions du mot anglais **affidavit** et, particulièrement, dans celle de «déclaration par écrit et sous serment»: *deux* [AFFIDAVITS] *ont motivé l'arrestation de cet homme accusé de chantage.* Il faut dire *les déclarations sous serment (voir* **ASSERMENTER**) *de deux personnes ont motivé l'arrestation...*

AFFILER — AFFILOIR — *Voir* **AIGUISER — AIGUISEUR — AIGUISOIR.**

AFFIRMATIVE — AFFIRMATIVEMENT — Les substantifs **affirmative** et **négative** signifient «proposition dans laquelle on affirme» et «proposition dans laquelle on nie»: *doit-on sévir dans ce cas? Je soutiens l'affirmative même si la négative ne manque pas de force.* Par extension, *affirmative* et *négative* désignent l'attitude, la position, le parti adopté par les tenants de l'**affirmative** ou de la **négative**: *persister dans l'affirmative* et *se tenir sur la négative.*

On dit aussi *dans l'affirmative* au sens de «dans le cas de l'affirmative» à la suite d'une question: *vous reste-t-il un exemplaire de cet ouvrage? Dans l'affirmative, veuillez m'en faire la livraison contre remboursement.* L'usage général est, cependant, de dire *si tel est le cas* plutôt que *dans l'affirmative.* L'anglais a fait des expressions **in the affirmative** et **in the negative** des locutions adverbiales qui signifient «affirmativement» et «négativement» après le verbe **to answer** (répondre), mais on ne peut dire en français *répondre* [DANS L'AFFIRMATIVE] ou [DANS LA NÉGATIVE] au lieu de *répondre affirmativement* ou *négativement.* On peut, toutefois, *répondre par l'affirmative* ou *par la négative,* c'est-à-dire par la proposition affirmative ou par la proposition négative que la question posée exige.

AFFLIGER — *Voir* **AFFECTER.**

AFFRÉTER — *Voir* **NOLISER.**

AFFRONT — *Voir* **OFFENSE.**

AFFÛTER — *Voir* **AIGUISER — AIGUISEUR — AIGUISOIR.**

AGACER — *Voir* «**ACHALER**» *et* «**BÂDRER**».

AGACERIE — **Agacerie** ne se dit plus guère dans le sens de «taquinerie» *(voir* **TAQUIN — TAQUINERIE**). On l'emploie au pluriel: *faire des agaceries,* au sens de « manège provocant pour retenir l'attention» dans le flirt et les relations mondaines.

«Faire des agaces» est du langage populaire.

AGENDA — Le mot anglais **agenda** est invariable. Il signifie «programme, ordre du jour». Le mot français **agenda** (prononcer *aginda*) prend un *s* au pluriel. Il n'a pas le sens du mot anglais. *Préparer l'*[AGENDA] *d'une assemblée* est un anglicisme. Il faut dire *préparer le programme, préparer l'ordre du jour.*

Le mot français **agenda** n'a qu'une signification: il désigne un «petit carnet ou petit livret de poche ou de bureau *(voir* **CARTON — CARTOUCHE**) dans lequel on écrit ce qu'on doit faire au jour le jour» : *avez-vous noté ce rendez-vous dans votre agenda?*

Les pages d'un **agenda** étant divisées d'après le calendrier, on dira correctement *certaines personnes tiennent le journal de leur vie dans de petits agendas.*

AGENT DE RECOUVREMENT — *Voir* **COLLECTER — COLLECTEUR — COLLECTION.**

AGGLOMÉRATION — Une ville et sa banlieue *(voir ce mot)* forment une **agglomération** urbaine. L'expression anglaise **the greater Montreal**, par exemple, doit se traduire par l'*agglomération montréalaise.* Il n'y a pas un petit Montréal et un grand Montréal. Il y a une grande ville et, autour d'elle un certain nombre de municipalités qui, bien qu'indépendantes d'elle administrativement, forment avec elle un tout social et économique: certaines de ces localités sont des quartiers résidentiels et d'autres, des quartiers industriels; c'est l'**agglomération.**

Voir **COMMUNAL — COMMUNE, DISTRICT** et **MÉTROPOLE — MÉTROPOLITAIN.**

AGIR — *Voir* **ACTE — ACTION — ACTIONNER.**

AGRAFE — AGRAFEUSE — *Voir* **BROCHE.**

AGRÉÉ — *Voir* **AUDITEUR.**

AGRÉER — Accueillir avec faveur: agréer la demande de quelqu'un. Ce verbe s'emploie en parlant de choses pour dire «recevoir favorablement» et «approuver»: *agréer des excuses, veuillez agréer l'expression de mes sentiments distingués (voir* **CORRESPONDANCE**) et *médicaments agréés* par l'État canadien.

Dans le *GRAND LAROUSSE ENCYCLOPÉDIQUE* il est précisé qu'agréer quelque chose, c'est lui donner son agrément, déclarer cela conforme à certaines dispositions légales: *agréer le projet d'un traité.* On ajoute qu'en ce qui concerne les personnes, agréer quelqu'un c'est le reconnaître officiellement dans une fonction en parlant d'une autorité. Enfin, le *G.L.E.* signale qu'**être agréé**, c'est être investi par une autorité d'une sorte de caractère officiel dans sa fonction: *huissier, comptable agréé.* Cependant, l'expression [**COMPTABLE AGRÉÉ**] employée au Canada pour désigner un **expert-comptable** est discutable. L'agréé en comptabilité au Canada est plus que cela, c'est un expert. On a voulu donner aux **experts-comptables** un titre en deux mots dont les premières lettres seraient les mêmes que celles des deux mots du titre anglais **chartered accountant**. Il existe en fait au Canada un *Ordre des comptables agréés* et une association appelée *Corporation professionnelle des comptables généraux licenciés du Québec* qui regroupent des membres qui sont plutôt des **experts-comptables.**

Agréer est également l'équivalent de l'anglais **to register**. Dans le *RÉPERTOIRE DES AVIS LINGUISTIQUES ET TERMINOLOGIQUES* (mai 1979-1981) de l'OFFICE DE LA LANGUE FRANÇAISE, on donne la définition d'un **régime de retraite agréé**, **registered pension plan**. Il s'agit d'un *régime de retraite ayant reçu d'un organisme d'État l'autorisation d'existence et de fonctionnement.*

[PLAN DE PENSION ENREGISTRÉ] est un calque inacceptable. À retenir également: **droit d'agrément**, **registration fee**, et **retrait d'agrément**, **withdrawal of registration**, dans le domaine des rentes.

AGRÈS — Le mot **agrès** a été introduit en France au XIIe siècle sous les deux formes d'**agroi** et d'**agrei**. Le mot scandinave qui lui a donné naissance signifiait «attirail» et **agrès** eut jusqu'au XVe siècle le sens général d'«équipement».

On l'emploie encore dans cette acception au Canada. On dit, par exemple, *l'*[AGRÈS] *d'une maison* pour désigner le mobilier, *un bel* [AGRÈS] *agricole* pour désigner un ensemble d'instruments aratoires ou d'accessoires pour une exploitation agricole et *un* [AGRÈS] *de pêche* pour désigner un **attirail** de pêche, c'est-à-dire un «ensemble d'objets nécessaires» à la pêche.

On commet ainsi deux fautes. En premier lieu, une faute de sens, car **agrès** est devenu un terme de marine au XVe siècle, sa signification étant restreinte à l'équipement des navires à voile. **Agrès** et **gréement** sont synonymes. **Agrès** est pluriel et désigne l'ensemble des objets que comporte la mâture d'un navire, non l'un ou l'autre de ces objets pris séparément. On ne peut pas dire qu'*un cordage est* [UN AGRÈS], mais *les cordages font partie des agrès.*

Le français contemporain a étendu le sens d'**agrès** à un champ d'activité particulier: **agrès** désigne aussi de nos jours l'«ensemble des appareils de culture physique»: *les agrès de gymnastique comprennent tous les accessoires pour l'athlétisme (voir* **ATHLÈTE — ATHLÉTISME***), les haltères, les barres à disques, les disques, etc.*

Il est difficile de déterminer si c'est sous l'influence du vocabulaire de la mer que l'on appelle, par exemple, [AGRÈS] *de pêche* les objets qui composent un attirail de pêche ou si l'on se trouve en présence d'un véritable archaïsme, car on peut supposer que le mot **agrès** a conservé son premier sens large dans certaines régions de la France bien après sa spécialisation. Quoi qu'il en soit, on commet un contresens chaque fois que l'on emploie **agrès** à propos d'autres choses que le **gréement** et la gymnastique.

AGRESSIF — AGRESSIVITÉ — Ce n'est pas à l'éloge d'un représentant de commerce qu'on dise de lui *voilà un garçon agressif,* car l'agressivité est une disposition fâcheuse à l'égard des gens. *Un garçon agressif* est un homme qui ne peut s'empêcher de provoquer, d'attaquer ses interlocuteurs, qui fait naître des querelles partout. Bien entendu, il arrive que quelqu'un adopte dans un cas particulier la manière de se conduire habituelle du *garçon agressif.* On dira alors que cette personne *se montre agressive,* mais on ne dira pas d'elle qu'elle *est une personne agressive.*

Aborder les gens avec une assurance sympathique, ne jamais hésiter à tenter de persuader un interlocuteur hostile et chercher infatigablement à profiter de toutes les possibilités, c'est presque le contraire de l'**agressivité**. C'est travailler avec entrain et avec énergie.

L'anglais qualifie d'**aggressive** les personnes qui ont ce comportement. Employer le mot **agressif** dans ce sens, c'est commettre un anglicisme. On dira bien *voilà un garçon très actif, voilà un travailleur énergique, c'est un garçon* *qui travaille avec entrain* ou encore, *c'est un garçon dynamique.* Les adjectifs **dynamique** et **entreprenant** expriment le plus souvent ce que l'on veut dire.

AGRESSION — *Voir* **ASSAUT.**

AGRUMES — Nom pluriel qui désigne collectivement le citron, l'orange et les fruits analogues: *la mandarine et le grape-fruit sont des agrumes.* **Agrumes** traduit le terme anglais **citrus fruits.** Tandis que celui-ci se dit au singulier et au pluriel, **agrumes** n'a pas de singulier. On ne peut dire *l'orange est un* [AGRUME]. Il faut dire *l'orange est l'un des agrumes.*

AIDE-INFIRMIER — *Voir* **GARDE-MALADE.**

AIDE-SERVEUR — *Voir* **GARÇON.**

AIGLEFIN — *Voir* **POISSONS.**

AIGUISER — AIGUISEUR — AIGUISOIR — Un **aiguiseur** est un «ouvrier qui **aiguise**, c'est-à-dire qui rend des outils, des instruments aigus, pointus ou tranchants»: on **aiguise** un couteau, un poinçon *(voir* **PIC**), etc. **Aiguiser** une pointe se dit aussi **appointer.** L'outil dont on se sert pour **aiguiser** s'appelle **aiguisoir.**

Affûter, c'est «réparer une pointe de métal ou un tranchant émoussé»: *affûter des couteaux sur une meule d'émeri* ou *à l'aide d'un aiguisoir à affûter.*

L'**aiguisoir** de table ou de cuisine s'appelle **affiloir. Affiler** ne se dit pas des pointes, mais des tranchants seulement: *affiler une lame de rasoir.*

La baguette de fer ou d'acier dont on se sert pour rendre plus tranchante la lame de couteaux est un **fusil** à **aiguiser** les couteaux.

Il est fautif de dire [AFFILER] *un crayon.* On acceptait naguère *aiguiser un crayon.* Cela ne se dit plus. Quand on **appointe** un crayon, on modifie en même temps sa forme: on **taille** un crayon et l'outil dont on se sert pour le faire est un **taille-crayon**: *il n'y a plus un seul crayon pointu dans la classe parce que le taille-crayon fonctionne mal.* Dire [AIGUISEUR] ou [AIGUISOIR] au lieu de **taille-crayon**, est fautif.

AÎNÉ — *Voir* **SENIOR.**

AINSI — *Voir* **DE MÊME.**

AIR — *Voir* **CONDITIONNÉ — CONDITIONNEMENT — CONDITIONNER — CONDITIONNEUR.**

AIRELLE — *Voir* **BLEUET** *et* **CANNEBERGE.**

AJUSTAGE — AJUSTEMENT — AJUSTER — AJUSTEUR — Ajustage est un terme technique qui ne s'emploie que dans le vocabulaire de la mécanique, où il signifie «action d'usiner ou de finir à la main des pièces mécaniques déjà dégrossies afin d'en assurer l'assemblage précis dans une machine», et dans celui du monnayage, où il veut dire «action de donner à une pièce de monnaie son poids légal».

Le substantif **ajusteur** ne se dit que d'un ouvrier qui fait de l'**ajustage**, c'est-à-dire d'un ouvrier qui retouche des pièces mécaniques afin qu'une machine fonctionne parfaitement ou d'un ouvrier qui veille à ce que les lames à découper une monnaie soient mises de façon à donner l'épaisseur voulue. Tout autre sens prêté au mot **ajusteur** (*voir* **ASSURANCE**) est incorrect.

Le verbe **ajuster** signifie de façon générale «adapter avec soin»: *ajuster la poignée à un parapluie, ajuster l'embout à une canne, robe ajustée, tentures bien ajustées, ajuster le châssis (voir ce mot) d'une fenêtre, ajuster les pièces d'une machine,* etc. **Ajuster** a aussi le sens de «rendre conforme à une norme, à une mesure, à un idéal»: *ajuster un pèse-bébés (voir* **BALANCE***), ajuster sa pensée,* etc. Mais **ajuster** n'a pas les sens de «réparer» et de «corriger, redresser» non plus que celui de «résoudre, terminer» qu'expriment les verbes **arranger** et **régler**. S'il est correct de dire *ma montre retarde, je la ferai ajuster,* ce ne l'est pas de dire *ma montre est cassée, je la ferai* [AJUSTER] au lieu de *je la ferai réparer.* Il ne faut pas dire [AJUSTER] *le compte d'un client,* mais *corriger* ou *redresser le compte d'un client.* Il ne faut pas dire [AJUSTER] *un différend, une affaire,* mais *régler* ou *arranger un différend, une affaire.*

Régler a acquis le sens d'«amener au moyen de manettes un appareil électrique à fonctionner de telle ou telle manière avec plus ou moins de force, de vitesse ou d'intensité». Se garder d'employer le verbe **ajuster** dans ce sens. Il ne faut pas dire [AJUSTER] *la tonalité d'un électrophone (voir* **PHONOGRAPHE**), mais *régler la tonalité.* L'action de **régler** un appareil se dit **réglage**: *le réglage des téléviseurs perfectionnés se fait à distance.*

Enfin, **ajuster** ne s'emploie qu'en parlant des choses. Pour les personnes, on dit **adapter**. Il ne faut pas dire *cette personne* [S'AJUSTE] *bien à son nouveau milieu,* mais *cette personne s'adapte bien à son nouveau milieu.*

Tous les emplois fautifs d'**ajuster** indiqués ci-dessus sont des anglicismes. Ils s'expliquent par le fait que le verbe anglais **to adjust** a toutes ces acceptions que ne possède pas le verbe français.

L'**ajustement** est l'action d'**ajuster** aux deux sens généraux du verbe. Il ne faut pas dire *l'*[AJUSTAGE] *d'un vêtement,* mais *l'ajustement d'un vêtement.* Au lieu de *l'*[AJUSTAGE] *d'une montre,* il faut dire *l'ajustement d'une montre.* Et au lieu de *l'*[AJUSTAGE] ou *l'*[AJUSTEMENT] *d'une affaire,* il faut dire *le règlement d'une affaire.*

À LA SUITE DE — *Voir* **SUITE À**.

ALBUM — Le mot anglais **scrap-book** n'est pas francisé. Il faut dire **album de coupures**. Est un **album** tout assemblage de feuilles de papier broché ou relié où sont réunis des textes ou des images, des coupures *(voir* **DÉCOUPAGE —DÉCOUPURE**) de journaux et d'autres publications, des photographies, des timbres, des listes d'objets illustrées, etc.: *album-tarif d'une maison de commerce, album de photographies (voir* **PORTRAIT***) de famille* et, par extension, un objet ressemblant à un cahier, s'ouvrant comme un livre, où au moins deux choses semblables sont réunies: *un album de disques.*

On ne peut appeler **album** une **pochette** en carton ou une enveloppe dans laquelle il n'y a qu'un disque *(voir* **RECORD**). Il ne faut pas dire *il y a une photographie du chef d'orchestre sur l'*[ALBUM] *de ce disque,* mais... *sur la pochette de ce disque* et il est correct de dire *ces trois disques de jazz sont présentés dans un album magnifique.*

ALCOOL — ALCOOLIQUE — Alcool ne se prononce pas [ALCO-OL] mais *al-col (o* ouvert), comme s'il n'y avait qu'un *o.* Il ne faut pas dire d'un homme qu'il est [ALCO-O-LIQUE]. Le mot se prononce *alcolique.* Une boisson est peu ou très *al-co-lisée.* [ALCO-OL], [ACO-O-LIQUE] et [ALCO-O-LISÉ] sont des anglicismes de prononciation.

Voir **BREUVAGE** *et* **LIQUEUR.**

ALCOOTEST — Appareil servant à mesurer le degré d'alcool dans le sang. [IVRES-SOMÈTRE] est à proscrire en tant que calque de l'anglais populaire **drunkometer.**

À L'ÉPREUVE DE — *Voir* **ÉPREUVE.**

ALIMENT — *Voir* **MOULÉE.**

ALKÉKENGE — *Voir* **COQUERELLE — COQUERET.**

ALLÈGE — Le mot **allège** est un nom féminin dérivé du verbe **alléger** qui ne s'emploie que dans deux vocabulaires techniques. Dans celui de la construction, il désigne le mur bas qui se trouve sous l'embrasure d'une fenêtre. C'est abusivement qu'on lui donne au Canada le sens d'**appui de fenêtre** : *j'aurai une boîte de fleurs sur l'*[ALLÈGE] *de la fenêtre* au lieu de *j'aurai des fleurs sur l'appui de la fenêtre.* Dans le vocabulaire maritime, une **allège** est une embarcation qui sert au chargement et au déchargement des navires trop grands pour approcher de terre dans un port.

Au XVIIIe siècle, les marins français empruntèrent au néerlandais le mot **leeg**, qui signifie « vide », pour en faire l'adjectif **lège** employé en parlant des bateaux au sens de « sans cargaison, sans chargement » : *les cargos naviguaient lèges.* On confondit aussitôt en Nouvelle-France le nom **allège** et l'adjectif **lège.** On disait vers 1750 *un canot* [ALLÈGE] au lieu d'*un canot lège.* On a continué de commettre cette faute en l'aggravant, c'est-à-dire qu'on emploie aujourd'hui l'adjectif [ALLÈGE], inexistant en français, en parlant des véhicules terrestres : *le camion fera le voyage de retour* [ALLÈGE] au lieu de *le camion fera le voyage de retour à vide.*

À retenir : le mot **allège** n'est pas un adjectif et l'adjectif **lège** ne convient qu'aux bateaux et, par analogie, aux avions.

ALLIANCE — *Voir* **JONC.**

ALLOCATION — Le verbe **allouer** *(voir ce mot)* a le sens général d'« accorder » en parlant de toute somme d'argent, mais le substantif **allocation** employé pour désigner une somme **allouée** a un sens restreint. C'est un terme du langage administratif qui ne se dit que d'une aide en argent (quelquefois en nature) donnée par l'État aux particuliers formant une catégorie de citoyens : *les allocations familiales.*

Les sommes **allouées** par l'État aux entreprises et aux associations sont des **subventions** *(voir* **OCTROI**). Il ne faut pas dire *notre société a reçu une* [ALLOCATION] *de mille dollars de l'État,* mais *notre société a reçu une subvention de mille dollars de l'État.*

D'un autre côté, on peut employer le mot **allocation** pour désigner toute dépense **allouée** au sens d'«approuvée» dans un compte: *la compagnie ne m'alloue que la moitié des frais de déplacement que j'avais indiqués dans ma demande de remboursement; c'est une allocation peu généreuse.*

La somme d'argent que ses parents **allouent** à un enfant pour ses petites dépenses est son **argent de poche**. Le terme [ALLOUANCE] quelquefois employé au sens de «somme allouée» est un calque du mot anglais **allowance**, qui a cette signification. Il ne faut pas dire *c'est le samedi que je donne à mon fils (voir* **GARÇON**) *son* [ALLOUANCE] *de la semaine,* mais *c'est le samedi que je donne à mon fils son argent de poche de la semaine.* [ALLOUANCE] n'est pas un mot français.

ALLONGE — *Voir* **EXTENSION**.

ALLONGER (S') — Le verbe pronominal **s'allonger** a la seule signification suivante en parlant des personnes: «s'étendre de tout son long»*; nous nous sommes allongés sur la plage.*

Il n'est donc pas correct de dire en français à quelqu'un [NE VOUS ALLONGEZ PAS] *pour m'apporter ce document chez moi; mettez-le à la poste,* au lieu de *ne vous écartez pas de votre chemin pour...* ou *ne vous retardez pas en faisant un détour* (voir ce mot) *pour...*

Le verbe pronominal **s'allonger** n'a aucun rapport avec la circulation. On peut prendre un chemin plus long que d'ordinaire pour se rendre à destination, mais cela n'allonge personne.

ALLOUER — Le verbe **allouer** signifie «accorder» et «approuver» mais pour des sommes d'argent seulement, sauf, depuis peu, en parlant du temps accordé à un ouvrier pour exécuter un travail déterminé: *le patron ne m'a alloué que deux heures pour cette réparation,* mais on s'exprime rarement de la sorte au Canada. Dans le sens d'**approuver**, il ne s'emploie que pour des dépenses portées sur un compte: *les percepteurs de l'impôt ne m'ont alloué que la moitié des frais de représentation que j'avais indiqués dans ma déclaration* ou encore *le conseil d'administration de l'entreprise a alloué sans hésiter les dépenses d'entretien supplémentaires que le directeur de la succursale a indiquées sur son compte du mois dernier.*

Dans le sens d'**accorder**, le verbe **allouer** s'applique à n'importe quelle somme d'argent attribuée à quelqu'un: indemnité, pension, subvention, prestation, etc. *J'alloue deux dollars par semaine à mon fils pour ses petites dépenses, il n'est que juste que l'État alloue des pensions aux mères nécessiteuses, on vous alloue cent dollars pour vos frais de déplacement.* Mais on **accorde** un délai d'un mois à un débiteur; on ne le lui [ALLOUE] pas.

L'État n'[ALLOUE] pas à ses administrés l'entrée en franchise de marchandises jusqu'à concurrence d'une certaine valeur quand ils rentrent d'un voyage à l'étranger; il la leur **accorde**. Un arbitre n'[ALLOUE] pas un point discutable à un joueur pendant un match (*voir* **JOUTE**); il le lui **accorde**.

Il est vrai qu'**allouer** a eu le sens général d'«approuver» jusqu'à la fin du XVII^e^siècle (on disait, par exemple, *c'était une ruse que plusieurs allouaient*), mais l'employer de nos jours à propos d'autres choses que de sommes d'argent ou de temps pour dire «accorder» *ou* «autoriser», c'est prêter à ce terme des significations du verbe anglais **to allow** et commettre des anglicismes.

ALLUMETTE — *Voir* **CARTON — CARTOUCHE.**

ALLURE — L'**allure**, c'est la «façon d'aller», c'est-à-dire la façon de marcher pour une personne, de rouler pour une voiture, de naviguer pour un navire, de voler pour un avion, de fonctionner pour une machine: *allure légère, rouler à vive allure, virer à une allure dangereuse, naviguer à petite allure, voler à une allure supersonique, fonctionner à bonne allure.* Au figuré, pour les personnes, c'est la «façon de se conduire, de se comporter»*: avoir des allures louches, avoir grande allure, des allures affectées* et, pour les choses, c'est la «façon d'évoluer»*: cette affaire prend mauvaise allure, l'allure des événements était encourageante.* **Allure** se dit aussi dans le langage familier, en parlant d'une personne, comme synonyme de **prestance**, pour décrire une apparence propre à imposer l'admiration: *ce jeune danseur a de l'allure* et, en parlant d'une chose pour dire «d'une apparence remarquable»*: cette robe a de l'allure* ou «qui indique une distinction morale»*: il y avait de l'allure dans son assurance.*

Au Canada, le langage familier prête fautivement au mot plusieurs autres acceptions. On lui donne le sens de «logique, sérieux, vraisemblance»*: ce qu'il nous raconte n'a pas d'*[ALLURE] au lieu de *ce qu'il raconte n'a pas de sens, ne signifie rien, n'est pas raisonnable* ou *ne rime à rien*; celui d'«expression des traits»*: sa tête a si mauvaise* [ALLURE] *depuis quelques jours qu'il doit être malade* au lieu d'*il a si mauvaise mine*...; celui d'«habileté»*: cet ouvrier n'a pas d'*[ALLURE] au lieu de *cet ouvrier est maladroit* ou *ne connaît pas son métier.*

ALLUSION (FAIRE... À) — *Voir* **RÉFÉRER.**

À LONGUEUR D'ANNÉE — Depuis une cinquantaine d'années, la locution prépositive **à longueur de** s'est imposée en France comme expression consacrée. On dit **à longueur de journée, à longueur de semaine, à longueur d'année**, pour dire «durant toute cette durée sans discontinuer».

L'expression canadienne [À L'ANNÉE LONGUE] a le tort de faire jouer à l'adjectif **long** un rôle qui lui est grammaticalement impossible. Une année peut paraître plus ou moins **longue** aux yeux des individus, mais la **longueur** d'une chose est déterminée.

Il nous faut adopter les expressions françaises **à longueur d'année** et **à longueur de semaine** et oublier les expressions incorrectes [À L'ANNÉE LONGUE] et [À LA JOURNÉE LONGUE], qui ont de plus l'inconvénient de ressembler aux expressions anglaises **all year long** et **all day long.**

ALORS — *Voir* **D'ABORD.**

ALORS QUE — *Voir* **QUAND.**

ALOYAU — *Voir* **DARNE.**

ALPINISME — Le sport des ascensions en montagne s'appelle alpinisme depuis la fin du XIXe siècle. Qu'on soit dans les Rocheuses ou dans les Pyrénées, on fait de l'**alpinisme** comme dans les Alpes. Il est évident qu'**alpinisme** est un dérivé d'**Alpes**, venu lui-même du mot latin **alpes**, par lequel Cicéron désignait les montagnes qui séparaient l'Italie et la Gaule, mais il faut se rappeler que plusieurs écrivains latins des Ve, VIe et VIIe siècles de l'ère chrétienne employèrent **alpes** pour dire «chaîne de montagnes» en général et **alpis** pour dire «montagne». Même si les Alpes sont un massif montagneux de l'Europe, il n'y a pas à se scandaliser de ce qu'on puisse faire de l'**alpinisme** au Canada.

ALTÉRATION — ALTÉRER — Depuis le XVIe siècle, au propre et au figuré, **altération** est péjoratif (sauf dans le vocabulaire musical). Le mot exprime un«changement défavorable», une «transformation de bien en mal». **S'altère** ce qui diminue de qualité. L'**altération** de la santé, c'est une perte de santé. Une amitié qui **s'altère** est une amitié qui s'affaiblit. L'**altération** d'un texte, c'est sa **falsification.**

Le mot anglais **alteration** signifie toute espèce de changement et s'applique, par conséquent, à des **rénovations**, à des **retouches** ou des **réparations**. On commet un anglicisme en disant *altération* pour désigner un changement favorable. On ne peut *fermer un magasin pour y faire des* [ALTÉRATIONS], mais *un magasin est fermé pendant des travaux de rénovation.* Il ne faut pas dire *cette robe a besoin d'*[ALTÉRATIONS], mais *cette robe a besoin de retouches.*

ALTERNATIVE — Une **alternative**, c'est la «présence de deux possibilités entre lesquelles il faut choisir»: *ou bien vous direz la vérité et vous serez puni, ou bien vous ne la direz pas et vous laisserez punir un innocent à votre place: voilà l'alternative.*

Le mot anglais **alternative**, lui, désigne chacune des possibilités entre lesquelles il faut choisir, *la mort ou le déshonneur*, voilà une **double alternative** en anglais et une **alternative** en français.

Pour qu'une **alternative** soit double en français, il faut qu'elle présente trois possibilités: *courir et risquer de se blesser, marcher et risquer d'arriver en retard ou rester où l'on est et risquer de passer pour un lâche: voilà une double alternative.* C'est commettre un anglicisme que de dire *l'alternative est* [DOUBLE] ou *il y a deux* [ALTERNATIVES]: *partir ou rester.* Partir ou rester, c'est une seule **alternative**: c'est un choix à faire entre deux possibilités.

ALUMINIUM — On dit surtout en anglais **aluminum**, mais le métal désigné par ces mots n'a qu'un nom français: **aluminium**. Veiller, dans l'écriture et la prononciation, à ne pas laisser échapper *(voir ce mot)* le dernier *i.*

AMANTE — *Voir* **BLONDE.**

AMARRER — *Voir* **ACCOSTER.**

AMAS — *Voir* «**BANC (... DE NEIGE)**».

AMATEUR — *Voir* **PROFESSIONNEL.**

AMBASSADEUR — Dans la désignation des diplomates, il ne faut jamais employer l'adjectif signifiant qu'ils sont du pays qu'ils représentent, mais le nom du pays. C'est incorrect de dire *l'ambassadeur* [AMÉRICAIN] *à Ottawa, le consul* [CANADIEN] *à New-York, l'attaché culturel* [CANADIEN] *à Paris.* On s'exprime correctement en disant *l'ambassadeur des États-Unis à Ottawa, le consul du Canada à New-York* et *l'attaché culturel du Canada à Paris.* Il faut de même dire *l'ambassade du Canada à Rome* et non *l'ambassade* [CANADIENNE] *à Rome, le consulat de France à Québec* et non *le consulat* [FRANÇAIS] *à Québec.*

La même règle s'applique à la désignation des chefs des divers départements *(voir ce mot)* d'un gouvernement. Dire *le ministre des Finances* [CANADIEN] est incorrect. On doit dire *le ministre des Finances du Canada, le ministre des Affaires culturelles du Québec, le ministre des Affaires étrangères de France, le secrétaire à la Défense des États-Unis.*

Pour ce genre de diplomate, lorsqu'il s'agit d'une femme, il faut lui donner le titre d'**ambassadrice**, nom qui était jusqu'alors réservé à la femme d'un **ambassadeur**.

Voir **SPÉCIAL.**

AMBITIONNER — Au XVIe siècle, le verbe **ambitionner** s'employait intransitivement. C'était même un mot à la mode: on *ambitionnait,* c'est-à-dire qu'on recherchait les honneurs et la puissance. Depuis trois siècle, **ambitionner** est uniquement un verbe transitif: *ambitionner la gloire.*

Ambitionner ne s'est jamais employé pronominalement ailleurs qu'au Canada: [S'AMBITIONNER] *à faire quelque chose.*

Le verbe **ambitionner** n'a plus qu'un sens, celui de «désirer avec ardeur»: *il ambitionne de faire quelque chose de grand; il ambitionne les hautes fonctions de chef de cabinet.*

Les acceptions suivantes qu'on prête au Canada à **ambitionner** sont fautives:

1 — Employé intransitivement, *a)* «empiéter»: *tu* [AMBITIONNES] au lieu de *tu prends plus que ta part; b)* «exagérer»: *tu* [AMBITIONNES] au lieu de *tu ne mesures pas ce que tu dis; c)* «mettre trop d'ardeur»: *tu* [AMBITIONNES], *tu vas t'épuiser* au lieu de *tu travailles trop, tu vas t'épuiser;*

2 — Employé pronominalement, «s'appliquer avec de plus en plus d'ardeur»: [S'AMBITIONNER] *à terminer un travail difficile* au lieu de *s'acharner à un travail difficile.*

AMÉNAGER — AMÉNAGEMENT — *Voir* **HARNACHER — HARNAIS.**

AMENDE — *Voir* **TICKET.**

AMENDEMENT — AMENDER — On **amende** un texte de loi avant qu'il soit adopté: *ce projet de loi (voir ce mot) a subi plusieurs amendements.* Une fois ce texte adopté, devenu loi, on ne peut plus l'**amender**. On le **modifie** par une nouvelle loi: *la loi sur les assurances subira des modifications au cours de la* *prochaine session.* Bref, on **amende**, c'est-à-dire qu'on « corrige », un projet de loi, mais on **modifie** une loi par une autre. On dira aussi correctement **rectifier** une loi par une autre, apporter à une loi un complément rectificatif, etc.

AMÉRICANISME — *Voir* **CANADIANISME.**

AMÉRINDIEN — Ce mot, nom et adjectif, sert à désigner les premiers habitants d'Amérique, afin de les distinguer des citoyens de l'Inde, justement appelés **Indiens**, et à qualifier ce qui se rapporte à eux: *les Amérindiens viennent probablement de la région du monde connue de nos jours sous les noms de Sibérie et de Mongolie.* On parlera des langues *amérindiennes.*

AMIE — *Voir* **BLONDE.**

AMITIÉ — *Voir* **SYMPATHIE.**

AMOUR — Les locutions courantes [**ÊTRE EN AMOUR AVEC**] et [**TOMBER EN AMOUR AVEC**] sont des calques de **to be in love with** et **to fall in love with**. On dit en français *être amoureux de, devenir amoureux de, tomber amoureux de.*

Voir **APPOINTEMENTS (NOTE).**

AMOURETTES — Au Canada, en termes de boucherie et de cuisine, on désigne par le mot **amourettes** les glandes génitales d'animaux mâles, particulièrement celles des ovins, qu'on peut apprêter pour la table; mais le terme est impropre. Ces testicules sont des **animelles**: *animelles à la crème, en fricassée, à la vinaigrette.* Les **amourettes**, c'est autre chose. C'est la moelle épinière du bœuf, du mouton et du veau. Dans la cuisine française, on en garnit des bouchées, des vol-au-vent, de petits pâtés ou on les accommode comme des cervelles d'agneau ou de veau: *les gourmets apprécient le goût délicat des amourettes.*

AMPOULE — *Voir* **LUMIÈRE.**

AMUSE-GUEULE — Ce néologisme culinaire qui signifie « menus mets qu'on sert avec le cocktail (prononcer *kok-tel*) ou l'apéritif (*voir* **CONSOMMATION**) » (par opposition au mot **hors-d'œuvre**, qui, lui, désigne les menus mets servis à table au début d'un repas) est un mot pluriel qui s'écrit au singulier: des *amuse-gueule.* C'est, comme **hors-d'œuvre**, un nom collectif. Il est fautif de dire *j'ai aimé* [**CET AMUSE-GUEULE**] *en particulier.* Pour désigner l'un des menus mets servis comme **amuse-gueule**, il faut le nommer: *les boulettes de poisson étaient particulièrement succulentes.* Si l'on ne sert qu'un seul mets, on ne peut employer le mot **amuse-gueule** à son sujet. On dira correctement, par exemple, *je n'ai que des chips (voir* **PATATE** *) à vous offrir* ou *en guise d'amuse-gueule* (c'est-à-dire *à la place d'amuse-gueule) voici des chips; c'est tout ce que j'ai à vous offrir.*

AMUSEMENT — Ce mot a les sens suivants: premièrement, l'« action de faire rire » ou « de trouver drôle »: *il faisait le pitre pour l'amusement de la foule,* « de récréer » ou « de se récréer »: *nous tiendrons des concours faciles pour l'amusement des enfants,* « d'occuper agréablement » ou « de s'occuper agréablement » durant une courte période de temps: *faire quelque chose par amusement;*

deuxièmement, «ce qui fait rire»: *si vous voulez un bon amusement pour les enfants, ayez un clown* (prononcer *kloun*) *à la fête,* «ce qui occupe agréablement pendant une courte période de temps»: *ce fut un amusement pour nous d'accomplir ces menus travaux;* enfin, «jeu», non au sens de «ce qui sert à jouer», mais à celui de «divertissement soumis à des règles»: *la salle de récréation offre plusieurs amusements aux pensionnaires : les barres parallèles, le ping-pong, etc.*

Ni les barres elles-mêmes ni la table de ping-pong ne sont des *amusements.* Il est fautif de dire d'un marchand qui vend ou loue des appareils de jeu qu'il est marchand d'[**AMUSEMENTS**]. À la vérité, c'est commettre un anglicisme: le mot anglais **amusement** désigne et l'appareil et le jeu auquel il sert.

Le mot **amusement** donne lieu à un autre anglicisme: la taxe [**D'AMUSEMENT**]. Cette expression est doublement fautive: par l'emploi incorrect de la préposition *de* au lieu de *sur (voir* **LOI**) et par le sens donné ici à **amusement**. En termes de finances publiques, le mot anglais **amusement** a le sens de «spectacles», mais le nom français n'a pas cette signification. Il faudrait dire *taxe sur les spectacles.*

Troisième anglicisme à noter: *parc d'*[**AMUSEMENT**], calque d'**amusement park**. Il faut dire *parc des attractions* ou *parc d'attractions.* Mot pluriel, **attractions** s'entend ici aux deux sens de «spectacle de variétés» et de «distractions, divertissements».

L'appareil qu'on trouve dans ces parcs ou salles de jeux appelé [**MACHINE À BOULES**] est un **flipper**, mot anglais francisé.

ANCIEN COMBATTANT — *Voir* **VÉTÉRAN.**

ANCIENNETÉ — Se garder de commettre l'anglicisme [**SÉNIORITÉ**]. Le mot anglais **seniority** dit exactement ce que signifie **ancienneté** dans le vocabulaire du travail: «temps passé dans une occupation, un emploi, une fonction». Il ne faut pas dire *il faut admettre qu'il n'est pas toujours logique de tenir compte de la* [**SÉNIORITÉ**] *pour les promotions,* mais *il faut admettre qu'il n'est pas toujours logique de tenir compte de l'ancienneté pour les promotions.* Le mot [**SÉNIORITÉ**] n'existe pas en français.

Voir **SENIOR.**

ANGLICISER — De même qu'**anglicisme** *(voir ce mot)*, le verbe **angliciser** est un dérivé du latin médiéval **anglicus**, par lequel on désignait le peuple germanique des Angles qui a envahi la Grande-Bretagne au VIe siècle et s'y est établi. Le verbe anglais **to anglicize** a la même origine, comme le mot **anglican** vient du latin **anglicanus**. Mais l'anglais a créé le verbe **to anglify** pour exprimer la même action et c'est commettre un **anglicisme** que de dire [**ANGLIFIER**] au lieu d'**angliciser**. Il ne faut pas dire *certaines minorités* [**S'ANGLIFIENT**] *rapidement,* mais *s'anglicisent rapidement.*

ANGLICISME — Les dictionnaires donnent du mot **anglicisme** la définition suivante à peu près dans les mêmes termes: «mot, expression, tournure, construction propre à la langue anglaise et qu'il est par conséquent fautif d'employer dans une autre langue» *(voir* **CANADIANISME**). Il y a donc plusieurs sortes d'**anglicismes** à indiquer.

Se rappeler au préalable qu'un mot d'origine anglaise entré dans l'usage d'une autre langue n'est pas un **anglicisme**, car il a cessé d'être un mot propre à l'anglais. Inversement, un mot français comme **menu** emprunté au français par l'anglais, qui le prononce à l'anglaise, n'est plus un **gallicisme**, c'est-à-dire un mot propre à la langue française. **Menu** *(me-ni-ou)* dans la bouche d'un Anglais est un mot anglais comme **reporter** et **chèque** *(voir ce mot),* empruntés à l'anglais, sont des mots français dans la bouche d'un Français.

Tous les mots de n'importe quelle langue viennent directement ou indirectement, par adoption, adaptation ou dérivation, d'autres langues, sauf, bien entendu, les onomatopées comme *tic-tac* et *glou-glou.*

Il y a des **anglicismes d'idée** ou de **vocabulaire**, des **anglicismes de pensée** ou de **tournure** ou de **grammaire**, des **anglicismes de prononciation** et des **anglicismes d'orthographe.**

Les **anglicismes de vocabulaire** sont innombrables au Canada. Ils se partagent en trois catégories: premièrement les mots anglais employés tels quels et les barbarismes dérivés de ces mots prononcés à la française ou à l'anglaise: [**BEAN**] au lieu de **haricot** *(voir* **FÈVE**), [**BUTTERSCOTCH**] au lieu de **caramel au beurre** ou **caramel mou**, [**CANCELLER**] (**to cancel**) au lieu d'**annuler** *(voir ces mots),* [**SLEIGH**] au lieu de **traîneau** *(voir ce mot),* etc; deuxièmement, les mots anglais dont on francise l'orthographe ou la prononciation: [**PINOTTE**] (**peanut**) au lieu de **cacahouète** *(voir ce mot),* [**BALONÉ**] (**boloney**) au lieu de **saucisson** ou **mortadelle** *(voir ce mot),* [**RECORD**] (**record**) au lieu de **dossier** ou **disque** *(voir* **RECORD**), etc; troisièmement, les mots français employés aux sens des mots anglais qui leur ressemblent *(voir* **ACCOMMODATION — ACCOMMODER, ACTUELLEMENT, ADÉQUAT, AGENDA,** *etc.).*

Les **anglicismes de grammaire** ne sont pas moins nombreux au Canada; abus du participe présent *(voir* **PARTICIPE PRÉSENT**), emploi du pluriel à la suite d'un nom collectif *(voir* **NOMS COLLECTIFS**), abus du passif *(voir* **PASSIF**), calques irréfléchis de l'anglais dans l'emploi des prépositions *(voir* **PRÉPOSITIONS, EMPLOI DES...**), emploi de locutions d'origine anglaise tout à fait étrangères à l'esprit et aux structures du français: [**AUSSI PEU QUE**] (**as little as**) au lieu de **seulement** *(voir* **PEU**), [**EN AUTANT QUE**] (**in as much as**) au lieu de **pour autant que** ou **autant que** *(voir* **AUTANT**), etc.

Les **anglicismes de prononciation** abondent aussi: prononciation anglaise de mots français d'origine anglaise, comme [**TCHÈQUE**] au lieu de **chèque,** des [**CENTS**] (*s* sonore) au lieu de **cent** (*s* muet) en parlant des centièmes de dollars (*voir* **CENT**), etc., et prononciation de noms anglais de choses, de personnes et de lieux qui doivent se prononcer à la française *(voir* **MOTS ÉTRANGERS, PRONONCIATION DES...**).

Il y a, enfin, les **anglicismes d'orthographe** comme [**ADDRESSE**] (**address**) au lieu d'**adresse,** [**APARTEMENT**] (**apartment**) au lieu d'**ap-**

partement, [PERSONEL] (personal) au lieu de **personnel**, etc.

ANGUILLE («... DE ROCHE») — *Voir* **POISSONS.**

ANIMAUX (... MAMMIFÈRES) — Plusieurs mammifères du Canada portent des noms qui ne leur conviennent pas (CLAUDE MÉLANÇON, *NOS ANIMAUX CHEZ EUX* et *MON ALPHABET DES ANIMAUX*).

Il y a deux grands cervidés en Amérique du Nord, l'**orignal** et le **cerf**. Contrairement à ce que beaucoup de gens croient, il y a des animaux semblables à l'**orignal** en Europe et en Asie et le nom **orignal** n'est pas d'origine américaine mais européenne. L'**orignal** et ses frères de Scandinavie et de Sibérie sont les **élans**, les plus puissants mammifères ruminants à ramure. La branche canadienne de la famille a pris un nom particulier qui vient d'un mot basque signifiant «cerf» apporté par quelques-uns des premiers colons et ce nom, **orignal**, est entré dans le vocabulaire français. C'est donc correctement qu'on appelle les **élans** du Canada **orignaux**. Mais il en va autrement pour les **cerfs** auxquels on a donné le nom de **chevreuils.** De même qu'il n'y a pas de perdrix au Canada, mais des gélinottes (*voir* **OISEAUX**), on n'y trouve pas de **chevreuils**. Le **chevreuil** appartient à la famille des cervidés, mais il est beaucoup plus petit que le **cerf** et, à cornes pleines, ses bois verticaux n'ont jamais plus que trois pointes. Il vit dans les forêts d'Europe et d'Asie. Les **cerfs** habitent trois continents, l'Europe, l'Asie et l'Amérique. Les [CHEVREUILS] du Canada ne sont pas des **chevreuils** mais des **cerfs** (de Virginie). La femelle du cerf est la **biche** et celle du **chevreuil**, la **chevrette**. Il n'y a donc pas de **chevrettes** au Canada, mais des **biches**. Les petits du **cerf** et ceux du **chevreuil** s'appellent **faons** (prononcer *fan*).

L'argument sentimental de la tradition locale n'a aucune valeur en matière de langue. Le seul fait qu'on ait toujours dit *chevreuil* au Canada au lieu de **cerf** ne justifie pas la substitution. On ne peut parler français autrement que l'ensemble des francophones. Si l'on veut parler français, on ne peut faire dire à un mot français autre chose que ce qu'il signifie pour les francophones en général, au moment où l'on parle.

L'animal appelé *chat sauvage* au Canada est un **raton** qui n'a aucun lien de parenté avec les félins: le **raton laveur**. À proprement parler, il n'y a pas de **chats sauvages** en Amérique et il n'y a pas de **ratons laveurs** ailleurs qu'en Amérique.

L'animal appelé *fouine* au Canada est le **vison**. Il n'y a de **fouines** qu'en Europe et en Asie, mais il y a des **visons** sur les trois continents.

[SIFFLEUX], nom par lequel on désigne vulgairement la **marmotte** du Canada, est un régionalisme.

Cette liste de noms incorrects est incomplète. C'est une mise en garde contre l'acceptation inconsidérée de termes impropres employés couramment.

Voir **CARIBOU** *et* **RENNE.**

ANIMAUX D'APPARTEMENT — Un magasin où l'on vend des animaux —

chiens, oiseaux, poissons exotiques, petits singes, etc. — destinés à devenir des **animaux familiers** qui ajouteront de la vie à des intérieurs et les articles nécessaires à leur entretien est un magasin d'**animaux d'appartement** (*voir ce mot*). On trouve généralement un rayon d'**animaux d'appartement** dans les grands magasins. Parmi ses **animaux familiers**, il arrive d'ordinaire qu'on en préfère un : c'est son **animal favori** ou son **animal préféré.**

On dit, depuis un certain temps, **animalerie**, pour désigner ce genre de magasin (**pet shop**).

ANIMELLES — *Voir* **AMOURETTES.**

ANNEAU — Sans doute, le cercle de métal ou de quelque autre matière dure qui sert à enserrer et à retenir une serviette de table roulée est une sorte d'**anneau**, mais cet **anneau** porte un nom: **rond de serviette**. Le mot **rond** désigne plusieurs objets matériels de forme circulaire ou cylindrique : *rond à patiner, rond d'eau, rond de gazon,* etc. Au lieu d'[ANNEAU DE SERVIETTE DE TABLE], il faut dire **rond de serviette**, mais on aura raison d'appeler **anneau porte-serviette** un cercle de matière dure fixé à un mur, comme on en voit dans beaucoup de cuisines et de salles de bains (*voir* **BAIGNOIRE — BAIN**) pour y suspendre une serviette de toilette, un essuie-mains ou un torchon (*voir* **SERVIETTE**).

Voir **JONC.**

ANNÉE — L'**année civile** peut se distinguer d'autres périodes de 365 ou 366 jours. On utilise au Canada, de préférence à *exercice,* **année budgétaire** — de l'État — et **année financière** des entreprises industrielles et commerciales. En législation financière française, on désigne par **exercice** la période à laquelle sont rapportées les recettes et dépenses d'un budget même si elles sont exécutées à une période différente (définition du GRAND LAROUSSE ENCYCLOPÉDIQUE). Dans le même domaine, la méthode de la gestion annuelle au Canada ne tient compte que des opérations exécutées au cours de la période envisagée. (PIERRE DAVIAULT, *LANGAGE ET TRADUCTION*, à *fiscal year*).

Toutefois, en comptabilité et droit commercial, la définition (*G.L.E.*) d'exercice ne dépend pas de la méthode comptable envisagée : *procédé comptable qui divise la vie de l'entreprise en périodes comprises entre deux inventaires, d'une durée correspondant souvent à l'année civile*... On hésite à condamner l'usage de plus en plus répandu au Canada d'**exercice** ou d'**exercice financier** (exemple tiré du bulletin de la *Corporation des comptables généraux licenciés du Québec* d'avril 1982: *Les entreprises dont l'exercice financier est inférieur à 12 mois... devront réduire l'amortissement au prorata du nombre de jours pendant l'exercice.*), dans le domaine comptable et commercial, comme équivalent de **fiscal year**, expression dont la définition est également large (**twelve-month period between settlements of financial accounts** — *WEBSTER'S 20th CENTURY UNABRIDGED DICTIONARY* — 1978.)

[ANNÉE FISCALE], calque de **fiscal year** est l'anglicisme à proscrire.

ANNEXE — *Voir* **ADDENDA.**

ANNIVERSAIRE DE NAISSANCE — *Voir* **FÊTE.**

ANNUITÉ — *Voir* **MENSUALITÉ.**

ANNULER — Annuler est le verbe qui traduit le plus souvent l'anglais **to cancel**, mot passe-partout dont plusieurs acceptions s'expriment différemment en français. Les autres sont **abolir, abroger, barrer, biffer, contremander, décommander, invalider, radier, rayer, résilier, révoquer**, etc.

Annuler a le sens très général de «rendre sans effet» une décision, une proposition, une déclaration, des démarches déjà faites: *annuler une commande, une vente, un contrat.*

Abolir, l'un des synonymes d'**annuler**, ne s'emploie pas pour les choses à venir, qui ne sont encore qu'à l'état de projet, et il n'est pas utilisé dans le langage des affaires. On ne peut [ABOLIR] un rendez-vous d'affaires; on l'**annule.** On ne peut [ABOLIR] un projet; on l'**abandonne**, on le **retire**, on l'**annule**. On **abolit** un règlement. **Abolir** a aussi le sens de «mettre fin à»: *on s'efforce d'abolir la haine dans le monde.*

Abroger, qui a le sens d'**annuler**, ne s'applique qu'aux lois: *abroger une loi, un décret.*

Barrer exprime l'action de «tirer un trait de plume ou de crayon sur un ou plusieurs mots dans un texte afin de les annuler»: *barrer une expression, un paragraphe.* **Biffer, raturer** et **rayer**, qui ont le même sens, sont plus employés que **barrer**.

Radier, c'est **rayer, biffer** ou **barrer** un nom sur une liste ou une inscription sur un registre: *son nom a été radié de la liste des membres de notre société.* **Radier** s'applique aussi aux personnes dont les noms sont radiés: *radier un candidat à la veille d'un concours.*

Contremander et **décommander** sont des verbes parfaitement synonymes. Ils signifient «annuler un ordre ou une invitation». On dit indifféremment *contremander* ou *décommander un repas.* On dit aussi *contremander* ou *décommander des invités*, dans ce sens qu'on les avertit que leur invitation a été **annulée.**

Invalider appartient au vocabulaire juridique: *un tribunal a invalidé le testament,* c'est-à-dire qu'il l'a **annulé**; *l'élection de ce député vient d'être invalidée*, c'est-à-dire qu'un tribunal vient de la déclarer nulle. On dit aussi *invalider un député* dans le sens d'«annuler son élection» (*voir* **DISQUALIFICATION — DISQUALIFIER**).

Résilier, c'est «mettre fin à» en parlant d'un contrat, d'une convention.

Révoquer, c'est **annuler** une loi ou un ordre. Ce verbe a aussi le sens de «destituer»: *deux fonctionnaires ont été révoqués samedi.*

Noter qu'**annuler** n'a pas le sens de «supprimer» pour les choses concrètes. **Annuler** un contrat, c'est le rendre sans effet. Faire disparaître en le brûlant l'écrit authentifiant l'existence de ce contrat, c'est le **supprimer**. *On annule un horaire de chemin de fer* et *on supprime un train.*

On commet un anglicisme chaque fois qu'on emploie le verbe [CANCELLER], calqué sur le verbe anglais **to cancel**, dans l'un des sens indiqués ci-dessus du verbe **annuler** et de ses synonymes.

L'action d'**annuler** est l'**annulation.**

Voir APPOINTEMENTS (NOTE), CANCELLATION — CANCELLER *et* DISCONTINUER.

ANORAK — Ce mot emprunté aux Inuit désigne la « veste de sport imperméable munie d'un capuchon et à fermeture hermétique » garnie ou non de fourrure. Il ne faut pas dire *pour le ski, je porte toujours un* [PARKA], mais *pour le ski, je porte toujours un anorak.*

Toutefois, le **parka**, emprunté au langage des Inuit, existe en français pour désigner une veste de sport imperméable également, d'usage plus général.

ANTAGONISME — ANTAGONISTE — **Antagonisme** signifie « état de rivalité, de lutte ou d'opposition entre personnes, groupements ou doctrines ». Le terme n'a pas, comme le mot anglais **antagonism** en Amérique, le sens d'« antipathie, aversion, mépris ». Éveiller un antagonisme entre soi et quelqu'un, ce n'est pas éveiller chez celui-ci de l'**antipathie**, c'est-à-dire une sorte de répugnance instinctive qui le rende méfiant et mal disposé à la compréhension ou à la générosité, mais c'est agir en sorte que naisse entre lui et soi une rivalité, une opposition marquée. Bref, l'**antagonisme** n'est pas une disposition d'esprit et de cœur non raisonnée, ce qui s'appelle **antipathie**, mais un état de conflit entre des personnes ou des idées : *l'antipathie qui régnait entre les partisans de ces deux doctrines s'est transformée en un véritable antagonisme depuis que les uns et les autres ont précisé leurs positions.* Un **antagoniste** n'est donc pas quelqu'un dont on ne possède pas la confiance, mais quelqu'un aux intérêts ou aux idées duquel on se heurte : *bien que ces deux peuples ne se soient pas engagés dans une guerre idéologique ouverte, il est évident qu'ils sont antagonistes.*

Quant au verbe [ANTAGONISER], imité de l'anglais **to antagonize** au Canada pour dire « irriter, contrarier, blesser les sentiments de, indisposer, mécontenter, se faire un ennemi ou un adversaire de », il n'existe pas.

> Le français ne forme des verbes se terminant par *iser* à partir de noms se terminant par *isme* ou d'adjectifs se terminant par *iste* que lorsque ces mots sont d'origine latine.

Il suffit de parcourir dans un dictionnaire des rimes la liste des mots se terminant par *isme* pour se rendre compte de cela. Aucun de ces mots qui sont venus directement du grec n'a donné comme dérivé un verbe ou n'est dérivé d'un verbe se terminant par *iser : archaïsme, athéisme, atticisme, despotisme, éclectisme, égoïsme, euphémisme, paroxysme, scepticisme,* etc.

Même les mots se terminant par *isme* qui sont d'origine grecque mais que le français a reçus par l'intermédiaire d'une autre langue, y compris le latin, ne servent jamais à former un verbe : *aphorisme, barbarisme, héroïsme, patriotisme* (mots d'origine grecque reçus par l'intermédiaire du latin), *panthéisme* (reçu par l'intermédiaire de l'anglais), etc.

Il en est de même pour les adjectifs se terminant par *iste* : *anarchiste* (dérivé d'*anarchie* venu directement du grec), *apologiste* (dérivé d'*apologie*, qui est d'origine grecque et que le français a reçu par l'intermédiaire du latin).

Cet élément de la structure de la langue a subi peu d'accrocs. Il y a [OSTRACISER], dérivé d'*ostracisme* venu du grec par le latin, mais ce mot, né vers la fin du siècle dernier, est aussi mal venu qu'[ANTAGONISER]. Il ne figure déjà plus dans le *PETIT LAROUSSE.* On *rejette*, on *exclut*, on *bannit*, on *frappe d'ostracisme* quelqu'un plutôt qu'on l'[OSTRACISE]. Et il y a *exorciser*, dont *exorcisme* est un dérivé, et *dogmatiser*, dérivé de *dogmatiste,* deux mots d'origine grecque reçus par l'intermédiaire du latin ecclésiastique et appartenant au français ecclésiastique.

Tous ces mots venus du grec véhiculent des idées philosophiques et expriment des états, des modes de pensée ou d'être ou des comportements qui sont hors du domaine de l'action. Ils ne se prêtent pas à la formation de verbes : un mot devient un *archaïsme*, certains chefs d'État ne résistent pas à la tentation du *despotisme*, c'est par *égoïsme* que beaucoup de gens sont injustes et on pousse au *paroxysme* la colère de quelqu'un. On ne songerait pas à créer le verbe [SCEPTISER] pour dire «faire un sceptique, rendre sceptique». **Antagonisme** vient directement du grec. Prononcer l'**ostracisme** contre quelqu'un, c'est prononcer qu'il est en état d'exclusion. De même **antagonisme** exprime un état de rivalité.

> La prudence la plus élémentaire exige qu'on hésite longtemps avant de se permettre de créer un verbe à partir d'un nom ou d'un adjectif. Les mots ne se forment pas n'importe comment.

Voir **KNOCK-OUT.**

ANTICIPER — **Anticiper** est un verbe transitif direct et indirect. Transitif direct, il a deux significations : «faire d'avance», *anticiper un paiement, un remboursement* et «imaginer, éprouver d'avance», *anticiper l'avenir, la joie de revoir quelqu'un.* Transitif indirect, il s'emploie avec la préposition *sur* et signifie «se servir de ce qui est à venir», *anticiper sur un héritage, sur ses revenus, anticiper sur les événements.* Le verbe s'emploie aussi absolument : *n'anticipons pas.*

Veiller à ne pas prêter à **anticiper** d'autres sens que possède le verbe anglais **to anticipate.** Celui-ci signifie «prévoir, préjuger, espérer, appréhender, s'attendre à» et «aller au devant de, prévenir» au sens figuré de «satisfaire à l'avance». **Anticiper** a eu cette dernière acception, mais il l'a perdue depuis le XVIIe siècle. [ANTICIPER] *de gros bénéfices* ou [ANTICIPER] *un échec* au lieu de *prévoir de gros bénéfices* et *appréhender un échec* sont des anglicismes. [ANTICIPER] *les désirs de quelqu'un* au lieu d'*aller au devant des désirs de quelqu'un, les prévenir* est à la fois une tournure un peu vieillie et un anglicisme.

ANTIDATER — **Antidater** un document, un contrat, un chèque, c'est y «mettre une date antérieure» à la date véritable : *un chèque fait le 10 mai et daté du 1er mai est un chèque antidaté.*

Postdater, au contraire, c'est «mettre une date postérieure» à la date véritable: *je vous envoie trois chèques postdatés du 30 de chacun des trois mois prochains.*

C'est une faute courante d'employer **antidater** dans le sens de **postdater.**

ANTIPATHIE — *Voir* **ANTAGONISME.**

ANXIEUX — **Anxieux** signifie «très inquiet, très soucieux»: *la situation internationale nous rend tous anxieux de notre avenir.* L'anglais a emprunté le mot au français pour former l'adjectif **anxious**, qui, tout en conservant le sens de «vivement inquiet», en a peu à peu pris un autre très différent, celui de «vivement désireux». De sorte que c'est commettre un anglicisme que de dire *je suis* [ANXIEUX] *de vous voir* quand l'idée que l'on veut exprimer est *j'ai hâte de vous voir, je vous attends avec impatience.*

APÉRITIF — Prendre garde qu'**apéritif** ne prend qu'un *p.* **Apéritif** et **appétit** n'ont pas la même origine étymologique. **Apéritif** vient d'un mot latin qui voulait dire «ouvrir»: *l'apéritif ouvre l'appétit,* tandis qu'**appétit** vient d'un autre mot latin qui signifiait «désir»: *on a de l'appétit en se mettant à table* et on peut avoir *l'appétit des richesses* ou *des honneurs.*

Voir **AMUSE-GUEULE** *et* **CONSOMMATION.**

À PIC — La locution adverbiale **à pic** signifie «perpendiculairement». Un promontoire **à pic** est un cap qui s'élève à angle droit avec la mer et un bateau qui coule **à pic** s'abîme (*voir* **ABÎMER**) verticalement. Une route ne peut pas être **à pic**. C'est abusivement qu'on prête à la locution **à pic** le sens d'«escarpé», d'«abrupt» (à pente raide): *les montagnes descendent* [À PIC] *près de Vancouver* au lieu de *les montagnes descendent abruptement...*

APLOMB — *Voir* **D'APLOMB.**

À POINT — *Voir* **MÉDIUM.**

APPAREIL PHOTOGRAPHIQUE — *Voir* **CAMÉRA.**

APPAREILLER — Le nom **appareil** a donné comme dérivé le verbe intransitif **appareiller**, qui signifie «exécuter la manoeuvre pour le départ» en parlant d'un navire: *le navire appareillait déjà quand j'arrivai au quai.* Le verbe transitif **appareiller** est un dérivé de l'adjectif **pareil**. Sauf dans le vocabulaire technique du maçon, où il a un sens particulier, il signifie «joindre à quelque chose de pareil»: de pareil et non simplement d'accordé, d'harmonisé, de relié par quelque rapport de convenance, de seulement **assorti**.

Quand on **appareille** des choses, on les **assortit** nécessairement en ce qu'on met ensemble des choses qui se conviennent, mais on n'**appareille** pas nécessairement les choses qu'on **assortit** (RENÉ BAILLY, *DICTIONNAIRE DES SYNONYMES*). La confusion entre les deux termes est un anglicisme subtil: le même verbe anglais **to match** traduit le verbe transitif **appareiller** et **assortir.** Si **appareiller** signifie «mettre ensemble des choses pareilles»: *on appareille des lampes quand on met ensemble des lampes semblables,* **assortir** des choses, c'est «mettre ensemble des choses qui s'accordent sans être semblables»: *on assortit des lampes de formes différentes mais de même style.* [APPAREILLER] *un* *sommier et un matelas* est une impossibilité parce que les deux objets ne sont pas de même nature, mais on peut les **assortir** par leur présentation. On **assortit** des rideaux et des draperies, un tapis et des draperies, mais on ne les [APPAREILLE] pas.

Prendre garde que «mettre ensemble par paires des choses semblables» se dit **apparier**: *les gants des invités sont tombés pêle-mêle; hâtons-nous de les apparier.* Ou encore *mon travail à la ganterie est d'apparier les gants avant l'emballage,* et non *d'*[APPAREILLER] *les gants...*

Chaque être humain a sa personnalité; chaque personne est unique. Les personnes s'**assortissent**. Il ne faut pas dire *un couple bien* [APPAREILLÉ], mais *un couple bien assorti.*

APPARIER — *Voir* **APPAREILLER.**

APPARTEMENT — Venu de l'italien **appartamento** (dérivé du verbe **appartare**, qui exprime l'action de «mettre à part, séparer»), le mot **appartement** a fait son apparition dans la langue littéraire française vers le milieu du XVIe siècle et est devenu usuel au XVIIe. Il ne désignait pas alors comme aujourd'hui un «ensemble de pièces», mais une «pièce». On disait *monsieur s'est retiré dans ses appartements.* Il y avait les *grands* et les *petits appartements et* **appartement** eut même, à l'époque de Louis XIV, le sens de «réception et divertissement chez le roi dans un grand appartement»: *il y aura appartement ce soir chez le roi (NOUVEAU LAROUSSE CLASSIQUE).* Il ne faut pas employer **appartement** au sens de «pièce».

> Il est aussi fautif de refuser de suivre l'évolution de la langue que de tenter de l'orienter de façon particulière localement.

On ne doit pas dire *un logement de cinq* [APPARTEMENTS] mais *un logement de cinq pièces.* Un **appartement** étant, en français moderne, un ensemble de pièces, on dit *un appartement de cinq pièces.* Un logement peut n'être qu'une **pièce**; un **appartement** comprend nécessairement plusieurs pièces.

C'est par une sorte de fiction administrative qu'il existe, cependant, des **appartements** dits d'une seule **pièce**. Cette convention se justifie par le fait qu'un **appartement** dit d'une **pièce**, contrairement à une simple chambre, offre les éléments de deux autres **pièces** qu'on ne compte pas: la cuisine et la salle de bains. Un petit **appartement** moderne d'une seule **pièce** est un **studio**, le **studio** en étant, à la vérité, la **pièce** principale et la cuisine et la salle de bains formant avec elle l'**appartement.**

Mais il ne peut exister, si l'on veut parler français, de [DEMI-PIÈCE]. Annoncer vacant un [APPARTEMENT DE DEUX PIÈCES ET DEMIE] quand on veut dire «deux pièces et une entrée assez grande pour qu'on y place un ou deux meubles» ou «deux pièces et une alcôve dans une chambre pour un lit», c'est fausser le sens du mot **demi. Demi** ne veut pas dire «petit» mais désigne la «moitié d'une unité». Une [DEMI-PIÈCE] — ce qui signifie la «moitié d'une pièce» — est aussi inimaginable pour un esprit français qu'un [DEMI-APPARTEMENT] ou une [DEMI-MAISON]. Il faut dire *appartement à louer: deux pièces et entrée* ou *appartement à louer: deux pièces et alcôve,* ou *deux pièces et une cuisinette.*

Un **appartement** occupé par un célibataire est une **garçonnière.**

Un immeuble moderne comprenant un certain nombre d'**appartements** est un **immeuble d'habitation** et non une [CONCIERGERIE]. Il n'est pas nécessaire d'ajouter l'adjectif **collective** (même entrée principale, même ascenseur, même buanderie pour tous, etc.), le terme s'opposant à **maison** et à **maison de rapport**. On dit aussi **immeuble résidentiel.**

Une **maison de rapport** est n'importe quelle «maison d'habitation dont la location procure des revenus à son propriétaire». Ce peut être une maison divisée en **logements** de plain-pied dont chacun occupe entièrement le rez-de-chaussée ou un étage. On notera que, l'adjectif *plain* (ne pas confondre avec l'adjectif *plein*) venu d'un mot latin qui signifiait «au même niveau, plat» ne s'emploie plus guère que dans *plain-chant* et dans la locution adverbiable *de plain-pied.* On peut cependant continuer d'appeler **plain-pied** un **logement de plain-pied**. Le substantif n'est pas encore désuet. On dira donc *immeuble d'habitation* de préférence à *maison à appartements*, comme on dit *immeuble à bureaux* et non [IMMEUBLE DE BUREAUX]. [MAISON D'APPARTEMENTS] est à proscrire. Se garder d'appeler **condominium** ce qui se dit en français **immeuble en copropriété** ou **copropriété.**

Se garder de commettre l'anglicisme orthographique [APARTEMENT], avec un seul *p (voir* **ANGLICISME**).

Voir **ABRÉVIATION** *et* **CONCIERGE — CONCIERGERIE.**

APPEL — *Voir* **TÉLÉPHONE.**

APPENDICE — *Voir* **ADDENDA.**

APPÉTIT — *Voir* **APÉRITIF.**

APPLICATION — Le mot français **application** n'a que trois sens. Premièrement, il signifie l'«action de mettre une chose sur une autre»: *application d'un vernis sur les ongles.* Deuxièmement, il désigne la «mise en pratique d'une règle, d'une théorie»: *application d'un principe de mécanique à une machine.* Enfin, il veut dire «attention soutenue»: *certains élèves étudient avec application.*

Outre ces mêmes acceptions, le mot anglais **application** a aussi le sens de «demande» et, particulièrement, de «demande d'emploi», d'«offre de services». C'est simplement prononcer le mot anglais à la française que de dire *formulaire d'* [APPLICATION] au lieu de *formulaire de demande d'emploi. Faire une* [APPLICATION] *pour un emploi* est un anglicisme malheureusement très répandu. [FAIRE APPLICATION], sans l'article indéfini avant le substantif, est, par surcroît, une faute de grammaire: on ne dirait pas [FAIRE DEMANDE] *d'emploi.*

Faire une demande d'emploi, envoyer une demande d'emploi, proposer ses services, faire une offre de services et *postuler* ou *solliciter un emploi* sont les expressions à employer.

Celui qui demande un emploi est un **postulant**. Celui qui se présente à un concours en vue d'obtenir un emploi est un **candidat**.

Se garder d'utiliser **application**, autrement que pour une loi ou règlement, quand il s'agit d'autre chose que d'une mise en pratique: *on n'applique pas un programme ou un projet, on le met à exécution.*

APPLIQUE — *Voir* **LUMIÈRE.**

APPLIQUER (S'... À) — *Voir* **IMPLIQUER.**

APPOINTEMENTS — Appointements est un mot pluriel et il n'a qu'un sens, celui de «rémunération fixe pour un emploi hors de la fonction publique» (*voir* **FONCTION PUBLIQUE**).

Rémunération est le terme général qui désigne tout «prix payé pour un travail»: *quiconque travaille a droit à une rémunération.* On dit aussi **rétribution.**

Les employés des établissements industriels et commerciaux (usines, banques, magasins, agences, etc.) dont la **rémunération** n'est pas déterminée par une convention collective et est fixée pour l'année reçoivent des **appointements:** *cette firme* (*voir ce mot*) *a augmenté les appointements de tous ses employés de bureau et leurs appointements leur seront désormais versés bimensuellement.*

Appointer ne veut pas dire «nommer» mais «verser des appointements»: il ne faut pas dire *le chef de service a* [APPOINTÉ] *un nouvel employé* mais *a engagé un nouvel employé.* La firme l'**appointe**, en lui versant ses **appointements.**

Les employés de l'État dont la **rémunération** est fixe pour l'année reçoivent un **traitement**. Les **appointements** des fonctionnaires s'appellent **traitement**: *le traitement de ce haut fonctionnaire est plus élevé que les appointements de son frère qui remplit les fonctions de directeur (voir* **GÉRANT**) *du service du personnel dans une usine.*

Le mot pluriel **émoluments** ne s'emploie guère qu'en parlant des fonctionnaires, comme synonyme de **traitement**. Il se dit particulièrement d'un **traitement** auquel s'ajoutent des allocations ou des indemnités, une fois faite la retenue pour la retraite.

La **rémunération** des hommes de profession libérale qui ne sont pas des employés (*voir* **PROFESSIONNEL**) s'appelle **honoraires**: *les honoraires du médecin, de l'avocat, du traducteur,* etc.

La **rémunération** d'un artiste pour une leçon, une interprétation, une audition, s'appelle **cachet**: *ce pianiste a reçu un cachet de deux mille dollars pour un récital d'une heure et il le méritait bien.*

La **rémunération** d'un représentant de commerce ou d'un agent qui est déterminée par le succès qu'il obtient s'appelle **commission**: *ce représentant n'a pas d'appointements de base, il est à commission.*

La **rémunération** d'un militaire s'appelle **solde**, d'où vient le mot **soldat:** *sous-officiers et soldats recevront leur solde vendredi.*

Le mot **salaire**, au sens propre, ne s'emploie plus guère que pour désigner la **rémunération** des employés et ouvriers, groupés en syndicat (*voir* **UNION**), c'est-à-dire la **rémunération** déterminée par convention collective: *la plupart des syndiqués reçoivent un salaire horaire.*

Le terme **salarié** s'applique à toute personne recevant un **salaire**, par définition variable. Des **appointements** ou un **traitement** sont des «salaires fixes».

Les domestiques, eux, reçoivent des **gages**. C'est abusivement qu'on emploie **gages** pour désigner le **salaire** horaire de syndiqués. Le personnel de direction d'une usine (*voir* **CADRES**) reçoit des **appointements** s'il n'est pas syndiqué et les ouvriers et autres employés syndiqués reçoivent un **salaire** qui peut être horaire ou hebdomadaire.

En somme, **wages** doit se traduire par **salaire** et **salary** par **appointements**, ou **traitement**, ou **salaire**, selon le cas.

[APPOINTEMENT], au singulier, est un anglicisme. Le mot anglais **appointment** a le sens de «rendez-vous». C'est ce terme qu'il faut employer: *j'ai pris rendez-vous avec mon propriétaire pour trois heures; je lui ai fixé rendez-vous; il fut exact au rendez-vous. Mon médecin ne reçoit que sur rendez-vous (voir* **ENGAGEMENT**).

Note — Le mot anglais **appointment** au sens de «rendez-vous» vient de l'ancien français **apointement**, qui, du XIIIe au XVIe siècle, eut les deux sens d'«arrangement, règlement, accord» et de «rendez-vous», mais rien n'indique que le mot, écrit avec un ou deux *p*, ait été employé au Canada au singulier au sens de «rendez-vous» avant le régime anglais. D'autres mots et des expressions, comme *canceller* et *être en amour avec (CAHIER DE LINGUISTIQUE DE L'ACADÉMIE CANADIENNE-FRANÇAISE)*, indiqués comme anglicismes dans ce dictionnaire, appartenaient aussi à l'ancien français, mais ils avaient disparu en France au XVIe ou au XVIIe siècle et ils n'ont reparu dans le vocabulaire des Canadiens d'origine française que sous l'influence de l'anglais.

APPOINTER — *Voir* **AIGUISER — AIGUISEUR — AIGUISOIR** *et* **APPOINTEMENTS.**

APPORTER — *Voir* **CONTRIBUER.**

APPRÉCIATION — Sauf dans le vocabulaire technique du marché de l'argent, où il signifie «plus-value, redressement», le substantif **appréciation** a les deux seuls sens suivants: «action d'établir la valeur de», *la direction fait faire l'appréciation (voir* **ESTIMATION — ESTIMER**) *du stock par des experts,* et «action de porter un jugement sur», *juste appréciation d'un ouvrage littéraire.*

Assurer quelqu'un de son [APPRÉCIATION] au lieu de l'assurer de sa **satisfaction** ou de sa **reconnaissance** est une faute issue de l'anglicisme commis fréquemment dans l'emploi du verbe **apprécier** *(voir ce mot).*

APPRÉCIER — Sauf dans le vocabulaire technique du marché de l'argent où, opposé à **décrier** et à **dévaloriser**, il signifie «augmenter la valeur» en parlant d'une monnaie, le verbe **apprécier**, quelles que soient les nuances qu'on y mette, ne peut exprimer que trois idées: premièrement, celle de «fixer le prix de», *à combien appréciez-vous ce tableau?*; deuxièmement, celle de «mesurer approximativement», *apprécier une distance, la vitesse d'une automobile;*

troisièmement, celle de «faire cas de» en parlant des choses et de «tenir en estime» en parlant des personnes, *j'apprécie la peine que vous vous donnez pour me rendre service* et *toute la famille vous apprécie.*

Le verbe anglais **to appreciate**, qui s'emploie dans ces mêmes acceptions, signifie aussi «être sensible à, être satisfait de, savoir gré de». Prêter ce sens au verbe **apprécier**, c'est commettre un anglicisme. Cet anglicisme est souvent marqué par la construction de la phrase, c'est-à-dire par la présence, comme complément direct du verbe **apprécier**, d'une proposition substantive commençant par la conjonction *que:* [J'APPRÉCIE QUE VOUS SOYEZ VENU] au lieu de *je suis sensible au fait que vous soyez venu.*

Seuls les verbes qui expriment des états personnels ou des actions faites par des personnes à l'intérieur d'elles-mêmes et sans effet direct sur les choses extérieures peuvent avoir une proposition comme complément direct: *je pense que, je crois que, je vois que, je veux que, j'aime que, je désire que, je regrette que, j'approuve que, je suis heureux que, je déclare que,* etc. *Voir* **SATISFAIT.**

Hausser un prix, en déterminer un, mesurer quelque chose, faire cas de quelque chose, tenir quelqu'un en estime, voilà autant d'actions qui sortent du sujet. Il est donc facile de s'assurer qu'on ne commettra pas un anglicisme au moment d'employer le verbe **apprécier** avec un substantif comme complément: *j'apprécie votre visite.* Il suffit de se demander si le sens dans lequel on emploie le verbe permettrait de lui donner une proposition substantive comme complément. Si on se prépare à dire *j'apprécie votre visite* au sens de «je me rends compte de ce que votre visite signifie», le nom ne peut être remplacé par une proposition et l'expression est correcte.

APPRÉHENDER — *Voir* **ANTICIPER.**

APPRÉHENDER — Ce verbe a, entre autres significations, celle de «procéder à l'arrestation de quelqu'un» et la personne qu'on **appréhende** est **arrêtée**. On ne peut dire correctement d'une personne qu'elle a été [APPRÉHENDÉE] pour signifier autre chose que «saisie, arrêtée».

APPRENTI — APPRENTISSAGE — *Voir* **STAGE — STAGIAIRE.**

APPROCHE — Un des changements de vocabulaire les plus intéressants pour nous (*voir* **FIABLE**) qui se sont produits au cours des dix dernières années, fut l'emprunt à l'anglais du sens de «façon d'aborder» en parlant d'une question, d'un problème pour le mot **approche**. Il n'est donc plus fautif de dire *le discours du ministre constitue une nouvelle approche de la question.*

APPROCHER — Le verbe **approcher** employé au sens de «chercher à connaître les dispositions de, pressentir» est un anglicisme. C'est une acception du verbe anglais **to approach** que n'a pas le verbe français **approcher**. Il ne faut pas dire *Jean a été* [APPROCHÉ] *à ce sujet et il acceptera la candidature si on la lui offre,* mais *Jean a été pressenti et il acceptera la candidature.*

APPROPRIÉ — *Voir* **ADÉQUAT.**

APPROUVER — *Voir* **ALLOUER.**

APPUI — APPUYER — *Voir* **PESER, SECONDER** *et* **SUPPORT — SUPPORTER.**

APPUI DE FENÊTRE — *Voir* **ALLÈGE.**

APPUYER SUR — *Voir* **EMPHASE.**

APRÈS — *Voir* **SUITE À.**

APRÈS — La locution adverbiable *par après* pour dire **ensuite** était usuelle au XVIe siècle. Elle a vieilli en peu de temps, mais elle est restée dans le langage populaire jusque vers la fin du XVIIe siècle. Il ne faut pas dire *on ne l'a jamais revu* [PAR APRÈS], mais *on ne l'a jamais revu ensuite.* Au lieu de *nous avons changé d'idée* [PAR APRÈS], il faut dire *nous avons changé d'idée ensuite.*

Voir **PRÉPOSITIONS (EMPLOI DES...).**

À PRÉSENT QUE — *Voir* **MAINTENANT.**

APRÈS-MIDI — *Voir* **MATIN — MATINÉE.**

APRÈS QUE — *Voir* **QUAND.**

À PROPOS — *Voir* **INCIDEMMENT.**

AQUEDUC — Un **aqueduc** est un «canal reposant sur terre ou supporté par un mur à arcades ou par un pont pour conduire l'eau d'un lieu dans un autre»: *un aqueduc long de trente kilomètres amène l'eau au réservoir du village.*

Un bâtiment servant de **réservoir** pour la distribution d'eau sous pression est un **château d'eau**. C'est abusivement qu'on appelle *aqueduc* un **réservoir d'eau** ou un **château d'eau**: *le niveau de l'eau baisse dangereusement dans l'*[AQUEDUC] au lieu de *le niveau baisse dangereusement dans le réservoir d'eau* ou *au château d'eau.*

Le plus souvent, cependant, ce n'est pas seulement le **réservoir**, mais tout le **service d'eau** ou **service des eaux** d'une municipalité qu'on appelle fautivement [AQUEDUC] au Canada. Il ne faut pas dire *le prolongement de l'*[AQUEDUC] *vers l'est coûtera cher cette année* quand on veut dire *le prolongement du service d'eau* ou *service des eaux vers l'est coûtera cher cette année.*

On désigne l'ensemble des conduits pour la distribution d'eau sous pression dans une ville en disant *la canalisation de l'eau,* mais cette expression ne comprend évidemment pas dans sa signification le service de l'administration municipale qui assure la distribution de l'eau.

ARACHIDE — *Voir* **CACAHOUÈTE.**

ARCHIDIOCÈSE — **Archidiocèse** est un néologisme par lequel on désigne un diocèse administré par un archevêque: *les diocèses de Montréal et de Québec sont des archidiocèses.*

La **province ecclésiastique** dont un archevêque est le premier évêque n'est pas un diocèse — elle en comprend plusieurs — et, par conséquent, ne peut être appelée **archidiocèse** ou «premier diocèse». L'archevêque de Québec est l'évêque de l'**archidiocèse** de Québec et l'archevêque de la **province ecclésiastique** de Québec.

Confondre **archidiocèse** et **province ecclésiastique** est une faute contre le sens des mots. On ne doit pas dire *le diocèse de Saint-Jérôme fait partie de l'*[ARCHIDIOCÈSE] *de Montréal* mais *de la province ecclésiastique de Montréal.*

ARCHIVES — *Voir* **RECORD.**

ARCHIVISTE — *Voir* **REGISTRAIRE — REGISTRATEUR.**

ARÈNE — Tout «bâtiment où l'on pratique des sports dans un espace autour duquel s'élève un amphithéâtre» est une **arène** (*GUIDE BLEU,* PARIS): *le Forum et le Centre sportif Paul-Sauvé sont des arènes montréalaises bien connues.*

Le mot **stade** désigne une «vaste enceinte pourvue de tribunes pour les spectateurs où des manifestations sportives, matchs (*voir* **JOUTE**) de baseball, de football, etc., se déroulent en plein air». C'est très justement qu'on parle du Stade Olympique de Montréal. Le Stadium fut l'un des **stades** de Montréal et plusieurs **arènes** portent le nom d'Arena. Ce sont là des noms propres qui sont aussi des noms communs en anglais mais qui n'en sont pas en français. On ne peut dire *j'aime l'atmosphère des* [STADIUMS] au lieu de *j'aime l'atmosphère des stades.* C'est également commettre une faute sous l'infuence de l'anglais que d'écrire [ARÉNA], avec un accent aigu, et de l'employer comme nom commun à la place d'**arène**.

Le mot **gymnase** désigne un «bâtiment ou une salle où l'on s'exerce aux sports de l'athlétisme (*voir* **ATHLÈTE — ATHLÉTISME**) et à d'autres par souci de formation», les compétitions (*voir* **COMPÉTITEUR — COMPÉTITION**) et matchs publics y étant exceptionnels.

ARGENT — En termes de finance, **argent** s'employait au XVIe siècle au sens de «valeur en monnaie» et, par conséquent au pluriel: *je comptai mes argents pour en apprendre la somme.* Le mot a perdu cette acception dès le XVIIe siècle. Il ne s'emploie plus qu'au singulier, au sens propre de «monnaie» et au sens figuré de «richesse»: *j'ai en banque autant d'argent que de titres* et *l'argent des uns fait l'envie des autres.*

Il ne faut pas dire [LES ARGENTS] *que l'État affecte à l'éducation* mais *l'argent* ou *les sommes que l'État affecte à l'éducation.*

ARGENT DE POCHE — *Voir* **ALLOCATION.**

ARGENTERIE — *Voir* **COUTELLERIE.**

ARGUMENT — Sauf dans le vocabulaire technique des mathématiques et dans celui de la littérature, où il a d'autres acceptions, le mot français **argument** signifie «raisonnement à l'appui d'une affirmation, preuve»: *tous les arguments ne sont pas également convaincants.* Il n'a pas comme le mot anglais

argument le sens de «discussion». On commet un anglicisme quand on dit *j'ai eu un* [ARGUMENT] *avec mon voisin* au lieu de *j'ai eu une discussion...*

ARMOIRE — Une **armoire** est un «meuble de rangement», c'est-à-dire où l'on enferme des choses. Le mot à retenir de cette définition est **meuble**. Un **meuble** est un objet mobile.

Un lieu ménagé dans un mur ou formant un mur pour le rangement de choses (vêtements, linge, ustensiles, etc.) ne forme pas un **meuble** ou objet mobile. Ce ne peut donc être une **armoire**; c'est un **placard**.

Armoires et **placards** portent des noms différents selon la catégorie d'objets qu'on y range. Une **armoire** ou un **placard** où l'on enferme des vêtements dans des tiroirs, sur des tablettes ou en les suspendant est une **garde-robe** (le nom est féminin) et une **garde-robe** construite principalement pour qu'on y suspende des vêtements (comme celles des entrées d'appartement) est une **penderie**.

Une **armoire** ou un **placard** où l'on range du linge est une **lingerie**. Un **placard** où l'on entasse des objets encombrants (*voir* ENCOMBRANT — ENCOMBREMENT) s'appelle aussi un **débarras.**

Dans les cuisines, on se heurte à une difficulté. Les **armoires murales** ou **armoires-appliques**, c'est-à-dire celles qui sont fixées au mur en permanence à une certaine hauteur, et les **armoires de parquet**, c'est-à-dire celles qui sont aussi fixées au mur en permanence mais qui reposent sur le parquet (*voir* PLANCHER), sont-elles encore des **meubles** et, par suite, sont-elles encore des **armoires**? Faisant en quelque sorte partie du mur, ne deviennent-elles pas des **placards**? D'aucuns disent **armoires**; d'autres, **placards**. C'est l'usage qui règle les difficultés de cette sorte. On ne se trompe pas en continuant d'employer le mot **armoire**, sauf pour les meubles étroits et construits en hauteur, qui servent à la fois au rangement des balais et à celui des tabliers et des blouses-tabliers, généralement appelés **penderies**. On les appelle aussi **placards-penderies**, parce qu'ils sont construits en forme de **placards** ménagés entre des **armoires**.

Au Canada, le langage populaire emploie le mot anglais **pantry** pour désigner un agencement d'**armoires de parquet** de cuisine dont le dessus sert de **table de travail**. On dit *poser des assiettes sur la* [PANTRY]; il faut dire *sur l'armoire, sur les armoires* ou *sur la table de travail.* La table sur laquelle on peut manger et travailler dans la cuisine s'appelle **table de cuisine**. En disant **table de travail**, on indique clairement qu'on ne parle pas de la **table de cuisine.**

Le mot [DÉPENSE] dans le sens de *placard où l'on range ce qui est destiné à être mangé immédiatement* est désuet. On lui préfère **garde-manger.**

Voir COMPTOIR.

ARRANGER — *Voir* AJUSTAGE — AJUSTEMENT — AJUSTER — AJUSTEUR.

ARRÊT — Ce mot veut dire plusieurs choses. Il signifie premièrement l'«action de s'arrêter»: *rouler sans arrêt.* Il désigne la «fin du fonctionnement»: *arrêt du* *cœur*. Il a aussi le sens d'« endroit où doit s'arrêter un véhicule de transport en commun » : *arrêt d'autobus*. Le mot se dit, d'autre part, dans le vocabulaire juridique (*voir* **SENTENCE**). Jamais, cependant, n'a-t-il eu la signification d'« ordre d'arrêter », que le vocable d'origine anglaise **stop** a pris internationalement. Si bien que **stop** désigne les panneaux de même que les feux de signalisation routière qui imposent des temps d'arrêt aux automobilistes : *les stops sont nombreux dans cette rue*.

C'est commettre une faute de français que d'employer le substantif [ARRÊT] au lieu de **stop** pour intimer l'ordre d'arrêter.

ARRÊTÉ MINISTÉRIEL — *Voir* **ORDONNER — ORDRE.**

ARRÊTER — *Voir* **APPRÉHENDER.**

ARRHES — *Voir* **DÉPÔT.**

ARRIÈRE — *Voir* **HOCKEY.**

ARRIVÉE — *Voir* **GOLF.**

ARSENAL — Au Canada, on emploie souvent le mot **arsenal** et quelquefois le mot **manège** au lieu de **salle d'exercice** pour désigner un bâtiment où des militaires apprennent le maniement des armes et la manoeuvre : l'[ARSENAL] *des fusiliers, le* [MANÈGE] *du régiment*. Il faut dire *la salle d'exercice des fusiliers, du régiment*.

Arsenal, mot d'origine arabe emprunté à l'italien vers la fin du XIVe siècle, avait naguère le sens de « fabrique d'armes, de munitions et de matériel de guerre ». D'où vient que l'on dit au figuré *ce polémiste n'est jamais pris au dépourvu ; il possède un arsenal d'arguments bien muni*. Aujourd'hui, on dit **manufacture** et magasin ou dépôt d'armes. Le mot **arsenal** ne s'emploie plus que dans le vocabulaire naval pour désigner un « centre de construction et de réparation de navires de guerre ».

Quant au mot **manège**, lui aussi emprunté à l'italien mais au début du XVIIe siècle seulement, c'est un terme d'équitation. Il désigne une « école d'équitation », un « terrain clos où l'on pratique l'art de l'équitation » et les « exercices que l'on fait faire à un cheval pour le dresser ». D'où vient le **manège** des chevaux de bois (*voir* **CARROUSEL**). Au figuré, il désigne une « manière adroite, rusée d'agir, de se conduire » : *le manège de ce garçon est déjà celui d'un jeune homme*.

La faute que l'on commet en disant *arsenal* au lieu de **salle d'exercice** vient de ce qu'en Amérique l'anglais emploie le même mot pour signifier « arsenal » et « salle d'exercice » : **armoury**. Le mot **manège** employé incorrectement au sens de « salle d'exercice » rappelle le temps de la cavalerie et de l'artillerie attelée.

ARTICLE — *Voir* **AFFAIRE, AGRÈS, ITEM** *et* **LIGNE.**

ASCENSEUR — *Voir* **ÉLÉVATEUR.**

ASPHALTAGE — ASPHALTER — *Voir* **PAVAGE — PAVÉ — PAVER.**

ASPIC — *Voir* **SALADE.**

ASPIRATEUR — *Voir* **VADROUILLE.**

ASSAILLIR — ASSAUT — À proprement parler, **assaut** n'est pas synonyme (*voir* **DISPENDIEUX**) d'**agression. Assaut** est un terme d'art militaire: *les troupes donneront l'assaut à la position ennemie à 7 heures demain* et *la position a été prise d'assaut.* L'**assaut** est la partie finale d'une attaque. Le mot s'emploie au figuré au sujet des forces de la nature qui semblent livrer un combat pour emporter une position: *les assauts des passions* et *la tempête multipliait ses assauts.*

Le sens du verbe **assaillir** n'est pas ainsi restreint. Il s'emploie à propos de n'importe quelle attaque comme synonyme d'**attaquer**, mais il apporte une nuance: **assaillir**, c'est, au sens propre, **attaquer** à l'improviste, soudainement: *nos troupes ont assailli l'ennemi deux fois la nuit dernière* et *le cambrioleur a assailli sa victime par-derrière.*

L'**agression**, c'est l'«action de déclencher un conflit»: *il est établi que ce pays s'est rendu coupable d'agression* et l'«action d'attaquer brutalement et sans provocation une personne»: *cette pauvre femme a été victime d'une agression sauvage.*

Le mot anglais **assault** signifie «assaut» et «agression». C'est sous l'influence de l'anglais que l'on dit fautivement, par exemple, *le juge a condamné à la prison un adolescent qui s'est reconnu coupable d'*[ASSAUT] *contre un vieillard.* Le langage juridique emploie rarement le mot **agression**, qui est surtout usité dans le langage courant. Au lieu de *tentative d'agression,* le juriste dit **tentative de voie de fait**. Plutôt qu'*agression grave,* il emploie les expressions **violence caractérisée** et **actes de violence caractérisés.** Au lieu d'[AGRESSION INDÉCENTE], il faut dire **attentat à la pudeur** ou **outrage aux mœurs.**

À retenir: employer le mot **assaut** au sens d'**agression**, c'est commettre un anglicisme.

ASSEMBLÉE — *Voir* **CONVENTION.**

ASSERMENTER — Assermenter est un dérivé récent du vieux mot **serment**. Il signifie «faire prêter serment». Celui qui prête serment est **assermenté**.

Le mot [ASSERMENTATION], auquel on prête les deux sens d'«action de faire prêter serment» et d'«action de prêter serment», est une faute. Il n'existe pas en français. L'action de prononcer un serment s'appelle **prestation de serment**.

L'adjectif **assermenté** ne s'applique qu'aux personnes qui prêtent serment, non aux choses au sujet desquelles elles sont **assermentées**. On ne peut parler d'une *déclaration* [ASSERMENTÉE]. Une chose ne peut avoir prêté serment. Il faut dire une *déclaration faite sous serment (voir* **AFFIDAVIT**).

ASSIDU — *Voir* **RÉGULIER.**

ASSIGNATION — ASSIGNER — Le verbe **assigner** a, comme le verbe anglais **to assign**, le sens général d'«attribuer» en parlant d'un emploi, de fonctions, d'une tâche : *assigner un programme d'études à un élève, assigner à un ouvrier la tâche de construire une clôture;* mais il n'a pas comme le verbe anglais celui de « désigner » quelqu'un à un poste, à une fonction, ou pour remplir une tâche. Il ne faut pas dire [ASSIGNER] *quelqu'un à une tâche,* mais *assigner une tâche à quelqu'un.*

Assigner n'est transitif en parlant de personnes qu'au sens juridique de « sommer par exploit d'huissier (*voir* **BREF**) de comparaître en justice » : *assigner un témoin, assigner un défendeur, un accusé.* Dans le vocabulaire de l'administration publique, c'est-à-dire sous les drapeaux et dans la fonction publique, **désigner** quelqu'un pour remplir une fonction, pour occuper un poste, une place (*voir* **POSITION**) se dit **affecter** : *affecter un fantassin à un régiment, affecter un fonctionnaire à un travail de recherche.* Dans le vocabulaire de l'industrie et du commerce, on dit simplement **désigner** (pour) et **nommer** (à) : *j'ai été désigné pour faire ce travail, j'ai désigné ma secrétaire pour remplir cette fonction, j'ai nommé un jeune employé à ce poste, le conseil d'administration a décidé de vous nommer à la direction de ces travaux.*

Contrairement au terme anglais **assignment**, le substantif **assignation** ne désigne ni l'« action d'attribuer » une fonction, un poste, une tâche à quelqu'un, ni l'emploi, le poste, la fonction ou la tâche **assignée**. On trouve **affectation** dans le vocabulaire de l'administration publique et particulièrement dans le vocabulaire militaire : *l'affectation de ce soldat à l'artillerie a été une erreur.* Dans l'industrie et le commerce, on dit **attribution** en parlant de la tâche, de la fonction **assignée** et **désignation** ou **nomination** en parlant de la personne à qui elle l'est : *l'attribution de ces fonctions à un employé qualifié s'impose* et *la désignation* ou *la nomination de cet ouvrier comme contremaître a été une erreur.*

Voir **BREF.**

ASSISTANCE — Ce mot s'emploie pour désigner une assemblée, un auditoire, mais il n'a pas le sens de « présence », bien que le verbe **assister** veuille dire « être présent ». On commet une faute en parlant de *l'*[ASSISTANCE] *au cours, aux séances d'un comité* pour indiquer le fait d'y **assister.** On dira correctement : *le professeur a parlé devant une assistance nombreuse,* **assistance** signifiant ici l'ensemble des étudiants présents, mais il faut dire *feuille de présence* et non *feuille d'*[ASSISTANCE]. Ne pas traduire **time-sheet** par [FEUILLE DE TEMPS] mais par *feuille de présence.* Du reste, **assistance** perd graduellement le sens d'« ensemble d'assistants ». L'usage actuel préfère l'emploi des mots **classe, auditoire, public**, etc.

ASSISTANT — *Voir* **ADJOINT.**

ASSOCIATION DE MALFAITEURS — *Voir* **CONSPIRATION.**

ASSOCIATIONS (NOMS DES...) — Une **association** est un « groupement de personnes réunies dans un intérêt commun ». Le **nom d'une association** peut indiquer cet intérêt commun de trois façons seulement : par la qualité des personnes groupées, *association des médecins de langue française du Canada ;* par la qualité de l'intérêt commun, *association professionnelle des fonction-*

naires, association artistique des fonctionnaires, et par l'action que l'intérêt commun propose aux membres du groupement, *association de bienfaisance.*

On peut donc dire *association d'entraide* comme on dit *œuvre de charité,* parce que l'entraide et la charité comme la bienfaisance sont des actions. Mais un nom comme [ASSOCIATION DE L'HYGIÈNE MENTALE] est une impossibilité grammaticale.

Quand, dans un nom d'association, le complément de la préposition *de* ne désigne pas une action mais des personnes ou une chose, cette préposition, au lieu d'«en vue de», ne peut plus exprimer qu'une idée d'appartenance, comme dans *association des médecins de langue française du Canada.*

On dirait correctement *association des spécialistes de l'hygiène mentale* ou *association pour le progrès de l'hygiène mentale.*

Voir **PRÉPOSITIONS (EMPLOI DES...).**

On ne pourrait dire [ASSOCIATION DU CANCER DU QUÉBEC], absurdité évidente, au lieu d'*association anticancéreuse du Québec* ou *association de lutte contre le cancer au Québec.*

ASSORTI — ASSORTIR — *Voir* **APPAREILLER.**

ASSURANCE — Voici quelques-unes des fautes commises fréquemment quand on parle d'assurance au Canada.

On dit [AJUSTEUR] au lieu d'**expert en sinistres**. Le mot **sinistre**, naguère synonyme de **désastre** et de **catastrophe** particulièrement en parlant d'incendies, d'inondations et de tremblements de terre, s'emploie surtout dans le vocabulaire de l'assurance, où il a le sens de «perte pour soi-même ou pour autrui qui met en jeu la garantie d'un assureur». Un décès, un accident d'automobile et un incendie sont, pour l'assuré et pour l'assureur, des **sinistres**. Le *DICTIONNAIRE TECHNIQUE DE L'ASSURANCE SUR LA VIE* en cinq langues, préparé en collaboration et publié en Allemagne, donne comme traduction d'**admitted claim** *sinistre reconnu,* non [RÉCLAMATION ACCEPTÉE]. Il ne faut pas dire [AJUSTEMENT] *d'assurance,* mais **expertise**.

Ne pas dire *annuité* au lieu de **rente**. Un revenu annuel garanti ou versé au bénéficiaire d'une assurance est une **rente**, non une *annuité (voir* **MENSUALITÉ**).

Celui qui demande d'être assuré est un **proposant**. Il ne signe pas une [APPLICATION *(voir ce mot)* POUR] une *assurance*, mais une **proposition** de contrat (*voir* **PLAN**).

Se garder de dire *bénéfice (voir ce mot)* au lieu de **prestation** ou de **rente**. Les sommes versées par un assureur à un assuré, par exemple, pendant une maladie naturelle ou causée par un accident sont des **prestations**. Dire *bénéfices* en parlant des avantages qu'offre une assurance ou des **prestations** qu'elle garantit, c'est commettre un anglicisme: le substantif anglais **benefit** a les sens d'«avantage», de «prestation», de «garantie».

L'adjectif [CONTRIBUTOIRE] (calque de l'anglais **contributory**) parfois employé à propos de la sécurité sociale est fautif. Il faut dire **assurance par cotisation** ou **assurance contributive**.

Ni le verbe **convertir** ni l'adjectif **convertible** ne sont des termes d'assurance. Une assurance qui peut être remplacée par une autre ou modifiée par de futurs avenants (*voir* **CÉDULE**) est une assurance **temporaire** ou une assurance **transformable**. Dire *assurance* [CONVERTIBLE], c'est calquer l'expression anglaise **convertible assurance** et commettre un anglicisme.

C'est aussi commettre un anglicisme que de dire *je suis* [ÉLIGIBLE] *(voir ce mot) à une assurance* au lieu de *je suis admissible.*

ASSURÉMENT — *Voir* **DÉFINITIVEMENT.**

ASSURER (S'...) — Le verbe pronominal **s'assurer** pris absolument signifie «conclure un contrat d'assurance»: *j'ai décidé de m'assurer.*

Suivi d'un complément direct, **s'assurer** n'a pas la même signification quand celui-ci est un nom que lorsque c'est une proposition introduite par *que.*

S'assurer quelque chose, c'est «rendre cette chose certaine, agir en sorte que ce soit certain»: *s'assurer un appui, un avantage.*

S'assurer que a le même sens que **s'assurer de**: «se rendre certain». *S'assurer qu'une chose est vraie* est synonyme de *s'assurer de la véracité d'une chose.*

On dit indifféremment *s'assurer de l'appui de quelqu'un* et *s'assurer qu'on a l'appui de quelqu'un* pour exprimer l'idée qu'on vérifie le fait qu'on est appuyé, mais si l'on entend qu'on fait les démarches nécessaires pour se procurer l'appui de quelqu'un, il faut dire *s'assurer l'appui.* De même, *s'assurer un revenu,* c'est prendre les moyens voulus pour recevoir un revenu, tandis que *s'assurer d'un revenu,* c'est acquérir la certitude qu'on recevra ce revenu, avant de faire un placement par exemple. De sorte que l'on peut dire correctement *beaucoup de gens qui croyaient s'être assuré un revenu avaient négligé de s'assurer du revenu du placement qu'ils faisaient* ou *de s'assurer que le placement qu'ils faisaient produirait un revenu.*

ATELIER — *Voir* **DÉPARTEMENT — DÉPARTEMENTAL.**

À TEMPS — *Voir* **TEMPS.**

ATHLÈTE — ATHLÉTISME — Il ne faut pas confondre **athlétisme** et **sport**. N'appartiennent à l'**athlétisme** que les **sports** pratiqués individuellement et sans intervention mécanique. Ce sont, à l'origine et à la base, la **course** à pied, le **saut** et le **lancer** (disque, javelot, marteau).

Les **sports** d'**athlétisme** sont aussi appelés **sports de compétition** (*voir* **COMPÉTITEUR — COMPÉTITION**).

Un **athlète** est un homme qui pratique un sport d'**athlétisme**. C'est par comparaison qu'on peut dire d'un joueur d'équipe manifestant à un haut degré les trois qualités principales de l'**athlète**, la vitesse, la détente et la résistance, qu'il en est un, mais c'est employer le mot à contresens que de l'appliquer, par exemple, à un coureur en automobile ou à un joueur de golf *(voir ce mot).*

ATMOSPHÈRE — Quel que soit le sens dans lequel on emploie ce mot, il est toujours féminin. *La basse atmosphère; il régnait dans ce bar une atmosphère* *suspecte; toute sa vie était baignée d'une atmosphère de sensualité.* Il faut se garder de dire quelque chose comme *il régnait* [UN] *curieux atmosphère à cet endroit.*

À TOUTE ÉPREUVE — *Voir* **ÉPREUVE.**

ATTACHÉ — *Voir* **AMBASSADEUR.**

ATTAQUER — *Voir* **ASSAILLIR — ASSAUT.**

ATTEINDRE — *Voir* **LOCALISER.**

ATTELAGE — ATTELER — «Attacher un animal à une voiture qu'il va tirer», c'est l'**atteler.** L'«action d'atteler»: *l'attelage s'est fait en moins de rien,* la «manière d'atteler»: *l'attelage à timon, l'attelage en flèche,* «ce qui sert à atteler»: *les pièces de l'attelage* et «l'animal ou les animaux attelés à une voiture»: *un attelage fringant de quatre chevaux* sont les quatre sens d'**attelage** en ce qui concerne les animaux de trait.

On emploie le mot abusivement quand on lui fait désigner l'«ensemble des pièces dont on équipe un cheval de selle ou un cheval de trait»: *la bride, les œillères et le mors sont des pièces de l'*[ATTELAGE]. Cet équipement s'appelle **harnais** et «mettre le harnais» se dit **harnacher** *(voir ces mots).* Ne pas dire [ATTELER] *un cheval de selle* au lieu de *harnacher un cheval de selle* ou l'[ATTELAGE] *d'un cheval de trait n'est pas complet s'il manque la bride* au lieu de *le harnais d'un cheval de trait n'est pas complet s'il manque la bride.*

Tous les chevaux de course sont harnachés, ceux qui courent montés comme ceux qui courent au trot *(voir ce mot)* attelés à un sulky. On fausse le sens du mot **harnais** quand on désigne les courses de trotteurs attelés, pour les distinguer des courses de trotteurs montés, par le canadianisme [COURSES SOUS HARNAIS]. Il faut dire **course attelée** comme on dit *trot attelé.*

ATTENDRE — *Voir* **ESPÉRER.**

ATTENDU QUE — *Voir* **QUAND.**

ATTENTAT À LA PUDEUR — *Voir* **ASSAILLIR — ASSAUT.**

ATTENTION — Le mot **attention** s'emploie lorsqu'on veut dire «prenez garde». *Faites attention, prenez garde* et l'interjection *attention* sont synonymes. Ce sont les avertissements qu'il faut employer dans tous les cas: *attention à la peinture* (plutôt que *peinture fraîche), attention au train, attention aux travaux.* [DANGER: TRAVAUX] est un anglicisme.

Dans le vocabulaire militaire, cependant, le commandement anglais **attention** se traduit par **garde à vous** ! La position dans laquelle les soldats s'immobilisent à ce commandement s'appelle le **garde-à-vous.** Tandis que le commandement s'écrit sans traits d'union (c'est une simple interjection), la position s'exprime par un nom composé dont les éléments sont liés par des traits d'union. On ne doit pas dire *les soldats se tenaient à l'*[ATTENTION], mais *les soldats se tenaient au garde-à-vous. Un soldat se met vivement au garde-à-vous en apercevant son colonel* et non *à l'*[ATTENTION].

ATTIRAIL — *Voir* **AGRÈS.**

ATTISER — Il va sans dire que le verbe **attiser** est un dérivé de *tison.* Il signifie «rapprocher des tisons pour qu'ils brûlent mieux»: *attiser un feu de fagots.*

L'instrument avec lequel on attise un feu dans une cheminée s'appelle **attisoir** ou **tisonnier** ou, s'il se termine par un crochet, **ringard**. L'action d'**attiser** est l'**attisage** ou l'**attisement**, mais ces deux derniers mots sont rarement employés.

Au Canada, on appelle [ATTISÉE] un feu de bois ou de charbon de courte durée: *faire une* [ATTISÉE] *pour chasser l'humidité.* Ce régionalisme venu de Normandie est à proscrire. Il faut dire *faire une flambée, faire un petit feu, un peu de feu.*

Voir **CANADIANISME.**

ATTRACTION — *Voir* **AMUSEMENT** *et* **MANÈGE.**

ATTRAPEUR — *Voir* **BASE-BALL.**

ATTRIBUTION — *Voir* **ASSIGNATION — ASSIGNER.**

AUBAINE — *Voir* **VENTE.**

AUBÉPINE — *Voir* **CENELLE.**

AUCUN — L'adjectif **aucun** ne peut avoir le sens de «quelque... que ce soit» que dans des propositions interrogatives ou dubitatives: *n'est-il aucune somme que l'on puisse consacrer à cette fin?,* ou dans des propositions d'un caractère explicitement ou implicitement négatif: *il serait inconvenant d'entreprendre aucune démarche avant quelques jours,* ou dans une proposition comparative précédée de *que: cet amateur est plus fort qu'aucun professionnel,* ou, enfin, après la préposition *sans: cet élève apprend sans aucun effort.*

Dans tous les autres cas, **aucun** signifie «pas un».

L'expression [EN AUCUN TEMPS] employée pour dire *à quelque moment que ce soit,* comme dans la phrase suivante: *le directeur vous recevra* [EN AUCUN TEMPS] *ce matin,* est un calque de l'anglais **at any time**. Il ne faut pas dire *n'hésitez pas* [EN AUCUN TEMPS] *à avoir recours à nos services,* mais *quel que soit le jour ou l'heure* ou *à quelque moment que ce soit, n'hésitez pas à avoir recours à nos services.*

AUDIENCE — Se rappeler que, si **audience** a le sens d'«attention, intérêt, accueil favorable»: *la philosophie de cet écrivain obtient une large audience,* il n'a pas celui d'«assistance» *(voir ce mot)*, d'«auditoire», qu'il eut autrefois, aux XVIe et XVIIe siècles. Un mauvais orateur écouté par une foule de curieux ne mérite pas leur **audience**, c'est-à-dire leur intérêt.

Le mot anglais **audience** a le sens d'«auditoire, assistance». C'est commettre un anglicisme que de dire, par exemple, *ce propagandiste a parlé hier soir devant une* [AUDIENCE] *nombreuse* au lieu de *devant un auditoire nombreux.*

Mais on peut ajouter correctement *il a gagné l'audience de son auditoire.*

Voir **SESSION.**

AUDITEUR — Le substantif **auditeur** n'a eu quelque rapport avec la comptabilité que dans le langage ecclésiastique, au Moyen Âge, alors qu'on appelait *auditeur conventuel* un religieux qui avait pour fonction de s'occuper des comptes d'un monastère.

Parmi les grandes juridictions que comprend l'Administration française, il y a un Conseil d'État *(voir ce mot)* et une Cour des comptes. Napoléon Ier avait trouvé comme moyen de former de bons administrateurs d'envoyer un certain nombre de ses futurs hauts fonctionnaires suivre les travaux du Conseil d'État et de la Cour des comptes comme simples **auditeurs** pendant un certain temps. Par la suite, ces **auditeurs** ont fini par participer à l'activité de ces juridictions et ils appartiennent de nos jours à leur personnel permanent. Les **auditeurs** du Conseil d'État et de la Cour des comptes ne sont plus des personnes qui y font un stage pour écouter ce qui s'y dit, mais des fonctionnaires remplissant une fonction appelée l'*auditoriat.* C'est le seul cas où le substantif **auditeur** n'a pas au XXe siècle le sens de «personne qui écoute»: *les auditeurs d'une conférence, les auditeurs d'une station de radio* et, par extension, *les auditeurs libres,* «personnes qui suivent les cours de certaines écoles publiques sans être élèves».

Le nom anglais **auditor**, venu comme **auditeur** d'un mot latin qui avait pour première signification «action d'entendre, d'écouter», a servi dès la fin du Moyen Âge à désigner des fonctionnaires chargés de la vérification des comptes publics. Il faut noter qu'à cette époque la vérification se faisait principalement en écoutant réciter les comptes. **Auditor** a pris le sens général de «vérificateur de comptes», d'«expert-comptable». L'anglais a formé le verbe **to audit** pour dire «vérifier, contrôler des comptes en qualité d'expert-comptable». Le verbe [AUDITER] quelquefois employé au Canada pour exprimer cette action est incorrect. Le mot n'existe pas en français. Il ne faut pas dire *ma comptabilité a été* [AUDITÉE] *la semaine dernière,* mais *ma comptabilité a été vérifiée la semaine dernière.* Et c'est commettre un anglicisme que de dire *auditeur* au sens d'«expert-comptable vérificateur». Il ne faut pas dire *un* [AUDITEUR] *très compétent vérifie ma comptabilité,* mais *un expert-comptable très compétent vérifie ma comptabilité.*

On ne peut traduire le titre anglais **auditor general** donné par le gouvernement fédéral au fonctionnaire supérieur chargé de surveiller avec la plus grande autorité les comptes de l'État canadien par [AUDITEUR GÉNÉRAL] sans aller contre le sens des mots. Il faut trouver une autre expression. On pourrait, par exemple, lui donner en français le titre de *surintendant des comptes* ou celui de *contrôleur général des comptes.*

Voir **AGRÉER.**

On a voulu donner aux **experts comptables** un titre en deux mots dont les premières lettres seraient les mêmes que celles des deux mots du titre anglais **chartered accountant**. Un motif de cette sorte est insuffisant pour forcer le sens des mots à ce point. Il faut dire en français **expert comptable.**

AUDITOIRE — *Voir* **ASSISTANCE** *et* **AUDIENCE.**

AUGURE — AUGURER — **Augurer** signifie «prévoir» en parlant de choses sur l'avenir desquelles le présent fournit certaines indications et en s'appuyant sur une interprétation de ces signes: *l'enthousiasme des collaborateurs permet d'augurer que l'entreprise réussira.* Il ne signifie pas «faire prévoir par quelque indication», ce qui est l'une des significations du verbe **présager**: *ce ciel bas et ce vent ne présagent rien de bon* ou encore *tant d'échecs successifs présagent une défaite définitive.*

Prêter à **augurer** cette acception de **présager**, c'est commettre un anglicisme: le verbe anglais **to augur** exprime également l'action des personnes qui **augurent** et celle des choses qui **présagent**. Il ne faut pas dire *toutes ces circonstances favorables* [AUGURENT] *bien pour l'entreprise,* mais *toutes ces circonstances favorables présagent le succès de l'entreprise.*

Le substantif **augure** a les deux sens d'«avenir prévu par l'interprétation des indications»: *tirer un bon augure de l'enthousiasme des collaborateurs d'une entreprise* et «interprétation des indications sur l'avenir»: *ce premier succès est de bon augure* ou *ce premier échec est de mauvais augure,* c'est-à-dire que ce succès et cet échec s'interprètent l'un favorablement et l'autre défavorablement pour l'avenir. On ne peut dire d'une indication qu'elle est [UN BON AUGURE] ou [UN MAUVAIS AUGURE] pas plus qu'on ne peut dire qu'elle [AUGURE BIEN] ou qu'elle [AUGURE MAL].

AUMÔNIER — *Voir* **CHAPELAIN.**

AU PORTEUR — *Voir* **CHÈQUE.**

AU REVOIR — *Voir* **BONJOUR.**

AUSTÉRITÉ — L'**austérité** est une qualité morale: *l'austérité des mœurs,* non un mode d'action économique. Une politique économique restrictive peut être très désagréable, non austère. Il n'est pas recommandé de parler d'une *politique économique d'*[AUSTÉRITÉ] ou d'une *période d'*[AUSTÉRITÉ] *économique.* **Dirigisme, économie restrictive, restrictions économiques** sont les expressions à employer.

L'anglais du XXe siècle prête à son mot **austerity** le sens d'«économie restrictive», de «restrictions économiques», et l'on commet un anglicisme quand on emploie le mot [AUSTÉRITÉ] pour dire cela.

AUTANT — Les locutions conjonctives **autant que** et **pour autant que** sont synonymes. La première signifie «dans la mesure où» et la seconde «eu égard à la mesure dans laquelle»: *autant qu'ils le voudront, ils progresseront* et *pour autant qu'ils le voudront, ils progresseront.* Noter qu'**autant que** et **pour autant que** commandent soit l'indicatif soit le subjonctif, selon que l'on exprime une pensée qui ne laisse aucun doute dans l'esprit, comme dans l'exemple ci-dessus, ou que l'on exprime une pensée qui laisse place à un doute comme dans celui-ci: *autant que* ou *pour autant que j'en puisse juger, l'affaire est bonne* (c'est-à-dire *l'affaire semble bonne).*

L'anglais dit **in as much as**. Le calque de cette locution [EN AUTANT QUE] est un solécisme. On ne dit pas en français [EN DANS LA MESURE OÙ]. Il ne faut pas dire [EN AUTANT QUE] *cela m'intéresse, vous pouvez agir à votre guise,* mais *autant que* ou *pour autant que cela m'intéresse, vous pouvez agir à votre guise.*

AUTHENTIQUE — *Voir* **OFFICIEL.**

AUTOBUS — AUTOCAR — Un **autobus** est un «grand véhicule automobile de transport en commun urbain», c'est-à-dire dans une ville et sa banlieue *(voir ce mot).* Les grands véhicules de transport en commun qui circulent sur les routes, entre les villes, sont des **autocars**.

On appelle aussi **autocars** les grands véhicules automobiles qui servent à faire faire la visite d'une ville aux touristes.

L'anglais, lui, emploie le même mot, **bus**, abréviation d'**omnibus**, pour désigner les véhicules automobiles de transport collectif urbain et ceux du transport routier et touristique.

AUTOMOBILE — Voici quelques mots français employés fautivement quand on parle de l'automobile au Canada.

On dit *roue* au lieu de **volant**: *prendre la* [ROUE] au lieu de *se mettre au volant.* Cette faute est un anglicisme. Elle vient de ce que **volant** se traduit en anglais par **steering wheel** et brièvement par **wheel** et que le mot **wheel** a pour première signification «roue». Il faut dire *tenir le volant* et non *être* [À LA ROUE].

Se rappeler que le mot **cric**, qui désigne le petit appareil à manivelle servant à soulever une roue ou un côté de la voiture, se prononce *cri;* le *c* final est muet.

Se rappeler qu'une voiture est **immatriculée**, non simplement enregistrée, et qu'elle porte une ou des **plaques d'immatriculation** ou des **plaques matricules**, non des *plaques* [D'ENREGISTREMENT]. Le verbe **immatriculer** signifie «inscrire sur un registre public en numérotant». L'«action d'immatriculer» et le «fait d'être immatriculé» se disent **immatriculation**. Le substantif **matricule** désigne le registre d'**immatriculation** et l'inscription portant le numéro de l'**immatriculation**. L'adjectif **matricule** qualifie ce qui se rapporte à l'**immatriculation**: *une plaque matricule, un livret matricule.*

Se rappeler que l'expression [VÉHICULE MOTEUR], calque de l'anglais **motor vehicle**, est fautive. Il faut dire **voiture automobile** ou **véhicule à traction automotrice** ou encore **véhicule à moteur**.

C'est aussi commettre un anglicisme que de dire *convertible* au lieu de **décapotable**. Pour qu'une chose soit **convertible** (*voir* **ASSURANCE**), il faut qu'elle puisse devenir autre chose: *le raisin est convertible en vin.* Une voiture dont la capote peut être repliée reste la même voiture. Elle est **décapotable**.

Une batterie *(voir ce mot)* d'automobile se compose d'**accumulateurs**. Des **accumulateurs** se vident ou s'épuisent, mais ils ne tombent pas *à terre* ni *par terre.* Ces deux locutions adverbiales signifient «sur le sol» en parlant de choses qui s'y trouvent, qu'on y dépose ou qu'on y jette. Les employer adjectivement au figuré aux sens de «déprimé, fatigué, épuisé, vidé» est abusif et condamnable. Il ne faut pas dire *ma batterie est* [À TERRE] ou *ma batterie est* [PAR TERRE], mais *ma batterie est vidée, ma batterie est épuisée.*

Le vocabulaire de l'automobile a emprunté à l'anglais son mot **starter**, mais, l'ayant francisé, il s'en sert pour désigner un autre objet que celui que signifie le terme anglais. Le mot anglais **starter** est le nom de ce qu'on appelle en français **démarreur**. Le mot français **starter** est le nom de ce qui s'appelle en anglais **choke**, dispositif qui provoque ou facilite le démarrage du moteur, naguère désigné en français par les expressions *étrangleur de démarrage, volet de démarrage* et *enrichisseur de démarrage.* Ces expressions ne sont plus usitées. La plupart des **starters** des voitures nouvelles sont automatiques et il est rare maintenant que les automobilistes aient à se servir du mot.

Un moteur en fonctionnement a besoin d'être graissé avec de l'huile et il lui en faut une quantité déterminée, qu'il est important de maintenir dans le carter par des appoints tant que l'huile n'est pas devenue trop chargée de suies et de dépôts carbonisés. Quand ce point de contamination est atteint, il faut vider le carter et le remplir de nouveau avec de l'huile propre. L'action de faire cette opération se dit en anglais **to change the oil** et, calquant l'anglais, l'on dit au Canada *changer d'huile : il faut que j'aille faire* [CHANGER L'HUILE] ou *ma voiture a besoin d'un* [CHANGEMENT D'HUILE]. L'inconvénient grave de cette traduction littérale est double. En premier lieu, le français de l'automobile emploie l'expression *changer d'huile* pour exprimer l'action de changer de catégorie ou de marque d'huile. Deuxièmement, de sorte qu'il n'y ait pas de confusion possible, tous les francophones du monde, sauf les Canadiens, appellent **vidange** l'action de vider le carter du moteur de l'huile usagée afin de le remplir avec de l'huile propre: *la fréquence des vidanges par rapport aux distances parcourues est fixée dans les notices d'entretien pour chaque voiture* (MAROSELLE J.-C. ET COLLABORATEURS — *L'AUTOMOBILE ET SES GRANDS PROBLÈMES). Voir* **HUILE.**

On désigne a tort le compartiment arrière d'une voiture où l'on place les bagages par *valise* au lieu de **coffre**. Il ne faut pas dire la [VALISE] *de ma nouvelle voiture est de grande dimension*, mais le *coffre de ma nouvelle voiture... Voir* **VALISE**.

Enfin, on désigne encore trop souvent certaines parties d'une automobile par leurs noms anglais : **brakes** au lieu de **freins, bumper** au lieu de **pare-chocs, clutch** au lieu d'**embrayage, crank shaft** au lieu de **vilebrequin, fan** (*voir* **ÉVENTAIL**) au lieu de **ventilateur, hood** au lieu de **capot, muffler** au lieu de **silencieux, windshield** au lieu de **pare-brise**, etc.

Voir **CHAR.**

AUTORITÉ — *Voir* **CONTRÔLE — CONTRÔLER.**

AUTO-STOP — AUTO-STOPPEUR — *Voir* **OCCASION.**

AUTRE — Le pronom indéfini **autre** s'écrit **d'autres** au pluriel : *nous en avons vu bien d'autres,* c'est-à-dire « bien des autres ». L'adjectif **autre** se conforme au substantif auquel il se rattache : *nous avons reçu l'appui d'autres associations.*

Ni dans le cas où **d'autres** est employé comme pronom, la préposition **de** qui précède **autres** signifiant déjà «des», encore moins dans le cas où **autres**, précédé de la préposition **de**, est adjectif, on ne peut faire précéder l'expression **d'autres** de la préposition **de**, qui est comprise. Il ne faut pas dire *nous avons reçu l'appui* [DE] *d'autres* ou *nous avons reçu l'appui* [DE] *d'autres associations*, mais *nous avons reçu l'appui d'autres* ou *nous avons reçu l'appui d'autres associations.* Ne jamais faire précéder **d'autres** de la préposition **de** *(voir* **PRÉPOSITION, EMPLOI DES**).

AVANCÉ — *Voir* **D'AVANCE.**

AVANT — *Voir* **HOCKEY.**

AVANTAGE — Le mot **avantage** a le sens de «quelque chose d'utile, de profitable». De sorte qu'*on tire avantage d'une situation:* on en tire quelque chose d'utile, de profitable; mais dire [PRENDRE AVANTAGE] *de la situation défavorable dans laquelle se trouve quelqu'un* au lieu de *profiter* ou *abuser* (selon le cas) *de la situation défavorable dans laquelle se trouve quelqu'un,* c'est simplement calquer l'anglais **to take advantage of** et commettre un anglicisme.

Le mot **avantage** a aussi le sens de «supériorité»: *sa fortune lui donne un avantage sur ses concurrents,* mais il n'a pas celui d'«honneur» que possède en Amérique du Nord le terme anglais **advantage** et c'est commettre un autre anglicisme que de dire, par exemple, *j'ai l'*[AVANTAGE] *de vous présenter notre invité* au lieu de *j'ai l'honneur de vous présenter notre invité.* Sans doute, peut-il être avantageux de connaître quelqu'un, mais il ne faut pas dire *je n'ai pas eu l'*[AVANTAGE] *de connaître cette personne* quand on veut dire *je n'ai pas eu l'honneur de connaître cette personne.*

Voir **BÉNÉFICE.**

AVANTAGEUX — *Voir* **D'AVANCE** *et* **VALEUR.**

AVEC — *Voir* **PRÉPOSITIONS (EMPLOI DES...).**

AVENANT — *Voir* **ASSURANCE** *et* **CÉDULE.**

AVENUE — *Voir* **ABRÉVIATION** *et* **PRÉPOSITIONS (EMPLOI DES...).**

AVERTIR — AVERTISSEMENT — *Voir* **NOTICE — NOTIFICATION — NOTIFIER.**

AVEU — AVOUER — *Voir* **JUGEMENT.**

AVION À RÉACTION — *Voir* **RÉACTEUR — RÉACTION.**

«**AVIONNERIE**» — Canadianisme formé sur le modèle de quelques substantifs français qui désignent des fabriques: aciérie, armurerie, biscuiterie, cartoucherie, confiturerie, papeterie, poudrerie, soierie, zinguerie. Il est préférable de dire **usine d'avions.** Comme on dit **usine d'autos** et non [AUTOMOBILERIE], **usine de jouets** et non [JOUETTERIE].

AVIRON — **Rame** et **aviron** désignent le même objet: «longue pièce de bois élargie et aplatie à une extrémité et fixée au plat-bord d'une embarcation pour la faire mouvoir». Jusque vers le milieu du siècle dernier, **aviron** s'employait surtout en parlant de la navigation sur mer et **rame** s'employait de préférence en parlant de la navigation sur les rivières et dans les lacs. **Rame** tombe en désuétude. Aujourd'hui, on ne dit plus qu'**aviron**, qu'on parle de la navigation sur les cours d'eau et dans les lacs ou qu'on parle de la navigation sur mer. On ne parle pas du sport de la **rame,** mais du sport de l'**aviron.**

La « pièce de bois élargie et aplatie à une ou aux deux extrémités, plus courte que l'aviron et non fixée au plat-bord, dont on se sert pour faire mouvoir les embarcations très légères », comme les canoës (*voir* **CHALOUPE**) et les kayaks, s'appelle **pagaie**. La **pagaie** est dite simple ou double selon qu'elle est aplatie à un seul ou aux deux bouts. Le mot **pagaie**, d'origine malaise, n'est entré dans le langage courant qu'au XIXe siècle.

Les marins français qui vinrent en Nouvelle-France aux XVIe, XVIIe et XVIIIe siècles appelèrent naturellement *avirons* les instruments, plus courts et plus légers que les **avirons** européens, que les Amérindiens du pays employaient pour manoeuvrer leurs canots. Il faut maintenant faire la distinction entre l'**aviron**, qui est toujours fixé à l'embarcation et qui, naguère, s'appelait également **rame**, et la **pagaie**, plus courte et non fixée, des canoéistes. Au XXe siècle, dire **aviron** au lieu de **pagaie**, c'est utiliser un terme vieilli dans ce sens.

AVIS — AVISER — *Voir* **NOTICE — NOTIFICATION — NOTIFIER.**

AVOCAT — AVOCATIER — « Fruit en forme de poire de l'avocatier ». Ce mot a été emprunté de l'espagnol **avocado** que l'anglais a adopté tel quel.

On commet un anglicisme en employant le mot espagnol au lieu d'**avocat**, mot qui a fait son apparition dans la langue française dès le XVIIIe siècle, en même temps que son dérivé **avocatier.**

AYANT DROIT — *Voir* **DÉPENDANT.**

B

BABILLARD — Dans l'argot scolaire du Canada, **babillard** désigne le «tableau d'affichage» d'une classe ou d'une salle de récréation. C'est une faute de prêter à **babillard** dans le langage courant cette acception qu'il ne peut avoir que dans le langage conventionnel des écoliers et des collégiens (*voir* **ÉTUDIANT**). À l'usine ou au bureau, il ne faut pas dire, par exemple, *ta nomination est annoncée sur le* [BABILLARD] mais *ta nomination est annoncée sur le tableau* ou, au long, *sur le tableau d'affichage.*

BAC — *Voir* **TRAVERSIER.**

BAC À LAVER — *Voir* **ÉVIER.**

BÂCHE — *Voir* **PRÉLART**

BÂCLER — Dans le langage familier moderne, le verbe **bâcler**, qui s'écrit avec un accent circonflexe, a le sens d'«exécuter à la hâte et sans soin»: *un commerçant bâcle une affaire* quand il la **conclut** trop rapidement, sans se donner la peine d'en bien examiner tous les aspects, et *un élève bâcle son devoir* quand il ne prend pas le temps de le faire avec attention.

Dans le français familier du XVIIe siècle, **bâcler** n'avait pas ce sens péjoratif. Il signifiait simplement «arrêter, conclure» en parlant d'une affaire: *une affaire bâclée* était une transaction ou une question sur laquelle on s'était entendu définitivement *(voir ce mot).* Cette acception est restée au Canada. De nos jours, il est fautif de dire *j'ai* [BÂCLÉ] *une bonne affaire aujourd'hui* si l'on veut exprimer l'idée qu'on a **conclu** une bonne affaire et qu'on est satisfait parce qu'on l'a **conclue** avec lucidité, prudence et attention.

Voir **ÉPOUVANTE.**

«**BÂDRER**» — Dans ses *ZIGZAGS AUTOUR DE NOS PARLERS,* LOUIS-PHILIPPE GEOFFRION a consacré au mot [BÂDRER] et à ses dérivés [BÂDRANT, BÂDREUR, BÂDRAGE, BÂDREMENT et BÂDRERIE] un article poussé qui semble bien établir que le mot est d'origine celtique et qu'il nous est venu de l'ancien dialecte franco-normand des îles anglaises de Jersey et de Guernesey.

On dit [BÂDRER] au Canada dans les mêmes sens qu'[ACHALER] *(voir ce mot)* et dans quelques autres comme «tracasser, vexer, contrarier, inquiéter, etc.», autant de verbes qu'il faut employer au lieu de [BÂDRER]. L'article mentionné ci-dessus rappelle ce mot d'ÉMILE FAGUET: [BÂDRER] *n'est français dans aucune langue.*

BAGAGE — Se garder d'écrire ce mot comme son équivalent anglais. Il s'orthographie **bagage**, non [BAGGAGE].

BAGUE — *Voir* **JONC**.

BAHUT — *Voir* **BUFFET**.

BAIE — Le mot **baie**, qui, selon l'origine étymologique, désigne une échancrure d'une côte, une ouverture de porte ou de fenêtre, ou un petit fruit charnu, se prononce *bè* et non *bé*. Prononcer *la Bè des Chaleurs*, non *la* [BÉ] *des Chaleurs*, et *les bès du groseillier,* non *les* [BÉS] *du groseillier (voir* **GROSEILLE**).

BAIGNOIRE — BAIN — L'«immersion du corps ou d'une partie du corps dans l'eau», c'est le **bain**. Au XXe siècle, la «cuve dans laquelle on se baigne» n'est pas un **bain** mais une **baignoire**. On lit souvent dans les journaux qu'un hôtel offre aux touristes des [CHAMBRES AVEC BAIN]. C'est une faute. Il faut dire *chambre avec baignoire* ou *chambre et salle de bains.*

De nos jours, on écrit presque toujours **bain** au pluriel dans **salle de bains**. La **salle de bains** n'est pas la salle de la baignoire, mais la salle où l'on se baigne, où l'on prend des **bains**.

BAILLEUR — Mot qu'il nous faut apprendre et répandre. Notre vocabulaire juridique et administratif doit nous aider. Le **bailleur** est une personne qu'on appelle généralement au Canada le [LOCATEUR]. Ce terme ne se trouve dans aucun des nombreux dictionnaires français de la langue usuelle. Cela se comprend. Le mot **location** signifie «donner ou prendre à louer» logement, voiture, etc., de sorte que [LOCATEUR], si le mot existait, pourrait aussi bien désigner celui qui prend à louer que celui qui donne à louer. Le français a des termes utiles pour dire les choses. On dit **bailleur** pour désigner la personne qui donne à loyer et **locataire** pour la personne qui prend à loyer.

BALAI — BALAYETTE — BALAYEUSE — *Voir* **VADROUILLE**.

BALANCE — Le premier sens du mot **balance** est «instrument qui sert à mesurer la masse», mais, de la même façon que toutes les bouteilles ne s'appellent pas *bouteilles (voir* **ACCRU**), il y a plusieurs sortes de **balances** qui portent des noms particuliers et ce sont ces noms qu'il faut employer pour les désigner si l'on veut s'exprimer avec précision. Par exemple, les «appareils de pesage à plate-forme qui servent à mesurer la masse d'objets lourds comme les automobiles, les bagages, etc.» sont des **bascules.** Les [BALANCES PUBLIQUES] ainsi nommées d'après l'anglais **public scales** sont des **bascules**: *la bascule municipale.*

Les **balances** et les **bascules** qui servent à un seul usage ont chacune un nom. Une «balance dont le plateau est disposé pour recevoir un jeune enfant» est un **pèse-bébé**. On dit maintenant de même **pèse-personne** pour désigner une «balance automatique de parquet comprenant une petite plate-forme au-dessus du mécanisme sur laquelle une personne se tient debout pour mesurer sa masse»: *il est utile d'avoir un pèse-personne dans la salle de bains afin de surveiller son poids quotidiennement.* Il ne faut pas dire [BALANCE À LETTRES] ou [BALANCE À COURRIER], mais **pèse-lettres.**

Pesée signifie «action de peser»: *faire la pesée de bagages,* «matière pesée en une fois»: *mesurez cette quantité de grains par pesées de cent kg,* «masse fixée d'avance pour une pesée»: *il manque cinq kg pour faire la pesée* et «pression forte exercée sur un objet»: *ce fort levier résiste à une pesée de plusieurs tonnes.* C'est commettre une faute que d'employer le mot [PESÉE] au lieu de **balance** ou de **bascule**: il ne faut pas dire *tous les camions doivent passer sur la plate-forme de la* [PESÉE], mais *tous les camions doivent passer sur la plate-forme de la bascule.* On peut dire, cependant, *tous les camions doivent passer sur la plate-forme de pesée* (sur laquelle se fait la **pesée**), comme on dit *table d'opération* (sur laquelle se fait l'opération chirurgicale).

En termes de comptabilité, **balance**, en parlant des comptes, signifie «équilibre entre le débit et le crédit»: *établir la balance des comptes d'un semestre d'affaires.* **Balance des comptes** et **balance commerciale** se disent spécialement du commerce extérieur: *l'industrie du tourisme favorise la balance des comptes d'un pays qui importe plus qu'il n'exporte de produits manufacturés et de matières premières.* La **balance** ou l'équilibre d'un compte s'établit par le calcul de la différence entre le crédit et le débit et la **balance** est dite *créditrice* si l'avoir est supérieur aux dettes passives, *déficitaire* ou *débitrice* si c'est l'inverse. Mais le mot **balance** n'indique pas la différence entre le débit et le crédit, il n'indique que l'équilibre favorable ou défavorable établi par l'addition de cette différence au total débiteur ou créditeur, selon le cas. La «différence entre le débit et le crédit d'un compte» en est le **solde** et ce **solde** est *débiteur* ou *créditeur.*

Le mot anglais **balance** a ce sens de **solde** en même temps que celui de **balance** de compte et c'est un anglicisme que l'on commet chaque fois que l'on parle, par exemple, de la [BALANCE] *d'un compte en banque* au lieu du *solde d'un compte en banque,* de la [BALANCE] *d'un compte fournisseur* au lieu du *solde d'un compte fournisseur*, de la [BALANCE] *débitrice du commerce extérieur* quand on veut parler du *solde débiteur* qui rend défavorable ou déficitaire la *balance commerciale,* etc.

Par extension, le mot anglais **balance** a pris en Amérique du Nord les sens de «différence», de «reste», de «restant», de «complément». C'est commettre également des anglicismes que de dire, par exemple, *vous recevrez la* [BALANCE] *de votre commande la semaine prochaine* au lieu de *vous recevrez le complément de votre commande la semaine prochaine,* ou *il ira passer la* [BALANCE] *de ses vacances en Ontario* au lieu d'*il ira passer le reste de ses vacances en Ontario,* ou la [BALANCE] *entre le prix d'achat et le prix de vente* au lieu de la *différence entre le prix d'achat et le prix de vente,* ou *prenez autant de pommes que vous en avez besoin et allez porter la* [BALANCE] *chez votre voisin* au lieu d'*allez porter le restant chez votre voisin.* **Complément, différence, restant** et **reste** sont les termes à employer au lieu de *balance.*

Le verbe [DÉBALANCER] et l'adjectif [DÉBALANCÉ] employés au Canada aux propres et figurés de «déséquilibrer» et «déséquilibré» n'existent pas en français.

BALANCELLE — *Voir* **BALANÇOIRE.**

BALANCER — En termes de comptabilité, **balancer** se dit au sens d'«équilibrer» en parlant des comptes: *balancer les comptes de la semaine.* Ailleurs dans le vocabulaire commercial, il faut dire **équilibrer**: *équilibrer un budget* et *dans cette industrie (voir ce mot) l'offre et la demande s'équilibrent.*

BALANÇOIRE — Il y a deux sortes de **balançoires**. La **balançoire** formée par un «siège, le plus souvent une simple planchette, suspendue à deux cordes» porte aussi le nom d'**escarpolette**, tandis que l'autre, «longue pièce de bois en équilibre sur un point d'appui permettant à deux personnes assises sur ses extrémités de se balancer, l'une s'élevant quand l'autre descend» s'appelle aussi **bascule**. Une **bascule** tournante est un **tourniquet.**

La **balançoire** double pour jardin, adaptation de l'**escarpolette**, comprenant «deux sièges articulés faits de lamelles de bois, sur chacun desquels deux personnes peuvent s'asseoir, suspendus l'un en face de l'autre à une armature de bois et maintenus à égale distance l'un de l'autre par une plate-forme mobile» est en voie de disparition. Le «long siège généralement garni d'un matelas et à dossier souvent capitonné suspendu par des chaînes à un cadre métallique sous un toit de toile», qui occupe maintenant une place importante dans l'ameublement de jardin, est une **balancelle**.

Le **hamac**, «toile ou filet suspendu par ses deux extrémités servant de lit mobile en forme de poche», n'est pas une **balançoire**, même si des enfants se servent de **hamacs** comme de **balançoires**.

BALCON — *Voir* **GALERIE.**

BALISE — Dans les régions rurales de plus en plus rares où les chemins vicinaux et les chemins desservant une suite de propriétés agricoles (*voir* **RANG**) ne sont pas bien entretenus l'hiver, les Canadiens plantent de petits arbres dans la neige de chaque côté de certaines de ces routes pour en indiquer le tracé et la largeur et ils appellent *balises* ces petits arbres indicateurs. Cette extension de sens donnée au mot **balise**, qui ne se substitue à aucun terme français, se justifie par analogie avec les **balises** qui délimitent des voies de circulation maritimes et aériennes.

BALLANT — *Voir* **GOLF.**

BALLE — *Voir* **BASE-BALL.**

BALLON — *Voir* **BASKET — BASKET-BALL.**

BANC — Un **banc** est un «siège étroit et long, non rembourré, avec ou sans dossier, pour plusieurs personnes». Il y a des **bancs** dans les parcs sur lesquels les promeneurs peuvent s'asseoir pour causer ou se reposer et, dans une salle d'audience, il y a le **banc des accusés**. Par extension, le mot a pris en technologie, en géologie et en ichthyologie des sens particuliers: il y désigne une sorte d'établi, de bâti: *banc de menuisier, banc d'essai,* une couche terrestre formée par un amas de matière plus ou moins horizontal: *banc sous-marin, banc de sable, banc de calcaire (voir* «**BANC DE NEIGE**»), et une grande assemblée de poissons se déplaçant ensemble: *banc de morues.*

Le mot anglais **bench**, issu comme **banc** du germanique, a le même sens général de siège étroit et long pour plusieurs personnes que le terme français mais, suivant le génie de l'anglais qui aime exprimer des idées abstraites par des images, il a pris des significations qui lui sont propres dans les langages juridique et ecclésiastique. Il désigne l'ensemble des juges d'une juridiction ou d'un tribunal et la dignité, la charge de juge et l'ensemble des évêques d'une religion, d'une secte religieuse ou d'une province ecclésiastique (*voir* **ARCHIDIOCÈSE**). Le mot français **banc** n'a pas ces acceptions.

S'il est correct de parler de la *Cour du Banc du Roi* ou du *Banc de la Reine*, parce que cette expression rappelle le temps où le souverain d'Angleterre siégeait en personne sur le banc du tribunal de cette cour qui était souveraine, on commet des anglicismes chaque fois qu'on se sert du mot **banc** au lieu de **cour**, de **tribunal** ou de **magistrature**. Il ne faut pas dire d'un avocat nommé juge qu'*il* [MONTE SUR LE BANC], mais qu'*il accède* ou *est élevé à la magistrature.* Il ne faut pas dire *le gouvernement a décidé d'augmenter le nombre des juges du* [BANC] *de la Cour supérieure dans ce district (voir ce mot) judiciaire,* mais simplement *le gouvernement a décidé d'augmenter le nombre des juges de la Cour supérieure dans ce district.* Il ne faut pas dire *l'intimation d'appel a été agréée par le* [BANC] *de la Cour suprême,* mais *l'intimation d'appel a été agréée par le tribunal de la Cour suprême.*

De nos jours, les juges ne siègent plus sur des **bancs**, mais dans des fauteuils. Aussi est-il fautif de dire, par exemple, qu'*un jugement a été rendu* [SUR LE BANC], calque de l'anglais **on the bench.** Il faut dire que *le jugement a été rendu sans délibéré, sur le siège.* Il ne faut pas parler d'*un mandat d'arrêt décerné* [SUR LE BANC], à la suite, par exemple, d'un outrage au tribunal (*voir* **OFFENSE**), mais d'*un mandat d'arrêt décerné (voir* **ÉMETTRE**) *sur le siège,* au cours même de l'audience.

«BANC (... DE NEIGE)» — Le mot **banc** a, entre autres, le sens de «couche ou amas d'une substance naturelle formé par des forces naturelles»: *banc de rochers, banc de glace* (étendue de glace flottante), *banc de sable.* Les Canadiens ne péchaient pas contre l'esprit de la langue quand ils ont formé l'expression *banc de neige* pour désigner un «amas de neige formé par le vent».

Les Auvergnats, qui vivent dans la région montagneuse de la France connue sous le nom de Massif central, appelaient depuis longtemps *congère* (nom féminin) un amas de neige formé par le vent. **Congère** vient du verbe latin **congerere**, qui voulait dire «accumuler» et qui a aussi donné au français les mots **congestion** et **congestionner**. Le français contemporain a adopté le terme et il faut maintenant employer le mot **congère** plutôt que l'expression *banc de neige.*

Il n'y a aucun mal à ce que l'on continue au Canada à dire *banc de neige* dans le langage familier, mais il importe de savoir que le mot juste est **congère**, afin de le comprendre quand on le lit ou l'entend et de pouvoir s'en servir quand on écrit. Au lieu de *le vent a soufflé toute la nuit et des* [BANCS DE NEIGE] *rendent un grand nombre de routes impraticables (voir* **PRATICABLE**), on écrira *et des congères rendent un grand nombre de routes impraticables.*

Se rappeler, cependant, qu'appeler *banc de neige*, dans le langage familier, un **amas** de neige entassée au bord d'un chemin par les employés du service de la voirie qui font le déneigement, ce n'est plus se permettre un provincialisme (*voir* **CANADIANISME**); c'est commettre une faute, car le travail de l'homme n'est pas une force de la nature, ce n'est pas le vent.

BANDE DESSINÉE, ILLUSTRÉE — *Voir* **COMIQUE.**

BANDERILLE — *Voir* **DARD.**

BANDIT — *Voir* **SUSPECT.**

BANLIEUE — La **banlieue** est l'«ensemble des municipalités ou communes (*voir* **COMMUNAL — COMMUNE**) qui entourent une ville et qui lui sont liées par des relations sociales et économiques assez étroites pour que ces communes forment avec elle un tout appelé *agglomération (voir ce mot)*»: *Sillery se trouve dans la banlieue de Québec.* Le mot peut aussi se dire d'une partie du territoire qu'il désigne: *la banlieue ouest de Montréal comprend l'une des villes les plus populeuses du Québec, Verdun.* Même alors, cependant, **banlieue** reste un nom collectif.

On ne peut jamais l'employer comme nom individuel: *Westmount est* [UNE BANLIEUE] *de Montréal* ou *le conseil municipal de* [CETTE BANLIEUE] *a été mis au courant de projets de travaux publics qui intéressent toute l'agglomération montréalaise.* Cette faute est attribuable à l'influence de l'anglais: **a suburb** est «une municipalité ou commune de banlieue» et les **suburbs** forment «la banlieue».

Quand on a son logement dans une commune de **banlieue**, on habite *en banlieue*, mais cette commune n'est pas [UNE BANLIEUE]: elle fait partie de la **banlieue**.

Le mot **banlieusard**, par lequel on désigne dans le langage familier les personnes qui habitent la **banlieue** d'une grande ville, n'a plus le sens péjoratif qu'il avait naguère, mais il est préférable de l'éviter. On dira plutôt *les gens de la banlieue, j'habite la banlieue,* etc.

Pour les entreprises de transport, les gens qui habitent la **banlieue** et qui voyagent soir et matin sont des **abonnés** (*voir* **SOUSCRIPTEUR — SOUSCRIPTION — SOUSCRIRE**).

BANLIEUSARD — *Voir* **BANLIEUE.**

BANQUE — Trois fautes à signaler à propos du mot **banque**.

En premier lieu, les entreprises faisant le commerce de la **banque** appelées **chartered banks** en anglais sont, en français, des **banques privilégiées**, c'est-à-dire des **banques** jouissant de certains privilèges. Il est fautif de les désigner par l'expression [BANQUES À CHARTE], simple calque de l'anglais.

Ni le substantif **charte**, sauf dans le mot composé *charte-partie* du vocabulaire maritime, ni l'expression **lettres patentes** ne sont très plus employés en France. Ce sont des termes de droit monarchique. Au lieu de *charte d'une société commerciale* ou de *lettres patentes d'une entreprise,* on dit *acte constitutif d'une société, d'une entreprise* (GASTON MAUGER ET JACQUELINE CHARON, *MANUEL DE FRANÇAIS COMMERCIAL*). Le Canada étant un pays monarchique, **charte** et **lettres patentes** continuent d'y avoir droit de cité. *Acte constitutif* correspondrait peut-être mieux que ces deux termes, cependant, aux réalités contemporaines. Dans le cas des **banques**, toutes, y compris celles qui ne sont pas **privilégiées**, ont nécessairement obtenu de l'État un acte constitutif, une **charte**, avant de commencer à exercer leur commerce. Ce qui distingue les **chartered banks** des autres, c'est qu'elles ont des droits que les autres banquiers n'ont pas. L'entreprise des Caisses populaires, par exemple, est à proprement parler une **banque**, mais ce n'est pas une **banque privilégiée**. Elle n'entre pas dans le monopole qu'ont voulu pratiquer en concurrence limitée et surveillée un petit nombre d'autres **banques**.

Deuxièmement, quand une **banque** est désignée par un nom de pays masculin, le nom du pays est toujours précédé de l'article *le,* que ce soit une **banque** d'État ou une **banque** privée : *Banque du Canada, Banque du Portugal.* Si le nom du pays est féminin, l'article *la* est omis s'il s'agit d'une **banque** d'État : *Banque de France, Banque d'Angleterre.* Quand il s'agit d'une **banque** appartenant à des actionnaires, société anonyme (*voir* **CORPORATION**) ou coopérative, le nom de pays féminin doit être précédé de l'article *la: Banque de l'Indochine.* Par exemple, si des capitalistes de la Colombie-Britannique obtenaient le privilège bancaire et décidaient de donner à leur entreprise le nom de cet État (*voir* **PROVINCE**), celle-ci devrait s'appeler en français *Banque de la Colombie-Britannique.* La *Banque* [DE NOUVELLE-ÉCOSSE] est mal nommée. Ce devrait être *Banque de la Nouvelle-Écosse.*

Enfin, un « petit récipient dans lequel on introduit par une fente de l'argent qu'on veut économiser » est une **tirelire**. C'est commettre une faute sous l'influence de l'anglais **small bank** que de désigner un objet de cette sorte par le mot *banque.* Il ne faut pas dire à un enfant *voici dix cents à déposer dans ta* [PETITE BANQUE], mais *voici dix cents à déposer dans ta tirelire.*

Voir **BILAN** *et* **CONJOINT — CONJOINTEMENT.**

BANQUEROUTE — BANQUEROUTIER — Se rappeler que **banqueroute, faillite** et **banqueroutier, failli** sont des mots qui ne s'emploient pas indifféremment. La **faillite** est l'« état d'un commerçant dont un tribunal constate qu'il n'est plus capable de faire face à ses obligations, de payer ses créanciers ». Un « commerçant qui cesse de faire des paiements et le fait constater par un tribunal » est un **failli**. La **banqueroute** est une « faillite précédée ou accompagnée d'actes fautifs au regard de la loi aggravant la situation des créanciers ». Une « faillite frauduleuse » est une **banqueroute**.

Il est diffamatoire (*voir* **LIBELLE — LIBELLISTE**) d'appeler *banqueroutier* un commerçant de bonne foi dont un tribunal constate qu'il se trouve dans l'impossibilité de payer ses créanciers sans qu'il ait commis d'actes criminels ou simplement délictueux. Ce commerçant est un **failli**. Annoncer un *solde (voir* **VENTE**) *pour cause de banqueroute,* c'est annoncer que l'insolvabilité du **failli** dépend dans une plus ou moins grande mesure d'actes illégaux qu'il a commis, ce qui fait de lui un **banqueroutier.**

Le terme anglais **bankruptcy** signifie «faillite» et **banqueroute** se traduit en anglais par **fraudulent bankruptcy**. C'est un anglicisme de dire *banqueroute* au lieu de **faillite**, même si la faute est quelquefois commise en France.

BANQUETTE — *Voir* **CANAPÉ** *et* **GOLF.**

BAR — *Voir* **CABINET.**

BARBEAU — *Voir* **BLEUET.**

BARBIER — Au Moyen Âge, un grand nombre de **barbiers**, dont la première fonction, comme leur nom l'indique, était de raser et d'arranger la barbe, pratiquèrent aussi la chirurgie. Les **chirurgiens-barbiers** eurent d'abord une enseigne jaune et les **perruquiers-barbiers** une enseigne blanche, mais les premiers ne tardèrent pas à adopter comme enseigne le bâton rayé en spirale blanc et rouge représentant l'éclisse qu'ils utilisaient pour les saignées et en même temps le pansement dont ils se servaient après la saignée. C'est l'enseigne qu'on trouve encore à la porte de toutes les boutiques de **coiffeurs** pour hommes.

Les premiers **coiffeurs** pour dames firent leur apparition au cours du XVIe siècle. Bien que Louis XIV eût séparé la profession du chirurgien de celle du **barbier** au XVIIe siècle, il y avait encore des **chirurgiens-barbiers** en France quand la révolution éclata en 1789, mais il ne faisaient plus que de la chirurgie dentaire. Après la disparition des perruques, la fonction principale des **barbiers** devint celle des **coiffeurs**, c'est-à-dire d'arranger les cheveux, et le nom de ces derniers a supplanté l'autre. Les «personnes qui coupent et soignent les cheveux et, accessoirement, rasent la barbe» ne sont pas des **barbiers**, mais des **coiffeurs**. Un homme qui dit *je vais chez mon* [BARBIER] *pour me faire donner un shampooing et me faire couper les cheveux* commet une faute sous l'influence de l'anglais, dont le mot **barber** a le sens de «coiffeur pour hommes». Les hommes comme les femmes vont chez le **coiffeur**. Bien entendu, une personne dont l'unique occupation dans la boutique d'un **coiffeur** serait de raser la barbe porterait correctement le titre de **barbier**.

«**BARBOT**» — Pour désigner une goutte d'encre tombée sur une feuille de papier à écrire, le mot **barbot**, comme *babillard (voir ce mot),* appartient à l'argot des écoliers au Canada: *cet élève a fait un barbot comme il achevait de mettre son devoir au net.* Au XVIe siècle, on nommait *barbots* certains insectes de l'ordre des coléoptères (on appelle encore les hannetons *barbots* dans quelques régions du Québec) et c'est probablement par comparaison avec l'apparence de ces insectes sur une surface de couleur pâle que le même mot sert à dire «tache d'encre sur une feuille de papier». Hors de l'argot scolaire, il faut dire **pâté** *: une fillette respectueuse n'envoie pas à ses parents une lettre couverte de* *pâtés,* non *une lettre couverte de* [BARBOTS]. Ce mot a disparu de la langue française.

BARÈME — *Voir* **CÉDULE.**

BARGE — Ce vocable fut la première forme de **barque** et il a été employé jusqu'au XVe siècle pour désigner les petits bateaux semblables à ceux qu'on appelle fautivement *chaloupes (voir ce mot)* au Canada. Il prit spécialement le sens d'«embarcation à fond plat pourvue d'une voile carrée» utilisée pour la pêche et, au XVIe siècle, il n'avait plus d'autre acception. Les embarcations de cette sorte disparurent au cours du XIXe siècle et le mot avec elles (J. DARBELNET, *REGARDS SUR LE FRANÇAIS ACTUEL*). Passé à l'anglais, qui n'en a transformé que la prononciation, le mot y a pris la signification de «grand bateau plat de faible tirant d'eau pour le transport de marchandises sur les fleuves, les rivières et les canaux». Les Canadiens l'ont repris à l'anglais pour s'en servir au sens qu'il a dans cette langue. Ils commettent ainsi un anglicisme, car les bateaux que le mot anglais **barge** désigne sont des **chalands** ou des **péniches** en français du XXe siècle.

Chaland est le terme générique. **Péniche** se dit des grands **chalands** arrondis aux extrémités, quelquefois munis d'un mât accessoire. La plupart des **péniches** sont automotrices de nos jours. Les autres sont remorquées. Il ne faut pas dire *j'ai vu passer un train de* [BARGES] *cet après-midi sur le fleuve,* mais *j'ai vu passer un train de péniches* ou, si les embarcations à fond plat étaient rectangulaires, *de chalands.*

BARGUIGNAGE — BARGUIGNER — BARGUIGNEUR — **Barguigner** est un très vieux mot venu probablement du francique, qui l'aurait lui-même reçu de l'ancien haut allemand (ALBERT DAUZAT, *DICTIONNAIRE ÉTYMOLOGIQUE).* Du XIIIe au XVIIe siècle, il a eu les deux sens de «faire commerce» et de «débattre le prix d'une chose afin d'essayer de l'obtenir à meilleur compte» (au XVIe siècle, un **barguigneur** était un marchand et celui qui **marchandait** était un **barguignard**). Au cours du XVIIe siècle, le sens de **barguigner** a passé de l'idée de «marchander» à celle de «biaiser, hésiter», que l'ancien substantif **barguignard** avait déjà exprimée au XIIe siècle (GRANDSAIGNES D'HAUTERIVE, *DICTIONNAIRE D'ANCIEN FRANÇAIS*). C'est sa seule acception aujourd'hui et l'on ne l'emploie plus guère que dans l'expression *sans barguigner* qui signifie «sans hésiter».

Au Canada, le langage populaire continue de se servir de **barguigner** et de **barguignage**, mot qui veut dire «lenteur à se décider», aux sens de «marchander» et de «marchandage» et il donne à **barguigneur**, qui, en français moderne, désigne une «personne lente à se déterminer», le sens du mot disparu **barguignard.** L'influence de l'anglais a contribué à la conservation de ces sens, le verbe **to bargain** emprunté autrefois au français, au temps où **barguigner** s'écrivait aussi **bargaigner**, ayant gardé les deux anciennes significations de ce mot: «négocier» et «marchander». Il ne faut pas dire *ce client exaspérant* [BARGUIGNE] *chaque fois qu'il vient,* mais *ce client exaspérant marchande chaque fois qu'il vient.* Au lieu de *ce client est trop timide pour faire du* [BARGUIGNAGE], il faut dire *ce client est trop timide pour faire du marchandage.*

Se rappeler enfin qu'une personne qui a l'habitude de **marchander** en achetant est un **marchandeur**, non un [BARGUIGNEUR].

BARMAID — *Voir* **GARÇON.**

BARMAN — *Voir* **GARÇON.**

BARQUE — *Voir* **CHALOUPE.**

BARRAGE — *Voir* **DAME** (du néerlandais **dam**).

BARRE — *Voir* **BARRER.**

BARRER — On voit encore des granges, des remises et des cabanes dont les portes sont fermées avec des **barres**. Ces portes sont **barrées**. Mais une porte fermée avec un **verrou** ou une **serrure** est **verrouillée** ou **fermée à clé.** *J'ai* [BARRÉ] *la porte à clé* est une faute. Il faut dire *j'ai fermé la porte à clé* ou *j'ai verrouillé la porte.* On peut, cependant, *barrer la porte à quelqu'un,* c'est-à-dire l'empêcher d'entrer, l'une des acceptions de **barrer** étant «obstruer, empêcher le passage de».

Un **verrou** est un «appareil comprenant une pièce mobile (le pêne) qu'on fait glisser pour l'engager dans une pièce fixe (la gâche) pour assurer une fermeture». Le pêne des **verrous** ordinaires est poussé manuellement. Les **verrous de sûreté** fonctionnent au moyen d'une clé. Les «petits verrous ordinaires montés sur une plaque de fixation» s'appellent **targettes**. Le verbe **verrouiller** s'applique aux **targettes** comme aux gros **verrous** ordinaires et aux **verrous de sûreté**.

Tout «appareil de fermeture fonctionnant au moyen d'une clé ou d'un ressort» est une **serrure**. Un **cadenas** est une **serrure** mobile. Un **verrou de sûreté** est une sorte de **serrure** fixe. Les appareils de fermeture à combinaisons des coffres-forts sont des **serrures de sûreté**.

L'expression **fermer à clé** s'applique à toutes les **serrures**, sauf les **cadenas** et les **serrures de sûreté**. On dira correctement d'une porte munie d'un **verrou de sûreté** qu'elle est **fermée à clé** ou qu'elle est **verrouillée**, tandis qu'une porte munie d'un **verrou** ordinaire n'est naturellement que **verrouillée.** Une porte fermée au **cadenas** est **cadenassée.** On peut dire simplement de la porte fermée d'une chambre forte (*voir* **VOÛTE**) pourvue d'une **serrure à combinaisons** dont on a fait fonctionner le mécanisme de fermeture, qu'elle est **immobilisée.**

Embarrer, terme technique qui signifie «soulever avec un levier», tombe en désuétude. Ce verbe n'a jamais eu le sens qu'on lui donne au Canada d'«enfermer à clé», de «mettre sous clé». [EMBARRER] *quelqu'un dans sa chambre* est aussi incorrect que [BARRER] *une porte à double tour.*

Prendre garde, d'autre part, que **barrer** ne veut pas dire **rayer** au sens de faire des rayures. L'un des sens de **barrer** est «annuler d'un trait de plume» (*voir* **ANNULER**), mais il faut qu'une ligne soit un trait de plume, ou de stylographe, ou de crayon pour être une **barre**. On ne peut dire *une étoffe* [BARRÉE] au lieu d'*une étoffe rayée*. Enfin, le mot [BARRURE] employé au Canada dans le langage populaire pour dire «fermeture» et «raie» est inexistant en français.

BASCULE — *Voir* **BALANCE** *et* **BALANÇOIRE.**

BASE-BALL — Le nom de ce sport américain ne se traduit pas. Vers le milieu du siècle dernier, quand le jeu a été introduit en France, où il n'est guère pratiqué maintenant, on a parlé de *balle aux bases*. C'était un calque de l'anglais qui eut la vie très courte. Le nom **balle au camp** désigne un ancien jeu de **balle** français qui ne ressemble que d'assez loin au **base-ball.**

Le jeu de **balle au camp** ressemble aussi de loin au **softball**. Le mot anglais **soft** qui entre dans la composition de ce nom ne signifie pas que la **balle** dont on se sert est molle, car elle ne l'est pas. Il veut dire seulement que la **balle** est moins dure que celle du **base-ball**. On commet une faute en appelant *balle molle* le **softball.**

Un joueur de **base-ball** est un **baseballer** (prononcer *bé-se-ba-leur)* et ce mot s'écrit sans trait d'union.

Le morceau de bois dont les joueurs se servent pour frapper la **balle** est une **batte**. C'est une faute de l'appeler *bâton*. Un **bâton** est un «long morceau de bois rond et mince». La **batte** n'est pas mince. Aussi appelle-t-on **batteurs** et non [FRAPPEURS] les joueurs qui frappent la **balle** avec la **batte**.

Le joueur placé derrière les **batteurs** qui a pour tâche de capter la **balle** quand les **batteurs** ne la frappent pas ou la frappent de façon qu'elle tombe tout près est l'**attrapeur**, non le [RECEVEUR]. On dit aussi **rattrapeur. Receveur** ne se dit que de personnes qui reçoivent des recettes ou qui reçoivent du sang.

Se rappeler que **base-ball** s'écrit avec un trait d'union en français, même si le mot s'écrit avec ou sans trait d'union en anglais, et que **softball** s'écrit sans trait d'union.

BASKET — BASKET-BALL — Au Canada, les expressions *ballon-panier* et *ballon au panier* sont usitées pour désigner le **basket-ball**. On a tenté de les introduire en France, où ce sport est populaire comme dans un très grand nombre de pays, mais elles n'y ont obtenu aucun succès. Le nom **basket-ball** ne se traduit pas, mais il est généralement raccourci. On dit et écrit **basket** tout court. Le *t* du mot est sonore comme ceux de *net* et *sept*.

BATEAU — *Voir* **ALLÈGE, BARGE, CHALOUPE** *et* **NOLISER.**

BÂTON — *Voir* **BASE-BALL** *et* **HOCKEY.**

BATTE — BATTEUR — *Voir* **BASE-BALL.**

BATTERIE — Le substantif **batterie**, dérivé de *battre*, a eu au Moyen Âge les sens de «bataille», d'«attaque» et d'«instrument pour battre», puis, jusqu'au XIXe siècle, dans le langage populaire, celui de «querelle au cours de laquelle on échange des coups». En français moderne, le terme appartient premièrement au vocabulaire militaire. Il signifie «réunion de pièces d'artillerie et du matériel nécessaire à leur service»: *l'aéroport était protégé par une batterie de défense* *contre avions.* Par analogie, le mot sert à nommer des ensembles de pièces semblables ou de pièces groupées pour une même fin: *une batterie de haut-parleurs* et *une batterie de cuisine.* **Batterie** désigne particulièrement tout «ensemble d'éléments produisant de l'énergie électrique par la transformation d'énergie chimique ou de dispositifs producteurs de courant électrique constitués de façon à emmagasiner cette énergie et reliés entre eux».

Les petits éléments qui ne font que transformer de l'énergie chimique en énergie électrique pour faire fonctionner les appareils électriques portatifs — lampes de poche, lampes de camping, électrophones (*voir* **PHONOGRAPHE**), postes de radio, etc. — sans qu'il soit besoin de les brancher à une prise de courant, sont des **piles**. Les dispositifs qui accumulent de l'énergie électrique sont des **accumulateurs**. Une **batterie** d'automobile est un ensemble d'**accumulateurs** reliés entre eux. Une fois reliées les unes aux autres par la pression d'un ressort, les **piles** d'une lampe de poche ou d'un récepteur de radio forment une **batterie**. Une fois reliées seulement: *la batterie de mon poste (voir* **STATION**) *se compose de quatre piles.*

Il ne faut pas dire *j'ai besoin de* [BATTERIES] *pour ma lampe de poche*, mais *j'ai besoin de piles pour ma lampe de poche.* En employant le mot **batterie** au lieu de **pile**, on commet un anglicisme: le mot anglais **battery**, emprunté il y a longtemps au français, signifie «pile» ou «batterie» selon qu'on parle d'une **pile** ou d'une **batterie**.

BATTRE — *Voir* **BRASSE — BRASSER** *et* **DÉBATTRE.**

BAVARDER — *Voir* **JASER — JASEUR.**

BAVASSER — Le mot **bavasser**, dérivé de *baver*, est à la veille de s'effacer du vocabulaire français. Il était très employé aux XVe et XVIe siècles aux sens de «bavarder, parler à tort et à travers, dire des niaiseries». Dire *ce paresseux passe son temps à* [BAVASSER], c'est employer un terme vieilli. Après avoir désigné pendant quelque temps le fait de «parler en articulant mal, de façon défectueuse», **bavasser** a pris dans le langage populaire de certaines régions de la France le sens de «débiter des propos médisants», acception voisine de celle que le langage populaire lui donne au Canada: «relater par indiscrétion ou par malice», définition du verbe **rapporter**. Au lieu de *je me méfie de mon jeune frère qui va tout* [BAVASSER] *à mes parents,* on dit correctement *je me méfie de mon jeune frère qui va tout rapporter à mes parents.*

Une personne qui **rapporte** n'est pas un [BAVASSEUR], mais un **rapporteur.**

BEIGNE — BEIGNET — Le mot **beigne**, d'origine inconnue, existait dès le XIIIe siècle. Il eut d'abord les formes de **bigne**, de **buigne**, de **bingue** et de **begne**. Il signifiait «bosse, enflure causée par un coup» et le mot **beigne** est encore employé dans ce sens par le langage populaire: *donner et attraper des beignes.*

Le roi Louis IX, saint Louis, entreprit la septième croisade en 1249 et fut fait prisonnier par les Arabes, qu'on appelait alors les Sarrasins. Le sire Jean de Joinville, qui a raconté sa vie, rapporte qu'en lui rendant sa liberté, qu'il avait rachetée, ceux-ci lui offrirent à manger de petits mets apprêtés comme ceux qu'on nomme **beignets** depuis le XVIIe siècle et qui étaient inconnus en France, où on commença bientôt à en fabriquer. Parce que ces petits articles de cuisine, qui étaient alors toujours composés d'un objet alimentaire enveloppé d'une pâte légère, gonflaient dans la friture, on les désigna par le nom d'*enflure*, c'est-à-dire **beigne**. Ce nom fut employé jusqu'au début du XVIIe siècle alors que, probablement à cause de la petitesse de ces mets, on lui substitua son diminutif **beignet**.

Au Canada, on a continué à dire *beigne*. D'aucuns ont voulu justifier le maintien de l'ancien nom en avançant que le mets canadien diffère des diverses sortes de **beignets** français, dont certains sont faits avec de la viande, un légume, du fromage et d'autres avec un fruit, de la confiture ou de la crème et qui ont à peu près tous plus ou moins la forme d'une boulette, tandis que le mets canadien n'est que pâte sucrée et prend le plus souvent la forme d'un anneau. L'argument est fallacieux. De nos jours, tout petit article de dessert préparé avec de la pâte à frire, comprenant ou non une autre substance alimentaire, et passé dans une friture brûlante pour la faire gonfler est un **beignet**. La forme n'y est pour rien.

Il existe à peu près autant de sortes de **beignets** en France que celle-ci compte d'anciennes provinces et les *beignets de mardi-gras* de l'Alsace et les *chache-creupés* de la Lorraine ressemblent par leur préparation aux *beignes* du Canada. La plupart des régions françaises ont donné un nom particulier à leurs **beignets**. Après les *chache-creupés* de la Lorraine, on peut citer les *berdouilles* de Champagne, les *bugnes* de Bretagne, les *bugnettes* de Franche-Comté et les *beugneures* du Berry. Ces noms sont employés localement. Il n'y a donc pas de mal à ce que les Canadiens appellent *beignes* leurs **beignets**, à la condition que l'on sache que ces *beignes* sont des **beignets** et qu'on peut les nommer **beignets à la canadienne**.

Beigne est un nom féminin.

BÉNÉFICE — Comme synonyme d'**avantage**, c'est-à-dire employé au sens de «quelque chose d'utile, de profitable», **bénéfice** n'est pas un mot concret. Il ne désigne pas comme **avantage** des objets particuliers. On ne peut pas dire *le logement gratuit est l'un des* [BÉNÉFICES] *de mon contrat* au lieu de *l'un des avantages de mon contrat*, mais on dit correctement *mon contrat me donne le bénéfice d'un logement gratuit*. On ne peut pas dire *les appuis qu'ils ont obtenus ont été pour eux de grands* [BÉNÉFICES], mais on dit correctement *les appuis qu'ils ont obtenus ont été pour eux d'un grand bénéfice*. Dans cette acception, **bénéfice** signifie spécialement «droit» et «faveur» en termes de droit: *bénéfice d'inventaire, bénéfice des circonstances atténuantes, bénéfice du doute*. Le seul autre sens moderne de **bénéfice** est celui de «gain réalisé dans une opération commerciale ou financière»: *le bénéfice net (voir* **CLAIR**) *d'une vente* et *les bénéfices d'une année d'exploitation (voir* **OPÉRATEUR — OPÉRATION — OPÉRER**).

Il est fautif d'employer *bénéfice* aux sens de «secours en argent ou en nature», d'«indemnité», de «condition favorable», de «prime», que possède le substantif anglais **benefit**. On commet des anglicismes quand on parle des [BÉNÉFICES MARGINAUX] assurés à des syndiqués par une convention collective au lieu de dire *avantages accessoires* ou *supplémentaires*, d'une *demande de*

[BÉNÉFICE] faite par un ouvrier après un accident au lieu de dire *demande d'indemnité,* des [BÉNÉFICES] *de chômage* payés par un syndicat à ses membres au lieu de dire *indemnités de chômage,* ou des [BÉNÉFICES] *sociaux* qu'offre une convention collective au lieu de dire *avantages sociaux.* On paie des **primes** à des ouvriers occupés à des travaux particulièrement pénibles, non des [BÉNÉFICES].

Voir **ASSURANCE** *et* **AVANTAGE.**

BÉNÉFICIAIRE — *Voir* **CHÈQUE** *et* **ENDOS — ENDOSSATAIRE — ENDOSSEMENT.**

BÉNÉFICIER — [BÉNÉFICIER À] est une faute et un solécisme commis sous l'influence de l'anglais. Le verbe **bénéficier**, qui signifie «tirer bénéfice, profit, avantage», ne se construit qu'avec la préposition *de: bénéficier de conditions favorables, l'accusé a bénéficié d'une ordonnance de non-lieu, vous bénéficierez d'une remise (voir* **VENTE**) *à ce magasin.*

Le verbe anglais **to benefit** a ce sens de «tirer bénéfice, profit, avantage» (**to benefit by**), mais il a aussi celui de «procurer un certain avantage, être utile» (**to benefit to**), qui est l'une des acceptions de **profiter**. Ce verbe a les deux sens de **to benefit**: *on profite d'une chose* et *une chose profite à quelqu'un.* On commet un anglicisme de sens et un anglicisme de syntaxe en disant, par exemple, *cette loi* [BÉNÉFICIERA À] *beaucoup de gens* au lieu de *cette loi profitera à beaucoup de gens.*

BÉNÉVOLE — BÉNÉVOLEMENT — L'adjectif **bénévole** avait naguère le seul sens de «bienveillant, bien disposé, de bonne volonté». On disait, par exemple, *un auditeur bénévole* pour exprimer l'idée d'un auditeur qui admet sans hésitation ce qu'on lui dit ou qui va entendre un orateur spontanément, librement, sans y être entraîné par quelque obligation. Dans cette acception, le mot est désuet. Aujourd'hui, **bénévole** a une nouvelle signification. Il veut dire «qui agit à titre gracieux, par civisme ou par dévouement»: *auxiliaire bénévole d'une oeuvre sociale, assistant (voir* **ADJOINT**) *bénévole de l'organisateur d'une assemblée politique.*

À cause même de sa définition, **bénévole** se dit proprement des personnes: une chose n'agit pas par civisme ou par dévouement. La Fédération des Oeuvres de Charité compte sur le travail d'un grand nombre de quêteurs (*voir* **SOLLICITEUR**) **bénévoles**. Par extension, cependant, l'adjectif **bénévole** se dit d'actions faites **bénévolement**. L'adjectif **bénévole**, rarement employé dans cette acception, est alors synonyme de **gracieux** et de **gratuit**: *une collaboration bénévole.*

BENZÈNE — BENZINE — Ces deux mots se prononcent *bin-zène* et *bin-zine* et non [BAN-ZÈNE] et [BAN-ZINE]. Se garder, d'autre part, de prononcer la première syllabe de **benzine** comme si c'était celle du mot anglais **benzine**, où le *n* est sonore.

BER — BERCEAU — Le mot **ber** appartient pour ainsi dire exclusivement au vocabulaire de la construction maritime. Il désigne la «charpente qui supporte un navire pendant sa construction». Là où l'on se sert encore de charrettes (voitures de charge à deux roues), pour transporter du foin par exemple, on appelle aussi **ber** l'ensemble des ridelles qui maintiennent la charge.

Ber a complètement perdu son premier sens qu'exprime maintenant, depuis le XVIe siècle, son dérivé **berceau**. Cette acception s'est éteinte quand les dernières régions du nord et de l'ouest de la France, où le parler populaire l'avait conservée, l'ont finalement délaissée, vers la fin du siècle dernier. Il ne faut pas dire *l'enfant reposait dans le* [BER] *qui avait servi à sa mère et à sa grand-mère,* mais *l'enfant reposait dans le berceau.*

BERÇANT — Se garder d'employer le participe présent **berçant** au lieu de l'adjectif **berceur**. Il ne faut pas appeler *chaise* [BERÇANTE] une chaise sur laquelle on peut se balancer. Un «siège, pourvu ou non de bras, reposant sur des lames de bois recourbées de façon à permettre de se balancer» se désigne par le substantif **berceuse**. Le substantif [BERÇANTE] usité au Canada n'existe pas en français. Les fauteuils à bascule modernes portent le plus souvent le nom de **rocking-chair**, terme emprunté à l'anglais il y a déjà plus d'un siècle.

BERCEUSE — *Voir* **BERÇANT.**

BERNE — Au XVIIe siècle, le vocabulaire maritime a emprunté à l'on ne sait trop quelle langue ou quel dialecte le mot **berne** pour former l'expression **mettre en berne**, qui signifie en parlant des pavillons «ne pas hisser jusqu'au haut du mât et sans déployer complètement en signe de détresse ou de deuil». Le vocabulaire général a étendu plus tard le sens du terme pour l'appliquer à tous les drapeaux. **Mettre en berne** se traduit en anglais par **to half-mast** et **en berne** par **at half-mast**. On commet des anglicismes en disant, par exemple, *mettre un drapeau* [À MI-MÂT] au lieu de *mettre un drapeau en berne* ou *tous les drapeaux sont* [À MI-MÂT] *sur les édifices pour marquer le décès de ce personnage* au lieu de *tous les drapeaux sont en berne.*

BEST-SELLER — *Voir* **VENDEUR.**

BEURRÉE — Une tranche de pain recouverte d'une substance comestible molle ou pâteuse est une **tartine**. Une **tartine** de beurre, c'est-à-dire une tranche de pain seulement enduite de beurre, porte aussi le nom de **beurrée**. Dans quelques régions du nord-ouest de la France, le Haut-Maine en particulier, le langage populaire s'est servi autrefois du mot *beurrée* pour désigner n'importe quelle **tartine**. Ce terme dialectal resté vivant au Canada est fautif. Il ne faut pas dire [BEURRÉE] *de confiture* ou [BEURRÉE] *de foie gras,* mais *tartine de confiture, tartine de foie gras.*

BIBLIOTHÈQUE — *Voir* **LIBRAIRIE.**

BICYCLE — BICYCLETTE — La **bicyclette** est l'appareil moderne à roue arrière motrice qui a succédé au **bicycle** aussi appelé **vélocipède**. De là vient que les pistes pour les courses cyclistes sont des **vélodromes** et l'on se sert encore du mot **vélo**, abréviation de **vélocipède**, dans le langage familier, pour désigner la **bicyclette**. La roue avant du **bicycle**, à laquelle le cycliste imprimait le mouvement directement par les pédales, était beaucoup plus haute que la seconde.

Le mot **bicycle** ne doit plus s'employer que pour désigner les **vélocipèdes** conservés dans des musées.

Appeler [BICYCLE] au lieu de **bicyclette** l'appareil que nous connaissons, c'est commettre un anglicisme: **bicyclette** se dit en anglais **bicycle**.

BIENVENU — Chaque langue a ses formules de politesse qui manifestent une manière particulière de voir les choses (*voir* **CORRESPONDANCE**). Un anglophone qu'on remercie d'un renseignement qu'il vient de donner ou d'un service qu'il vient de rendre dit à son interlocuteur **you are welcome** ou, simplement, **welcome**, ce qui se traduit littéralement par *vous êtes bienvenu* et *bienvenu.* Il faut s'exprimer autrement en français. On dit *de rien,* ou *il n'y a pas de quoi,* ou *à votre service,* ou mieux, *je vous en prie.* Employer l'adjectif *bienvenu* au lieu de ces formules, c'est commettre un anglicisme. En parlant des personnes, **bienvenu**, qui signifie «bien accueilli», ne se dit qu'à propos d'une présence ou d'une participation à une activité commune: *je me sentais bienvenu à cette réunion* et *vous êtes bienvenu dans cette discussion.*

BIÈRE — *Voir* **TOMBE — TOMBEAU.**

BIFFER — *Voir* **ANNULER.**

BIFTECK — *Voir* **DARNE.**

BILAN — Contrairement à ce que d'aucuns seraient portés à croire, ce n'est ni en Angleterre ni en Écosse que l'activité économique moderne s'est formée, mais en Italie, dès le Moyen Âge. On peut dire que les Florentins, les Génois et les Vénitiens furent les pionniers du monde des affaires dans lequel nous vivons. Aussi l'italien a-t-il fourni au français et, par l'intermédiaire de celui-ci, à l'anglais un bon nombre de termes de *banque.* Par exemple, ce mot lui-même, qui vient de l'italien **banca** («banc»), le mot *escompte*, qui vient de l'italien **scontare** («décompter») et le mot **bilan**, qui vient de l'italien **bilanceo** («action de peser, de balancer»). C'est cette idée de comparer, d'équilibrer, de peser le pour et le contre, que **bilan** n'a cessé d'exprimer dans le vocabulaire des affaires puis dans le vocabulaire militaire et dans le vocabulaire général après qu'il s'y fut introduit par analogie.

Bilan signifie proprement «tableau résumé de la situation financière d'une entreprise établi par le moyen d'un inventaire *(voir ce mot)*». Autrement dit, c'est le tableau qui montre que l'actif (*voir ce mot*) de l'entreprise est supérieur ou inférieur à son passif: *bilan déficitaire.* Le vocabulaire militaire emploie **bilan** au figuré pour dire «résumé des pertes et des gains à la suite d'une opération, d'une bataille, d'une guerre»: *le bilan du combat aérien s'établit comme suit : dix appareils ennemis abattus et deux de nos appareils abattus par l'ennemi.* Le vocabulaire général emploie de même **bilan** au figuré au sens de «résumé des éléments favorables et des éléments défavorables d'un événement ou d'une succession d'événements»: *dresser le bilan d'un sondage de l'opinion publique* et *faire le bilan de sa vie.*

Un simple résumé de faits fâcheux ou de faits favorables ne peut porter le nom de **bilan**. Il ne faut pas dire *le* [BILAN] *du week-end (voir ce mot) sur les* *routes du pays s'élève à vingt morts et quarante blessés* ou [BILAN] *de l'accident: deux morts et deux blessés,* mais *le week-end a fait vingt morts et quarante blessés sur les routes du pays* et *résultats de l'accident: deux morts et deux blessés.* On dira correctement *bilan de la dernière saison à cette station de tourisme: 3 500 vacanciers, aucun accident mortel sur les routes dans un rayon de vingt-cinq km et une seule noyade,* parce qu'on montre ainsi par comparaison que les éléments favorables de la saison l'ont de beaucoup emporté sur les éléments défavorables, mais on ne peut dire [BILAN] *de la saison à cette station de tourisme: deux noyades et deux accidents mortels sur les routes.* Il ne faut pas dire *on n'a pas encore dressé le* [BILAN] *des victimes de l'incendie* quand on veut dire *on n'a pas encore dressé la liste des victimes de l'incendie (voir* **FEU**).

Se rappeler qu'on ne peut employer le mot **bilan** au lieu de **liste** ou **nombre** en parlant des victimes d'un accident ou d'un désastre (*voir* **ASSURANCE**) et qu'il faut dire **compte** en parlant des dégâts causés par un accident ou par un désastre: *on n'a pas encore fait le compte des dégâts.*

BILL — Le français a adopté de l'anglais le mot **bill** pour désigner un «projet de loi présenté au Parlement de Grande-Bretagne» ou à ceux d'autres États de langue anglaise. Le Canada n'est pas un État de langue anglaise seulement, mais constitutionnellement, un État bilingue. Il ne faut pas employer en français au sujet d'un projet de loi (*voir ce mot*) étudié à Ottawa ou à Québec un terme emprunté à l'anglais pour indiquer qu'un **projet de loi** est soumis à l'approbation d'un Parlement anglais.

Au lieu de [BILL] *concernant les municipalités,* il faut dire *projet de loi concernant les municipalités.* Au lieu de [BILL 110], il faut dire *projet de loi numéro 110.* Il n'est pas interdit, bien entendu, d'appeler **bills** les projets de loi présentés aux Parlements des États du Canada qui sont de langue anglaise.

BILLE — *Voir* **HABILLAGE — HABILLEMENT — HABILLER — HABIT** *et* **MARBRE.**

BILLET — *Voir* **TICKET.**

BIRDIE — *Voir* **GOLF.**

BISCOTTE — *Voir* **TOAST.**

BLÂMER — *Voir* **CORRIGER.**

BLANC — Un «espace laissé libre dans un écrit ou dans un imprimé pour qu'il soit rempli plus tard» est un **blanc**: *inscrivez votre nom, votre âge, les diplômes que vous avez obtenus et les emplois que vous avez occupés jusqu'à maintenant dans les blancs de cette feuille de demande d'emploi.*

La locution **en blanc** employée en parlant d'une pièce écrite ou imprimée signifie «où il y a un ou des espaces libres à remplir»: *signer un chèque en blanc,* c'est signer un chèque sans écrire le nom du bénéficiaire ou sans écrire la somme qu'on donne l'ordre à la banque de payer à celui-ci (*voir* **CHÈQUE**).

Tandis que le nom anglais **blank** désigne et un espace laissé libre dans un écrit ou un imprimé et un écrit ou un imprimé où il y a des espaces à remplir, **blanc** ne désigne pas la pièce d'écriture ou d'imprimerie. C'est commettre des anglicismes que de dire [BLANC] *de chèque* au lieu de *formule de chèque* ou *chèque en blanc,* [BLANC] *de traite* ou *de billet* au lieu de *formule de traite* ou *de billet,* [BLANC] *de commande* au lieu de *bon de commande,* [BLANC] *de demande d'emploi (voir* **APPLICATION**) au lieu de *feuille* ou *fiche de demande d'emploi,* etc.

Autre anglicisme à signaler: [BLANC DE MÉMOIRE]. En Amérique du Nord, le substantif anglais **blank** a, parmi beaucoup d'autres, le sens de «défaillance de mémoire». En français, une défaillance de mémoire est une **absence**. Il ne faut pas dire *un grand nombre des* [BLANCS DE MÉMOIRE] *dont souffrent les écoliers aux examens sont attribuables à la nervosité et à la fatigue,* mais *un grand nombre des absences dont souffrent les écoliers...* Il faut dire *avoir des absences* et non *avoir des* [BLANCS DE MÉMOIRE]. On dit aussi *avoir des trous de mémoire.*

BLANC-MANGE — *Voir* **BLANC-MANGER.**

BLANC-MANGER — Le **blanc-manger** était un entremets de choix sur la table des rois de France. Fait à la moderne, le **blanc-manger** est encore un dessert excellent. C'est une gelée-crème au lait d'amandes. Les Anglais ont emprunté le mot au français et l'ont transformé en **blanc-mange** pour nommer un autre plat sucré où le lait tient lieu de liquide aux amandes et qui tire généralement sa consistance de la fécule de maïs au lieu de colle de poisson ou de quelque autre gélatine. Il ne peut y avoir de **blanc-manger** sans amandes. C'est le **blanc-mange** anglais que l'on connaît au Canada et c'est par ce nom qu'il faut appeler ce dessert.

BLANCHISSERIE — BLANCHISSEUR — *Voir* **BUANDERIE.**

BLATTE — *Voir* **COQUERELLE — COQUERET.**

BLÉ D'INDE — *La manière de planter le blé d'Inde pratiquée par les Anglais en Amérique est de former des sillons égaux dans toute l'étendue d'un champ à environ cinq ou six pieds de distance... et les médecins du Mexique composent avec le blé d'Inde des tisanes à leurs malades et cette idée n'est point mauvaise, car ce grain a beaucoup de rapport avec l'orge.* Ainsi s'expriment D'ALEMBERT et DIDEROT dans leur *ENCYCLOPÉDIE* au mot **maïs**. Les deux expressions **maïs** et **blé d'Inde** étaient parfaitement synonymes en France au XVIIIe siècle.

Le **maïs** est originaire d'Amérique. C'était l'une des principales cultures des *Indiens* des Antilles et de l'Amérique du Sud au moment de la découverte du Nouveau Monde, que l'on prit d'abord pour une partie de l'Inde. De là vient **blé d'Inde**.

Les Espagnols ont introduit le **maïs** en Europe et les Français qui commencèrent à le cultiver lui ont aussi donné le nom de *blé d'Espagne.* Enfin d'autres qui crurent qu'il venait de Turquie l'ont nommé à leur tour *blé de Turquie* et, de là, *turquet.*

Le mot **maïs**, venu d'Haïti par l'intermédiaire de l'espagnol, s'est imposé au cours du XIXe siècle, mais les expressions *turquet, blé de Turquie, blé d'Espagne* et *blé d'Inde,* aussi fautives les unes que les autres, sont cependant restées comme noms vulgaires du **maïs** et chacune d'elles est plus ou moins en usage selon les régions. Il n'y a aucune faute à dire **blé d'Inde** au lieu de **maïs** dans le langage familier, mais il faut écrire **maïs** *(voir* **ÉPLUCHETTE**).

BLEU — Outre la couleur bleue, le substantif **bleu** sert à désigner plusieurs objets comme des marques de coups : *avoir le corps couvert de bleus*, des vêtements de travail en toile ou en coton bleu : *bleus de mécanicien,* des fromages à moisissures : *le roquefort est supérieur aux bleus*, des dessins : *vous recevrez les bleus en même temps que le devis estimatif*, etc., mais il ne s'emploie ni au singulier ni au pluriel pour exprimer un sentiment, une manière d'être, un état moral.

Au pluriel, le substantif anglais **blue** a les sens de «mélancolie, tristesse, cafard, découragement, idées noires, nostalgie, ennui, spleen». On commet des anglicismes quand on dit *j'ai les* [BLEUS] et *cela me donne les* [BLEUS], calques de **to have the blues** et **it gives me the blues**, au lieu de *je suis mélancolique, j'ai du chagrin, cela me rend triste, j'ai le cafard, cela me donne des idées noires, je broie du noir, cela me rend nostalgique, je m'ennuie, j'ai le spleen, je suis un peu découragé, je me sens seul,* etc. expressions qui permettent à la parole de traduire avec précision, en langage familier ou en langage soigné, la nuance de la disposition, de l'état psychologique dans lequel on se trouve. **Mélancolie**, par exemple, est un terme plus fort que **tristesse** et, pour dire qu'on éprouve un sentiment de «tristesse vague» que rien ne semble justifier, **spleen** appartient au style soutenu tandis que **cafard** est un mot du vocabulaire familier.

Se rappeler que le **bleu marine** n'est pas une couleur propre à la mer, mais une couleur semblable à celle des uniformes de la marine. On commet une faute en disant *bleu* [MARIN] au lieu de **bleu marine**, c'est-à-dire bleu propre à la marine.

BLEUET — **Bleuet** (ou **bluet** comme on disait plutôt jusqu'à ces dernières années) désigne une plante à fleurs bleues aussi connue sous le nom de **barbeau**. Au Canada, on donne le même nom **bleuet** à la baie, petit fruit charnu (*voir* **BAIE**), d'un bleu plus ou moins foncé, que produit un arbrisseau des basses montagnes.

Cet arbrisseau appartient à la famille des plantes appelées **airelles**; ses fruits sont des **myrtilles**. Il n'y a pas d'inconvénient à ce que dans le langage familier populaire on continue de dire fautivement [BLEUET] pour désigner ce fruit, mais il faut savoir que son véritable nom est **myrtille**. On s'abstiendra d'écrire [BLEUET] au lieu de **myrtille** (nom féminin).

Les terrains où l'on cueille beaucoup de **myrtilles** dans la région du Saguenay et du lac Saint-Jean y sont appelés [BLEUETTERIES]. Il faut lui préférer *terrains à myrtilles.*

BLOC — Le mot **bloc**, qui signifie «masse solide et pesante d'un seul morceau peu ou pas travaillé», s'emploie par analogie, par extension et au figuré dans d'autres acceptions (*voir* **TABLETTE**), mais il ne désigne pas en termes d'urbanisme une unité topographique formée par un assemblage de maisons compris entre des rues qui en délimitent les faces. Cette unité topographique s'appelle **block** en anglais. Le français lui a donné le nom d'**îlot** et c'est commettre un anglicisme que de dire *bloc* au lieu d'**îlot**. Il faut dire *mon appartement se* *trouve dans le premier îlot de ce nouveau quartier* et non *mon appartement se trouve dans le premier* [BLOC] *de ce nouveau quartier.*

Par extension, l'anglais se sert aussi du mot **block** pour désigner la longueur d'un des côtés d'un **îlot**, c'est-à-dire la distance entre deux rues qui croisent celle dans laquelle on se trouve. Le français s'exprime autrement. C'est commettre un autre anglicisme que de dire, par exemple, *le magasin que vous cherchez est à trois* [BLOCS] *d'ici* au lieu de *le magasin que vous cherchez est à trois rues d'ici.*

Noter que **pâté de maisons** n'est pas un synonyme parfait (*voir* **DISPENDIEUX**) d'**îlot**. N'importe quel groupe de maisons faisant un tout à part est un **pâté de maisons**: *le flanc de la montagne porte un pâté de maisons dont toutes les portes s'ouvrent sur une seule rue.* Tout **îlot** est un **pâté de maisons**, mais tout **pâté de maisons** n'est pas un **îlot**.

Un **bloc** peut être cubique, mais une masse trilatérale de marbre est aussi un **bloc**. Les termes **bloc** et **cube** ne sont pas synonymes. On fausse le sens du mot **bloc** sous l'influence de l'anglais qui prête à son terme **block** la signification de «cube-jouet pour enfants» en s'en servant pour désigner les petits **cubes** de bois ou de carton portant sur une ou plusieurs de leurs faces des lettres, des chiffres ou des images avec lesquels les enfants jouent. Il ne faut pas dire *mon fils apprend l'alphabet en s'amusant avec un jeu de* [BLOCS] *qu'il a reçu en étrennes (voir ce mot)* mais *en s'amusant avec un jeu de cubes qu'il a reçu en étrennes. (Voir* **TABLETTE**).

BLONDE — On ne trouve pas dans les dictionnaires d'ancien français que le mot **blonde** ait été employé autrefois comme substantif pour dire «amie, fiancée, amante, maîtresse». Le *DICTIONNAIRE DE LA LANGUE FRANÇAISE DU SEIZIÈME SIÈCLE* d'EDMOND HUGUET rapporte, cependant, que **blonde** désignait à cette époque une «femme gracieuse» et que *faire la blonde* signifiait «être coquette, prendre soin de son apparence, se parer». Il est possible que ce soit à partir de cette acception, en même temps que de la préférence dont les femmes blondes jouissent depuis toujours dans les goûts d'un grand nombre d'hommes, que le parler populaire de plusieurs régions de la France, l'Anjou, le Nivernais et la Lorraine en particulier, a attribué les sens d'«amante» et de «jeune fille courtisée» au substantif **blonde**. Quoi qu'il en soit, de vieilles chansons folkloriques attestent que ces significations étaient courantes. Le seul dictionnaire moderne qui en fasse mention est le *DICTIONNAIRE NATIONAL DE LA LANGUE FRANÇAISE* de LOUIS-NICOLAS BESCHERELLE publié il y a une centaine d'années. Cet archaïsme populaire est resté vivant au Canada, où l'on dit facilement *j'irai au cinéma ce soir avec ma* [BLONDE] au lieu de *j'irai au cinéma ce soir avec mon amie* ou *ma fiancée.* Le langage populaire a ses particularités partout, mais il faut s'abstenir dans le langage parlé soigné et dans la langue écrite de prêter au mot **blonde** un sens qu'il n'a pas en français moderne.

BLOQUER — *Voir* **CALER** (du provençal **calar**).

BLOUSON — *Voir* **GILET** *et* **COUPE-VENT.**

BLUF — BLUFFER — *Voir* **KNOCK-OUT.**

BOBSLEIGH — *Voir* **TOBOGGAN.**

BOCK — Ne pas confondre **bock** et **chope**. Ces mots désignent deux récipients pour boire la bière, mais, tandis qu'un **bock** est un très grand verre, une **chope** est une sorte de vase en métal ou en grès, quelquefois en verre au XXe siècle, muni d'une anse et parfois d'un couvercle.

BOGEY — *Voir* **GOLF**.

BOIS — *Voir* **PULPE**.

BOIS — BOISÉ — L'emploi de l'adjectif **boisé** remonte à la fin du XVIIe siècle. Il signifie «garni, couvert d'arbres». On parle correctement d'une *lisière de terrain boisé,* d'une *bande de terrain boisé,* de *terrains boisés.*

Un «lieu couvert d'arbres» est un **bois**. C'est le substantif à utiliser. On emploie abusivement l'adjectif **boisé** au Canada, au lieu de **bois**. Il est incorrect de parler des [BOISÉS] qui restent dans les villes, au lieu des *terrains boisés* ou des **bois** qu'on y trouve encore.

BOISSON — *Voir* **BREUVAGE, CONSOMMATION** *et* **LIQUEUR**.

BOÎTE — *Voir* **CARTON — CARTOUCHE**.

BOÎTE POSTALE — Contrairement à ce que d'aucuns croient, le terme **boîte postale** pour désigner un «compartiment de grand casier de bureau de poste auquel donne accès par-devant une porte fermée à clé et qu'on loue à une personne qui y reçoit du courrier comme si c'était son domicile» n'est pas un anglicisme, même s'il ressemble au terme anglais **post office box**. C'est l'expression employée couramment en France, où, dans le vocabulaire de la poste, **case** s'applique surtout aux compartiments non fermés des casiers de poste restante. Les Suisses comme les Canadiens disent **case postale** autant que **boîte postale**.

La faute à éviter est de dire *casier postal* au lieu de **boîte postale** ou **case postale**. Un **casier** est un «ensemble de cases, de compartiments formant meuble ou faisant partie d'un meuble». Les compartiments d'un **casier** sont généralement ouverts par-devant, ce qui explique qu'on préfère **boîte postale** à **case postale** en France. Chaque compartiment d'un **casier** est une **case**. Dire [CASIER] *postal* au lieu de **boîte postale** ou **case postale**, c'est commettre une faute. Il ne faut pas dire *veuillez adresser votre réponse à notre* [CASIER POSTAL], mais *veuillez adresser votre réponse à notre boîte postale* ou *à notre case postale.*

L'expression **casier judiciaire** signifie «ensemble, relevé des condamnations encourues par une personne». Si une personne n'en a encouru aucune, on dit que son **casier** est vierge. Si une personne n'en a encouru qu'une, on dit qu'il n'y en a qu'une à son **casier**. La loi considère toute personne comme étant susceptible de commettre un bon nombre de fautes. En principe, chaque citoyen a son **casier** dont chaque compartiment peut être rempli par la constatation d'une faute commise.

BONI — Le même mot latin a donné **boni** au français (un **boni**, des **bonis**) et **bonus** à l'anglais.

Retenir également qu'un seul des sens de **bonus** s'exprime par le terme **boni**. C'est celui de « sursalaire payé à des ouvriers qui dépassent une certaine norme de production ».

Boni signifie en premier lieu « ce qui n'a pas été effectivement dépensé d'une somme affectée à une opération ou à la réalisation d'un projet » : *on constate un boni de plusieurs milliers de dollars au poste (voir* **ITEM**) *de l'entretien pour la dernière année financière de l'entreprise* et « excédent de bénéfice dans une opération par rapport au bénéfice prévu » : *la hausse des prix des matières premières que nous avions prévue ne s'étant pas produite, le bilan accuse (voir* **ACCUSER**) *un boni considérable.* **Boni** désigne aussi un excédent qu'on trouve parfois en caisse sur le solde de la balance *(voir ce mot)* des recettes et des déboursés : *boni de caisse.* Enfin, **boni** s'emploie quelquefois par extension au sens général de « profit » : *cette entreprise a réalisé l'an dernier un boni considérable (voir* **IMPORTANT**).

Une « somme versée en plus de la rémunération fixée par un contrat de travail sans que ce soit pour tenir compte de circonstances déterminées d'avance » est une **gratification**.

Une « somme versée en plus de la rémunération fixée par un contrat de travail pour tenir compte de circonstances particulières » est une **prime** ou une **indemnité**.

Un « cadeau offert par un commerçant à ses clients pour les inciter à acheter » s'appelle aussi **prime**.

Ce sont des anglicismes que l'on commet quand on dit [BONUS] *de fin d'année* au lieu de *gratification de fin d'année;* [BONUS] *d'assiduité* au lieu de *prime d'assiduité;* [BONUS] *de cherté de la vie* au lieu d'*indemnité de cherté de la vie; travail au* [BONUS] *de rendement* au lieu de *travail à la prime de rendement,* ou encore *les fabricants donnent une serviette comme* [BONUS] *dans chaque boîte de ce détersif (voir* **NETTOYEUR — NETTOYEUSE**) au lieu de *les fabricants donnent une serviette comme prime* ou *en cadeau.*

En termes de finance, il ne faut pas dire [BONUS] *sur actions (voir* **PART**), mais *bonification sur actions,* ni *action donnée en* [BONUS], mais *action donnée en prime* ou *action donnée comme part de bénéfice,* selon le cas.

D'emploi récent en assurance, le terme **bonus** signifie « diminution du tarif offert par l'assureur aux assurés qui ne déclarent pas de sinistre ». (*Contraire* : **malus**.)

BONIMENT — L'origine de ce mot, dont l'usage, dans le langage populaire, ne remonte qu'au début du XIXe siècle, est argotique. Il vient d'un terme du vocabulaire des truands, **bonnir**, qui signifiait « en raconter de bonnes ». LITTRÉ notait dans son dictionnaire, au milieu du siècle dernier, que c'était un mot très vulgaire. Il a acquis un peu de dignité. On s'en sert aujourd'hui pour désigner les discours que font les saltimbanques et les forains, dans les cirques et dans les foires, afin d'attirer la clientèle, ainsi que ceux des représentants de commerce (*voir* **VENDEUR**) qui vantent leur marchandise outre mesure et, par analogie, familièrement, des propos tenus dans le but évident de séduire et qui sont manifestement artificieux : *les boniments d'un don Juan* et *pas de boniments !*

Boniment est parfois employé au Canada au simple sens d'« allocution, petit discours de circonstance ». Pris dans cette acception, le mot est fautif. Il ne faut pas dire *le héros de la fête fit un* [BONIMENT] *qui fut fort applaudi,* mais *le héros de la fête fit un petit discours qui fut fort applaudi.*

BONJOUR — L'usage veut que le terme de salutation **bonjour** soit utilisé quand on aborde ou accueille quelqu'un dans la journée et qu'on dise **au revoir** quand on se quitte. On exprime ainsi l'idée polie qu'on espère revoir la personne dont on prend congé. De même, le soir, on se salue d'un **bonsoir** et l'on se quitte sur un **au revoir**. Bien entendu, on peut aussi dire **bonne nuit** quand les circonstances le permettent, quand on s'adresse à un intime par exemple. Se rappeler qu'en mettant fin à une conversation, dans la rue, ou au téléphone, ou à la radio, c'est **au revoir** qu'il faut dire, non [BONJOUR].

BONNE NUIT — *Voir* **BONJOUR.**

BONSOIR — *Voir* **BONJOUR.**

BORD — Le mot **bord** a plusieurs sens. Il signifie en particulier « extrémité d'une surface » : *placer un encrier trop au bord d'un bureau,* et « rivage » : *les bords du Saint-Laurent sont pittoresques.* Il n'a le sens de « côté », c'est-à-dire de « partie latérale d'une chose », que dans le vocabulaire maritime : *jeter du lest pardessus bord.*

Il est fautif de dire, par exemple, *je l'ai aperçu de l'autre* [BORD] *de la rue* ou *de la route.* Il faut dire *je l'ai aperçu de l'autre côté de la rue* ou *de la route.* À retenir : sauf dans le vocabulaire maritime et, par extension, dans celui de l'aviation, **bord** et **côté** ne sont pas synonymes.

BORDÉE — Ce mot, qui date du XVIe siècle, dérivé de *bord,* a signifié premièrement « ensemble des canons rangés d'un côté d'un navire ». Puis, par extension, il a exprimé les idées de « décharge simultanée de tous les canons d'un même bord d'un navire » et, plus tard, « ensemble des projectiles lancés par n'importe quelle unité de combat en une minute ». Par extension encore, **bordée** désigne une « partie de l'équipage d'un navire » : *bordée de tribord.* Finalement, le terme a pris les sens de « route parcourue par un navire qui louvoie sans virer de bord » : *courir une bordée* et, au figuré, dans le langage familier populaire, d'« escapade de cabaret en cabaret dans un port » en parlant des marins : *être en bordée* et, en parlant d'invectives, de « paroles lancées en succession rapide » : *il l'a accueilli par une bordée d'injures.*

Il serait compréhensible que le langage populaire des Canadiens, largement marqué par le vocabulaire de la marine, se serve comme image de **bordée** pour dire « rafale » en parlant de la neige. Entre une rafale de neige, ou de grêle, ou de pluie et une bordée d'obus, la comparaison vient d'emblée. Ce n'est cependant pas au sens de « rafale » qu'on emploie le mot au Canada, mais à celui de « forte chute », quelle qu'en soit la durée, qui peut être de plusieurs jours, et sans tenir compte du vent.

Le *GLOSSAIRE DU PARLER FANÇAIS AU CANADA* affirme que **bordée** a eu cette signification de « tombée en grande quantité » dans le patois saintongeais.

L'expression populaire canadienne serait un terme dialectal vieilli. Quoi qu'il en soit, elle est fautive. Il ne faut pas dire *nous avons eu une* [BORDÉE] *de neige cette semaine,* mais *il est tombé beaucoup de neige cette semaine* ou *nous avons eu une grosse chute de neige cette semaine.*

BORDER — Dans le vocabulaire de la couture, **border** signifie «garnir d'un ornement, d'un repli, le bord d'un vêtement, d'une partie de vêtement, d'une étoffe»: *border un manteau de fourrure, border une nappe d'une frange, border un drap d'un ourlet.* Le verbe exige qu'on dise de quoi l'on garnit le tissu, l'étoffe, le vêtement dont on parle. Au Canada, on l'emploie absolument au sens d'**ourler**, de «border d'un ourlet».

Un «repli cousu au bord d'une étoffe pour empêcher qu'elle ne s'effile» est un **ourlet**. Il ne faut pas dire [BORDER] *une jupe,* mais *ourler une jupe* ou *faire un ourlet à une jupe* ou *border une jupe d'un ourlet.*

BOSSUER et **BOSSELER** — *Voir* **DÉBOSSELAGE — DÉBOSSELER.**

BOTTE — *Voir* **PARDESSUS.**

BOTTILLON — *Voir* **PANTOUFLE.**

BOUCHON — Un «morceau de liège, de caoutchouc, de plastique ou de verre de forme cylindrique ou tronconique qu'on enfonce dans le goulot d'une bouteille, d'une carafe, d'un flacon pour le boucher» est un **bouchon**. Un «couvercle métallique ou plastique, rigide ou souple, qui recouvre le bouchon et le goulot ou directement le goulot d'une bouteille» est une **capsule**.

Une machine à boucher les bouteilles est un **bouche-bouteilles** et une machine à appliquer des **capsules** sur des bouteilles est un **capsulateur**. L'outil qui sert à retirer la capsule qui ferme une bouteille est un **décapsuleur**, non un [OUVRE-BOUTEILLES]. On dit aussi, plus rarement, **décapsulateur**.

Il ne faut pas dire *il y a souvent du liège à l'intérieur des* [BOUCHONS] *des bouteilles d'eau minérale,* mais *il y a souvent du liège à l'intérieur des capsules des bouteilles d'eau minérale.* C'est commettre une faute que d'appeler *bouchon* une **capsule**.

BOUDOIR — *Voir* **«VIVOIR».**

BOUEUR — *Voir* **VIDANGEUR.**

BOUGER — *Voir* **GROUILLER.**

BOULEVARD — *Voir* **ABRÉVIATION** *et* **PRÉPOSITIONS (EMPLOI DES...).**

BOURRÉE — Le verbe **bourrer** a le sens de «remplir en tassant». Ainsi s'explique l'expression canadienne *bourrée de travail* ou *bourrée* tout court: on *bourre* une certaine période de temps de tout le travail qu'on peut y mettre, sans perdre une seconde: *travailler par bourrées.* L'expression familière qui correspond à [FAIRE UNE BOURRÉE] est *donner un coup de collier.*

Le mot **bourrée** n'a d'autre emploi de nos jours que de désigner une danse rustique. Son acception canadienne n'est pas choquante dans le langage populaire et dans l'argot des écoliers et des étudiants.

BOURSE — Les mots **bourse, sac à main** et **sacoche** sont les noms d'objets différents et ne peuvent s'employer l'un pour l'autre. C'est commettre une faute que de dire *bourse* ou *sacoche* au lieu de **sac à main**. Le fait que les mots anglais **bag** et **purse** se disent l'un et l'autre en parlant et du **sac à main**, et de la **bourse**, et de la **sacoche**, est sûrement l'un des facteurs de la confusion qui règne entre les trois termes. On appellera correctement *sac sacoche* en le décrivant un **sac à main** qui a plus ou moins la forme d'une **sacoche**, comme on dit *sac seau* en parlant d'un **sac à main** qui a la forme d'un seau, mais un **sac à main** n'est pas une **sacoche**, non plus qu'une **bourse**.

Une **bourse** est un «petit sac destiné à contenir de l'argent». Le mot remonte au XIIIe siècle. La chose est l'ancêtre du **porte-monnaie** né au milieu du siècle dernier. **Bourse** ne s'emploie plus guère dans le langage général qu'aux sens d'«argent qu'on a» comme dans l'expression *sans bourse délier,* qui signifie «sans rien payer», de «pension donnée à un élève pour qu'il fasse ses études»: *bourses d'études* et de «porte-monnaie de fantaisie qu'une femme peut mettre dans son sac à main». Dans un certain nombre d'églises, on verse dans des **bourses**, au sens ancien du terme, l'argent recueilli aux quêtes, mais ce sont à peu près les seuls endroits où l'on se serve encore de sacs de cette sorte.

Le **porte-monnaie** est la **bourse** d'aujourd'hui. C'est le «petit sac à fermoir, souvent à compartiments, pour l'argent de poche». La **bourse** se fermait généralement par un ou des cordons, d'où vient l'expression *tenir les cordons de la bourse*, qui signifie «être celui qui a l'argent pour payer». Le **porte-monnaie** est le complément du **portefeuille**, «sorte d'enveloppe qui se plie, souvent à compartiments pour les billets de banque (*voir* **DÉNOMINATION**) et d'autres papiers».

Sacoche n'est pas un dérivé français de **sac**. Le mot est venu tout droit de l'italien au XVIIe siècle. Il désigne un «sac uniquement utilitaire, généralement de cuir, parfois de toile forte, muni d'une courroie qui permet de le porter ou de l'accrocher»: *sacoche d'écolier, sacoche de recettes, sacoche de bicyclette, sacoche de chasseur,* etc., et, par extension, une sorte de «double bourse de cuir à fermoir» comme celle dont se servent certains employés des banques.

Le «sac, en cuir, en tissu ou en matière plastique, accessoire de toilette, que les femmes portent à la main ou suspendu au bras et dans lequel elles mettent leur porte-monnaie ou bourse, leurs fards, leurs papiers, leur stylographe et beaucoup d'autres menus objets» s'appelle **sac à main** ou, absolument, **sac**. Il ne faut pas dire *une femme d'affaires a souvent besoin d'une grande* [BOURSE] au lieu d'*un grand sac à main.* Il ne faut pas dire *ce grand magasin annonce un solde (voir* **VENTE**) *de* [BOURSES], quand ce grand magasin annonce un solde de **sacs à main**. Il ne faut pas dire *n'oublie pas de mettre ton vernis à ongles dans ta* [BOURSE], mais *n'oublie pas de mettre ton vernis à ongles dans ton sac.*

Les petits **sacs à main** que les femmes portent à la main sont des **réticules** ou des **pochettes**.

BOYAU — Un **boyau** est un conduit de cuir, de toile ou de caoutchouc qui s'adapte à une pompe. En effet, les pompiers emploient des **boyaux** pour combattre les incendies. Bref, un **boyau** est un «tuyau de pompe». Un conduit, rigide ou flexible, qui s'adapte non à une pompe mais à un robinet (*voir* **CHANTEPLEURE**) n'est pas un **boyau** mais un simple **tuyau**. Les conduits flexibles dont on se sert pour arroser les jardins et les pelouses ne sont pas des **boyaux** mais des **tuyaux d'arrosage.**

BRAILLER — Le verbe **brailler** semble bien être une combinaison de *braire* et de *bêler* accomplie sous l'influence d'un mot de bas latin, **bragulare**, qui signifiait «braire». Ce vieux mot français signifie «parler trop fort, crier sans raison, chanter de toutes ses forces et mal à propos»: *cesse de brailler, on t'entendra mieux si tu parles moins fort.*

L'ancien patois normand disait **braler** au sens de «pleurer fort, pleurnicher en criant»: *le petit brale.* Cette acception patoise de **brailler** est encore courante au Canada dans le langage populaire: *il passe son temps à* [BRAILLER] au lieu d'*il passe son temps à se plaindre, à pleurnicher.* **Pleurer, se plaindre, pleurnicher** sont les verbes à employer.

Il ne faut pas dire non plus *c'est un* [BRAILLARD] quand on veut dire *c'est un pleurard* ou *un pleurnichard.*

BRAN — On appelle **bran de scie** ou **sciure** de bois la poudre qui tombe d'un morceau de bois que l'on scie. **Bran** vient de l'ancien fançais **bren**, qui désigna l'enveloppe des grains de céréales séparée de ceux-ci par la mouture, c'est-à-dire le son, avant de prendre le sens figuré d'«ordure».

Si c'est un archaïsme de prononcer le mot **bran** [BRIN], comme faisaient les premiers Français venus de la vallée de la Loire en Nouvelle-France, c'est une faute de l'écrire en substituant un *i* au *a*. Il faut dire et écrire **bran** de scie, non [BRIN] de scie.

BRANCHEMENT — BRANCHER — *Voir* **CONNECTER — CONNEXION.**

BRANLER — *Voir* «**CHAMBRANLER**».

BRASSE — BRASSER — Ces deux mots n'ont pas la même origine étymologique. L'un ne dérive pas de l'autre. L'usage qu'on en fait au Canada explique qu'ils fassent l'objet d'un seul article.

Le verbe **brasser** a le sens de «mêler en agitant» en parlant d'un mélange: *brasser de la pâte.* Il s'emploie aussi au sens figuré d'«agiter en tous sens, faire tourbillonner»: *le ventilateur brassait les feuilles de papier laissées sur le bureau.* Un jeu de cartes n'est pas un mélange et l'on commet une impropriété en disant *brasser* au lieu de **mêler** ou **donner** pour exprimer l'«action de placer dans un nouvel ordre» en parlant des cartes d'un jeu. Il ne faut pas dire *c'est à toi de* [BRASSER]... mais *c'est à toi de donner les cartes.* Il ne faut pas dire *le jeu a été mal* [BRASSÉ], mais *le jeu a été mal mêlé.*

On dit aussi *battre les cartes* et **donner** s'emploie absolument au sens de «donner les cartes».

Le substantif **brasse** appartient aux vocabulaires de la marine et de la natation: *par vingt brasses de profondeur* et *on ne nage plus beaucoup la brasse.* C'est commettre une faute que de le substituer à **main** dans le vocabulaire relatif aux cartes à jouer. **Main** y a les deux sens de «distribution»: *faire la main* et de «droit de jouer le premier»: *avoir la main.* «Tirer au sort à qui donnera les cartes le premier» se dit *tirer la main.* «Perdre son droit à donner», c'est *perdre la main,* et *passer la main,* c'est «passer à un autre joueur le droit de donner».

Il ne faut pas dire *c'est ma* [BRASSE], mais *j'ai la main* ou *la main m'appartient.* Il ne faut pas dire *c'est la troisième* [BRASSE], mais *c'est la troisième main.*

BRASSÉE — *Voir* **VOYAGE.**

BRASSIÈRE — Le mot **brassière** n'a que trois significations. Il désigne en premier lieu une «chemise courte à manches longues, le plus souvent croisée dans le dos dont on habille les nourrissons». C'est aussi le nom donné à certaines courroies, celles des havresacs par exemple et aux courroies fixées à l'intérieur de voitures pour que les voyageurs puissent y passer le bras. Enfin, on appelle **brassière de sauvetage** cette «sorte de gilet imperméable et gonflé d'air ou contenant un produit insubmersible qui permet aux naufragés de rester à la surface de l'eau en attendant qu'on les secoure».

L'anglais a emprunté le mot au français et l'emploie sans en modifier l'orthographe, sauf, bien entendu, la suppression de l'accent grave, pour désigner le vêtement de dessous féminin nommé **soutien-gorge** en français. On commet un anglicisme en disant *brassière* au lieu de **soutien-gorge**. Il ne faut pas dire [BRASSIÈRE] *en dentelle,* mais *soutien-gorge en dentelle.*

BREF (adverbe) — *Voir* **EN DÉFINITIVE.**

BREF (nom) — Il y a l'adjectif **bref** qui signifie «court» et, au figuré, «autoritaire». Il y a l'adverbe **bref** qui veut dire «en un mot» et «en définitive». Et il y a le substantif **bref**, qui est très curieusement utilisé au Canada.

Le substantif **bref**, qui s'écrivait alors *brief,* fut employé en ancien français au sens de «billet, courte lettre». Depuis le XVIe siècle, il n'existe que dans le vocabulaire du droit canonique, où il désigne un rescrit papal de moindre importance que la bulle, sauf dans le nord de la France, où les tisserands lui ont donné une signification technique.

D'où vient qu'au Canada le langage juridique l'emploie aux deux sens d'«acte de procédure introductif d'instance qui, signifié par un huissier, somme une personne de comparaître en justice» et d'«ordre exceptionnel émanant d'un tribunal supérieur pour empêcher un abus de pouvoir ou de droit»? Ce sont là deux définitions du terme anglais **writ**, non du terme anglais **brief**, et, cependant, dans ces deux sens, le substantif [BREF] du vocabulaire juridique canadien est un anglicisme, dont il faut dire qu'il est d'une espèce tout à fait particulière.

En français, un «acte de procédure signifié par un huissier» est un **exploit**.

C'est le mot qu'on employait en Nouvelle-France et dont les Canadiens français ont continué de se servir pendant plus d'un siècle sous le régime anglais.

D'un autre côté, un «ordre exceptionnel émis par un tribunal supérieur en vertu de la prérogative royale» comme l'*habeas corpus*, le *certiorari* et le *quo warranto* (TH. A. QUEMNER, *DICTIONNAIRE JURIDIQUE)* ne pouvait et ne peut être désigné en français que par le terme **ordonnance.**

Voici, selon toute évidence, ce qui s'est passé. L'équipe de juristes chargée de réviser, immédiatement avant l'adoption de l'Acte de l'Amérique du Nord britannique, les règles à suivre pour la conduite des procès civils au Bas-Canada et de proposer le code de procédure civile qui allait bientôt devenir celui du Québec, avait sans aucun doute été priée de rapprocher la terminologie française de la terminologie anglaise. On se trouvait devant deux termes, **exploit** et **ordonnance**, pour lesquels n'existait en anglais que le seul terme **writ**. Il s'agissait de trouver un mot auquel on pût prêter les significations différentes de **writ**. Les juristes ont remonté le cours de l'histoire de ce mot et ils se sont rendu compte que les **writs** ont succédé en Angleterre, sous le règne des rois Jacques, aux **breve**, terme du vocabulaire juridique des Romains. Et l'on disait en français, à cette époque où la langue de la cour d'Angleterre était une adaptation de mots venus de France, les *briefs*. C'est ainsi que les **exploits** d'**assignation** et les **ordonnances** émises par des juges en vertu de la prérogative royale sont devenus des [**BREFS**].

Le mot *bref* est à proscrire du vocabulaire juridique. Il faut dire **assignation, exploit** et **ordonnance**: on signifie une **assignation** par un **exploit** et un juge rend une **ordonnance** de *quo warranto (voir* **CONTRE**).

BREUVAGE — Les mots désuets figurent dans les dictionnaires longtemps après leur abandon, car l'une des fonctions que ceux-ci remplissent est de rendre intelligibles les œuvres des écrivains qui ont illustré la langue avant nos jours.

Le mot **breuvage**, auquel les dictionnaires donnent encore le sens général de «liquide que l'on boit», est désuet dans cette acception. On pourrait même le qualifier d'archaïsme tant il y a longtemps que ni le français écrit ni le français parlé ne l'emploient plus dans ce sens-là.

Dans la langue moderne, **breuvage** désigne deux choses: «liquide que l'on donne à boire aux animaux» et «tisane ou autre boisson préparée pour un malade». Le mot se prend aussi en mauvaise part: *quel breuvage nous préparez-vous là?* signifie «ce que vous préparez fera une bien mauvaise boisson».

Tout «liquide que l'on boit pour se désaltérer ou se rafraîchir» est une **boisson**: *le lait est une boisson nourrissante.* Au restaurant, la serveuse ou le garçon (*voir ce mot*) doit demander aux clients *que désirez-vous comme boisson?* et non *que désirez-vous comme* [**BREUVAGE**]? Le jus d'orange et le café sont des **boissons** comme le vin, la bière et le whisky.

L'expression *s'adonner à la boisson* sous-entend l'adjectif *alcoolique (voir*

ALCOOL — ALCOOLIQUE) après le mot **boisson**. On veut dire «s'adonner à la boisson alcoolique»

Voir **LIQUEUR.**

BREVET — *Voir* **PATENT — PATENTE — PATENTER.**

BROCANTE — BROCANTER — BROCANTEUR — *Voir* **MAIN (DE SECONDE...)** *et* **REGRATTIER.**

BROCHE — BROCHER — BROCHEUSE — **Broche** vient d'un mot latin qui signifiait «saillant, pointu» et cela explique qu'au XVIIe siècle les Français employaient l'expression *couper broche à* (*DICTIONNAIRE DU FRANÇAIS CLASSIQUE*, J. DUBOIS ET R. LAGANE) pour dire exactement ce que signifie la locution canadienne *mettre fin au plus coupant* (*voir* **CANADIANISME**), c'est-à-dire «vite et nettement». Mais cela n'explique pas que le **fil de fer** se soit toujours appelé [BROCHE] au Canada. On épuise en vain les ressources de l'imagination pour comprendre cela.

Depuis le début du Moyen Âge, le mot **broche** a eu diverses acceptions. Parti de l'idée de pointe, il a signifié, par exemple, «éperon» et «aiguille» (d'où vient le livre **broché**, la *brochure,* dont les feuilles sont cousues). Il désigne actuellement l'ustensile qui sert à faire rôtir les viandes au-dessus ou devant un feu, l'aiguille à tricoter, un bijou, etc. Mais **broche** n'a jamais eu le sens de «fil de fer». On commet une faute quand on dit *clôture en* [BROCHE] au lieu de *clôture en fil de fer* ou [BROCHE PIQUANTE] au lieu de *fil de fer barbelé.*

Brocher signifie «coudre les feuilles d'un livre qui ne sera pas relié», pour en faire une *brochure.*

On se sert de nos jours d'un fil métallique très mince en forme d'**agrafes**, c'est-à-dire de petits crampons (*voir* **CRAMPE — CRAMPILLON — CRAMPON — CRAMPONNER**), pour joindre des feuilles de papier. Seules les machines de bureau à poser des **agrafes** qui peuvent joindre un paquet de feuilles assez épais pour former un opuscule ont droit au nom de **brocheuse**. Les autres, celles qui ne peuvent lier que quelques feuilles, sont des **agrafeuses**.

Les petits instruments à **agrafer** des feuilles, particulièrement pour l'emballage, qui ont la forme d'une pince et qui s'emploient comme les pinces, par pression sur deux branches articulées, sont des **pinces à agrafer**.

Les **agrafeuses** avec lesquelles on peut clouer des feuilles ou des cartons sur une surface qui se laisse facilement percer sont des **agrafeuses-cloueuses**.

Les petits instruments qui servent à détacher des agrafes qui lient ou clouent des feuilles de papier sont des **dégrafeuses**.

Les «petits crampons de bureau en forme de trombone servant à retenir des feuilles de papier sans les lier les unes aux autres» appelés **paper-clips** en anglais sont des attache-feuilles, qui, à cause de leur apparence, portent le nom de **trombones**. Un patron dira à sa secrétaire *attachez avec un trombone la pièce qu'il faut joindre à la lettre que je viens de vous dicter* et non *avec une* [AGRAFE]. Seuls les crampons utilisés dans les **brocheuses**, les **agrafeuses** et les **pinces à agrafer** s'appellent *agrafes.*

Le bijou qui s'appelle *broche* est muni d'une **épingle**, mais une **épingle** n'est pas une **broche**. Il faut dire *épingle à linge* et non [BROCHE À LINGE], *épingle à cheveux* et non [BROCHE À CHEVEUX]. Prendre garde, cependant, qu'une «épingle à linge à deux branches articulées munie d'un ressort à l'articulation» est une **pince à linge** et qu'une «épingle élastique qui tient des cheveux en les serrant», appelée **bobby pin** en anglais, est une **pince à cheveux**.

BROCHURETTE — *Voir* **PAMPHLET**.

BRODEQUIN — *Voir* **PANTOUFLE**.

BROQUETTE — Une **broquette** est un petit clou à tête plate qui porte aussi les noms de **clou de tapissier** et de **semence de tapissier**. Ancienne forme dialectale de *brochette*, **broquette** est un diminutif de *broche (voir* **BROCHE —BROCHER — BROCHEUSE**).

Dire [BRAQUETTE] au lieu de **broquette** est une faute commise par à peu près tout le monde au Canada.

BROSSE — *Voir* **VADROUILLE**.

«BROUE» — En ancien français, et jusqu'au XVIIe siècle, le mot **brouas**, qui se transforma en «brouée» au XIVe siècle, signifiait «brouillard blanc» (en Touraine, le parler populaire a continué de dire *brouée* au lieu de *brouillard* jusque vers la fin du XIXe siècle). De là est venu le terme du patois normand **broue** (on écrivait aussi *brôo, breu* et *breue*), qui avait les sens des mots **écume** et **mousse**: *avoir de la broue à la bouche.* Les Canadiens ont conservé ce vocable dialectal et l'emploient dans les mêmes acceptions. C'est un terme désuet régional à proscrire dans le langage parlé soigné et dans le langage écrit. Il ne faut pas dire *cette bière fait beaucoup de* [BROUE], mais *cette bière fait beaucoup de mousse.* Au lieu de *la mer déposait de la* [BROUE] *sur le rivage,* il faut dire *la mer déposait de l'écume sur le rivage.* Il faut dire *ce chien enragé avait de l'écume à la gueule* et non *ce chien enragé avait de la* [BROUE] *à la gueule.* Un savon fait de la **mousse**, non de la [BROUE].

L'expression populaire [FAIRE DE LA BROUE], qui signifie «faire des vantardises» et «agir en grand seigneur quand on n'en est pas un», ne fait qu'adapter le sens figuré que l'ancien mot français **brouée** eut au XVIe siècle, alors qu'on disait *tous honneurs mondains ne sont que vents et brouée.*

BROUILLON — *Voir* **MINUTE — MINUTER**.

BRÛLEMENT — BRÛLURE — Au sens figuré de «sensation de brûlure», **brûlement** et **brûlure** furent synonymes au cours du XIXe siècle. On a pu alors dire indifféremment *avoir des brûlements à l'estomac* et *avoir des brûlures d'estomac.*

Le premier de ces mots, **brûlement**, est tombé en désuétude: il n'est plus usité depuis le début du XXe siècle. Il signifiait «action de brûler» et «état de ce qui brûle». On disait *le brûlement des hérétiques* et *le brûlement des villes pendant la guerre.* On s'exprime autrement aujourd'hui. Par exemple, au lieu de *le* [BRÛLEMENT] *des documents confidentiels prit plus d'une heure,* on dit *il* *fallut plus d'une heure pour brûler les documents confidentiels* et l'on parle de l'**incinération** des cadavres ou de la **crémation**, non plus du [BRÛLEMENT] des cadavres. N'étant plus employé dans son sens propre, **brûlement** a aussi cessé de l'être au figuré.

Brûlure signifie «lésion tissulaire causée par l'action du feu, d'une chaleur excessive, d'un froid excessif ou d'une substance corrosive» et, par analogie, «sensation analogue à celle que produit une brûlure». Il ne faut pas dire *souffrir de* [BRÛLEMENTS] *d'estomac,* mais *souffrir de brûlures d'estomac.*

BRÛLER — Employer le verbe pronominal **se brûler** aux sens de «s'épuiser» et «ruiner sa santé» et le verbe **brûler**, transitivement ou intransitivement, à celui de «mettre hors d'usage par un court-circuit ou par un courant trop fort» en parlant d'une lampe (*voir* **LUMIÈRE**) ou d'un appareil électrique, c'est leur prêter, sous l'influence de l'anglais, des significations qu'ils ne possèdent pas.

Il ne faut pas dire *ce coureur a commis l'erreur de* [SE BRÛLER] *en partant,* mais *ce coureur a commis l'erreur de s'épuiser en partant.* Il ne faut pas dire *ce viveur aura tôt fait de* [SE BRÛLER] mais *ce viveur aura tôt fait de ruiner sa santé.*

Au lieu de *la lampe a* [BRÛLÉ] ou *est* [BRÛLÉE], il faut dire *la lampe a grillé.* Au lieu de *c'est un court-circuit qui a* [BRÛLÉ] *la cafetière (voir* **PERCOLATEUR**), il faut dire *c'est un court-circuit qui a grillé la cafetière.*

Les expressions à employer sont **épuiser, ruiner sa santé** et **griller**.

«BRUNANTE (À LA...)» — BRUNE — **Journante** est un substantif d'ancien français qui signifiait «petit jour, lever du jour». **Brunant** est un adjectif d'ancien français qui signifiait «brun, de couleur brune, sombre». L'argot de l'époque en a tiré le substantif [BRUNE] pour dire «nuit». À partir de ce mot, l'argot a formé sur le modèle de **journante** le substantif [BRUNANTE], qu'on ne trouve écrit nulle part mais qui devait être employé en Normandie, d'où il a probablement été apporté en Nouvelle-France. Comme **journante** désignait le commencement du jour, [BRUNANTE] signifia le commencement de la [BRUNE] c'est-à-dire de la nuit.

Ni *brune* au sens de «nuit» ni le substantif [BRUNANTE] n'ont jamais été des mots français. Le substantif **brune** est cependant entré dans le français familier au XVIIe siècle avec le sens non de «nuit» mais de «tombée de la nuit» et le mot est resté, tandis que [BRUNANTE] a survécu au Canada dans la locution adverbiale [À LA BRUNANTE], qui signifie justement «à la tombée de la nuit». Il faudrait dire *à la brune,* en se rappelant que **brune** n'appartient pas à la langue littéraire. Au lieu de *brune*, mieux vaut dire **crépuscule, déclin du jour, tombée de la nuit**.

La locution imagée *entre chien et loup,* qui désigne le moment du soir où il fait déjà assez sombre pour qu'il soit difficile de distinguer un chien d'un loup, s'emploie mieux qu'*à la brune.* [À LA BRUNANTE] est à proscrire.

BUANDERIE — BUANDIER — Une **buanderie** n'est pas un établissement commercial. Une **buanderie** est le lieu dans une maison où on lave le linge (*voir* **LESSIVEUSE**).

Un établissement commercial où un certain nombre de clients font laver leur linge est une **blanchisserie**.

Un établissement commercial où l'on va soi-même laver son linge est une **laverie**. Les noms [BUANDERETTE] et [LAVANDERIE] donnés aux **laveries** au Canada sont fautifs. Il ne faut pas dire *la loi interdit l'exploitation des* [BUANDERETTES] *le dimanche,* mais *la loi interdit l'exploitation des laveries.* Comme synonymes de **laverie**, on peut employer les expressions **lavoir automatique** et **blanchisserie de libre-service**.

Les **buandiers** et **buandières** sont les personnes chargées de faire la lessive dans les **buanderies** des grandes maisons comme les hôtels, les hôpitaux, les collèges.

Le propriétaire d'une **blanchisserie** est un **blanchisseur** et ses employés qui font la lessive sont des **blanchisseurs** et des **blanchisseuses**.

Le linge qu'on envoie à une **blanchisserie**, ou qu'on lave dans sa **buanderie**, ou qu'on va laver à une **laverie** est le linge sale ou le linge lavé, le linge blanchi ou la **lessive**: *le blanchisseur doit rapporter aujourd'hui la lessive de la semaine,* non *la* [BUANDERIE] *de la semaine.* Cette faute est probablement une sorte d'anglicisme: le même mot anglais **laundry** a les trois sens de «blanchisserie», de «buanderie» et de «linge à laver».

BÛCHER — *Voir* **VOYAGE.**

BUDGET — BUDGÉTAIRE — *Voir* **ESTIMATION — ESTIMER.**

BUFFET — Un restaurant de gare est un **buffet**. Dire *le train* ou *l'autocar (voir* **TERMINUS**) *est entré en gare il y a plus d'une heure, mais nous avons déjeuné au buffet avant de venir*, c'est indiquer qu'on a déjeuné au restaurant de la gare et non à un autre restaurant en ville. Donner rendez-vous à quelqu'un au **buffet** avant le départ d'un train, c'est lui donner rendez-vous au restaurant de la gare.

L'armoire haute du mobilier de la salle à manger *(voir cette expression),* servant au rangement de la vaisselle et du linge de table, qui s'appelle aussi *buffet,* a disparu d'un bon nombre de nos maisons. Elle est remplacée par un meuble en forme de coffre bas et long auquel on a donné le nom d'un autre meuble très ancien dont il a l'apparence générale: **bahut**. Un «buffet bas et long» est un **bahut**.

BUNGALOW — *Voir* **CAMP — CAMPER.**

BUREAU — Après l'**étymologie**, qui en rappelle les origines, la **sémantique** relate la vie des mots. C'est leur histoire qu'elle raconte en étudiant leurs significations et rien n'est plus intéressant que de retracer les péripéties de l'existence d'un vocable comme **bureau**. À partir de l'idée d'une couleur, le terme a acquis au cours des siècles les significations nouvelles qui lui font désigner aujourd'hui des objets et des personnes.

Au début du Moyen Âge, le latin nommait la couleur roux foncé **burrus** et, par dérivation, appelait **burra** une grossière étoffe de laine brune. Vers le XIIe siècle apparut dans l'ancien français le mot **buire**, qui signifia «d'un brun foncé», «étoffe de laine d'un brun foncé» et «fait d'une étoffe de laine d'un brun foncé»: *une robe buire.* Presque tout de suite naquit un nouveau mot, **burel**, par lequel on désigna la grossière étoffe de laine d'un brun foncé puis une couverture de table faite de cette étoffe. **Burel** se transforma rapidement en **bureau**. On étendait des **bureaux** sur les tables autour desquelles on délibérait sur des questions publiques et *mettre une question sur le bureau* équivalait à l'expression moderne *mettre une question sur le tapis,* **bureau** ayant précisément alors le sens de «tapis de table». Le mot ne tarda pas à signifier le meuble lui-même. À la fin du XVIIe siècle, l'étoffe grossière de laine brune était devenue la *bure*, la couverture de table ne s'appelait plus que *tapis* et le mot **bureau** désignait la «table à écrire». Au XVIIIe siècle, on nommait **bureau** la pièce où l'on travaille sur une table à écrire. **Bureau** a conservé ces deux significations et en a pris d'autres. Il s'emploie maintenant pour désigner l'immeuble où l'on travaille dans un **bureau**: *voici l'adresse de mon bureau;* le personnel d'un **bureau**: *le bureau aura congé lundi;* certains établissements publics: *aller au bureau de poste;* le conseil de direction d'une association: *le bureau (voir* **EXÉCUTIF**) *du cercle des journalistes se réunira demain en séance extraordinaire (voir* **RÉGULIER** *et* **SPÉCIAL**), etc. **Bureau** n'a jamais été le nom d'autres meubles que les tables à écrire.

Une table est un «plateau horizontal reposant sur un ou plusieurs pieds» (*voir* **PATTE**). On commet un contresens en désignant un **bureau** par le terme **pupitre**. Un **pupitre** présente un plan incliné. Un chef d'orchestre, par exemple, dirige les musiciens devant un **pupitre** sur lequel il pose ses partitions. Les «meubles en forme de boîte à couvercle incliné reposant sur un ou plusieurs pieds» qu'on trouve dans les écoles pour les élèves (*voir* **ÉTUDIANT**) sont des **pupitres**. Un meuble scolaire dont la surface de travail est horizontale n'est pas un **pupitre**, mais un **bureau**. Il ne faut pas dire *un* [PUPITRE] *de dactylo*, mais *un bureau de dactylo (voir* **DACTYLOGRAPHE**)

D'un autre côté, un «meuble de chambre à coucher à tiroirs» pour ranger du linge, des vêtements, des accessoires de parure, etc. n'est pas une table à écrire. C'est aussi commettre une faute que d'employer le mot **bureau** pour désigner ce meuble, qui est une **commode**. Il ne faut pas dire *notre mobilier de chambre à coucher comprend un large* [BUREAU] *moderne à trois tiroirs,* mais *notre mobilier de chambre à coucher comprend une large commode moderne à trois tiroirs.*

De même, un meuble garni des ustensiles et des produits d'hygiène et de nécessaires à la propreté du corps, aux soins de la coiffure et au maquillage n'est pas un [BUREAU DE TOILETTE], mais une **toilette**: *il y a une large toilette dans la salle de bains de mon nouvel appartement (voir ce mot).*

Voir **CHAMBRE, CLÉRICAL, DÉPARTEMENT — DÉPARTEMENT** *et* **SIÈGE.**

BUT — *Voir* **HOCKEY.**

BUTIN — Le mot **butin** n'a d'autres significations propres en français que celles-ci: «ce qu'on prend à l'ennemi pendant une guerre ou à l'occasion d'une guerre gagnée»: *de précieuses œuvres d'art font partie du butin des vainqueurs* et «ce dont s'emparent les voleurs, les pillards»: *le butin des voleurs, qui espéraient* *trouver une fortune dans le coffre-fort, n'a été qu'une poignée de dollars.* Par analogie et au figuré, on appelle *butin* tout «ce qui s'acquiert avec peine, après des recherches»: *un beau butin de chasse* et *ce chercheur a récolté au cours de ses travaux un remarquable butin de documents inédits.*

Depuis le temps de la Nouvelle-France, on a employé *butin* au Canada au sens de «linge, vêtements»: *il doit être parti pour ne pas revenir, car il a emporté son butin* et cette acception continue d'avoir cours dans quelques régions. C'est une signification d'origine dialectale. Elle vient sûrement du patois berrichon et au moins du patois bourbonnais, si ce n'est de tous les patois de la région bourguignonne. Quand on parle du **linge** et des **vêtements** d'une personne, il faut employer ces termes, non *butin.*

C

CABALE — CABALER — CABALEUR — Au XVIe siècle, le français a tiré le mot **cabale** d'un terme hébreu qui signifiait «tradition». **Cabale** désigna d'abord un «ensemble de traditions juives donnant une interprétation mystique de l'Ancien Testament» et il a pris presque aussitôt le sens figuré de «manœuvres, intrigues». Le verbe **cabaler** et le substantif **cabaleur** ont fait leur apparition au XVIIe siècle. **Cabaler** fut alors employé au sens de «circonvenir, tromper quelqu'un par des moyens artificieux» ou, familièrement, «empaumer», et **cabale** eut celui de «parti politique». On peut se demander si cela n'explique pas l'extension de sens que les mots **cabale, cabaler** et **cabaleur** ont prise au Canada, mais l'hypothèse a peu de vraisemblance, **cabaler** et **cabaleur** ayant été peu usuels à ce moment-là.

Aujourd'hui, **cabale** se dit de «menées secrètes concertées (généralement) contre quelqu'un ou quelque chose ou (rarement) en faveur de quelqu'un ou de quelque chose»: *les ennemis du ministre des Finances organisèrent une cabale contre lui* et de «ceux qui font une cabale»: *la cabale multipliait ses démarches.* **Cabaler**, verbe désuet, signifie «se livrer à des menées secrètes concertées auprès de»: *ils cabalèrent si bien le ministre que le projet de loi fut modifié (voir* **AMENDEMENT — AMENDER**) *selon leurs désirs* et, absolument, «se livrer à des menées secrètes concertées»: *la pression de l'opinion publique n'ayant produit aucun résultat, ils décidèrent de cabaler.* **Cabaleur** désigne une «personne qui cabale»: *les hommes d'État savent qu'ils sont toujours entourés de cabaleurs* et *les cabaleurs à la solde de son éditeur s'affairent quand paraît un ouvrage de cet écrivain.*

Au Canada, on n'emploie guère les mots **cabale, cabaler** et **cabaleur** que dans les acceptions suivantes qui sont incorrectes. On y appelle *cabale* la «propagande faite par des agents d'un parti politique ou des amis d'un candidat de personne à personne, à domicile ou dans des endroits publics, pendant une campagne électorale»: *cent personnes ont fait la* [CABALE] *de ce candidat pendant les deux dernières semaines de la campagne électorale* au lieu de *cent personnes ont sollicité les voix des électeurs à domicile* ou *ont fait de la* *propagande de personne à personne en faveur de ce candidat.* On y dit *cabaler* pour «faire de la propagande politique de personne à personne», «solliciter les voix d'électeurs en faveur d'un candidat»: *le nouveau député a remercié ceux qui avaient* [CABALÉ] *pour lui* au lieu de *le nouveau député a remercié ceux qui avaient sollicité les voix d'électeurs* ou *qui avaient fait de la propagande de personne à personne en sa faveur* et *j'ai si bien* [CABALÉ] *mes deux cousins qu'ils voteront sûrement pour vous* au lieu de *j'ai si bien plaidé votre cause auprès de mes deux cousins* ou *j'ai si bien parlé en votre faveur à mes deux cousins.* Enfin, *cabaleur* y désigne une «personne qui fait de la propagande à domicile ou de personne à personne dans les endroits publics, qui sollicite les voix des électeurs en faveur d'un candidat»: *il faudra réunir souvent nos* [CABALEURS] *afin d'entretenir leur enthousiasme* au lieu d'*il faudra réunir souvent nos agents propagandistes* ou *nos agents qui vont solliciter les voix des électeurs à domicile.*

Que le parler populaire continue de prêter ces significations patoises aux trois mots, cela n'a guère d'importance, mais il faut respecter la propriété des termes dans la langue écrite et quand on veut parler correctement.

CABANE — *Voir* **ÉRABLIÈRE.**

CABARET — De moins en moins, mais encore, le mot **cabaret** se dit au Canada au sens de «plateau sur lequel on peut servir des boissons, des pâtisseries, des fromages, un repas, etc.». Contrairement à ce que d'aucuns croient, cette faute n'est pas un sens vieilli. **Cabaret** est employé à contresens dans cette acception.

Cabaret, vocable d'origine obscure, venu peut-être de l'arabe, peut-être du néerlandais, eut d'abord, au Moyen Âge, le seul sens de «petit débit de boisson» qu'il a encore aujourd'hui: *perdre son temps au cabaret*, bien qu'il ait paradoxalement acquis en plus, à Paris, vers le début du siècle, la signification noble de «restaurant élégant où l'on entend des chansonniers et des chanteurs»: *chanteur de cabaret.* Par analogie, **cabaret** prit au XVIe siècle le sens de «petite table, petit guéridon, supportant un service à thé, à café, etc.». C'était, en somme, une sorte de bar: *cabaret de thé, de café.* Puis il prit celui de «plateau supportant un service à thé, à café ou, principalement, un service à liqueurs *(voir ce mot)*».

Cabaret a donc déjà, même naguère, désigné des «ensembles comprenant une table ou un plateau et un service à boisson (*voir* **VERRERIE**), mais il n'a jamais été synonyme de **plateau**. Dire *on m'a apporté ma collation sur un* [CABARET] *d'argent,* c'est commettre une faute. Il faut dire *on m'a apporté ma collation sur un plateau d'argent.*

CABINET — Le mot cabinet ne s'emploie que dans les sens suivants. Il désigne en premier lieu une «petite pièce dans une maison»: *cabinet de toilette, cabinet de débarras, cabinet d'aisances.* Il signifie aussi «bureau *(voir ce mot)* d'une personne exerçant une profession libérale ou d'un homme d'affaires dans le domaine des services»: *cabinet dentaire, cabinet médical, cabinet de courtier,* ainsi que la «clientèle d'un cabinet»: *son cabinet est devenu l'un des plus considérables de la ville* et «lieu réservé à un travail intellectuel»: *cabinet de travail, cabinet de lecture dans une bibliothèque publique.* Enfin, dans le vocabulaire politique, il signifie, d'une part, l'ensemble des ministres qui forment un gouvernement : *le cabinet fédéral* et, d'autre part, l'ensemble des collaborateurs immédiats d'un ministre : *ce ministre a un excellent cabinet* et *le premier ministre a choisi ce matin son chef de cabinet.*

Durant plusieurs siècles, les Européens ont fabriqué de beaux meubles appelés *cabinets.* On n'en trouve plus que chez les antiquaires et le terme qui les désignait est sorti du vocabulaire des ébénistes. Aussi, chaque fois que l'on emploie **cabinet** aux sens de « meuble » ou de « coffret » qu'a le mot anglais **cabinet**, on s'exprime à contresens. [CABINET] *d'argenterie de table (voir* **COUTELLERIE**) au lieu de *coffret* (si la boîte comprend des tiroirs ou des cases superposées) ou *écrin* (si la boîte n'est pas divisée par étages) *d'argenterie de table,* [CABINET] *à musique* au lieu de *casier à musique,* [CABINET] *à boisson* au lieu de *bar de salon* ou *de salle de séjour,* [CABINET] *de poste de radio* ou *de téléviseur (voir* **TÉLÉVISEUR — TÉLÉVISION**) au lieu de *coffret* (dans le cas des petits récepteurs habillés en matière plastique) ou *d'ébénisterie* (pour un meuble en bois) *de poste de radio* ou de *téléviseur* sont des anglicismes. Il ne faut pas dire *le* [CABINET] *de mon nouveau téléviseur est en noyer* mais *l'ébénisterie de mon nouveau téléviseur est en noyer* ou, si l'on préfère, *le meuble de mon nouveau téléviseur est en noyer.* **Bar, casier, coffre, ébénisterie, écrin** sont les termes à employer.

CÂBLAGE — *Voir* **FILERIE.**

CACAHOUÈTE — On écrit aussi **cacahuète**, mais le mot se prononce toujours *caca-ou-ète.* Reçu de l'espagnol, qui l'a lui-même emprunté à l'aztèque, au Mexique, il désigne le fruit ou graine de l'**arachide**.

Arachide est le nom d'une légumineuse des pays chauds originaire d'Amérique dont les pédoncules floraux une fois fécondés se recourbent vers le sol pour y enterrer les fruits qu'ils portent. Ces fruits se développent ainsi sous terre en gousses contenant généralement deux graines, quelquefois une, trois et même quatre. Le terme **arachide** désigne non seulement la plante, mais aussi son fruit pris collectivement : *beurre d'arachide, huile d'arachide.*

Prises individuellement, les graines de l'**arachide** sont des **cacahouètes**. L'anglais leur a donné le nom de « graine grosse comme un pois », **peanut**, et les Canadiens se servent pour ainsi dire uniquement du vocable anglais, parfois francisé en [PINOTTE], pour les désigner. Il ne faut pas dire *la plupart des enfants aiment les* [PEANUTS], mais *la plupart des enfants aiment les cacahouètes.*

Parce que les gousses de l'**arachide** se développent sous terre, on a donné à cette plante le surnom de *pistache de terre*, mais on fait ainsi injure à la **pistache**.

La **pistache** est une **drupe**. On appelle **drupe** un fruit charnu à un seul noyau : *la prune et la cerise sont des drupes.* Une **pistache** a à peu près la grosseur d'une olive. L'amande vert pâle nommée aussi **pistache** en est la graine comestible.

Le fruit du pistachier, petit arbre de Syrie, est une amande de confiserie et de pâtisserie d'un goût très doux et très agréable. Les **pistaches** sont aussi employées en cuisine et en charcuterie. Les **cacahouètes** ne sont pas des **pistaches**, même si on les a décorées du surnom de *pistaches de terre.* Il est fautif de traduire **peanut** par *pistache,* comme d'aucuns ont cru qu'on pouvait le faire.

CACAO — CACAOYER — Se garder de commettre la faute [COCOA], mot par lequel l'anglais désigne la graine du **cacaoyer** et la poudre de **cacao.**

Cacao est venu au français de l'aztèque par l'intermédiaire de l'espagnol. L'anglais a pris le mot espagnol **cacao** et l'a transformé en **cocoa.**

Le **chocolat** est fait de **cacao** et de sucre. Du **chocolat** dilué dans du lait donne une tasse de **chocolat**. Une boisson (*voir* **BREUVAGE**) préparée avec de la poudre de **cacao** mélangée de sucre est du **cacao**, non du [COCOA]. *Tasse de chocolat* se dit dans le langage familier pour *tasse de cacao.*

CACHE-CACHE — *Voir* **CACHETTE.**

CACHET — *Voir* **APPOINTEMENTS.**

CACHETTE — La locution **en cachette** signifie «secrètement, à la dérobée». Au XVIe siècle, l'expression était *à la cachette.* C'est employer un terme vieilli que de dire, par exemple, *ils s'amusent* [**À LA CACHETTE**] *quand ils devraient travailler* au lieu d'*ils s'amusent en cachette quand ils devraient travailler.* **En cachette** est une locution adverbiale et il faut se garder de l'employer comme locution prépositive, comme synonyme d'**à l'insu**. C'est abusivement que l'on dit, par exemple, *je suis venu vous voir* [**EN CACHETTE**] *de mes parents* ou, pis encore, [**À LA CACHETTE**] *de mes parents* au lieu de *je suis venu vous voir à l'insu de mes parents.* **En cachette** n'établit pas un rapport entre un sujet et un complément.

Le substantif **cachette** désigne tout «lieu secret où cacher quelqu'un ou quelque chose», non un objet caché ou un **secret**. Il ne faut pas dire *je n'ai pas de* [**CACHETTES**] *pour mon fiancé* au lieu de *je n'ai pas de secrets pour mon fiancé.* **Cachotterie** s'emploie dans le langage familier quand on parle de «petits secrets sur des choses de peu d'importance». Au lieu de *les personnes qui aiment faire de petites* [**CACHETTES**] *se donnent des airs mystérieux à propos de tout et de rien,* on dira correctement *les personnes qui aiment faire des cachotteries se donnent des airs mystérieux à propos de tout et de rien.*

Le «jeu d'enfants où l'un d'eux essaie de trouver les autres qui se cachent» est le **cache-cache**, non le *jeu de* [**CACHETTE**]. Il faut dire *jouer à cache-cache*, non *jouer* [**À LA CACHETTE**].

CACHOTTERIE — *Voir* **CACHETTE.**

CADDY — *Voir* **GOLF.**

CADEAU — *Voir* **BONI, ÉTRENNES** *et* **VENTE.**

CADENAS — CADENASSER — *Voir* **BARRER.**

CADRAN — *Voir* **HORLOGE.**

CADRES — Les employés supérieurs qui remplissent des fonctions de direction dans une entreprise se désignent par le terme pluriel **cadres**: *les relations entre les cadres et les ouvriers de cette firme (voir ce mot) sont excellentes* et *on parle de plus en plus de syndicats (voir* **UNION**) *de cadres au Canada.*

CAFARD — *Voir* **BLEU** *et* **COQUERELLE — COQUERET.**

CAFÉ — *Voir* **SALLE À MANGER.**

CAFÉTÉRIA — Le mot **cafétéria**, nom féminin, a été récemment emprunté à l'anglais pour désigner un «restaurant où les clients se servent eux-mêmes», un «restaurant de libre-service» (*voir* **SALLE À MANGER**), non un «lieu où l'on sert à boire et à manger aux personnes qui travaillent ou étudient dans un établissement».

Le mot **cafétéria**, d'étymologie espagnole, a été employé pendant quelques années comme synonyme de *caféterie* pour désigner un «lieu de dégustation de café et d'autres boissons».

La salle à manger commerciale d'une collectivité s'appelle **cantine**: *cantine d'une usine, cantine d'une maison d'enseignement.* On dira, par exemple, *à l'université, il y a une cantine pour le casse-croûte et une cantine de libre-service* ou, plus simplement, *et un libre-service.*

CAFETIÈRE — *Voir* **PERCOLATEUR.**

CAHIER DES CHARGES — *Voir* **SPÉCIFICATION — SPÉCIFIER — SPÉCIFIQUE.**

CAILLE — Le mot **caille**, d'origine celtique, désignait dès le début de l'ancien français un oiseau gallinacé d'un plumage mêlé de blanc et de divers tons de gris et de brun qui, depuis pour ainsi dire toujours, passe chaque printemps d'Afrique en France pour y séjourner quelques mois. Comme la perdrix à laquelle il ressemble en plus petit, cet oiseau est inconnu au Canada sauf de quelques éleveurs (*voir* **OISEAUX**). Au XIIIe siècle, on a commencé à employer **caille** adjectivement pour dire «tacheté, mêlé de brun ou de gris et de blanc». Mais l'adjectif n'a eu cours que dans un certain nombre de régions, où on limitait parfois son acception. Ainsi, dans le Bas-Maine, il voulait dire «blanc et brun» ou «blanc et noir», tandis que, dans le Haut-Maine, il ne s'appliquait qu'à un pelage blanc et roux. L'adjectif a cependant résisté au temps et il reste vivant. Il signifie aujourd'hui «qui a des taches blanches et noires en parlant de certains bovins de la race normande» et «qui est composé de brun et de noir en parlant du plumage des volailles» *(LAROUSSE ENCYCLOPÉDIQUE).*

Le terme le plus employé de nos jours pour qualifier la robe d'un cheval ou d'une vache mêlée de larges taches blanches et noires ou blanches et fauves est le nom employé adjectivement d'un autre oiseau, **pie**: *cette vache a une robe pie* et *un cheval pie.* De même que le sens de l'adjectif **caille** est varié, celui de l'adjectif **pie** vient de ce que le coloris du plumage de l'oiseau nommé **pie**, blanc et noir, l'est aussi. Les Canadiens ne connaissent pas plus la **pie** que la **caille** ou la perdrix. L'oiseau qu'on appelle *pie* au Canada est une sorte de geai dont la couleur prédominante est le gris.

Les deux adjectifs **caille** et **pie** sont invariables: *des vaches pie, des poulettes caille.*

Des colons français ont apporté l'adjectif **caille** au Canada et il y est resté. On y dit encore *une vache caille* en parlant d'une vache blanche tachetée de fauve ou de noir. Il est préférable d'adopter le mot le plus couramment entendu en France et de dire *une vache pie.* Mais rien ne s'oppose à ce que l'on continue de dire *une poule caille* quand on parle d'une poule dont le plumage est brun et noir.

CAILLOU — *Voir* **ROCHE.**

CAISSE — *Voir* **CHÈQUE.**

CALCULER — *Voir* **FIGURER.**

CALENDRIER — *Voir* **CÉDULE.**

CALER (de l'allemand **kail**) — *Voir* **ACCOTER.**

CALER (du grec par l'intermédiaire du provençal **calar**) — Le parler populaire au Canada emploie le verbe **caler** dans plusieurs acceptions erronées. On lui prête les sens de «s'enfoncer» dans n'importe quoi: [CALER] *dans la boue;* de «perdre»: *il a* [CALÉ] *une fortune dans cette entreprise;* de «s'engloutir»: *le bateau* [A CALÉ], et, sous la forme pronominale, de «se mettre en mauvaise posture»: *il s'est* [CALÉ] *pour avoir parlé avant d'avoir réfléchi.* Dans l'argot des écoliers, on donne à **caler** (et à **bloquer**) le sens d'«échouer»*: il a* [CALÉ] (ou [BLOQUÉ]) *aux examens.*

Caler signifie «enfoncer» mais seulement en parlant de bateaux et de lignes de pêche ou de filets de pêche: *notre bateau, lourdement chargé, calait trop* et *il cala sa ligne et un poisson mordit aussitôt.* La seule autre acception de **caler** concerne les voiliers; c'est «baisser» en parlant des mâts et des vergues. **Caler** est un terme de marine.

Dire *caler* au lieu de **s'enfoncer**, c'est commettre une faute qui est probablement d'origine dialectale. Au lieu de *nous avancions lentement parce que nous* [CALIONS] *dans la neige,* il faut dire *nous avancions lentement parce que nos pieds s'enfonçaient dans la neige.*

L'emploi de **caler** au sens de «s'engloutir» a peut-être une origine archaïque: au XVIe siècle, *caler à fond* équivalait à *couler à fond* dans le langage des marins, qui a marqué le vocabulaire courant des habitants de la Nouvelle-France. Cet emploi s'explique facilement par rapprochement avec le verbe **couler**, dont l'une des significations est «s'engloutir, sombrer». Il ne faut pas dire *le bateau (voir* **CHALOUPE***) a frappé une pierre à fleur d'eau et a* [CALÉ], mais *le bateau a frappé une pierre à fleur d'eau et a coulé.*

C'est également sous l'influence de **couler** qu'on emploie au figuré le verbe **caler** au lieu de **perdre** ou **engloutir**. Il ne faut pas dire *il a* [CALÉ] *tout son argent au jeu,* mais *il a perdu* ou *englouti tout son argent au jeu.*

Le sens de «se mettre en mauvaise posture» dans lequel on dit *se caler* vient peut-être de ce qu'en ancien français *se caler* a signifié «s'abaisser». Il faut dire **se nuire**: *je me suis nui en parlant avant d'avoir réfléchi.*

Quant à l'acception argotique d'«échouer, être refusé» en parlant des examens scolaires, elle s'explique peut-être par le fait que **caler** a eu le sens de «reculer, céder» en ancien français. Le français contemporain dit **recaler** au sens de «faire échouer» à un examen et *être recalé* veut dire «échouer» à un examen: *le professeur de mathématiques m'a recalé* et *j'ai été recalé en latin.* Il ne faut pas dire *il a* [CALÉ] (ou [BLOQUÉ]) *à l'examen de chimie,* mais *il a échoué* ou *a été refusé* ou *a été recalé à l'examen de chimie.*

CALORIFÈRE — *Voir* **FOURNAISE.**

CAMARADE — *Voir* **CONFRÈRE.**

CAMÉRA — CAMÉRAMAN — Une **caméra** est un «appareil de prise d'images animées pour le cinéma ou la télévision». Celui qui manoeuvre une **caméra** est un **caméraman**. Se garder d'écrire le mot à l'anglaise, sans accent sur l'*e* et avec un trait d'union: [CAMERA-MAN].

Un «appareil de prise de vues fixes» est un **appareil photographique**. On dit familièrement **appareil photo**, de même qu'on abrège dans la conversation **photographie** en **photo**. C'est sous l'influence de l'anglais qu'on donne fautivement à un **appareil photographique** le nom de **caméra**, car le mot anglais **camera** désigne et l'appareil photographique et l'appareil cinématographique. On commet un anglicisme en disant, par exemple, *j'ai acheté une* [CAMÉRA] *moderne à mon fils afin qu'il rapporte de la colonie de vacances (voir* **CAMP —CAMPER**) *d'aussi bonnes photographies que possible.* Il faut dire *j'ai acheté un appareil photo moderne à mon fils...*

Le nom *kodak* souvent employé pour désigner n'importe quel **appareil photographique** est une marque de commerce. Il existe de nombreuses autres marques d'appareils et on ne peut dire qu'on a acheté un *kodak* quand on parle d'un appareil d'une autre marque.

Un appareil qui sert à projeter sur un écran les images fixes ou animées obtenues par un **appareil photographique** ou par une **caméra** s'appelle **projecteur**, mais un petit appareil qui permet d'agrandir et de bien examiner des reproductions d'images photographiques de petit format sur verre ou sur pellicule transparente appelées **diapositives** est une **visionneuse**, non un [PETIT PROJECTEUR] ou un [PROJECTEUR DE POCHE]. Une **visionneuse** binoculaire qui donne l'apparence du relief à des photographies en couleurs montées sur un disque est une **visionneuse stéréoscopique** ou, plus simplement, un **stéréoscope**.

CAMION — Se rappeler que ce mot désigne un véhicule automobile destiné à transporter des marchandises ou de grosses charges de matériaux. Il faut se garder de se servir du mot **camion** en parlant des véhicules dont se servent les pompiers. Ces voitures transportent avec eux l'ensemble du matériel dont ils peuvent avoir besoin. Ce ne sont là ni des marchandises ni des matériaux. Le terme à employer est **voiture de pompiers**.

CAMP — CAMPER — Ce substantif signifie premièrement «terrain sur lequel des forces militaires stationnent installées sous des tentes ou dans des baraquements»: *le camp de Farnham.* Par extension, **camp** désigne aussi l'«ensemble des troupes établies sur un camp»: *le général a passé le camp en revue* et les «installations d'un camp»: *le camp se composait de baraquements et d'un terrain de manoeuvres.* Par extension encore, on dit *camp de prisonniers, camp de concentration, camp d'entraînement sportif,* etc. Par analogie, **camp** désigne un «terrain où des personnes font ou peuvent faire du camping *(voir ce mot)*»: *camp scout.* Le **camping** est, par définition, une forme d'activité de plein air qui consiste à faire ici ou là des séjours en s'abritant sous une tente ou dans une caravane (*voir* **CAMPING — CARAVANE — CARAVANING**). Se garder de prononcer **camping** à l'anglaise. Il ressort de tout cela que le mot **camp** ne peut servir à nommer une maison.

Le fait que le verbe **camper** a le sens figuré de «s'installer provisoirement»: *je campe chez un ami pour quelques semaines,* explique pour une part que **camp** ait pris au Canada la signification de «maison de campagne» de façon générale par opposition à **maison de ville**: *nous passons tous les week-ends à notre* [CAMP] *jusqu'à la mi-octobre.* L'idée des **camps** de bûcherons a aussi contribué à l'implantation de ce mot qu'il faut éviter.

Pour le citadin d'aujourd'hui, une maison de campagne n'est plus toujours à proprement parler une maison de campagne. On ne peut, par exemple, nommer **maison de campagne** une habitation construite dans une petite ville des Laurentides comme Sainte-Adèle. Il est correct d'appeler **chalet** toute habitation champêtre ainsi que toute **villa** d'une station de tourisme (*voir* **VACANCE —VACANCES — VACANCIER**), mais le mot **villa** désigne plus exactement une «maison de plaisance dans un lieu de villégiature». Une petite maison de campagne de style rustique est un **cottage**. Il est incorrect d'employer ce terme à propos d'une maison de ville. Quant au mot **bungalow**, il s'applique à n'importe quelle maison de banlieue ou de campagne d'un seul étage, généralement avec une ou plusieurs vérandas (*voir* **GALERIE**).

Un «groupement d'enfants qui séjournent à la campagne, dans les montagnes ou au bord de la mer» est une **colonie de vacances**. Il ne faut pas dire *mes deux fillettes passeront l'été dans un* [CAMP DE VACANCES], mais *mes deux fillettes passeront l'été dans une colonie de vacances.* Il ne faut pas dire *notre association paiera à plusieurs enfants infirmes un séjour de deux semaines dans un* [CAMP D'ÉTÉ], mais... *dans une colonie de vacances.*

L'expression *village de vacances* se dit correctement d'un «terrain de camping pour jeunes gens et adultes».

Voir **BASE-BALL.**

CAMPING — Le mot **camping** est français. Il faut le prononcer comme un mot français: *cam* comme dans *campagne* et *pigne* comme dans *trépigne.* Le *m* n'est pas sonore comme s'il était suivi d'un *e* muet: [CAME]. Prononcer [CAME-PIGNE], c'est dire le mot anglais, non le mot français. On ne parle pas deux langues en même temps (*voir* **MOTS ÉTRANGERS, PRONONCIATION DES...**).

{ Depuis le début du siècle, le français a emprunté à l'anglais un bon nombre de mots se terminant (*voir* **PARTICIPE PRÉSENT**) par *ing*. Certains auteurs y ont vu l'introduction d'un nouveau phonème. Il n'en est rien. Il y a une analogie très nette entre ce qui s'est produit au moment de l'adoption de la vingt-troisième lettre de l'alphabet, *w*, et la manière dont la finale *ing* a été assimilée. Comme la lettre *w*, la finale *ing* est un élément d'importation. La lettre *w* n'a pas apporté au français un nouveau son : elle se prononce *v* ou *ou* selon, de façon générale, qu'elle se trouve dans des mots empruntés à l'allemand ou à l'anglais. Comme il y a eu flottement au début sur la prononciation du *w* (on dit *vagon* et *ouisky*, deux mots empruntés à l'anglais), il y en a eu sur celle de la finale *ing* (on dit *chan-poin* et non *chan-po-igne*). Il est tout aussi normal d'écrire *camping* au lieu de *campigne* que d'écrire *wagon au lieu de vagon* et *whisky* au lieu de *ouiski.*

Tandis que, pour ce qui est des substantifs, la finale orthographique *igne* ne se trouve que dans des mots signifiant des objets : *ligne, signe, vigne*, etc., *ing* termine généralement des noms qui désignent des actions et c'est par extension qu'un mot se terminant par *ing* s'applique au résultat de l'action qu'il indique en premier lieu ou à un objet qui s'y rapporte : *le camping est pratiqué par un nombre de plus en plus considérable de vacanciers (voir* **VACANCE — VACANCES — VACANCIER***), matériel de camping* et *camping pour tentes et caravanes.* Un « camp touristique » est un **camping.**

Un certain nombre de Canadiens se scandalisent de l'implantation de plusieurs mots se terminant par *ing* comme *pressing (voir* **PRESSAGE — PRESSER**) ou formés avec cette finale d'origine anglaise comme *caravaning*, terme qui n'existe pas en anglais (*voir* **CARAVANE — CARAVANING**). Le scrupule qu'on se fait de ne pas employer ces termes au Canada s'explique sans doute par la crainte de contribuer à l'anglicisation de la langue et de la pensée, mais il a pour résultat d'éloigner les francophones canadiens du français vivant en les incitant à se servir de vocables qui ne sont français que dans des acceptions très différentes de celles qu'il faut alors leur prêter.

On doit se rendre compte du fait que les langues exercent forcément une influence les unes sur les autres et que les mots circulent (*voir* **CIRCULATION**) entre elles.

Voici une courte liste de mots français relevés dans divers textes anglais contemporains : *aide de camp, à la carte, béret, bourgeois, brassière, cachet, cadastral, café, caprice, casserole, cause célèbre, chalet, chamois, char-à-bancs, charlatan, chauffeur, chef, chef-d'œuvre, chic, chiffon, chignon, cliché, clique, coiffure, communiqué, confrère, connaisseur, coquette, corps, cortège, coup d'État, coup de grâce, crème de menthe, crêpes Suzette, croupier, cuisine, cycle, danseuse, débonnaire, débutante, décor, de luxe, démagogue, demi-monde, demi-tasse, déshabillé, dialogue, eau de Cologne, élan, élégance, en bloc, enfant terrible, en masse, en route...* et l'anglais ne s'en porte pas plus mal.

Des puristes ont tenté de remplacer **camping** par *campisme,* mais ils ont échoué. Il faut dire **camping**.

Voir CAMP — CAMPER.

CANADIANISME — Qu'est-ce qu'un **canadianisme**? Pour que le mot ne soit pas péjoratif, il faut lui donner strictement les deux seules acceptions suivantes. Premièrement: «terme, expression accordable avec le français universel dont les francophones du Canada se servent pour désigner des choses propres au Canada ou originaires du Canada et qu'ils ont nommées les premiers»: **achigan, érablière, débarbouillette, tuque** *(voir ces mots)*, etc. Ces termes et expressions sont français, font partie de la langue française, et doivent être reçus par le français universel.

Un terme, une expression, comme *banc de neige (voir cette expression)* au lieu de **congère** et *bugne* en Bretagne ou *beigne* au Canada (*voir* BEIGNE — BEIGNET) au lieu de **beignet** — qui ne pèche ni contre l'étymologie des mots ni contre les structures de la langue mais n'est pas ou plus l'expression ou le terme reçu — est un **provincialisme**, c'est-à-dire un terme, une expression dont l'usage est accepté localement à côté de celui qui a une valeur universelle. L'uniformisation de la langue en France y fait rapidement disparaître les **provincialismes** qui ne désignent pas des objets nettement caractérisés.

Deuxièmement: «locution, image, métaphore respectant les structures de la langue et le sens des mots dont les francophones du Canada se servent pour désigner d'une façon qui leur est propre une réalité particulière au pays ou une réalité universelle, que cette locution, cette image, cette métaphore ait été apportée de France où elle n'est plus employée ou qu'elle ait été créée au Canada». Un Gaspésien qui dit *à maigre d'eau* pour exprimer l'idée «en eau peu profonde» emploie un **canadianisme** de bon aloi, comme un Montréalais qui dit *mettre fin au plus coupant* (*voir* BROCHE). C'est principalement par l'image que les Canadiens peuvent se distinguer dans l'ensemble du monde français.

Il faut se garder de donner à **canadianisme** par rapport au **français** la valeur d'**américanisme** par rapport à l'**anglais**. La loi de la force est déterminante dans la vie des langues. Les Américains ont le nombre et la puissance politique et économique voulus pour exercer sur l'anglais une action dominante. Ils peuvent transformer l'anglais, qui n'a pas encore atteint son unité, ou prendre le temps de bâtir une nouvelle langue: ils ne courent pas le risque d'être absorbés par une autre communauté linguistique. Le seul moyen qu'ont les Canadiens français, peuple faible et menacé, d'assurer leur survivance comme groupe social particulier en Amérique, c'est d'opposer aux forces assimilatrices qui les assaillent inlassablement le bouclier résistant d'une appartenance à part entière au français indivisible et universel.

CANADIENNE — *Voir* GILET.

CANALISATION — *Voir* **AQUEDUC** *et* **FILERIE.**

CANAPÉ — Un «long siège rembourré ou matelassé à dossier et à accoudoirs où plusieurs personnes peuvent s'asseoir» est un **canapé**. Un **canapé** à rembourrage capitonné porte en anglais le nom de **chesterfield**. Ce mot n'est pas francisé. Si l'on veut préciser qu'on parle d'un **canapé** de cette sorte, il ne faut pas dire, par exemple, *j'ai acheté un* [CHESTERFIELD] *pour ma salle de séjour* (*voir* «**VIVOIR**»), mais *j'ai acheté un canapé capitonné*. Il faut surtout se garder d'employer le mot anglais **chesterfield** pour désigner n'importe quel **canapé**.

Un **canapé** pourvu d'un mécanisme qui permet de le transformer en lit est un **canapé-lit**.

Les mots **canapé, divan** et **sofa** désignent des meubles différents.

Un **divan** est un «long siège sans dossier, rembourré ou matelassé et garni de coussins où plusieurs personnes peuvent s'asseoir». Un «banc rembourré ou matelassé ou muni de coussins» est une **banquette**. Une **banquette** est moins profonde qu'un **divan**.

Le **sofa**, lui, est une «sorte de lit à trois appuis, c'est-à-dire dont les côtés sont aussi élevés que l'arrière, généralement garni de coussins et dont on se sert aussi comme siège». Le **sofa** est un meuble en voie de disparition. Le **canapé-lit** le remplace.

CANCELLATION — CANCELLER — Au XIe siècle, **chanceler**, venu du latin **cancellare**, qui eut le sens propre de «couvrir d'un treillis» et le sens figuré d'«annuler» en parlant d'un document (des croix ou des X tracés côte à côte et superposés sur un document pour l'annuler forment un treillis), était usité dans ces deux acceptions ainsi que pour dire «marcher en zigzag», comme sont disposés les barreaux d'un treillis, origine de la signification moderne du verbe **vaciller**. Au sens d'«annuler» par des ratures ou une lacération, **chanceler** se transforma en **canceller** vers la fin du XIIIe siècle. Ce verbe fut employé dans la langue diplomatique jusque vers la fin du XVIe siècle et le langage juridique l'a conservé comme terme de notariat jusqu'au siècle dernier. L'action de **canceller** un acte par des ratures était la **cancellation**. Ces deux mots se trouvent encore dans des dictionnaires du XXe siècle, mais ils ne représentent rien de contemporain. Ils ont cessé d'avoir cours.

L'anglais a emprunté le verbe et le substantif à l'ancien français et en a fait **to cancel** et **cancellation**, termes auxquels il a donné tous les sens qu'ont aujourd'hui les mots français **annuler, annulation** et leurs synonymes (*voir* **ANNULER**). On commet un anglicisme chaque fois qu'on dit *canceller* au lieu d'**annuler** ou de l'un de ses synonymes et *cancellation* au lieu d'**annulation** ou de l'un de ses synonymes (*voir* **DISPENDIEUX**).

CANCRELAT — *Voir* **COQUERELLE — COQUERET.**

CANDIDAT — *Voir* **APPLICATION.**

CANETTE — À partir de l'anglicisme [CANNE] (*voir* **CANNAGE — CANNE — CANNER**), on a inventé [CANETTE] pour dire «petite boîte de bière ou de boisson gazeuse».

Le mot **canette** est français et il désigne précisément un récipient pour la bière, mais c'est une petite bouteille munie d'un petit appareil de fermeture formé d'un cône de porcelaine et d'une rondelle de caoutchouc, et fixé par un système à ressort. La canette n'est jamais une boîte métallique. On ne peut pas dire *une* [CANETTE] *de bière* pour une *boîte de bière,* boîte métallique semblable à celles qui contiennent des jus de fruits et qu'on appelle naturellement boîtes : *une boîte de jus de pomme.* Il n'y a pas de raison pour qu'on n'appelle pas de même la boîte de bière puisque c'est son nom.

CANICULAIRE — CANICULE — La **canicule** est l'époque de la grande chaleur qui, chaque été, dure, en principe, du 22 juillet au 23 août. Par extension, toute grande chaleur s'appelle **canicule** : *cette année-là, nous étions en pleine canicule à la fin de juin.* De même, **caniculaire** peut se dire d'une chaleur accablante : *il faisait en septembre une chaleur caniculaire.*

CANNAGE — CANNE — CANNER — Le mot français **cannage**, qui a déjà voulu dire «action de mesurer les étoffes à la canne (ancienne mesure de longueur)», n'a que deux significations de nos jours. Il s'emploie, dans les régions où l'on fabrique des sièges garnis de lanières de canne entrelacées, pour désigner l'«action de garnir le fond et le dossier de jonc ou de rotin» et la «garniture de cannes d'un siège». **Canner** exprime l'action de garnir d'un **cannage**.

Le substantif anglais **can** signifie «boîte à conserve» et le verbe anglais **to can**, «mettre en conserve». Ce sont des anglicismes que l'on commet quand on se sert du mot **cannage** pour dire «mise en conserve» ou, par extension, «conserve, aliment conservé en boîte», du mot **canne** pour dire «boîte de conserve» et du mot **canner** pour dire «mettre en conserve».

L'industrie des **conserves** est la **conserverie**. Il ne faut pas dire *une usine de* [CANNAGE], mais une *conserverie.* Le même mot **conserverie** désigne et l'industrie et une entreprise ou un établissement de mise en conserve. Le propriétaire ou le directeur d'une **conserverie** est un **conserveur**.

Il ne faut pas dire *j'ai acheté une* [CANNE] *de haricots*, mais *j'ai acheté une boîte de haricots.* Il ne faut pas dire *nous avons assez de* [CANNAGES] *pour deux semaines*, mais *nous avons assez de conserves pour deux semaines.*

CANNEBERGE — Tandis que l'**airelle des bois** produit une baie très légèrement acide, la myrtille (*voir* **BLEUET**), l'**airelle des marais** donne un petit fruit rougeâtre d'une saveur très acidulée auquel elle prête son nom, **airelle**. On en fait des compotes, des confitures et des gelées utilisées comme condiment avec les viandes rouges dans les pays germaniques et avec les volailles dans les pays anglo-saxons. Cela s'explique dans une certaine mesure par le fait que l'**airelle des marais** n'est pas la même dans toutes les régions où pousse cet arbrisseau : ses baies présentent des différences de saveur et de coloration qui correspondent à des qualités digestives et diététiques également différentes. Si bien que le *LAROUSSE GASTRONOMIQUE*, publié en 1938, fait une distinction entre l'**airelle des marais** proprement dite, l'**airelle canneberge** de France et le fruit américain qui leur est apparenté, nommé **cranberry** en anglais.

Les Amérindiens appelaient **atoca** (il semble qu'**ataca** soit une déformation d'**atoca**) l'**airelle des marais** d'Amérique et l'idée n'était pas mauvaise de tenter de retenir ce nom pour désigner l'arbrisseau et son fruit, puisqu'il s'agissait d'une plante en quelque sorte particulière à l'Amérique. **Atoca** n'offrait pas comme *bleuet* l'inconvénient d'être un mot français ayant déjà une autre signification. Quoi qu'il en soit, on a finalement opté pour **canneberge** (d'Amérique), mais **canneberge** désigne une plante et il faut dire **airelles** (d'Amérique) quand on veut parler des baies de l'**atoca**. On dira *gelée de canneberge* (au singulier) et *gelée d'airelles* (au pluriel) comme on dit *beurre d'arachide* (au singulier) et comme on pourrait dire *beurre de cacahouètes* (au pluriel). *Voir* BAIE *et* CACAHOUÈTE.

CANOË — CANOÉISME — CANOÉISTE — *Voir* CHALOUPE.

CANOT — CANOTAGE — *Voir* CHALOUPE.

CANTALOUP — Espèce de melons ronds ou ovoïdes et spécialement en Amérique variété de melons de cette espèce à côtes rugueuses peu marquées et à chair orangée. Les melons, originaires d'Asie, ont passé par l'Italie avant d'être importés en France. Le **cantaloup** tient son nom d'une ancienne villa que les papes possédaient près de Rome, Cantalupo, où l'on cultivait particulièrement ce melon.

Entré en France vers la fin du XVIIIe siècle, le fruit fut d'abord appelé *cantaloupe*, mais on a bientôt laissé tomber l'*e* final du mot. Sa prononciation a changé en même temps. **Cantaloup** se dit *can-ta-lou* et non [CAN-TA-LOU-PE].

Arrivé en Angleterre, le melon y a gardé son nom français, mais le *p* final (*voir ce mot*) est prononcé en anglais. Le mot ne remontant pas plus loin que 1791, c'est un anglicisme que l'on commet au Canada quand on y dit [CAN-TA-LOU-PE] au lieu de *can-ta-lou*.

«CANTER» — Le verbe **canter**, qu'un certain nombre de Canadiens emploient transitivement et absolument comme synonyme de **pencher** et d'**incliner**, vient de l'ancien patois normand. C'est à peu près certainement un dérivé régional du terme *chant*, qui désigne la partie étroite d'un objet comme une planche ou une brique : *mettre une brique de chant*, terme emprunté au latin *canthus*, nom que les Romains ont donné au début de l'ère chrétienne à la bande de fer qui borde une roue et qui, par extension, a peut-être eu aussi les sens de «bord» et de «côté». Les Normands disaient, par exemple, *il cantait toujours la tête en parlant.*

Ce terme vieilli est de moins en moins entendu au Canada et c'est bien ainsi. Il est à proscrire. Il ne faut pas dire [CANTER] *une bouteille*, mais *incliner une bouteille*. Il ne faut pas dire *la cloison* [CANTE], mais *la cloison (voir* PARTITION) *penche.*

Il semble bien que l'emploi pronominal de **canter** au sens de «se coucher» soit de création canadienne : *il est allé* [SE CANTER] *pour une heure* au lieu d'*il est allé se coucher pour une heure.*

CANTINE — *Voir* CAFÉTÉRIA *et* SALLE À MANGER.

CANTONS DE L'EST — *Voir* **ESTRIE.**

CAOUTCHOUC — *Voir* **PARDESSUS.**

CAPITAL — En français contemporain, l'adjectif **capital** a les acceptions suivantes: dans le langage courant, «premier par le rang ou l'importance, principal, nécessaire, fondamental»: *la ville capitale d'un pays, l'œuvre capitale d'un architecte, question d'une importance capitale;* dans le langage juridique, «qui entraîne ou peut entraîner la mort»: *crime capital, peine capitale*, et, dans le langage ecclésiastique, «qui est au principe d'une catégorie de fautes»: *les sept péchés capitaux.* Enfin, *lettre capitale* est synonyme de *lettre majuscule.*

L'adjectif anglais **capital**, qui a les mêmes significations, est aussi un terme de comptabilité. Il qualifie en particulier les dépenses faites ou à faire en **immobilisations**. Appeler *dépenses capitales*, traduction littérale de **capital expenditures**, les **immobilisations** ou **dépenses en immobilisations**, c'est commettre une faute. Il ne faut pas dire *les dépenses* [CAPITALES] *du gouvernement seront élevées cette année,* mais *les immobilisations* ou *les dépenses en immobilisations seront élevées cette année.* On dit correctement *ces dépenses en immobilisations sont capitales* pour exprimer l'idée que les dépenses dont on parle sont nécessaires, mais on ne saurait dire *ces dépenses* [CAPITALES] *sont nécessaires.*

CAPITALE — *Voir* **MÉTROPOLE — MÉTROPOLITAIN.**

CAPOT — *Voir* **AUTOMOBILE.**

CAPSULATEUR — CAPSULE — *Voir* **BOUCHON.**

CAR (conjonction) — *Voir* **QUAND.**

CAR — Le substantif **car**, employé comme abréviation d'**autocar** (*voir* **AUTOBUS — AUTOCAR**), est français dans le langage familier et dans le vocabulaire publicitaire. **Car** s'emploie correctement pour désigner les véhicules automobiles de transport en commun loués (*voir* **NOLISER**) pour des excursions ainsi que certaines voitures longues et couvertes comme des fourgons servant au transport de personnes: *un car de police*, ou au transport d'ateliers mobiles: *un car de télévision.*

CARACTÈRE — S'il est vrai que, par extension, le mot **caractère** s'emploie pour désigner des personnes en les considérant dans leurs traits distinctifs, il est toujours accompagné d'un ou de plusieurs adjectifs qui déterminent la ou les marques particulières que l'on veut faire ressortir quand il est usité dans cette acception: *il aimait s'entourer de caractères faibles afin de les dominer facilement*, sauf si la qualité morale que l'on souligne est la fermeté: *voilà un caractère.* C'est le seul cas où **caractère** se dit absolument d'une personne.

Le substantif anglais **character** s'emploie absolument au sens de «personne possédant une personnalité bien marquée et quelque peu singulière» et c'est un anglicisme que l'on commet quand on dit d'une personne: *c'est un* [CARACTÈRE] au lieu de *c'est une personne bizarre,* ou *c'est une personne étonnante*, ou *c'est* *une personne d'un caractère bien particulier*, ou *c'est un original*, ou *c'est un excentrique*, etc.

Le mot anglais **character** a, entre autres sens que **caractère** ne possède pas, celui de «moralité» en parlant des personnes. Un témoin cité à déposer pendant un procès sur la valeur morale d'un accusé ne rend pas un *témoignage de* [CARACTÈRE], mais un *témoignage de moralité*. C'est un *témoin de moralité*, non un *témoin de* [CARACTÈRE]. En termes juridiques, on ne donne pas un *certificat de* [CARACTÈRE], mais un *certificat de moralité*. Se garder de dire *caractère* au lieu de **moralité**.

CARACTÉRISTIQUE — *Voir* **DIFFÉRENT** *et* **SPÉCIFICATION — SPÉCIFIER — SPÉCIFIQUE**.

CARAMEL — *Voir* **ANGLICISME**.

CARAVANE — CARAVANING — Le substantif **caravane** a été introduit en France au XIIIe siècle par des croisés qui l'ont emprunté du persan. Il a toujours désigné une «troupe de marchands, de voyageurs qui franchissent ensemble des régions désertiques ou dangereuses». Par extension, au temps des Croisades, on appelait **caravane** une escadre voguant sur des mers peu sûres. Le mot a pris en français contemporain le sens général de «personnes réunies pour voyager ensemble»: *caravane de touristes, caravane scolaire*, etc. Une **caravane scolaire** est un «groupe d'élèves qui, sous la conduite d'un instituteur (*voir ce mot*) ou d'un professeur, font un voyage d'étude ou d'agrément»: *deux caravanes scolaires ont visité les grandes usines de notre région hier*. Enfin, depuis quelques années, **caravane** désigne, comme le mot anglais **caravan** venu du français, une «maison-remorque de tourisme traînée par une automobile» et la «pratique du tourisme en caravane» s'appelle **caravaning** (*voir* **CAMPING**). Au Canada, ces deux néologismes gagnent du terrain, mais beaucoup de gens disent encore *remorque* ou *roulotte* plutôt que *caravane*. Toute «voiture tractée» est une **remorque**: *j'ai une remorque pour transporter mon bateau* (*voir* **CHALOUPE**) et, afin d'éviter la confusion, il faudrait dire au long *remorque habitable* ou *maison-remorque* quand on parle de la voiture d'habitation traînée sur les routes qui est aménagée pour loger plusieurs personnes. **Caravane** est beaucoup plus simple. Quant à **roulotte**, ce mot a contre lui qu'il rappelle inévitablement les romanichels et les vagabonds. Or certaines **caravanes** sont de véritables cottages (*voir* **CAMP — CAMPER**) mobiles. Pourtant, on a commencé à dire **roulotte** en France en parlant d'une «caravane de camping».

On a proposé, en France, récemment, de remplacer **caravaning** par **caravanage**.

CARDIGAN — *Voir* **PULL-OVER**.

CARGAISON — CARGO — Le mot **cargo** désigne un «navire destiné uniquement ou principalement au transport de marchandises»: *les cargos mixtes* (*voir* **CONJOINT — CONJOINTEMENT**) *transportent aussi des passagers*. L'«ensemble des marchandises qui constituent la charge d'un cargo» est une **cargaison**. Les mots **cargo** et **cargaison** s'emploient de même par analogie en parlant des avions. Le substantif anglais **cargo** signifie «cargaison» et il faut se garder d'employer, sous l'influence de l'anglais, le terme français **cargo** comme synonyme de **cargaison**. On peut se servir du mot *wagon* pour désigner son contenu: *nous avons commandé deux wagons d'oranges*, le véhicule jouant alors le rôle d'unité de mesure, mais on ne peut agir ainsi avec le mot **cargo**. Il ne faut pas dire *le Canada a envoyé un* [CARGO] *de blé aux sinistrés de cette région asiatique*, mais *le Canada a envoyé une cargaison de blé.*

CARIBOU — Canadianisme issu de l'algonquin. Le **caribou** est le **renne** du Canada, comme l'orignal (*voir* **ANIMAUX**) est l'élan du Canada. Le mot **caribou** étant valable (il figure dans les dictionnaires français, comme *orignal*), on se demande pourquoi on dit aux enfants que le traîneau du Père Noël est tiré par des **rennes**. En attelant des **caribous** à son traîneau (*voir ce mot*), on canadianiserait un peu le personnage.

CARILLON — *Voir* **HORLOGE.**

CARNET — *Voir* **CARTON — CARTOUCHE.**

CARRÉ — Le substantif **carré** a de nombreuses significations. Il désigne premièrement un «quadrilatère plan à angles droits dont les côtés sont égaux». Un certain nombre de muscles du corps humain portent le nom de **carré**: *le carré du menton.* Le mot peut désigner une partie de jardin potager: *un carré de carottes.* La salle où les officiers d'un bâtiment prennent leurs repas s'appelle **carré**, etc. Le mot n'a jamais eu, cependant, et n'a pas le sens de «jardin public généralement (pas nécessairement) entouré d'une grille, souvent aménagé au milieu d'une place publique». Un jardin de cette sorte est un **square** (ne pas prononcer *squére* comme si le mot n'était pas français, mais *square*). Les Montréalais, par exemple, ne doivent pas dire [CARRÉ] *Saint-Louis*, mais *square Saint-Louis.*

Carré ne sert pas davantage à désigner un «espace découvert dans une ville auquel plusieurs rues aboutissent». Un lieu public de cette sorte, sans jardin, est une **place**.

Bref, un espace libre dans une ville où l'on trouve quelques-uns des éléments d'un jardin: arbres, pelouses, allées, bancs, pièce d'eau, est un **square** et un lieu public découvert tenant lieu en quelque sorte de carrefour ou servant à un usage déterminé (*place du marché*) est une **place**. Tenir compte d'une exception: à cause de son caractère historique, une **place d'armes** reste une **place d'armes** même si on y a ajouté des éléments propres à un **square**.

La difficulté vient de ce que le mot anglais **square**, qui a donné **square** en français il y a plus d'un siècle, désigne également les **squares**, les **places** et la figure géométrique appelée **carré** en français. C'est commettre un anglicisme que d'appeler *carré* une **place** ou un **square**. C'est prêter à **carré** des sens qu'il n'a pas mais que possède **square**, le terme qui traduit en anglais son acception mathématique.

D'un autre côté, un **carré** est un quadrilatère plan. Le solide à six faces égales formant un parallélépipède rectangle est un **cube**. Il ne faut pas dire *un* [CARRÉ] *de sucre*, mais *un cube de sucre*.

CARREAU — Un «dessin de forme carrée» sur un tissu est un **carreau**: *nappe à carreaux, tablier à carreaux*. L'adjectif [CARREAUTÉ] employé au Canada au lieu de l'expression **à carreaux** est patois. Il ne faut pas dire *une tenture* [CARREAUTÉE], mais *une tenture à carreaux*.

> Noter que, ni au Moyen Âge ni depuis, le français n'a jamais formé directement un adjectif à partir d'un substantif en lui ajoutant le suffixe *té*. Le suffixe *ter* ajouté à des substantifs a formé plusieurs verbes qui, par dérivation, en passant par le participe passé, ont donné des adjectifs se terminant par *té*: (de *marque*) *marqueter*, qui fut peu usité, *marqueté*; (de *mouche*) *moucheter, moucheté*, etc.

[CARREAUTÉ], formé directement à partir de **carreau**, n'est pas régulièrement constitué.

Voir **TUILE** *et* **VITRE**.

CARROSSE — Un **carrosse** est une voiture couverte de grand luxe, à chevaux, qui ne sert plus qu'à transporter les membres des familles royales à l'occasion d'événements solennels. On ne peut appeler *carrosses* les voitures pour enfants ou pour poupées.

Une voiture d'enfant ou de poupée non couverte est une **poussette** et une voiture pourvue d'une capote (couverture) est un **landau**. La barre métallique en forme de guidon qui sert à pousser et à diriger ces véhicules s'appelle **poussoir** et le siège d'une **poussette** et le lit d'un **landau** portent le nom de **nacelle** emprunté au vocabulaire maritime: ils reposent élastiquement sur la caisse comme une petite barque flotte sur l'eau.

Se rappeler que **carrosse**, qui vient non de l'anglais **car** mais de l'italien **carroza**, s'écrit avec deux *r*, comme ses dérivés *carrossable, carrossier* et *carrosserie*.

L'automobile à double capote appelée **landau**, partout disparue, survit au Canada, modifiée, dans les cortèges funèbres où elle transporte les fleurs depuis les maisons mortuaires jusqu'au cimetière. Ce «landau sans capotes» serait plus justement nommé *char à fleurs* (*voir* **CHAR**).

CARROSSIER — *Voir* **DÉBOSSELAGE — DÉBOSSELER**.

CARROUSEL — Dans les parcs d'attractions (*voir* **AMUSEMENT**), aux foires, aux cirques, on trouve un appareil formé d'un arbre vertical et d'une plate-forme portant des animaux de bois ou de métal (chevaux, cerfs, lions, etc.) auquel un moteur imprime un mouvement rotatif pour l'amusement des enfants qui montent ces bêtes simulées. En Amérique, le nom anglais de cet appareil est **carousel**. En français, c'est un **manège**. On commet un anglicisme quand on dit *carrousel* au lieu de **manège**. Le mot **carrousel** désigne un spectacle donné par des cavaliers qui exécutent des évolutions variées: *le carrousel de la Gendarmerie royale*.

Voir **ARSENAL**.

CARTON — CARTOUCHE — **Carton** et **cartouche** sont venus au français du mot latin **carta** par l'intermédiaire de l'italien vers la fin du XVIe siècle. **Carton** signifie «feuille épaisse de papier plus ou moins grossier»: *une reliure de carton.* Par extension, **carton** désigne aussi certains objets en **carton**, mais l'usage a limité le nombre de ces objets, parmi lesquels se trouvent des boîtes en **carton** pour le rangement: *cartons à chapeaux* et *cartons à chaussures.*

L'anglais a étendu le sens de son mot **carton**, qu'il a emprunté au français au XVIIe siècle, à certains objets d'emballage ou de présentation de marchandises en **carton** qui ne sont pas des boîtes ou en papier. Appeler *cartons* les **paniers** en **carton** dans lesquels on vend des boissons gazeuses (*voir* **BREUVAGE**) par demi-douzaines de bouteilles, c'est commettre un anglicisme. Il ne faut pas dire: *n'oublie pas d'apporter un* [CARTON] de soda, mais *n'oublie pas d'apporter un panier de soda.* Un **panier** est un «ustensile portatif muni d'une anse pour transporter des marchandises».

Cartouche, masculin, désigne une sorte d'encadrement d'un court texte, d'un mot (ENCYCL.) annonçant un paragraphe dans un dictionnaire,et la place réservée au titre ou à un commentaire dans une carte géographique.

Au sens de «rouleau de carton contenant une charge de poudre», le mot est passé du masculin au féminin. Aujourd'hui toute munition d'arme à feu portative à douille métallique ou en **carton** est une **cartouche**.

Par extension, **cartouche**, féminin, a pris le sens d'«emballage sous forme de petit cylindre» et il sert à désigner certains objets ainsi présentés: *cartouches d'encre pour stylographes et pour stylos à billes.* Enfin, **cartouche** désigne depuis peu d'autres emballages qui ne sont pas cylindriques. C'est commettre un anglicisme que d'appeler *cartons* les emballages groupant plusieurs paquets de cigarettes. Ces emballages sont généralement en papier d'argent. Il ne faut pas dire *j'ai acheté deux* [CARTONS] *de cigarettes*, mais *j'ai acheté deux cartouches de cigarettes.*

Ce qu'on appelle au Canada un *petit* [CARTON] *d'allumettes* est une **pochette** d'allumettes. Le mot **carnet** signifie «assemblage de choses en papier attachées ensemble sous une couverture généralement en carton et qu'on détachera une à une quand on aura besoin de s'en servir»: *un carnet de chèques, un carnet de timbres, un carnet de tickets* (*voir ce mot*), *etc.* Il serait aussi fautif de dire [LIVRET] *d'allumettes* que [CARTON] *d'allumettes.* Un **livret** est un «petit livre» ou un «petit registre»: *un livret de banque, un livret d'adresses.* On ne détache pas les pages d'un **livret** .

CAS — Employé absolument dans le langage familier aux sens d'«original» ou de «détraqué», en parlant d'une personne, le mot *cas* est un anglicisme. Le terme anglais **case** a ces deux significations dans le langage populaire. En français il faut dire **original** ou **détraqué** ou employer des expressions comme *peu ordinaire, extraordinaire, curieux homme*, etc., qui expriment avec plus ou moins de force les mêmes idées. Au lieu de *votre ami est un* [CAS], on dira correctement *votre ami est un original*, ou *votre ami est un peu détraqué*, ou *votre ami est un homme curieux*, etc.

CASE — CASIER — CASIER JUDICIAIRE — *Voir* **BOÎTE POSTALE**.

CASIER À MUSIQUE — *Voir* **CABINET**.

CASSÉ — CASSER — Le verbe **casser** n'a d'autres sens propres dans le langage général que ceux de « mettre en morceaux par choc ou par pression » : *casser la vitre d'une fenêtre* et de « dégrader, démettre » ou « rétrograder » : *casser un sous-officier de police, casser un haut fonctionnaire*. Au figuré, il signifie « affaiblir grandement » : *les soucis bien plus que l'âge ont cassé cet homme*. Sauf dans quelques locutions consacrées comme *casser les oreilles* et *casser la figure à quelqu'un*, le verbe n'a aucune autre signification figurée, même au niveau du français populaire familier. Les mêmes observations s'appliquent à l'adjectif **cassé**. On dit correctement *une vitre cassée, un sergent cassé, un fonctionnaire cassé, une voix cassée* (si affaiblie qu'elle n'a plus de timbre). Au sens d'« annuler », **casser** est un terme de droit : *casser un jugement* et, au sens de « troublé pour avoir été exposé à l'action de l'air », **cassé** ne se dit que des vins.

Le verbe anglais **to break**, qui exprime le premier sens propre de **casser**, a de nombreuses autres acceptions qu'il ne faut pas prêter à celui-ci. Il a en particulier celles de « diviser, entamer » et d'« interrompre, mettre fin » et l'adjectif **broken** a celle d'« écorché » en parlant d'une langue. On commet un anglicisme en disant, par exemple, [CASSER] *un billet de dix dollars* au sens de « diviser » au lieu de *faire faire la monnaie* (*voir* **CHANGE**) *d'un billet de dix dollars* ou au sens d'« entamer » : *j'ai* [CASSÉ] *mon dernier billet de dix dollars pour acheter des chaussettes* (*voir* **CHAUSSETTE — CHAUSSON**) au lieu de *j'ai entamé mon dernier billet de dix dollars*. On commet aussi un anglicisme en disant d'un importun qu'*il a* [CASSÉ] *une réunion*. Il ne faut pas dire *il est arrivé de mauvaise humeur et cela a* [CASSÉ] *la soirée*, mais *il est arrivé de mauvaise humeur et cela a mis fin à la soirée*. De même, il ne faut pas dire [CASSER] *le français* ou [CASSER] *l'anglais*, mais *mal parler* ou *écorcher le français* ou *l'anglais*. Il y a aussi l'expression populaire [CASSER MAISON], qui signifie « cesser de tenir maison » : *il a décidé de* [CASSER MAISON] au lieu d'*il a décidé de ne plus tenir maison*.

Enfin, pour exprimer l'idée qu'une personne n'a plus ou n'a pas d'argent, l'anglais familier dit que cette personne est **broke**. De là vient que l'on dise couramment au Canada *je suis* [CASSÉ] et *il est* [CASSÉ] au lieu d'employer l'adjectif français **fauché**, qui a ce sens figuré. Il ne faut pas dire *tu serais bien aimable de me prêter dix dollars car je suis* [CASSÉ], mais *tu serais bien aimable de me prêter dix dollars car je suis fauché* ou *à sec*. On dit mieux, en soignant son langage : *car je n'ai pas* ou *je n'ai plus d'argent en poche*. L'expression fautive [ÊTRE CASSÉ] au sens d'« être dans la gêne, dans la misère, dans la pauvreté » ne peut remplacer les expressions du langage familier français *être dans la dèche* ou *être dans la purée*. Au lieu de *ne comptez pas sur lui parce qu'il est* [CASSÉ], on dit correctement *ne comptez pas sur lui parce qu'il n'a pas d'argent* ou *parce qu'il est pauvre* ou, familièrement, *ne comptez pas sur lui parce qu'il est dans la dèche* ou *dans la purée*.

L'anglais **to break** a encore le sens de « faire fonctionner à vitesse réduite afin d'assurer l'ajustage (*voir* **AJUSTAGE — AJUSTEMENT — AJUSTER — AJUSTEUR**) parfait des pièces » en parlant d'un nouveau moteur, d'une nouvelle machine, action que le verbe **roder** (*voir* **RODER** *et* **RÔDER**) exprime en français. Il ne faut pas dire *on a généralement des ennuis avec un moteur d'automobile qui a été mal* [CASSÉ], mais *avec un moteur d'automobile qui a été mal rodé.*

CASSIS — *Voir* **GROSEILLE.**

CASSONADE — *Voir* **SUCRE.**

CATASTROPHE — *Voir* **ASSURANCE.**

CATÉGORIQUEMENT — *Voir* **DÉFINITIVEMENT.**

CATIN — Lancé au XVIe siècle par le poète Clément Marot, le mot **catin** fut d'abord une abréviation affectueuse du prénom Catherine, mais il est devenu un nom commun très péjoratif. Synonyme de *gourgandine*, il désigne, dans le langage familier, une femme de mauvaise vie.

Dans quelques régions de France, cependant, et presque partout au Canada, on l'emploie au sens de «poupée». C'est un provincialisme de mauvais goût. Bien entendu, le dérivé [CATINER] employé au lieu de *jouer à la poupée* est à proscrire.

CAUSER — *Voir* **ÉCHANGER.**

CAUTION — CAUTIONNEMENT — *Voir* **DÉPÔT.**

CAVALIER — *Voir* **CRAMPE — CRAMPILLON — CRAMPON — CRAMPONNER.**

CAVEAU — *Voir* **VOÛTE.**

CÉDILLE (...SOUS LES C MAJUSCULES) — *Voir* **SIGNES ORTHOGRAPHIQUES.**

CÉDULE — **Cédule** est un vieux mot français venu du grec par l'intermédiaire du latin. Il s'écrivait *sedule* au XIIIe siècle. Il eut d'abord les sens d'«écrit reconnaissant une obligation, un engagement, une dette» et de «petite feuille de papier sur laquelle on notait des choses qu'on voulait se rappeler». Il a donné à l'anglais le mot **schedule**, qui n'a retenu, en l'élargissant, que la deuxième de ces acceptions. **Cédule** n'est plus employé à son premier sens que dans l'expression *cédule hypothécaire* (titre négociable constatant une hypothèque). Sauf cette exception, le mot n'a plus eu d'autres significations depuis la fin du siècle dernier que celles de «catégorie de revenus imposables» en droit administratif et d'«acte par lequel un juge permet de citer un témoin d'urgence» en termes de procédure. Le terme anglais **schedule** désigne, lui, toute sorte d'imprimés, de documents écrits où sont consignés des renseignements qu'il est important de se rappeler.

On commet un anglicisme chaque fois que l'on emploie le mot **cédule** au lieu d'**indicateur** ou **horaire**, de **programme**, de **calendrier** (toute division d'un certain temps), de **plan de travail**, de **prévisions**, d'**annexe** ou d'**avenant** (addition à un contrat d'assurance), de **barème**, de **tarif**, etc. Il ne faut pas parler, par exemple, d'une [CÉDULE] *de prix*, mais d'un *barème de prix*. Il ne faut pas dire la [CÉDULE] *des autocars*, mais *l'horaire des autocars* (un **horaire** est un simple tableau, tandis qu'un **indicateur** est une brochure). Au lieu de *la* [CÉDULE] *de la saison de hockey* (*voir ce mot*), il faut dire *le programme* ou *le calendrier de la saison*... Il ne faut pas dire *les travaux s'exécutent selon la* [CÉDULE], mais *les travaux s'exécutent selon le plan de travail* ou *selon les prévisions.* Il ne faut pas dire *le notaire m'a conseillé d'ajouter une* [CÉDULE] *à mon testament*, mais *le notaire m'a conseillé d'ajouter un codicille* (disposition annexée à un testament), etc.

Au XVIe siècle, l'action de signer une reconnaissance de dette s'exprimait par un verbe pronominal dérivé de **cédule**: *je me cédulerai pour cette somme.* Le verbe transitif [CÉDULER] employé au Canada est tiré du verbe anglais **to schedule** dont il traduit toutes les acceptions. C'est une faute. Il faut dire *inscrire au programme, dresser le calendrier de, ajouter comme annexe, inscrire à l'horaire, prévoir pour telle date*, etc.

CEGEP — *Voir* **ÉTUDIANT**

CÉLÉBRER — *Voir* **COMMÉMORER.**

CENELLE — **Cenelle** est un très vieux mot français dont l'origine n'a pas été nettement déterminée. Il s'écrivait au début **cenele** et **cinele**. Il désigne, depuis au moins le XIIe siècle, le petit fruit rouge de l'**aubépine**, nom qui existait dès ce temps-là sous la forme d'**aubespin**.

Les Canadiens ont-ils tiré de **cenelle** le substantif [CENELLIER] pour désigner l'arbrisseau ou l'ont-ils reçu de quelque patois de la France du XVIe siècle? Quoi qu'il en soit, c'est une faute. Il ne faut pas dire *les baies* (*voir ce mot*) *du* [CENELLIER] *ont un goût âpre*, mais *les baies de l'aubépine* ou *les cenelles ont un goût âpre.* Noter que **cenelle** commence par un *c*, non par un s.

CENT — Le mot **cent**, qui désigne le centième du **dollar**, est francisé comme ce terme lui-même. Sauf dans les liaisons qui doivent se faire, l'*s* du pluriel ne se prononce pas en français. S'il est correct de dire *je vous paierai en cents* (*s* sonore) *et dollars* (*s* muet), parce que la liaison se fait avec une voyelle, il est fautif de prononcer *je vous paierai en* [CENTS] (*s* sonore).

Le fait que **cent** se prononce de la même façon en anglais et en français (la finale *ent* sonore n'existe en français que dans la prononciation de deux ou trois mots d'origine étrangère) tandis que **dollar** se prononce à la française (*voir* **MOTS ÉTRANGERS, PRONONCIATION DES...**) explique que l'*s* du pluriel de **cent** est souvent prononcé (comme l'exige l'anglais) sans la justification d'une liaison, tandis que celui du pluriel de **dollar** ne l'est jamais sauf dans les liaisons.

C'est un anglicisme de prononciation (*voir* **ANGLICISME**) de dire *ce quotidien se vend dix* [CENTS] (*s* sonore) *l'exemplaire* au lieu de *dix cents* (s muet) *l'exemplaire (voir* **COPIE**).

Voir **PIASTRE.**

CENTRAL — *Voir* **TÉLÉPHONE.**

CENTRE — Les dictionnaires, qui ne tiennent pas compte de l'influence de l'anglais sur le français au Canada, délimitent faiblement la portée de certaines acceptions du mot **centre**. Certes, il sert à désigner un «point de convergence ou de rayonnement», un «lieu où s'exerce une action de coordination» et un «lieu où une chose se pratique ou se fabrique habituellement»: *un centre religieux, un centre de distribution, un centre du papier, un centre hospitalier, le centre des affaires d'une ville.* Il faut se rappeler, cependant, que, si l'on détermine la nature d'un **centre** par un complément qui désigne une action, on considère le **centre** comme une personne et c'est le **centre** qui fait cette action. Un **centre** de rassemblement est un organisme qui rassemble, non un lieu où l'on se rassemble. Une place (*voir* **CARRÉ**) peut être un lieu de rassemblement, non un *centre* de rassemblement. Aussi ne peut-on dire *centre d'achat* pour désigner un lieu occupé par des personnes qui n'achètent pas mais vendent. Un **centre** de cette sorte est un **centre commercial**, c'est-à-dire un **centre** qui fait du commerce, où le commerce se pratique de façon active et coordonnée.

Dire [CENTRE D'ACHAT], ou [D'ACHATS], ce qui est pire parce que c'est employer un terme individuel où ne peut convenir qu'un terme général ou abstrait, au lieu de **centre commercial**, c'est commettre une faute de français.

D'un autre côté, on ne peut se servir du mot **centre** pour nommer un établissement commercial. Un magasin d'articles de sport n'est pas un [CENTRE] de sport. Un magasin d'appareils de télévision n'est pas un [CENTRE] de télévision. Un grand magasin d'alimentation n'est pas un *centre.* L'expression **centre commercial** désigne un ensemble d'établissements.

L'anglais pense autrement que le français. Quand l'anglais dit **shopping center**, le français dit **centre commercial**.

Enfin, le terme **centre** sert à désigner un lieu, ou un organisme, ou un groupe de services, ou l'immeuble où se trouve l'organisme ou le groupe de services, non un objet matériel entouré ou enveloppé d'une autre chose. Par exemple, on ne dit pas, comme le fait l'anglais, le [CENTRE] dur ou le [CENTRE] mou d'une bouchée de chocolat, mais simplement *bouchée de chocolat dure* et *bouchée de chocolat molle.*

CERCLE — *Voir* **UNIVERSITAIRE — UNIVERSITÉ.**

CERCUEIL — *Voir* **TOMBE — TOMBEAU.**

CÉRÉALE — Une **céréale** est une «plante qui produit des grains facilement pulvérisables servant, comme élément de base, à la nourriture de l'homme»: *l'avoine, le blé, le maïs, le riz et le seigle sont des céréales*, et l'on nomme **céréales** les grains de ces plantes. Le blé est une **céréale** comme la pomme de terre (*voir* **PATATE**) est un légume et, de même qu'un mets préparé avec des pommes de terre, comme *des croquettes de pommes de terre*, n'est pas un légume, de même un *pain de blé* n'est pas une **céréale**. Autrement dit, les **céréales** comme les légumes se préparent de diverses façons pour l'alimentation et les grains d'une **céréale** préparés d'une certaine façon prennent le nom de cette préparation: le *riz soufflé* (**puffed rice**) et les *flocons de maïs* **(corn flakes)** sont des **produits céréaliers.**

Le mot anglais **cereal** s'applique aux **produits céréaliers** comme aux **céréales** elles-mêmes: **a wheat cereal** est un **produit céréalier** fait avec du blé et **a**

rice cereal est un **produit céréalier** fait avec du riz. Parler d'une [CÉRÉALE] *de blé* ou d'une [CÉRÉALE] *de riz* ou *d'avoine*, c'est commettre un anglicisme qui est une faute grossière.

Les **produits céréaliers** qui se vendent pour l'alimentation des bébés sont des **farines** (de blé, ou d'orge, ou de riz), non des [CÉRÉALES] *de blé, d'orge, de riz*. Pris absolument, le mot **farine** désigne la «farine de blé pour la boulangerie et la cuisine». Quand il s'agit d'autres **céréales** ou d'autres aliments réduits en poudre, on précise : *farine d'avoine, farine de sarrasin, farine de banane*, etc. Le mot **farine** se dit d'un bon nombre de produits alimentaires en poudre.

Enfin, les **produits céréaliers** étant des **céréales** qui ont subi une simple transformation (les farines non préparées) ou une préparation culinaire (les flocons, par exemple), on prend l'habitude de manger des **céréales** le matin, quelle que soit la forme sous laquelle on les consomme, comme on mange des légumes, crus ou cuits, nature ou apprêtés, aux repas du midi et du soir. Mais on ne peut manger [UNE CÉRÉALE] (au sens de produit de la nature, sans allusion au produit industriel) le matin, comme on peut manger un ou deux légumes (une tomate et une pomme de terre, par exemple) au dîner, le mot **céréale** appliqué non à la plante et à l'ensemble de sa production mais à son fruit n'étant possible qu'au pluriel, puisqu'il désigne une graine minuscule : *on mange une assiette de céréales.*

CERF — *Voir* **ANIMAUX**.

CERTAIN — *Voir* **POSITIF**.

CERTES — *Voir* **DÉFINITIVEMENT**.

CERTIFICAT — *Voir* **PASSE**.

CERTIFICATION — CERTIFIER — *Voir* **CHÈQUE**.

CHACUN — Les locutions pronominales *un chacun, tout chacun* et *tout un chacun*, qui ont encore cours dans le langage familier populaire au Canada, étaient naturelles dans la bouche des Français instruits jusqu'au XVIIe siècle. Des écrivains célèbres sous la plume desquels l'archaïsme apparaît comme une coquetterie ont prolongé leur existence dans la langue littéraire, mais elles n'appartiennent pas au français moderne et il faut éviter de s'en servir si ce n'est par stylisme. La même observation s'applique à l'adjectif *chacune* employé comme substantif pour désigner la compagne d'un homme. On dit naturellement *chacun s'est retrouvé avec sa femme* ou *avec sa compagne*, non [TOUT UN CHACUN] *s'est retrouvé avec sa* [CHACUNE].

CHAÎNE DE HAUTE FIDÉLITÉ — *Voir* «**SYSTÈME DE SON**».

CHALAND — *Voir* **BARGE**.

CHALET — *Voir* **CAMP — CAMPER**.

CHALOUPE — **Bateau** est le nom générique des moyens de transport sur l'eau, de toute sorte : *navires, cargos (voir ce mot), bacs (voir* **TRAVERSIER**), *chaloupes, canots, canoës*, etc.

Embarcation est le nom générique des bateaux de petites dimensions généralement non pontés : *chalands, chaloupes, canots, canoës, kayaks*, etc.

La **chaloupe** est la plus grosse **embarcation** que les navires peuvent embarquer. Une **chaloupe** se manoeuvre à la voile, à l'aviron *(voir ce mot)* ou à l'aide d'un moteur. La **chaloupe** n'est pas une **embarcation** de plaisance ou de pêche. Elle est utilisée pour le service des navires. Quelques dizaines de personnes peuvent y monter : *chaloupe de sauvetage*. On trouve des **chaloupes** à bord des navires et dans les ports.

Une «embarcation légère de plaisance ou de pêche qui se manoeuvre à l'aviron, à la voile ou avec un moteur» est un **canot**. Suivant les régions, les mots **barque** et **bateau** sont employés comme synonymes de **canot**. Dans le langage courant, le terme générique **bateau** sert à désigner particulièrement les grands paquebots et les petites embarcations : *faire un voyage en bateau* et *j'ai acheté un hors-bord pour mon bateau.*

Dire *chaloupe* au lieu de **canot**, ou de **barque**, ou de **bateau**, c'est commettre une faute. Retenir que les particuliers ne se servent pas de **chaloupes**, ni dans les lacs ni sur les cours d'eau. Il ne faut pas dire *mes enfants sont encore trop jeunes pour le* [CANOT], *de sorte que j'ai acheté une* [CHALOUPE] *pour les promenades sur l'eau*, mais *mes enfants sont encore trop jeunes pour le canoë, de sorte que j'ai acheté un canot*, ou *une barque*, ou *un bateau pour les promenades sur l'eau.*

Au XVIe siècle, le français a emprunté à l'espagnol le mot **canoa** venu d'un idiome caraïbe pour désigner une «embarcation longue et étroite» d'une forme inconnue en Europe. On disait, au féminin, *une canoe*. Au XVIIe siècle, le mot était devenu masculin et se terminait par un *t* au lieu d'un *e*. On disait *les canots des sauvages*. L'embarcation amérindienne faite d'écorces d'arbres ou d'un tronc d'arbre n'a pas tardé à s'européaniser et l'on construisait déjà des **canots** d'une autre sorte en France, pour le service des navires, avant la défaite de 1760.

On n'est pas sûr de l'origine du mot **chaloupe**. D'aucuns croient qu'il est d'origine bretonne, d'autres qu'il a été emprunté au néerlandais, d'autres, enfin, qu'il est de source italienne et serait parvenu au français par l'intermédiaire du provençal. Quoi qu'il en soit, il a fait son apparition dans la langue écrite au cours du XVIe siècle. Il a désigné dès le début des **embarcations** de plus grande dimension que la **barque**, qui a précédé le **canot** : *des chaloupes touaient des barques.*

Au Canada, le mot **canot** est resté lié à l'idée d'«embarcation possédant les caractéristiques réunies de très grande légèreté, de longueur et d'étroitesse qu'offraient les canots des Amérindiens *(voir ce mot)*». Quand l'**embarcation** de plaisance ou de pêche à fond plat, à bancs et à tableau arrière droit a commencé à circuler sur leurs cours d'eau, les Canadiens crurent que ce ne pouvait être un **canot** et ils l'ont appelée erronément *chaloupe*. Ils auraient pu tout aussi bien dire *barque*, évitant ainsi de se tromper. Retenir qu'il ne faut pas dire [CHALOUPE] *de promenade* ou [CHALOUPE] *de pêche*, mais *canot*, ou *bateau*, ou *barque de promenade* ou *de pêche*. D'un autre côté, les Canadiens nomment *canot* l'adaptation au sport de l'ancien *canot des sauvages*, «embarcation très légère à quille et à extrémités relevées qui se manoeuvre généralement à la pagaie, rarement à la voile», tandis que cette **embarcation** se désigne en français par le terme **canoë**. Bref, l'**embarcation** qu'on appelle *chaloupe* au Canada est un *canot*, ou un *bateau*, ou une *barque* et l'*embarcation* qu'on y nomme *canot* est un **canoë**.

L'«action de manoeuvrer un canot» est le **canotage**. Le **canotage** pratiqué comme sport porte le nom d'**aviron**. On désigne par le mot **bateau** plutôt que par le mot **canot** les **embarcations** qui servent au sport de l'**aviron**. Ce sport se pratique aussi avec le skiff.

Une «personne qui pratique le sport du canoë» est un **canoéiste** et le sport s'appelle **canoéisme** ou **canoë**: *l'aviron et le canoë* ou *canoéisme sont des sports très différents; tandis que le canoéiste, qui pagaie, regarde devant lui, le rameur va le dos tourné*. On continue de dire **ramer** et **rameur** bien que le terme **aviron** soit presque partout employé de préférence à **rame** de nos jours.

Il est correct de dire *canot d'écorce* pour désigner les grands **canots** faits d'écorces que les Amérindiens utilisaient au temps de la Nouvelle-France, mais un **canoë** fait d'écorces reste un **canoë**.

«**CHAMBRANLER**» — Pas plus qu'[ACHALER] et [BÂDRER] *(voir ces mots)*, [CHAMBRANLER] n'a jamais été un mot français. Ce verbe a été apporté en Nouvelle-France par des patoisants du nord-ouest de la France. Naguère encore, on entendait des vieilles gens dire des phrases comme celle-ci dans la région du Haut-Maine: *il chambranle comme un soulaud*. On dit [CHAMBRANLER] au Canada au lieu de **branler**, **chanceler** (*voir* **CANCELLATION — CANCELLER**), **tituber** et **vaciller**. Il ne faut pas dire [CHAMBRANLER] *dans le manche*, mais *branler dans le manche*. Il ne faut pas dire *il* [CHAMBRANLAIT] *au bord du quai et j'ai cru qu'il allait perdre l'équilibre*, mais *il chancelait au bord du quai*. Il ne faut pas dire *il avait tellement bu qu'il* [CHAMBRANLAIT], mais *il avait tellement bu qu'il titubait*. Il ne faut pas dire *le grand vent le faisait* [CHAMBRANLER], mais *le grand vent le faisait vaciller sur ses jambes*. Il ne faut pas dire *une table* [CHAMBRANLANTE], mais *une table branlante*.

CHAMBRE — Le mot **chambre** ne s'emploie plus dans le sens général de «pièce» en parlant d'un appartement, d'un logement. Il ne sert plus qu'à désigner une pièce où l'on couche. Dire *la chambre, notre chambre, la chambre des maîtres*, c'est dire *la chambre à coucher, notre chambre à coucher, la chambre à coucher des maîtres*. *La chambre d'ami* et une *chambre d'enfants* sont des **pièces** où l'on couche. Dans quelques vocabulaires techniques, le mot **chambre** signifie «pièce»: *chambre forte, chambre de veille* sur la passerelle d'un navire, *chambre noire* pour la photographie, mais une **pièce** où l'on travaille n'est pas une *chambre*. C'est un **bureau** (*voir ce mot)*. Sous l'influence de l'anglais dont le nom **room** a les significations et de «pièce» et de «bureau», on commet souvent au Canada la faute de dire *chambre* au lieu de **bureau**. Il ne faut pas dire *j'ai mon bureau à la* [CHAMBRE] *310 de l'immeuble*, mais *j'occupe le bureau 310* ou *mon bureau est le 310*.

Pas plus qu'il ne veut dire «bureau», le mot **chambre** n'a le sens de «lieu où l'on dépose momentanément des vêtements dans un établissement public». Ce lieu est un **vestiaire**. Pour désigner le lieu où les membres d'une équipe sportive laissent leurs vêtements de ville pendant qu'ils portent leur costume de jeu, l'anglais emploie encore le mot **room** et c'est un autre anglicisme que l'on commet quand, au lieu de dire *le vestiaire des joueurs*, on dit *la* [CHAMBRE] *des joueurs*. Il ne faut pas dire *on entendait chanter dans la* [CHAMBRE] *des joueurs après la victoire*, mais *on entendait chanter dans le vestiaire des joueurs*, non plus que *l'entraîneur* (*voir* **INSTRUCTEUR**) *était silencieux dans la* [CHAMBRE] *des joueurs après la défaite*, mais *l'entraîneur était silencieux au vestiaire des joueurs après la défaite*.

CHAMBRE FORTE — *Voir* **VOÛTE**.

CHAMBRER — Le verbe **chambrer** a déjà eu, au début du XVIIIe siècle, le sens d'«habiter une chambre», mais cette acception était rare et elle n'est pas restée dans l'usage. **Chambrer**, de nos jours, est un verbe transitif qui signifie, dans le langage courant, «tenir enfermé dans une chambre» ou, par extension, «empêcher de sortir»: *chambrer un enfant*, et, comme terme culinaire, en parlant du vin, «faire séjourner dans une pièce tempérée pour qu'il en prenne la température»: *chambrer une bouteille de Bordeaux*.

Se servir de **chambrer** pour dire «habiter une chambre louée toute meublée», c'est commettre un anglicisme: l'anglais dit **to room**, verbe intransitif, pour exprimer le fait de «vivre en chambre meublée». Il ne faut pas dire, calquant l'anglais, *je* [CHAMBRE] *chez de braves gens, rue Christophe-Colomb* ou *nous pourrions* [CHAMBRER] *ensemble si nous trouvions une chambre meublée assez grande*, mais *j'habite une chambre chez de braves gens...* ou *j'habite une chambre meublée dans une pension de famille* et *nous pourrions partager une chambre meublée si nous en trouvions une assez grande à louer*.

Le mot [CHAMBREUR] employé au Canada pour désigner le «locataire d'une chambre meublée» est une faute issue du substantif anglais **roomer**, dont c'est là la définition. Le mot est inexistant en français. Il ne faut pas dire *j'ai deux* [CHAMBREURS] *aussi discrets l'un que l'autre*, mais *j'ai deux locataires aussi discrets l'un que l'autre*. Une «personne qui habite une chambre meublée» est un **locataire**, comme une personne qui habite un appartement loué tout meublé ou non.

La «personne qui donne à louer une chambre meublée» est un **logeur** ou une **logeuse**: *cette logeuse a les mêmes locataires depuis plusieurs mois*.

CHANCE — *Courir la chance d'une chose*, c'est «entreprendre de faire une chose en sachant qu'on peut aussi bien échouer que réussir». Des **chances** sont des «possibilités». Ni au singulier ni au pluriel, **chance** n'est l'équivalent de **risque** et de **danger**. Le mot n'a d'autres significations au singulier que celles de «manière favorable ou défavorable dont les événements et les entreprises peuvent se terminer»: *la mauvaise chance le poursuit* et «succès, réussite, résultat heureux, heureux hasard»: *je vous souhaite bonne chance* et *il a eu de la chance*.

Se garder de prêter à **chance** le sens de «danger auquel on s'expose» que possède le terme anglais **chance**. Ne pas dire, par exemple, *courir des* [CHANCES] au lieu de *courir des risques*, non plus que *c'est là une* [CHANCE] *que je ne courrai pas* au lieu de *c'est là un danger auquel je ne m'exposerai pas.*

Voir **ADONNER** *et* **(S'...)** *et* **PRENDRE**.

CHANCELER — *Voir* **CANCELLATION — CANCELLER** *et* «**CHAMBRANLER**».

CHANDAIL — Le mot **chandail** est jeune. Le langage populaire l'a créé vers la fin du siècle dernier pour désigner les gros tricots de laine que commençaient à porter les vendeurs de légumes du marché central de Paris. Dans le milieu des Halles, on appelait les vendeurs de légumes *marchands d'ail* et l'on a simplement sauté la première syllabe de cette expression pour former le mot **chandail**. Le commerce a ensuite adopté le terme pour nommer n'importe quel «pull-over (*voir ce mot*) de sport à col roulé ou autrement façonné». C'est abusivement qu'on désigne au Canada tous les tricots en laine ou en coton par le mot **chandail**.

Voir **PULL-OVER**.

CHANGE — CHANGER — Le substantif **change** désigne une action, celle de donner une chose pour une autre, mais on ne la trouve employée dans cette acception générale de nos jours que dans les expressions *gagner au change, perdre au change, n'avoir rien gagné* ou *rien perdu au change*. Au sens propre de «cession d'une chose contre une autre reçue en échange», il n'est plus usité que dans la terminologie financière, où il signifie «action d'échanger des valeurs monétaires», spécialement en parlant de monnaies de pays différents: *bureau de change, marché des changes, agent de change* et *faire le change d'un billet d'un dollar en pièces de dix cents* (*voir ce mot*). Il y a pris par extension les sens de «valeur d'une monnaie étrangère par rapport à la monnaie nationale»: *parité des changes, au cours du change,* de «rémunération due à un changeur ou courtier pour la conversion d'une monnaie en une autre»: *ce sera vingt dollars de change pour la conversion de vos valeurs sterling*, d'«opération par laquelle on fait transférer des fonds d'un lieu à un autre»: *lettre de change*, et de «prix de l'opération qui consiste à faire transférer des fonds d'un lieu à un autre»: *ce client de Québec n'a pas ajouté à ce qu'il nous doit le change à payer pour l'encaissement de son chèque par une banque de Montréal* et *ce virement de fonds de Montréal à Toronto vous coûte vingt dollars de change.*

Le prix de la négociation de transferts de fonds et de l'encaissement d'effets de commerce dans une autre ville du pays ou à l'étranger se dit **exchange** en anglais et c'est commettre un anglicisme que de prêter cette signification au mot **échange**. Il ne faut pas dire *j'ai dû débourser vingt-cinq cents d'* [ÉCHANGE] *pour toucher ce chèque*, mais *j'ai dû débourser vingt-cinq cents de change* ou *de frais d'encaissement*.

Le mot **change** désigne l'action de **changer** des valeurs monétaires, mais ce n'est pas le nom des valeurs monétaires qu'on donne en échange de celles qu'on reçoit. On demande à quelqu'un de faire le **change** d'un billet de dix dollars, c'est-à-dire de le **changer** pour l'équivalent en billets et pièces de moindre valeur (*voir* **DÉNOMINATION**). Les billets et pièces ayant ensemble une valeur égale à celle d'un ou de plusieurs billets **changés** sont la **monnaie** de ce ou de ces billets. Employé dans ce sens, le mot **monnaie** se traduit en anglais par **change** et c'est un autre anglicisme que l'on commet quand on dit, par exemple, *j'ai exactement le* [CHANGE] *que vous désirez : voici dix billets d'un dollar pour votre billet de dix dollars* au lieu de *j'ai exactement la monnaie que vous désirez.*

Le mot anglais **change** et le terme français **monnaie** désignent aussi les billets et les pièces qui forment la différence entre un billet ou une pièce de forte valeur remis à un marchand par un client et le prix d'une marchandise que celui-ci a achetée et veut payer : *voici la monnaie, monsieur.* Au lieu de *garçon ! vous ne m'avez pas rendu le* [CHANGE] *sur mon billet de vingt dollars*, il faut dire *garçon ! vous ne m'avez pas rendu la monnaie sur mon billet de vingt dollars.*

On appelle *menue monnaie* les billets et pièces de faible valeur qu'on a comme argent de poche : *je prendrai le métro plutôt qu'un taxi pour rentrer parce qu'il ne me reste presque plus de menue monnaie.* La même expression s'applique à un ensemble de pièces de faible valeur : *je ne peux faire le change de votre dollar qu'en menue monnaie, n'ayant pas d'autres pièces en caisse que des dix cents et des cinq cents.*

Changer a le sens de «remplacer les unes par les autres» en parlant de valeurs monétaires : *changer des francs pour des dollars* et *changer un billet de vingt dollars contre des dollars.* Il faut se rappeler que, dans le cas des effets de commerce et particulièrement des chèques (*voir ce mot*), le verbe se dit seulement en parlant de la personne qui accomplit l'action de convertir le titre en argent, non en parlant de la personne qui demande que le titre soit honoré. L'ordre que le tireur d'un chèque donne à son banquier de verser une certaine somme à une certaine personne et une promesse de paiement ne sont pas des valeurs monétaires (*voir ce mot*). Le sens général du verbe **changer** («remplacer une chose par une autre») ne trouve ici qu'une application particulière. Il faut dire **encaisser** ou **toucher** pour exprimer l'idée de recevoir en argent la valeur d'un objet de commerce. La personne qui verse de l'argent contre un effet de commerce **change** celui-ci. C'est une faute que l'on commet quand on dit, par exemple, *je cours* [CHANGER] *ce chèque à la banque* au lieu de *je cours toucher* ou *encaisser ce chèque à la banque.* Un marchand annonce correctement dans la vitrine de son magasin : *nous changeons les chèques des allocations familiales*, mais une cliente ne peut dire *c'est le troisième chèque des allocations familiales que je* [CHANGE] *ici* au lieu de... *que j'encaisse* ou *touche ici.*

CHANTEPLEURE — **Chantepleure**, vieux mot français construit avec les verbes *chanter* et *pleurer*, eut aux XIIe et XIIIe siècles le sens de «complainte». On appelait ainsi particulièrement des poèmes, des chansons et des chants se rapportant aux morts qui pleurent dans l'autre monde après avoir trop chanté dans celui-ci. Un chant de l'office des morts s'intitulait **chantepleure**. Et **chantepleure** devint le nom du chanteur qui entonnait des chansons dans les spectacles : *dit le chantepleure et les autres disent comme lui.* À cause du bruit que fait un liquide selon le débit, **chantepleure** servit ensuite à désigner premièrement une «sorte d'entonnoir à long tuyau percé de trous» pour faire couler des liquides dans un tonneau sans les troubler; deuxièmement, une «fente ménagée dans un mur de clôture ou de terrasse pour l'écoulement des eaux»; troisièmement, un «arrosoir de jardinier à queue longue et étroite»; quatrièmement, une «sorte de tonneau dans lequel on foule le raisin» dans certains vignobles avant de le descendre dans la cuve où on le laisse fermenter pour la fabrication du vin (on disait *chantepleurer* pour exprimer l'idée de «piétiner le raisin avant de le laisser fermenter») et, cinquièmement, «robinet d'un tonneau à vin, à cidre ou à bière».

Chantepleure (souvent prononcé au Canada *champleure* comme autrefois dans le Haut-Maine, ou *champlure*, ou *champelure* comme autrefois en Normandie) n'a jamais eu le sens général de «robinet». Il ne s'est jamais dit que des **robinets** de tonneaux mis en perce.

Le mot **robinet**, né au début du XVe siècle, vient du nom Robin, qu'on employait souvent au Moyen Âge comme nom commun pour désigner le mouton. Les premiers **robinets** eurent souvent la forme d'une tête de mouton et c'est de là que vient le nom de tout «appareil servant à donner ou à retenir un fluide contenu dans un récipient ou qui circule dans un tuyau».

Ce n'est pas utiliser un terme vieilli mais commettre une faute quand on dit, par exemple, *la* [CHANTEPLEURE], ou *la* [CHAMPLEURE], ou *la* [CHAMPLURE] *de l'évier* (*voir ce mot*) au lieu de *le robinet de l'évier*. Il ne faut pas dire *les lavabos ont généralement deux* [CHANTEPLEURES], *l'une pour l'eau froide et l'autre pour l'eau chaude*, mais *les lavabos ont généralement deux robinets*.

CHANTIER — *Voir* **PROJET**.

CHAPELAIN — En français moderne, un **chapelain** est un prêtre qui dessert (*voir* **DESSERVIR**) une chapelle privée sans y être attaché. Les **chapelains** sont rares au Canada. Un prêtre attaché à un établissement où il y a une chapelle, comme un hôpital ou un couvent, ou à un groupement organisé, comme une association de pompiers ou de policiers ou une unité militaire, est un **aumônier**. Il faut dire *l'aumônier du pensionnat* et non *le* [CHAPELAIN] *du pensionnat, l'aumônier du régiment* et non *le* [CHAPELAIN] *du régiment*. Employer le mot **padre** que l'anglais a emprunté à l'espagnol pour désigner l'**aumônier** d'une unité militaire, c'est commettre un anglicisme.

CHAPITRE — Le mot **chapitre** désigne une partie d'un ouvrage. C'est ainsi que, servant à indiquer, d'une part, un passage de la Bible et, d'autre part, une partie de la règle d'une communauté religieuse, il est devenu par extension le nom d'une assemblée de chanoines ou de religieux au cours de laquelle on lisait un chapitre de l'Écriture sainte ou un chapitre de la règle, puis de toute assemblée de religieux réunis pour délibérer des affaires de la communauté; *le chapitre conventuel aura lieu la semaine prochaine*. C'est ainsi, de même, qu'on appelle **chapitre** une division d'un texte de loi et une division d'un état de comptabilité, d'un bilan, d'un budget: *trois chapitres de la loi se rapportent à cette question* et *le chapitre des recettes*. Au figuré, **chapitre** signifie «question particulière, sujet traité, objet d'un entretien»: *en voilà assez sur ce chapitre !*

Le substantif anglais **chapter** n'a pas cette acception figurée. Il désigne, en revanche, par analogie, certaines assemblées d'ordres royaux, particulièrement militaires, et, par extension, on appelle **chapter** une «section locale ou régionale d'une société quelconque». C'est commettre un anglicisme que de prêter cette signification au mot français **chapitre** et de l'employer au lieu de **section**. Il ne faut pas dire *le* [CHAPITRE] *de Montréal de notre association*, mais *la section de Montréal de notre association.*

CHAR — Le mot **char**, issu du mot latin **carrus** emprunté du gaulois par les Romains, a déjà eu, il y a quelques siècles, le sens général de «voiture», qu'a conservé le mot anglais **car** de même origine. Aujourd'hui, sauf pour nommer les chars de combat à deux roues des Anciens et dans les termes de l'armée moderne **char de combat**, **char blindé** et **char d'assaut** et dans l'expression **char à bancs** (le mot et l'objet qu'il signifie sont des vestiges), **char** ne s'emploie plus que pour désigner des voitures décorées ou construites pour certains événements marqués par des cérémonies publiques, comme les **chars allégoriques** des défilés (*voir* **PARADE — PARADER**) qui ont lieu à l'occasion de fêtes collectives. Les corbillards sont des **chars funèbres** qui transportent les morts.

Repris de l'anglais **car** au Canada pour désigner les voitures automobiles servant au transport des personnes, le mot est doublement condamnable: c'est à la fois un archaïsme et un anglicisme.

Voiture est le terme générique à employer pour tout véhicule automobile ou à traction animale terrestre servant au transport des personnes. Il ne faut pas dire *j'ai acheté un* [CHAR] *ce matin*, mais *j'ai acheté une voiture*...

Le haut-parleur d'une gare lance *en voiture !* pour avertir les voyageurs (*voir* **PASSAGE — PASSAGER**) qu'un train est en partance, parce que chacun des wagons d'un train servant au transport des personnes est une **voiture** comme une limousine ou une décapotable. Il n'y a pas plus de **chars** sur les voies ferrées que sur les routes.

Au début des chemins de fer, cependant, **char** s'est dit des wagons servant au transport des marchandises, par analogie avec les chariots à fardeau qu'on désignait par le mot **char** comme *char à foin.*

CHARGE — CHARGER — Le substantif **charge** ne s'emploie en parlant d'argent qu'aux sens abstraits de «responsabilité» et «obligation»: *être à la charge de quelqu'un, faire faire le transport de marchandises à la charge du client, immeuble grevé d'une charge, les charges d'un chef de famille*, etc. Il n'a pas comme le substantif anglais **charge** les sens concrets de «prix, frais, dépenses», d'«achat à crédit» ou «vente à crédit» et d'«imputation («action d'appliquer à» en parlant d'un compte)» et ce sont des anglicismes que l'on commet quand on dit, par exemple, [CHARGE] *supplémentaire* (*voir* **EXTRA**) au lieu de *supplément de prix*, ou *il n'y a pas de* [CHARGE] *pour le couvert* au lieu de *le couvert est gratuit, il n'y a pas de frais à payer pour le couvert*, ou *sans* [CHARGE] au lieu de *sans frais*, ou [CHARGES] *d'entretien* (*voir* **MAINTENANCE**) au lieu de *dépenses d'entretien*, ou *il y a eu plus de* [CHARGES] *que de ventes au comptant au rayon de la chemiserie* (*voir* **MERCERIE — MERCIER**) *cette semaine* au lieu d'*il y a eu* *plus de ventes à crédit que de ventes au comptant cette semaine,* ou *la* [CHARGE] *de cette vente aurait dû être faite au compte personnel du client, non à celui de son entreprise* au lieu de *l'imputation de cette vente aurait dû être faite sur* ou *au compte personnel du client.* **Dépense**, **frais**, **prix**, **vente** (*ou* **achat**) **à crédit** et **imputation** sont les termes à employer.

De même, sauf aux sens figurés d'«imposer le poids de»: *charger le peuple d'impôts* et *se charger de dettes* et d'«exagérer, grossir» (*voir plus bas*), le verbe **charger** est étranger au vocabulaire financier, tandis que le verbe anglais **to charge** y est couramment usité pour dire «fixer, demander, exiger» en parlant d'un **prix**, «imputer («appliquer à» en parlant d'un compte)», «mettre à la charge de» en parlant de **dépenses** ou de **frais** (*voir ce mot*), d'achats ou de ventes (*voir ce mot*) et de «vendre à crédit». Ce sont les verbes **demander**, **exiger**, **fixer** en parlant d'un **prix** et **imputer sur** ou **à** et **porter à** en parlant de fonds, d'un achat ou d'une vente, de **dépenses** et de **frais**, qu'il faut employer. Ce sont des anglicismes que l'on commet quand on dit, par exemple, *combien* [CHARGEZ]-*vous pour cet article?* au lieu de *combien demandez-vous...,* ou *combien exigez-vous...,* ou encore *à combien faites-vous cet article?,* ou *nous avons décidé de* [CHARGER] *deux dollars pour cet article* au lieu de *nous avons fixé à deux dollars le prix de cet article,* ou *ces dépenses seront* [CHARGÉES] *au compte des frais d'entretien* au lieu de *ces dépenses seront imputées sur le compte des frais d'entretien,* ou *nous vous ouvrirons des crédits à* [CHARGER] *au compte général de la publicité* au lieu de *nous vous ouvrirons des crédits imputables* ou *à imputer sur le compte général de la publicité,* ou encore *dois-je* [CHARGER] *votre commande ou la faire livrer contre remboursement?* au lieu de *dois-je porter votre commande à votre compte?*

Au cours des XVIIIe et XIXe siècles, on a appliqué aux registres commerciaux le sens propre général de «mettre un fardeau» qu'a le verbe **charger** et l'on a dit *charger un compte, un registre, d'une dépense, d'un article* et *charger une dépense, un article, sur un compte, un registre,* mais il y a un siècle qu'on ne s'exprime plus de la sorte et c'est uniquement sous l'influence de l'anglais que les fautes indiquées plus haut sont commises au Canada, où l'on dit [CHARGER À] *un compte* et non *charger un compte de,* comme on dirait *charger une voiture de marchandises* ou *charger une dépense sur un compte,* comme on dirait *charger des paquets sur le porte-bagage d'une bicyclette* (*voir* **BICYCLE, BICYCLETTE**).

Le substantif **surcharge** et le verbe **surcharger** ne sont pas davantage des termes de finance. Il ne faut pas dire *c'est une* [SURCHARGE] quand on veut dire *c'est un supplément de prix* ou *c'est un prix trop élevé, exagéré,* non plus que *ce commerçant m'a* [SURCHARGÉ] pour dire *ce commercant m'a compté trop cher* ou *m'a fait payer trop cher* (sa marchandise ou ses services) ou, si tel est le cas, *ce commerçant m'a volé.*

Au lieu de [SURCHARGER] *un compte* on dit correctement *charger un compte.* Le verbe **charger** a le sens figuré d'«exagérer, grossir». On **charge** un compte: *cet entrepreneur a la réputation de charger ses comptes* et on **charge** le prix d'un article: *le prix que vous me faites sur ce meuble est chargé,* comme un écrivain peut **charger** le portrait d'un de ses personnages.

L'adjectif *chargeant*, qui a été employé jusqu'au cours du XIXe siècle au sens de «difficile à digérer», est un mot désuet. De nos jours, on dit **indigeste** ou **lourd**: *un aliment indigeste, un pâté trop lourd.* Le verbe **charger** a, cependant, le sens de «fatiguer» en parlant de l'estomac: *voici un plat qui charge l'estomac.*

C'est commettre une faute que de qualifier de [CHARGEANT] un homme d'affaires qui fait habituellement le prix fort. On doit se servir des expressions **compter trop cher** et **faire payer trop cher**. Au lieu de *ce commerçant est* [CHARGEANT], il faut dire *ce commerçant compte trop cher* ou *fait payer trop cher* (sa marchandise ou ses services).

Voir **À CHARGE, POSITION** *et* **VOYAGE.**

CHARIOT — *Voir* **ÉLÉVATEUR** *et* **GOLF.**

CHARRUE — Le mot **charrue** est le nom d'un instrument agricole qui sert à labourer. L'instrument qui sert à déblayer les voies de circulation obstruées par la neige est un **chasse-neige**. Le même nom désigne un véhicule équipé d'un instrument de cette sorte. À cause de la ressemblance entre les versoirs d'un **chasse-neige** et ceux du soc d'une charrue, l'anglais emploie le même mot **plough** ou **plow** pour désigner les deux choses et c'est un anglicisme que l'on commet quand on dit [CHARRUE À NEIGE], calque de **snow plow**, au lieu de **chasse-neige**.

CHARTE — *Voir* **BANQUE.**

CHARTER — *Voir* **NOLISER.**

CHASSE-NEIGE — (n.m. invar.) Appareil servant à déblayer une voie de circulation de la neige qui s'y accumule.

Au Canada, pays de neige abondante, on se sert fréquemment d'engins de déblaiement mécanique à turbine qui projettent au loin la neige collectée.

Ce genre d'engin ne comporte aucun système de soufflerie. Pour cette raison, il faut se garder d'appeler [SOUFFLEUSE] — calque de **snowblower** — ce qui est un **chasse-neige à fraise**, ou **turbofraise**. Le DUDEN français donne **chasse-neige à fraise à grand rendement** et **chasse-neige à éjecteurs**, avec **tambour de fraise** rotatif (p. 195).

Selon le *GRAND LAROUSSE ENCYCLOPÉDIQUE*, qui distingue parmi les chasse-neige, les **engins à soc** et les **engins de déblaiement mécanique**, les **fraiseuses** peuvent être décrites ainsi: «Elles comportent un cylindre tournant, à axe perpendiculaire au sens de marche, sur lequel sont enroulés des couteaux... Dans les **turbofraises**, les deux parties du travail, désagrégation et évacuation, sont exécutées par deux organes différents. Les **turbofraises** américaines comportent pour l'ameublissement de la neige des vis hélicoïdales qui séparent la neige et l'amènent à une turbine.» (p. 2066).

Voir **CHARRUE** *et* **POUDRERIE.**

CHÂSSIS — À noter, en premier lieu, que la voyelle *a* du mot **châssis** porte toujours un accent circonflexe.

L'un des sens du mot **châssis** est celui d'«encadrement»: *le châssis d'une fenêtre*. Le **châssis** d'une **fenêtre** est le cadre de bois ou de métal qui tient la ou les vitres (*voir ce mot*) de cette **fenêtre**. Celle-ci est formée par le **châssis** et par la ou les vitres. **Fenêtre** et **châssis** ne sont pas des mots synonymes. Il ne faut pas dire *la lumière qui entrait par le* [CHÂSSIS] *éclairait mal la pièce (voir* **APPARTEMENT**), *mais la lumière qui entrait par la fenêtre.*

On commet un anglicisme quand on dit [CHÂSSIS DOUBLE] pour désigner une **fenêtre** qui se pose devant une autre pour mieux protéger une pièce contre le froid extérieur. Une **fenêtre** de cette sorte n'est pas un [CHÂSSIS DOUBLE] mais une **contre-fenêtre**: *poser les contre-fenêtres avant l'hiver.* [CHÂSSIS-DOUBLE] est une mauvaise traduction littérale de **double-window**.

Une fois une **contre-fenêtre** posée, on a deux **fenêtres** à quelques pouces l'une de l'autre dans une même ouverture, qui porte aussi le nom de **fenêtre**, et non une seule **fenêtre** à **châssis** à double vitrerie. On peut aussi appeler *fenêtre double* une **fenêtre** géminée: *la lumière qui entrait par la fenêtre double éclairait toute la pièce.*

Une **contre-fenêtre** n'est pas double; elle est simple, mais elle forme avec une autre **fenêtre** une double clôture de l'ouverture.

Voir **DOUBLE**.

CHÂTEAU D'EAU — *Voir* **AQUEDUC**.

CHAT SAUVAGE — *Voir* **ANIMAUX**.

CHAUDIÈRE — *Voir* **FOURNAISE**.

CHAUFFER — CHAUFFEUR — Le verbe **chauffer** n'est pas synonyme de **conduire**. On ne peut dire [CHAUFFER] *bien ou mal une voiture*, au lieu de *conduire une voiture.*

En souvenir du temps où il fallait **chauffer** les locomotives à vapeur puis les premières automobiles, le mot **chauffeur** est cependant resté pour désigner une «personne dont le métier est de conduire»: par exemple, le routier, ou le conducteur de taxi. On dit correctement *chauffeur de taxi* et *ce chauffeur conduit bien sa voiture.* Il ne la [CHAUFFE] pas.

CHAUFFERETTE — Ce terme est surtout utilisé maintenant pour désigner un «appareil électrique dont une ou des personnes se servent pour se réchauffer les pieds et les mains quand elles se transportent en voiture».

Un appareil électrique portatif qui sert à réchauffer la température d'une pièce n'est pas une [CHAUFFERETTE], mais un **radiateur**, qui s'ajoute à ceux du chauffage central.

CHAUSSETTE — CHAUSSON — Le mot **chausson** ne désigne proprement que trois choses. En premier lieu, c'est le nom de la chaussure de chambre qui, contrairement à la pantoufle (*voir ce mot*), a un talon renforcé et une semelle égale. Par extension, on appelle *chaussons montants* les chaussures de tricot ou de feutre qui se portent par-dessus les **chaussettes** dans certaines bottes de sport. C'est aussi le nom générique de pâtisseries et de hors-d'oeuvre (*voir* **AMUSE-GUEULE**) fourrés faits avec des abaisses rondes de pâte feuilletée repliées sur la garniture: *chausson aux pommes*, *chausson au foie gras*. Enfin, **chausson** est le nom d'un sport issu de celui de la **savate**, qui a eu une certaine vogue en France au XIXe siècle.

En plus d'être le nom d'une sorte de lutte, le mot **savate** signifie «vieille pantoufle, vieux chausson, vieux soulier». Des pantoufles ou des **chaussons** neufs ne sont pas des **savates**.

Pour désigner un bas qui ne monte qu'à mi-jambe, [CHAUSSON] est une faute d'origine dialectale. Un bas qui ne monte qu'à mi-jambe est une **chaussette**: *certains préfèrent porter des chaussettes de laine même l'été.*

CHAVIRER — *Voir* **VIRER**.

CHEF-D'ŒUVRE — *Voir* **CHEF-LIEU**.

CHEFFERIE — Ce mot ne désigne que des réalités d'un passé récent. On a appelé *chefferie* une sorte de régime seigneurial en Afrique noire, au temps encore peu éloigné où des chefs de tribu de tempérament aventurier pouvaient s'y tailler des domaines qui constituaient en quelque sorte de plus ou moins grandes seigneuries plus ou moins autonomes. La colonisation européenne a graduellement fait disparaître ces **chefferies**. Deuxièmement, depuis le milieu du siècle dernier jusqu'à 1945, on a nommé en France **chefferie** une circonscription territoriale du génie militaire ou du service de l'inspection des eaux et forêts ainsi que le bureau de l'ingénieur militaire ou de l'inspecteur des eaux et forêts dans la circonscription.

Chefferie n'a pas et n'a jamais eu le sens de «dignité, titre, autorité, fonction de chef». Employé dans l'une ou l'autre de ces acceptions, comme il l'est assez couramment au Canada, le mot est erroné. Il ne faut pas dire, par exemple, *congrès tenu pour la* [CHEFFERIE] *du parti*, mais *congrès tenu en vue de l'élection du chef du parti.* Il ne faut pas dire ce politicien aspire à la [CHEFFERIE] au lieu de *ce politicien aspire à la direction de son parti*, ou *ce politicien voudrait être à la tête de son parti.* On ne doit pas dire *la* [CHEFFERIE] *est lourde de responsabilités*, mais *la direction d'un parti est lourde de responsabilités.*

CHEF-LIEU — Deux noms composés commencent par le mot *chef*: **chef-d'œuvre** et **chef-lieu**. Le premier se prononce *chè-d'oeuvre*, mais la lettre *f* est sonore dans **chef-lieu**. Il ne faut pas dire [CHÈ-LIEU], mais *cheffe-lieu.*

CHEMIN NORMAL — *Voir* **GOLF**.

CHEMISE — *Voir* **HABILLAGE — HABILLEMENT — HABILLER — HABIT** *et* **MERCERIE — MERCIER**.

CHEMISERIE — CHEMISIER — *Voir* **MERCERIE — MERCIER**.

CHÈQUE — Ce mot vient de l'anglais **cheque** issu de **check** tiré de l'ancien français **eschec** dérivé du persan **shah**, qui voulait dire, comme aujourd'hui, «roi».

C'est une longue histoire qui commence par l'introduction en France du jeu d'échecs vers le XIIe siècle. Quand un souverain de Perse mourait, on disait, comme aujourd'hui encore, en arabo-persan **shah mat**, «le roi est mort», d'où vient l'expression *échec et mat*, qui se dit **check** en anglais.

Les trois idées de carrelage, de contrôle et de stratégie qui ressortent du jeu d'échecs, appelé **chess** en anglais, ont produit les divers sens du mot **check** et son dérivé **cheque**. Les différents sens du verbe anglais **to check** se rendent en français par **contrôler**, **vérifier**, **enrayer** (arrêter la marche de), **contenir** (retenir, empêcher d'avancer) et **pointer** (marquer d'un signe appelé **coche** pour indiquer qu'une vérification a été faite).

Un **chèque** est un «ordre donné à son banquier de payer une certaine somme au bénéficiaire indiqué». C'est un mode de contrôle de ses déboursés.

En français, l'idée de la mort du roi a donné le mot singulier **échec** et celles de carrelage et de stratégie, les divers sens du seul dérivé d'**échecs**: **échiquier**. Le français a adopté le mot anglais **cheque** sans en modifier le sens et en a fait **chèque**.

Toutes les langues vivent ainsi, d'emprunts toujours exposés à des grandes transformations et de retours souvent étonnants. Se scandaliser de ce que le français emprunte aujourd'hui à l'anglais, de la façon qu'il est allé y chercher le mot **cheque** à la fin du XVIIIe siècle, manifeste pour le moins de la naïveté. Un mot tiré d'une autre langue ne devient cependant un mot français que par le consentement de la majorité des usagers du français, consentement fondé d'une part sur l'instinct des exigences structurales de la langue (*voir* **ANTAGONISME, MAGASINAGE — MAGASINER** *et* **PROGRAMMATEUR — PROGRAMMATION — PROGRAMME — PROGRAMMER**) et, d'autre part, sur la confiance qu'inspirent les écrivains du domaine du vocabulaire auquel le néologisme appartient (*voir* **ANGLICISME**).

Par parenthèse, se rappeler que la finale *èque* était beaucoup plus rare en français vers 1790, lors de l'apparition de **chèque**, que la finale *er* (sonore) de mots comme *reporter, scooter, revolver*, etc., qui ont été empruntés à l'anglais au cours des cent cinquante dernières années. Pour ce qui est de la finale *ing* importée de l'anglais, voir **CAMPING**.

Le mot **chèque** vient donc de l'anglais, comme *knock-out, camping, pull-over*, etc. (*voir ces mots et* **MOTS ÉTRANGERS, PRONONCIATION DES**...), mais, comme ces mots, il faut le prononcer à la française: se garder de dire [TCHÈQUE] à l'anglaise, comme si la première lettre était un *t*.

L'utilisation des **chèques** donne lieu au Canada à plusieurs anglicismes et à d'autres fautes. On dit, par exemple, en anglais **a cheque made to cash** au sens de «chèque tiré sans bénéficiaire indiqué nominativement» et, calquant l'anglais, on écrit *caisse*, ce qui donne sur un **chèque** *Payez à l'ordre de Caisse*. Le mot **caisse** n'est justifié comme indication de **bénéficiaire** que dans le cas où l'on retire de l'argent d'une banque au bénéfice de la **caisse** d'un établissement, pour régler en espèces certains petits comptes par exemple, le poste (*voir* **ITEM**) de la **caisse**, dans la comptabilité, étant considéré comme une personne. Si on est soi-même le **bénéficiaire** du **chèque**, mieux vaut l'indiquer en écrivant son nom, mais qu'on **touche** le **chèque** soi-même ou qu'un autre l'**encaisse** pour soi ou pour lui-même, on peut toujours écrire, après avoir barré (*voir* **ANNULER**) les mots imprimés *à l'ordre de*, **au porteur**: *payez au porteur*. La mention **au porteur** est la seule qui peut remplacer le nom d'un **bénéficiaire** sur un **chèque**.

Quand la banque du **tireur** (la personne qui a émis le chèque) **renvoie** un **chèque** à celle du **bénéficiaire** parce que le solde du compte du **tireur** est inférieur au montant mentionné sur le **chèque**, l'anglais dit que ce **chèque** est **returned for no sufficient funds** [N.S.F.] et, calquant l'anglais, on dit que ce chèque est *retourné pour insuffisance de fonds*. S'il est vrai que le mot pluriel **fonds** a le sens d'« argent disponible », l'argent et les valeurs déposés en banque pour garantir le règlement des comptes par **chèques** s'appellent ensemble **provision**. Il faut dire *insuffisance* ou *défaut de provision, chèque sans provision. Un* [CHÈQUE PAS DE FONDS], c'est du patois. Bref, le manque de **fonds** empêche une personne de faire **provision** en banque pour les **chèques** qu'elle doit émettre.

Se garder de dire d'un **chèque sans provision** qu'il a été [REFUSÉ] par la banque. Le banquier du **tireur** a peut-être **refusé** à celui-ci le crédit qu'il a demandé afin de garantir le paiement du **chèque**, mais le banquier n'a pu **refuser** le chèque. On **refuse** une chose offerte ou demandée. Le banquier **refuse** de payer le montant indiqué, mais il ne **refuse** pas le **chèque**, qui ne lui a jamais été offert, qui lui a seulement été présenté comme ordre de payer. Il ne le *refuse* pas, mais le **renvoie** ou le **retourne** à la personne à laquelle il appartient.

L'anglais dit **traveller's check** et, calquant encore, on dit souvent [CHÈQUE DE VOYAGEUR] au lieu d'employer l'expression française **chèque de voyage.**

{ Le français préfère l'abstrait au concret, la définition à la description.

Quand le **tireur** a fait apposer sur un **chèque** le **visa** de sa banque attestant que celle-ci retient à la disposition du **bénéficiaire** la somme d'argent indiquée sur le **chèque**, on dit souvent que le **chèque** est [ACCEPTÉ]. C'est fausser le sens du verbe **accepter**. La banque ne peut ni **accepter** ni **refuser** un **chèque** dont elle n'est pas le **bénéficiaire**. **Accepter** un **chèque**, c'est « consentir » à être payé par le moyen d'un **chèque** plutôt qu'en espèces ou autrement et « reconnaître » que le montant que ce **chèque** mentionne est convenable; comme **refuser** un **chèque**, c'est exiger d'être payé en espèces ou autrement ou ne pas consentir à recevoir le montant indiqué. Mais on **accepte** une **traite**, c'est-à-dire que l'on « consent » au délai de paiement qu'elle mentionne (à 30 jours, à 60 jours, etc.) et que l'on « reconnaît » devoir au **tireur** (personne qui a émis la traite) le montant à payer à l'échéance. Un **chèque** portant le **visa** (ou **certification**) de la banque qui en garantit le paiement est un **chèque certifié** ou **visé**. On fait **certifier** ou **viser** un **chèque**.

Enfin, un **chèque** s'**encaisse** ou se **touche**: *avez-vous touché votre chèque d'appointements?* (*voir ce mot*) ou *avez-vous encaissé le chèque au porteur que je vous ai demandé d'aller toucher pour moi?* [CHANGER UN CHÈQUE] au sens de « toucher un chèque » est une faute (*voir* **CHANGE — CHANGER**).

CHER — *Voir* **DISPENDIEUX.**

CHEVALIN — *Voir* **HIPPOPHAGE — HIPPOPHAGIQUE.**

CHEVREUIL — *Voir* **ANIMAUX.**

CHEZ — La préposition **chez** jointe par un trait d'union à un pronom personnel a cessé de remplir son rôle de préposition pour former un nom composé qui signifie «demeure, demeure familiale, lieu où l'on habite»: *mon chez-moi* («ma demeure»), *ton chez-toi* («ta demeure»), *son chez-soi* («sa demeure») et *avoir un chez-soi* («une demeure») *confortable, notre chez-nous* («notre demeure»), *votre chez-vous* («votre demeure») et *leur chez-eux* («leur demeure»).

La préposition **chez** signifie «dans, à la demeure de»: *la salle de séjour* (*voir* «**VIVOIR**») *est très grande chez mon père* et *cette ménagère* (*voir* **COUTELLERIE**) *sera livrée chez vous demain.* Elle a aussi, par extension, les sens de «dans le pays de, dans la région de»: *ce touriste vient de chez nous* et de «parmi»: *cette habitude est très répandue chez les Anglais.* Elle sert, enfin, au figuré, à dire «dans les œuvres de»: *les images chez cet écrivain sont toujours simples* et «dans la personne de»: *il y a chez lui beaucoup de générosité.*

Quelle que soit l'acception dans laquelle on l'emploie, la préposition **chez** ne se joint jamais par un trait d'union au complément qu'elle introduit dans la phrase. Il ne faut pas écrire *il faisait comme* [CHEZ-LUI], mais *il faisait comme chez lui*, non plus *que nous avons reçu des nouvelles de* [CHEZ-NOUS], mais *nous avons reçu des nouvelles de chez nous.*

On écrit correctement *les dernières nouvelles que nous avons reçues de chez nous nous apprennent que notre vieux chez-nous tombe en ruines.*

CHICOTER — Le verbe **chicoter** s'emploie correctement dans le langage familier pour dire «chicaner sur des bagatelles», mais il est en voie de disparition dans cette acception. Il signifie aussi «crier» en parlant de la souris. Au XVIe siècle, **chicoter** voulait dire «débattre minutieusement» une question, une affaire, et une **chicoterie** était une discussion. Au XVIIe siècle, il eut le sens de «déchiqueter»: *il lui coupa la gorge à force de la chicoter avec son épée.* Au Canada, on dit *chicoter* au lieu d'**ennuyer**, **inquiéter**, **tracasser**. C'est une extension de la signification d'«importuner» que le verbe a eue dans le patois normand. Le canadianisme d'origine dialectale [CHICOTER] est à proscrire dans le langage soigné à tous les paliers. Au lieu de *son retard me* [CHICOTE], il faut dire *son retard m'inquiète.* Au lieu de *voilà une question qui me* [CHICOTE], on dira bien *voilà une question qui me tracasse.* Il ne faut pas dire *les difficultés d'argent me* [CHICOTENT] *beaucoup* au lieu de *les difficultés d'argent m'ennuient beaucoup.*

CHIFFON — Le tissu léger souvent appelé *chiffon* au Canada sous l'influence de l'anglais, qui le nomme **chiffon**, est de la **mousseline**. Une femme ne doit pas dire *j'ai taché ma belle blouse en* [CHIFFON], mais *j'ai taché ma belle blouse en mousseline.*

Voir **SERVIETTE.**

CHIPS — *Voir* **PATATE**.

CHIQUENAUDE — *Voir* **PICHENETTE**.

CHOCOLAT — *Voir* **CACAO**.

CHOIX — *Voir* **NOMINATION**.

CHOPE — *Voir* **BOCK**.

CHOSE — *Voir* **AFFAIRE**.

CHRONOGRAPHE — *Voir* **HORLOGE**.

CHRONOMÈTRE — *Voir* **HORLOGE**.

CINTRE — Un «porte-vêtements (ou support à vêtements) formé d'une pièce de bois, de plastique ou de métal recourbée et d'un crochet pour le suspendre» est un **cintre** et non simplement un support : il y a toutes sortes de supports (*voir* **SUPPORT — SUPPORTER**).

Un «cintre muni d'une petite barre pour porter le pantalon d'un costume masculin (*voir* **HABILLAGE — HABILLEMENT — HABILLER — HABIT**) ou la jupe d'un tailleur» est un **porte-costume**.

L'ustensile à serrage progressif qui sert à suspendre des pantalons est un **porte-pantalons** (*voir* **PANTALON**).

CIRCONSCRIPTION — *Voir* **COMTÉ**.

CIRCULATION — Au début, **circulation** n'avait d'autre sens que celui d'«action de se mouvoir circulairement de façon à se retrouver à un moment donné à un point de départ». On parlait, par exemple, de *la circulation des planètes*. **Circulation** ne se dit plus dans cette acception qu'en biologie, en parlant du sang et de la sève.

Circulation a pris, par extension, le sens d'«aller et venir» par les voies de communication. Il a aussi acquis par analogie le sens de «mouvement» en parlant d'échanges de biens économiques et culturels : *la circulation des capitaux dans le monde* et *la circulation des mots entre les langues* et, par extension, ceux d'«action de passer de main à main» : *mettez ce texte en circulation parmi les élèves* et d'«action de répandre ou de se répandre dans le public» : *la circulation des nouvelles est extrêmement rapide de nos jours*. **Circulation** désigne toujours un mouvement.

D'un autre côté, le mot anglais **circulation**, venu directement du latin comme le terme français **circulation**, est employé dans le vocabulaire des arts graphiques au sens de «quantité imprimée» en parlant des exemplaires (*voir* **COPIE**) des périodiques. La «quantité d'exemplaires imprimés d'un périodique ou de tout texte ou image reproduit par le moyen d'une presse à imprimer ou par quelque autre moyen de reproduction sur papier ou sur tissu» s'appelle en français **tirage**. On dit donc correctement *la circulation d'un journal est limitée par son tirage*, c'est-à-dire que le journal ne peut être répandu auprès d'un public plus étendu que celui que le nombre d'exemplaires permet d'atteindre; mais l'on commet un anglicisme en disant *la* [CIRCULATION] *de ce journal a atteint cent mille exemplaires* au lieu de *le tirage de ce journal a atteint cent mille exemplaires.*

De même qu'on ne peut employer le mot **circulation** pour désigner une quantité d'exemplaires, on ne peut s'en servir pour désigner le nombre des objets qui circulent par une voie de communication. On dit *la circulation a été dense sur cette route aujourd'hui*, mais on ne peut pas dire *la* [CIRCULATION] *a été de 12 800 voitures sur cette route aujourd'hui.* La «mesure ou la fréquence de la circulation sur une voie de communication» se dit **trafic**.

Le français a emprunté au terme anglais **traffic** cette nouvelle acception donnée à son vieux mot **trafic**, qui n'avait eu précédemment d'autres significations que celles d'«affaire» et de «commerce». L'anglais **traffic** vient du français **trafic**, qui, lui, est issu de l'italien **trafico**. Ainsi se fait la **circulation** des mots.

Se rappeler que **trafic** n'est nullement un synonyme de **circulation** et qu'on ne peut dire, par exemple, *le* [TRAFIC] *lourd* au lieu de *la circulation lourde* pour désigner la **circulation** des véhicules lourds, non plus qu'on ne peut parler d'*un encombrement* (*voir ce mot*) *de* [TRAFIC] quand se produit *un encombrement de circulation.*

Trafic employé au sens de «densité et fréquence de la circulation» s'est dit d'abord uniquement de la **circulation** sur les voies ferrées et sur les routes: *trafic ferroviaire, trafic voyageurs, trafic marchandises, trafic routier.* On commence à en étendre l'usage à tous les moyens de communication: *le trafic télégraphique entre ces deux villes a été cette semaine de cent dépêches par jour.* Mais il faut continuer de dire *le tremblement de terre n'a pas interrompu la circulation des télégrammes entre ces deux villes.*

CIRE — CIRER — Le mot **cire** désigne un certain nombre de matières sécrétées par des animaux ou des végétaux et particulièrement la **cire** d'abeille. Les compositions à base de **cires**, préparées avec de l'essence de térébenthine ou quelque autre solvant dont on se sert pour rendre brillante la surface des parquets (*voir* **PLANCHER**) et des meubles, sont des **encaustiques**.

Le terme anglais **wax**, qui traduit **cire**, s'applique aussi aux **encaustiques** et à tout corps gras commercial ressemblant à de la **cire** ou ayant des propriétés comparables à celles des **cires** et des **encaustiques**. C'est imiter fautivement l'anglais que d'appeler *cire* une **encaustique**. Il est rare de nos jours qu'on frotte un parquet avec de la **cire**. La plupart des produits appelés *cires pour parquets* (*voir* **PRÉPOSITIONS, EMPLOI DES...**) au Canada sont des **encaustiques**.

Enduire d'**encaustique**, c'est **encaustiquer** et l'action d'**encaustiquer** se dit **encaustiquage**. **Encaustique** est nom et adjectif: *un liquide encaustique.*

Au début du siècle, le sport a emprunté au norvégien le mot **fart** (prononcer le *t*: *farte*) pour désigner les corps gras dont on imprègne la semelle des skis afin qu'ils n'adhèrent pas à la neige. C'est encore un anglicisme que de dire [CIRE

POUR SKIS] au lieu de **fart**. L'action d'enduire de **fart** se dit **fartage** et, au lieu de [CIRER DES SKIS], il faut dire **farter**.

CITÉ — Les historiens emploient le mot **cité** pour désigner certaines communautés autonomes de l'Antiquité qui étaient de véritables États formés par une **ville** et une certaine étendue de pays. La **ville** et l'État portaient le même nom et le terme **cité**, quand on parle de ces communautés, s'applique à l'État et à la **ville**: *la cité de Sparte.* Cela explique que **cité** ait dans la langue littéraire les deux sens d'« État »: *un patriote obéit aux lois de la Cité* et de « groupement urbain organisé »: *Montréal devient rapidement une magnifique cité.* Le mot ne s'emploie cependant qu'à propos d'une **ville** de grande importance.

Dans la langue courante, **cité** se dit de la partie la plus ancienne de certaines **villes**: l'*île de la Cité* à Paris est l'île sur la Seine où Paris est né, et de certains groupements de bâtiments ayant un caractère particulier: une *cité ouvrière* est une agglomération de maisons où habitent les ouvriers d'une usine, une *cité universitaire* comprend les immeubles d'un domaine universitaire (*voir* **UNIVERSITAIRE — UNIVERSITÉ**), etc.

Cité n'est pas un terme des vocabulaires administratif et juridique. Employé au sens de « ville dont la population dépasse un certain chiffre », c'est un anglicisme. Une **ville**, quelle que soit sa population et qu'elle soit située en France ou au Canada, est une municipalité (*voir* **COMMUNAL — COMMUNE**) au point de vue juridique. Il y a de grandes **villes**, des **villes** moyennes, de petites **villes** et il y a des **villages**. Un **village** n'est pas une petite **ville**, mais une « agglomération de maisons à la campagne dont les habitants ne se livrent généralement à aucune activité industrielle »: *un village et sa campagne peuvent être constitués en commune* ou *municipalité comme une ville.*

CIVIL — *Voir* **CIVIQUE** *et* **FONCTION PUBLIQUE**.

CIVIQUE — L'adjectif **civique** signifie « relatif au citoyen considéré par rapport à l'organisation politique »: *droits civiques, vertus civiques*, et « relatif au civisme »: *l'instruction civique des élèves doit commencer à l'école primaire.* L'adjectif anglais **civic**, qui a les mêmes sens, possède aussi celui de « municipal » et c'est commettre une faute que de prêter cette acception à **civique**. Il ne faut pas dire *fête* [CIVIQUE] au lieu de *fête municipale.* Il faut dire *les autorités municipales* et non *les autorités* [CIVIQUES].

Civique s'oppose à **civil** en ceci que ce dernier adjectif se dit de ce qui est « relatif au citoyen considéré personnellement dans ses rapports avec les autres citoyens ». Le droit de posséder et celui de se marier sont des droits **civils**; l'électorat (*voir ce mot*) est un droit **civique**.

CLAIR — L'adjectif **clair** exprime des qualités qui se rattachent toutes à l'idée de lumière: un *bureau clair* est un bureau où entre beaucoup de lumière; un *métal clair* est un métal qui a l'éclat de la lumière; une *robe claire* est une robe qui éclaire par sa teinte; un *bouillon clair* est un bouillon qui a de la transparence; un *son clair* est distinct comme ce qui est dans la lumière; une *pensée claire* est une pensée dans laquelle il n'y a pas d'ombres, qui se déploie comme en plein jour, etc. Il vient de l'adjectif latin **clarus**, qui signifiait « brillant ».

L'adjectif **net** vient aussi d'un mot latin, **nitridus**, qui, lui, avait les deux sens de «brillant» et de «pur». Ainsi s'explique que les synonymes **clair** et **net** présentent les choses sous des aspects différents, **clair** faisant ressortir l'éclat de l'apparence d'un objet et **net**, l'absence d'éléments étrangers qui le souilleraient, le terniraient, lui enlèveraient de sa précision, en diminueraient la pureté. Ainsi s'explique aussi que l'adjectif **clair** n'est pas un terme de comptabilité, tandis que **net** y a le sens d'«exempt de réductions, de charges»: *profit net*.

L'anglais a emprunté au français **clair**, dont il a fait **clear**, et **net**, dont il a fait **neat**. Les associations d'idées ne s'opèrent pas de la même façon en anglais qu'en français. Partant du fait que **clear** comme **clair** évoque une image de dégagement (une chose qui n'est pas dans l'ombre s'offre de façon distincte à la vue), l'anglais a fait passer de **net** à **clear** l'idée de liberté, d'absence d'obstacles, d'éléments étrangers, de souillure, d'entraves. Il dit **clear profit**.

Employer l'adjectif **clair** pour exprimer cette qualité dont l'adjectif **net** indique la présence dans un objet, c'est commettre un anglicisme.

Il ne faut pas dire *bénéfice* [CLAIR], mais *bénéfice net*. Il ne faut pas dire *papa fait deux cents dollars* [CLAIRS] *dans cette affaire*, mais *papa fait deux cents dollars nets dans cette affaire*. Il ne faut pas dire *un revenu* [CLAIR] *de dix mille dollars par année*, mais *un revenu net de dix mille dollars par année*.

Le langage populaire emploie l'anglicisme [CLAIRER] dans un grand nombre de sens dont le fond commun est l'idée de rendre **net**. Ce verbe n'existe pas en français. Au lieu de [CLAIRER], on doit se servir des verbes **éclaircir**: *le temps va s'éclaircir*, non *va* [SE CLAIRER]; **libérer**: *se libérer de ses dettes*, non [SE CLAIRER] *de;* **disculper**: *disculper une personne d'une accusation*, non [CLAIRER] *une personne*; **dégager**, *dégager une route*, non [CLAIRER] *une route*, etc.

CLAQUE — *Voir* **PARDESSUS**.

CLASSE — *Voir* **ASSISTANCE**.

CLASSEMENT — CLASSER — CLASSEUR — *Voir* **FILIÈRE**.

CLASSIQUE — *Voir* **CONVENTIONNEL**.

CLAYETTE — *Voir* **TABLETTE**.

CLÉRICAL — L'adjectif **clérical** n'a pas d'autres significations que celles-ci: «qui est propre au clergé» ou «qui est relatif au clergé»: *la vie cléricale, l'éducation cléricale*, et «qui se rapporte au cléricalisme»: *les membres du clergé qui soutiennent encore des opinions cléricales sont de moins en moins nombreux*. En outre de posséder ces mêmes acceptions, l'adjectif anglais **clerical** signifie «faite par un copiste» en parlant d'une faute dans un texte et «relatif à un employé de bureau» ou «relatif à l'activité d'un bureau». *Erreur* [CLÉRICALE] au lieu d'*erreur de copiste, fonctions* [CLÉRICALES] au lieu de *fonctions d'employé de bureau, travail* [CLÉRICAL] au lieu de *travail de bureau* sont des anglicismes.

CLICHÉ — *Voir* **VIGNETTE**.

CLIENT — *Voir* **PASSAGE — PASSAGER.**

CLIMATISATION — CLIMATISÉ — CLIMATISEUR — *Voir* **CONDITIONNÉ — CONDITIONNEMENT — CONDITIONNER — CONDITIONNEUR.**

CLOISON — *Voir* **PARTITION.**

CLOU DE TAPISSIER — *Voir* **BROQUETTE.**

CLOWN — *Voir* **AMUSEMENT.**

CLUB — Ne pas confondre les mot **club** et **équipe** dans le vocabulaire des sports. **Club** a, entre autres significations, celle de «société de personnes qui s'entraîdent pour exercer un sport»: *club de tennis, club de raquetteurs, club sportif, club de chasse*, etc. Par extension, **club** désigne aussi une «entreprise à but lucratif ou non constituée pour financer (*voir* **FINANCE — FINANCEMENT — FINANCER**) la participation à des matchs ou à des compétitions et pour administrer le budget d'un groupe de personnes qui se livrent à la pratique d'un sport sur le plan professionnel ou sur le plan amateur»: *le Club de hockey Canadien.* «Des joueurs associés en nombre déterminé pour disputer des matchs ou des compétitions (*voir* **COMPÉTITEUR — COMPÉTITION** *et* **JOUTE**)» sont une **équipe**. Dire, par exemple, le [CLUB] *Canadien a patiné pendant tout le match d'hier soir avec une cohésion exemplaire*, c'est commettre un anglicisme: en Amérique du Nord, le mot anglais **club** a le même sens que le mot français **club**, mais il a aussi celui d'**équipe**. Ce ne sont pas les joueurs, mais les actionnaires qui forment le **club**. Les joueurs forment l'**équipe du club**. Bien entendu, une victoire remportée par l'**équipe** est une victoire du **club** et l'on peut dire *le* **Club** *Canadien* ou *l'équipe du Canadien a gagné hier soir.*

En Amérique du Nord, les grands **clubs** recrutent de nouveaux joueurs pour leurs **équipes** parmi les jeunes joueurs des **équipes** de **clubs** mineurs qui ont pour fonction de préparer de futurs professionnels de qualité supérieure. Ces **clubs** mineurs s'appellent en anglais **farm clubs**. Le calque [CLUB-FERME] est à proscrire. Il faut dire **club-pépinière**. On ne forme que des jeunes agriculteurs dans une ferme modèle, tandis que le mot **pépinière** s'emploie au figuré pour désigner tout endroit où des personnes se préparent à exercer une profession.

Voir **GOLF** *et* **LIGUE.**

CO (préfixe) — *Voir* **CONJOINT — CONJOINTEMENT.**

COCHE — *Voir* **CHÈQUE.**

COCKTAIL — *Voir* **SALADE.**

CODICILLE — *Voir* **CÉDULE.**

COFFRE — *Voir* **AUTOMOBILE.**

COFFRET — *Voir* **CABINET.**

COIFFEUR — *Voir* **BARBIER.**

COÏNCIDENCE — *Voir* **ADONNER** *et* (**S'...**).

COIN-REPAS — *Voir* **DÎNETTE**.

COL — COLLET — L'expression fautive [COLLET BLANC] que le langage populaire emploie au Canada pour désigner les employés de bureaux et de magasins vient de ce que le mot **collet** y a encore le sens actuel de **col**.

Jusqu'au XVIe siècle, **col** était synonyme de **cou** et **collet** eut d'abord le sens de «petit cou» avant de désigner «un vêtement ou une partie de vêtement qui entoure le cou», signification que le mot **col** a prise et gardée après avoir perdu le sens de **cou**, sauf pour certains objets en forme de cou: *le col d'une bouteille*.

L'expression **collet monté**, qui veut dire aujourd'hui «prétentieux», remonte au temps où **collet** avait le sens de vêtement ou partie de vêtement qui entoure le cou: le **collet monté** était alors une sorte de collerette empesée. **Collet** n'a plus cette acception que dans la vieille expression *saisir quelqu'un au collet* ou *par le collet*.

Il faut dire **col**: *col de chemise, col de fourrure*.

COLLABORER — *Voir* **CONTRIBUER**.

COLLATION (...DE DIPLÔMES) — *Voir* **DEGRÉ**.

COLLECTER — COLLECTEUR — COLLECTION — Le substantif **collection** ne désigne en français que des ensembles de choses ou de personnes: *collection de livres, collection de timbres, collection de tableaux, collection de haute couture* et *voilà une belle collection de détraqués* (*voir* **CARACTÈRE** *et* **CAS**), sauf en médecine, où il a le sens d'«amas»: *une collection de pus*. **Collection** ne se trouve pas dans la terminologie financière.

Le mot anglais **collection**, issu directement du latin comme **collection**, a pris en l'élargissant la signification qu'eut au Moyen Âge le substantif *collecte*, de même origine, qui a précédé **collection**, de «levée d'impôts» et il est devenu un terme de finance de portée étendue en même temps qu'il continue de désigner des réunions de choses ou de personnes. On commet un anglicisme chaque fois qu'on prête à **collection** une acception financière.

Le mot **perception** exprime l'«action de recevoir ou encaisser de l'argent». Il ne faut pas dire *la* [COLLECTION] *des impôts*, mais *la perception des impôts*. Il ne faut pas dire *j'ai presque terminé la* [COLLECTION] *des loyers du mois*, mais *j'ai presque terminé la perception des loyers du mois*.

L'«action de recevoir une somme due» se dit **recouvrement**. Au lieu d'*agence de* [COLLECTION], il faut dire *agence de recouvrement*. Il ne faut pas dire *faire la* [COLLECTION] *d'effets en souffrance*, mais *faire le recouvrement d'effets en souffrance*. Au lieu de *mettre une créance* [EN COLLECTION], il faut dire *faire faire le recouvrement* ou *charger quelqu'un du recouvrement d'une créance*.

Le substantif **collecteur** est un terme technique. Il est usité en électricité et dans le vocabulaire des appareils de chauffage. Il ne désigne pas des personnes. Se garder de dire *collecteur* au lieu d'**agent de recouvrement**, **percepteur** ou **encaisseur**, selon le cas. Quand il s'agit d'un employé subalterne, on peut parfois se servir de **préposé**: *le préposé à la perception des loyers d'un grand* *immeuble d'habitation* (*voir* **APPARTEMENT**). On ne doit pas dire *il faudrait payer cette dette avant que le* [COLLECTEUR] *nous poursuive*, mais *il faudrait payer cette dette avant que l'agent de recouvrement nous poursuive*. Il ne faut pas dire *les* [COLLECTEURS] *de l'impôt*, mais *les percepteurs de l'impôt*. Il ne faut pas dire *un de nos* [COLLECTEURS] *ira toucher chez vous régulièrement la mensualité* (*voir ce mot*), mais *un de nos encaisseurs ira toucher chez vous régulièrement la mensualité*.

Le verbe **collecter**, qui signifie «recueillir» en parlant de fonds: *collecter des fonds pour une œuvre de bienfaisance*, est rarement usité. L'employer au lieu de **toucher**, **percevoir**, **encaisser** ou **recouvrer**, c'est commettre une faute sous l'influence de l'anglais.

COLLECTIF — *Voir* **ASSURANCE** *et* **CONJOINT — CONJOINTEMENT**.

COLLÈGE — COLLÉGIEN — *Voir* **ÉTUDIANT**.

COLLÈGUE — *Voir* **CONFRÈRE**.

COLONIE DE VACANCES — *Voir* **CAMP — CAMPER**.

COLONNE — *Voir* **PILIER** *et* **SUPPORT — SUPPORTER**.

COLPORTEUR — *Voir* **SOLLICITEUR**.

COMIQUE — Adjectif, le mot **comique** signifie «qui appartient à la comédie»: *le théâtre comique* et «qui fait rire»: *la situation était comique*. Substantif, il désigne un «acteur comique»: *voici un jeune comique bien doué*, un «auteur de théâtre comique»: *ce comique écrit des pièces désopilantes*, le «genre comique»: *le comique est un genre plus difficile que beaucoup de gens le croient*, l'«aspect amusant» d'une chose: *le comique de la situation* et le «sens de l'humour»: *ce caricaturiste manque de comique*. **Comique** n'est le nom d'aucune chose concrète.

Les premières **histoires en images** publiées aux États-Unis n'avaient d'autre but qu'amuser et on s'y est servi du substantif anglais **comic** au pluriel dans le langage familier pour les désigner. Du genre humoristique on a tôt passé au récit d'aventure et à la science-fiction et, depuis un bon nombre d'années, la moitié environ des **histoires en images** publiées en bandes détachées ou en pages entières de dessins ne visent pas à faire rire, mais à émouvoir. On y exploite toute la gamme des émotions, y compris la terreur. L'anglais continue cependant d'appeler **comic strips** et, familièrement, **comics** toutes les **histoires en images** dessinées.

On commet un anglicisme en leur appliquant le substantif **comique**, qui ne s'emploie qu'en parlant de personnes et de choses abstraites et qui, par surcroît, étant donné la rigueur de l'esprit français, s'associerait mal à des objets dont la qualité essentielle n'est pas d'être **comiques**. Les termes à employer sont **bande dessinée** ou **illustrée**, **histoire en images**, **roman en images** ou **roman dessiné**, **dessins humoristiques** et **illustrés**. Il ne faut pas dire *ce journal publie tous les jours une page complète de* [COMIQUES], mais *ce journal publie tous les jours une page complète de bandes dessinées* ou *illustrées*. Au lieu de *plusieurs* [COMIQUES] *sont publiés par bandes détachées, par pages entières et dans des recueils*, on doit dire *plusieurs histoires en images*, ou *romans en images*, ou *romans dessinés sont publiés par bandes détachées, par pages entières et dans des recueils*. Il ne faut pas dire *cette page de* [COMIQUES] *se compose de dessins amusants qui n'ont aucun rapport les uns avec les autres*, mais *cette page se compose de dessins humoristiques qui n'ont aucun rapport les uns avec les autres*. Un recueil d'**histoires en images** pour les enfants n'est pas un *recueil de* [COMIQUES] *pour enfants*, mais un *illustré pour enfants*, ou un *magazine illustré*, ou un *journal illustré pour enfants*.

Au cinéma, on dit **film de dessins animés**.

Un roman raconté non à l'aide de dessins mais de photographies est un **photoroman**.

COMMANDE — COMMANDER — *Voir* **ORDONNER — ORDRE**.

COMMÉMORER — Se rappeler que **commémorer** ne signifie pas «marquer par une fête, une manifestation, une cérémonie» en parlant d'un événement, ce qui est l'un des sens du verbe **célébrer**, mais «rappeler le souvenir de». On **commémore** un événement quand on en célèbre un anniversaire. Il ne faut pas dire *nous* [COMMÉMORONS] *ce soir le dixième anniversaire de la première élection de notre député*, mais *nous commémorons ce soir la première élection de notre député, qui siège depuis dix ans* ou *nous célébrons ce soir le dixième anniversaire de la première élection de notre député*. Bien entendu, quand on rappelle le souvenir d'un événement malheureux (défaite militaire, mort, désastre), on n'en **célèbre** pas les anniversaires; on les **marque** par une manifestation (*voir* **DÉMONSTRATION**), une cérémonie. Il ne faut pas dire *nous* [COMMÉMORONS] *aujourd'hui le cinquantième anniversaire de la mort d'un grand écrivain*, mais *nous marquons aujourd'hui le cinquantième anniversaire de la mort d'un grand écrivain* ou *nous commémorons aujourd'hui la mort d'un grand écrivain survenue il y a cinquante ans*.

COMMENCER — *Voir* **DÉBUTER** *et* **ORIGINE**.

COMMERÇANT — *Voir* **VENDEUR**.

COMMIS AUX ÉCRITURES — *Voir* **ENTRÉE — ENTRER**.

COMMISSAIRE-PRISEUR — *Voir* **ENCAN**.

COMMISSION — Une réunion de personnes nommée **commission** étudie ou prépare des projets, contrôle des travaux, constate les faits relatifs à une ou des affaires particulières, donne des avis, mais n'administre ni ne gère. Les membres d'une **commission** sont des délégués d'une autorité, d'une administration. Ils sont des agents. Certaines **commissions** peuvent statuer sur des questions administratives, mais, quand elles le font, c'est en vertu d'une délégation de pouvoirs.

Il existe en France une *commission municipale scolaire*. Elle est chargée de surveiller dans chaque municipalité (*voir* **COMMUNAL — COMMUNE**) la fréquentation des écoles. Les [COMMISSIONS] *scolaires* canadiennes n'exercent pas un contrôle. Leurs membres sont élus par le peuple pour délibérer sur les affaires scolaires publiques et les administrer, sous le contrôle d'une *commission municipale* gouvernementale. Le nom de **conseils scolaires** serait plus juste pour les désigner.

Voir **APPOINTEMENTS.**

COMMISSIONNAIRE — *Voir* **MESSAGER.**

COMMIS VOYAGEUR — *Voir* **VENDEUR.**

COMMODE — *Voir* **BUREAU.**

COMMODITÉ — Dans le sens de «confort», **commodité** s'emploie seulement pour les choses : *la commodité d'un appartement, d'une voiture, d'un aménagement.* La définition de **commodité** est «qualité de ce qui est confortable et avantageux». Il ne faut pas dire *cet hôtel a été modernisé pour la* [COMMODITÉ] *de ses clients*, mais *la modernisation de cet hôtel assure plus de confort à ses clients.*

Commodité ne s'emploie en parlant de personnes qu'au sens de «moment opportun pour» comme dans l'expression *à sa (votre) commodité*, c'est-à-dire au moment qui convient le mieux, le plus propice.

Commodité a aussi le sens concret d'«avantage». Dans cette acception, il ne s'emploie qu'au pluriel. On parle correctement des *commodités de la vie moderne*, mais on ne peut désigner l'un de ces avantages par le mot **commodité**. C'est une faute de dire : *le téléphone est une* [COMMODITÉ] *de la vie moderne*, bien que le téléphone en soit l'une des **commodités**. L'emploi de **commodité** dans cette acception est une faute quelquefois commise en France dans la publicité. Ce n'en reste pas moins une faute et elle est courante au Canada.

Voir **CONFORT — CONFORTABLE.**

COMMUN — *Voir* **CONJOINT — CONJOINTEMENT.**

COMMUNAL — COMMUNE — Se rappeler que le mot **commune** est synonyme de **municipalité** aux deux sens de «division territoriale administrée par un conseil municipal sous la présidence d'un maire» et d'«ensemble des habitants qui y vivent». **Municipalité** désigne spécialement la personne morale de cette division territoriale représentée par ses officiers élus et leurs adjoints : *quand le conseil municipal prend une décision, c'est la municipalité qui décide* et *le plus grand nombre des habitants de la ville protestent contre deux règlements votés par la municipalité.* L'adjectif **communal** convient mieux que l'adjectif **municipal** pour qualifier ce qui appartient en commun aux habitants d'une **commune** ou **municipalité**, tandis que **municipal** doit se dire de tout ce qui se rapporte à l'administration d'une **commune** ou **municipalité** : *conseil municipal, règlement municipal, taxe municipale* et *bibliothèque publique communale, musée communal, salle communale*, etc.

COMMUNIQUER — *Voir* **RAPPORTER (SE...).**

COMPAGNIE — *Voir* **ABRÉVIATION** *et* **CORPORATION.**

COMPAGNON — *Voir* **CONFRÈRE.**

COMPENSATION — *Voir* **CONSIDÉRATION.**

COMPÉTENCE — *Voir* **EXPERTISE, JURIDICTION** *et* **QUALIFICATION — QUALIFIÉ — QUALIFIER.**

COMPÉTITEUR — COMPÉTITION — Le français moderne a emprunté à l'anglais le mot **compétition** (le mot a fait son apparition tout à fait à la fin du XVIIIe siècle) et lui donne les deux sens suivants:

Premièrement, celui de «recherche simultanée par plusieurs personnes d'une même situation, d'un même titre, d'une même dignité»: *le poste de directeur général de cette entreprise semble avoir donné lieu à une vive compétition.* Les personnes qui cherchent en même temps à obtenir une même charge, une même dignité, s'appellent **compétiteurs**: *après la nomination du directeur, ses compétiteurs malheureux ont reconnu sa compétence.*

L'autre sens de **compétition** est celui de «concours athlétique», mais les athlètes qui prennent part à ces épreuves sportives sont des **concurrents**, non des **compétiteurs**.

Dans le domaine des affaires, la rivalité s'appelle **concurrence**. On commet un anglicisme quand on parle de [COMPÉTITION] entre deux commerçants ou deux industriels.

Deux concurrents ou deux industriels qui se font **concurrence** sont des **concurrents**, non des **compétiteurs**.

Voir **ATHLÈTE — ATHLÉTISME** *et* **JOUTE.**

COMPLÉMENT — *Voir* **BALANCE.**

COMPLÉMENTAIRE — *Voir* **ADDITIONNEL.**

COMPLET (nom) — *Voir* **HABILLAGE — HABILLEMENT — HABILLER — HABIT.**

COMPLÈTEMENT — COMPLÉTER — Le verbe **compléter** n'a qu'une signification: «ajouter ce qui manque pour rendre complet ou parfait»: *je dois compléter ce travail que j'ai commencé hier* et *une broche* (*voir ce mot*) *de diamants complétait la toilette de la jeune femme.*

Le verbe anglais **to complete** exprime plusieurs autres actions qui se rendent en français par les verbes **accomplir**, **conclure**, **exécuter**, **faire** en parlant de choses menées à terme et **remplir** en parlant de formulaires, de questionnaires comportant des espaces laissés en blanc (*voir ce mot*) pour y inscrire des indications, des réponses. Il faut se servir de ces verbes. Retenir, premièrement, que **compléter** veut dire «ajouter pour rendre complet» et non «faire entièrement» et, deuxièmement, qu'on n'ajoute rien pour rendre complet un ensemble de questions en y répondant.

Ce sont des anglicismes que l'on commet quand on dit, par exemple *la terre prend vingt-quatre heures pour* [COMPLÉTER] *une révolution sur elle-même* au lieu de *la terre prend vingt-quatre heures pour accomplir une révolution sur elle-même*, ou *l'accord sera* [COMPLÉTÉ] *samedi entre les deux gouvernements* au lieu de *l'accord sera conclu samedi*, ou *le nouveau projet sera* [COMPLÉTÉ] *en moins de deux ans* au lieu de *le nouveau projet* (*voir ce mot*) *sera exécuté en moins de deux ans*, ou *il a* [COMPLÉTÉ] *une journée de travail* au lieu d'*il a fait une journée de travail*, ou encore *veuillez* [COMPLÉTER] *ce questionnaire* au lieu de *veuillez remplir ce questionnaire.*

Le mot [COMPLÉTION], calque du substantif anglais **completion**, n'existe en français que dans un domaine technique tout à fait particulier. Il faut employer les termes **accomplissement**, **achèvement**, **fin**, **parachèvement**, **réalisation** selon le cas. Au lieu d'*à la* [COMPLÉTION] *du temps de son apprentissage,* on doit dire *au terme* ou *à la fin du temps de son apprentissage*; au lieu de *on annonce la* [COMPLÉTION] *des travaux*, on doit dire *on annonce l'achèvement des travaux*, etc. On dit aussi **complètement** en parlant de collections et de certains travaux de caractère documentaire: *le complètement d'une bibliographie.*

COMPLIQUÉ — *Voir* **ÉLABORER.**

COMPOSER — *Voir* **TÉLÉPHONE.**

COMPRENDRE — *Voir* **IMPLIQUER.**

COMPTE — COMPTER — COMPTEUR — Sauf, bien entendu, au sens général d'«action de calculer un nombre, une quantité»: *faire le compte des points*, le substantif **compte** n'a pas d'autre emploi dans le vocabulaire des sports que celui de désigner le «temps de dix secondes passé au tapis par un boxeur qui lui fait perdre un match par knock-out (*voir ce mot*)»: *le champion a envoyé son adversaire au tapis pour le compte dès le début du troisième round.* Le «décompte des points gagnés à un moment donné ou à la fin d'une compétition ou d'un match» se dit **marque**: *à la fin de la deuxième période de jeu de ce match, la marque est de trois à un pour l'équipe canadienne.* Il ne faut pas dire *remporter la victoire au* [COMPTE] *de quatre à deux*, mais *remporter la victoire par une marque* ou *par la marque de quatre à deux.*

Le mot **score** emprunté à l'anglais est synonyme de **marque**. Il sert particulièrement à désigner le «nombre de points remportés par une équipe dans un match», la **marque** finale: *la marque était de deux à un à la fin de la sixième manche et le score est de neuf à un.* C'est commettre une faute que de dire *pointage* au lieu de **marque** ou **score**. Le mot **pointage** désigne les actions qu'exprime le verbe **pointer** et celui-ci n'a pas le sens de «faire un décompte» en parlant de points gagnés dans une compétition ou un match.

Le verbe **compter**, qui a plusieurs significations au propre et au figuré, ne veut pas dire «réussir» en parlant d'un point, d'un but, d'un essai dans le vocabulaire des sports. C'est là l'une des définitions du verbe **marquer**. *On marque un but* au hockey comme *on marque un point* sur un adversaire en obtenant un avantage dans une discussion. Et le verbe **marquer** s'emploie absolument dans ce sens: *il a bien réfléchi avant de répliquer et il a marqué.* Le narrateur d'un match de hockey ne doit pas dire *le joueur lance de la ligne bleue et* [COMPTE], *mais le joueur lance de la ligne bleue et marque.*

Le nom **compteur** désigne seulement des appareils de mesure: *compteur d'électricité, compteur de taxi.* Il ne figure pas au lexique des sports. Pour parler d'un «joueur qui marque un ou des buts» le terme à employer est

marqueur. Le même nom s'applique à une «personne qui inscrit les points gagnés à un jeu, dans une compétition ou un match»: *le marqueur attend une décision de l'arbitre avant d'inscrire les points d'assistance.* Il ne faut pas dire *les meilleurs* [COMPTEURS] *de l'équipe* pour désigner ceux qui gagnent ou aident à gagner le plus de points, mais *les meilleurs marqueurs de l'équipe.*

Voir **BILAN** *et* **FIGURER.**

COMPTOIR — Le meuble qui s'appelle **comptoir** n'est pas une table de travail, mais une table de commerce. C'est une longue table sur laquelle on vend et on achète. On commet une faute en employant le mot **comptoir** pour désigner la surface de travail formée par le dessus des armoires (*voir ce mot*) de parquet dans une cuisine. Il ne faut pas dire *j'ai un grand* [COMPTOIR] *pour préparer mes aliments* mais *j'ai beaucoup de surface de travail* ou *j'ai une longue table de travail pour préparer mes aliments.* Au lieu de *le lait est resté sur le* [COMPTOIR] *dans la cuisine*, il faut dire *le lait est resté sur l'armoire dans la cuisine.*

Voir **DÉPARTEMENT — DÉPARTEMENTAL.**

COMTÉ — Le terme anglais **county** a au Canada le sens général de «circonscription électorale». On ne doit pas prêter cette acception au mot **comté**.

Sauf qu'il sert aussi à désigner un fromage de gruyère, le nom commun **comté** n'a d'autres emplois de nos jours que ces deux-ci: il rappelle en premier lieu une réalité disparue depuis longtemps et il indique une certaine division administrative du Royaume-Uni, que les États-Unis ont adoptée en l'adaptant à leurs besoins.

Lors de la conquête de l'Angleterre par les Normands, il y avait un bon nombre de **comtés** en France. Un **comté** était le territoire sur lequel un comte (ce mot vient d'un terme latin qui signifiait «compagnon», ce qui explique qu'on lui ait donné le sens de «qui fait partie de la suite, de la cour d'un monarque») exerçait son autorité au nom du souverain. À la même époque, la société anglo-saxonne possédait une division administrative territoriale appelée **shire** (*THE ENCYCLOPAEDIA BRITANNICA*). Utilisant le terme du système féodal français, les rois normands de l'Angleterre donnèrent aux **shires** le nom de **comté**, vocable que l'anglais moderne a transformé en **county**. Les **counties** ont toujours été au Royaume-Uni et, par la suite, aux États-Unis de véritables divisions administratives. Ces divisions sont dotées de certains pouvoirs juridiques et leurs officiers et magistrats sont de nos jours, de façon générale, élus au suffrage universel. Au Canada, au Québec en particulier, les **counties** ne sont pas des divisions administratives. Les conseils incorrectement appelés [CONSEILS DE COMTÉ], dépourvus d'autorité, n'ont d'utilité réelle que de permettre à leurs membres de se consulter et de tendre ensemble à une sorte de coordination dans les services publics d'un groupe de petites municipalités.

Certes, depuis la naissance du parlementarisme anglo-saxon, les territoires des **counties** ont été des **circonscriptions** électorales, mais il y a d'autres **circonscriptions** électorales que celles-là en Grande-Bretagne: les **ridings** des grandes villes, celles-ci étant exclues des **counties**. C'est fausser doublement le sens du mot **comté** que de l'employer au sens de «circonscription électorale» en parlant, par exemple, des **circonscriptions** de Québec, d'Ottawa ou de Montréal.

D'un autre côté, le nombre des délégations (*voir* **DÉPUTATION**) accordées par élection au parti qui forme le gouvernement ou à celui qui constitue l'opposition se compte par **sièges**. Chaque député est un délégué d'une **circonscription** et il occupe un **siège** pour celle-ci parmi les législateurs. Il ne faut pas dire *les élections complémentaires ont fait perdre deux* [COMTÉS] *au parti que j'appuie*, mais... *ont fait perdre deux sièges* ou *deux circonscriptions au parti que j'appuie*.

CONCERNER — *Voir* **AFFECTER**.

CONCESSION — *Voir* **FRANCHISE**.

CONCESSIONNAIRE — *Voir* **VENDEUR**.

CONCIERGE — CONCIERGERIE — Le mot **conciergerie** a les deux sens suivants: «charge de concierge», *souvent, de nos jours, la conciergerie, outre la garde d'un bâtiment, en comprend l'entretien*, et «logement de concierge», *n'oublie pas de passer à la conciergerie pour payer le loyer*. Pris dans ce dernier sens, **conciergerie** s'emploie principalement quand la demeure du **concierge** est un bâtiment séparé de la maison dont il a la garde: *cet industriel habite à la campagne une grande maison entourée d'un parc à l'entrée duquel se trouve la conciergerie*. Un petit appartement habité par un concierge d'un immeuble résidentiel (*voir* **APPARTEMENT**) se désigne aussi par le mot **loge**: *l'appartement numéro trois est la loge du concierge*.

C'est abusivement qu'on donne au Canada à **conciergerie** le sens d'**immeuble d'habitation**. Il ne faut pas dire *la* **conciergerie** *où je demeure comprend cinquante appartements*, mais *l'immeuble d'habitation où je demeure comprend cinquante appartements*.

En Amérique, l'anglais désigne souvent un concierge par le terme **superintendent**. C'est commettre une faute sous l'influence de l'anglais que d'appeler *surintendant* un **concierge**. **Surintendant** ne se dit que de personnes qui occupent des postes de direction où ils exercent une surveillance supérieure (*voir* **AUDITEUR**). Quant au calque de l'anglais [SUPERINTENDANT], le mot n'existe pas en français.

CONCLURE — *Voir* **BÂCLER, COMPLÈTEMENT — COMPLÉTER** *et* **FINALISÉ**.

CONCOURS — *Voir* **JOUTE**.

CONCURRENCE — CONCURRENT — *Voir* **COMPÉTITEUR — COMPÉTITION** *et* **SENTENCE**.

CONDISCIPLE — *Voir* **CONFRÈRE**.

CONDITION — *Voir* **TERME**.

CONDITIONNÉ — CONDITIONNEMENT — CONDITIONNER — CONDITIONNEUR — L'adjectif **conditionné** a, entre autres, le sens de «qui remplit certaines conditions». L'expression **air conditionné** désigne un «air auquel on a donné une certaine température, un certain état d'humidité, une certaine pression, dont on a assuré la pureté».

L'action de soumettre l'air à ces conditions est le **conditionnement** de l'air. On **conditionne** l'air pour qu'il soit agréablement respirable et plus sain ou pour qu'il se prête correctement à certains travaux, à certaines expériences, comme on **conditionne** des articles en les présentant sous un emballage propre à en favoriser la vente.

La **climatisation** est le «conditionnement de l'air dans une salle ou dans un véhicule». On dit d'une salle dont l'air a été **conditionné** qu'elle est **climatisée**. Le dispositif employé pour **climatiser** une salle est un **conditionneur d'air** s'il s'agit d'un simple appareil ou une **installation de climatisation** s'il s'agit d'un ensemble d'appareils. Un **climatiseur** est un «conditionneur d'air d'appartement». Il est correct de dire que l'air d'une salle **climatisée** est **conditionné**. [AIR CLIMATISÉ] est une faute.

Ni **air conditionné** ni **climatisation** ne désignent l'appareil ou l'installation de **climatisation**, c'est-à-dire de «conditionnement de l'air» d'une salle. Il ne faut pas dire l'[AIR CONDITIONNÉ] *au restaurant où je déjeune tous les jours fonctionne bien* non plus qu'*on fait installer une* [CLIMATISATION] *au magasin d'alimentation*, mais *le restaurant où je déjeune tous les jours est bien climatisé* et *on fait installer un dispositif de climatisation* ou *un conditionneur d'air*, selon le cas, *au magasin d'alimentation*.

CONDOLÉANCES — *Voir* **SYMPATHIE.**

CONDOMINIUM — Le français a adopté ce mot de l'anglais durant les années 1866 et 1867, alors que se négociait le traité par lequel la France et la Grande-Bretagne imposèrent leur double domination à l'archipel des Nouvelles-Hébrides. Le mot signifie donc «droit de souveraineté exercé en commun par deux ou plusieurs pays sur une même colonie». C'était un cas exceptionnel que celui des Nouvelles-Hébrides, devenues indépendantes en 1980. On n'imagine plus dans le monde actuel un territoire sur lequel deux empires pourraient mettre la main ensemble. Aussi le mot **condominium** est-il destiné à disparaître bientôt, sauf pour rappeler un fait historique.

Pour ce qui est de l'autre mot anglais **condominium** importé cette fois des États-Unis au Canada, il faut dire que la **copropriété** est chose trop connue en France et installée depuis déjà trop longtemps dans ses mœurs pour que l'emprunt [CONDOMINIUM] soit adopté. Mieux vaut y renoncer immédiatement.

La proposition *je viens d'acheter un* [CONDOMINIUM] est dépourvue de sens. La phrase *je viens d'acheter un appartement* exprime parfaitement ce qu'on veut dire.

Un immeuble où les appartements sont vendus est **un immeuble en copropriété**: *il habite un luxueux immeuble en copropriété.*

La personne qui achète un appartement en copropriété est un **copropriétaire**.

CONDUIRE — *Voir* **CHAUFFER — CHAUFFEUR.**

CONFECTION — Le prêt à porter. *Voir* **MERCERIE — MERCIER.**

CONFÉRENCE — *Voir* **CONVENTION.**

CONFESSER — CONFESSION — *Voir* **DÉNOMINATION** *et* **JUGEMENT.**

CONFIANT — *Voir* **SATISFAIT.**

CONFLAGRATION — Noter que, depuis un quart de siècle environ, le français n'emploie plus ce mot en parlant d'un **incendie**. Un **incendie** ne peut plus être une [CONFLAGRATION]. Ce dernier mot n'a conservé que son sens figuré de «bouleversement international conduisant à la guerre». Même dans ce sens figuré, il n'est employé que rarement.

Le danger, au Canada, c'est que l'anglais continue d'employer son mot **conflagration** au sens d'«incendie».

CONFORME — *Voir* **ADÉQUAT.**

CONFORT — CONFORTABLE — L'adjectif **confortable** n'a d'autre sens que celui de «propre au bien-être matériel». Il s'applique seulement aux choses: *un fauteuil confortable, une maison confortable.* Il s'emploie parfois au figuré dans un sens analogue: *une amitié confortable*, par exemple, est une amitié qui donne un sentiment d'assurance, de sécurité: *cet homme politique a su s'assurer (voir ce mot) des amitiés confortables dans la presse du pays.*

L'adjectif anglais **comfortable**, qui a la même signification, en a cependant une autre pour les personnes: il signifie aussi «à l'aise». **To be comfortable**, en parlant d'une personne, veut dire «se sentir bien, être à l'aise». C'est commettre un anglicisme que de dire *on est* [CONFORTABLE] *dans ce fauteuil, dans cette maison.* Il faut dire *ce fauteuil est confortable* et *cette maison est confortable* ou *on est à l'aise dans ce fauteuil* et *on vit confortablement*, c'est-à-dire d'une manière qui assure le bien-être matériel, *dans cette maison.*

Se garder de commettre l'anglicisme d'orthographe qui consiste à écrire **confortable** et **confort** en substituant un *m* au *n*. Cette faute, qui n'en reste pas moins une, est d'autant plus explicable que le mot **confort** vient de l'anglais et qu'il s'est d'abord écrit comme le mot anglais, avec un *m*, au début du siècle dernier. Mais l'anglais l'avait lui-même emprunté à l'ancien français, où **confort** signifiait «soutien» et «réconfort», et le mot français moderne a presque tout de suite repris l'orthographe de l'ancien vocable.

CONFRÈRE — Se garder d'employer le mot **confrère** quand on veut dire **collègue**, **compagnon** ou **condisciple**.

On dit **confrère** pour désigner un «membre d'une société ou d'une profession littéraire ou scientifique, ou d'une société ou d'un ordre professionnel par rapport aux autres personnes qui en font partie»: des écrivains et des avocats, par exemple, s'appellent correctement l'un l'autre *mon cher confrère*. **Confrère** se dit presque uniquement de personnes qui exercent des professions libérales (*voir* **PROFESSIONNEL**). Il arrive que, par extension, on applique le mot à des personnes exploitant une même branche de l'industrie ou du commerce qui sont groupées en une association, mais le seul fait d'être industriel ou commerçant ne fait pas des *confrères* par rapport à soi des autres commerçants, même s'ils fabriquent les mêmes produits ou vendent les mêmes marchandises que soi.

Le mot **collègue** signifie «personne qui exerce, occasionnellement ou de façon permanente, les mêmes fonctions officielles qu'une autre par rapport à celle-ci». **Collègue** ne se dit que de personnes qui sont au service de l'État ou qui participent à une œuvre commune: un ministre dit correctement d'un autre du même gouvernement *mon collègue du cabinet*; un ambassadeur (*voir ce mot*) reçoit des **collègues** quand il est l'hôte à dîner d'autres ambassadeurs de son pays et les professeurs d'une maison d'enseignement sont des **collègues** les uns pour les autres.

Le mot **compagnon** s'applique à toute «personne qui partage, temporairement ou habituellement, les occupations quotidiennes d'une autre»: *compagnon d'école, compagnon de classe, compagnon de route, compagnon de travail.* **Camarade** ajoute au sens de **compagnon** une idée de familiarité: *ce jeune homme n'est pas seulement un compagnon de jeu pour mon fils; il est devenu son meilleur camarade* et *parmi tous ses compagnons d'études, chacun choisit ses camarades.*

Le mot **condisciple** est synonyme de *compagnon d'études*. Il se dit par rapport à une autre d'une personne qui fait ou a fait ses études dans la même école, même si ce n'est pas dans la même classe, en même temps qu'elle: *ces deux médecins furent condisciples au collège, mais l'un a suivi les cours* (*voir ce mot*) *de la faculté à Québec et l'autre à Montréal.*

Il ne faut pas dire *mon* [CONFRÈRE] *de collège*, mais *mon condisciple*, ou *mon compagnon* ou, selon le cas, *camarade de collège*. Il ne faut pas dire *mon* [CONFRÈRE] *d'atelier*, mais *mon compagnon d'atelier*.

Confrère se traduit en anglais par **colleague** et un homme de profession libérale qui exerce librement commet un anglicisme s'il dit *je consulterai un* [COLLÈGUE] au lieu de *je consulterai un confrère*. Les membres du personnel médical d'un hôpital y sont, cependant, des **collègues** puisque, exerçant des fonctions analogues, ils participent à une oeuvre commune.

CONFRONTER — Ce verbe est en premier lieu un terme juridique. Il signifie proprement, en parlant d'accusés, de défendeurs et de témoins, «les mettre en présence les uns des autres pour les interroger afin de comparer leurs affirmations»: *une enquête préalable est une mesure d'instruction qui permet à un juge de confronter une personne susceptible d'être inculpée et d'autres témoins de faits pouvant constituer un délit.* Par extension, **confronter** exprime de façon générale l'action de «mettre en présence deux ou plusieurs personnes pour comparer leurs dires»: *confronter deux enquêteurs dont les observations ne concordent pas* et celle de «comparer des choses afin de faire ressortir ce en quoi elles se ressemblent ou s'opposent»: *confronter des textes, confronter l'original et une copie d'un texte.* Ce sont là les seuls sens de **confronter**.

Le verbe anglais **to confront** a d'autres significations, qu'il faut se garder de prêter au terme français. Il signifie aussi «affronter, faire face à» et il ne faut pas dire, par exemple, *cet homme sait* [CONFRONTER] *le danger avec courage*, mais *fait face au danger avec courage*; «se heurter à» et il ne faut pas dire *cet homme a dû* [CONFRONTER] *de nombreux obstacles dans son entreprise*, mais *cet homme s'est heurté à* ou *a dû faire face à de nombreux obstacles*...; «se poser à» en parlant de questions, de problèmes et «se dresser devant» en parlant de difficultés, et il ne faut pas dire *les nombreuses difficultés qui* [CONFRONTENT] *notre association dans les circonstances actuelles*, mais *les nombreuses difficultés que notre association doit surmonter dans les circonstances actuelles*; il ne faut pas dire *ils sont* [CONFRONTÉS PAR] *de grandes difficultés*, mais *ils sont confrontés à* ou *se heurtent à de grandes difficultés*. Ces fautes sont des anglicismes.

CONFUSION DES PEINES — *Voir* **SENTENCE**.

CONGÉ — *Voir* **VACANCE — VACANCES — VACANCIER**.

CONGÉLATEUR — *Voir* **FRIGO**.

CONGÈRE — *Voir* «**BANC** (... **DE NEIGE**)».

CONGESTION — CONGESTIONNER — *Voir* «**BANC** (... **DE NEIGE**)».

CONGRE — *Voir* **POISSONS**.

CONGRÈS — *Voir* **CONVENTION**.

CONJOINT — CONJOINTEMENT — L'adverbe **conjointement** indique une simultanéité dans l'accord. Il donne une détermination de temps: *nous vous envoyons conjointement les livres que vous avez commandés et le catalogue de nos publications* et *il n'est pas nécessaire que vous endossiez ce billet conjointement avec la seconde caution; celle-ci pourra venir le signer demain.* La qualité qu'exprime l'adjectif **conjoint** n'a aucun rapport direct avec le temps. **Conjoint** exprime, en parlant de choses, une idée de lien, d'union, de liaison: *pour étayer le texte de votre proposition, nous y ajoutons diverses explications statistiques dans une note conjointe (***conjoint** s'oppose à *joint* en ce qu'on peut joindre une note à un texte sans qu'elle y soit reliée) et *questions conjointes*. De sorte que, s'il est correct de dire *le président de langue française et le président de langue anglaise de notre association ont présidé conjointement* (en même temps) *cette assemblée*, on commet une faute en parlant d'une *présidence* [CONJOINTE] *d'une assemblée* pour dire que deux personnes ont présidé conjointement celle-ci, la présidence de l'assemblée n'étant liée à aucune autre. La seule signification de **conjoint** est celle de «lié, uni, relié» et non, en particulier, celle de «qui est partagé par plusieurs».

Il faut se garder de prêter à l'adjectif **conjoint**, qui se traduit en anglais par **joint**, d'autres sens que ce terme étranger possède et qui se rendent autrement en français. La plupart du temps, au lieu de dire *conjoint*, il faut employer les adjectifs **collectif**, **commun**, **intergouvernemental**, **mixte** (se rappeler que **mixte** signifie «composé d'éléments de nature ou d'origine différente ou représentant des intérêts différents»), **solidaire**, l'expression **en participation** ou faire précéder le nom que l'on veut qualifier du préfixe **co**.

On commet des anglicismes quand on dit, par exemple, *la demande* [CONJOINTE] *signée par tous les pères de famille de la ville* au lieu de *la demande collective des pères de famille...*, ou *les intérêts* [CONJOINTS] *des actionnaires de l'entreprise* au lieu de *les intérêts communs des actionnaires* (ce sont les mêmes, mais il ne sont pas liés les uns aux autres), ou *un plan* [CONJOINT] *de l'État fédéral et des États constituants* (*voir* **PROVINCE**) au lieu d'*un plan* (*voir ce mot*) *intergouvernemental de la Fédération*, ou *comité* [CONJOINT] *du Sénat et des Communes* au lieu de *comité mixte du Sénat et des Communes* ou *comité interparlementaire*, ou *engagement* [CONJOINT] au lieu d'*engagement solidaire* («qui crée une solidarité»).

C'est abusivement que l'expression *compte courant conjoint* est entrée dans l'usage de la terminologie bancaire. On s'exprime correctement en disant *compte courant en participation.*

Il ne faut pas dire *héritier* [CONJOINT], mais *cohéritier*, non plus que *propriétaire* [CONJOINT], mais *copropriétaire*, non plus que *tuteur* [CONJOINT], mais *cotuteur*, etc.

Ce n'est qu'en termes de droit que **conjoint** s'emploie en parlant de personnes au sens de «lié par des intérêts communs», mais, même dans ce domaine particulier de la langue, on préfère, de façon générale, l'adjectif **solidaire** ou le préfixe **co**.

CONJONCTIONS — LOCUTIONS CONJONCTIVES — *Voir* **QUAND**.

CONNAISSANCE (FAIRE LA... DE QUELQU'UN) — *Voir* **CONNECTER — CONNEXION** *et* **RENCONTRER**.

CONNECTER — CONNEXION — Formé au cours du XIVe siècle, le mot **connexion** est dérivé de *connexe*, terme qui existait depuis une centaine d'années. Se garder de l'orthographier [CONNECTION], calque de la forme que le mot anglais **connexion** a prise aux États-Unis, où l'on écrit toujours **connection**.

Dans le langage courant, il est synonyme de **lien** et de **rapport**: *il y a une connexion à établir entre les déclarations faites par ces deux hommes d'État à quelques jours d'intervalle* et *la connexion des éléments de cette affaire indique une complicité,* mais cet emploi est rare; on dit plutôt *il y a un lien à établir* ou *il y a un rapport à établir* et *le lien entre les éléments de cette affaire indique une complicité.*

En plomberie, il est synonyme de **raccord**: *connexion de pompe*, mais **raccord** est presque toujours le terme employé; on dit plutôt *raccord de pompe.*

Dans la terminologie de l'électricité, il signifie «liaison entre deux ou plusieurs systèmes conducteurs»: *le montage en série est un mode de connexion bien connu* et «liaison entre un appareil et un circuit»: *la machine est installée, il n'y a plus qu'à faire la connexion*, mais, quand la liaison se fait par un conducteur électrique flexible et particulièrement dans le cas des appareils d'usage domestique, on ne dit pas *connexion*, mais **branchement**: *les cordons qui servent au branchement des aspirateurs* (*voir* **VADROUILLE**) *et des fers à repasser* (*voir* **PRESSAGE — PRESSER**) *sont faits de fils tressés.*

Le substantif anglais **connexion** ou **connection** a d'autres significations qu'on doit se garder de prêter à **connexion**, celle, en particulier, de «personne que l'on connaît, que l'on fréquente parfois», personne qui se nomme en français **connaissance** ou **relation**. Il ne faut pas dire *il ne suffit pas d'avoir de nombreuses* [CONNEXIONS] *pour réussir en affaires,* mais *il ne suffit pas d'avoir de nombreuses connaissances* ou *de nombreuses relations pour réussir en affaires.* Au lieu d'*il a obtenu ce qu'il désirait grâce à de bonnes* [CONNEXIONS], il faut dire *il a obtenu ce qu'il désirait grâce à des connaissances* ou à *des relations influentes.*

Le verbe **connecter** a été formé vers la fin du XVIIIe siècle avec l'infinitif du verbe latin **connectare** dont le participe passé **connexus** avait donné naissance à l'adjectif *connexe.* Pas plus que le substantif **connexion**, on ne doit l'employer en parlant de la liaison par conducteur flexible d'un appareil d'usage domestique à un circuit électrique. Comme on dit **branchement**, il faut dire **brancher**: *si tu veux que l'électrophone* (*voir* **PHONOGRAPHE**) *fonctionne, commence par le brancher* et non *par le* [CONNECTER].

De même une standardiste ne doit pas dire [CONNECTER] *un poste sur une ligne* (*voir* **TÉLÉPHONE**), mais *brancher un poste.* Le verbe **brancher** s'emploie en parlant de la liaison de tout circuit secondaire à un circuit principal.

Le canadianisme [DISCONNECTER] est un mot qui n'existe pas en français. Il faut dire **débrancher** en parlant d'un appareil électrique et **couper** en parlant d'un circuit électrique: *ce n'est pas parce que la pendule* (*voir* **HORLOGE**) *est débranchée qu'elle s'est arrêtée, c'est parce que l'électricien a coupé le courant pour faire une réparation.* En parlant du téléphone, on dit **débrancher** un numéro et **couper** une communication. Une standardiste ne doit pas dire *excusez-moi d'avoir* [DISCONNECTÉ] *votre poste sans m'en rendre compte pendant que vous étiez en communication,* mais *excusez-moi d'avoir coupé votre communication sans m'en rendre compte.*

CONSCIENCIEUX — *Voir* **RÉGULIER.**

CONSÉCUTIF — Employé au sens de «qui suit un premier fait et en résulte», l'adjectif **consécutif** est toujours suivi de la préposition *à*: *indemnité consécutive à un accident, infirmité consécutive à une maladie.* Terme de grammaire, dans l'expression *proposition consécutive* qui signifie proposition indiquant un effet de l'action exprimée par la proposition dont elle dépend, l'adjectif **consécutif** s'emploie, cela va de soi, au singulier et au pluriel: *une proposition consécutive, des propositions consécutives.* Mais au sens de «qui forme une suite ininterrompue dans le temps» en parlant de choses semblables, **consécutif** ne peut évidemment s'employer qu'au pluriel, une chose ne pouvant se suivre elle-même.

On commet un solécisme quand on dit, par exemple, *nous avons eu une quatrième journée de soleil* [CONSÉCUTIVE]. Il faut dire *nous avons eu quatre journées de soleil consécutives.* Il ne faut pas dire *nous nous trouvions à Québec pour la deuxième année* [CONSÉCUTIVE], quand on veut dire: *nous nous trouvions à Québec pour la deuxième fois en deux ans. La dixième journée* [CONSÉCUTIVE], c'est tout simplement *la dixième journée* si rien dans le contexte n'indique que les dix jours dont on parle ne se sont pas suivis sans interruption. Au lieu de *on donne ce soir la centième représentation* [CONSÉCUTIVE] *de cette comédie,* on dira *on donne ce soir la centième représentation sans interruption de cette comédie* et, au lieu de *pour la quatrième journée* [CONSÉCUTIVE], on dira *pour la quatrième journée de suite*, la locution adverbiale **de suite** étant synonyme de *sans interruption.*

CONSEIL — *Voir* COMMISSION.

CONSEIL MUNICIPAL — Les premiers conseils municipaux de la France, qui étaient loin de posséder les pouvoirs administratifs que les municipalités y exercent aujourd'hui, furent institués par la Révolution en 1791. Ils ont porté le nom de *conseil municipal de commune* (*voir* COMMUNAL — COMMUNE) avant de devenir tout simplement des conseils municipaux jouissant, depuis 1884, d'une large mesure d'autonomie, comparable à celle qui est accordée aux municipalités du Canada. Au début du XIXe siècle, sans doute sous l'influence d'*hôtel de ville*, le **conseil municipal** s'est aussi appelé *conseil de ville*, mais ce ne fut jamais son appellation officielle et l'expression avait déjà cessé d'avoir cours au milieu du siècle. Il est incorrect de dire [CONSEIL DE VILLE] au lieu de **conseil municipal**.

CONSEILLER — *Voir* NOTICE — NOTIFICATION — NOTIFIER.

CONSEILLER MUNICIPAL — *Voir* ÉCHEVIN.

CONSÉQUENCE — *Voir* IMPLICATION.

CONSERVATEUR — L'adjectif **conservateur** n'a que deux significations. Il se dit de choses qui ont pour utilité ou pour destination de maintenir en bon état : *enveloppe conservatrice de la saveur des mets préparés* et, en politique, de personnes ou de groupements de personnes plus attachés à la conservation d'usages et d'institutions établis que portés à la recherche d'innovations : *appartenir à un parti conservateur.*

L'adjectif anglais **conservative** a plusieurs autres sens. Certains sens, entre autres, des mots **prudent**, **sobre**, **discret**, **modéré**, **raisonnable**. On commet un anglicisme chaque fois que l'on dit, par exemple, *cet industriel est* [CONSERVATEUR] *dans la conduite de ses affaires* au lieu de *cet industriel est prudent dans la conduite de ses affaires*, ou *cet industriel fait une publicité très* [CONSERVATRICE] *sur ses produits* au lieu de *cet industriel fait une publicité très sobre sur ses produits*, ou *cet industriel porte toujours des vêtements d'une coupe* [CONSERVATRICE] au lieu de *cet industriel porte toujours des vêtements d'une coupe discrète*, ou *cet industriel est très* [CONSERVATEUR] *dans ses opinions* au lieu de *cet industriel est très modéré dans ses opinions*, ou, enfin, *cet industriel est nettement* [CONSERVATEUR] *dans ses fantaisies* au lieu de *cet industriel est nettement raisonnable dans ses fantaisies.* Il ne faut pas dire *une évaluation* [CONSERVATRICE] *des dégâts faits par la tempête les établit à plus d'un million de dollars* mais *une évaluation* (*voir* ESTIMATION — ESTIMER) *prudente des dégâts…*

CONSERVATEUR DES ACTES — *Voir* REGISTRAIRE — REGISTRATEUR.

CONSERVATOIRE — *Voir* **INSTITUT**.

CONSERVE — CONSERVERIE — CONSERVEUR — *Voir* **CANNAGE — CANNE — CANNER**.

CONSIDÉRABLE — *Voir* **IMPORTANT**.

CONSIDÉRATION — En français, ce mot n'a aucune signification concrète, c'est-à-dire qu'il ne désigne rien de matériel. Il a le sens d'estime, de respect: *cet homme politique a la considération des honnêtes gens*. Il signifie aussi «motif, raison»: *c'est pour cette considération qu'il a cru devoir quitter son travail*. On dira aussi *se perdre en considérations oiseuses* au lieu d'employer le mot **raisonnements**.

Comment se fait-il qu'au Canada on entende souvent dire que des gens cèdent des biens contre des [CONSIDÉRATIONS]? Cela vient du fait qu'en Amérique du Nord le mot anglais **consideration** a le sens de «compensation».

Il ne faut pas dire, par exemple, qu'*un club a cédé un joueur contre des* [CONSIDÉRATIONS] *indéterminées*, mais qu'*un club a cédé un joueur contre une compensation indéterminée*. L'anglais **consideration** se traduit ici par **compensation**.

CONSOLE — Dans le vocabulaire de l'ameublement, **console** désigne une «table étroite à pieds recourbés en spirale adossée contre un mur, qui sert d'ornement et sur laquelle on pose des vases, des sculptures, etc.» et, par extension, un «support-applique en forme de console pour pendules, bibelots, etc.».

L'anglais a emprunté le mot au français et a nommé cette sorte de table **console table**, puis, en Amérique du Nord, **console** a pris deux acceptions. On a d'abord appelé le piano droit **console piano** et, à partir de là, on a créé le meuble **console** pour récepteurs de télévision. Ce meuble rappelle un peu le piano droit par sa forme plus haute que profonde. On ne peut traduire **console** par *console* pour désigner ces **téléviseurs** (*voir* **TÉLÉVISEUR — TÉLÉVISION**) par opposition aux appareils portatifs ou portables. On dira correctement **meuble de télévision** ou **téléviseur de parquet**. Dans une annonce ou une page de catalogue qui comprend une image d'un **téléviseur de parquet** (*voir* **PLANCHER**), il est évidemment inutile d'indiquer dans sa description que c'est un meuble. Au lieu de *modèle* [CONSOLE] *italien* par exemple, il suffit d'écrire *style italien* pour que chacun comprenne.

CONSOMMATION — Une boisson — lait, boisson gazeuse, bière, vin, whisky, etc. (*voir* **BREUVAGE**) — qu'on se fait servir dans un lieu public où l'on vend des boissons au détail — restaurant, salle à manger d'hôtel, buffet de gare, cabaret, etc. —, sans que ce soit pour accompagner un repas ou une collation, est une **consommation**.

Proprement, **consommation** désigne une boisson. Quand on a mangé une glace (*voir* **LAIT**), un sorbet ou un sandwich au restaurant après le cinéma, au lieu de *j'ai pris une* [CONSOMMATION] *avant de rentrer à la maison*, il vaut mieux dire *je suis allé manger une glace* ou *je suis allé prendre une collation*.

Deuxièmement, **consommation** désigne une boisson commandée sans relation directe avec un repas. Une boisson prise avant le repas pour stimuler l'appétit est un **apéritif** (*voir ce mot*): *nous avons pris un apéritif pendant que nous consultions le menu.* Les boissons que l'on prend pendant le repas (eau, lait, vin, café, etc.) sont simplement les boissons qui accompagnent le repas —le garçon ou la serveuse demande *et, comme boisson, qu'est-ce que monsieur, madame et mademoiselle prendront?* — Les liqueurs (*voir ce mot*) prises après le repas pour faciliter la digestion sont des **digestifs**.

Troisièmement, une **consommation** est une boisson prise dans un lieu public. On n'invite pas un ami à venir prendre une [CONSOMMATION] au lieu d'un *verre* ou d'un *café* chez soi.

Chaque verre ou chaque tasse de boisson demandé dans un lieu public est une **consommation**: *nous avons pris deux consommations avant de rentrer*, mais *prendre une consommation* s'emploie par euphémisme pour dire «boire dans un lieu public des boissons qu'on y achète»: *vous venez prendre une consommation avant la prochaine séance d'étude? Une ou deux tasses de café me feraient du bien.*

CONSPIRATION — Le mot **conspiration** n'a pas dans la terminologie juridique française les sens qu'on lui prête au Canada d'«entente délictueuse ou criminelle» ou «association de malfaiteurs» et que possède le terme anglais **conspiracy**. C'est un anglicisme que l'on commet quand, par exemple, on dit d'une personne qu'elle est accusée de *conspiration* au lieu d'employer l'une ou l'autre des expressions **entente délictueuse, entente criminelle, association de malfaiteurs**.

Conspiration signifie proprement «résolution prise de concert par deux ou plusieurs personnes de renverser un régime politique ou un homme politique». On se sert aussi du mot par extension pour désigner toute «entente dirigée contre quelqu'un ou quelque chose». Qu'il s'agisse de politique ou d'autres choses, les accords concertés auxquels on l'applique ne sont pas nécessairement tramés en violation des lois: *ce candidat a été victime d'une conspiration d'inaction dans son organisation* et *les critiques ont fait une conspiration du silence contre les ouvrages de cet écrivain.*

Il ne faut pas dire *cet homme a été jugé coupable de* [CONSPIRATION], mais *cet homme a été jugé coupable d'entente délictueuse* ou *d'association de malfaiteurs.*

CONSTIPATION — *Voir* **IRRÉGULARITÉ.**

CONSTITUER — *Voir* **INCORPORATION — INCORPORER.**

CONSUL — *Voir* **AMBASSADEUR.**

CONTENIR — *Voir* **CHÈQUE.**

CONTENTIEUX — *Voir* **LÉGAL.**

CONTINUER — *Voir* **PERDURER.**

CONTRACTANT — CONTRACTER — Le verbe transitif **contracter** a comme premier sens celui de «faire un pacte, signer un contrat sur»: *contracter une alliance, contracter un marché, contracter mariage.* Il se dit absolument au sens de «s'engager par un pacte, un contrat»: *un interdit ne peut contracter que par l'intermédiaire de son tuteur.*

Une «personne qui s'engage par contrat» est un **contractant**. Le **contractant** qui, propriétaire d'une entreprise (*voir ce mot*) petite ou grande, engage celle-ci à exécuter ou à faire exécuter des travaux est un **entrepreneur**, non un [CONTRACTEUR].

Tout «propriétaire d'une entreprise qui fait des travaux pour le compte d'autrui» est un **entrepreneur**: *entrepreneur de peinture, entrepreneur d'installations électriques, entrepreneur de camionnage, entrepreneur de bâtiments, entrepreneur de travaux publics*, etc. Noter qu'on dit *entrepreneur de*, non [ENTREPRENEUR EN].

Le **contractant** qui engage son entreprise à exécuter des travaux sous les ordres d'une première entreprise **contractante** est un **sous-entrepreneur**, non un [SOUS-CONTRACTEUR]. **Sous-traitant** est synonyme de **sous-entrepreneur**.

Les mots [CONTRACTEUR] et [SOUS-CONTRACTEUR] n'existent pas en français. Ces fautes s'expliquent par le fait que le terme anglais **contractor** a le sens d'**entrepreneur**. [CONTRACTEUR] et [SOUS-CONTRACTEUR] sont des anglicismes.

Voir **DÉVELOPPER**.

CONTRARIER — *Voir* «**ACHALER**» *et* «**BÂDRER**».

CONTRAT — *Voir* **PLAN**.

CONTRAVENTION — *Voir* **TICKET**.

CONTRE — La préposition latine **versus** a donné au français sa préposition **vers** et à l'anglais sa préposition **versus**, dont le sens s'exprime en français par la préposition **contre** venue, elle, de la préposition latine **contra**. Ainsi les langues plus ou moins marquées par le latin s'en sont alimentées et continuent de le faire chacune à sa guise.

Synonyme d'une autre préposition anglaise, **against**, d'origine anglo-saxonne, la préposition **versus** fut d'abord employée dans la langue juridique. La langue juridique anglaise est farcie de maximes et d'expressions latines. Elle en a même fabriqué de toutes pièces, comme le nom de l'ordonnance **quo warranto** formé d'un ablatif latin, **quo**, et du mot anglais **warrant** importé d'un dialecte du Nord de l'ancien français, où l'on disait **warant**, vocable venu lui-même directement du germanique **werend**, qui a donné *garant* en français. On a simplement habillé **warrant** à la romaine pour l'anoblir. C'est du latin de cuisine. Le français, au contraire, a assimilé le vocabulaire juridique qu'il a reçu du latin et il n'existe aucune raison pour que les juristes français songent aujourd'hui à emprunter à l'anglais une préposition latine qui jurerait dans une langue pure.

S'ils doivent accepter d'employer dans la pratique certaines expressions et locutions latines qui leur sont imposées par le droit anglais, les juristes francophones du Canada ne sont pas tenus d'altérer (*voir* **ALTÉRATION — ALTÉRER**) le français dans les textes de la procédure et de la jurisprudence. Ils écrivent fautivement [VERSUS] à la place de **contre**. Au lieu de *P. Eric* [VERSUS] ou [VS] *R. André,* il faut écrire *P. Eric contre* ou *c. R. André.*

Du vocabulaire juridique, la préposition anglaise **versus** est passée à celui des sports et, à l'instar des juristes, les chroniqueurs et publicitaires sportifs francophones du Canada l'ont adoptée. Ils annoncent un match (*voir* **JOUTE**) de hockey *Toronto* [VERSUS] ou [VS] *Détroit* ou un match de boxe *Kipling* [VERSUS] ou [VS] *Balzac* au lieu de *Toronto contre* ou *c. Détroit* et de *Kipling contre* ou *c. Balzac.* [VERSUS] est un anglicisme et le mot est à proscrire.

CONTREDIRE — *Voir* **OBSTINER (S'...)**.

CONTREFAIRE — *Voir* **FORGER**.

CONTRE-FENÊTRE — *Voir* **CHÂSSIS**.

CONTREMANDER — *Voir* **ANNULER**.

CONTRIBUANT — CONTRIBUTAIRE — CONTRIBUTIF — CONTRIBUTOIRE
L'adjectif **contributoire** fut, au XIXe siècle, un terme d'administration qui signifiait «relatif à l'impôt». Il n'est plus employé ni dans ce sens ni dans un autre. Pour dire «qui concerne une contribution (au sens large de ce nom)», on dit **contributif**: *les associations contributives* ou **contribuant**: *les forces contribuantes.* En terminologie financière, l'adjectif est **contributaire**: *part contributaire.*

L'adjectif anglais **contributory** a toutes ces acceptions et sert en plus à qualifier les assurances sociales et particulièrement les régimes de retraite à participation des intéressés. C'est un anglicisme que l'on commet quand on dit *assurance* [CONTRIBUTOIRE] ou *régime de rentes* [CONTRIBUTOIRE] au lieu d'*assurance de caractère contributif* ou *à participation des intéressés* et de *régime de rentes* ou *de retraite par participation.*

Voir **ASSURANCE** *et* **PLAN**.

CONTRIBUER — **Contribuer** fut transitif et intransitif jusqu'au XVIIe siècle. Transitif direct, il signifiait «apporter comme part»: *contribuer quelque chose pour satisfaire à un paiement promis.* **Contribuer** est devenu un verbe transitif indirect et il ne s'emploie que suivi d'un complément introduit par la préposition *à* ou, bien entendu, précédé du pronom *y* qui signifie «à cela»: *j'y contribuerai jusqu'à concurrence de mille dollars* et *je contribuerai pour mille dollars à cette entreprise.* **Contribuer** n'a donc plus le sens d'«apporter», de «fournir». Il signifie «participer directement».

On **apporte** ou **fournit** une contribution, mais l'on **contribue** à une chose de son argent, par son travail, pour une certaine somme ou dans une certaine mesure. **Contribuer** s'emploie aussi absolument: *d'accord, je contribuerai,* le complément *à cela* étant implicite. Bref, le sujet du verbe **contribuer** n'agit plus, comme il lui arrivait de le faire anciennement, sur la chose qu'il **apporte** ou **fournit**, mais sur ce à quoi il **participe** en **apportant** ou en **fournissant** quelque chose.

La faute de grammaire que l'on commet en disant, par exemple, *j'ai* [CONTRIBUÉ] *un article à cette publication* ou *j'ai décidé de* [CONTRIBUER] *cent dollars à cette œuvre de charité* au lieu de *j'ai fourni un article à cette publication* et *j'ai décidé d'apporter une contribution de cent dollars* est, à la vérité, un anglicisme, car c'est sous l'influence du verbe anglais **to contribute**, transitif direct et intransitif comme l'était **contribuer** il y a trois siècles, que l'on emploie celui-ci avec un complément direct au Canada.

Prendre garde, d'autre part, qu'il existe une nuance marquée entre **contribuer à** et **collaborer à**. Le verbe **contribuer** n'exprime pas par lui-même une idée de travail personnel; il indique seulement que l'on a une part dans l'accomplissement de quelque chose. **Collaborer** a toujours le sens d'aider volontairement par le travail: *par son seul encouragement, cet homme a contribué au succès de l'entreprise et tous ceux qui ont collaboré à cette entreprise lui en sont reconnaissants.*

CONTRÔLE — CONTRÔLER — Le sens propre du substantif **contrôle** est « vérification par une autorité » et celui du verbe **contrôler**, « vérifier à titre d'autorité ». Au figuré, **contrôle** signifie « examen de surveillance » et **contrôler**, « examiner pour surveiller ». Sans doute par euphémisme, parce que la surveillance de soi-même et la direction de soi-même sont des opérations qui doivent aller de concert chez l'être humain, **contrôle** et **contrôler** expriment également les idées de « surveillance », de « surveiller » et celles de « direction », de « dominer », dans les vocabulaires de la psychologie et de la médecine; *perdre le contrôle de ses nerfs* et *l'impulsion échappe au contrôle de la volonté.* Mais c'est le seul domaine du français moderne où les mots **contrôle** et **contrôler** prennent ces dernières significations.

Il est de rares cas, cependant, où le vocabulaire de l'économie politique peut ajouter une nuance au sens propre des deux mots **contrôle** et **contrôler**, celle d'« avec devoir de retenir dans certaines limites »: l'autorité qui vérifie est aussi apte à réglementer, à imposer des restrictions à l'activité qu'elle surveille, à l'empêcher de prendre des libertés qui lui permettraient d'échapper à sa surveillance. Cela explique, par exemple, *le contrôle des changes*, où la réglementation va de pair avec le **contrôle** et c'est ainsi que l'on peut dire *les manifestations populaires ont échappé hier par leur ampleur au contrôle policier.*

Au XVIIe siècle, l'anglais a emprunté ses mots **control** et **to control** au français. Le verbe **to control** a pris un sens beaucoup plus fort que celui de **contrôler**. Il veut dire « exercer une influence dominante sur, diriger, dominer, gouverner, maîtriser ». Ce sont des verbes comme **diriger**, **dominer**, **maîtriser** et **régir** et des substantifs comme **direction**, **domination**, **autorité** et **maîtrise** qu'il faut employer pour traduire les idées véhiculées par les mots anglais **control** et **to control**. Par exemple, il ne faut pas dire *possédant 55 pour cent des actions* (*voir* **PART**), *le président* [CONTRÔLE] *l'entreprise*, mais *le président est maître de* ou *domine l'entreprise*; il ne faut pas dire *ce tyran tient tout un peuple conquis sous son* [CONTRÔLE], mais *ce tyran tient tout un peuple conquis sous sa domination*; il ne faut pas dire *cette entreprise est* [CONTRÔLÉE] *par des capitalistes étrangers*, mais *les principaux propriétaires* ou *actionnaires de cette entreprise sont des capitalistes étrangers*; il ne faut pas dire *on a réussi à*

[CONTRÔLER] *l'inondation*, mais *on a réussi à maîtriser l'inondation*; il ne faut pas dire *deux administrateurs délégués* (*voir* **DIRECTEUR**) *se partagent le* [CONTRÔLE] *de toute la production de l'usine*, mais *se partagent la direction de toute la production*; il ne faut pas dire *toutes les opérations militaires sont placées sous son* [CONTRÔLE] quand on veut dire *toutes les opérations militaires sont placées sous son commandement* ou *son autorité*; il ne faut pas dire *les lois qui* [CONTRÔLENT] *l'activité des banques*, mais *les lois qui régissent l'activité des banques*. Et l'on aura raison de parler de la *limitation des naissances* plutôt que du [CONTRÔLE] *des naissances*. Toutes ces fautes sont des anglicismes.

En revanche, on dit correctement *le contrôle des dépenses de l'entreprise est confié à un contrôleur général* et *il importe de contrôler l'activité des suspects afin de ne risquer aucune surprise*, ou encore *la maison soumet sa comptabilité au contrôle d'experts* (*voir* **AUDITEUR**) *tous les six mois*.

Voir **CHÈQUE** *et* **INCONTRÔLABLE**.

CONVENTION — Ce mot vient du latin **conventio**, qui eut les deux sens d'«assemblée du peuple» et d'«accord, contrat, pacte». Il ne retint d'abord, aux XIIIe et XIVe siècles, que la seconde de ces significations, «accord, ce sur quoi on s'est entendu», qu'il a encore: *convention internationale, convention collective, les conventions mondaines*. Puis il reprit l'idée de «réunion, assemblée» qu'avait exprimée **conventio**: on disait au XVIe siècle *Dijon en Bourgogne devait être le lieu de la convention des princes*. C'est à cette époque que l'anglais a emprunté le mot au français et le vocable anglais **convention** a été employé depuis dans les deux acceptions d'«accord» et d'«assemblée», tandis que le français du XVIIe siècle a complètement laissé échapper (*voir ce mot*) cette dernière. Le Parlement réuni par les Écossais en 1639 pour combattre le roi d'Angleterre, l'assemblée instituée par le Parlement anglais en 1688 en vue de libéraliser le régime monarchique et l'Assemblée américaine qui a rédigé la constitution fédérale de Philadelphie en 1787 se donnèrent logiquement le nom de **Convention**. On se mit à parler en France de ces assemblées historiques et particulièrement de la *convention de Philadelphie* et les Français de la Révolution ont repris à l'anglais le sens oublié d'«assemblée» qu'avait déjà eu leur mot **convention** pour désigner par celui-ci dans le vocabulaire politique une «assemblée exceptionnelle formée en vue d'établir ou de modifier une constitution»; l'Assemblée révolutionnaire qui exerça tous les pouvoirs en France du 21 septembre 1792 au 26 octobre 1795 et qui proclama la République s'appela la *Convention nationale*.

Le français n'a pas étendu depuis à d'autres cas le sens d'«assemblée» du mot **convention**, sauf en parlant des États-Unis d'Amérique pour nommer les assemblées pré-électorales des grands partis politiques où des délégués de chacun des États du pays choisissent un candidat à la présidence après avoir adopté les éléments essentiels d'un programme de gouvernement. Par extension, des journalistes (*voir* **PUBLICISTE**) français appellent aussi *conventions* les réunions que tiennent les partis politiques des États-Unis dans les diverses divisions territoriales pour désigner leurs candidats aux fonctions administratives locales.

En France et dans les pays francophones, les candidats des partis politiques sont choisis par des **assemblées**, par des **congrès**, et l'on emploie les mots **assemblée** et **congrès** quand on parle des réunions des partis politiques de Grande-Bretagne où ceux-ci désignent leurs candidats. Au Canada, les réunions de cette sorte sont des **assemblées** ou des **congrès**, non des *conventions*. Il ne faut pas dire *les militants de cette circonscription* (*voir* **COMTÉ**) *ont décidé qu'une* [CONVENTION] *jugera si le député sortant sera de nouveau le candidat du parti ou s'il sera remplacé*, mais... *qu'un congrès décidera...*

Hors le sens très restreint qu'il a repris à l'anglais dans le vocabulaire politique, le mot **convention** ne signifie «assemblée» dans aucun domaine du français depuis la fin du XVIe siècle et l'on commet un anglicisme chaque fois que l'on dit *convention* au lieu de **congrès**.

Congrès a, comme **convention**, des significations politiques particulières. C'est le nom du Parlement des États-Unis et l'on nommait **congrès** en France les assemblées des députés et des sénateurs qui élisaient le président sous la IIIe République. On désignait aussi naguère par le mot **congrès** les assemblées de souverains, d'ambassadeurs ou d'autres agents diplomatiques tenues pour régler de grandes affaires internationales: *le congrès de Vienne, le congrès de Paris, le congrès de Berlin*, mais, depuis la fin de la première Grande Guerre, le mot **conférence** a pris cette acception de **congrès** et s'y est substitué: *la conférence du désarmement*. Dans le vocabulaire général, **congrès** n'a qu'une signification: «assemblée de personnes réunies pour traiter d'intérêts communs». C'est la définition qu'on prête fautivement à **convention** au Canada sous l'influence de l'anglais. Il ne faut pas dire [CONVENTION] *d'ingénieurs*, ou [CONVENTION] *de savants*, ou [CONVENTION] *de marchands*, etc. Il ne faut pas dire *nous avons loué cent chambres à cet hôtel pour notre* [CONVENTION] *annuelle*, mais *pour notre congrès annuel.*

L'anglais donne à son mot **congress** le sens de «groupement» et c'est commettre un autre anglicisme que d'appeler [CONGRÈS] *de travailleurs* une centrale syndicale, une fédération ou une confédération de syndicats (*voir* **UNION**).

CONVENTIONNEL — Sauf dans le cas historique de la Convention nationale, l'adjectif **conventionnel** n'a que les deux significations suivantes: «qui résulte d'une convention, d'un contrat»: *patrons et syndiqués sont liés par cette obligation conventionnelle* et «qui s'éloigne du naturel pour se conformer à la bienséance ou à l'opinion de la majorité»: *une attitude conventionnelle, une personne conventionnelle.*

L'adjectif anglais **conventional** a une portée plus étendue. Il rend ce qui s'exprime en français par les qualificatifs **classique** (au sens de «qui reste dans la commune mesure» et de «qui est conforme aux usages, aux habitudes, à la tradition»), **courant** et **ordinaire**. *Armes* [CONVENTIONNELLES] au lieu d'*armes classiques* et *procédés* [CONVENTIONNELS] au lieu de *procédés courants* ou *ordinaires* sont, par exemple, des anglicismes.

CONVERSER — *Voir* **ÉCHANGER**.

CONVERTIR — CONVERTIBLE — *Voir* **ASSURANCE** *et* **AUTOMOBILE**.

COPIE — On pouvait naguère indiquer de la façon suivante la différence entre **copie** et **exemplaire** afin de désigner correctement une reproduction d'un écrit : une **copie** est une reproduction par l'écriture à la main ou à la machine à écrire ou obtenue par un procédé de polycopie et un **exemplaire** est une reproduction obtenue par l'imprimerie. C'était simple et cela ne prêtait à aucune confusion. Mais les procédés de polycopie permettant de reproduire clairement et rapidement un assez grand nombre de fois des textes considérables hors d'un atelier d'imprimerie se sont tellement rapprochés de ceux de l'imprimerie que cette distinction n'est plus suffisante.

Il reste vrai que toute reproduction d'un écrit par un procédé d'imprimerie est un **exemplaire** ; ce n'est jamais une **copie** : *j'ai bien reçu un exemplaire de votre feuille circulaire, qui était magnifiquement imprimée.* Mais il existe maintenant des **exemplaires** qui ne sont pas imprimés.

Supposons le cas d'une revue publiée par des étudiants, tirée à quelque 1 000 unités, dont les pages originales sont reproduites à l'aide d'une machine à polycopier moderne et dont les feuilles assemblées sont brochées sous une couverture : chaque reproduction de cette revue est un **exemplaire**, non une **copie**, même si elle ne sort pas d'un atelier d'imprimerie. Cela s'applique également à un rapport de gestion ou à un catalogue reproduit par un procédé moderne de polycopie et, broché, formant un ouvrage.

Aujourd'hui, toute unité d'un ouvrage reproduit un certain nombre de fois par un procédé de polycopie est un **exemplaire** autant qu'une reproduction d'une seule feuille obtenue par l'imprimerie. Toute unité d'un périodique est un **exemplaire**.

Le mot anglais **copy** a les deux sens de **copie** et d'**exemplaire**. Dire *copie* au lieu d'**exemplaire**, c'est commettre un anglicisme. Il ne faut pas dire *je n'ai pu trouver une* [COPIE] *du journal de ce soir*, ou *notre revue est publiée à 12 000* [COPIES], ou *j'ai reçu une* [COPIE] *de votre roman*, mais *je n'ai pu trouver un exemplaire du journal de ce soir, notre revue est publiée à 12 000 exemplaires* et *j'ai reçu un exemplaire de votre roman.*

COPROPRIÉTÉ — COPROPRIÉTAIRE — *Voir* **CONDOMINIUM**.

COQUERELLE — COQUERET — Terme de blason, inusité au Canada, **coquerelle** est le « nom donné à des noisettes dans leurs capsules vertes et réunies par trois ». Terme de botanique, c'est l'un des deux noms vulgaires (l'autre est **coqueret**) d'une plante dénommée **alkékenge** ou, plus scientifiquement, **physalis**, dont les baies (*voir ce mot*) sont renfermées dans une vésicule rougeâtre qui fait penser à une crête de coq, d'où vient qu'on la désigna d'abord, au XIIIe siècle, par le mot **cokelet**, devenu **coqueret** et **coquerelle** au XVIe siècle. Il en existe des variétés au Canada, dont l'une est communément appelée *cerise-de-terre (*P. LOUIS-MARIE, *FLORE-MANUEL DU QUÉBEC*).

Coquerelle n'est pas le nom d'un insecte. Au Canada, on appelle *coquerelle* l'insecte au corps aplati, nocturne et omnivore, qu'on trouve surtout dans les cuisines et dans les magasins et qui porte le nom véritable de **blatte** et les noms vulgaires de **cafard** et **cancrelat**.

Dire [COQUERELLE] au lieu de **blatte**, c'est habiller à la française le mot anglais **cockroach** venu tout droit de **cucaracha**, mot qui signifie **blatte** en espagnol. **Blatte** vient directement du latin **blatta**, mot par lequel les Romains ont désigné la mite et la **blatte**. Dire [COQUERELLE] au lieu de **blatte**, c'est commettre un anglicisme.

CORPORATION — Le nom commun **corporation** ne désigne correctement rien de réel au Canada, sauf, de façon très générale, l'ensemble des personnes qui appartiennent à une même profession. Un juge d'un autre juge, ou d'un avocat, ou d'un greffier, un électricien d'un autre électricien, un imprimeur d'un autre imprimeur ou d'un typographe peuvent dire *il est de la corporation.*

Comme le mot *bill* (*voir ce mot*) sert à désigner en français un projet de loi étudié par un Parlement (*voir ce mot*) de langue anglaise, le mot **corporation** est usité en français pour désigner une «personne morale formée d'un certain nombre d'individus et constituée juridiquement dans un État de langue anglaise par un acte appelé charte (*voir* **BANQUE**) pour exercer une capacité limitée correspondant à une responsabilité limitée». Le Canada n'est pas, au double point de vue administratif et juridique, un État de langue anglaise, mais un État bilingue, de langue anglaise et de langue française.

Corporation municipale, corporation scolaire, corporation industrielle, corporation commerciale, corporation bancaire sont autant d'anglicismes quand on emploie ces expressions en parlant de réalités canadiennes ou québécoises.

Il serait simple de dire *municipalité* pour désigner la «personne morale que constitue la population d'un territoire municipal représentée par son autorité» et *conseil scolaire* (*voir* **COMMISSION**) la «personne morale que constituent les individus élus ou nommés pour administrer les maisons d'enseignement public dans un territoire déterminé».

Pour ce qui est des entreprises industrielles, commerciales ou sociales, il faudrait s'entendre sur des termes français qui exprimeraient correctement les réalités canadiennes. Par exemple : *société à capacité limitée, société à responsabilité limitée, société d'actionnaires, société publique, société anonyme,* etc.

Avant de faire disparaître le mot **corporation** de la terminologie administrative et juridique du Canada et du Québec, il faut repenser le droit à la française. Il n'est pas uniquement question ici de traduction ou d'équivalence non plus que de la simple propriété des termes.

Voir **INCORPORATION — INCORPORER.**

CORPS ÉLECTORAL — Ensemble des électeurs. *Voir* **ÉLECTEUR — ÉLECTORAT.**

CORRECT — En parlant des choses, cet adjectif signifie «bien fait, de bon goût, de bon ton»: *un discours correct est un discours où la pensée est bien mesurée et dont le style est bien adapté à cette pensée ainsi qu'à l'auditoire auquel on s'adresse.* **Correct** n'a pas le sens d'«exact»: *votre pendule donne l'heure* [CORRECTE] est une façon fautive de s'exprimer; il faut dire *l'heure exacte.* **Correct** n'a pas le sens de «convenu, décidé, entendu». Dire *c'est* [CORRECT] au lieu de *c'est entendu*, c'est commettre une faute. Même dans le langage familier, on ne peut employer **correct** adverbialement. On ne doit pas répondre [CORRECT!] à quelqu'un qui propose un rendez-vous, mais *d'accord!*.

D'accord est l'expression adverbiale la plus employée pour dire familièrement «c'est entendu, c'est convenu, c'est bien entendu». **Très bien** et **ça va** sont des synonymes de **d'accord**. Autant de façons françaises d'exprimer ce que signifie l'anglais **O.K.** Noter que, dans la terminologie administrative, l'adjectif familier anglais [O.K.] signifie «vu et approuvé» et c'est ce qu'il faut dire en français: *ces commandes ont été vues et approuvées.*

CORRESPONDANCE — Prendre garde que **correspondance** et **courrier** ne sont pas des mots parfaitement synonymes. **Courrier** désigne l'«ensemble des objets, lettres, périodiques et paquets, envoyés, ou à envoyer, ou reçus, ou à recevoir par la poste (*voir ce mot*)»: *le courrier a été expédié avant la levée de trois heures, timbrer le courrier, on n'a pas encore fait la distribution du courrier* et *ayant dû m'absenter, je n'ai pris connaissance que ce matin du courrier d'hier.* Les expressions *écrire son courrier* et *lire son courrier* ne se disent tout à fait correctement qu'en parlant d'une personne qui n'envoie et ne reçoit que des lettres. Le mot **correspondance** désigne seulement les «lettres adressées et reçues»: *la correspondance de Saint-Denys-Garneau avec ses amis, dicter sa correspondance, recevoir beaucoup de correspondance.* Le mot **courrier** désigne aussi le «transport du courrier»: *le courrier m'a apporté une correspondance volumineuse depuis quelques jours* et *veuillez nous répondre par retour du courrier.*

Se garder d'écrire **courrier** à l'anglaise **courier**, avec un seul «r».

Voici quelques règles générales à suivre dans la correspondance.

1 — NOM et ADRESSE DU DESTINATAIRE SUR L'ENVELOPPE

A — On écrit au long le titre de la personne. Se rappeler qu'un nom de personne ne s'abrège (*voir* **ABRÉVIATION**) pas. Si, après son nom, on veut mentionner ce qu'elle est dans un organisme, une entreprise, une association, on le fait dans une deuxième ligne en joignant le nom auquel lui donne droit le poste, la charge, la fonction qu'elle remplit à celui de la société à laquelle elle appartient; le nom auquel lui donne droit sa fonction ne doit jamais suivre le nom du destinataire dans la première ligne.

B — On ne doit pas terminer les lignes de l'adresse par un signe de ponctuation. Ces lignes ne sont pas des phrases ni des membres de phrase. Une adresse est un ensemble d'indications. On sépare par quelque signe de ponctuation des indications données dans une même ligne, comme le numéro de la maison et la voie où celle-ci se trouve par une virgule. Le passage d'une ligne à une autre marque suffisamment la séparation. L'adresse n'étant pas une phrase, il n'est nul besoin d'y mettre un point final.

C — Si l'on doit confier à une autre personne le soin de remettre ou de faire parvenir la lettre à la personne à laquelle on écrit, on fait précéder le nom de cette autre personne de la formule *aux bons soins de* qu'il n'est pas impoli d'abréger comme suit : *a/s de*, mais il est plus respectueux de l'écrire au long.

D — Quand l'adresse est rédigée au nom d'un organisme ou d'une entreprise, il n'est pas incorrect de mettre, à gauche, le nom de la personne à qui la lettre est précisément destinée. On fera précéder son nom de *à l'attention de.*

E — Le nom du pays ou de l'État, qui vient en dernier lieu dans l'adresse, ne s'abrège jamais. Si le destinataire habite une fédération, comme le Canada et les États-Unis, et qu'on veuille nommer et l'État et le pays, on écrit d'abord le nom de l'État puis celui du pays.

F — L'indication relative au code postal s'inscrit sous l'adresse.

G — Pour indiquer que le pli s'adresse personnellement au destinataire, on ajoute à l'adresse, au bas de l'enveloppe, généralement à gauche, la mention *personnel.* Pour indiquer que ce qu'on y a écrit est secret, c'est la mention *confidentiel* qu'on ajoute.

H — Exemples :

Adresse d'une lettre mise à la poste, disons à New-York :

Monsieur Jean-Marie Saint-Benoît
secrétaire de l'Association Famille
aux bons soins de Monsieur Jean Bordelais
25, rue Louis-Joseph-Papineau, Ouest
Mont-des-Pommiers (Rouville)
Québec, Canada
Z3D 3B2

Adresse d'une lettre mise à la poste, disons à Montmagny :

Cabinet Trudeau, Saint-Benoît & Bouthillet
À l'attention de Monsieur Jean-Marie Saint-Benoît
422, rue Saint-Jacques, Est
Montréal
X3W 3O2

Adresse d'une lettre mise à la poste, disons à Québec :

Monsieur Jean-Marie Saint-Benoît
directeur du personnel de la Société Blanchites
39, rue de l'Industrie
Saint-Jérôme (Terrebonne)
Québec
X4Z 4C8
confidentiel

2 — LA LETTRE — LIEU et DATE

Le lieu et la date (*voir* **QUANTIÈME**) s'inscrivent à droite, au haut de la feuille.

3 — NOM et ADRESSE DU DESTINATAIRE

Dans une lettre personnelle à un ami ou à une connaissance avec laquelle on entretient des relations agréables, il n'est pas nécessaire de répéter le nom et l'adresse du destinataire. Il est indispensable de le faire dans une lettre commerciale ou dans une lettre adressée à un supérieur. L'usage français est d'inscrire le nom et l'adresse du destinataire à droite, au haut de la lettre, au-dessous de la date. Il n'y a aucun inconvénient à suivre, au Canada, l'usage américain, qui place l'adresse à gauche de la lettre:

Montréal, le jeudi 25 mai 19..

Monsieur Jean-Marie Saint-Benoît

....

4 — MANIÈRE DE SALUER AU DÉBUT DE LA LETTRE (L'APPEL)

La correspondance commerciale anglaise tend à établir dans les relations entre les fournisseurs, agents et clients une sorte de familiarité par l'emploi de formules de politesse qui ont pour effet de forcer, en quelque sorte, l'intimité des correspondants. On salue les inconnus auxquels on écrit par des **dear sir**, des **dear madam** et des **dear miss** qui, traduits tels quels, ont une résonance désagréable dans une tête française. Le français est plus réservé, plus discret.

Se rappeler qu'on ne doit jamais saluer le destinataire d'une lettre commerciale par l'expression *cher monsieur*, à moins que l'on n'écrive à quelqu'un que l'on connaît bien. Il faut écrire *monsieur*, ou *madame*, ou *mademoiselle*; *messieurs*, *mesdames*, *mesdemoiselles*. Si l'appel est suivi d'un titre, il s'écrit au long: *Monsieur le président, Monsieur le directeur, Madame la secrétaire.*

5 — OBJET DE LA LETTRE

Quand on doit faire mention de l'objet de la lettre avant de saluer la personne à qui elle est adressée, il faut se garder de se servir de la préposition anglaise **re**. Cette préposition n'existe pas en français. On écrira correctement *objet* (sauf dans la correspondance juridique, où l'on écrit *en l'affaire de*). Au lieu de, par exemple, [**RE**]: *votre commande du 15 juillet dernier*, on écrira *objet*: *votre commande du 15 juillet dernier*.

6 — FORMULES DE CIVILITÉ AVANT LA SIGNATURE

Ce qui précède sur le début des lettres commerciales s'applique à leur fin. Le français veut donner une impression de respect et de dignité plutôt que celle d'une obligeance inspirée par un désir de fraternisation que chacun sait de commande, mais qui, chez un peuple composé d'éléments très disparates et plongé dans un gigantesque creuset, ne manque pas d'efficacité: on se sent les coudes. Les Canadiens d'origine française qui veulent conserver leur culture doivent éviter de se laisser glisser sur les pentes qui mènent au bord du creuset. *Vôtre, bien vôtre, tout à vous, cordialement vôtre, votre dévoué* sont des expressions de correspondance très intime. Dans la correspondance commerciale, on écrit *nous vous prions d'agréer, Monsieur, l'expression de nos sentiments dévoués,* ou *je vous prie d'agréer, Madame, l'expression de ma considération distinguée,* ou *je vous prie de recevoir, mademoiselle, mes salutations distinguées*, ou, dans le cas d'un correspondant qu'on connaît assez bien pour l'appeler *cher Monsieur* au début de la lettre, *veuillez agréer, cher Monsieur, l'expression de mes sentiments les meilleurs*; ou encore, dans ce cas, *recevez, cher Monsieur, l'assurance de mes sentiments cordiaux*, ou *de ma cordiale sympathie*, ou *de mes sentiments de cordiale sympathie* (*voir ce mot*).

7 — SIGNATURE

Se rappeler que, dans les lettres officielles, la mention du poste, de la charge, de la fonction du signataire doit précéder et non suivre la signature et être précédée de l'article *le* ou *la*:

le président et directeur général
Paul Boistendre
le chef du service de l'entretien
Jean Guimauve

Voir **ACCUSER**.

Le mot **correspondance** a aussi le sens de «ticket (*voir ce mot*) permettant de monter sans payer de nouveau dans un second véhicule de transport en commun pour faire un trajet». L'anglais appelle ce ticket **transfer**, mais le mot **transfert** n'a pas cette signification et c'est commettre un anglicisme que de dire *transfert* au lieu de **correspondance** (*voir* **CORRESPONDRE**). Il ne faut pas dire *les mêmes* [TRANSFERTS] *permettent de passer du métro à un autobus ou inversement*, mais *les mêmes correspondances permettent...*

CORRESPONDRE — Le verbe **correspondre** n'a pas le sens de «passer d'un véhicule de transport en commun à un autre pour faire un trajet», que possède en Amérique le verbe anglais **to transfer**. On commet une faute aussi grosse en employant le mot *correspondre* qu'en se servant du calque de l'anglais *transférer* pour dire cela. Le verbe **transférer** n'a pas plus cette acception que **correspondre**. L'expression dont on doit se servir est **faire correspondance**.

Il ne faut pas dire *pour vous rendre à votre destination, vous devez* [TRANSFÉRER] OU [CORRESPONDRE] *à la prochaine intersection*, mais *pour vous rendre à votre destination, vous devez faire correspondance à la prochaine intersection*. On peut dire, par exemple, *vous pouvez faire la correspondance ici avec un autobus* ou *avec un autocar* (*voir* **AUTOBUS**) *qui vous mènera à l'endroit où vous désirez descendre* (*voir* **EMBARQUER**) ou *la correspondance avec le train d'Ottawa se fait à la prochaine station* (*voir* **TERMINUS**), ou, plus simplement, *c'est ici qu'on change de voiture pour se diriger vers le nord* ou *qu'on change* *d'autobus*, ou *vous pourrez passer de l'autobus au métro au prochain arrêt,* etc.

Voir **CORRESPONDANCE.**

CORRIGER — Au sens de «faire disparaître un défaut, une erreur», l'être humain ne **corrige** que des choses : *corriger le tracé d'une voie ferrée* ou *corriger sa ligne de conduite.* Seules des choses peuvent éliminer un défaut chez un être humain : *si cet échec pouvait le corriger de sa témérité !*

Critiquer quelqu'un sur la manière dont il vient de s'exprimer, ce n'est pas le [CORRIGER], mais le **reprendre**. Ce verbe est synonyme de **blâmer**, **réprimander**, non de **corriger**.

L'être humain ne peut **corriger** un être humain que physiquement, en le punissant corporellement : *certains parents n'hésitent pas à corriger leurs enfants.*

Il ne faut pas dire [CORRIGE-MOI] *si je me trompe*, mais *reprends-moi si je me trompe.*

Voir **AJUSTAGE — AJUSTEMENT — AJUSTER — AJUSTEUR.**

CORTÈGE — *Voir* **PARADE — PARADER.**

COSTUME — Le mot **costume**, qui désigne en premier lieu un «ensemble de pièces de vêtements» (*voir* **HABILLAGE — HABILLEMENT — HABILLER — HABIT**), a aussi le sens de «déguisement (pour le théâtre), travesti (pour une mascarade)» : *répétition en costume* et *costume de bal masqué.*

Sans doute, un «ensemble de pièces de vêtement réglementaire, obligatoire, porté par une catégorie de personnes exerçant ensemble ou isolément une même fonction, le même travail» est-il un **costume**, mais ce **costume** porte le nom d'**uniforme** : *un uniforme militaire, un uniforme de facteur, l'uniforme des chasseurs d'un hôtel.* Il ne faut pas dire *les* [COSTUMES] *des portiers de ces deux hôtels se ressemblent beaucoup*, mais *les uniformes des portiers de ces deux hôtels se ressemblent beaucoup.* Plutôt qu'*on a changé la couleur du* [COSTUME] *des agents de police de la ville*, on dit correctement *on a changé la couleur de l'uniforme des agents de police*... Cependant, «l'habillement officiel de personnes revêtues d'une même dignité» est un **costume**, non un **uniforme**. Autrement dit, quand, dans la désignation d'un habillement, l'idée du prestige social dont jouissent les personnes qui le revêtent l'emporte sur celle de l'identité de leurs occupations, c'est le mot **costume** qu'il faut employer : *costume de diplomate, d'académicien* et *le costume ecclésiastique.*

COTATION — COTER — En premier lieu, le français a formé le mot *cote* avec le terme latin **quotus**, qui signifiait «en quel nombre». D'où sont venus *quote-part, cotisation* et *cotiser*, d'abord en parlant de la part d'impôt exigée de chaque contribuable puis de la part des dépenses communes exigées de chaque membre d'un groupe de personnes associées. À la fin du XVIIIe siècle, *cote* a pris le sens d'«indication du prix d'une valeur de bourse». Le verbe **coter**, né au XVe siècle, aussi dérivé de *cote*, exprimait déjà l'action de faire une «marque servant à classer un document», sens secondaire que *cote* venait d'acquérir et qu'il conserve, quand, vers le milieu du XIXe siècle, on a commencé à lui faire exprimer aussi l'action d'indiquer le prix d'une valeur de bourse. Le substantif **cotation** désigne ces deux actions et on lui a donné dans quelques vocabulaires techniques des acceptions particulières, mais il n'a pas en droit administratif le sens de «soumission», c'est-à-dire «acte par lequel un entrepreneur ou un fournisseur offre d'exécuter (*voir* **REMPLIR**) à certaines conditions un contrat qui fait l'objet d'une adjudication conformément aux exigences du marché proposé», non plus que, dans le vocabulaire commercial, celui de «prix» demandé par un industriel ou un commerçant pour faire un certain travail, une certaine vente, rendre un certain service. De même le verbe **coter** ne veut pas dire «soumissionner» non plus que «faire un prix».

L'une des acceptions du substantif anglais **quotation**, emprunté au latin par l'intermédiaire du français, est «prix» fait par un industriel ou un commerçant, comme le verbe **to quote** a celle de «faire un prix». Ce sont des anglicismes que l'on commet quand on dit [COTATION] au lieu de **prix** et [COTER] au lieu de **faire un prix**. Il ne faut pas demander à un garagiste *auriez-vous l'obligeance de me faire une* [COTATION] *pour la réparation de ma voiture?* mais *auriez-vous l'obligeance de me faire un prix*. Un traiteur (*voir ce mot*) ne doit pas dire à sa secrétaire *veuillez noter dans mon agenda* (*voir ce mot*) *pour demain de* [COTER] *pour ce banquet*, mais *veuillez noter dans mon agenda pour demain de faire un prix pour ce banquet*.

Il faut se garder d'étendre ces sens erronément prêtés au Canada à **cotation** et à **coter** sous l'influence de l'anglais et de les employer comme synonymes de **soumission** et de **soumissionner**. Il ne faut pas dire [COTER] *à une adjudication*, mais *soumissionner à une adjudication*. Au lieu de *nous avons* [COTÉ] *dix mille dollars et le ministère a adjugé le contrat pour neuf mille cinq cents dollars à notre concurrent*, il faut dire *nous avons soumissionné pour dix mille dollars et le ministère a adjugé le contrat pour neuf mille cinq cents dollars.*

CÔTE — Ce mot a un sens en géographie. Il désigne une «forme de relief constituée d'un côté par un talus en pente raide et de l'autre par un plateau faiblement incliné en sens inverse» (*GRAND LAROUSSE DE LA LANGUE FRANÇAISE*). Cela ne s'applique pas à ce qu'on appelle au Québec la [CÔTE NORD]. Il y a même la [BASSE CÔTE NORD]! Il s'agit là d'un vaste territoire, qui, du reste, ne présente pas de reliefs de la forme de la **côte**. Il s'étend au nord-est du Québec (*voir* **ESTRIE**).

Dans la langue courante, le mot **côte** a, entre autres significations, celle de «littoral», c'est-à-dire de bord de la mer. On n'est plus au bord de la mer quand on en est éloigné de quelques centaines de kilomètres.

Il importe qu'on utilise une autre appellation que le mot **côte** pour désigner cette immense partie du Québec.

CÔTÉ — *Voir* **BORD.**

COTISATION — *Voir* **ASSURANCE.**

COTTAGE — *Voir* **CAMP — CAMPER.**

COU — *Voir* **COL — COLLET.**

COUCOU — *Voir* **HORLOGE**.

COUETTE — Le mot **couette** s'emploie au Canada pour désigner une **mèche**, une **natte** ou une **tresse** de cheveux. **Couette**, diminutif de *coue*, première forme de *queue*, sert depuis le XVIe siècle à désigner une « petite queue » : *couette de lapin*, mais ce n'est que dans quelques patois du nord et du nord-est de la France que, passant des animaux aux humains, le parler populaire a dit *couette* en parlant de cheveux. Se garder d'utiliser [COUETTE] au lieu de **mèche**, **natte** ou **tresse** de cheveux, sauf pour dire familièrement « mèche de cheveux rattachés en petite queue ».

COULER — *Voir* **CALER** (du grec...).

COUPE — *Voir* **SALADE**.

COUPE-FILE — *Voir* **PASSE**.

COUPE-GORGE — L'expression **coupe-gorge** désigne un « lieu où l'on court de graves dangers », au propre et au figuré : *cet endroit isolé est un coupe-gorge* et *ce commerce est devenu un coupe-gorge*. Un « assassin de profession » et un « bandit qui n'hésite pas à tuer » sont des **coupe-jarrets**. Au figuré, **coupe-jarret** peut se dire d'une personne qui emploie n'importe quel moyen pour ruiner un concurrent, un rival. De nos jours, l'expression s'emploie surtout au figuré.

En anglais, un **coupe-jarret** est un **cut-throat**, mot composé dont **coupe-gorge** est la traduction littérale. Se garder de dire sous l'influence de l'anglais *coupe-gorge* en parlant d'une personne. Il ne faut pas dire *ces commerçants se livrent une guerre de* [COUPE-GORGE] au lieu de *ces commerçants se livrent une guerre de coupe-jarrets*.

COUPE-JARRET — *Voir* **COUPE-GORGE**.

COUPER — *Voir* **CONNECTER — CONNECTION**.

COUPER — COUPURE — Le verbe **couper** et le substantif **coupure** s'entendent de diverses façons.

On dit *couper le pain, couper une communication téléphonique* et *couper la parole à quelqu'un*.

On dit *coupure au visage*, *coupure de courant* et *coupures de journaux*.

Ce qu'il est important de se rappeler, c'est que ni l'un ni l'autre des deux mots n'a jamais eu le sens de « réduire » ou de « réduction » en parlant de choses commerciales ou financières.

Le verbe anglais **to cut** a cette signification et l'on commet des anglicismes quand on dit *prix* [COUPÉ] au lieu de *prix réduit* et [COUPURES] *de crédit* au lieu de *réduction des crédits*.

Voir **DÉCOUPAGE — DÉCOUPURE** *et* **DÉNOMINATION**.

COUPE-VENT — Le mot **coupe-vent** appartient au vocabulaire de l'aérodynamique. Tout assemblage de tôle en forme d'arête placé à l'avant d'une voiture rapide pour diminuer la résistance de l'air est un **coupe-vent**. Le mot s'est appliqué particulièrement au dispositif que portaient à l'avant certaines locomotives à vapeur à marche rapide. **Coupe-vent** se dit **wind-cutter** en anglais.

Le vêtement fautivement appelé [COUPE-VENT] au Canada est le **blouson** (*voir* **GILET**). Il ne faut pas dire *Gilles a acheté un* [COUPE-VENT] *de cuir pour son fils*, mais *Gilles a acheté un blouson de cuir pour son fils*. Se garder de dire [VESTE] *de cuir* au lieu de *blouson de cuir*. Le bas d'un **blouson** est serré, tandis que celui d'une **veste** ne l'est pas.

Coupe-vent au sens de **blouson** est un mauvais calque de l'anglais **windbreaker**, dont la traduction littérale serait plutôt *brise-vent*.

COUPLE — Jusqu'à la fin du XVIIe siècle, on employait le substantif **couple** au masculin et au féminin en parlant des personnes et des choses. On disait *un couple de mouchoirs* et *une couple de cousines*. Aux XVIIIe et XIXe siècles, **couple** était féminin quand on parlait de deux choses de même espèce réunies accidentellement et ne présentant entre elles d'autre rapport que le fait d'être ensemble: *une couple de tabourets* et *voici une couple de cas typiques*. Aujourd'hui, le mot **couple** n'est plus guère utilisé pour les choses; on dit **deux**. À la vérité, au XXe siècle, **couple** ne se dit plus correctement qu'en parlant d'êtres vivants et il est toujours masculin.

Couple désigne, premièrement, deux personnes vivant ensemble ou liées par l'amour: *un couple de jeunes mariés* ou *de fiancés bien assorti* (*voir* **APPAREILLER**), ou liées par l'amitié ou l'intérêt: *un couple d'amis, un couple d'associés*; deuxièmement, deux personnes faisant ensemble une même chose provisoirement: *un couple de danseurs, un couple de promeneurs* et, troisièmement, un animal mâle et un animal femelle réunis pour la génération: *un couple de faisans* (*voir* **FAISAN — FAISANE**) ou deux animaux réunis pour un même travail: *un couple de chiens attelés à un traîneau* (*voir ce mot*).

On s'exprime de façon désuète en disant, par exemple, *j'ai mangé une couple d'œufs ce matin* au lieu de, simplement, *j'ai mangé deux œufs ce matin*.

Couple au féminin n'a jamais eu le sens d'«un ou deux» ou de «deux ou trois» que possède le mot anglais **couple** dans le langage familier. On commet un anglicisme en même temps qu'on retarde sur son siècle en disant, par exemple, *il me reste une* [COUPLE] *d'appels téléphoniques* (*voir* **TÉLÉPHONE**) *à faire avant de quitter le bureau* au lieu d'*il me reste un ou deux*, ou *deux ou trois appels téléphoniques à faire...*

Deux choses de la même espèce qui vont ensemble naturellement forment une **paire**: *une paire de souliers, une paire de ciseaux*. Le mot **paire**, d'autre part, s'emploie comme synonyme de **couple** en parlant de deux personnes liées par l'amitié ou par l'intérêt: *une vieille paire d'amis* et *méfiez-vous de cette paire de voleurs*.

COUPS ET BLESSURES — *Voir* **ASSAUT**.

COUR — *Voir* **BANC**.

COURANT — *Voir* **CONVENTIONNEL — LISTE** *et* **RÉGULIER**.

COURIR — *Voir* **PRENDRE.**

COURIR LES MAGASINS — *Voir* **MAGASINAGE — MAGASINER.**

COURRIER — *Voir* **CORRESPONDANCE** *et* **POSTE.**

COURS — Dans le vocabulaire de l'enseignement, le mot **cours** désigne un «enseignement donné en un certain nombre de leçons sur une matière déterminée»: *le titulaire du cours de chimie est un savant réputé* et, par extension, «chacune des leçons que comprend un cours»: *le cours de mathématiques a duré plus d'une heure ce matin.* Il s'applique aussi à l'«ensemble des cours donnés à un degré ou dans un domaine particulier de l'enseignement»: *le cours primaire* et *le cours d'arts et métiers* et à un «traité destiné à l'enseignement»: *publier un cours de mécanique.* C'est toujours l'idée d'enseignement qui s'exprime dans ces diverses acceptions. Les élèves ne font pas l'enseignement, mais ils le suivent en faisant des études. On prête erronément à **cours** le sens d'«études» quand on dit, par exemple, *mon fils* (*voir* **GARÇON**) [FAIT] *son cours secondaire* au lieu de *mon fils suit le cours secondaire* ou *mon fils fait ses études secondaires.* [PRENDRE] *un cours*, traduction littérale de **to take a course**, au lieu de *suivre un cours*, est un anglicisme. Bref, seuls les professeurs *font des cours* et les élèves *font des études* ou *suivent des cours.*

Voir **PRENDRE.**

COURSE — *Voir* **ATHLÈTE — ATHLÉTISME** *et* **ATTELAGE — ATTELER.**

COURSES — *Voir* **MAGASINAGE — MAGASINER.**

COURSIER — *Voir* **GARÇON** *et* **MESSAGER.**

COURTISER — *Voir* **FRÉQUENTATIONS — FRÉQUENTER.**

COURU — *Voir* **ACCRU.**

COÛT — Bien que synonymes (*voir* **DISPENDIEUX**), il est très rare qu'on puisse employer l'un pour l'autre les substantifs **coût** et **prix**. Le premier se dit de ce qu'il faut dépenser, sans que la dépense soit nécessairement faite ou à faire pour réaliser quelque chose ou en bénéficier: *le coût de la production d'une marchandise, le coût de la vie, le coût d'une réception, le coût d'un service, le coût du vêtement.* Le second se dit de la valeur vénale d'une chose, du montant demandé par le vendeur, ou réellement dépensé, ou à dépenser pour acquérir ou produire un objet particulier: *à quel prix me faites-vous ce manteau?* (*voir* **PARDESSUS**), *prix de revient* (somme des dépenses nécessaires pour produire un article ou fournir un service), *prix d'achat, prix unitaire*, etc. On dit donc correctement *le coût d'une réception de cette sorte est toujours élevé, mais le traiteur* (*voir ce mot*) *m'a fait un prix raisonnable.*

Prix de revient se dit **cost** et *prix de vente* **price** en anglais. Le substantif **cost** s'emploie à divers sens qu'expriment les mots **coût**, **prix** et **frais** et l'influence de l'anglais incite les Canadiens à se servir abusivement de **coût**.

On parle correctement du **prix** d'une marchandise livrée, mais il ne faut pas dire *le* [COÛT] *d'une marchandise livrée*. On peut cependant établir le **coût** de la livraison d'une marchandise.

Le nom pluriel **frais** désigne les «dépenses occasionnées par une opération ou par des circonstances particulières»: *frais de distribution, frais de maladie*, etc. Les «frais judiciaires» sont des **dépens**: *le tribunal a réparti les dépens*.

Se garder, par exemple, de parler du [COÛT] *d'exploitation* (*voir* **OPÉRATION — OPÉRER — OPÉRATEUR**) *d'une entreprise* au lieu de dire *frais d'exploitation*.

La publicité nous incite à limiter nos [COÛTS] *de chauffage*. Le **coût**, c'est le prix d'une chose. Ce dont on veut parler, c'est de l'ensemble des dépenses occasionnées par le chauffage, les **frais** *de chauffage*.

D'où vient cette confusion entre **coût** et **frais**? De ce que le même mot anglais **cost** traduit l'un et l'autre.

COUTELLERIE — Le mot **coutellerie** signifie «art de fabriquer des couteaux et d'autres instruments tranchants»: *les orfèvres font de la coutellerie un métier d'esthètes*, «fabrication, industrie des couteaux et d'autres instruments tranchants»: *la ville de Thiers est un grand centre français de la coutellerie*, «fabrique, atelier, magasin de couteaux et d'autres instruments tranchants»: *il y a plusieurs coutelleries à Montréal*, et c'est le nom collectif donné aux «produits fabriqués et vendus par les couteliers»: *coutellerie de table, coutellerie de luxe, coutellerie en ciseaux, coutellerie en rasoirs, coutellerie en instruments de chirurgie, grosse coutellerie*. Bref, **coutellerie** ne se dit qu'en parlant d'objets tranchants, comme les couteaux de table.

Les fourchettes et les cuillers (*voir* **CUILLER** ou **CUILLÈRE — CUILLERÉE**), dont la fonction n'est pas de trancher mais de servir la nourriture ou de la porter à la bouche, appartiennent à la **quincaillerie** (*voir* **FERRONNERIE**). Cette distinction entre les couteaux d'une part et les fourchettes et les cuillers de l'autre explique que jusqu'à ces dernières années le **couvert** de table ne comprenait que la fourchette et la cuiller. Pour désigner un ensemble d'ustensiles de table, on disait *service de couverts et couteaux*. De nos jours, de façon générale, les **couteliers** sont aussi des fabricants de **quincaillerie** et les industriels qui fabriquent des ustensiles de table font aussi de la **coutellerie**. Les mêmes entreprises produisent ou vendent les trois ustensiles, qui sont assortis (*voir* **APPAREILLER**) et livrés ensemble. De sorte qu'un **couvert** de table comprend maintenant un couteau, une fourchette et une cuiller, mais ces deux derniers ustensiles ne sont pas devenus pour cela des objets de **coutellerie** et l'on commet une faute quand on désigne un ensemble d'ustensiles de table par ce mot. Il ne faut pas dire *les fabricants donnent un ustensile de table en cadeau dans chaque boîte de ce produit et j'aurai bientôt une* [COUTELLERIE] *complète*, mais *et j'aurai bientôt un service complet*.

Un service de **couverts** de table dans un coffret ou un écrin s'appelle **ménagère**. Il ne faut pas dire *ses compagnes de bureau se sont cotisées pour donner à ma fille une belle* [COUTELLERIE] *de trente-sept pièces à l'occasion de son prochain mariage*, mais *pour donner à ma fille une belle ménagère de trente-sept pièces*.

L'anglais a étendu le sens de son mot **cutlery** pour lui faire désigner, outre tout ce que signifie le substantif **coutellerie** qui lui a donné naissance, n'importe quel ensemble d'ustensiles de table. C'est un anglicisme que l'on commet quand on dit fautivement *une* [COUTELLERIE] au lieu d'*un service de couverts* ou *une ménagère*.

Un ensemble de pièces de vaisselle (plat, soupière, légumier, saucière, etc.) et d'ustensiles de table en argent ou en métal argenté est une **argenterie** de table: *une argenterie de famille est un héritage précieux.*

L'art de fabriquer des objets en argent pour le service de la table fait partie de l'orfèvrerie: *une argenterie de cet orfèvre est toujours d'un goût exquis.*

COÛTEUX — *Voir* **DISPENDIEUX.**

COUTURIER — COUTURIÈRE — *Voir* **MERCERIE — MERCIER** *et* **MODISTE.**

COUVERCLE — *Voir* **COUVERT.**

COUVERT — Le substantif **couvert** se dit premièrement de choses qui constituent un abri, au propre et au figuré: *le vivre et le couvert, ces arbres donnent un couvert à la pelouse* et *sous le couvert de la nuit* et, deuxièmement, des choses dont on recouvre la table pour les repas: *dresser le couvert pour un banquet.*

Un objet mobile dont l'utilité est de fermer l'ouverture d'un récipient en le couvrant se nomme **couvercle**. Se garder de confondre les deux termes. Il ne faut pas dire *le* [COUVERT] *de la marmite*, mais *le couvercle de la marmite*, ni *ce* [COUVERT] *s'adapte bien à cette boîte*, mais *ce couvercle s'adapte* (*voir* **AJUSTAGE — AJUSTEMENT — AJUSTER — AJUSTEUR**) *bien à cette boîte.*

Voir **COUTELLERIE.**

COUVERTE — COUVERTURE — Le mot **couverte**, qui n'a qu'un sens, appartient à la terminologie du potier. Il désigne l'«émail transparent dont on recouvre la faïence et la poterie»: *peindre un décor de roses grenat sur la couverte d'un service de vaisselle en faïence.*

Jusqu'à ces dernières années, le langage populaire abrégeait **couverture** en **couverte** pour désigner une couverture de lit de soldat, mais le mot n'est plus que très rarement employé dans cette acception. Jamais, cependant, **couverte** n'a signifié une couverture de lit ordinaire ou de camping. Il faut dire *en juin, dans les Laurentides, on a presque toujours besoin d'une couverture sur le drap pour dormir confortablement* et non *on a presque toujours besoin d'une* [COUVERTE]...

COUVRE-CHAUSSURE — *Voir* **PARDESSUS.**

COUVRIR — *Voir* «**ABRIER**» — «**ABRILLER**».

CRAMPE — CRAMPILLON — CRAMPON — CRAMPONNER — Les mots **crampe** et **crampon** sont d'origine francique et, si ce n'est du même mot, ce dont on n'est pas sûr, ils viennent certainement de vocables proches parents qui exprimaient d'une façon ou d'une autre l'idée de «courbure». **Crampe** a précédé **crampon** d'environ deux siècles et, à partir de l'apparition de ce dernier terme, l'usage leur a attribué des emplois aussi nettement déterminés que différents.

Crampe est devenu principalement un terme médical et **crampon**, un terme technologique. **Crampe** n'est plus guère usité que pour désigner une «contraction douloureuse d'un ou de plusieurs muscles», tandis que le sens le plus courant de **crampon** est celui de «pièce de métal recourbée servant à assujettir, attacher, fixer, retenir, serrer l'un contre l'autre des objets». Il y a des **crampons** de formes diverses, mais la «sorte de clou recourbé en U dont les pointes parallèles sont généralement d'égale longueur» ne porte pas le nom de **crampon**. Les clous de cette sorte sont des **crampillons**, mot évidemment dérivé de **crampon**.

Le terme **crampillon** est peu connu et rarement utilisé au Canada. On y appelle le plus souvent les **crampillons** non *crampons*, ce qui serait un moindre mal, mais *crampes*. Il ne faut pas dire *fixer un fil électrique à l'aide de* [CRAMPES] *isolantes*, mais *à l'aide de crampillons isolants. Les crampillons isolants se nomment aussi* **crochets** isolants. Il ne faut pas dire *poser un grillage* (*voir* **MOUSTIQUAIRE**) *à l'aide de* [CRAMPES], mais *à l'aide de crampillons*. Les **crampillons** dont on se sert pour fixer des fils métalliques à un cadre se nomment aussi **cavaliers**.

La faute est un anglicisme. Elle vient de ce que le même mot anglais **cramp** traduit **crampe**, désigne toute espèce de **crampons** et s'applique aux **crampillons**.

Le verbe [CRAMPER] dont on se sert au Canada pour dire «fixer à l'aide de crampons» ou «fixer à l'aide de crampillons» est une faute. Le mot n'existe pas en français. Les verbes à employer sont **cramponner**: *cramponner deux madriers* ou **fixer**: *fixer le grillage sur son support à l'aide de crampillons* ou *à l'aide de cavaliers*.

CRAMPONNER (SE...) — *Voir* **ACCROCHER**.

CRÉATION — CRÉER — *Voir* **DÉVELOPPER**.

CRÉDIT — Dans le langage courant, **crédit**, qui vient du même mot latin que *croire*, exprime l'idée de «confiance» et, par extension, désigne l'«influence exercée par suite de la confiance que les autres ont en soi»: *avoir du crédit auprès de quelqu'un*, c'est posséder sa confiance et, par conséquent, être favorablement écouté par cette personne; *des rumeurs sans crédit* sont des bruits que personne ne croit.

Crédit n'a jamais eu comme le mot anglais **credit** le sens de «mérite», d'«honneur». Dire, par exemple, *ce geste est tout à son* [CRÉDIT], c'est commettre un anglicisme. Il faut dire *ce geste lui fait honneur*. De même il ne faut pas dire *on aurait dû attribuer à ce savant-là le* [CRÉDIT] *de la découverte*, mais *on aurait dû attribuer à ce savant-là le mérite de la découverte*.

C'est cette idée du **mérite** à attribuer à qui il est dû qui explique l'expression anglaise **credit line** employée pour désigner, au bas d'un texte ou d'une reproduction, ou au pied d'un objet exposé, etc., la personne, l'association ou l'entreprise qui a fourni le texte, l'image reproduite ou l'objet exposé (*voir*

EXHIBER — EXHIBITION). Aussi ne peut-on pas dire [**LIGNE DE CRÉDIT**] pour exprimer ce que signifie **credit line**. C'est la **mention** ou l'**indication de provenance**, ou **de source**, ou **d'origine**. Au lieu de *je vous prête cette photographie pour illustrer l'article que vous publierez dans votre journal, mais je vous serais obligé de ne pas oublier la* [**LIGNE DE CRÉDIT**], il faut dire *mais je vous serais obligé d'indiquer la provenance* ou *mais veuillez ne pas oublier la mention de provenance.*

Voir **ABRÉVIATION** *et* **FINANCE — FINANCEMENT — FINANCER.**

CRÉMAGE — *Voir* **GLAÇAGE.**

CRÉMATION — *Voir* **BRÛLEMENT — BRÛLURE.**

CRÈME (... À RASER) — *Voir* **SAVONNETTE.**

CRÈME GLACÉE — *Voir* **LAIT.**

CRÉPUSCULE — *Voir* «**BRUNANTE (À LA...)**» — **BRUNE.**

CRETONS — Venu du néerlandais, ce mot est entré dès le début du XIIIe siècle dans le vocabulaire culinaire français. D'abord singulier, il signifiait «morceau de graisse». Toujours pluriel maintenant, il désigne autre chose que le mets auquel on prête incorrectement ce nom au Canada.

Les **cretons** sont des «résidus de la fonte de graisses comestibles mis en pains pour la nourriture des chiens». C'est le seul sens moderne du mot. La préparation de charcuterie faite avec de la viande de porc qui se vend dans les magasins d'alimentation s'appelle **rillettes** (prononcer *ri-ettes*).

On trouve dans certaines régions de France des **grattons** (ou **frittons**) qui se préparent avec de la graisse de porc (ou de dinde ou d'oie), ce qui explique peut-être qu'on entend souvent au Canada les **rillettes** appelées *gretons*. Les **rillettes** (mot dérivé de **rille**, terme français du XVe siècle qui signifiait «morceau de porc») diffèrent des **grattons** en ceci qu'elles contiennent de la viande de porc broyée tandis que les seconds sont seulement des résidus de fonte de graisse salés. Bref, les êtres humains ne mangent pas de **cretons**; ils mangent des **rillettes** ou des **grattons**, mais les **grattons** ne se font pas industriellement et on ne peut en acheter nulle part.

CRIC — *Voir* **AUTOMOBILE.**

CRICRI — *Voir* **CRIQUET.**

CRIÉE (VENTES À LA...) — *Voir* **ENCAN.**

CRIME — *Voir* **OFFENSE.**

CRIQUET — Tandis qu'en ancien français on nommait *grésillon* ou **criquillon** l'insecte sauteur appelé **grillon** (**cricri** en langage familier) en français moderne: *le grillon des champs* et *le grillon du foyer*, le patois normand le désignait par le mot *criquet*, que l'anglais lui a emprunté. Un **grillon** est un **cricquet** en anglais. Le terme dialectal s'est imposé au Canada, où l'on ne connaît pour ainsi dire pas le sens du mot **grillon**, les **grillons** y étant généralement appelés *criquets*.

Criquet est le nom vulgaire d'un insecte proche de la sauterelle, improprement appelé *sauterelle* du reste dans le langage courant, dont certaines espèces, voyageant par nuées, causent des dommages considérables aux récoltes dans nombre de pays chauds: *le criquet pèlerin* et *le criquet migrateur*.

Pour désigner le **grillon**, le terme *criquet* est patois. Il ne faut pas dire *il y a un* [CRIQUET] *dans la cheminée*, mais *il y a un grillon dans la cheminée*.

CRISSEMENT — CRISSER — *Voir* **GRINCEMENT — GRINCER**.

CRISTAL — Se garder de substituer au *i* de ce mot l'*y* de l'anglais **crystal**.

CROCHET — *Voir* **CRAMPE — CRAMPILLON — CRAMPON — CRAMPONNER**.

CROSSE — *Voir* **HOCKEY**.

CROÛTE — *Voir* **GALE**.

CRU — Le mot **cru** a eu dans quelques anciens patois, particulièrement dans le Haut-Maine, le sens d'«engelure». Un froid à donner des engelures y était un froid à *avoir du cru*. Ainsi s'explique sans doute que l'adjectif **cru** soit employé au Canada comme synonyme d'**humide** en parlant d'un temps froid. Dire *cru* au lieu d'**humide** pour qualifier le temps qu'il fait, c'est s'exprimer en patois, même si l'on peut tenter de réduire la gravité de la faute en rappelant que, partant du sens premier de «qui n'est pas cuit», l'adjectif **cru** a pris les significations analogiques de «qui n'est pas atténué»: *une lumière crue*, de «sans ménagement»: *un récit cru des événements* et de «qui manque de délicatesse et de raffinement»: *une histoire crue*. Se rappeler que l'adjectif **cru** n'a pas le sens d'«humide». Il ne faut pas dire *le temps est* [CRU] *ce matin*, mais *le temps est froid et humide ce matin*, non plus que *nous avons eu un automne* [CRU], mais *nous avons eu un automne humide*.

CUBE — *Voir* **BLOC** *et* **CARRÉ**.

CUEILLETTE — Les speakers qui parlent de *la* [CUEILLETTE] *des ordures ménagères* commettent une faute de français. **Cueillette** ne se dit en français qu'au sens de: «récolte de fruits ou d'autres produits végétaux comestibles»: *cueillette de framboises, cueillette de pommes, cueillette de champignons*.

Le service municipal qui s'occupe de les faire disparaître des rues et des cours est le service de l'**enlèvement** *des ordures ménagères*.

Enlever signifie «retirer certains objets de certains endroits où ils avaient été laissés pour les porter à un autre endroit».

De la même façon, on **enlève** des voitures que des automobilistes ont laissées en stationnement illégal.

On fait aussi l'**enlèvement** des marchandises, des bagages, etc.

CUILLER ou **CUILLÈRE — CUILLERÉE** — L'ustensile de table qui sert à manger des aliments liquides ou peu consistants s'appelle **cuiller** ou **cuillère**, mais on emploie de plus en plus le premier de ces mots plutôt que le second pour le désigner. Ce que contient une **cuiller** est une **cuillerée**. Retenir premièrement que **cuillerée** s'écrit sans accent sur l'*e* de la deuxième syllabe et, deuxièmement, qu'on ne peut dire **cuiller** au sens de **cuillerée**. Il ne faut pas dire *je ne mets jamais qu'une petite* [CUILLER] *de sucre dans une grande tasse de café* au lieu de *je ne mets jamais qu'une petite cuillerée de sucre dans une grande tasse de café.*

La **cuiller** de table qui fait partie du couvert simple ordinaire en France est la **cuiller à soupe** aussi appelée **cuiller à bouche**. Cette **cuiller** contient à peu près un quinzième de la tasse-mesure. En Amérique du Nord, la **cuiller à soupe** est généralement plus petite que cela et on y a créé une autre **cuiller** servant d'unité de mesure pour la préparation des aliments qui contient à peu près le seizième d'une tasse. Cette **cuiller**, dont l'usage a fait une **cuiller à dessert** au lieu d'une **cuiller à soupe**, s'appelle en anglais, comme la **cuiller à soupe** ou **cuiller à bouche** française, **table-spoon**. C'est la **cuiller à bouche** américaine, c'est-à-dire la **cuiller** qu'on trouve généralement dans le couvert et qui, à la cuisine, sert de mesure générale quand les recettes ne précisent pas qu'il faut, de ceci ou de cela, une *cuillerée à thé* (contenu d'une **cuiller à thé**). Comme cette **cuiller** mesure un peu moins que la **cuiller à soupe** française et un peu plus que la **cuiller à soupe** généralement adoptée en Amérique du Nord et parce que, d'autre part, il existe plusieurs sortes de **cuillers à dessert** de différentes grandeurs, on a jugé nécessaire au Canada de désigner la **table-spoon** américaine par un autre nom que **cuiller à soupe** et **cuiller à dessert** et l'on a calqué le mot anglais sans souci des exigences de la syntaxe : on dit [CUILLER À TABLE], monstruosité grammaticale en français moderne. L'expression est incorrecte, premièrement, parce que la préposition *à* introduisant un substantif comme complément d'un autre substantif ne peut indiquer qu'un rapport direct de destination : *terre à blé, verre à vin, cuiller à bouche*, etc. (*voir* **PRÉPOSITIONS, EMPLOI DES**...) et, deuxièmement, parce que le mot *table* ne peut désigner d'aucune manière l'usage particulier auquel cette **cuiller** est directement destinée. Si l'on voulait indiquer un rapport d'appartenance et dire qu'elle fait partie du couvert dont une table est généralement garnie, il faudrait employer l'expression *cuiller de table*. Il serait simple de dire *cuiller à bouche*, tous étant convenus que la **cuiller à bouche** américaine diffère de la **cuiller à bouche** française en ce qu'elle est moins une **cuiller à soupe** qu'une **cuiller à dessert** et que la mesure de ce que l'une contient est quelque peu supérieure ou inférieure à celle de ce que contient l'autre par rapport à la tasse. [CUILLER À TABLE] est un solécisme.

Voir **COUTELLERIE.**

CUISINIÈRE — *Voir* **POÊLE.**

CUIT (BIEN...) — *Voir* **MÉDIUM.**

CUMUL DES PEINES — *Voir* **SENTENCE.**

CUVIER — *Voir* ÉVIER.

CYPRINS — *Voir* POISSONS.

D

D'ABORD — C'est une faute d'employer la locution adverbiale **d'abord** comme synonyme d'**en ce cas**, d'**alors**: *vous partez? à bientôt* [D'ABORD]! au lieu d'*alors, à bientôt!* Même dans le langage familier, **d'abord** n'a d'autre signification qu'«en premier lieu»: *examinons d'abord la situation, nous chercherons ensuite les moyens de l'améliorer.*

La locution adverbiale *d'abord que* est vieillie. Elle s'employait au XVIIe siècle pour dire «dès que»: *d'abord qu'il l'a vu il s'est enfui.* Disparue en France depuis deux cents ans, elle a survécu dans le parler populaire au Canada, non au sens qu'elle avait dans le français classique, mais dans deux acceptions qui sont d'origine dialectale (Normandie): «puisque» et «pourvu que»: [D'ABORD QUE] *vous m'invitez, je viendrai à votre soirée* au lieu de *puisque vous m'invitez...* et [D'ABORD QUE] *tout ira bien, nous aurons terminé ce travail avant la nuit* au lieu de *pourvu que tout aille bien.* L'ancienne locution *d'abord que* est bonne à mettre au rancart (*voir ce mot*).

D'ACCORD — *Voir* **CORRECT**.

DACTYLOGRAPHE — En 1873, comme elle allait entrer dans la pratique générale, la **machine à écrire** reçut le nom de **dactylographe**, qui avait désigné précédemment une machine servant de moyen de communication aux sourds-muets et aux aveugles. Plus tard, la **machine à écrire** s'est aussi appelée **dactylotype** (*voir* **DISPENDIEUX**). À la fin du XIXe siècle, **dactylographe** a commencé à désigner, en même temps que la machine, la «personne dont la profession est de se servir de la machine à écrire pour écrire ou pour transcrire des textes». Enfin, la machine a perdu, il y a une vingtaine d'années, ses noms de **dactylographe** et de **dactylotype**. Elle ne se nomme plus que **machine à écrire**, mais **dactylographe** (**dactylo** par abréviation) a conservé son dernier sens. Maintenant, un ou une **dactylo** ou **dactylographe** travaille à l'aide d'une **machine à écrire**, non à l'aide d'un [DACTYLOGRAPHE].

Le mot [CLAVIGRAPHE] d'invention canadienne, mélange de latin et de grec, n'a jamais eu cours en français.

Voir **ESPACE — ESPACEMENT.**

DACTYLOTYPE — *Voir* **DACTYLOGRAPHE.**

DAME (du latin **domina**) — **Dame** est un titre donné à toute femme mariée : *la première dame du Québec* et à toute femme, mariée ou non, par opposition à *homme* : *dame patronnesse* et *faire la cour aux dames*, mais il est populaire d'employer ce nom comme antonyme de *mari*. La même observation s'applique à **épouse**. On dit correctement **femme** par opposition à *mari* et à *homme*. On n'emploie bien **époux** et **épouse** que dans les cas où c'est moins à la personne que l'on pense qu'à sa qualité de personne mariée : *la femme de mon ami est une épouse fidèle*. Au lieu de *venez donc passer la soirée* (*voir* **VEILLE — VEILLÉE — VEILLER**) *chez nous avec votre* [DAME] ou *avec votre* [ÉPOUSE], l'usage veut que l'on dise *venez donc passer la soirée chez nous* (*voir* **CHEZ**) *avec votre femme*. L'usage exige de même que l'on emploie le mot **fille** plutôt que *demoiselle* en parlant à ses parents ou à propos de ses parents d'une personne de sexe féminin. Il faut dire *notre voisin a amené sa fille au théâtre hier soir*, non *notre voisin à amené sa* [DEMOISELLE] *au théâtre hier soir.*

DAME (du néerlandais **dam**) — Le frison, dialecte germanique qui est l'un des éléments constitutifs du néerlandais, a donné à cette langue et à l'anglais le mot **dam** et à l'ancien français, probablement au début du XVe siècle, le mot **dam** pour dire « digue, barrage ». L'ancien français employait son mot **dam**, qui s'écrivait aussi **damp**, pour désigner n'importe quelle **digue**. Dans la terminologie moderne de l'architecture hydraulique, **dame** est le nom donné à une « digue laissée en travers d'un canal afin de retenir l'eau tandis que l'on continue de le creuser ». Le terme d'ancien français était tombé hors d'usage avant la fin du XVe siècle et ce n'est qu'à la fin du XVIIe siècle que le français a réemprunté le vocable néerlandais pour en faire **dame** en lui donnant la signification qu'il a conservée. Quand on dit *dame* au Canada au sens général de « digue, barrage », sans qu'il soit question d'un canal en creusement, ce n'est pas un archaïsme que l'on commet, mais un anglicisme. Ce n'est pas un terme d'ancien français importé en Nouvelle-France et qui y serait resté vivant, mais un simple calque de l'anglais **dam**. Il faut dire **digue** ou **barrage** selon le cas.

DANGER — *Voir* **CHANCE.**

DANS — *Voir* **PRÉPOSITIONS (EMPLOI DES...).**

D'APLOMB — La locution adverbiale **d'aplomb** signifie « verticalement, perpendiculairement » : *la pluie tombait d'aplomb sur le toit* et, au propre et au figuré, « en équilibre stable » : *une maison construite d'aplomb sur le roc* et *les affaires de cette firme* (*voir ce mot*) *ne sont pas bien d'aplomb*. Au Canada, en emploie abusivement *d'aplomb* au lieu de **rudement**, **fortement** et **directement** : *frapper quelqu'un* [D'APLOMB] et *frapper* [D'APLOMB] *sur un clou pour l'enfoncer d'un seul coup*. Le substantif **aplomb** est employé adverbialement dans la même acception : *frappe* [APLOMB].

On peut tenter d'expliquer ces fautes. En premier lieu, les mots *à plomb* ont déjà formé, au XVIIe siècle, une locution adverbiale signifiant «strictement, rigoureusement». On disait *suivre à plomb les règles d'une société.* Deuxièmement, en ancien français, aux XIVe et XVe siècles, le verbe disparu **aplomber**, qui s'écrivait et se prononçait **aplommer**, a signifié «assommer à l'aide d'une massue plombée» puis simplement «assommer», d'où peut être venue l'idée d'attribuer à **d'aplomb** et à **aplomb** le sens de «rudement, fortement».

Quelles que soient les suppositions que l'on veuille faire sur l'origine de ces fautes, il faut retenir que **d'aplomb** et **aplomb** ne veulent pas dire «fortement, rudement, directement». Au lieu de *je l'ai frappé plusieurs fois* [D'APLOMB], il faut dire *je l'ai frappé plusieurs fois fortement et directement.* On peut aussi employer les expressions **juste** et **en plein**: *il l'a frappé juste au cœur* ou *il l'a frappé en pleine poitrine* au lieu d'*il l'a frappé* [D'APLOMB] *au cœur* ou [D'APLOMB] *dans la poitrine.*

Quant au canadianisme [APLOMBER] employé pour dire «mettre d'aplomb», il est inconnu en français.

DARD — Le mot **dard** désigne un certain nombre de choses. En premier lieu, c'est le nom d'une arme de jet composée d'un long manche de bois et d'une pointe de fer fixée à l'une de ses extrémités dont les guerriers francs se servaient. En tauromachie, **dard** est synonyme de **banderille**, la **banderille** étant un court **dard** orné de rubans que les toreros piquent dans le garrot des taureaux pour les exciter. Au figuré, on appelle **dard** l'expression mordante d'une pensée défavorable: *les dards de ce polémiste sont toujours très acérés.* **Dard** a d'autres significations dans quelques vocabulaires techniques: *le dard des abeilles.*

Avant de devenir un objet d'athlétisme (*voir* **ATHLÈTE — ATHLÉTISME**), la **flèche** fut aussi une arme de jet, mais sa hampe est moins longue et plus légère que celle du **dard** et sa forme diffère de celle du **dard** à son extrémité non pointue, parce que, pour parcourir une plus grande distance que lui, elle est lancée à l'aide d'un arc.

Les petits objets à pointe d'acier plombée ou non servant à un jeu d'adresse qui consiste à les lancer d'une main, avec le plus de précision possible vers une cible, ressemblent à de petites **flèches**, non à de petits **dards**. Ce sont des **fléchettes**.

Parce que l'anglais **dart** désigne et le **dard** et la **fléchette**, on dit au Canada *dard* au lieu de **fléchette**. C'est un anglicisme. Il ne faut pas dire *jeu de* [DARDS], mais *jeu de fléchettes.*

DARDER — En français contemporain, **darder** est un verbe transitif qui n'a d'autres sens que ceux de «frapper avec un dard»: *darder un taureau* et, au figuré, de «lancer comme un dard»: *vingt projecteurs dardaient leurs rayons sur l'estrade.* Au XVIIe siècle, cependant, **darder** s'employait pronominalement au sens de «s'élancer de façon menaçante, avec férocité». On disait *le serpent se darde sur sa victime* et *l'homme se darda sur moi.* Dire aujourd'hui *le boxeur* [SE DARDE] *sur son adversaire*, c'est se servir d'un mot vieilli. Employer l'ancien verbe pronominal *se darder* au simple sens de «s'élancer, se précipiter»: *le* *matin de Noël, les enfants* [SE DARDENT] *sur leurs cadeaux*, c'est commettre une faute. Dire [SE DARDER DANS] *les confitures*, c'est parler incorrectement.

DARNE — De nombreux restaurants de Montréal et de Québec proposent dans leurs menus des [STEAKS] *de saumon*. **Steak** est un mot anglais. Il figure sur les menus de quelques restaurants parisiens fréquentés surtout par des touristes américains qui ne comprennent pas le français, mais il reste anglais.

Le mot anglais **steak** signifie «tranche». Une **tranche** de bœuf grillée ou poêlée se dit **beefsteak** en anglais. Ce vocable a été francisé: c'est **bifteck**.

Une «tranche de bœuf grillée ou poêlée» est un **bifteck**, mais il y a différentes sortes de **tranches** de bœuf, non seulement selon la partie de l'animal dans laquelle des **tranches** sont prises, mais aussi selon la coupe de boucherie, qui n'est pas la même en Amérique qu'en Europe. Ainsi on a au Canada le [STEAK T BONE] que donne la coupe américaine et que l'on ne trouve pas en France. Un [STEAK T BONE] est une «tranche d'aloyau entier», c'est-à-dire du contre-filet ou faux filet et du filet ensemble, coupée transversalement de façon que la moitié d'une section de l'épine dorsale forme un morceau d'os en T. Il faudrait donc dire en français **tranche d'aloyau entier** ou, plus simplement, **tranche d'aloyau**, **tranche** qui deviendra **bifteck d'aloyau** une fois grillée et poêlée. L'**aloyau** correspond chez le bœuf à la **longe** du veau et à l'**échine** du porc. Le mot **longe** ne s'applique proprement qu'au veau. C'est abusivement que l'on dit qu'un [STEAK T BONE] vient de la [LONGE] du bœuf au lieu de l'**aloyau**.

Par parenthèse, le mot **bifteck** désigne aussi de la viande de bœuf hachée servie cuite ou crue, mais il ne s'emploie dans ce sens que suivi d'un complément de manière qui indique la recette: *bifteck à l'américaine, bifteck à la tartare, bifteck à la hambourgeoise*, etc. Aussi serait-on porté à traduire le terme culinaire anglais **hamburger** par *sandwich au bifteck à l'américaine* ou *à la hambourgeoise*, mais ce serait fausser le sens de **hamburger**, le **bifteck à l'américaine** et le **bifteck à la hambourgeoise** se préparant l'un et l'autre avec des œufs tandis que le **hamburger** n'en comporte jamais. Mieux vaut adopter le mot **hamburger** tel quel et le prononcer (*han* comme dans *hambourg, beur* comme dans *beurre* et *gueur* comme dans *ri-gueur*): un **hamburger** est un sandwich (*voir ce mot*) au bœuf haché garni de moutarde et d'un condiment appelé **relish** (mot intraduisible, qu'il faut adopter parce qu'il désigne, comme **ketchup**, une préparation industrielle nettement individualisée) ou de rondelles (*voir* **HOCKEY**) d'oignon cru.

De même qu'il ne faut pas dire [STEAK] pour des **tranches** d'animaux de boucherie, on ne peut dire [STEAK] pour des **tranches** de poisson. Une «tranche de poisson détaillé à cru» est une **darne**. Pour qu'un poisson puisse se détailler à cru par **tranches**, il faut qu'il soit assez gros. Le mot **darne** ne se dit donc qu'à propos de gros poissons comme l'esturgeon, la morue, le saumon, le thon, etc. Au lieu de [STEAKS] *de saumon*, les menus doivent proposer des *darnes de saumon*. **Darne** vient du breton **darn**, qui voulait dire «morceau».

Par opposition aux **darnes**, les **filets** de poisson sont les deux «parties de la chair d'un poisson levées à cru à partir de l'arête dorsale» pour être ensuite grillées, frites, cuites au four, au court-bouillon ou autrement: *filets de sole, de* *brochet, de carpe,* etc. Le mot **filet** ne peut s'employer pour des petits poissons qu'on fait cuire entiers. Un **filet** de poisson est de la chair de petit poisson levée à cru, et un **filet** de bœuf est un morceau de chair pris à cru dans l'**aloyau**. Bref, *on sert un bifteck* ou *un filet mignon, des tranches de rôti de porc, une darne de thon* et *des filets de brochet.*

DATE — Le substantif **date** signifie «indication du jour d'une année où un fait a lieu, a eu lieu ou aura lieu» et, en parlant du passé ou de l'avenir, «époque, moment historique où un événement s'est produit ou se produira» (*voir* **QUANTIÈME**). **Date** ne signifie pas «ce jour-ci» ou «ce moment-ci». Dans le langage courant, les seules locutions formées avec ce mot sont les suivantes: *en date (*«en ancienneté»), *le premier en date*; *faire date* («faire époque, marquer un moment important»), *l'ordonnance de Villers-Cotterêts a fait date dans l'histoire du monde français*; *de vieille* ou *longue date* («ancien» et «depuis longtemps»), *une amitié de vieille date* et *je le connais de longue date*; *de fraîche date* («récent» et «depuis peu»), *un accord de fraîche date* et *je le connais de fraîche date*, et *prendre date*, qui équivaut à «fixer un rendez-vous»: *prendre date avec quelqu'un.*

L'expression [À DATE] souvent employée au Canada est un anglicisme issu de l'américanisme vulgaire **to date** et *jusqu'* [À DATE] est le calque de l'expression **up to date**. Ce sont des fautes. Il faut dire **à ce jour**, **jusqu'à ce jour**, **jusqu'à maintenant**, **jusqu'à ce point-ci**, **jusqu'à présent**, **jusqu'aujourd'hui**, **jusqu'à aujourd'hui**, etc. Il ne faut pas dire *tout s'est bien passé* [À DATE], mais *tout s'est bien passé jusqu'à ce jour,* ou *jusqu'à maintenant*, ou *jusqu'à présent*, ou *jusqu'aujourd'hui*, selon le cas.

Les Canadiens se servent, d'autre part, de l'expression fautive [À DATE] pour dire «mettre en règle jusqu'au jour où l'on se trouve», ce qu'exprime la locution française **à jour**. Il ne faut pas dire *mettre sa comptabilité* [À DATE], mais *mettre sa comptabilité à jour.*

D'AVANCE — D'où vient que la locution adverbiale **d'avance**, qui signifie seulement «avant l'heure prévue» et «par anticipation»: *arriver d'avance, j'éprouve d'avance la joie de vous revoir* et *nous vous paierons d'avance*, soit employée adjectivement au Canada aux sens de «qui fait économiser du temps, qui se fait rapidement, qui est précoce, etc.», en parlant des choses, et de «vif au travail, qui aime le travail, qui arrive trop tôt», en parlant des personnes? Ces acceptions dans leur ensemble sont d'inspiration normande et il se peut que le français populaire du XVIe siècle y soit aussi pour quelque chose. Dans le dialecte normand, on disait *faire de l'avance* en parlant de tout instrument à l'aide duquel on pouvait accomplir beaucoup de travail en peu de temps et l'on disait *ça fait de l'avance* en parlant d'un moyen avantageux d'effectuer quelque chose. Au XVIe siècle, le verbe pronominal *s'avancer* construit avec la préposition *de* avait le sens de «se presser»: *s'avancer de faire quelque chose.* Quoi qu'il en soit, il faut se garder d'employer la locution **d'avance** adjectivement. Il ne faut pas dire *nous sommes* [D'AVANCE] au lieu de *nous arrivons trop tôt.* Il ne faut pas dire *ma montre est* [D'AVANCE] au lieu de *ma montre avance.* Il ne faut pas dire *cet appareil est* [D'AVANCE] au lieu de *cet appareil fait gagner du temps.* Il ne faut pas dire *c'est un travail* [D'AVANCE] quand on veut parler d'un travail facile, qui s'accomplit rapidement. Un employé qui aime travailler n'est pas *un homme* [D'AVANCE], mais un *bon travailleur* (*voir* **TRAVAILLANT**). Le plus souvent, les adjectifs **avantageux**, **expéditif** et **hâtif** rendent bien les idées que l'on veut exprimer : *un homme expéditif, des méthodes expéditives, un procédé avantageux, des pommes de terre hâtives*, etc.

Noter qu'au XVIIe siècle l'adjectif *avancé* avait le sens de «précoce», tandis qu'il signifie aujourd'hui «qui commence à se gâter» en parlant des fruits et des légumes. **Avancé** avait alors la même acception que celle qu'un certain nombre de cultivateurs canadiens prêtent depuis trois cents ans à la locution **d'avance** employée adjectivement.

DE — *Voir* **LOI** *et* **PRÉPOSITIONS (EMPLOI DES...)**.

DÉBARBOUILLER — *Voir* «**DÉBARBOUILLETTE**».

«**DÉBARBOUILLETTE**» — Ces «serviettes à débarbouiller» s'appelaient **débarbouilloirs** ou **débarbouilloires**. Les deux mots se trouvent encore dans l'édition de 1948 du *NOUVEAU LAROUSSE UNIVERSEL*. Ils ne désignaient pas une **serviette** de forme et de dimensions particulières, mais, dans le langage familier, la **serviette** ordinaire dont on se servait pour **débarbouiller** un enfant ou **se débarbouiller**.

Le mot **débarbouillette**, qu'on dit être d'origine dialectale, mais qui n'a pas appartenu au vocabulaire français, désigne au Canada une petite **serviette** carrée qui sert à **débarbouiller** et qui, dans la baignoire (*voir* **BAIGNOIRE —BAIN**), remplit les fonctions du gant de toilette en usage en Europe. Au Canada, un ensemble de **serviettes** comprend au moins une **serviette de bain**, une **serviette de toilette** et une petite **serviette** carrée ou **débarbouillette**.

Voir **SERVIETTE**.

DÉBARQUER — *Voir* **EMBARQUER**.

DÉBARRAS — *Voir* **ARMOIRE**.

DÉBARRASSER (SE... DE) — *Voir* **DISPOSER**.

DÉBATTRE — Le verbe **débattre** n'a plus depuis le début du XVIIe siècle le sens qu'il eut au XVIe siècle de «palpiter, s'agiter, se débattre» (*mon estomac me débattait*, écrivait-on alors) et qu'il a conservé au Canada. Le verbe transitif **débattre** ne signifie plus de nos jours que «discuter sur, avec ou sans passion et de façon plus ou moins superficielle»: *ils débattront la question entre eux*. En parlant du cœur, le verbe **battre** employé intransitivement a la signification d'«avoir des palpitations» et **palpiter** veut dire de même «être animé de mouvements accélérés».

DÉBOISER — *Voir* **ABATTIS**.

DÉBOSSELAGE — DÉBOSSELER — Termes rarement entendus ou lus au Canada, où on leur a substitué les régionalismes [DÉBOSSAGE] et [DÉBOSSER]. Le mot [DÉBOSSAGE] n'a jamais existé en français, non plus, semble-t-il, que dans aucun des patois des anciennes provinces de France. Le mot *bosse*, dont l'origine est mystérieuse, a donné naissance vers la fin du XVIIe siècle aux verbes *bosser* et *débosser* dans le vocabulaire des marins, où il désignait une sorte d'amarre, de cordage. Employé au sens général de « protubérance » et, particulièrement, de « saillie anormale à la surface d'un corps », le mot *bosse* a donné par dérivation les verbes **bossuer**, **bosseler** et **débosseler**.

Après un accident, une aile d'automobile est *bossuée* ou *bosselée*, non [BOSSÉE], et il faut la **débosseler**. L'action de **débosseler** est le **débosselage** : *je débosselle un vase d'argent bossué, débosseler une marmite* et *le débosselage du boîtier d'or de cette montre que vous avez laissé échapper* (*voir ce mot*) *sera un travail délicat.*

Le substantif **débosselage** ne désigne pas, toutefois, la réparation de pièces de carrosseries d'automobiles accidentées. La carrosserie est en tôle. D'où vient que les ateliers où l'on fait ce **débosselage** sont des **tôleries** : *envoyer sa voiture à une tôlerie après un accident.* Les ouvriers qui font ce **débosselage** sont des **tôliers** : *trois tôliers débossellent des voitures accidentées à la tôlerie du garage.* Enfin, le « travail de la tôle » se nomme aussi **tôlerie**.

Un garagiste qui répare des voitures ne doit pas afficher à la porte de son établissement *réparations mécaniques et* [DÉBOSSAGE], mais *réparations mécaniques et tôlerie.* Le propriétaire d'un établissement qui comprend des ateliers pour la réparation des carrosseries bossuées est un **carrossier**. Ce **carrossier** ne doit pas dire qu'il est [DÉBOSSEUR] ou [DÉBOSSELEUR], autres termes inexistants en français, mais qu'il est *tôlier de carrosseries.*

DÉBOURS — *Voir* « **DÉBOURSÉ** ».

« **DÉBOURSÉ** » — Le substantif [DÉBOURSÉ] n'a jamais été français. Le mot **débours** existe, mais il a un sens restreint. Il signifie « argent avancé » : *rentrer dans ses débours.* En comptabilité, pour désigner toute espèce de décaissement, il faut employer le mot **sortie** : *les sorties ont excédé les rentrées ce mois-ci.*

DÉBRANCHER — *Voir* **CONNECTER — CONNEXION**.

DÉBUTER — Le verbe **débuter** n'est pas transitif direct. En parlant des personnes, il signifie « commencer à agir dans une carrière » : *cet acteur qui débute n'en est qu'à son troisième rôle, cet écrivain débute par un excellent roman, débuter au barreau,* etc., et « commencer à se produire dans le monde » : *la plupart des jeunes filles qui débutent cette année à Québec étaient au bal.* En parlant des choses, **débuter** est synonyme de **commencer** pris intransitivement : *le festival débutera par un concert de musique française, l'année scolaire* (*voir* **ACADÉMIE — ACADÉMIQUE**) *a bien débuté,* etc. C'est commettre un solécisme, dont quelques journalistes parisiens se rendent malheureusement coupables, que d'employer **débuter** comme transitif direct : *il a bien* [DÉBUTÉ] *sa carrière* ou *ce joueur de hockey a mal* [DÉBUTÉ] *la saison.*

Dans une proposition construite avec un complément direct, il faut employer, au lieu de **débuter**, les verbes **commencer**, **entreprendre** ou **ouvrir**. Employé transitivement, **commencer** a le sens général de « faire ou être le début de » : *commencer un discours* et *c'est cette phrase qui commençait le discours.* **Entreprendre** ajoute une nuance : c'est faire ce qui vient en premier lieu dans l'exécution d'une chose qu'on prend la résolution de réaliser, d'un projet : *entreprendre une campagne politique, entreprendre un voyage, entreprendre la construction d'un immeuble*, etc.

Ouvrir a le sens figuré de «faire exister» : *il faut que quelqu'un ouvre le bal pour qu'il ait lieu, ouvrir une pâtisserie* et *un commerçant ouvre un compte à un nouveau client*. C'est une faute d'employer le verbe **commencer** quand on veut dire **ouvrir**. Il ne faut pas dire *il a* [COMMENCÉ] *le mois dernier un commerce de librairie*, mais *il a ouvert le mois dernier un commerce de librairie*. En revanche, une fois la librairie ouverte, le libraire en commence l'exploitation.

De même, le verbe **partir** ne signifie pas **ouvrir**. Il ne faut pas dire *il a* [PARTI] *un commerce la semaine dernière*, mais *il a ouvert un commerce*.

DÉCAPOTABLE — *Voir* **AUTOMOBILE**.

DÉCAPSULATEUR — DÉCAPSULEUR — *Voir* **BOUCHON**.

DÉCERNER — *Voir* **ÉMETTRE**.

DÉCHARGE — Le *DICTIONNAIRE GÉNÉRAL DE LA LANGUE FRANÇAISE AU CANADA* de LOUIS-ALEXANDRE BÉLISLE mentionne le fait que les Canadiens désignent par le nom **décharge** «une rivière ou un ruisseau qui donne issue aux eaux d'un lac, au trop-plein d'un étang». Les rivières et les ruisseaux sont les chemins naturels par lesquels s'écoulent les eaux que le relief géographique ne retient pas. Une **décharge** est une sorte de ruisseau artificiel : *tuyau de décharge*. BOSSUET écrivait *de grands lacs, creusés par les rois, avaient leurs décharges préparées* et, de nos jours, le substantif **décharge** est encore employé dans le vocabulaire de l'hydraulique, où, en plus de s'appliquer aux ouvertures et aux canalisations qui donnent issue aux eaux d'un bassin, d'un canal, d'une vasque, etc., il est synonyme de **déchargeoir** et de **déversoir** pour désigner un endroit, un réservoir, un bassin qui reçoit le trop-plein d'eau écoulé. Quand on parle d'eau, **décharge** est un terme technique. Il ne faut pas dire *ce ruisseau est la* [DÉCHARGE] *du lac* (à moins qu'il ne s'agisse d'un ruisseau préparé par l'homme pour l'écoulement du trop-plein d'un lac artificiel), mais *c'est par ce ruisseau que s'écoulent les eaux du lac*.

Se garder, dans le vocabulaire militaire, de dire *décharge* au lieu de **licenciement** et, dans le vocabulaire juridique, au lieu de **libération**. Dans ces deux cas, le mot n'est qu'un calque de l'anglais **discharge**. Il ne faut pas parler de la [DÉCHARGE] de soldats, mais du **licenciement** de soldats, et un ancien combattant (*voir* **VÉTÉRAN**) ne doit pas dire *j'ai eu ma* [DÉCHARGE] *en même temps que toi*, mais *j'ai été licencié en même temps que toi*. Il ne faut pas dire d'un ancien prisonnier *il n'a obtenu sa* [DÉCHARGE] *que la semaine dernière*, mais *il n'a obtenu sa libération que la semaine dernière*.

Voir **À CHARGE**.

DÉCHARGEOIR — *Voir* **DÉCHARGE**.

DÈCHE — *Voir* **CASSÉ — CASSER**.

DÉCLARATION — *Voir* **ASSERMENTER**.

DÉCLARER — *Voir* **ENREGISTREMENT — ENREGISTRER.**

DÉCLIN (...DU JOUR) — *Voir* «**BRUNANTE (À LA...)**» — **BRUNE.**

DÉCOLLAGE — *Voir* **ENVOL — ENVOLÉE.**

DÉCOMMANDER — *Voir* **ANNULER.**

DÉCOUPAGE — DÉCOUPURE — Tout objet découpé montre une **découpure**, c'est-à-dire le «contour suivant lequel il a été découpé»: *guirlande d'une découpure gracieuse, broderie d'une découpure fine.* Les pièces découpées dans des étoffes, des feuilles de métal, de bois, de carton, de papier portent aussi le nom de **découpures**: *les découpures en papier pour décorer une vitrine.*

On donne cependant le nom de **découpage** à une figure tracée sur une feuille de carton ou de papier qui est destinée à être découpée ainsi qu'à cette figure une fois découpée: *j'ai donné à mon neveu une collection de douze feuilles de découpages avec lesquelles il pourra exécuter un village* et *mon neveu m'a montré les découpages qu'il a exécutés avec la collection que je lui ai donnée.*

Un «fragment d'imprimé découpé pour être conservé» est une **coupure**. Il ne faut pas dire *on a fait cadeau à ce pianiste d'un album* (*voir ce mot*) *de* [DÉCOUPURES] *qui réunit tous les articles publiés dans les journaux sur sa dernière tournée*, mais *on a fait cadeau à ce pianiste d'un album de coupures.*

DÉCOUVRIR — *Voir* **LOCALISER.**

DÉCRET — *Voir* **ORDONNER — ORDRE.**

DÉCRIER — *Voir* **APPRÉCIER.**

DÉCROCHER — *Voir* **TÉLÉPHONE.**

DÉFAIRE (SE... DE) — *Voir* **DISPOSER.**

DÉFAUSSER (SE... DE) — *Voir* **ÉCARTER** (terme de jeu de cartes).

DÉFENSE — *Voir* **HOCKEY.**

DÉFILÉ — *Voir* **PARADE — PARADER.**

DÉFINITIF — *Voir* **FINAL.**

DÉFINITIVEMENT — Cet adverbe n'a qu'un sens. Il indique qu'une chose est terminée, fixée, réglée de façon définitive, c'est-à-dire «de façon qu'on ne doive plus y revenir»: *la Cour suprême tranche définitivement les différends qui lui sont soumis.*

L'adverbe anglais **definitely** a une autre signification. Il veut dire «nettement, assurément, catégoriquement». C'est commettre un anglicisme que de prêter cette acception à **définitivement**. À la question *êtes-vous sûr de ce que vous avancez?* il ne faut pas répondre [DÉFINITIVEMENT], mais *certes.* À la question *êtes-vous de cet avis?* il ne faut pas répondre [DÉFINITIVEMENT], mais

assurément. C'est une faute de dire *je suis* [DÉFINITIVEMENT] *en faveur de cette œuvre*; il faut dire *je suis de tout cœur en faveur de cette œuvre*. Il faut dire **assurément**, **catégoriquement**, **certes**, **incontestablement** ou **nettement**, non *définitivement*, pour marquer qu'on s'exprime avec autant d'assurance que de certitude en affirmant quelque chose.

Voir **EN DÉFINITIVE**.

DÉFRAYER — Issu du verbe d'ancien français **fraïer**, qui signifiait «payer, faire les frais de», **défrayer**, né durant la dernière partie du XIVe siècle, fut employé pour dire la même chose jusqu'au XVIIe siècle. Il commença alors à prendre des acceptions particulières, celles principalement d'«assurer l'entretien de » en parlant de quelqu'un et le sens figuré de «distraire». De nos jours, **défrayer** ne s'emploie plus comme synonyme de *payer* que pour dire «dédommager» principalement de frais (*voir ce mot*) de logement, de nourriture et de voyage: *défrayer un représentant de commerce de ce qu'il a dépensé en tournée* et *j'ai été défrayé de mes dépenses de déplacement*. Il se dit aussi au figuré aux sens d'«alimenter, entretenir» et «être le sujet de»: *défrayer la chronique, défrayer les conversations*.

L'anglais a emprunté son verbe **to defray** à l'ancien français et lui a laissé la première signification de **défrayer**. C'est un anglicisme que l'on commet quand on dit *défrayer* en parlant d'une chose : [DÉFRAYER] *le logement de quelqu'un*. Il faut dire *défrayer quelqu'un de son logement*.

DÉGAGER — *Voir* **CLAIR**.

DÉGÂT — Même si les dictionnaires font figurer ce mot au singulier, il n'est plus utilisé maintenant qu'au pluriel, sauf dans l'expression familière *il y a du dégât*. Il signifie «dommage résultant d'une cause violente» et ne se dit qu'en parlant des choses. Exemples : *la grêle a fait des dégâts, le tremblement de terre a laissé de grands dégâts, les dégâts causés par le vandalisme sont considérables*. Le mot **dégâts** est synonyme de **destruction** et de **saccage** et il ne peut être question que de la destruction de biens matériels. Aussi est-ce une faute que commettent des médias quand ils parlent, après un sinistre, des *dégâts* [MATÉRIELS] qu'il a causés. Le mot **dégâts** seul est suffisant.

DÉGRAFEUSE — *Voir* **BROCHE**.

DÉGRAISSEUR — *Voir* **TEINTURERIE — TEINTURIER**.

DEGRÉ — La première édition du *DICTIONNAIRE DE L'ACADÉMIE FRANÇAISE*, publiée en 1694, consigne le fait qu'on employait au XVIIe siècle le mot **degré** au sens de «diplôme universitaire», mais, comme terme d'enseignement, il allait bientôt devenir désuet.

Au milieu du siècle dernier, quand LITTRÉ publia son *DICTIONNAIRE DE LA LANGUE FRANÇAISE*, on ne disait plus *degré* pour désigner le baccalauréat, la licence et le doctorat, mais **grade**. On disait *prendre ses grades à l'université*, un bachelier, ou un licencié, ou un docteur en droit était un *gradué* et *on se faisait graduer en lettres, en médecine* ou *en sciences*.

L'élévation à un **grade** se disait *graduat*: *examen du graduat ès-lettres*. Ce terme a disparu.

Quant à **graduation**, le mot n'a jamais eu d'autre sens propre que celui d'« action de diviser en degrés »: *la graduation d'un thermomètre*. L'« action de conférer des diplômes » se dit **collation**: *la collation des diplômes universitaires se fait avec solennité*.

Les mots **grade** et **gradué** au sens de « diplôme » et de « diplômé » ont vieilli à leur tour. Aujourd'hui, on dit **diplôme** et **diplômé**. Les Canadiens ont repris de l'anglais **degree** le sens archaïque de « diplôme » qu'a eu, avant **grade**, le mot **degré**, comme ils calquent l'anglais quand ils disent [GRADUATION] au lieu de **collation des diplômes**: deux anglicismes.

DÉJEUNER — Bien que *jeûne, jeûner* et **déjeuner** aient la même origine étymologique, le *u* de **déjeuner** s'écrit sans accent circonflexe, tandis que le *i* de **dîner**, mot issu de **déjeuner**, lui, en prend un.

DÉLIT — *Voir* **OFFENSE**.

DÉLIVRER — *Voir* **ÉMETTRE**.

DEMANDE D'EMPLOI — *Voir* **APPLICATION**.

DEMANDER — *Voir* **CHARGE — CHARGER**.

DÉMARREUR — *Voir* **AUTOMOBILE**.

DE MÊME — Au XVIIe siècle, la locution adverbiale **de même** a été employée adjectivement au sens de « semblable ». Les Canadiens commettent une faute quand ils s'en servent au lieu de **pareil**, **semblable** ou **tel**. Il ne faut pas dire *un jeune homme bien élevé ne tient pas des propos* [DE MÊME], mais *un jeune homme bien élevé ne tient pas de tels propos*. Il ne faut pas s'écrier *faut-il manquer d'esprit pour débiter des balivernes* [DE MÊME] *!* mais *faut-il manquer d'esprit pour débiter de semblables balivernes !* Au lieu de *dans un cas* [DE MÊME], il faut dire *en pareil cas*.

La locution adverbiale **de même** remplit une fonction comparative: *si vous faites cela, j'agirai de même*. Elle signifie « pareillement, de la même manière ». C'est abusivement qu'on lui donne un emploi démonstratif au Canada. *Faites de même* signifie « suivez l'exemple qu'on vient de vous donner » et non « faites de la façon qu'on vient de vous indiquer ou qu'on va vous indiquer ». On commet une faute en disant, par exemple, *faites* [DE MÊME] au lieu de *voici comment il faut faire* (*ceci ou cela*). Il ne faut pas dire *c'est* [DE MÊME] *qu'on prépare ce mets au Canada* quand on veut dire *c'est ainsi* ou *c'est comme cela qu'on prépare ce mets au Canada*. **Ainsi** est, dans un grand nombre de cas, l'adverbe à employer quand on a la tentation de dire [DE MÊME] pour exprimer, non l'idée « de la même manière », mais l'idée « de cette manière »: *c'est ainsi que vous améliorerez votre sort* au lieu de *c'est* [DE MÊME] *que vous améliorerez votre sort*. Il est possible que cet emploi soit d'origine dialectale.

DÉMÉNAGER — Le verbe **déménager** a, comme premier sens, celui de « transporter d'un lieu à un autre» en parlant d'objets matériels: *déménager les rayonnages* (*voir* **TABLETTE**) *d'un magasin* et *nous déménagerons nos meubles demain pour aller vivre à la campagne.* Il s'emploie aussi absolument au sens de «changer de logement, de local, de bâtiment»: *une expropriation nous oblige à déménager* et *l'augmentation de notre clientèle nous oblige à déménager pour nous installer dans un local* (*voir ce mot*) *plus grand.*

L'idée d'«à un autre lieu» étant comprise dans la pensée qu'exprime **déménager**, on ne peut dire *déménager* [À UN AUTRE LIEU]. Il ne faut pas dire *j'ai* [DÉMÉNAGÉ] *tous mes livres à notre maison de campagne* (*voir* **CAMP — CAMPER**), mais *j'ai transporté tous mes livres à notre maison de campagne.* Il ne faut pas dire *notre magasin* [À DÉMÉNAGÉ] *de la rue Saint-Denis à la rue Saint-Hubert,* mais *notre magasin s'est transporté de la rue Saint-Denis à la rue Saint-Hubert* ou *notre magasin n'est plus rue Saint-Denis, mais rue Saint-Hubert.* Bref, le verbe **déménager** construit avec un complément indirect de lieu est un anglicisme. L'anglais dit **to move into** et **to move to**, mais on ne peut dire en français [DÉMÉNAGER EN] *banlieue* au lieu d'*aller vivre*, ou *aller s'installer en banlieue*, ou *aller habiter la banlieue* (*voir ce mot*), non plus que [DÉMÉNAGER AU] *coin de la rue* au lieu d'*aller s'installer* ou *aller habiter au coin de la rue.*

DEMI — *Voir* **APPARTEMENT.**

DEMI-TOUR — *Voir* **U.**

DÉMONSTRATION — Le substantif **démonstration** désigne en premier lieu l'«action de démontrer», c'est-à-dire d'établir par le raisonnement ou l'exemple qu'une affirmation est vraie, bien fondée: *dans les manuels d'algèbre, chaque proposition s'accompagne d'une démonstration* et, par extension, l'«action de faire voir par l'expérimentation les qualités d'un appareil, d'un produit»: *les placiers* (*voir* **SOLLICITEUR** *et* **VENDEUR**) *de certains appareils électroménagers font des démonstrations à domicile.* Deuxièmement, en parlant des personnes, **démonstration** signifie «expression marquée, par la parole et par le geste, d'un sentiment»: *sa sœur lui fit à son retour de voyage une grande démonstration de joie*, ce témoignage établissant ou visant à établir que le sentiment exprimé est réel. Mais **démonstration** ne se dit dans cette acception que des personnes prises individuellement.

Une «démonstration collective publique de sentiment» est une **manifestation**: *mille anciens combattants* (*voir* **VÉTÉRAN**) *ont pris part hier soir à une manifestation devant le palais du Parlement* (*voir ce mot*) L'emploi de **démonstration** au lieu de **manifestation**: *cette ville a été le théâtre de nombreuses* [DÉMONSTRATIONS] *ces jours derniers* vient de ce que le mot anglais **demonstration** a les deux sens d'expression personnelle et d'expression collective publique d'un sentiment.

DÉNOMBREMENT — *Voir* **ÉNUMÉRATEUR — ÉNUMÉRATION.**

DÉNOMINATION — Le substantif **dénomination** est synonyme de *nom*, mais il signifie particulièrement «nom donné à un ensemble, ou à une personne, ou à une chose comme faisant partie d'un ensemble, d'une classe, d'une catégorie»:

la dénomination d'appareil électroménager s'applique à des objets très divers, ce citoyen mérite la dénomination d'honnête homme.

Cela explique que des auteurs français emploient le mot dans l'un des sens du terme anglais **denomination**: «confession religieuse, Église», en parlant des cultes protestants, comme si le protestantisme était à leurs yeux la **confession** religieuse à l'intérieur de laquelle des Églises séparées forment des ensembles particuliers: *des protestants de diverses dénominations.* Mais **dénomination** ne peut s'appliquer à d'autres religions que les cultes protestants. Le bouddhisme, le catholicisme, l'islam ne sont pas des [DÉNOMINATIONS] *religieuses.* Ce sont des **religions** ou **confessions** religieuses. C'est commettre un anglicisme que de dire, par exemple, *il y avait là des anglicans, des catholiques, des presbytériens, bref des chrétiens de toutes les* [DÉNOMINATIONS]. Il faut dire *il y avait là des anglicans, des catholiques, des presbytériens, bref des fidèles de toutes les religions* ou *confessions chrétiennes.*

Le substantif anglais **denomination** a une autre signification, dans la terminologie financière cette fois, que ne possède pas **dénomination**, celle de «valeur». Employé dans cette acception, il se traduit par les mots **titre** et **valeur**. Il ne faut pas dire *des billets de banque de diverses* [DÉNOMINATIONS], mais *des billets de banque* ou *coupures* (**coupure** est synonyme de *billet de banque*) *de diverses valeurs.* Il ne faut pas dire *des obligations vendues par* [DÉNOMINATIONS] *de cinquante, de cent et de cinq cents dollars*, mais *des obligations vendues par titres de cinquante, de cent et de cinq cents dollars.*

DÉPANNEUSE — *Voir* **REMORQUE — REMORQUEUR.**

DÉPART — *Voir* **GOLF.**

DÉPARTEMENT — DÉPARTEMENTAL — En ancien français, **département** eut d'abord les sens d'«action de partager» et d'«action de séparer». Le mot prit ensuite, au XVe siècle, le sens d'«action de se séparer» et celui de «circonscription administrative». Au XVIIe siècle, **département** signifiait encore «partage». Depuis la fin du XVIIIe siècle, il n'a été employé que dans ses acceptions actuelles.

Au propre, le mot **département** désigne en premier lieu une «grande administration gouvernementale» et dans ce sens il est le plus souvent synonyme de **ministère**: *le département de la Justice est l'un des ministères les plus importants* et *le département de l'Instruction publique a été aboli.* Au XXe siècle, cependant, sauf pour nommer l'une ou l'autre des grandes parties du gouvernement des États-Unis, l'usage préfère **ministère à département** pour désigner une grande administration gouvernementale dont la direction est confiée à un ministre titulaire. Par extension, **département** se dit des grandes divisions d'un organisme international: *le département des affaires sociales de l'O.N.U.* En deuxième lieu, chacune des circonscriptions administratives du territoire français est un **département**. On peut enfin appeler **département** chacune des divisions des services d'une bibliothèque: *le département des manuscrits* et, par extension, d'un service de documentation: *le département de la recherche à la Radiodiffusion — Télévision française.* C'est tout. On se sert quelquefois du terme **département** pour désigner, non un service en particulier, mais une «branche d'activité» en parlant d'une entreprise: *le département de la commercialisation.*

Au figuré, **département** a deux significations très proches l'une de l'autre, celle de «zone d'influence ou d'activité»: *cela n'est pas dans mon département* et celle de «compétence» et il est alors synonyme de **ressort** avec une nuance d'ironie: *cela n'est pas de mon département.*

Il ne faut pas dire *notre usine a son* [DÉPARTEMENT] *de menuiserie*, mais *notre usine a son atelier de menuiserie*. Autre faute: *le* [DÉPARTEMENT] *de la direction est à l'étage supérieur* au lieu de *les bureaux de la direction sont à l'étage supérieur.* Il ne faut pas dire *je suis commis au* [DÉPARTEMENT] *des gants dans un magasin de confection,* mais *je suis commis au rayon* ou *au comptoir des gants.*

L'adjectif **départemental** ne peut se dire d'autres choses que de ce qui est **département**. Comme il est fautif d'appeler par ce nom un **rayon** ou un **comptoir** de magasin, c'est commettre une faute que de dire *magasin* [DÉPARTEMENTAL] pour désigner un magasin où l'on vend des articles de toutes sortes à de nombreux **comptoirs**. C'est une mauvaise traduction littérale de **department store**. Il faut dire **grand magasin**: *à la veille de Noël, les grands magasins sont remplis de clients.*

DÉPENDANT — Le mot **dépendant** est un adjectif (**dépendant** a été employé substantivement au XVIIe siècle au sens de «vassal») qui se dit d'une personne ou d'une chose assujettie, subordonnée, qui dépend d'une autre personne ou d'une autre chose. On est **dépendant** de quelqu'un quand on est soumis à l'autorité de quelqu'un: *nous sommes tous plus ou moins dépendants de lui dans cette entreprise, car c'est lui qui la finance* (*voir* **FINANCE — FINANCEMENT — FINANCIER**).

Dépendant n'est pas un nom. Il qualifie mais ne désigne pas une personne ou une chose. Le mot anglais **dependent**, venu du français, est à la fois adjectif et nom. Nom, il signifie «personne qui subsiste aux frais, aux dépens d'une autre». On commet un anglicisme en disant, par exemple, *n'oubliez pas d'indiquer dans votre demande d'emploi* (*voir* **APPLICATION**) *le nombre de vos* [DÉPENDANTS]. Il faut dire *n'oubliez pas d'indiquer le nombre des personnes à votre charge.* Il ne faut pas dire *un célibataire peut avoir des* [DÉPENDANTS], mais *un célibataire peut être soutien de famille* ou *chargé de famille* ou *d'autres personnes.* Au lieu de *je n'ai pas de* [DÉPENDANTS], il faut dire *je n'ai pas de personnes à charge* (*voir* **À CHARGE**].

Quand on parle d'une **personne à charge** comme ayant à ce titre des droits à quelque chose, elle est aussi désignée par le nom d'**ayant droit**. Ce mot s'écrit sans trait d'union et fait **ayants droit** au pluriel: *pour ce qui est des allocations familiales, tous mes enfants à charge sont des ayants droit.* Prendre garde qu'**ayant droit** n'est pas synonyme de **personne à charge**: *pour ce qui est des allocations familiales, deux de mes enfants à charge ont cessé d'être des ayants droit.*

DÉPENS — *Voir* **COÛT**.

DÉPENSE — *Voir* **CHARGE — CHARGER**.

DÉPLACER — *Voir* **PRENDRE PLACE — «RELOCALISER»**.

DÉPLACER (SE...) — L'adjectif *déplacé* a, en parlant de choses, les sens de «malvenu, malséant»: *l'intervention d'un membre a paru déplacée aux congressistes*, mais le verbe pronominal **se déplacer** n'a ni le sens de «se conduire de façon malséante» ou «tenir des propos scabreux» ni celui de «pécher contre la bienséance et les convenances après avoir trop bu». En parlant des personnes et des choses, **se déplacer** n'a d'autres significations que celles de «changer de place» et «voyager». On commet des fautes en disant, par exemple, *tu t'es* [DÉPLACÉ] *hier soir* au lieu de *tu t'es mal conduit hier soir* et *notre ami* [S'EST DÉPLACÉ] *hier soir* au lieu de, simplement, *notre ami a trop bu hier soir*.

Voir **DÉRANGER (SE...)**.

DÉPLIANT — *Voir* **PAMPHLET — PAMPHLÉTAIRE**.

DÉPOSER — Le verbe **déposer** s'emploie absolument dans les seuls sens suivants: «faire une déposition en justice, rendre témoignage en justice»: *ce témoin cité par l'accusation a déposé sans s'en rendre compte en faveur de* (*voir cette expression*) *l'accusé*, et, en parlant des liquides, «laisser les parties solides aller au fond où elles forment un dépôt»: *ce vinaigre dépose*. Intransitif, **déposer** ne signifie pas «effectuer un dépôt d'argent». On commet un solécisme quand on dit *je* [DÉPOSE] *chaque semaine à mon compte d'épargne* au lieu de *je dépose une somme chaque semaine à mon compte d'épargne* ou *j'effectue un dépôt à mon compte d'épargne chaque semaine*. Un patron ne doit pas dire à son comptable *n'oubliez pas d'aller* [DÉPOSER] *à la banque cet après-midi*, mais *n'oubliez pas d'effectuer un dépôt à la banque cet après-midi* (*voir* **MATIN — MATINÉE**).

Voir **ENREGISTREMENT — ENREGISTRER**.

DÉPOSITAIRE — *Voir* **VENDEUR**.

DÉPÔT — Se garder de prêter au mot **dépôt** les sens d'«acompte», de «caution», de «gage» que possède le terme anglais **deposit**. Un «paiement partiel à valoir sur une dette» est un **acompte** (*voir ce mot*), que ce soit le premier paiement partiel ou un autre. Il ne faut pas dire *on n'a exigé qu'un* [DÉPÔT] *de cinquante dollars pour me livrer ce réfrigérateur*, mais *on n'a exigé qu'un acompte de cinquante dollars...*

Un bien, somme d'argent ou objet, laissé à la garde de quelqu'un est un simple **dépôt** si la personne qui dépose ce bien en conserve la propriété et le droit d'en disposer (*voir ce mot*). La somme que la loi oblige les candidats aux élections législatives à déposer au moment de l'inscription de leur candidature ne reste pas leur propriété. Elle le redeviendra et ils pourront en disposer de nouveau seulement s'ils obtiennent le pourcentage des suffrages exprimés que la loi considère comme nécessaire pour établir le sérieux d'une candidature et justifier les frais de la campagne électorale payés par la société. Cette somme d'argent est une **caution**. De nos jours, **caution** et **cautionnement** sont des synonymes quasi parfaits pour désigner une somme versée à titre de garantie. Il ne faut pas dire *plus du tiers des candidats ont perdu leur* [DÉPÔT], mais *plus du tiers des candidats ont perdu leur caution* ou *cautionnement.*

Une somme déposée entre les mains d'un marchand à titre de garantie assurant qu'on achètera dans un délai fixé un certain article afin qu'il n'offre pas celui-ci en vente à d'autres clients est un **gage**. Le mot pluriel **arrhes** désigne proprement cette sorte de **gage** qui garantit l'exécution d'un contrat. Un marchand (*voir* **VENDEUR**) ne doit pas dire *n'importe quel article sera retenu contre un petit* [DÉPÔT], mais *n'importe quel article sera retenu contre un gage minime*, même si, par la suite, ce **gage** doit devenir un **acompte**.

Trois anglicismes à éviter.

DÉPUTATION — Le mot **députation** a les sens de «qualité de député»: *ce financier puissant qui a représenté un comté de Montréal à l'Assemblée nationale pendant huit années a toujours considéré la députation comme le plus grand des honneurs* et de «fonction de député»: *la députation comporte moins de privilèges que de responsabilités.* **Députation** désigne aussi collectivement les «députés envoyés par les citoyens d'une division administrative pour les représenter à une assemblée législative»: *telle région de la Nouvelle-Écosse élit deux députés; ceux-ci forment la députation de cette région.*

Par extension de sens, on peut parler de la *députation* de chacun des États (*voir* **PROVINCE**) du Canada à la Chambre des communes d'Ottawa: *il arrive rarement que la députation du Québec fasse front commun à Ottawa.*

Une **députation**, au sens de «personnes déléguées», remplit toujours une mission particulière en faveur d'une communauté de personnes près d'une autre ou près d'autres communautés de personnes. Aussi est-il fautif d'appeler **députation** l'ensemble des députés d'une assemblée législative, c'est-à-dire l'ensemble des **députations** (un seul ou plusieurs députés) de tous les comtés.

L'ensemble des députés se désigne par le nom de l'assemblée à laquelle ils siègent: *la Chambre des communes* (ou *les Communes*) à Londres et à Ottawa, *la Chambre des représentants* à Washington, *l'Assemblée nationale* à Québec, etc. On dira encore, selon les cas, *la représentation fédérale, tous les députés de l'Assemblée nationale, les représentants du peuple*, etc.

Dire, par exemple, *la* [DÉPUTATION] *fédérale* au lieu de *la Chambre des communes a adopté à l'unanimité la proposition du ministre de la Justice*, c'est commettre un anglicisme: le mot anglais **deputation**, lui, a le sens d'«ensemble des députés d'un pays».

DÉRANGEMENT — Dans le vocabulaire de la télécommunication, **dérangement** est le terme à employer pour dire «dérèglement accidentel qui empêche l'intercommunication entre des postes (*voir* **LOCAL** *et* **STATION**)»: *ligne téléphonique en dérangement.* Dire *ligne téléphonique en* [MAUVAIS ORDRE], c'est commettre un anglicisme. **Panne** correspond à **dérangement** quand on parle d'un «arrêt de fonctionnement fortuit d'une machine»: *panne de moteur, panne d'automobile, panne d'ascenseur, tracteur en panne*, etc. Dans le vocabulaire de l'énergie, des combustibles et des carburants, **panne** signifie «manque accidentel d'alimentation»: *panne de courant, panne d'essence* (*voir* **GAZOLINE**), *panne de gaz*, etc.

Voir **ORDONNER — ORDRE.**

DÉRANGER (SE...) — Le français se sert depuis plusieurs siècles du verbe pronominal **se déranger** pour exprimer les deux actions de «se troubler» en parlant de la raison : *l'esprit de cette jeune femme s'est dérangé après l'accident qui a causé la mort de son fiancé* et de «tomber dans le désordre moral jusqu'au point de se détourner de son devoir»: *son mari a commencé à se déranger et elle est bien maheureuse.*

Au Canada, on prête couramment à **se déranger** le sens de «se mettre dans un état d'ivresse plus ou moins grave»: *il prend un verre avec ses amis, mais il ne* [SE DÉRANGE] *jamais.* Des auteurs attribuent à cet emploi abusif du verbe une origine dialectale (Bas-Maine et Bretagne). Ce renseignement donné sous toute réserve faute de vérification, il reste, quoi qu'il en soit, qu'il est aussi incorrect de dire *se déranger* que *se déplacer* (*voir ce mot*) au lieu de **s'enivrer.** Il ne faut pas dire *je n'ai jamais vu notre ami* [SE DÉRANGER] *autant qu'hier soir,* mais *je n'ai jamais vu notre ami s'enivrer* ou *boire autant qu'hier soir.*

DERNIER — *Voir* **FINAL.**

DÉSASTRE — *Voir* **ASSURANCE.**

DESCENDRE — *Voir* **EMBARQUER.**

DE SERVICE — *Voir* **DEVOIR.**

DÉSHABILLAGE — *Voir* **HABILLAGE — HABILLEMENT — HABILLER — HABIT.**

DÉSHONNEUR — DÉSHONORANT — *Voir* **DISGRÂCE — DISGRACIEUX.**

DÉSIGNATION — DÉSIGNER — *Voir* **ASSIGNATION — ASSIGNER, IMPLIQUER** *et* **NOMINATION.**

DESSERVANT — DESSERVIR — En termes d'Église, **desservir** signifie «aller remplir les fonctions sacerdotales là où il n'y a pas de personnel ecclésiastique». Un vicaire, par exemple, qui s'acquitte périodiquement du service sacerdotal dans une région éloignée d'une paroisse rurale très étendue est un **desservant.**

Le **desservant** se distingue du **chapelain** (*voir ce mot*) en ce qu'il assure un service public tandis que le second dit la messe dans une chapelle particulière: *certains missionnaires desservent des territoires situés à de très grandes distances les uns des autres.*

Hors du langage ecclésiastique, le mot **desservir**, au sens d'«assurer un service», ne se dit que des entreprises de service public: *la région est desservie par un chemin de fer, par une ligne aérienne, par Hydro-Québec et par une entreprise de gaz naturel.*

Desservir et **servir** se disent en anglais par le même mot **to serve** et c'est un anglicisme subtil que d'étendre la portée de **desservir** à toute l'activité économique : *notre ville est maintenant* [DESSERVIE] *par un grand centre commercial* au lieu d'*il y a maintenant un grand centre commercial dans notre ville* ou encore *toute la banlieue est maintenant* [DESSERVIE] *par le service de livraison de notre magasin* au lieu de *notre service de livraison s'étend maintenant à toute la banlieue* (*voir ce mot*).

Desservir signifie aussi **débarrasser**. On trouve, depuis quelque temps, le mot **desserveur** pour désigner l'aide-serveur de restaurant qui dessert ou débarrasse les tables (*voir* **GARÇON**).

DESSIN HUMORISTIQUE — *Voir* **COMIQUE**.

DESSINS ANIMÉS — *Voir* **COMIQUE**.

DE SUITE — *Voir* **CONSÉCUTIF**.

DÉTAIL — D'où vient l'expression [DE DÉTAIL] employée couramment au Canada pour désigner des matchs (*voir* **JOUTE**) éliminatoires pour la conquête d'un trophée ? Ni de près ni de loin les divers sens du mot **détail** ne se prêtent à la formation d'une locution qui pourrait avoir cette signification. Il ne s'agit ici ni de commerce de marchandises vendues aux consommateurs par petites quantités : *commerce de détail*, ni d'un ensemble déterminé par l'énumération de ses parties : *établir le détail d'un compte*, ni d'importance excessive accordée aux petits éléments d'un tout : *se perdre dans le détail* (PAUL ROBERT, *DICTIONNAIRE DE LA LANGUE FRANÇAISE*), ni d'un service militaire s'occupant du matériel et de l'administration d'une unité, ni d'une partie d'un fait, d'une œuvre : *détail dont il importe de tenir compte*.

Quelqu'un a émis l'hypothèse suivante qui fait un curieux anglicisme de l'expression [DE DÉTAIL] au sens d'**éliminatoire**. Dans le vocabulaire des sports, le verbe anglais **to tie** signifie « être à égalité avec ». D'autre part, le préfixe anglais **de**, comme le préfixe français *dé*, a le sens de « rupture, renversement, division, opposition, négation ». Ainsi, le verbe anglais **to decamp** veut dire « lever le camp », comme le verbe français *décharger* veut dire « ôter la charge ». [DE DÉTAIL] viendrait d'un calque phonétique de **de-tie**, c'est-à-dire « destiné à rompre l'égalité » entre des équipes ayant également droit d'aller à la conquête du trophée. Cette explication est sûrement admissible. Elle est probablement fondée. Quoi qu'il en soit de son origine, l'expression est évidemment fautive. Il ne faut pas dire [DE DÉTAIL] quand on veut dire **éliminatoire**.

DÉTAILLANT — *Voir* **MAIN (DE SECONDE...)**, **REGRATTIER** *et* **VENDEUR**.

DÉTAILLÉ — *Voir* **ÉLABORER**.

DÉTENTEUR — Le verbe **détenir** signifie « garder en sa possession » : *détenir des objets en gage*. Il a aussi le sens abstrait de « posséder » : *détenir un record, détenir des confidences*. On ne peut employer les mots **détenir** et **détenteur** quand il s'agit d'un droit déterminé par l'État. Celui qui bénéficie d'un droit de cette sorte en est un **titulaire**. Il ne faut pas dire *les* [DÉTENTEURS] *de licences* (*voir ce mot*) *pour la vente au détail des alcools*, mais *les titulaires de licences*. Il faut dire de même *les titulaires du permis de conduire*, non *les* [DÉTENTEURS].

DÉTERGENT — DÉTERSIF — *Voir* **NETTOYEUR — NETTOYEUSE.**

DÉTÉRIORER — *Voir* «**MAGANER**».

DÉTOUR — Dans la langue des piétons et des automobilistes, faire un ou des **détours**, c'est «s'écarter (une ou plusieurs fois) du chemin le plus direct possible vers sa destination»: *j'arrive avec un peu de retard, mais j'ai dû faire plusieurs détours pour acheter ces provisions.* En principe, c'est délibérément qu'on fait un **détour**. Autrement, on l'indique: *la circulation a été déviée et nous avons dû faire un détour par la ville voisine.*

Quand, à la ville ou à la campagne, les autorités dévient la circulation, généralement à cause de travaux publics ou de sinistres, pour qu'elle les contourne, le nouveau trajet ou chemin à suivre n'est pas un [DÉTOUR]. C'est une **déviation**: *on n'y peut rien, mais certaines déviations retardent les automobilistes.*

DÉTRAQUÉ — *Voir* **CAS.**

DEUX — *Voir* **COUPLE.**

DÉVALORISER — *Voir* **APPRÉCIER.**

DÉVELOPPEMENT — Proprement, le substantif **développement** n'a que deux significations générales. En premier lieu, en parlant d'une chose ou d'un ensemble de faits, il exprime les idées de «déroulement» et de «déploiement»: *le développement d'un tapis, le développement d'une intrigue* et *le développement d'un corps d'armée.* Deuxièmement, il exprime les idées d'«accroissement», d'«agrandissement», d'«amplification», de «croissance», d'«extension»: *le développement du commerce extérieur du pays, le développement des installations portuaires de la ville, le développement d'une pensée dans un discours, les exercices de gymnastique favorisent le développement physique des adolescents (voir ce mot)* et *le développement des affaires d'une entreprise.* Notons l'emploi relativement récent de **développement** dans *pays en voie de développement.*

Le mot anglais **development**, formé à partir de l'ancien français **voloper**, qui signifiait «envelopper», a plusieurs autres significations et ce sont des anglicismes que l'on commet quand on prête à **développement** le sens de «fait, événement, incident», de «lotissement», d'«ensemble résidentiel (*voir* **DOMICILE — DOMICILIAIRE**)», de «compagnie, société» en parlant d'entreprises qui exploitent des terrains lotis et d'«exploitation, mise en valeur» en parlant d'une région ou des ressources d'une région, d'un pays.

Il ne faut pas dire *il s'est produit aujourd'hui un* [DÉVELOPPEMENT] *sensationnel dans cette affaire*, mais *il s'est produit aujourd'hui un fait* ou *un incident sensationnel*; il ne faut pas dire *deux nouveaux* [DÉVELOPPEMENTS] *ont changé la tournure de la campagne électorale*, mais *deux faits nouveaux* ou *deux événements ont changé la tournure de la campagne électorale.*

La «division d'un terrain en parcelles en vue de la construction d'habitations» est le **lotissement** du terrain et le même mot désigne le «terrain loti». Il ne faut pas dire *le* [DÉVELOPPEMENT] *des terrains situés à l'extrémité ouest de la ville a été la principale question discutée à la dernière séance du conseil municipal*, mais *le lotissement des terrains*. Les maisons d'habitation semblables ou assorties, vendues ou louées, construites sur un terrain loti en vue d'une exploitation particulière forment un **ensemble résidentiel**. On dit aussi **ensemble locatif** quand il s'agit d'un ensemble d'immeubles divisés en appartements *(voir ce mot)* à louer.

Il ne faut pas dire *les appartements de ce nouveau* [DÉVELOPPEMENT] *sont pourvus de toutes les commodités (voir ce mot) de la vie moderne*, mais *les appartements de ce nouvel ensemble résidentiel* ou *ensemble locatif sont pourvus*... Une entreprise qui exploite un **lotissement** est une **compagnie** ou une **société** *(voir* **CORPORATION**). Il ne faut pas dire *ce* [DÉVELOPPEMENT] *loue ses appartements à des prix raisonnables*, mais *la compagnie* ou *la société qui exploite* (*voir* **OPÉRATION — OPÉRATEUR — OPÉRER**) *ce lotissement* ou, plus simplement, *les propriétaires de ce lotissement louent les appartements à des prix raisonnables*. Enfin, il ne faut pas dire *le gouvernement consacrera des millions de dollars au* [DÉVELOPPEMENT] *de cette région,* mais *le gouvernement consacrera des millions de dollars à la mise en valeur de cette région*. Au lieu de *le* [DÉVELOPPEMENT] *des ressources de cette région est assuré par la présence de trois grandes entreprises*, il faut dire *l'exploitation des ressources de cette région est assurée*.

Voir **DÉVELOPPER**.

DÉVELOPPER — Le verbe **développer** exprime l'action d'«enlever l'enveloppe dans laquelle se trouve un objet» et, par suite, celle de «déplier, étendre, déployer une chose qui était enveloppée, roulée ou pliée»: *développer un paquet, développer un tapis roulé* et *développer ses ailes, ses jambes*. Il signifie aussi «donner de la force, de l'ampleur, faire croître», au propre et au figuré: *les exercices au grand air développent les poumons, développer ses connaissances* et *développer un commerce*. Troisièmement, il a le sens d'«exposer en détail, traiter avec abondance»: *développer un argument, développer un thème musical* et, par suite, celui de «montrer en mettant largement en œuvre»: *il a développé une somme considérable d'énergie dans cette affaire*, mais il est rarement usité dans cette dernière acception. Sauf en mathématiques, en photographie et dans un ou deux autres vocabulaires techniques, où il s'entend de façon tout à fait particulière, on ne peut faire dire autre chose que cela à **développer**.

Le verbe anglais **to develop** a bien d'autres acceptions dans le langage général. Il a les divers sens de «mettre en valeur, exploiter» en parlant d'une région, d'un pays et de ses ressources, de «produire, engendrer» en parlant d'une action chimique ou mécanique, de «contracter» en parlant d'une habitude, de «contracter, devenir victime de» en parlant d'une maladie ou d'un état psychologique morbide, de «manifester» en parlant d'un talent, de dispositions, de «créer, mettre au point» en parlant de produits industriels, et il faut se garder d'employer **développer** au lieu de ces verbes ou locutions verbales.

On commet un anglicisme quand on dit, par exemple, *l'humidité* [DÉVELOPPE] *des maladies* au lieu de *l'humidité engendre des maladies*.

C'est surtout aux sens de «contracter», de «manifester» et de «mettre au point» du verbe anglais **to develop** qu'on commet le plus souvent l'erreur de dire *développer* au Canada. Il ne faut pas dire *depuis six mois, il* [DÉVELOPPE] *un complexe d'infériorité*, mais *il devient victime d'un complexe d'infériorité*. Il ne faut pas dire *il a* [DÉVELOPPÉ] *cette maladie pendant ses vacances*, mais *il a contracté cette maladie*. Il ne faut pas dire *cet élève a* [DÉVELOPPÉ] *un talent remarquable pour la peinture depuis un an*, mais *cet élève a manifesté un talent remarquable*. Il ne faut pas dire *notre entreprise a* [DÉVELOPPÉ] *de nombreux produits*, mais *notre entreprise a mis au point* ou *a créé de nombreux produits*.

L'emploi fautif du verbe **développer** pour dire «mettre au point, créer» explique qu'on se serve quelquefois tout aussi abusivement du substantif **développement** (*voir ce mot*) au sens de «mise au point». Il ne faut pas dire *c'est ce laboratoire qui s'occupe du* [DÉVELOPPEMENT] *de nos nouveaux produits*, mais *c'est ce laboratoire qui s'occupe de la mise au point* ou *de la création de nos nouveaux produits*.

DÉVERSOIR — *Voir* **DÉCHARGE**.

DÉVIATION — *Voir* **DÉTOUR**.

DEVIS — *Voir* **ESTIMATION — ESTIMER**.

DEVOIR — Parmi les divers sens du substantif **devoir**, il y a celui de «chose que l'on doit faire, à quoi l'on est obligé»: *chacun doit assumer les devoirs que sa responsabilité lui impose* et *un bon fonctionnaire accomplit consciencieusement son devoir*, mais il faut prendre garde de ne pas confondre les **devoirs** avec la charge, la fonction, le poste, la responsabilité, le rôle ou le travail qui les crée. Il ne faut pas dire *après une maladie de plusieurs mois, le chef du service est de retour à ses* [DEVOIRS], mais *est de retour à son poste*. Cette faute, qui était courante au Canada au XIXe siècle, y est de moins en moins commise. C'était un anglicisme: le mot anglais **duty** désigne, au singulier et au pluriel, la fonction, la charge, le service, le travail, en même temps que le **devoir** ou les **devoirs** qui en résultent.

Cette confusion entre les **devoirs** du service, de la fonction, et le service, la fonction elle-même a, cependant, facilité l'implantation d'un autre anglicisme, vivace celui-là, qui consiste à traduire littéralement la locution **on duty** par [EN DEVOIR]. Les mots **en** et **devoir** se suivent dans la locution française *se mettre en devoir de*, qui signifie «se préparer à» et «commencer à»: *se mettre en devoir de remplir les devoirs de sa nouvelle charge*. Cette tournure est la seule où les mots **en** et **devoir** peuvent se joindre pour exprimer quelque chose d'intelligible, et encore faut-il qu'ils soient immédiatement suivis de la préposition *de*. La locution **on duty** veut dire «en train de s'acquitter des devoirs de sa fonction, de son emploi» et les phrases **to be on duty** et **to go on duty** signifient «être en train de s'acquitter des devoirs de sa fonction» et «commencer à s'acquitter des devoirs de sa fonction». On dit en français **en service** et **de service**, **être en service**, **être de service** et **prendre son service**.

En service signifie, de façon générale, «en train de s'acquitter des devoirs de sa charge»: *les agents du service de la circulation doivent porter l'uniforme* (*voir* **COSTUME**) *quand ils sont en service*.

La locution **de service** signifie «en train de s'acquitter des devoirs de sa charge à partir d'une certaine heure jusqu'à une certaine heure, tel ou tel jour»: *cet agent de police sera de service du lundi au jeudi de telle heure à telle heure* et *si tu viens au bureau avant quatre heures, je serai encore de service.*

Être en service, c'est «être en train de s'acquitter des devoirs de sa charge» c'est-à-dire «faire sa journée de travail» ou, en parlant d'une chose, être en fonctionnement: *ce moteur est en service depuis un an.*

Prendre son service, c'est «commencer à s'acquitter des devoirs de sa charge tel jour, à telle heure»: *je prends mon service à cinq heures ce soir.*

Il ne faut pas dire *j'étais* [EN DEVOIR] *au volant du camion quand l'accident est arrivé*, non plus que *je serai* [EN DEVOIR] *jusqu'à sept heures*, non plus que *j'entre* [EN DEVOIR] *à neuf heures demain matin* au lieu de *j'étais en service au volant du camion, je serai de service jusqu'à sept heures* et *je prends mon service à neuf heures.*

DIALOGUER — *Voir* **ÉCHANGER**.

DIAPOSITIVE — *Voir* **CAMÉRA — CAMÉRAMAN**.

DIFFAMATION — DIFFAMATOIRE — *Voir* **LIBELLE — LIBELLISTE**.

DIFFÉRENCE — *Voir* **BALANCE**.

DIFFÉRENT — L'adjectif **différent** signifie «autre», sans nuance méliorative ou péjorative. On dit également *si les circonstances étaient différentes, je vous croirais sur parole* et *si les circonstances étaient différentes, je ne vous croirais pas sur parole.*

L'adjectif anglais **different** s'emploie, sans point de comparaison, pour dire ce qu'expriment en français les termes **caractéristique**, **exceptionnel**, **original**, **supérieur** et **unique**. C'est commettre des anglicismes que de prêter ces acceptions à **différent**. Il ne faut pas dire *certaines régions ont des architectures nettement* [DIFFÉRENTES], quand ce n'est pas le fait que ces architectures ne se ressemblent pas qu'on veut marquer, mais le caractère particulier de chacune d'elles, au lieu de *certaines régions ont une architecture caractéristique.* Il ne faut pas dire *je viens de lire un roman* [DIFFÉRENT] au lieu de *je viens de lire un roman exceptionnel.* Il ne faut pas dire *cette femme est vraiment* [DIFFÉRENTE] au lieu de *cette femme a vraiment de l'originalité* ou *est vraiment originale.* Il ne faut pas dire *voilà un produit* [DIFFÉRENT] quand on veut dire *voilà un produit supérieur.* Il ne faut pas dire *vous constaterez que cette cigarette est* [DIFFÉRENTE] au lieu de *vous constaterez que cette cigarette est unique* ou *supérieure.*

DIFFICILE — *Voir* **PARTICULIER**.

DIFFICULTÉ — *Voir* **MISÈRE** *et* **TROUBLE**.

DIFFUSION — *Voir* **RADIO-TÉLÉ**.

DIGESTIF — *Voir* **CONSOMMATION**.

DIGUE — *Voir* **DAME** (du néerlandais **dam**).

DÎNER — *Voir* **DÉJEUNER** *et* **SALLE À MANGER.**

DÎNETTE — Ce mot désigne un «petit repas, vrai ou simulé, que font des enfants ensemble ou avec leurs poupées, pour s'amuser»: *jouer à la dînette* et, par extension, «petit service de table ou petit service à café, généralement en plastique, qui sert de jouet»: *j'ai acheté pour ma petite-fille* (*voir* **GARÇON**) *qui aura six ans demain une dînette en véritable porcelaine comme cadeau d'anniversaire* (*voir* **FÊTE**). Par extension aussi, **dînette** désigne encore un «petit repas très intime, généralement composé d'amuse-gueule (*voir ce mot*) ou de friandises et de gâteaux, que l'on prend sans cérémonie»: *elles n'ont pas voulu rentrer pour le goûter et on leur a apporté la dînette sous les arbres.*

Les anglophones de l'Amérique du Nord ont emprunté le mot au français pour lui faire dire «petit espace pour manger dans une maison» et c'est un anglicisme que l'on commet quand on dit, par exemple, *il y a une* [DÎNETTE] *dans la cuisine* au lieu d'*il y a un coin-repas dans la cuisine* ou *il y a une* [DÎNETTE] *entre la salle de séjour* (*voir* **VIVOIR**) *et la cuisine* au lieu d'*il y a un coin-repas entre la salle de séjour et la cuisine.*

DIPLÔMÉ — DIPLÔME — *Voir* **DEGRÉ.**

DIRECT — DIRECTEMENT — Se garder d'employer l'adjectif **direct** adverbialement, comme on peut se servir de cette façon de l'adjectif **droit**, au lieu de **directement**, pour dire «en ligne droite». Adverbe, **droit** est synonyme de **directement**, non de *direct*. Il ne faut pas dire *cette route conduit* [DIRECT] *à l'hôpital,* mais *cette route conduit droit à l'hôpital* ou *directement à l'hôpital.* Dire *direct* au lieu de **droit**, **tout droit** ou **directement**, c'est commettre un anglicisme: l'adjectif anglais **direct** est aussi un adverbe.

Voir **D'APLOMB.**

DIRECTEUR — L'anglais nomme **director** un «membre d'un conseil d'administration». C'est commettre un anglicisme que de prêter cette acception au substantif **directeur**. Chacun des actionnaires désignés, par élection ou par nomination, pour faire partie du conseil chargé de la gestion des biens et des affaires d'une société par actions est un **administrateur**. Il ne faut pas dire *j'ai lu dans les journaux que notre ami Jules est maintenant l'un des* [DIRECTEURS] *de l'entreprise où il a commencé à travailler* (*voir* **EMPLOI — EMPLOYÉ — EMPLOYER**) *comme simple comptable* quand on veut dire *j'ai lu dans les journaux que notre ami Jules est maintenant membre du conseil d'administration* ou *l'un des administrateurs de l'entreprise.*

Voir **EXÉCUTIF** *et* **GÉRANT.**

DIRECTION — DIRIGER — *Voir* **CONTRÔLE — CONTRÔLER** *et* **OPÉRATEUR — OPÉRATION — OPÉRER** *et* **RÉFÉRER.**

DIRIGISME — *Voir* **AUSTÉRITÉ.**

DISCONTINUER — Ce verbe, qui ne s'emploie plus guère que comme transitif (on continue, cependant, de dire absolument *sans discontinuer*), signifie «interrompre» et «cesser» en parlant d'actions: *discontinuer un travail, disconti-*

nuer d'aller rendre visite à quelqu'un ou de choses considérées sous un aspect de mouvement, d'action: *la neige n'a pas discontinué de tomber depuis deux jours* et *je n'ai pas l'intention de discontinuer mes visites à ce malade.* On ne peut se servir de **discontinuer** en parlant d'objets matériels considérés comme tels. Il ne faut pas dire *notre entreprise a décidé de* [DISCONTINUER] *ses primes à la fin d'août*, mais *notre entreprise a décidé de ne plus donner de primes après le mois d'août.* Il ne faut pas dire qu'*une société de chemins de fer* [DISCONTINUE] *un train*, mais qu'*une société de chemins de fer supprime un train* (*voir* **ANNULER**).

DISCRET — *Voir* **CONSERVATEUR.**

DISCRÉTIONNAIRE — *Voir* **STATUT — STATUTAIRE.**

DISCULPER — *Voir* **CLAIR.**

DISCUSSION — *Voir* **ARGUMENT.**

DISCUTABLE — Se garder d'employer le mot anglais **questionable** prononcé ou écrit à la française au lieu de **discutable** et d'**incertain**. Il ne faut pas dire *viendra-t-il demain? C'est* [QUESTIONNABLE], mais *viendra-t-il demain? C'est incertain.* Il ne faut pas dire *cet argument*(*voir ce mot*) *est pour le moins* [QUESTIONNABLE], mais *cet argument est pour le moins discutable.*

Voir **QUESTION.**

DISGRÂCE — DISGRÂCIEUX — «Action de retirer sa confiance, sa faveur, son appui» en parlant d'une personne dont le rôle social est important: *s'attirer la disgrâce d'un protecteur* et, par extension, «état d'une personne qui a perdu la confiance, la faveur, l'appui d'une personne dont le rôle social est important»: *tomber en disgrâce* sont les seules acceptions courantes du mot **disgrâce** en français contemporain. **Disgrâce** a eu au XVIIe siècle les sens de «malheur, infortune, échec», mais jamais ceux de «déshonneur, honte, opprobre, turpitude», que les Anglais ont donnés à leur mot **disgrace**. On commet un anglicisme quand on dit, par exemple (*voir cette expression*), *la conduite de ce jeune homme est une* [DISGRÂCE] *pour sa famille* au lieu de *la conduite de ce jeune homme est la honte* ou *fait la honte de sa famille.* Il ne faut pas s'écrier en apprenant qu'un ami se dérange (*voir ce mot*) *quelle* [DISGRÂCE]*!* mais *quelle honte!* ou *quel déshonneur!*

Se garder aussi de prêter à l'adjectif **disgracieux** le sens de «déshonorant» et de «scandaleux» que possède l'adjectif anglais **disgraceful**. Il ne faut pas dire *la conduite de cet homme est* [DISGRACIEUSE] quand on veut dire *la conduite de cet homme est déshonorante* ou *scandaleuse.* L'adjectif **disgracieux** n'a pas d'autre signification de nos jours que celle de «qui manque de grâce, de charme».

Bref, ne pas employer le mot **disgrâce** au lieu de **déshonneur** ou **honte**, non plus que **disgracieux** au lieu de **déshonorant** ou **scandaleux**.

DISPENDIEUX — Il n'y a de **synonymes** parfaits qu'aux moments, dans la vie des mots, où l'un d'eux, soutenu par un ancien ou un nouvel usage, est à la veille d'en supplanter un autre pour désigner un même objet.

> Durant un espace de temps qui peut être très court ou assez long, les deux vocables ont exactement une même signification. Ce fut récemment le cas, par exemple, des expressions *dactylotype, dactylographe* et *machine à écrire* (*voir* **DACTYLOGRAPHE**), qui, pendant quelques années, furent usitées selon le goût de chacun pour nommer ce qui ne s'appelle plus aujourd'hui que **machine à écrire**. Et c'est encore le cas de **pastèque** et **melon d'eau**, qui désignent le même fruit.
>
> De façon générale, **synonyme** se dit de mots qui représentent des choses offrant une certaine similarité: *distraction* et *inadvertance, hardi* et *entreprenant, épée* et *glaive*, etc., mais, pour s'exprimer correctement, il faut prendre garde, de façon générale, que les **synonymes** ont chacun une signification particulière et qu'on peut rarement les employer l'un pour l'autre.

Les dictionnaires présentent les adjectifs **dispendieux**, **cher**, **coûteux** et **onéreux** comme des **synonymes**. Ils ne le sont que parce qu'ils expriment tous la même idée de «déboursé fait ou à faire», mais ce n'est là qu'une partie du sens de chacun et ils ne s'entendent pas de la même façon. Voici un exemple: *la même voiture, pas plus chère pour l'un que pour l'autre, sera beaucoup plus dispendieuse pour Jean que pour Jacques, parce que Jean ne saura jamais résister à la tentation d'une promenade avec des amis et parce qu'il ne prend pas soin comme Jacques de ce qui lui appartient.* Il y a une différence entre **cher** et **dispendieux**.

Cher signifie «d'un prix élevé». Dans l'exemple ci-dessus, *pas plus chère pour l'un que pour l'autre* veut dire que le prix de la voiture ne sera pas plus élevé pour l'un que pour l'autre.

Dispendieux signifie «qui occasionne ou entraîne des dépenses». *La même voiture sera plus dispendieuse pour Jean que pour Jacques*, cela veut dire que le fait d'acheter cette voiture occasionnera pour Jean plus de dépenses que pour Jacques. Il ne faut pas dire *à cent cinquante dollars, ce manteau est* [DISPENDIEUX], mais *ce manteau est cher.* On peut dire cependant *ce manteau pâle sera dispendieux, parce qu'il faudra le faire nettoyer* (*voir* **TEINTURERIE —TEINTURIER**) *souvent.*

Dispendieux se dit donc de choses qui occasionnent des dépenses, tandis que **coûteux** se dit de choses qui nécessitent des dépenses considérables: *une expédition coûteuse, j'ai fait l'an dernier en Europe un voyage coûteux, pour cent personnes, ce sera une réception coûteuse.* **Coûteux** a aussi le sens de «qui est d'un prix très élevé» et, dans cette acception, il serait un **synonyme** parfait de **cher**, mais il ne se dit que de choses considérables: *les aliments sont de plus en plus chers* et *les voitures sont de plus en plus coûteuses* ou *chères.*

Onéreux signifie «qui occasionne ou nécessite trop de dépenses»: *voilà une entreprise onéreuse pour un homme sans fortune.* Terme de finance, **onéreux** veut dire «qui entraîne beaucoup de frais»: *la gestion de cette succession serait trop onéreuse.*

DISPONIBLE — Cet adjectif se dit de choses qu'on peut utiliser: *mon appartement sera disponible pendant mes vacances* et *toutes dépenses prévues, il reste une* *somme disponible de deux mille dollars*, non de choses qu'on peut acquérir. En Amérique du Nord, la publicité à donné à l'adjectif anglais **available**, qui traduit **disponible**, le sens d'«en vente» et l'on doit se garder de prêter cette signification au terme français. Il ne faut pas dire *cet article est maintenant* [DISPONIBLE] *dans tous les grands magasins*, mais *cet article est maintenant en vente dans tous les grands magasins.*

DISPOSER — Suivi de la préposition *de*, le verbe **disposer**, ainsi employé comme transitif indirect, signifie «pouvoir faire ce que l'on veut de», que ce soit parce qu'on possède quelque chose ou seulement parce qu'on en a l'usage, ou, en parlant d'une personne, parce qu'on est assuré de son dévouement ou de son obéissance: *cet écrivain dispose d'une documentation considérable, l'entreprise dispose de moyens suffisants* (*voir* **ADÉQUAT**) et *le chef de ce service disposera d'un personnel nombreux.* En termes de droit, **disposer de** a le sens de «faire ce que l'on veut de»: *voici comment je disposerai de mes biens immobiliers par testament.*

Outre ces acceptions, le verbe anglais **to dispose** suivi de la préposition **of** traduit **se débarrasser de**, **se défaire de**, **répondre à** en parlant d'une question, d'une opposition, d'une résistance, **expédier** en parlant d'un repas, d'un travail, de quelqu'un, et **régler le sort de** en parlant de quelqu'un, d'une affaire. Ce sont des anglicismes que l'on commet quand on dit, par exemple, *vous feriez bien de* [DISPOSER DE] *ces vieilleries* au lieu de *vous feriez bien de vous débarrasser* ou *de vous défaire de ces vieilleries*, ou *il ne m'a fallu que quelques minutes d'explications pour* [DISPOSER DES] *objections que l'on faisait* au lieu de *pour répondre aux objections*, ou *il a* [DISPOSÉ DE] *son dîner en moins de temps qu'il n'en faut pour le dire tant il était pressé de partir* au lieu d'*il a expédié son dîner*, ou encore *le champion a* [DISPOSÉ DE] *son adversaire dès la fin du premier round* au lieu de *le champion a réglé le sort de son adversaire.*

DISQUAIRE — Un marchand de **disques** phonographiques est un **disquaire**. *Voir* **PHONOGRAPHE**.

DISQUALIFICATION — DISQUALIFIER — L'anglais a emprunté au français le mot **qualifier** pour en faire son verbe **to qualify**, dont **to disqualify** et **disqualification** sont des dérivés. À son tour, à la fin du XVIIIe siècle, le français a pris ces deux derniers termes à l'anglais pour former **disqualifier** et **disqualification**, afin d'enrichir son vocabulaire des sports.

Disqualification signifie «action d'exclure d'une compétition pour infraction au règlement» en parlant d'un athlète: *un bon arbitre n'hésite pas à prononcer la disqualification d'un concurrent* (*voir* **COMPÉTITEUR — COMPÉTITION**) *qui ne respecte pas les règles d'une épreuve*, ainsi que le résultat de cette action: *ce boxeur a mérité sa disqualification*, et «action d'exclure d'une course» en parlant d'un cheval qui ne répond pas aux conditions exigées pour l'épreuve.

Le verbe **disqualifier** exprime ces actions d'exclure d'un concours ou d'une course. Partant de là, il a acquis le sens figuré de «rendre indigne de l'autorité, des fonctions qu'on exerce» et l'on dit correctement *ce haut fonctionnaire s'est* *disqualifié par de graves erreurs de jugement* ou *l'indiscrétion commise par ce diplomate l'a disqualifié.*

Telles sont les seules significations de **disqualification** et de **disqualifier**.

En plus d'appartenir au vocabulaire des sports, les termes anglais **to disqualify** et **disqualification** ont des acceptions juridiques. Ils signifient «frapper d'incapacité, rendre inhabile à» et «incapacité». Il faut se garder de prêter sous l'influence de l'anglais des sens approchants à **disqualifier** et **disqualification**. Quand un jugement rendu sur une action en contestation annule l'élection d'un député, il ne faut pas dire de celui-ci *il a été* [DISQUALIFIÉ], mais *il a été invalidé* (*voir* **ANNULER**). Quand l'élection d'un conseiller municipal (*voir* **ÉCHEVIN**) est arguée de nullité, ce n'est pas la [DISQUALIFICATION] de ce magistrat qu'on demande, mais son **invalidation**. Il ne faut pas dire *le juge a* [DISQUALIFIÉ] *ce parlementaire en rendant hier un jugement qui prononce la nullité de son élection*, mais *le juge a invalidé ce parlementaire*, même s'il est établi que celui-ci **s'est disqualifié** comme homme public, c'est-à-dire «s'est rendu indigne d'exercer les fonctions législatives» par l'immoralité de ses manœuvres électorales.

Voir **QUALIFICATION — QUALIFIÉ — QUALIFIER.**

DISQUE — *Voir* **HOCKEY, MICROSILLON** *et* **RECORD.**

DISTRICT — Contrairement à ce que d'aucuns croient, **district** ne vient pas de l'anglais. C'est l'anglais qui a emprunté le mot au français, mais le terme anglais **district** a pris le sens très large de «partie de territoire urbain ou rural caractérisée», que n'a pas le substantif français, bien que celui-ci soit parfois employé abusivement dans cette acception en France. C'est un anglicisme que l'on commet quand on dit *district* au lieu de **quartier** ou de **région**.

DIVAN — *Voir* **CANAPÉ.**

DIVISION — *Voir* **DÉPARTEMENT — DÉPARTEMENTAL** *et* **LIGUE.**

D'OCCASION — *Voir* **MAIN (DE SECONDE...).**

DOCTEUR — Les Allemands et les Anglo-Saxons, dans le langage parlé comme dans le langage écrit, font toujours précéder le nom d'une personne pourvue d'un doctorat du titre **docteur**. En français, seules les personnes possédant le plus haut diplôme de la faculté de médecine se servent de ce titre avant leur nom. Il ne faut ni dire ni écrire [LE DOCTEUR UNTEL, CHIMISTE] ou [LE DOCTEUR UNETELLE, PHYSICIENNE], mais *monsieur Untel, chimiste* ou *docteur en chimie* et *Madame Unetelle, physicienne* ou *docteur en physique*. On dit correctement *le docteur Untel, cardiologue, le docteur Unetelle, pédiatre, le docteur Untel, chirurgien* et *le docteur Untel, dentiste*.

Il ne sied pas plus entre **docteurs** ès sciences ou ès lettres qu'entre **docteurs** en droit de se saluer en échangeant des *docteurs*. On doit se dire *monsieur, madame* ou *cher confrère*.

Il est incorrect d'abréger le mot **docteur** dans l'adresse d'une lettre. L'abréviation *Dr*, courante en anglais, y est impolie en français (*voir* **CORRESPONDANCE**).

Sur une carte de visite portant le nom d'un **docteur** en médecine et celui de sa femme, il faut lire *le Docteur et Madame X*, non [DR ET MME X].

DOCUMENT — *Voir* **EXHIBER — EXHIBITION.**

DOCUMENTATION — *Voir* **LITTÉRATURE.**

DOLLAR — *Voir* **CENT** *et* **PIASTRE.**

DOMAINE — *Voir* **LIGNE.**

DOMESTIQUE — L'adjectif **domestique** n'a pas comme l'adjectif anglais **domestic** le sens de «qui est à l'intérieur d'un État» par opposition à ce qui est à l'étranger. **Intérieur** est le mot français à employer pour exprimer cette idée. C'est commettre un anglicisme que de parler du marché [DOMESTIQUE] d'une denrée, par exemple, par opposition aux marchés étrangers où elle se vend ou peut se vendre, ou encore de qualifier de [DOMESTIQUE] la politique relative au gouvernement d'un État par opposition aux relations extérieures de cet État. Il faut dire *marché intérieur* et *politique intérieure*. Il ne faut pas dire, par exemple, *fromages* [DOMESTIQUES] par opposition aux fromages importés, mais *fromages canadiens.*

L'adjectif **domestique** ne convient qu'à ce qui concerne la vie à la maison, la vie de famille: *l'économie domestique, les joies domestiques*, etc. Il sert par extension à qualifier les animaux domptés vivant chez l'homme ou près de ses demeures, qui l'aident ou lui rendent simplement l'existence plus agréable.

DOMICILE — DOMICILIAIRE — Proprement, **domicile** est un terme de droit. C'est le «lieu où quelqu'un ou une personne morale a sa demeure légale et officielle»: *sauf occasionnellement, pour des fins particulières, le siège* (*voir ce mot*) *d'une entreprise est son domicile* et *mon domicile est à Québec, mais ma résidence principale est à Montréal.* Un «lieu où l'on habite» est une **résidence**. On habite une **résidence** d'été pendant quelques semaines sans pour cela y transporter son **domicile**. La demeure ordinaire de la plupart des gens étant leur **domicile**, ce mot a servi à former un certain nombre d'expressions où il a le sens de «demeure»: *être sans domicile, livraison à domicile, travailler à domicile*, etc. Hors ces expressions consacrées par l'usage, le substantif **domicile**, qui, au siècle dernier, était quelquefois employé dans le langage courant au sens actuel de **résidence**, n'est pour ainsi dire plus usité dans cette acception. On ne dit plus *nous nous sommes installés dans un* [DOMICILE] *confortable*, mais *nous nous sommes installés dans une demeure confortable*, ou *dans une maison confortable*, ou *dans un appartement confortable* (*voir* **CONFORT — CONFORTABLE**).

L'adjectif **domiciliaire** n'est usité que dans le langage juridique: *visite domiciliaire, perquisition domiciliaire.* Pour dire «qui est réservé à l'habitation privée», on doit employer le néologisme **résidentiel**, évidemment dérivé de **résidence**. Il ne faut pas dire immeuble [DOMICILIAIRE] au lieu d'*immeuble résidentiel* (*voir* **APPARTEMENT** *et* **DÉVELOPPEMENT**), par opposition à *immeu-*

ble à bureaux, à *immeuble industriel* et à *immeuble commercial.* Il ne faut pas parler des *quartiers* [DOMICILIAIRES] d'une grande ville, mais des *quartiers* (*voir* **DISTRICT**) *résidentiels.*

Enfin, ni **domiciliaire** ni **résidentiel** ne peuvent se dire des choses qui appartiennent à la maison d'habitation. C'est commettre une faute que de parler, par exemple, du *chauffage* [DOMICILIAIRE] ou de l'*éclairage* [DOMICILIAIRE]. Il faut parler du *chauffage des résidences*, de l'*éclairage des résidences* ou du *chauffage*, de l'*éclairage des maisons, des immeubles d'habitation* ou *des appartements*, ou du *chauffage*, de l'*éclairage domestique* (*voir ce mot*). **Résidence** et **résidentiel** ne s'appliquent qu'aux immeubles d'un certain confort.

DOMINATION — DOMINER — *Voir* **CONTRÔLE — CONTRÔLER.**

DOMMAGE — *Voir* **VALEUR (DE...).**

DONNER — *Voir* **BRASSE — BRASSER** *et* **ÉMETTRE.**

DORMANT — *Voir* **TRAVERSE.**

DOS — *Voir* **ENDOS — ENDOSSATAIRE — ENDOSSEMENT — ENDOSSEUR.**

DOSSIER — *Voir* **RECORD.**

DOUBLE — L'adjectif **double** signifie premièrement «qui est deux fois en quantité ou en nombre (l'objet qu'il qualifie)»: *double prix, double avantage, double copie, double exemplaire, double salaire*; deuxièmement, «qui est fait de deux choses identiques»: *des fenêtres identiques groupées par deux sont des fenêtres doubles* (*voir* **CHÂSSIS**), *porte double* et *à double fond*; troisièmement, au propre et au figuré, «qui a deux aspects inverses»: *étoffe* (*voir* **MATÉRIEL**) *à double face, un espion double, double jeu,* et, quatrièmement (rare), en parlant des personnes et des choses, «dont la qualité, bonne ou mauvaise, est d'un degré nettement supérieur à celle des autres objets ou personnes de la même espèce»: *verre double* et *double coquin.*

L'adjectif anglais **double**, qui a les mêmes significations, a aussi celle de «pour deux, à deux places, pour deux personnes», que l'adjectif français **double** ne possède pas. De même, l'adjectif français **simple** n'a pas le sens d'«individuel, à une place, pour une seule chose, pour une personne», qui est l'une des acceptions de l'adjectif anglais **single**.

On commet des anglicismes quand on dit *chambre* [SIMPLE] ou *chambre* [DOUBLE] au lieu de *chambre individuelle, chambre pour une personne* ou de *chambre pour deux, chambre pour deux personnes* et *lit* [SIMPLE] ou *lit* [DOUBLE] au lieu de *lit individuel, lit à une place, lit pour une personne* ou de *lit pour deux, lit à deux places, lit pour deux personnes* ou, simplement, *grand lit.*

L'adjectif **simple** se dit des choses au sens de «qui n'est pas composé», «qui n'est pas multiple», «qui n'est pas compliqué», «qui se comprend facilement» et «qui est sobre, sans ornements superflus», mais on ne doit jamais l'utiliser pour dire «qui n'est pas destiné à servir à plus d'une personne à la fois».

L'expression *lit trois quarts* désigne un **lit** dont la largeur est environ les trois quarts de celle d'un lit pour deux personnes, comme on dit *manteau trois quarts* en parlant d'un manteau dont la longueur est à peu près les trois quarts de celle d'un manteau ordinaire. Un *lit trois quarts*, un *lit à une place* et un *lit à deux places* sont également des lits **simples** : ni l'un ni l'autre n'est multiple. On ne peut appeler *lit double* que « deux lits jumeaux superposés, ou lits gigognes, formant un seul meuble ».

Bref, un homme moins frileux que sa femme dit correctement *nous sommes à l'aise* (*voir* **CONFORT — CONFORTABLE**) *dans un lit pour deux personnes* ou *à deux places sous une couverture électrique double face à trois réglages.*

DRAP DE BAIN — *Voir* **SERVIETTE**.

DRASTIQUE — Les adjectifs français et anglais **drastique** et **drastic** viennent d'un mot grec qui avait, en parlant des choses, le sens d'« efficace, énergique ». L'adjectif français appartient exclusivement au vocabulaire de la médecine et il ne se dit que des purgatifs dont l'action est énergique : *l'huile de ricin est un remède drastique.* Par extension, le mot s'emploie substantivement pour désigner un purgatif énergique : *l'aloès est un drastique.* L'adjectif anglais **drastic** se dit de même des purgatifs, mais il s'emploie aussi dans le vocabulaire général aux deux sens de « rigoureux, énergique » à propos de moyens, de précautions, de dispositions restrictives d'une loi, d'un contrat, et de « massif, très considérable » à propos de réductions de personnel, de prix, de production, de dépenses, etc., dans l'administration, le commerce et l'industrie. On commet un anglicisme en disant, par exemple, *prendre des mesures* [DRASTIQUES] *pour redresser une situation compromise* au lieu de *prendre des mesures énergiques, draconiennes* ou *des moyens rigoureux...*, ou *faire des coupures* [DRASTIQUES] *dans les dépenses* au lieu de *faire des coupures massives* ou *considérables dans les dépenses*, etc. L'adjectif anglais **drastic** a donné un dérivé, l'adverbe **drastically**. L'adverbe [DRASTIQUEMENT] employé parfois au Canada au lieu d'**énergiquement** ou **rigoureusement** : *les circonstances exigent qu'on agisse* [DRASTIQUEMENT] n'existe pas en français. C'est un autre anglicisme.

« DRAVE » — « DRAVER » — « DRAVEUR » — *Voir* **FLOTTAGE — FLOTTER — FLOTTEUR**.

DROIT — *Voir* **DIRECT — DIRECTEMENT**.

DROITS D'AUTEUR — *Voir* **ROYAUTÉ**.

DRUPE — *Voir* **CACAHOUÈTE**.

DÛ — Le participe passé du verbe *devoir* s'emploie parfois adjectivement au sens de « causé par » : *incendie dû à une imprudence*, mais on commet un solécisme en calquant l'anglais pour construire avec lui une locution prépositive.

La locution prépositive **due to** a les diverses acceptions des locutions **grâce à**, **à cause de**, **par suite de**, **en raison de** et c'est en se servant de celles-ci, qu'on s'exprime en français. Il ne faut pas dire [DÛ À] *vous, j'ai échappé au danger*, mais *grâce à vous, j'ai échappé au danger*. Au lieu de *c'est* [DÛ À] *lui si le projet a* *échoué*, il faut dire *c'est à cause de lui que le projet à échoué*. Il faut dire *il a commis cette erreur par suite d'un mauvais renseignement* et non *il a commis cette erreur* [DÛ À] *un mauvais renseignement*. Il ne faut pas dire *c'est* [DÛ À] *l'humiliation de la défaite qu'il s'y résigne mal*, mais *c'est en raison de l'humiliation de la défaite qu'il s'y résigne mal*.

DURER — *Voir* **PERDURER**.

DYNAMIQUE — *Voir* **AGRESSIF — AGRESSIVITÉ**.

E

EAGLE — *Voir* **GOLF.**

EAU — *Voir* **AQUEDUC.**

EAU GAZEUSE — *Voir* **LIQUEUR.**

ÉBÉNISTERIE — *Voir* **CABINET.**

ÉBOUEUR — *Voir* **VIDANGES — VIDANGEUR.**

ÉCAILLER — ÉCAILLÈRE — *Voir* **HUÎTRE.**

ÉCART (À L'... DE) — *Voir* **RANCART.**

ÉCARTER — Le verbe **écarter** est employé incorrectement au Canada au lieu de **perdre** et **égarer**. Le premier de ces termes désigne généralement un fait définitif : *j'ai perdu ma montre dans l'accident, on cherche deux personnes qui se sont perdues dans la forêt* et le second, un fait passager : *ma montre est sûrement dans l'appartement, mais je l'ai égarée* et *nous arrivons en retard parce que nous nous sommes égarés.* **Écarter** a eu aux XVIe et XVIIe siècles les sens d'« éloigner du droit chemin assez pour qu'on ne le retrouve pas » et, au figuré, de « détourner ». C'est commettre une faute que de dire *écarter* à la place d'**égarer** dans cette acception.

Il ne faut pas dire *j'ai* [ÉCARTÉ] *mes boutons de manchette*, mais *j'ai égaré mes boutons de manchette.* Il ne faut pas dire *cette personne nous a donné une mauvaise indication et nous nous sommes* [ÉCARTÉS] quand on veut dire *et nous nous sommes égarés.* Au lieu de *la forêt est dense et il est facile de s'y* [ÉCARTER], il faut dire *et il est facile de s'y perdre* ou *de s'y égarer.*

Les seules significations d'**écarter** sont « mettre deux ou plusieurs choses ou personnes à une certaine distance l'une de l'autre » : *écarter les bras, écarter les doigts, écarter les badauds pour passer* ; au propre et au figuré, « mettre à une certaine distance, agir comme si l'on mettait à une certaine distance » : *écarter un objet encombrant* (*voir* **ENCOMBRANT — ENCOMBREMENT**), *écarter un ar-*

gument (*voir ce mot*) et *écarter quelqu'un d'une dignité*, et, construit avec la préposition *de*, «éloigner»: *écarter quelqu'un de ses responsabilités.* **Écarter** quelqu'un de son chemin, c'est l'éloigner de son chemin, peu importe que cela ait ou non pour conséquence qu'il **se perde** ou **s'égare**. Le verbe pronominal **s'écarter** signifie seulement de nos jours «être, se mettre à l'écart, s'éloigner»: *écartez-vous de moi! s'écarter de son chemin, s'écarter du sens commun, je m'écarterai pour vous laisser le champ libre.*

ÉCARTER (terme de jeu de cartes) — Dans les jeux où l'on peut rejeter un certain nombre de cartes pour en prendre d'autres à leur place, **écarter** signifie «rejeter» en parlant de la ou des cartes que l'on remplace: *je n'aurais pas dû écarter le dix de cœur.* L'action de «jouer» en parlant d'une ou de plusieurs cartes pour s'en débarrasser parce qu'on les juge inutiles ou dangereuses, c'est **se défausser de** ces cartes: *je me suis défaussé de cet as au bon moment*; **se défausser d'**une carte, c'est se débarrasser d'une *fausse carte*, c'est-à-dire d'une carte qui ne semble pas convenir, comme on dit *fausse note* en musique.

Le verbe [DISCARTER] employé au Canada aux sens d'**écarter** et de **se défausser de** est une faute. C'est le verbe anglais **to discard** avec une terminaison française.

ÉCHANGE — ÉCHANGER — Se garder de prêter à **échanger** un sens qui appartient au verbe **changer** (*voir* **CHANGE — CHANGER**). «Remplacer une chose par une autre» est l'acception générale du verbe **changer** (transitif direct, *changer une chose pour une autre* ou *contre une autre*; transitif indirect, *changer de*: *il a changé de complet*), tandis qu'**échanger** signifie «céder une chose contre une autre qui a ou à laquelle on accorde (*voir* **ALLOUER**) une valeur équivalente: *les numismates échangent des pièces de monnaie* et *des enfants échangent des jouets.*

Quand on s'aperçoit qu'on a mal choisi un article acheté dans un grand magasin (*voir* **DÉPARTEMENT — DÉPARTEMENTAL**) et qu'on l'y rapporte ou retourne pour le remplacer par un autre, il ne faut pas dire *je désire* [ÉCHANGER] *cet article que j'ai acheté hier*, mais *je désire changer cet article pour un autre.* Le magasin reprend l'article et en remet un autre en remboursant la différence si celui-ci coûte moins cher que le premier ou en l'exigeant du client s'il coûte plus cher. C'est une nouvelle vente. Il ne faut pas dire *on* [ÉCHANGE] *sans difficulté les articles que l'on achète dans ce magasin*, mais *on peut facilement changer pour d'autres les articles que l'on achète dans ce magasin.*

Une vendeuse de magasin ne doit pas dire à une cliente *vous n'avez qu'à vous adresser à notre service téléphonique des* [ÉCHANGES] *si cet article ne vous convient pas et l'un de nos camions ira le prendre chez vous*, mais *vous n'avez qu'à vous adresser à notre service des reprises.*

De même, il ne faut pas dire *il est avantageux d'*[ÉCHANGER] *sa voiture chez ce concessionnaire* (*voir* **VENDEUR**) au lieu d'*il est avantageux d'aller chez ce concessionnaire pour changer de voiture*; là encore il s'agit d'une vente, ou d'un achat, selon le point de vue, non d'un [ÉCHANGE]. La somme dont le marchand réduit le prix de la nouvelle voiture en reprenant celle que l'acheteur laisse n'est pas la valeur d'[ÉCHANGE], mais la valeur de **reprise**: *les reprises sont généreuses chez ce concessionnaire.*

Deux propriétaires d'automobiles diront correctement *nous avons échangé nos voitures* s'ils ont chacun pris celle de l'autre sans que l'un d'eux exige le paiement d'une somme d'argent correspondant à une différence de valeur (*voir ce mot*) de reprise. Si l'un d'eux a payé à l'autre une somme d'argent, il y a eu deux ventes, non un [ÉCHANGE], bien que les deux automobilistes aient **changé** de voiture l'un avec l'autre.

Voir **TÉLÉPHONE**.

Le verbe transitif **échanger** signifie «donner quelque chose et recevoir une autre chose en retour». On **échange** une voiture contre une autre. On **échange** des lettres avec un ami. Au cours d'un congrès, on **échange** des idées, des opinions. Le verbe exige un complément direct, l'employer absolument au lieu de **dialoguer**, **converser**, c'est commettre une faute de français.

Il ne faut pas dire *ce colloque leur a permis d'*[ÉCHANGER], mais *ce colloque leur a permis d'échanger des idées* ou *des opinions.*

ÉCHAPPER — Aux XVIe et XVIIe siècles, c'est-à-dire à l'époque de la colonisation française de l'Amérique, le verbe **échapper** pouvait être transitif direct. On disait *ceux qui ont échappé le glaive.* Il n'est resté de cet usage que la locution *l'échapper belle*, qui signifie «éviter de peu une situation fâcheuse», expression de l'ancien jeu de paume, prédécesseur du tennis (JEAN DAUVEL, *ENCYCLOPÉDIE DES SPORTS*), qui voulait dire qu'on avait laissé passer une balle bien lancée. Comme le verbe n'est plus que transitif indirect depuis le XVIIIe siècle, on a oublié que le pronom dans *l'échapper belle* représentait une balle et, quand on se sert aujourd'hui de l'expression au passé, le participe **échappé** est toujours masculin: *la menace était grave et il l'a échappé belle.* L'emploi d'**échapper** comme transitif direct au Canada est une faute.

Depuis plus de deux siècles, le verbe **échapper** n'exprime plus l'idée de cesser de retenir, mais uniquement celle de «ne pas être retenu», au propre et au figuré, et il peut se conjuguer dans tous les cas de nos jours avec l'auxiliaire *avoir*: *cet aspect de la question m'a échappé, une mauvaise plaisanterie m'a échappé* et *j'ai échappé au péril, l'occasion m'a échappé,* etc. L'auxiliaire *être* est encore usité, mais de moins en moins, pour marquer la maladresse, l'imprudence, l'inattention dans le fait qu'une chose n'est pas retenue: *il serait étonnant qu'une seule bévue soit échappée à cet homme né pour la diplomatie* (MAURICE GREVISSE, *LE BON USAGE*).

Comme verbe pronominal, **s'échapper** est toujours en usage: *le prisonnier s'est échappé la nuit dernière.*

En français moderne, c'est commettre des solécismes que de dire, par exemple, employant le verbe comme transitif direct: *j'ai* [ÉCHAPPÉ] *une grossièreté et je m'en excuse* au lieu de *j'ai laissé échapper une grossièreté*; *j'ai* [ÉCHAPPÉ] *le bibelot, qui s'est brisé à mes pieds* au lieu de *j'ai laissé échapper le bibelot*, ou *le bibelot m'a échappé*, ou encore *j'ai laissé tomber le bibelot*; *j'ai* [ÉCHAPPÉ] *le cordage qui retenait le bateau* au lieu de *j'ai laissé échapper le cordage* ou *j'ai laissé glisser le cordage.*

On **échappe à** quelqu'un ou **à** quelque chose, on laisse quelque chose **échapper à** sa pensée, ou **à** ses mains, ou **à** son emprise. Il ne faut pas faire suivre le verbe **échapper** d'un complément direct amené par lui. Dans *laisser échapper une étourderie* ou *un vase*, les mots *étourderie* et *vase* sont des compléments directs de *laisser*, non d'**échapper**: *j'ai laissé une étourderie* ou *un vase échapper*.

ÉCHARPE — *Voir* **FOULARD**.

ÉCHEC, ÉCHECS et **ÉCHIQUIER** — *Voir* **CHÈQUE**.

ÉCHEVIN — Avant l'institution des conseils municipaux démocratiques, il y avait en France des corps municipaux chargés de maintenir l'ordre dans les villes. Dans le nord du pays, ce corps se composait d'**échevins** dirigés par un **maire**, mot qui, comme l'indique son étymologie latine **major**, signifie «qui est au-dessus des autres». Dans le Midi, les magistrats municipaux étaient appelés autrement. Les premiers **échevins** furent des hommes de loi qui rendaient la justice au nom des comtes (*voir* **COMTÉ**). **Échevin** vient du terme celtique **skapin**, qui voulait dire «juge». Les échevins devinrent ensuite les avocats des administrés, des bourgeois, quand ils étaient en procès avec l'autorité. Ce n'est que vers la fin du régime monarchique que les **échevins** cessèrent peu à peu d'exercer des fonctions juridiques pour s'occuper davantage de l'administration des affaires générales des communes, mais ils ont continué de veiller au fonctionnement des services de police jusqu'à leur disparition. La Révolution a détruit l'organisation échevinale. Le mot **maire** est resté pour désigner celui qui dirige un conseil municipal (*voir cette expression*), mais on n'a plus appelé que **conseillers municipaux** les autres membres du conseil. La Belgique et le Canada sont les seules régions de la francophonie où le vocable **échevin** soit demeuré vivant, sauf le fait que les patois de certaines provinces de France s'en sont servis pour nommer les marguilliers jusque vers le milieu du XIXe siècle. Ce vocable ne désigne plus qu'un personnage sorti de l'histoire. Une «personne qui siège à un conseil municipal» est un **conseiller municipal**. La difficulté vient de ce que l'échevinage existait en Nouvelle-France lors de la défaite de 1760. Le mot **échevin** a naturellement continué d'y avoir cours après la révolution.

ÉCHINE — *Voir* **DARNE**.

ÉCHOUER — *Voir* **CALER** (du grec...).

ÉCLAIRCIR — *Voir* **CLAIR**.

ÉCLAIRER — C'est une faute (VICTOR BARBEAU, *LE FRANÇAIS DU CANADA*) que l'on commet quand on emploie le verbe **éclairer** au sens de «faire des éclairs, y avoir des éclairs»: *il a tonné et éclairé toute la nuit*. Du XIVe au XVIe siècle, on a dit *esclarier* et *esclarir* pour «faire des éclairs». *Tonnez, cieux, foudroyez, esclairez*..., lit-on dans un texte du XVIe. **Foudroyer** s'est dit jusqu'au cours du XVIIe siècle de la foudre lancée sur la terre, mais déjà on avait cessé de donner à **éclairer** l'acception de «faire des éclairs». Des trois verbes, seul **tonner** a continué d'être usité jusqu'à nos jours en parlant des phénomènes électriques des orages. On dit aujourd'hui *il tonne, il fait des éclairs* et *la foudre est tombée.* Au propre, **foudroyer** ne s'applique plus qu'à la victime de la foudre et il s'emploie alors au passif: *un arbre a été foudroyé.* Il ne faut pas dire *je deviens nerveuse quand il* [ÉCLAIRE], mais *je deviens nerveuse quand il fait des éclairs* ou *quand il y a des éclairs.*

Le verbe **to lighten** a la signification impersonnelle de «faire des éclairs». L'influence de l'anglais a sans doute contribué au maintien du terme vieilli au Canada.

ÉCOLE — *Voir* INSTITUT.

ÉCOLIER — *Voir* ÉTUDIANT.

ÉCONOMIE RESTRICTIVE — *Voir* AUSTÉRITÉ.

ÉCONOMISER — *Voir* SAUVER.

ÉCORNIFLER — ÉCORNIFLEUR — Le verbe **écornifler** a été formé avec le verbe *écorner*, qui eut en ancien français le sens de «dépouiller», et le verbe d'ancien français **nifler**, première forme de *renifler.* Cela explique qu'il ait voulu dire autrefois «aller voler çà et là en flairant», signification qui s'est atténuée dans le langage familier moderne. Il signifie de nos jours «se faire donner çà et là» en parlant de repas, de petites sommes d'argent, de petits avantages. Terme populaire vieillissant, **écornifler** est synonyme de **grappiller** et **écornifleur**, de **parasite**, **pique-assiette**, et de **resquilleur**.

Les Canadiens font dire autre chose que cela au verbe **écornifler**. Ils emploient celui-ci au sens figuré de **grappiller**. Ce ne sont pas de bons repas ni des petits avantages de toute sorte que l'[ÉCORNIFLEUR] canadien va recueillir çà et là aux dépens d'autrui, mais des renseignements sur la vie intime d'autrui en écoutant aux portes, en épiant ses semblables, nez au vent flaireur de scandales. Celui «qui cherche à se renseigner sur ce qui ne le regarde pas» est un **indiscret** en français et l'action qu'on exprime improprement au Canada en disant *écornifler*, c'est **espionner** en français ou **fouiner** dans le langage familier.

Il ne faut pas dire *méfie-toi de ton voisin, c'est un* [ÉCORNIFLEUR] au lieu de *méfie-toi de ton voisin, c'est un indiscret.* Il ne faut pas dire *voici le voisin qui vient encore* [ÉCORNIFLER] quand on veut dire *voici le voisin qui vient encore nous espionner* ou *qui vient encore fouiner.* On dit correctement d'une personne qui a l'habitude de s'inviter chez des connaissances aux heures des repas *c'est un écornifleur* ou *un pique-assiette* et *il écornifle au moins trois ou quatre repas par semaine.*

ÉCOULEMENT — *Voir* VENTE.

ÉCOUTE et **ÉCOUTER** — *Voir* TÉLÉPHONE.

ÉCRAN — Le mot **paravent**, qui désigne proprement un «meuble fait de plusieurs châssis (*voir ce mot*) mobiles et articulés portant une étoffe, ou un papier peint (paravents chinois), ou des lames de bois ou de métal dont on se sert pour s'isoler ou se protéger contre le vent dans une pièce d'appartement », se dit aussi par extension d'un **écran**. Ce dernier mot est le nom d'un « meuble bas servant à garantir de l'ardeur d'un foyer ». Ce meuble, qu'il ne faut pas confondre avec le **pare-étincelles** (sorte d'écran ajouré dont la garniture est métallique), n'est guère usité au Canada. Par extension, **écran** se dit aussi de tout objet interposé assez grand pour dissimuler ce qu'il y a derrière lui ou pour protéger : *écran de fumée, écran de verdure* et *il fallut du temps pour percer l'écran de prestige mondain derrière lequel agissait la malhonnêteté de cet homme*, sauf d'un **paravent**, qu'on doit appeler par son nom. Il ne faut pas dire *un* [ÉCRAN] *servait de cloison dans sa chambre pour l'isoler à sa table de travail*, mais *un paravent servait de cloison*. Se rappeler que, si un **écran** peut être appelé *paravent*, on ne peut dire *écran* pour désigner un **paravent**.

ÉCRASER — *Voir* **PILER**.

ÉCRIN — *Voir* **CABINET**.

ÉCRIRE — *Voir* **MARQUE — MARQUER**.

ÉCRITURES — *Voir* **ENTRÉE — ENTRER**.

ÉCRIVAIN POLITIQUE — *Voir* **PUBLICISTE**.

ÉCROU — *Voir* **TARAUD — TARAUDAGE**.

ÉCUME — *Voir* « **BROUE** ».

EFFECTIVEMENT — *Voir* **FAIT**.

EFFET — Le mot **effet** ayant le sens général de « conséquence, résultat » et la préposition *à* marquant un rapport de direction, l'expression courante *à cet effet* n'a rien que de naturel. Elle signifie « en vue de, vers ce résultat, afin d'arriver à cela vers quoi l'on tend ou à quoi l'on vise ». Il est également correct de demander *à quel effet ?* pour s'informer du résultat qu'un interlocuteur veut atteindre. De même, la locution prépositive du langage juridique *à l'effet de*, toujours suivie d'un infinitif : *à l'effet de liquider la succession*, se comprend sans effort. Elle veut dire « ayant en vue comme résultat de ». Mais la locution [À L'EFFET QUE], calque de l'anglais **to the effect that**, par laquelle on voudrait faire entendre « qui assure que, prétendant que, voulant que » et « qui établit, qui ordonne que, qui statue sur », est inintelligible.

Il ne faut pas dire *la rumeur* [À L'EFFET QUE] *l'accusé serait mort au cours de la nuit*, mais *la rumeur selon laquelle l'accusé serait mort au cours de la nuit*. Au lieu de *la théorie* [À L'EFFET QUE] *cette maladie est microbienne*, il faut dire *la théorie voulant que cette maladie soit microbienne*. Il ne faut pas dire *une loi* [À L'EFFET QUE] *l'État exerce un contrôle sur ce genre d'associations*, mais *une loi établissant un contrôle de l'État sur ce genre d'associations*. Il ne faut pas dire *la nouvelle* [À L'EFFET QU'] *il a abandonné* (*voir ce mot*) *son commerce*, mais simplement, *la nouvelle qu'il a abandonné son commerce*.

La locution [À L'EFFET QUE] n'est pas française.

Se rappeler que l'expression *à cet effet* ne peut servir d'attribut au lieu de **tel**.

Il ne faut pas dire *son avis est à* [CET EFFET], mais *tel est son avis*. L'expression doit suivre un verbe qui exprime une action puisqu'elle indique un résultat visé: *il a exprimé un avis à cet effet.*

Noter, d'autre part, que, si l'expression *dans ce sens* est souvent synonyme d'*à cet effet*, elle ne l'est pas toujours et qu'il y a des cas où l'on ne peut employer celle-ci pour la première. *À cet effet* ne rend pas l'idée de «selon cette manière de penser, de voir les choses». Il ne faut pas dire, par exemple, *Jean croit que le sous-sol de la région offre de grandes possibilités aux prospecteurs et Robert a aussi parlé* [À CET EFFET], mais *Robert a aussi parlé dans ce sens.*

ÉGAL — *Voir* **ADÉQUAT.**

ÉGALER — Ne pas confondre **égaler** et **égaliser**. Les deux verbes n'ont pas le même sens.

Le verbe **égaler** signifie «atteindre à la même qualité, à la même importance que»: *il me semble que rien n'égale la beauté de la mer* ou *égaler un concurrent en rapidité.*

Le verbe **égaliser** signifie «rendre égal» en parlant de n'importe quoi, au propre et au figuré: *égaliser un terrain* ou *des épreuves qui égalisent les chances des concurrents.*

Dans le vocabulaire sportif, **égaliser** s'emploie intransitivement: *si notre équipe continue de jouer avec la même ardeur d'ici la fin du match, elle a des chances d'égaliser*, c'est-à-dire de marquer autant de buts ou de points que l'équipe à laquelle elle est opposée.

Il ne faut donc pas dire *à deux reprises depuis le début du match les deux équipes ont à tour de rôle* [ÉGALÉ] *la marque*, mais *les deux équipes ont égalisé.*

Voir **ACCOTER.**

ÉGALISER — *Voir* **ÉGALER.**

ÉGARER — *Voir* **ÉCARTER.**

ÉGOUT — Le mot **égout**, par lequel on désigne un «conduit souterrain pour l'écoulement des eaux usées qui emportent les immondices d'un groupe de maisons», ne vient pas de *goût*, mais de *goutte*, comme **égoutter**. Aussi s'écrit-il sans accent circonflexe sur l'*u*. Il faut écrire *les égouts de la ville* et non *les* [ÉGOÛTS] *de la ville.* Quant au calque [SOUR] quelquefois employé au lieu d'**égout** dans certaines petites villes industrielles à forte population anglophone, c'est le mot anglais **sewer**, qui signifie **égout**, prononcé à la française.

ÉLABORER — Sauf en médecine, où il a les deux sens de «rendre assimilable»: *l'estomac élabore les aliments* et de «produire en transformant»: *le foie élabore la bile*, le verbe **élaborer** n'a qu'une signification, «préparer par un long travail»: *élaborer un projet de loi, il a élaboré son œuvre dans la solitude.*

C'est un verbe transitif, qui ne s'emploie jamais absolument et dont le participe passé ne s'emploie pas adjectivement.

Le verbe anglais **to elaborate** est intransitif aux sens de «s'expliquer» et d'«expliquer, exposer, de façon détaillée» et l'adjectif anglais **elaborate** a les trois sens de «soigné», de «détaillé» et de «compliqué». C'est commettre une faute sous l'influence de l'anglais que de se servir du verbe **élaborer** intransitivement aux sens de «s'expliquer» ou d'«expliquer de façon détaillée» et de son participe **élaboré** comme d'un adjectif en lui prêtant les significations de «soigné», de «détaillé» et de «compliqué». Il ne faut pas dire *l'orateur s'est empressé d'*[ÉLABORER] *en citant plusieurs exemples*, mais *l'orateur s'est empressé de s'expliquer en citant plusieurs exemples*. Il ne faut pas dire *ayant établi l'essentiel de sa thèse, le conférencier a* [ÉLABORÉ], mais *ayant établi l'essentiel de sa thèse, le conférencier l'a exposée de façon détaillée*. Au lieu de *ce reporter a fait un récit* [ÉLABORÉ] *de son voyage*, il faut dire *ce reporter a fait un récit soigné* ou *détaillé* (selon le cas) *de son voyage*. Il ne faut pas dire *voilà un projet terriblement* [ÉLABORÉ] quand on veut dire *voilà un projet terriblement compliqué*.

ÉLAN — *Voir* **ANIMAUX**.

ÉLANCER (S'...) — *Voir* **DARDER**.

ÉLECTEUR — ÉLECTORAT — Le mot **électorat** a un sens historique qu'on trouvera dans tous les dictionnaires. Son principal sens moderne, qui date du siècle dernier, est celui de «droit d'électeur». C'est le droit de participer aux élections comme **votant**.

Depuis un siècle environ, des écrivains français, probablement sous l'influence de l'anglais **electorate**, emploient parfois le mot **électorat** au sens d'«ensemble des électeurs». Il vaut mieux exprimer cette idée par les termes **corps électoral**, **électeurs** et **votants**. Plutôt que *l'*[ÉLECTORAT] *de cette circonscription* (*voir* **COMTÉ**) *a viré de bord* (*voir* **VIRER**), on dira bien *le corps électoral*, ou *les électeurs*, ou *les votants de cette circonscription...*

[VOTEUR] est un néologisme tombé en désuétude. On a tenté en vain de lancer ce mot en France sous la Révolution.

Voir **FRANCHISE**.

ÉLECTION — *Voir* **VOTATION — VOTE — VOTER**.

ÉLECTRICITÉ — *Voir* **POUVOIR**.

ÉLECTROPHONE — *Voir* **PHONOGRAPHE**.

ÉLÉVATEUR — Ce mot n'est pas synonyme d'**ascenseur**. Un **élévateur** est un «appareil servant à soulever des choses», non des personnes. Il y a plusieurs sortes d'**élévateurs**, depuis les **élévateurs de grains**, qui servent à remplir de céréales les grands silos portuaires (aussi appelés **élévateurs** par extension de sens), et ceux qui, munis d'une benne preneuse, servent au chargement et au déchargement des cargos céréaliers, jusqu'au **chariot élévateur** utilisé pour soulever et placer des marchandises dans les usines, les entrepôts, etc. Tous ces **élévateurs** sont des appareils obliques ou articulés.

Un «appareil destiné à lever verticalement des objets sur une plate-forme hissée dans un puits comme la cabine d'un ascenseur» est un **monte-charge**.

L'**ascenseur** transporte verticalement des personnes. Dire *élévateur* au lieu d'**ascenseur**, c'est commettre un anglicisme. La faute s'explique par le fait qu'en Amérique du Nord l'anglais se sert du même mot **elevator** pour désigner l'**ascenseur**, l'**élévateur** et le **monte-charge**. En Europe, **ascenseur** se dit **lift** en anglais, d'où vient le nom français **liftier** donné aux préposés à la manœuvre d'un ascenseur.

ÉLÈVE — *Voir* **ÉTUDIANT**.

ÉLIGIBLE — Cet adjectif signifie seulement «juridiquement apte à être élu».

Le mot anglais **eligible** a bien d'autres acceptions, qu'il faut se garder de prêter à **éligible**. *Être* [ÉLIGIBLE] *à un concours, juger qu'un jeune homme est* [ÉLIGIBLE] *à l'emploi qu'il demande,* dire d'un candidat à la mairie *qu'il est* [ÉLIGIBLE] *à cause de ses nombreuses qualités personnelles* sont autant d'anglicismes. On est **admissible** à un concours, un postulant est **acceptable** pour l'emploi qu'il demande et un candidat est **qualifié** (*voir* **QUALIFICATION — QUALIFIÉ — QUALIFIER**) pour remplir les fonctions de maire.

Voir **APPLICATION** *et* **ASSURANCE**.

ÉLIMINATOIRE — *Voir* **DÉTAIL**.

EMBARCATION — *Voir* **CHALOUPE**.

EMBARQUER — Les mots **embarquer** et **débarquer** partout employés au Canada pour dire **monter** et **descendre** montrent jusqu'à quel point le vocabulaire maritime y a marqué le langage populaire (*voir* **ADONNER** *et* **S'...**, **BORD**, **VIRER**, *etc.*). Avant les voitures à chevaux, c'est-à-dire avant l'ouverture des chemins, les premiers Canadiens eurent le bateau comme seul moyen de transport; la construction maritime fut longtemps l'une des industries principales du Canada français et la pêche reste l'occupation d'un bon nombre d'entre eux.

L'influence des marins, qui furent les premiers voyageurs, sur le vocabulaire des transports terrestres et aériens s'est exercée dans tous les pays. Dans quelques régions de France, on dit encore, dans le langage populaire, *embarquer* et *débarquer* au lieu de **monter** et **descendre** en parlant des automobiles et des voitures de chemin de fer, mais ce sont là des impropriétés à éviter. On **embarque** dans un bateau et on en **débarque**, mais on **monte** dans une automobile, dans un train ou dans un avion et on en **descend**.

L'expression *débarquer d'un train* est une image qui, plutôt que l'action physique de **descendre** d'un train, traduit l'idée d'arriver par un train après un voyage: *un groupe d'immigrés a débarqué d'un train hier à la gare centrale.*

Au sens figuré d'«engager dans une affaire», **embarquer**, tout à fait correct au XVIIe siècle, ne se dit plus que dans le langage familier: *j'ai embarqué deux amis dans une affaire qui m'intéresse* et le mot s'emploie favorablement et défavorablement.

EMBARRER — *Voir* **BARRER**.

EMBRAYAGE — *Voir* **AUTOMOBILE**.

ÉMETTRE — Ce verbe n'a que les significations suivantes : « produire » en parlant de choses matérielles qui se transmettent, se propagent par radiation : *émettre de la chaleur, de la lumière, un parfum, des sons, des images* et *cette station de télévision émet sur telle longueur d'onde* et, au figuré, « exprimer » en parlant de sentiments et d'idées : *émettre son opinion, émettre des vœux* ; « mettre en circulation » dans le vocabulaire de la finance : *émettre un chèque, des actions, le pays a émis un emprunt, émettre de la monnaie, des billets de banque* et, dans le vocabulaire de l'administration, en parlant de publications officielles : *le ministère a émis le texte des nouveaux règlements.*

Au sens de « mettre en circulation », **émettre** se traduit en anglais par **to issue**. Ce verbe s'applique dans les vocabulaires administratif et juridique à des objets auxquels **émettre** ne convient pas et il faut se garder d'employer celui-ci au lieu de **délivrer**, **donner**, **décerner**, **lancer** et **rendre** quand c'est l'un ou l'autre de ces termes que le français exige. On commet des anglicismes quand on dit, par exemple, *dès que le sergent en eut* [**ÉMIS**] *l'ordre, toutes les recrues se mirent au garde-à-vous* (*voir* **ATTENTION**) au lieu de *dès que le sergent en eut donné l'ordre*, ou *j'espère qu'on ne prendra pas trop de temps pour* [**ÉMETTRE**] *mon passeport* au lieu de *j'espère qu'on ne prendra pas trop de temps pour délivrer mon passeport*, ou *le juge a* [**ÉMIS**] *un mandat de perquisition* au lieu de *le juge a décerné* ou *lancé un mandat de perquisition*, ou *le juge a* [**ÉMIS**] *un arrêt* au lieu de *le juge a rendu un arrêt*, etc.

Remettre une pièce administrative : brevet, certificat, passeport, permis (*voir* **LICENCE**), etc., c'est la **délivrer**. On **donne** un ordre, un commandement. Un mandat d'arrêt, de comparution, de perquisition, etc., est **décerné** ou **lancé**. Un juge **rend** un arrêt, une ordonnance.

ÉMISSION — *Voir* **PROGRAMMATEUR — PROGRAMMATION — PROGRAMME — PROGRAMMER.**

EMMITOUFLER — *Voir* **MITAINE.**

ÉMOLUMENTS — *Voir* **APPOINTEMENTS.**

ÉMOTIF — *Voir* **ÉMOTIONNEL.**

ÉMOTIONNABLE — *Voir* **ÉMOTIONNEL.**

ÉMOTIONNEL — Ce mot, que l'on trouve dans la terminologie de la psychologie et de la psychiatrie, est correctement construit, mais il reste un anglicisme dans le langage courant, où il traduit servilement **emotional**. Les adjectifs **émotif**, **émouvant**, **émotionnable**, **impressionnable** et **sensible** expriment parfaitement les diverses acceptions du vocable anglais : *troubles émotifs, situation émouvante* ; *personne émotive, émotionnable, impressionnable, sensible.*

Dans le style scientifique, **affectif** est utilisé dans le sens de l'anglais **emotional**. On ne doit pas dire *son penchant pour l'alcool a des origines* [**ÉMOTIONNELLES**] mais *des origines affectives* (c'est-à-dire concernant son affectivité, le domaine de ses sentiments, ses relations avec autrui).

ÉMOUVANT — *Voir* **ÉMOTIONNEL.**

ÉMOUVOIR — *Voir* **AFFECTER**.

EMPÊTRER (S'...) — *Voir* « **ENFARGER** ».

EMPHASE — Sauf dans l'analyse stylistique où l'**emphase** est un procédé d'expression, ce mot est synonyme de grandiloquence. Il signifie « emploi abusif de grands mots, du ton oratoire » : *il racontait son succès avec emphase.* Le terme anglais **emphasis** n'est pas péjoratif. Il signifie « insistance, importance particulière » dans la façon de dire certaines choses. L'anglicisme [METTRE L'EMPHASE SUR] est d'emploi de plus en plus courant. Néanmoins, on évitera de dire *il a mis l'*[EMPHASE] *sur deux citations* au lieu de *il a fait ressortir deux citations* ou *c'est en mettant l'*[EMPHASE] *sur un fait bien connu que le candidat s'efforçait de convaincre son auditoire* au lieu de *c'est en soulignant*, ou *en faisant valoir*, ou *en faisant ressortir un fait bien connu.*

Au lieu de [METTRE L'EMPHASE], on choisira, selon les cas, les verbes **appuyer sur**, **souligner**, **mettre en valeur**, **faire ressortir**, **mettre en relief**. On dit aussi **mettre l'accent sur**.

EMPILER — *Voir* **PILER**.

EMPLACEMENT — *Voir* **SITE**.

EMPLETTE — *Voir* **MAGASINAGE — MAGASINER**.

EMPLOI — EMPLOYÉ — EMPLOYER — Le mot **emploi** a entre autres sens celui de « travail rémunéré », mais il n'exprime pas comme le mot **service** l'idée d'une relation personnelle entre patron et salarié. Les locutions [À MON EMPLOI] et [À L'EMPLOI DE], calques des expressions anglaises **in my employ** et **in the employ of**, ne sont pas françaises.

Les expressions *avoir à sa solde* et *être à la solde de* pour dire « avoir quelqu'un à sa disposition contre rémunération » et « être à la disposition de quelqu'un contre rémunération » sont péjoratives.

Au lieu de *j'ai trois dactylos* [À MON EMPLOI], on dit correctement *j'ai trois dactylos* (*voir* **DACTYLOGRAPHE**) ou *j'emploie trois dactylos.* Au lieu de *ce jeune homme est* [À MON EMPLOI], on doit dire *ce jeune homme travaille pour moi*, ou *chez moi*, ou *à mon bureau*, ou *dans mon magasin*, ou *dans mon usine*, ou *ce jeune homme est mon employé*, ou *l'un de mes employés*, ou *l'un de mes ouvriers.* Au lieu de *je suis* [À L'EMPLOI D'] *un magasin*, on dit *je suis employé de magasin* ou *je travaille dans un magasin.*

Se servir des substantifs **employé** et **ouvrier** et des verbes **employer** et **travailler**. Au lieu de *combien avez-vous de personnes* [À VOTRE EMPLOI] *?* il faut demander *combien de personnes employez-vous?* ou *combien avez-vous d'employés* ou *d'ouvriers ?* ou *combien de personnes travaillent pour vous ?* Il ne faut pas dire *les deux cents ouvriers* [À L'EMPLOI DE] *cette entreprise seront en grève la semaine prochaine*, mais, simplement, *les deux cents ouvriers de cette entreprise.*

Se garder, par influence de l'anglais **employee**, d'utiliser **employé** lorsqu'il s'agit d'un **ouvrier** ou vice-versa. Le terme le plus général est **salarié** : *régime* *d'assurance pour les salariés* et non *pour les* [EMPLOYÉS] *d'une entreprise.*

Voir **POSITION.**

EN — *Voir* **PRÉPOSITIONS (EMPLOI DES...).**

EN AVANCE — *Voir* **TEMPS.**

ENCAISSER — *Voir* **CHANGE — CHANGER, CHÈQUE** *et* **COLLECTER — COLLECTEUR — COLLECTION.**

ENCAISSEUR — *Voir* **COLLECTER — COLLECTEUR — COLLECTION.**

ENCAN — Le substantif **encan** est plus que désuet au sens de «vente aux enchères» (on dit aussi *à l'enchère*). On l'employait aux XVIIe et XVIIIe siècles : *on a vendu ses meubles à un encan.* Le mot ne subsiste qu'au sens d'«enchères» dans la locution **à l'encan**: *il a fait vendre à l'encan tous les tableaux de sa collection,* c'est-à-dire que chacun des tableaux à été vendu au plus offrant au cours d'une vente publique. Entre parenthèses, **vente à la criée** ne s'emploie plus que pour les **ventes aux enchères** de denrées, tandis que **vente à l'encan** se dit des **ventes aux enchères** de meubles.

Les expressions courantes au Canada [FAIRE UN ENCAN] et [TENIR UN ENCAN] sont fautives. Il faut dire *vendre à l'encan* ou *vendre aux enchères,* s'il s'agit de meubles.

Le mot **encanteur**, lui, n'est encore que désuet. Depuis le début du siècle, on ne dit plus que **commissaire-priseur**. Un **commissaire-priseur** est une personne autorisée par l'État à présider à des **ventes à l'encan**.

Quant au verbe [ENCANTER], employé transitivement et intransitivement au sens de « vendre à l'encan », il n'a jamais figuré dans les dictionnaires français. Il ne faut pas dire *il a* [ENCANTÉ] *hier* ou *il a fait* [ENCANTER] *ses meubles,* mais *il a fait vendre ses meubles à l'encan.*

ENCAUSTIQUAGE — ENCAUSTIQUE — ENCAUSTIQUER — *Voir* **CIRE — CIRER.**

EN CE CAS — *Voir* **D'ABORD.**

ENCHÈRES (AUX...) — *Voir* **ENCAN.**

ENCOLURE — *Voir* **NEZ À NEZ.**

ENCOMBRANT — ENCOMBREMENT — Jusqu'à ces dernières années, le mot **encombrement** n'avait qu'un sens, celui d'«amas embarrassant de personnes ou de choses»: *un encombrement de manifestants obstruait la rue, il nous a fallu plus d'une heure pour nous dégager d'un encombrement de voitures à la sortie du pont* et *l'encombrement des meubles dans la pièce était tel qu'on ne s'y déplaçait qu'avec difficulté.*

On ne peut employer **encombrement** en parlant d'une seule chose embarrassante. C'est commettre une faute de dire *ce meuble est un* [ENCOMBREMENT] *et il faudrait s'en défaire.* Il faut se servir de l'adjectif **encombrant**, qui signifie «embarrassant par ses dimensions, par sa forme, par la place qu'il occupe», et dire *ce meuble est encombrant*.

Bon exemple de néologisme de sens, **encombrement** a acquis récemment une nouvelle signification, celle d'«espace occupé par un objet». Ainsi, un fabricant de téléviseurs (*voir* **TÉLÉVISEUR — TÉLÉVISION**) qui présente un nouvel appareil offrant autant d'avantages techniques que ceux qu'il vendait auparavant mais de moindre volume l'annoncera en disant que *ce téléviseur, d'aussi bonne qualité que les précédents, est d'un encombrement réduit*. Le mot s'emploie surtout pour les colis: *tarif de transport à l'encombrement*, et pour les appareils domestiques.

ENCOURIR — Le verbe **encourir**, qui signifie «s'exposer à», ne s'emploie qu'en parlant de quelque chose de désagréable, de déplaisant, de fâcheux, de blessant en soi pour son amour-propre, sa dignité, son honneur ou qui porte atteinte à sa sécurité, à sa liberté, et qu'on a mérité ou qu'on a attiré sur soi de façon plus ou moins délibérée: *encourir des sanctions, sa mauvaise conduite lui fait encourir d'amers reproches* et *il est toujours dangereux d'encourir la haine de quelqu'un*.

Le verbe anglais **to incur**, qui en traduit le sens, a d'autres acceptions qu'il faut se garder de lui prêter. **Encourir** n'est pas un terme de finance. On commet des anglicismes quand on s'en sert au lieu d'**engager** en parlant de dépenses qu'on commence à faire, de **faire** en parlant de dépenses déjà faites et d'**éprouver**, ou **subir**, ou **risquer** en parlant de difficultés ou de pertes pécuniaires. Il ne faut pas dire *il* [ENCOURT] *des frais considérables en entreprenant cette affaire*, mais *il engage des frais considérables*... Au lieu de *cet homme ne craint pas d'*[ENCOURIR] *des pertes*, il faut dire *cet homme ne craint pas d'éprouver* ou *subir*, ou *de risquer*, selon le cas, *des pertes*. Il ne faut pas dire *les dépenses* [ENCOURUES] *pour la production de cet article*, mais *les dépenses engagées* ou *faites*...

ENCYCLOPÉDIQUE — *Voir* **VERSATILE**.

EN DEDANS DE — La locution prépositive **en dedans de** signifie «à l'intérieur de»: *on ne pouvait se rendre compte de ses réactions qu'il gardait en dedans de lui* et *autant l'extérieur était mal entretenu, autant l'ordre et la propreté régnaient en dedans de la maison*.

La locution **en dedans de** se traduit en anglais par **within** et c'est commettre un anglicisme subtil que de lui prêter un autre sens de cette préposition qui se rapporte non seulement aux lieux, mais aussi au temps et signifie alors «en moins de, en l'espace de, dans un délai de». Il ne faut pas dire *tous ces événements se sont produits* [EN DEDANS D'] *un an*, mais *tous ces événements se sont produits en moins d'un* ou *dans l'espace d'un an*. Au lieu de *vous devrez rembourser cette somme* [EN DEDANS DE] *trois mois*, il faut dire *vous devrez rembourser cette somme dans un délai de trois mois*, ou encore *dans les trois mois*, ou *d'ici trois mois*.

EN DÉFINITIVE — **En définitive** ne signifie ni «finalement» ni «définitivement», mais «tout considéré, compte tenu de tous les aspects de la question». La locution **en définitive** est synonyme de **bref, en somme, tout compte fait** et **en fin de compte**.

Voir **DÉFINITIVEMENT** *et* **ÉVENTUELLEMENT**.

ENDOMMAGER — *Voir* «**MAGANER**».

ENDOS — ENDOSSATAIRE — ENDOSSEMENT — ENDOSSEUR — **Endos** est synonyme d'**endossement**. Le mot **endos** n'a pas d'autre signification que celle-ci: «simple signature faite ou mention signée au dos d'un effet de commerce ou d'un titre à ordre par son bénéficiaire afin de le transmettre à une autre personne». Cette personne qui bénéficie de l'**endos** ou **endossement** est l'**endossataire** ou l'**endosseur**. On commet une faute en disant, par exemple, *si tu veux que je te donne de l'argent pour ce chèque* (*voir ce mot*), *il faut que tu le signes à l'*[ENDOS] au lieu d'*il faut que tu l'endosses*, ou *que tu y mettes ton endos* ou *ton endossement*, ou d'*il faut que tu le signes au dos.*

Dos est synonyme d'**envers**, de **revers** et de **verso**. **Envers** s'oppose à **endroit** et désigne le côté d'une chose qui n'est pas destiné à être apparent: *l'envers d'un tissu.* **Revers** s'oppose aussi à **endroit**, mais il désigne particulièrement le côté d'une chose opposé non à celui qui est destiné à paraître mais à celui que l'on regarde, qui se présente d'abord, qui est le plus souvent utilisé: *Le revers de la main* (opposé à la paume) et *le revers d'une médaille.* **Verso** s'oppose à **recto** et ne s'applique qu'au revers d'un feuillet écrit ou imprimé, d'une page: *veuillez répondre aux questions posées au verso du formulaire* et *quand on ouvre un livre, le recto d'une feuille est à droite et le verso de la feuille précédente est à gauche.*

Dos s'emploie au sens de **revers** pour désigner la partie de certaines choses qui offre une analogie avec le dos de l'homme ou de l'animal: *le revers de la main et le dos de la main sont la même partie de la main* et *le dos de la cuiller*, et au sens de **verso** en parlant d'effets de commerce, de titres à ordre, d'une lettre ou d'une formule: *signer au dos d'un chèque, d'un billet.*

ENDROIT — *Voir* **ENDOS — ENDOSSATAIRE — ENDOSSEMENT — ENDOSSEUR** *et* **PLACE**.

ENDURER — Le verbe **endurer** est synonyme de **souffrir,** de **supporter** et de **tolérer**, mais tandis qu'une personne n'**endure** (longtemps) ou ne **supporte** (pour un temps) que des choses: des affronts, la douleur, la faim, la fatigue, le froid, une maladie, etc., on **souffre** et on **tolère** des personnes et des choses. Il ne faut pas dire *il était temps qu'ils rompent leur association, car, depuis plusieurs mois, ils ne* [S'ENDURAIENT] ou *ne* [SE SUPPORTAIENT] *plus l'un l'autre*, mais *car, depuis plusieurs mois, ils ne se souffraient plus* ou *ne se toléraient plus l'un l'autre.* Au lieu d'*il n'*[ENDURE] *pas les enfants tapageurs*, on doit dire *il ne souffre pas les enfants tapageurs*, mais on dit correctement *il ne supporte pas le tapage des enfants.*

Se rappeler qu'il est fautif d'employer **supporter** dans le sens d'appuyer ou de soutenir: *appuyer un candidat* et non [SUPPORTER] *un candidat.*

Souffrir exprime plus fortement que **tolérer** l'idée qu'on ne subit quelqu'un que péniblement: *naguère elle le tolérait encore, maintenant elle ne le souffre pas.*

Voir **SUPPORT — SUPPORTER.**

EN EFFET — *Voir* **FAIT.**

ÉNERGIQUE — *Voir* **AGRESSIF — AGRESSIVITÉ.**

«**ENFARGER**» — Conservé jusqu'à récemment encore par les patois de quelques régions de la France, du Berry en particulier, le verbe [ENFARGER] est vieilli. C'est l'une des formes qu'a prises le verbe d'ancien français **enfergier**, qui signifiait proprement «charger de fers», d'où le sens général d'«entraver». Comme aujourd'hui au Canada, on s'en est servi en particulier en parlant d'un cheval auquel on a mis des entraves. Le terme a cessé de figurer au vocabulaire français vers la fin du XVe siècle, peu après l'apparition du verbe **entraver**. Les Canadiens emploient aussi [ENFARGER] dans la forme pronominale, en parlant de personnes, au lieu des verbes **s'empêtrer** et **trébucher**: *elle s'est* [ENFARGÉE] *dans la traîne de sa robe de mariée* et *il s'est* [ENFARGÉ] *dans l'escalier et est tombé.* Il faut dire *elle s'est empêtrée dans la traîne de sa robe de mariée, il a trébuché dans l'escalier* et *on a entravé les chevaux.*

EN FAVEUR DE — Cette locution prépositive signifie «au bénéfice de, au profit de, dans l'intérêt de» en parlant de personnes: *jugement rendu en faveur du demandeur, s'entremettre auprès d'une personne en faveur d'une autre, retirer sa candidature en faveur d'un compétiteur* (*voir* **COMPÉTITEUR — COMPÉTITION**) et «à l'avantage de» en parlant de choses non matérielles: *les événements se déroulèrent en faveur de son projet, personne n'osait se prononcer en faveur de cette nouvelle théorie* et *l'Assemblée nationale a suspendu le débat sur le budget en faveur du projet de loi* (*voir* **BILL** *et* **LOI**) *numéro dix.*

La portée de la locution anglaise **in favour of** est plus étendue. Employée avec le verbe **to be** elle signifie «d'accord avec» et «partisan de» et, avec le verbe **to vote**, «en vue de l'adoption de, de l'élection de».

Ce sont des anglicismes qu'on commet quand on dit *être* [EN FAVEUR DE] *quelqu'un* ou *quelque chose* au lieu *d'être d'accord avec quelqu'un*, ou *d'être un partisan de quelqu'un*, ou *d'être partisan de quelque chose*, et *voter* [EN FAVEUR D'] *une proposition, d'un projet de loi* au lieu de *voter pour une proposition, pour un projet de loi.* L'expression *être pour* signifie «être partisan de» et *voter pour* veut dire «voter en vue de l'adoption de, de l'élection de». On ne se trompe jamais en employant la préposition **pour** avec les verbes *être* et *voter* pour exprimer ces idées: *on est pour ou contre quelqu'un* et *cinq conseillers municipaux* (*voir* **ÉCHEVIN**) *ont voté pour le projet de règlement.* Il ne faut pas demander *êtes-vous* [EN FAVEUR DE] *ce candidat?* mais *êtes-vous pour ce candidat?* ou *êtes-vous un partisan de ce candidat?* Il ne faut pas dire *les actionnaires du club* (*voir ce mot*) *ont voté* [EN FAVEUR DE] *l'engagement d'un nouvel entraîneur* (*voir* **INSTRUCTEUR**), mais *les actionnaires du club ont voté pour l'engagement d'un nouvel entraîneur* ou, si tel est le cas, *ont voté l'engagement d'un nouvel entraîneur.*

Un projet de loi, un projet de règlement municipal, une motion présentée par un membre du bureau (*voir ce mot*) d'une association ne tirent aucun avantage comme tels du fait de compter un plus ou moins grand nombre de partisans non plus que de celui d'être adoptés quand ils le sont : on ne peut ni être ni voter [EN FAVEUR D'] une proposition. Et le fait d'être **partisan** de quelqu'un ou de lui accorder sa voix dans une élection indique que l'on agit dans son propre intérêt, non dans celui de cette personne.

EN FIN DE COMPTE — *Voir* **EN DÉFINITIVE** *et* **ÉVENTUELLEMENT**.

ENFONCER (S'...) — *Voir* **CALER** (du grec...).

ENGAGÉ — L'adjectif **engagé** (ne pas confondre avec le participe passé du verbe *engager*: *on m'a engagé pour faire ce travail, cette troupe d'opéra a été engagée pour dix représentations, nous nous étions engagés dans une aventure* et *nous savons à quoi nous nous sommes engagés*) a des acceptions particulières dans quelques vocabulaires techniques. Dans le langage courant, il n'a que les quatre significations suivantes: «mis en marche, démarré» en parlant d'une affaire (*voir ce mot*): *une entreprise mal engagée*; «investi» en parlant de financement: *les capitaux engagés sont normalement proportionnés à la rentabilité d'une affaire* et *j'ai trop de capitaux engagés*; «mis en gage» (*voir* **REGRATTIER**): *je te prêterais mon collier, mais j'ai eu besoin d'argent et il est engagé* et *cette maison est engagée pour plus que sa valeur*, et «mû par des convictions politiques, sociales ou religieuses» en parlant d'un écrivain, d'un artiste, d'un savant, d'une œuvre : *il est des œuvres médiocres que personne ne lirait si leurs auteurs n'étaient des écrivains engagés*.

Se garder d'employer l'adjectif **engagé** au lieu des adjectifs **occupé** et **pris**. Il ne faut pas dire *la ligne est* [ENGAGÉE] (*voir* **TÉLÉPHONE**), mais *la ligne est occupée* ou *la ligne n'est pas libre*. Il ne faut pas dire *monsieur le directeur sera* [ENGAGÉ] *pour une heure encore*, mais *monsieur le directeur sera occupé* ou *pris pour une heure encore*. Il faut dire *je serai occupé* ou *pris tout l'après-midi*, non *je serai* [ENGAGÉ] *tout l'après-midi*.

ENGAGEMENT — Noter que l'on ne peut employer le substantif **engagement** au sens premier de **rendez-vous**, c'est-à-dire d'«accord en vue d'une rencontre entre deux ou plusieurs personnes qui conviennent de se trouver à un certain endroit au même moment»: *fixer un rendez-vous*. Il ne faut pas dire à quelqu'un *prenons un* [ENGAGEMENT] *pour le déjeuner, lundi prochain, à ce même restaurant et à la même heure*, mais *prenons un rendez-vous pour le déjeuner*. Au lieu de *j'ai un* [ENGAGEMENT] *avec ce client à trois heures cet après-midi*, il faut dire *j'ai rendez-vous avec ce client à trois heures cet après-midi*.

Le mot **engagement** a le sens général de «promesse de faire quelque chose». Aussi le fait de fixer un **rendez-vous** devient-il à ce point de vue un **engagement**, autant que l'action d'accepter d'avance une invitation ou celle de promettre d'assister à une cérémonie. Une secrétaire répond correctement à une invitation à déjeuner faite à son patron *monsieur X ne peut prendre le rendez-vous que vous lui proposez à cause d'un engagement antérieur*, mais cette secrétaire commettrait une faute en disant *monsieur X ne peut prendre l'*[ENGAGEMENT] *que vous lui proposez pour le déjeuner*. L'**engagement** que crée un **rendez-vous** n'existe qu'une fois celui-ci pris.

Hors de la vie publique et des hautes sphères de l'activité économique, surtout dans le langage familier, il est préférable d'éviter l'emploi du mot **engagement** au sens de «promesse d'être présent quelque part à un certain moment». Mieux vaut s'exprimer autrement: *monsieur ne sera pas libre pour le déjeuner, le patron sera occupé toute la matinée* (*voir* **MATIN — MATINÉE**), *j'ai déjà un rendez-vous pour cette heure-là, le directeur sera pris jusqu'à six heures, madame a déjà promis d'aller rendre une visite à l'heure du thé*, etc.

ENGAGER (S'...) — *Voir* **JOINDRE**.

ENGAGER — *Voir* **ENCOURIR** *et* **IMPLIQUER**.

ENGENDRER — *Voir* **DÉVELOPPER**.

ENGLOUTIR — *Voir* **CALER** (du grec...).

ENGOULEVENT — *Voir* **OISEAUX**.

ENIVRER (S'...) — *Voir* **DÉRANGER (SE...)**.

ENLÈVEMENT — ENLEVER — *Voir* **CUEILLETTE**.

ENNUI — *Voir* **TROUBLE**.

ENNUYER — *Voir* «**ACHALER**», «**BÂDRER**» *et* **CHICOTER**.

EN PARTICIPATION — *Voir* **CONJOINT — CONJOINTEMENT**.

EN PLEIN — *Voir* **D'APLOMB**.

EN RAISON DE — *Voir* **DÛ**.

ENRAYER — *Voir* **CHÈQUE**.

ENREGISTREMENT — ENREGISTRER — **Enregistrer** et **enregistrement** employés aux sens d'«inscrire sur un registre» et d'«action d'inscrire sur un registre» ou d'«inscription sur un registre» ne se disent qu'en parlant des choses: *enregistrer un acte, enregistrer des bagages* et *droits d'enregistrement*.

Les termes anglais **to register** et **registration** s'emploient dans les mêmes sens en parlant des personnes et des choses et c'est commettre un anglicisme que de dire, par exemple, *cette personne ne s'est pas* [ENREGISTRÉE] *à notre hôtel* au lieu de *cette personne ne s'est pas inscrite à notre hôtel*. On ne doit pas parler des *actionnaires* [ENREGISTRÉS] *d'une entreprise*, mais des *actionnaires inscrits*.

Se rappeler, en outre, qu'**enregistrer** est un terme générique et que ce n'est pas l'expression juste à employer dans un bon nombre de cas. Ainsi, l'on commet d'autres anglicismes quand on parle d'une *lettre* [ENREGISTRÉE] au lieu de dire *lettre recommandée* (pour un colis, on dit *colis* ou *paquet d'une valeur déclarée*) et de l'[ENREGISTREMENT] *des automobiles* au lieu de dire *l'immatriculation des automobiles*. Il ne faut pas dire *les plaques d'*[ENREGISTREMENT] *d'une voiture*, mais *les plaques d'immatriculation*.

En matière juridique, on doit dire le plus souvent **déclarer** au lieu d'**enregis-**

trer. Plutôt qu'[ENREGISTRER] *une naissance*, on dit *déclarer une naissance*. Au lieu de *le capital* [ENREGISTRÉ] ou [AUTORISÉ] *d'une entreprise*, il faut dire *le capital déclaré*, ou *nominal*, ou *social d'une entreprise*. Enfin, il ne faut pas dire *marque de fabrique* ou *de commerce* [ENREGISTRÉE], mais *marque de fabrique* ou *de commerce déposée*.

À retenir: on n'**enregistre** que des choses. On **inscrit** sur des **registres** des personnes et des choses. On **recommande** une lettre et on **recommande** un colis postal en en **déclarant** la valeur. On **immatricule** les voitures. On **déclare** une naissance ou un **capital** et on **dépose** une marque (*voir* **ÉTIQUETTE**) de commerce.

Se garder de commettre les fautes d'orthographe et de prononciation [ENRÉGISTRER] et [ENRÉGISTREMENT]. Les mots **enregistrer** et **enregistrement** s'écrivent sans accent aigu et leur deuxième syllabe se prononce *re*.

Voir **ABBRÉVIATION, AUTOMOBILE, ENTRÉE — ENTRER** *et* **REGISTRAIRE — REGISTRATEUR.**

ENROLER (S'...) — *Voir* **JOINDRE.**

ENSEIGNANT — *Voir* **INSTITUTEUR** *et* **UNIVERSITAIRE — UNIVERSITÉ.**

ENSEMBLE (...RÉSIDENTIEL, LOCATIF) — *Voir* **DÉVELOPPEMENT.**

EN SERVICE — *Voir* **DEVOIR.**

EN SOMME — *Voir* **EN DÉFINITIVE.**

ENSUITE — *Voir* **APRÈS.**

ENTENDRE (S'...) — *Voir* **ADONNER** *et (***S'**...).

ENTENTE CRIMINELLE ou **DÉLICTUEUSE** — *Voir* **CONSPIRATION.**

ENTRACTE — *Voir* **INTERMISSION.**

ENTRAÎNEUR — *Voir* **INSTRUCTEUR.**

ENTRAVER — *Voir* «**ENFARGER**».

ENTRÉE — ENTRER — Le verbe **entrer** ne s'emploie guère transitivement qu'en parlant de marchandises et il est alors le plus souvent synonyme d'**importer**: *on peut entrer ces articles sans payer des droits*.

C'est fautivement qu'on se sert d'**entrer** comme verbe transitif dans le vocabulaire de la comptabilité: [ENTRER] *une vente au journal*. Il ne faut pas demander *avez-vous* [ENTRÉ] *ce déboursé dans les livres?* mais *avez-vous inscrit ce déboursé dans les livres?* **Inscrire** est le verbe à employer. On **inscrit** une opération sur un **registre** comptable.

L'inscription d'une opération sur un registre comptable s'appelle **écriture**. Même faites à l'aide de machines comptables électroniques, comme dans les banques, les **écritures** restent des **écritures**; ce ne sont pas des [ENTRÉES].

Un employé subalterne à un service de comptabilité est un **commis aux écritures**.

Les mots anglais **to enter** et **entry** ont, dans le langage comptable, les sens d'«inscrire une opération» et d'«écriture» et c'est sous l'influence de l'anglais qu'on prête à tort ces acceptions aux mots **entrer** et **entrée** au Canada.

Voir **ADMISSION** *et* **PORTIQUE**.

ENTRE PARENTHÈSES — *Voir* **INCIDEMMENT**.

ENTREPOSAGE — ENTREPOSER — ENTREPÔT — Se rappeler que les mots français **entreposage**, **entreposer** et **entrepôt** n'ont pas toutes les acceptions des mots anglais **warehousing, storage, to warehouse, to store, warehouse** et **storehouse**. Ceux-ci se disent à propos d'à peu près n'importe quel genre d'objets déposés dans un lieu pour y être conservés et gardés.

Entreposage, **entreposer** et **entrepôt** ne se disent qu'à propos de marchandises. Des meubles et des fourrures appartenant à des particuliers ne sont pas des objets de commerce. Les lieux où l'on garde des meubles ou des fourrures appartenant à des particuliers ne sont pas des **entrepôts**, mais des **garde-meuble** et des **garde-fourrure**.

On commet un anglicisme en disant, par exemple, *je fais* [ENTREPOSER] *mes fourrures tous les ans dès le printemps venu* au lieu de *je dépose mes fourrures à un garde-fourrure tous les ans*. Il ne faut pas dire *à votre place, comme vous devez vous absenter du pays pour deux ans, je mettrais les meubles dans un* [ENTREPÔT] *et je louerais la maison*, mais *je mettrais les meubles dans un garde-meuble*. Il ne faut pas dire *ce fourreur offre à tous ses clients six mois par année d'*[ENTREPOSAGE] *gratuit des fourrures qu'il vend*, mais *ce fourreur offre à tous ses clients la garde gratuite six mois par année des fourrures qu'il vend*.

ENTREPRENANT — *Voir* **AGRESSIF — AGRESSIVITÉ**.

ENTREPRENDRE — *Voir* **DÉBUTER**.

ENTREPRENEUR — *Voir* **CONTRACTANT — CONTRACTER**.

ENTREPRISE — Ne pas confondre **entreprise** commerciale ou industrielle et **établissement** commercial ou industriel. Toute unité d'exploitation d'un commerce ou d'une industrie est une **entreprise**: une société de gestion, une blanchisserie (*voir* **BUANDERIE — BUANDIER**) et un commerce de courtier en assurances sont également des **entreprises**.

Un **établissement** est un lieu aménagé pour une exploitation commerciale ou industrielle, magasin, bureau, usine, etc.: *une entreprise de chemins de fer possède nécessairement un grand nombre d'établissements*. Chacune des succursales d'une grande **entreprise** du commerce de l'alimentation, par exemple, est un **établissement**. Un **établissement** peut comprendre un certain nombre d'immeubles ou d'autres installations groupées en un même endroit: *l'entreprise Aluminium du Canada a un établissement considérable à Arvida* et *cet établissement comprend des usines et des immeubles à bureaux*.

Voir **CONTRACTANT — CONTRACTER** *et* **INDUSTRIE**.

ENTRETIEN — *Voir* **MAINTENANCE.**

ÉNUMÉRATEUR — ÉNUMÉRATION — Avant des élections législatives, on fait le **dénombrement** ou **recensement** des électeurs afin de dresser les listes électorales. Le «compte détaillé» d'un ensemble de personnes se nomme en anglais **enumeration** et c'est un anglicisme que l'on commet quand on parle de l'[ÉNUMÉRATION] *des électeurs* au lieu de dire *le dénombrement* ou *recensement des électeurs.* Le substantif **énumération** désigne l'action d'énoncer une à une, successivement, les parties d'un tout, non celle de les compter, et il ne sert qu'en parlant d'ensembles de choses, non de personnes: *voici une simple énumération des services que nous offrons* et *nos voyageurs de commerce* (*voir* **VENDEUR**) *doivent nous remettre chaque mois un compte rendu de leur travail comprenant l'énumération des villes et villages où ils sont allés et la liste des marchands qu'ils ont visités à chaque endroit* (*voir* **PLACE**).

Le substantif **énumérateur**, naguère usité pour désigner une «personne qui énumère», c'est-à-dire qui énonce successivement des choses formant un tout, est désuet. C'est aussi commettre un anglicisme que de l'employer pour nommer une «personne qui procède à un recensement» au lieu de dire **recenseur** ou **agent recenseur**. Il ne faut pas dire *les* [ÉNUMÉRATEURS] *commenceront lundi à aller de maison en maison pour remplir le questionnaire du recensement* ou *dénombrement électoral*, mais *les recenseurs* ou *agents recenseurs commenceront lundi...*

Recenseur est nom et adjectif.

ENVERS — *Voir* **ENDOS — ENDOSSATAIRE — ENDOSSEMENT — ENDOSSEUR.**

EN VIGUEUR — *Voir* **OPÉRATEUR — OPÉRATION — OPÉRER.**

ENVOL — ENVOLÉE — **Envolée** était naguère un synonyme d'**envol** et signifiait, comme ce dernier mot, l'«action de prendre son vol», c'est-à-dire de s'élever de terre pour se déplacer dans l'air. Le «déplacement dans l'air» n'a jamais été pour les avions plus que pour les oiseaux l'**envol** ou l'**envolée**, mais le **vol**.

L'**envol** d'un avion est son **décollage**. Le nom **envolée**, lui, ne s'emploie plus qu'au sens figuré péjoratif de «mouvement oratoire» pour désigner un passage d'un discours où l'orateur enfle exagérément la voix et cherche à donner par de grands mots et de grandes phrases l'impression qu'il a beaucoup de souffle et s'élève au-dessus du médiocre.

On commet une impropriété en appelant *envolée* au lieu de **vol** un voyage d'avion ou en avion. Il faut dire *départ du vol 303 à quinze heures*, non *départ de l'*[ENVOLÉE] *303 à quinze heures*; *le vol Montréal-Paris s'est effectué en moins de temps que d'ordinaire*, non *l'*[ENVOLÉE] *Montréal-Paris.* On dit *vol de nuit*, non [ENVOLÉE] *de nuit.*

ÉPARGNER — *Voir* **SAUVER.**

ÉPINGLE — *Voir* **BROCHE.**

ÉPLUCHAGE — *Voir* «**ÉPLUCHETTE**».

«**ÉPLUCHETTE**» — Mot apparemment venu d'un patois de l'Ardenne, où il était synonyme d'**épluchage**. On lui a donné au Canada le sens de «réunion de personnes pour enlever les enveloppes de feuilles et les filandres d'un grand nombre d'épis de maïs (*voir* **BLÉ D'INDE**) et qui se termine généralement par un repas au maïs suivi de chansons et de danse». L'ancien français populaire aurait plutôt créé le mot *éplucherie*, comme on a dit *filerie* (*voir ce mot*) pour désigner une veillée (*voir* **VEILLE — VEILLÉE — VEILLER**) où des femmes se réunissaient pour filer la laine.

La coutume de l'*épluchette de blé d'Inde* est en voie de disparition et l'on dit correctement **épluchage** dans les conserveries et dans les cuisines, de sorte qu'il serait oiseux de se poser longuement des questions sur la qualité d'**épluchette**. Se rappeler seulement que les cas sont rares dans l'histoire de la langue où le suffixe *et — ette* a servi à former d'autres mots que des diminutifs. De basse origine et de formation douteuse, le terme folklorique **épluchette** est plus que suspect.

ÉPOUSE — ÉPOUX — *Voir* **DAME** (du latin **domina**).

ÉPOUSER — *Voir* **MARIER**.

ÉPOUVANTE — Dérivé d'*épouvanter* vers la fin du XVIe siècle, le substantif **épouvante** a presque aussitôt donné naissance à l'expression *prendre l'épouvante*, qui voulait dire «être soudainement frappé d'une grande terreur». On disait *les soldats prirent l'épouvante*. Depuis deux siècles, on ne dit plus *prendre l'épouvante*, mais *être frappé*, ou *saisi*, ou *rempli d'épouvante*. Le verbe *s'épouvanter*, qui était synonyme de *prendre l'épouvante*, se disait des animaux comme des hommes: *c'est un bon cheval de bataille, il ne s'épouvante pas du bruit*. Il est possible, bien qu'aucun texte n'en témoigne, qu'on ait aussi employé, du moins dans quelques régions, l'expression *prendre l'épouvante* en parlant des chevaux. Comme une terreur soudaine causée par un fait imprévu a généralement pour effet chez un cheval qu'il s'emporte et s'emballe, on a confondu au Canada l'effet avec la cause et on y dit incorrectement *prendre l'épouvante* au lieu de *prendre le mors aux dents*: *il court après son cheval qui* [A PRIS L'ÉPOUVANTE]. Le cheval de trait étant chose du passé, on a rarement l'occasion de commettre cette faute de nos jours, mais l'idée d'allure (*voir ce mot*) excessive évoquée par celle d'un cheval qui a pris le mors aux dents a inspiré la création d'un autre canadianisme non moins patois et celui-ci continue d'avoir cours dans le langage familier: l'expression [FAIRE À L'ÉPOUVANTE], à laquelle on donne le sens du verbe **bâcler** (*voir ce mot*): *elle fait son ménage* [À L'ÉPOUVANTE] *et sa maison n'est jamais propre*, ou *si tu ne faisais pas tout* [À L'ÉPOUVANTE], *tu pourrais mettre un peu d'ordre dans tes affaires*, ou encore *vois comme le cahier de ta compagne* (*voir* **CONFRÈRE**) *de classe est bien tenu, elle ne fait pas ses devoirs* [À L'ÉPOUVANTE] *comme toi*, au lieu d'*elle est toujours si pressée d'avoir fini son ménage que sa maison n'est jamais propre, si tu ne bâclais pas tout ce que tu fais* et *elle ne bâcle pas ses devoirs*.

ÉPREUVE — L'expression [IL N'Y A RIEN À SON ÉPREUVE] est courante au Canada. On l'emploie en parlant des personnes dans les deux sens d'«il n'y a rien qui puisse résister à son instinct de destruction» : [IL N'Y A RIEN À SON ÉPREUVE], *cet enfant brise tout* et d'«il n'est rien qu'il ne puisse réussir en dépit de toutes les résistances» : *ce garçon ira loin,* [IL N'Y A RIEN À SON ÉPREUVE].

En premier lieu, le solécisme. Toujours suivie d'un complément, la locution **à l'épreuve de** signifie «en état de résister à (un agent destructeur que le complément détermine)» : *à l'épreuve du feu, à l'épreuve de la pluie, à l'épreuve des balles, à l'épreuve de la médisance.* La locution **à l'épreuve de** ne peut avoir comme complément qu'un nom de chose. On ne dit pas *être à l'épreuve* [DES MÉDISANTS].

Une autre locution, qui, elle, n'a évidemment jamais besoin d'un complément, **à toute épreuve**, se dit aussi en parlant des personnes et des choses : *je suis heureux d'avoir des amis à toute épreuve* et *sa fidélité est à toute épreuve.* **À toute épreuve** est synonyme d'**inébranlable**.

ÉPREUVE DE RÉVISION — *Voir* **RÉVISER — RÉVISION.**

ÉPROUVER — *Voir* **ENCOURIR.**

ÉPUISER — *Voir* **BRÛLER** *et* «**MAGANER**».

ÉPUISETTE — L'instrument du pêcheur qui se compose d'un petit filet fixé à une monture métallique ronde, ovale ou carrée et d'un manche se nomme **épuisette**.

ÉQUILIBRER — *Voir* **BALANCER.**

ÉQUIPE — *Voir* **CLUB, HOCKEY** *et* **LIGUE.**

ÉQUITÉ — L'anglais prête au Canada à son mot **equity** le sens de «différence entre la valeur marchande d'un bien immobilier et la somme des droits dont il est hypothéqué». C'est la valeur financière libre de la propriété.

Le mot français **équité** n'a aucun rapport avec la valeur des terres et des maisons. C'est un terme abstrait qui signifie «façon d'apprécier propre à rendre à chacun ce à quoi il a droit naturellement» : *avoir l'esprit d'équité, juger en équité.*

ÉQUIVALENT — *Voir* **ADÉQUAT.**

ÉRABLIÈRE — Ce mot né en Amérique, comme les canadianismes *caribou* (*voir ce mot*) et *orignal* (*voir* **ANIMAUX**), figure maintenant dans les dictionnaires français. Construit comme *cacaotière*, «plantation de cacaoyers» (*voir* **CACAO — CACAOYER**), *cyprière*, «bois planté de cyprès», *safranière*, «plantation de safran», et *sapinière*, «lieu planté de sapins», **érablière**, qui désigne un bois planté d'une espèce d'érables américains dont la sève sucrée est exploitée industriellement, est bien formé.

Les expressions usitées au Canada [CABANE À SUCRE] et [ALLER AUX SUCRES] sont, cependant, à proscrire. Premièrement, si l'on peut appeler familièrement *cabane à chien* la niche qui abrite un chien, on ne saurait se servir de la préposition *à* (*voir* **PRÉPOSITIONS, EMPLOI DES**...) après le mot **cabane** en la faisant suivre du complément **sucre** pour dire «cabane où l'on produit du sucre et du sirop». Deuxièmement, on donne ici au mot **cabane** un sens qui ne convient pas souvent à la qualité des constructions que l'on veut désigner et qui ne convient nullement à leur destination. Une **cabane** est une «maison petite, peu solide et grossièrement construite» ou un «abri destiné à un ou des animaux». Il fut un temps où la plupart des [CABANES À SUCRE] étaient à proprement parler des **cabanes**. Aujourd'hui, de façon générale, si grossièrement construites soient-elles, les [CABANES À SUCRE] sont des bâtiments permanents et un certain nombre d'entre elles sont aussi confortables que des maisons de campagne.

Le fait est qu'une [CABANE À SUCRE], quelle que soit l'étendue de la forêt d'érables où elle se trouve, est une fabrique de sucre et on doit la désigner comme telle. Une [CABANE À SUCRE] est une **sucrerie d'érablière**. Il ne faut pas dire *aller à la* [CABANE] *de l'érablière de Jean*, mais *aller à la sucrerie de l'érablière de Jean.*

Quant aux expressions [ALLER AUX SUCRES], [LE TEMPS DES SUCRES] et [PARTIE DE SUCRE], ce sont des solécismes (*voir* **HUÎTRE**). On va aux fraises et il y a le temps des fraises, parce que les fraises se mesurent par unités. Les pains, morceaux ou cubes de **sucre** se mesurent par unités, mais pas le **sucre**. D'un autre côté, le **sucre** est un objet. Ce n'est pas une sorte d'activité non plus qu'un décor dans lequel s'exerce une sorte d'activité. On va à la chasse au renard, mais on ne va pas [AU RENARD]. On fait une partie de pêche ou une partie de campagne, pas une partie [DE BROCHET] ou une partie [DE CHAMP]. On ne va pas [AUX SUCRES] mais *à l'érablière.* Au lieu du [TEMPS DES SUCRES], il faut parler du *temps du sucre d'érable* et c'est une *partie d'érablière* qu'on fait, non une *partie de* [SUCRE].

ERRATIQUE — L'adjectif **erratique** appartient premièrement au vocabulaire médical, où il sert à désigner une «fièvre intermittente, irrégulière». En géologie, il caractérise certains blocs qui subsistent après le recul des glaciers.

Ce n'est qu'à cause de l'adjectif anglais **erratic**, qui a ces significations, qu'on prête à l'adjectif français le sens de «bizarre, capricieux, fantastique», qu'il n'a pas.

On dit aussi en anglais qu'une machine fonctionne de façon **erratic**, c'est-à-dire **irrégulière**.

ESCARPÉ — *Voir* **À PIC**.

ESCARPIN — *Voir* **PANTOUFLE**.

ESCARPOLETTE — *Voir* **BALANÇOIRE**.

ESCOMPTE — *Voir* **VENTE**.

ESCROQUERIE — *Voir* **REPRÉSENTATION**.

ESPACE — ESPACEMENT — ESPACER — Dans un texte dactylographié (*voir*

DACTYLOGRAPHE), l'écartement entre deux mots d'une ligne est un **espace**, mais l'intervalle entre deux lignes est un **interligne**. Ces deux mots se traduisent par un seul en anglais : **space**. [DOUBLE ESPACE] au lieu *d'interligne double* est un calque de l'anglais **double space**. Dire *un texte dactylographié à* [DOUBLE ESPACE] *se lit facilement* au lieu de *à interlignes doubles*, c'est commettre un anglicisme.

«Séparer les mots d'une ligne ou les lettres d'un mot par des espaces» se dit **espacer**. L'«action d'espacer» est l'**espacement**. Ce mot désigne aussi la «manière dont les mots sont espacés» : *le titre du manuscrit était dactylographié en majuscules et à espacement double* et la «barre d'espacement» d'une machine à écrire : *l'espacement de ma machine à écrire s'est coincé.*

«Séparer les lignes par des interlignes» se dit **interligner**. L'«action d'interligner» est l'**interlignage**. Ce mot désigne aussi la «manière dont un texte est interligné» : *un texte dactylographié à interlignage double* et le «mécanisme d'interlignage» d'une machine à écrire : *l'interlignage de ma machine est déréglé.*

ESPADRILLE — *Voir* **PANTOUFLE**.

ESPÉRER — Le verbe **espérer** eut jusqu'au XVIIe siècle les deux sens d'«attendre» et de «prévoir». On disait, par exemple, *j'espère la tempête avec inquiétude* et *sa venue non espérée embarrasse l'affaire*. La première de ces acceptions anciennes d'**espérer** est restée dans le langage populaire de quelques régions de la France et du Canada, où l'on dit [ESPÉREZ] *un peu* au lieu d'*attendez un peu.*

ESPIONNER — *Voir* **ÉCORNIFLER — ÉCORNIFLEUR**.

ESSENCE — Ne pas confondre **essence** et **parfum**. On désigne par le mot **essence** un «extrait concentré retiré de végétaux ou obtenu chimiquement que l'on emploie pour aromatiser les compositions de parfumerie ou certains aliments». Le mot **parfum** sert à désigner l'«odeur d'une composition de parfumerie» ainsi que le «goût d'un aliment aromatisé». Par exemple, il ne faut pas dire d'une glace (*voir* **LAIT**) qu'elle est *de l'*[ESSENCE CHOCOLAT] ou de *l'*[ESSENCE FRAMBOISE], mais qu'elle est *du parfum chocolat* ou *du parfum framboise*, ou du *parfum de chocolat* ou du *parfum de framboise*. On ne doit pas annoncer dans un restaurant *lait malté, toutes* [ESSENCES], mais *lait malté, tous parfums*. Il ne faut pas dire *boisson gazeuse* (*voir* **BREUVAGE**) *à l'*[ESSENCE] *de citron*, mais *boisson gazeuse au parfum de citron*. Il ne faut pas dire *ce fabricant de produits alimentaires offre des petits déjeuners artificiels de plusieurs* [ESSENCES] *qu'on dissout dans du lait froid*, mais *ce fabricant de produits alimentaires offre des petits déjeuners artificiels de plusieurs parfums* (café, chocolat, vanille, etc.).

Voir **GAZOLINE**.

ESSOREUSE — *Voir* **LESSIVEUSE** *et* **MOULIN**.

ESSUIE-MAINS et **ESSUIE-VERRES** — *Voir* **ANNEAU** *et* **SERVIETTE**.

ESTAMPE — C'est, premièrement, le nom d'un moule en acier dont on se sert pour produire des empreintes sur les métaux et celui d'un poinçon de serrurier et de forgeron. Pris dans ces deux sens, le mot s'écrit le plus souvent **étampe**. Deuxièmement, **estampe** est un terme d'art qui désigne une image imprimée au moyen d'une gravure sur cuivre ou sur bois. C'est aussi le nom de l'outil dont on se sert dans certains métiers pour réaliser par repoussage, à l'aide d'un moule de métal gravé, une image en relief sur un métal moins dur ou une autre matière: argent, étain, cuir, etc. Les pièces de monnaie sont estampées.

Au Canada, on emploie le mot **estampe** (quelquefois écrit **étampe**) pour désigner les petits instruments de bureau dont on se sert dans les maisons d'affaires pour apposer des marques sur des documents, des feuilles à classer, des pièces de correspondance, etc. Ces petits instruments s'appellent en anglais **rubber stamps**: l'expression [ESTAMPES] *en caoutchouc* est un anglicisme. Ces objets sont des **timbres** en caoutchouc. On les appelle *timbres humides* parce qu'il faut imbiber le caoutchouc d'encre pour que la marque qu'il porte s'imprime.

Il y a des **timbres** dateurs à bandes mobiles pour les quantièmes (*voir ce mot*), les mois et les années, des **timbres** numéroteurs, des **timbres** portant diverses formules commerciales: *annulé, imprimé, urgent, à répondre*, etc. Enfin, il y a aussi des *timbres secs* en métal, véritables presses en miniature, qui servent à graver des initiales ou de courts textes sur le papier à lettres, les enveloppes, etc.

Un homme d'affaires ne doit pas dire à sa secrétaire *marquez cette lettre-ci avec l'*[ESTAMPE] *«confidentiel» et celle-là avec l'*[ESTAMPE] *«urgent»*, mais *marquez cette lettre-ci avec le timbre «confidentiel» et celle-là avec le timbre «urgent»*.

Voir **VIGNETTE**.

ESTIMATION — ESTIMER — Le verbe **estimer** signifie «déterminer la valeur de». Il est synonyme d'**évaluer** et d'**expertiser**. On dit également *faire estimer sa maison par un expert, faire évaluer sa maison par un expert* et *faire expertiser sa maison*. Le substantif **estimation** désigne l'«action de déterminer la valeur de». Il est synonyme d'**évaluation** et d'**expertise**. On dit également *j'ai confié à un expert l'estimation de ma maison, j'ai confié à un expert l'évaluation de ma maison* et *j'ai fait faire l'expertise de ma maison*. L'**estimation** ou l'**évaluation** se distinguent de l'**appréciation** *(voir ce mot)* en ce qu'elles déterminent la valeur, non nécessairement le prix d'une chose. On appelait naguère *estimateur* une «personne qui fait une estimation». Le terme n'est plus employé qu'en assurance: personne chargée d'établir la valeur des biens assurés, des dommages subis, etc. Employer comme nom l'ancien adjectif *évaluateur* pour désigner cette personne, c'est commettre une faute. Il faut dire **expert** ou, dans le langage administratif, **répartiteur**.

On peut nommer **répartiteur** un **expert** chargé d'**estimer** des biens immeubles en vue de la répartition entre les propriétaires d'une municipalité ou commune de l'impôt de quotité appelé *contribution foncière*.

Tout «spécialiste chargé de faire une estimation» est un **expert**. Une «estimation faite par un expert» est une **expertise**.

L'anglais a dérivé du verbe **to estimate**, qui a la même signification qu'**estimer**, le substantif pluriel **estimates**, par lequel, dans la terminologie administrative, il désigne «les recettes et les dépenses prévues dans un budget». Le substantif [ESTIMÉ] dont on se sert au Canada n'existe pas en français. Le mot **budget** et les expressions *crédits budgétaires* et *prévisions budgétaires* sont les termes qu'il faut employer quand on parle d'une administration publique. Dans le vocabulaire des affaires, on dit *dépenses prévues* et *prévisions de dépenses*. C'est commettre un anglicisme que de parler, par exemple, de l'*étude par les Communes des* [ESTIMÉS BUDGÉTAIRES] *de la prochaine année* (*voir ce mot*) *financière* au lieu de dire l'*étude par les Communes du budget de la prochaine année financière*. Il ne faut pas dire *le Parlement a voté des* [ESTIMÉS] *pour ces travaux*, mais *le Parlement a voté des crédits pour ces travaux*.

L'anglais des affaires a étendu le sens du substantif pluriel **estimates** et l'emploie pour rendre l'idée de **devis** estimatif.

Le mot **devis** signifie «état détaillé de travaux à exécuter et de leur prix (*voir* **COÛT**) fait par un entrepreneur» et c'est commettre un autre anglicisme que de dire, par exemple, *j'ai des* [ESTIMÉS] *à préparer en vue de trois contrats* au lieu de *j'ai des devis à préparer...*

Se garder d'employer [ESTIMÉ] à la place d'**estimation**, d'**évaluation** ou d'**appréciation**. Il ne faut pas dire, par exemple, *n'oublie pas de faire l'*[ESTIMÉ] *du temps perdu à cause des intempéries et d'en tenir compte dans ton devis*, mais *n'oublie pas de faire l'estimation du temps perdu*. Au lieu de *le comptable a fait l'*[ESTIMÉ] *du stock*, il faut dire *le comptable a fait l'appréciation du stock* ou *l'évaluation du stock*.

ESTIVANT — *Voir* **VACANCE — VACANCES — VACANCIER.**

«**ESTRIE**» — Mot bizarre créé à Sherbrooke. En français, quand on parle de l'Est et de l'Ouest, on pense tout de suite à utiliser les mots **Orient** et **Occident**, qui sont des termes très généraux. Personne n'a encore imaginé de former un mot [OUESTRIE] pour désigner une région de l'ouest d'un pays.

Ce qu'il y a de plus baroque dans le mot [ESTRIE] employé au Québec, c'est qu'il désigne une région située dans la partie ouest du territoire. On a voulu remplacer **Cantons de l'Est**, nom qu'on jugeait trop près de l'anglais **Eastern Townships**, mais cette désignation a une connotation historique qui permet de la comprendre: il s'agit des cantons les plus à l'est du Canada où des loyalistes venus des États-Unis se sont installés en nombre et ont vécu depuis deux siècles environ, c'est-à-dire depuis la Révolution américaine. En proposant le terme absolu d'[ESTRIE], on crée une absurdité, car la région qu'on veut désigner ainsi n'est pas dans la partie orientale du Québec mais dans sa partie occidentale.

Si l'on tient à conserver cette découverte linguistique, qui n'est pas incorrectement construite, elle s'appliquerait mieux au vaste territoire malheureusement appelé [CÔTE NORD].

Voir **CÔTE.**

ÉTABLISSEMENT — *Voir* **ENTREPRISE — INDUSTRIE** *et* **INSTITUTION.**

ÉTAGE — *Voir* **PLANCHER.**

ÉTAT — Se rappeler que, pris au sens de «peuple représenté et dirigé par une autorité politique autonome», ce mot s'écrit toujours avec une majuscule: *l'État du Québec.*

Voir **GOUVERNEMENT, ORDONNER — ORDRE** *et* **PROVINCE.**

ÉTAYER — *Voir* **ACCOTER.**

ÉTHER DE PÉTROLE — *Voir* **GAZOLINE.**

ÉTIQUETTE — Noter que le mot **étiquette** n'est pas synonyme de **marque** et de **label** et qu'on ne peut l'employer à la place de ceux-ci.

Une **étiquette** est un «petit écriteau en papier ou en carton fixé à un objet, article de commerce, mallette ou valise (*voir ce mot*), etc., pour en indiquer la destination, la nature, le contenu, le prix ou le possesseur»: *l'étiquette sur la bouteille avertit que ce produit est un poison, les voyageurs sont priés d'indiquer clairement leur destination sur les étiquettes de leurs bagages, tous nos articles portent une étiquette de prix* et *n'oubliez pas d'attacher à chacun des tableaux exposés qui seront vendus une étiquette portant le nom de l'acheteur.*

Dans le vocabulaire de l'industrie, le mot **marque** désigne un «signe distinctif apposé sur un produit pour en indiquer le fabricant»: *une marque de fabrique peut être un nom, des initiales ou un emblème*, un «produit portant une marque de fabrique»: *j'achète cette marque parce qu'elle m'a toujours donné satisfaction* et une «entreprise dont les produits portent la marque»: *les grandes marques de produits alimentaires se disputent âprement la clientèle.*

On nomme **griffe** une **marque** très personnelle, qui est souvent la signature du fabricant, destinée à protéger particulièrement un produit contre les imitations possibles: *en exigeant notre griffe, vous vous assurez* (*voir* **ASSURER, S'...**) *qu'on ne vous vend pas une contrefaçon.*

Le néologisme **label** a une autre signification. Ce sont les syndicats ouvriers qui l'ont emprunté à l'anglais pour nommer un «signe distinctif apposé sur un produit pour indiquer que celui-ci est fabriqué par une entreprise dont les employés et les ouvriers sont syndiqués»: *ce produit porte un label syndical.* Il faut ajouter à **label** l'adjectif *syndical* parce que le sens du mot s'est rapidement élargi. Il a remplacé le terme imprécis *étiquette de qualité* et sert à désigner tout «signe distinctif apposé sur un produit pour indiquer qu'il est fabriqué selon certaines normes, par tel ou tel procédé, afin d'en garantir la qualité»: *label d'esthétique industrielle* et *les produits qui portent ce label de qualité sont livrés avec un bon de garantie.* Plusieurs produits portent des **marques** accompagnées de **labels** figuratifs ou descriptifs.

Se garder d'employer le mot **étiquette** quand on veut parler d'un **label**. Il ne faut pas dire *ce produit porte l'*[ÉTIQUETTE] *de notre syndicat*, mais *ce produit porte le label de notre syndicat.* Se garder de même d'employer **marque** à la place de **label**. Au lieu de *la* [MARQUE] *d'esthétique industrielle sur cet appareil* *électro-ménager indique qu'il a remporté un grand prix*, il faut dire *le label d'esthétique industrielle.*

Inversement, désigner une **étiquette** par le mot **label** serait commettre un anglicisme: **étiquette** se dit **label** en anglais.

ÉTOFFE — *Voir* **MATÉRIEL.**

ÊTRE EN SERVICE — *Voir* **DEVOIR.**

ÉTRENNES — Ce nom ne s'emploie qu'au pluriel: *les étrennes de maman*, même s'il n'y a qu'un objet, et *un livre d'étrennes*, «livre donné à l'occasion de Noël ou du premier de l'an».

Si l'on tient à employer un mot singulier, il faut dire **cadeau** ou **présent**. Il ne faut pas dire *j'ai reçu* [UNE BELLE ÉTRENNE] *de ma tante*, mais *j'ai reçu un beau cadeau.*

«**ÉTRIVER**» — Le canadianisme **étriver** est d'origine germanique. Il est issu d'un mot signifiant «lutte», qui a donné le substantif **strife** à l'anglais et le substantif **estrif** à l'ancien français, vers le Xe siècle. **Estrif** et son dérivé **estriver** ont été usités jusqu'au XVIe siècle. **Étriver** rendait alors l'idée de «combattre», après avoir eu le premier sens de «discuter». Abandonné par le français du XVIIe siècle, **étriver** survécut dans plusieurs patois du Nord, depuis la Picardie jusqu'au Bas-Maine, où il avait déjà subi ou commença à subir une atténuation de sens. Il y prit de façon générale ceux d'«agacer pour des riens» et de «prendre plaisir à contrarier, à faire enrager plus ou moins malicieusement» que possède de nos jours, depuis deux siècles environ, le verbe **taquiner**. Fait curieux, le mot *taquin*, duquel **taquiner** dérive, a eu en ancien français le sens de «querelleur». Dans un cas comme dans l'autre, il y a adoucissement de sens. Il reste que le canadianisme **étriver** est un mot vieilli, dialectal quant à sa signification, et qu'il faut se servir du verbe **taquiner** au XXe siècle. Il ne faut pas dire *cesse donc d'*[ÉTRIVER] *cet enfant!* mais *cesse donc de taquiner cet enfant!*

ÉTUDIANT — Deux siècles avant l'apparition du mot **étudiant**, le mot **écolier** existait. Il désignait depuis le XIIe siècle toute personne qui s'instruisait. Puis, au XVIIe siècle, vint le mot **élève**, employé d'abord seulement quand on parlait des artistes en herbe qui recevaient des leçons d'un maître (peintre, sculpteur, etc.), et, quelque cent ans plus tard, le mot **collégien**. Au fur et à mesure que l'enseignement moderne se structurait, ces quatre mots ont pris les sens élargis ou restreints qu'ils ont aujourd'hui.

Le mot **élève** est le terme général. Tous les enfants, tous les adolescents et tous les jeunes gens, toutes les personnes qui suivent des cours sont des **élèves**. Mais ces **élèves** sont désignés par les mots **écolier**, **collégien** ou **étudiant** selon qu'ils fréquentent une école primaire, une maison du second degré ou une maison d'enseignement supérieur: *cet écolier est un bon élève* et *il y a de bons et de mauvais élèves parmi les étudiants.*

Ceux qui suivent des cours particuliers sur un art ou une science, chez un artiste ou dans une école privée (école de diction, école de ballet, école d'art dramatique, etc.), sont des **élèves** comme au temps de Louis XIV. On ne leur a pas donné un nom particulier.

Que la maison d'enseignement secondaire qu'il (ou elle) commence à fréquenter s'appelle **cégep**, **collège** ou **couvent**, l'**écolier** (ou l'**écolière**) de l'année précédente est devenu **collégien** (ou **collégienne**) et le restera tant qu'il (ou elle) n'aura pas commencé à suivre les cours d'une faculté à une université ou ceux d'une maison d'enseignement supérieur (école d'agriculture, école supérieure d'enseignement technique, etc.) et alors il (ou elle) sera **étudiant** (ou **étudiante**).

C'est une faute de parler des [ÉTUDIANTS] *des collèges* ou des *cégeps*. Il faut dire *les collégiens* ou *les élèves des collèges*. À plus forte raison, on ne peut parler des [ÉTUDIANTS] *des écoles primaires*. Il faut les appeler par leur nom : ce sont des **écoliers**. Comme leurs maîtres sont des instituteurs (*voir ce mot*), non des professeurs.

ÉTUI — *Voir* **SAVONNETTE**.

ÉTYMOLOGIE — *Voir* **BUREAU**.

ÉVALUATION — ÉVALUER — *Voir* **ESTIMATION — ESTIMER**.

ÉVÉNEMENT — *Voir* **DÉVELOPPEMENT**.

ÉVENTAIL — Un **éventail** est un «instrument portatif généralement demi-circulaire et à monture permettant de le replier sur lui-même, formé de brins portant une feuille de papier, de tissu, de peau, ou d'un faisceau de plumes, dont on se sert pour produire quelque fraîcheur en agitant l'air devant soi». L'**éventail** est un objet dont on se sert manuellement.

Un «appareil ou dispositif électrique, mécanique ou à vapeur servant à créer un mouvement d'air soit pour renouveler l'atmosphère d'un lieu, soit pour alimenter une combustion, soit pour rafraîchir un moteur» est un **ventilateur**. L'emploi d'**éventail** au lieu de **ventilateur** est fréquent au Canada. La faute s'explique principalement par le fait que le même mot **fan** traduit en anglais **évantail** et **ventilateur**. Au lieu de *le ronronnement de l'*[ÉVENTAIL] *est trop fort dans cette pièce*, il faut dire *le ronronnement du ventilateur est trop fort*. Il ne faut pas dire *l'hélice de cet* [ÉVENTAIL] *est défectueuse*, mais *l'hélice de ce ventilateur est défectueuse*. Un automobiliste ne doit pas dire au mécanicien qui met au point le moteur de sa voiture *veuillez remplacer la courroie de l'*[ÉVENTAIL], mais *veuillez remplacer la courroie du ventilateur*.

ÉVENTUELLEMENT — Cet adverbe est synonyme de la locution adverbiale **le cas échéant**. Il signifie «s'il y a lieu, si les circonstances le permettent ou l'exigent»: *si je réussissais cette affaire, je pourrais éventuellement faire un voyage en France*. C'est sa seule signification.

L'adverbe anglais **eventually** rend la même idée, mais il traduit aussi celles qu'expriment l'adverbe **finalement** et les locutions **en définitive** (*voir cette expression*), **en fin de compte** et **par la suite**. Ce sont des anglicismes que l'on commet quand on prête ces acceptions à **éventuellement**. Il ne faut pas dire *ils se sont* [ÉVENTUELLEMENT] *entendus après une longue discussion*, mais *ils se sont finalement entendus*. Il ne faut pas dire [ÉVENTUELLEMENT], *après avoir étudié tous les aspects de la question, ils ont conclu que*, mais *en définitive, après avoir* *étudié*. Au lieu d'*il prit* [ÉVENTUELLEMENT] *la décision d'accorder ce qu'on lui demandait*, on dit correctement *il prit en fin de compte la décision*. Il ne faut pas dire *ils refusèrent alors de s'avouer vaincus, mais ils durent* [ÉVENTUELLEMENT] *céder à la pression des circonstances*, mais *ils durent céder par la suite à la pression des circonstances*.

ÉVIER — Noter que les mots **évier** et **lavabo** ne sont pas synonymes. Un **évier** est une «cuvette pourvue d'une robinetterie et d'un tuyau d'évacuation des eaux pour laver la vaisselle». Il n'y a d'**éviers** que dans les cuisines. La «cuvette pourvue d'une robinetterie et d'un tuyau de vidange (*voir ce mot*) pour se laver» est un **lavabo**. Il ne faut pas dire *va te laver les mains dans l'*[ÉVIER] *de la salle de bains*, mais *dans le lavabo de la salle de bains*, non plus qu'*il y a deux* [ÉVIERS] *dans ce cabinet* (*voir ce mot*) *de toilette*, mais *il y a deux lavabos*.

EXACT — *Voir* **CORRECT**.

EXCEPTIONNEL — *Voir* **DIFFÉRENT**.

EXÉCUTER — *Voir* **COMPLÈTEMENT — COMPLÉTER** *et* **REMPLIR**.

EXÉCUTIF — Le verbe *exécuter* a le sens général d'«accomplir quelque chose conformément à un plan, à des directives, à une ligne de conduite préalablement tracée», mais la portée du terme **exécutif**, nom et adjectif, ne dépasse pas les limites du vocabulaire politique.

Nom, **exécutif** désigne le «pouvoir qui met en œuvre les lois»: *le vice fondamental de la dictature est de confondre l'exécutif et le judiciaire* et l'«organisme qui exerce le pouvoir exécutif dans un État»: *le nouveau premier ministre a présenté au vice-roi* (*voir* **GOUVERNEUR**) *la liste des membres de son exécutif*.

Dans ce sens, **exécutif** est synonyme de *cabinet, gouvernement* et *ministère*.

Adjectif, le mot signifie «relatif à l'exécution des lois»: *le pouvoir exécutif*.

Ce sont là ses seules significations. Par analogie, le terme **exécutif** s'emploie correctement en parlant de l'organisme chargé de la mise en œuvre des règlements municipaux dans une grande ville: *le comité exécutif de Montréal*. C'est abusivement que quelques écrivains ont utilisé l'adjectif **exécutif** pour qualifier un **exécutant**.

Naguère encore, le terme anglais **executive** n'appartenait lui aussi qu'au vocabulaire politique. Depuis le début du siècle, l'usage américain, qui façonne de plus en plus l'anglais, en a multiplié les emplois. Est maintenant **executive** à peu près quiconque met en œuvre une autorité et tout ce qui est relatif à la mise en œuvre d'une autorité, particulièrement dans le monde des affaires et dans celui des associations. On commet un anglicisme chaque fois qu'on se sert du mot **exécutif** pour désigner ou qualifier des personnes ou d'autres organismes ou d'autres choses que des organismes ou des choses politiques. Pour ce qui est des affaires, les personnes désignées ou qualifiées en anglais par le mot **executive** remplissent des fonctions de direction et l'on peut se servir la plupart du temps du terme **directeur** (*voir ce mot*) en parlant d'elles. Pour ce qui est des associations, les membres d'un conseil de direction forment un **bureau** (*voir ce mot*), non un *comité* [EXÉCUTIF].

Il ne faut pas dire *adjoint* [EXÉCUTIF] quand on veut parler du *chef de cabinet* d'un ministre (*voir ce mot*), non plus que *secrétaire* [EXÉCUTIF] au lieu de *chef de secrétariat*. Il ne faut pas dire *vice-président* [EXÉCUTIF] *de la vente*, mais *vice-président directeur du service de la vente* ou, plus simplement, *vice-président à la vente*. Il ne faut pas dire *cette maison paie de bons appointements* (*voir ce mot*) ou *salaires à ses secrétaires* [EXÉCUTIVES] quand on veut dire *aux secrétaires de ses administrateurs*, ou *de ses administrateurs-directeurs*, ou *de ses directeurs*. Il ne faut pas dire *l'*[EXÉCUTIF] *du syndicat a décidé que*, mais *le bureau du syndicat*. Il ne faut pas dire *je suis membre* [EXÉCUTIF] *de notre association*, mais *je suis membre* ou *je fais partie du bureau de notre association*. Il ne faut pas dire *fonctions* [EXÉCUTIVES], mais *fonctions de direction*, quand il ne s'agit pas de simples *fonctions d'exécutant*.

EXEMPLAIRE — *Voir* **COPIE**.

EXEMPLE — *Voir* **PAR EXEMPLE**.

EXERCICE — *Voir* **ANNÉE** *et* **PRATIQUE**.

EXHIBER — EXHIBITION — **Exhiber** et **exhibition** ont été employés jusqu'au début du siècle aux sens de «faire voir au public» et d'«action de faire voir au public». Cette acception est désuète. On ne dit plus d'un artiste qu'il *exhibe* ses œuvres, mais qu'il les **expose**; on ne parle plus d'une *exhibition* de peintures, mais d'une **exposition** de peintures et plutôt qu'*on exhibe souvent des animaux dans les parcs d'attractions* (*voir* **AMUSEMENT**), on dit *on montre souvent des animaux*.

Le sens propre d'**exhiber** est «produire devant l'autorité»: *exhiber son passeport devant un douanier, exhiber des documents devant un tribunal* et **exhibition** signifie «action de produire devant l'autorité»: *les policiers ont exigé l'exhibition de tout ce que nous avions dans nos poches*.

Les **documents** et autres objets qu'on **exhibe** devant les tribunaux s'appellent en anglais **exhibits**. En français, en matière civile, ce sont des **pièces** ou **documents** à l'appui et, pour les affaires criminelles, ce sont des **pièces à conviction**. Il ne faut pas dire *la défense conteste l'authenticité de cet* [EXHIBIT], mais *la défense conteste l'authenticité de cette pièce* ou *de ce document*, et il ne faut pas dire *le principal* [EXHIBIT] *de l'accusation est l'arme du crime*, mais *la principale pièce à conviction est l'arme du crime*. Dire [EXHIBIT], c'est commettre un anglicisme. Le mot n'existe pas en français.

Quand on parle d'une **exposition**, il ne faut pas dire *les* [EXHIBITS] *exposés*, mais *les pièces exposées* ou *les éléments de l'exposition*.

Le verbe **exhiber** s'emploie aussi quelquefois au sens de «montrer de façon à produire un certain effet»: *elle exhiba soudainement devant ses compagnes envieuses la bague qu'elle venait de recevoir*. Au figuré, **exhiber** et **exhibition**, de même que le verbe **s'exhiber**, sont toujours péjoratifs. Ils signifient «montrer et action de montrer et se montrer sans discrétion et sans pudeur»: *exhiber* *ses connaissances*, c'est en faire étalage, et *exhiber ses sentiments*, c'est les montrer avec ostentation; *s'exhiber dans les assemblées politiques*, c'est s'y montrer dans le but de s'y faire voir et de façon à être remarqué.

Dans le vocabulaire sportif, **exhibition** a pris le sens particulier de « manifestation spectaculaire sans valeur de classement ». Il ne faut pas dire *ces deux équipes joueront demain un match* [HORS SÉRIE], mais *ces deux équipes joueront demain un match d'exhibition.* L'expression **hors série** n'a que deux sens. Dans le commerce, elle signifie « qui n'est pas de fabrication courante »: *nos souliers hors série coûtent naturellement plus cher que les autres* et, au figuré, « qui s'écarte des normes habituelles »: *une œuvre littéraire hors série*, par exemple, est une œuvre qui n'est pas conforme aux types ordinaires de la production littéraire: *cet ouvrage tient à la fois de la biographie, de l'histoire générale, de l'essai et du roman, c'est une œuvre hors série* et l'on dit d'un homme qui accomplit des choses exceptionnelles qu'il a *une vie hors série.* Au sens de « qui ne fait pas partie d'un programme (*voir* **CÉDULE**) de manifestations sportives en vue d'un classement », [HORS SÉRIE] est une faute.

Il ne faut pas dire non plus *match* [HORS CONCOURS] au lieu de *match d'exhibition.* Employée adjectivement, l'expression *hors concours* a une signification consacrée par l'usage dans la terminologie sportive. Elle s'applique aux athlètes (*voir* **ATHLÈTE — ATHLÉTISME**), non aux compétitions (*voir* **COMPÉTITEUR — COMPÉTITION**), non plus qu'aux matchs (*voir* **JOUTE**). Elle signifie, en parlant de concurrents, « ne plus être admis parce qu'il a obtenu antérieurement un trophée ou parce que sa supériorité est écrasante »: *tous les lauréats des années précédentes seront désormais hors concours.* L'expression peut aussi s'employer par analogie à propos de concours littéraires, artistiques ou scientifiques.

EXIGEANT — *Voir* **PARTICULIER.**

EXIGER — *Voir* **CHARGE — CHARGER.**

EXIT — **Exit** n'est pas un mot français emprunté au latin, mais un mot latin que le français emploie dans le vocabulaire des dramaturges et des metteurs en scène pour indiquer la sortie d'un personnage. C'est la troisième personne du singulier du présent de l'indicatif du verbe **exire**, qui signifie « sortir ». L'indication scénique **exit** signifie donc « il sort ». Quand deux ou plusieurs personnages doivent sortir en même temps de scène, le texte le commande par la troisième personne du pluriel du présent de l'indicatif du verbe latin **exire** et l'on écrit *exeunt* (« ils sortent »). **Exit** n'a pas d'autre emploi en français.

L'anglais a emprunté son mot **exit** au latin et l'a substantivé en lui donnant les sens de « départ » et de « sortie de secours ». C'est commettre un anglicisme que de désigner une porte ou un passage secondaire pour sortir d'un local s'il s'y produit un incendie par le mot **exit.** Il ne faut pas dire *l'*[EXIT] *est généralement indiqué par une lampe* (*voir* **LUMIÈRE**) *rouge*, mais *la sortie de secours est généralement indiquée par une lampe rouge.*

EXORCISER — *Voir* **ANTAGONISME.**

EXPÉDIER — *Voir* **DISPOSER.**

EXPÉDITIF — *Voir* **D'AVANCE.**

EXPERT — EXPERTISER — *Voir* **ESTIMATION — ESTIMER** *et* **ASSURANCE.**

EXPERT-COMPTABLE — *Voir* **AUDITEUR.**

EXPERTISE — Les médias du Canada français se servent de plus en plus de ce mot pour dire «connaissances et expérience en une certaine matière»: *l'*[EXPERTISE] *de l'Hydro-Québec dans le domaine de l'électricité est universellement reconnue.* Connaissances et expérience donnent la **compétence**, au sens général de ce terme, et c'est celui qu'il faut employer, au lieu d'[EXPERTISE].

Le mot français **expertise** n'a d'autres significations que celles de «intervention d'un expert»: *demander une expertise* et de «rapport d'un expert»: *l'expertise condamne nettement le projet*, sauf qu'il a diverses applications particulières dans le vocabulaire médical: *expertise mentale.*

Voir **ASSURANCE — ESTIMATION — ESTIMER** *et* **LÉGAL.**

EXPLICITE — *Voir* **SPÉCIFICATION — SPÉCIFIER — SPÉCIFIQUE.**

EXPLIQUER et **S'EXPLIQUER** — *Voir* **ÉLABORER.**

EXPLOIT — *Voir* **BREF** (nom).

EXPLOITANT — EXPLOITATION — EXPLOITER — EXPLOITEUR — *Voir* **DÉVELOPPEMENT — DÉVELOPPER** *et* **OPÉRATEUR — OPÉRATION — OPÉRER.**

EXPOSER — EXPOSITION — *Voir* **EXHIBER — EXHIBITION.**

EXPOSITION — *Voir* **MONTRE.**

EXPRÈS — *Voir* **SPÉCIAL.**

EXPRESS — *Voir* **LOCAL** *et* **SPÉCIAL.**

EXTENSION — Noter pour l'emploi du substantif **extension** qu'il désigne des actions ou des qualités, non, contrairement aux mots **addition, allonge, rajout** et **rallonge**, des objets. Ce sont des anglicismes que l'on commet quand on l'emploie concrètement: le terme anglais **extension** possède, de façon générale, celui de «pièce servant à allonger».

Synonyme de **rallonge**, le mot **allonge** est de moins en moins usité, l'un et l'autre s'appliquent à des pièces mobiles ou amovibles servant à accroître la longueur ou la surface d'une chose. Il ne faut pas dire *table à* [EXTENSIONS] pour désigner une table (*voir* **TABLETTE**) à laquelle on peut ajouter des planches pour augmenter la grandeur de sa surface, mais *table à rallonges* ou *à allonges.* Il ne faut pas dire *compas à* [EXTENSIONS], mais *compas à rallonges.*

Pour désigner une chose ajoutée, **addition** ne se dit guère plus dans le langage courant qu'en parlant de textes: *manuscrit surchargé d'additions.* Il est aussi fautif d'employer le mot **addition** que le mot **extension** ou le mot **allonge** pour désigner une partie de bâtiment rajoutée. Il ne faut pas dire *on construira une* [EXTENSION], ou *une* [ALLONGE] *qui permettra d'agrandir l'entre-*

pôt, mais *on construira un rajout.* En revanche, le mot **rajout** est synonyme d'**addition** quand on parle de textes: *épreuve d'imprimerie que l'auteur a surchargée de rajouts.*

Noter, en second lieu, que le substantif **extension** ne doit jamais se substituer à **prolongation** pour désigner une action ou le résultat de cette action quand il s'agit d'un accroissement de durée. Un patron ne doit pas dire à un employé *je vous accorde une* [EXTENSION] *d'engagement*, mais *je vous accorde une prolongation d'engagement.* Il ne faut pas dire *j'ai obtenu une* [EXTENSION DE TEMPS] *pour payer cette dette*, mais *j'ai obtenu une prolongation de délai* ou, plus simplement, *j'ai obtenu un nouveau délai.*

EXTINCTEUR AUTOMATIQUE — *Voir* **GICLEUR**.

EXTRA — La préposition latine **extra**, qui signifiait, au propre et au figuré, «hors de», a donné au français et à l'anglais un préfixe qui entre dans la composition d'un grand nombre de mots. Le français ne l'emploie comme adjectif qu'en parlant de qualité, au sens de «supérieur», et encore seulement dans le langage familier: *un fromage extra*, l'anglais lui donne la signification de «supplémentaire», si bien que, si l'on dit au restaurant **the wine is extra**, cela signifie en français que «le vin est en plus sur l'addition», tandis que la même phrase traduite littéralement («le vin est extra») voudrait dire «le vin est de qualité supérieure».

L'anglais et le français emploient également le préfixe comme adverbe au sens d'«extrêmement» (acception venue de l'abréviation d'*extraordinairement* et d'**extraordinarily**) et, en français et en anglais, cet adverbe précède toujours un adjectif auquel il est lié par un trait d'union: **extra-fine peas** et *petits pois extra-fins.*

Enfin, le français et l'anglais ont substantivé le préfixe, mais le nom français **extra** et le nom anglais **extra** sont aussi éloignés l'un de l'autre par leurs significations que le sont les adjectifs *extra* et **extra**.

Le substantif **extra** sert à désigner une «chose qui sort de l'ordinaire»: *il faudra faire un extra pour bien recevoir ces invités*; un «travail fait hors des heures ordinaires»: *le jardinier a accepté de venir faire l'extra de tondre le gazon dimanche avant l'arrivée de nos invités* ou *mon mari travaille au service* (*voir* **DÉPARTEMENT — DÉPARTEMENTAL**) *de la comptabilité d'un grand magasin et il fait des extra chez des petits marchands*, et une «personne exerçant un métier commercial ou domestique engagée hors du cours ordinaire des choses»: *nos serveuses ne seront pas assez nombreuses pour ce banquet, nous aurons besoin de trois extra.*

Sauf le cas d'une édition d'un journal publiée à une heure exceptionnelle pour annoncer ou raconter un événement d'une grande importance (**extra** traduit alors *édition spéciale*), ce n'est pas l'idée de «hors de l'ordinaire» qui détermine les significations du substantif anglais **extra**, mais celle d'«additionnel» (*voir ce mot*). Se garder d'employer le substantif français **extra** pour désigner des choses qui s'ajoutent. La plupart du temps, c'est le mot **supplément** qui s'impose, comme **supplémentaire** traduit généralement l'adjectif **extra**. Il ne faut pas dire *des frais* [EXTRA] mais *des frais supplémentaires.* Il ne faut pas dire *il y a un* [EXTRA] *à payer pour l'excédent de bagages,* mais *il y a un supplément à payer pour l'excédent de bagages.* Il ne faut pas dire *il y aura des* [EXTRA], mais *il y aura des dépenses* ou *frais supplémentaires,* ou *des suppléments.* Il ne faut pas dire *tous* [EXTRA] *compris,* mais *tous les suppléments compris.* Il ne faut pas dire *il était entendu que les* [EXTRA] *seraient ajoutés à la somme convenue,* mais *il était entendu que les suppléments seraient ajoutés à la somme convenue.* Ces fautes sont des anglicismes.

Se rappeler que, nom ou adjectif, **extra** est un mot invariable. Il ne prend jamais la marque du pluriel.

EXTRAORDINAIRE — *Voir* **SPÉCIAL.**

F

FACE À — Cette locution prépositive ne s'emploie au figuré qu'au sens de «en présence de» en parlant de quelque chose d'hostile, de menaçant: *face à l'ennemi, face à la mort, face à l'adversité, cet homme fut courageux.*

On ne peut lui prêter la signification de «en ce qui concerne». Il est incorrect, par exemple, de dire *cette compagnie a négligé de prendre certaines précautions* [FACE À] *la sécurité des voyageurs* au lieu de *en ce qui concerne la sécurité des voyageurs.*

FAÇON — Au Moyen Âge, le substantif **façon** avait le sens propre de «face, visage» et il prit au figuré celui, qu'il garda jusqu'au début du XVIIIe siècle, d'«aspect, expression du visage», acception que le mot **mine** a acquise au cours du XVe siècle, et **façon** et **mine** furent synonymes pour exprimer cette idée pendant plus de deux siècles. Au XVIIe siècle, cependant, **façon** n'avait plus cette signification que dans le langage familier et il n'est resté de cet emploi que l'expression *avoir bonne façon*, rare du reste, qui s'applique plus de nos jours à l'apparence générale d'une personne qu'à son visage. On commet une faute quand on dit au Canada *faire belle* [FAÇON] ou *faire mauvaise* [FAÇON] *à quelqu'un* au lieu de *faire bonne mine* ou *faire grise* ou *triste mine.* Il ne faut pas dire *tu as la* [FAÇON] *allongée ce matin*, mais *tu as la mine longue* ou *allongée ce matin.*

FACTURE — *Voir* **ADDITION**.

FACTURER — FACTURIER — Le verbe transitif **facturer** ne se dit qu'en parlant des choses vendues et signifie «porter sur une pièce comptable qui en indique la nature, la quantité et le prix»: *le relevé de compte que vous m'avez envoyé hier comprend le prix de plusieurs articles facturés qui ne m'ont pas été livrés.* On **facture** des marchandises ou des services, non les personnes auxquelles on les a vendus. Demander, par exemple, *devons-nous vous* [FACTURER] *personnellement ou* [FACTURER] *votre entreprise pour cet achat?* c'est commettre un solécisme. Il faut dire *devons-nous établir la facture de cet achat à votre nom* *ou à celui de votre entreprise?* ou encore *devons-nous vous compter cet achat ou le compter à votre entreprise?*.

Cette faute est un anglicisme. Elle vient de ce que l'un des deux verbes anglais qui traduisent **facturer**, **to bill**, est transitif direct autant en parlant des clients qu'en parlant des marchandises: il a les deux sens de «porter (des marchandises) sur une pièce comptable» et de «compter (des marchandises) à quelqu'un».

Facturer s'emploie intransitivement pour dire «établir des factures»: *le service de la comptabilité a passé l'après-midi à facturer*. Un «employé dont le travail consiste à établir des factures» est un **facturier**, nom que portent aussi les machines à **facturer**.

FACULTÉ — *Voir* INSTITUT.

FAILLI — FAILLITE — *Voir* BANQUEROUTE — BANQUEROUTIER.

FAIRE — *Voir* COMPLÈTEMENT — COMPLÉTER, ENCOURIR, PRENDRE *et* TÉLÉPHONE.

FAIRE CAS DE — *Voir* APPRÉCIER.

FAIRE CORRESPONDANCE — *Voir* CORRESPONDRE.

FAIRE DES COURSES — *Voir* MAGASINAGE — MAGASINER.

FAIRE DES EMPLETTES — *Voir* MAGASINAGE — MAGASINER.

FAIRE DES PROVISIONS — *Voir* MAGASINAGE — MAGASINER.

FAIRE DU SHOPPING — *Voir* MAGASINAGE — MAGASINER.

FAIRE FACE À — *Voir* RENCONTRER.

FAIRE HONNEUR À — *Voir* RENCONTRER.

FAIRE LA CONNAISSANCE DE — *Voir* RENCONTRER.

FAIRE RESSORTIR — *Voir* EMPHASE.

FAIT — L'expression [COMME DE FAIT] n'est pas française. Au lieu de *il nous l'avait promis et,* [COMME DE FAIT], *il est intervenu*, il faut dire *et, en effet,* ou *effectivement*, ou *de fait, il est intervenu.*

Voir DÉVELOPPEMENT.

FALSIFICATION — *Voir* ALTÉRATION — ALTÉRER.

FAON — *Voir* ANIMAUX.

FARINE — *Voir* CÉRÉALE *et* MOULÉE.

FART — FARTAGE — FARTER — *Voir* CIRE — CIRER.

FATIGANT — FATIGUER — Se garder de dire ces mots comme si leur dernière syllabe commençait par *qu*. Cette prononciation incorrecte est d'origine dialectale. Elle fut courante dans quelques patois du nord et du centre de la France, dans la région du Haut-Maine par exemple. Il ne faut pas dire *je suis bien fati*[QUÉ], mais *je suis bien fatigué*.

Voir «**MAGANER**».

FAUBERT — *Voir* **VADROUILLE**.

FAUCHÉ — *Voir* **CASSÉ — CASSER**.

FAUX — *Voir* **FORGE — FORGER**.

FAVEUR — *Voir* **EN FAVEUR DE**.

FAVORI — Dans le vocabulaire sportif, on désigne ou qualifie correctement par le mot **favori**, nom et adjectif, le «concurrent qui sera probablement le gagnant d'une compétition, d'un match, d'une course»: *notre équipe* (*voir* **CLUB**) *est la favorite pour le championnat, il ne parie aux courses que sur les favoris* et *le challengeur est favori contre le champion des poids moyens*.

L'idée de «victoire probable» étant comprise dans le mot **favori**, il faut se garder de faire suivre celui-ci comme complément explicatif commençant par la préposition *pour* de l'un ou l'autre des verbes *gagner, décrocher, remporter, triompher, vaincre* ou de la locution verbale *l'emporter sur*. On commet un pléonasme fautif en disant, par exemple, *notre équipe est la favorite pour* [GAGNER] *le championnat*, ou *il ne parie aux courses que sur les favoris* [POUR DÉCROCHER LA VICTOIRE], ou *le challengeur est favori* [POUR L'EMPORTER SUR] *le champion*.

FAVORISER — Au XVIIe siècle, le verbe **favoriser** s'employait au sens d'«apprécier (*voir ce mot*), faire cas de, accorder son approbation à» en parlant de choses. On disait alors correctement *favoriser les vers d'un poète* pour exprimer l'idée qu'on rendrait aujourd'hui par *aimer les vers d'un poète*. Cependant, ce n'est pas un archaïsme que l'on commet, mais un anglicisme, quand on fait dire à **favoriser** «être partisan de, être pour, préconiser, préférer, se prêter à» qui sont autant d'acceptions du verbe anglais **to favor** ou **favour**. En français moderne, les verbes **préconiser**, **préférer**, **prôner** et **recommander** et les expressions *être partisan de* et *être pour* traduisent bien les idées que le verbe anglais signifie.

Au XXe siècle, le verbe transitif **favoriser** exprime toujours à l'égard de choses l'idée de participer activement, de contribuer à leur réalisation ou à leur succès. *Favoriser* une rencontre entre deux personnes, par exemple, ce n'est pas estimer qu'elle serait opportune ou nécessaire, ce n'est pas la **recommander** ou la **préconiser**; c'est agir en sorte qu'elle soit possible, c'est se prêter à sa réalisation. Il ne faut pas dire *je* [FAVORISE] *tout ce qui sert à l'épanouissement de la personnalité* au lieu de *je suis pour tout ce qui favorise l'épanouissement de la personnalité*.

FAVORITISME — *Voir* **PATRONAGE**.

FÉERIQUE — Il n'y a pas d'accent aigu sur le deuxième *e* de **féerique**, dérivé de **fée**. Aussi se prononce-t-il *férique* plutôt que [FÉ-É-RIQUE].

FEMME — *Voir* **DAME** (du latin **domina**).

FEMME DE JOURNÉE — Synonyme de **femme de ménage**, cette expression désigne une «femme employée pour le soin du ménage dans une famille et payée à l'heure ou à la journée de présence». Se garder de commettre le belgicisme [FEMME À JOURNÉE] introduit récemment par des immigrants au Canada. Depuis assez longtemps en usage en France, l'expression **femme de journée** figure depuis peu dans les dictionnaires. On disait plutôt **femme de ménage** qui a succédé à **femme de peine** en voie de disparition.

FENÊTRE — *Voir* **CHÂSSIS**.

«**FERLOUCHE**» — On dit aussi *farlouche, fourlouche* et *furlouche*. L'origine de ce canadianisme est inconnue. C'est le nom d'une «garniture de tarte crémeuse préparée avec de la farine, de la mélasse, de l'eau, des raisins secs et du beurre et quelquefois aromatisée d'amande»: *tarte à la ferlouche*. Tout au plus peut-on signaler la présence dans le patois berrichon d'un mot **ferloud** qui voulait dire «gourmand». La tarte à la **ferlouche** est-elle une «tarte pour les gourmands»? La mélasse était connue en Europe au XVIe siècle. Si la tarte à la **ferlouche** est un legs d'une ancienne province de France, il semble bien qu'on y a perdu la recette. Spécialité canadienne, la **ferlouche** a le droit de continuer de porter son nom. Il est normal qu'une cuisine régionale ait son vocabulaire.

FERMETURE À GLISSIÈRE — *Voir* **PULL-OVER**.

FERRONNERIE — On a longtemps confondu au Canada les mots **ferronnerie** et **quincaillerie** et l'on continue de le faire dans quelques petites villes, même dans certains quartiers des grandes villes.

Ferronnerie, dérivé de *ferronnier*, lui-même dérivé de l'ancien vocable **ferron**, qui signifiait «marchand de fer», remonte à la fin du XIIIe siècle. Il avait à l'origine le sens de «travail du fer». Le mot **quincaille**, tombé en désuétude au cours du siècle dernier, existait déjà. On désignait par ce mot l'ensemble des «objets usuels de fer et de cuivre». Il y avait des marchands de **quincaille** au XVIe siècle. Si **ferronnerie** employé au lieu de **quincaillerie** est désuet, c'est un mot de patois, mais la faute s'explique probablement par le fait que **ferronnerie** a signifié aux XVIIIe et XIXe siècles l'ensemble des «menus ouvrages de fer fabriqués par les cloutiers» et un commerçant qui vendait au détail des clous et des vis était alors correctement appelé *marchand de ferronnerie.*

Ferronnerie n'a pas d'autres sens aujourd'hui que ceux de «fabrique d'objets en fer», de «travail du fer», particulièrement de «fabrication d'objets artistiques en fer» et, par extension, d'«objets artistiques en fer»: *on trouve à cette exposition de la belle ferronnerie d'art.*

Comme **quincaille**, le mot **quincaillerie** existait avant la naissance de **ferronnerie**, mais il ne fut guère usité avant la fin du XVIIe siècle. Il désigne collectivement les ustensiles de ménage, la poêlerie, la clouterie, les outils, les ouvrages de serrurerie et d'autres objets en métal, la fabrication de ces objets, le commerce de ces objets et un magasin où l'on vend de ces objets. Le **quincaillier** vend des clous, des vis et des ustensiles de métal.

Il ne faut pas dire *j'ai acheté ce verrou* (*voir* **BARRER**) *à la* [FERRONNERIE] *du coin*, mais *j'ai acheté ce verrou à la quincaillerie du coin.*

FERRY-BOAT — *Voir* **TRAVERSIER**.

FESTIVAL — C'est en Allemagne qu'eurent lieu les premières grandes fêtes musicales qui portent le nom de **festival**. Les Anglais adoptèrent avant les Français la coutume des **festivals** musicaux et ils les appelèrent du nom dont ils se servaient déjà pour désigner de grandes fêtes nationales, **festival**, terme qu'ils avaient emprunté à l'ancien français, où l'adjectif *festival* signifiait «relatif à une fête» et «joyeux». Le français a repris à l'anglais le mot substantivé pour désigner une «grande manifestation musicale». Le sens de **festival** eut tôt fait de s'étendre à d'autres manifestations artistiques. Aujourd'hui, **festival** signifie «manifestation exceptionnelle ou périodique, ou ensemble de manifestations exceptionnelles ou périodiques consacrées à la musique ou à un autre art, ou à un artiste ou à un groupe d'artistes»: *festival de musique canadienne, festival du cinéma, festival des poètes québécois.*

> On peut toujours s'exprimer par analogie pour faire des images, autant dans le langage familier que dans la langue littéraire, mais il faut prendre garde de ne pas fausser le sens propre du terme employé par comparaison et de ne pas lui faire signifier brusquement et isolément l'objet même auquel on l'a appliqué afin d'en mettre en relief un caractère particulier. Un sens figuré prêté à un mot ne peut servir à désigner proprement une chose qu'après un usage répandu de la comparaison et par consentement général.

Pour s'exprimer par une image, on peut dire, par exemple, dans la description d'un bal: *c'était un festival du diamant*, afin de marquer la qualité exceptionnelle de la collection des bijoux portés par les femmes, mais on ne peut se servir du mot **festival** pour dire «bal». Parce que **festival** désigne une suite de manifestations, on s'en sert abusivement au Canada pour nommer des ensembles de manifestations exceptionnels ou périodiques qui n'ont rien d'artistique: *un* [FESTIVAL] *de hockey*. En forçant un peu l'analogie, on pourrait dire d'une semaine de réjouissances marquant, par exemple, une fin de saison dans une station de tourisme, qu'elle a donné lieu à un *festival de la bonne humeur*, mais on ne peut ni dire ni écrire *le* [FESTIVAL] *de notre station de tourisme* au lieu de *la semaine de festivités de notre station de tourisme* ou de, simplement, *les fêtes de notre station de tourisme*.

L'anglais emploie son mot **festival** pour dire «jour de réjouissances, généralement périodique, en l'honneur d'une chose importante, particulièrement utile ou admirable». Ce jour, en français, est une **fête** (*voir ce mot*). Il ne faut pas dire *le* [FESTIVAL] *de la myrtille* (*voir* **BLEUET**), mais *la fête de la myrtille*. Il ne faut pas dire *il y a chaque année un* [FESTIVAL] *du homard aux îles de la Madeleine*, mais *on fête chaque année le jour du homard aux îles de la Madeleine*, ou *il y a une fête du homard annuelle aux îles de la Madeleine*.

FÊTE — Ce n'est que par extension que le mot **fête** désigne le jour anniversaire de la naissance d'une personne. À proprement parler, la **fête** d'une personne est le jour consacré par l'Église à la mémoire du saint dont le prénom lui a été donné au baptême et c'est ce jour-là qu'il est d'usage en France de *souhaiter la fête bonne à quelqu'un*. Le jour de son **anniversaire** de naissance, il est plus correct de dire à quelqu'un *je vous souhaite un bon anniversaire de naissance* ou *mes meilleurs vœux à l'occasion de votre anniversaire!*

On dit presque toujours *fête* au lieu d'*anniversaire de naissance* au Canada. La coutume s'y est perdue depuis longtemps de faire participer, comme si c'était la leur, toutes les personnes qui portent le nom d'un saint à la fête de celui-ci.

Voir **FESTIVAL.**

FEU — Le **feu** est souvent un agent de destruction. C'est la «combustion vive de matières, accompagnée d'un dégagement de chaleur et de lumière». *Il y a le feu chez nous* signifie «cet agent de destruction est à l'œuvre chez nous».

Un «feu qui se propage en causant des dégâts» est un **incendie**: *un feu de bois allumé dans la cheminée a causé l'incendie de la maison.*

Il y a des **feux** de forêt comme il y a des **feux** de cheminée. On dira *il y a plusieurs feux de forêt dans cette région* pour exprimer l'idée qu'on a constaté qu'une combustion vive se produisait à plusieurs endroits de la ou des forêts de la région, mais, si l'un de ces **feux** cause des dégâts considérables. il faut dire, par exemple, *l'incendie de cette forêt est désastreux.* Les **feux** de forêt sont la cause des **incendies** de forêt.

Quand les pompiers sont appelés parce qu'il y a le **feu** à une maison, ils y combattent un **incendie** ou un commencement d'**incendie**, c'est-à-dire qu'ils s'efforcent de mettre fin à l'**incendie** en tentant d'empêcher le **feu** de se propager. La destruction causée par le **feu** dans un immeuble est un **incendie**. Il ne faut pas dire *il y a eu plusieurs* [FEUX] *dans notre quartier ces jours derniers,* mais *il y a eu plusieurs incendies.* Il ne faut pas dire *il y a un gros* [FEU] *à Saint-Jérôme,* mais *il y a un gros incendie à Saint-Jérôme.*

Voir **HERPÈS** *et* **LUMIÈRE.**

FÈVE — La **fève** n'est connue au Québec que sous le nom de **gourgane**, nom vulgaire de l'espèce de **fève** la plus répandue, la **fève des marais**, et elle y est cultivée dans les régions de Charlevoix et du lac Saint-Jean (FRÈRE MARIE-VICTORIN, *FLORE LAURENTIENNE*). Les légumineuses appelées erronément [FÈVES] au Canada sont les **haricots**.

Les différences entre ces deux plantes voisines sont nombreuses. La composition chimique de leurs graines n'est pas la même; la teneur en matières azotées, en particulier, est nettement plus élevée chez la **fève** que chez le **haricot**. La tige, les feuilles et les fleurs diffèrent. Les graines n'ont pas la même forme et celles de la **fève** sont recouvertes d'une peau dure dont on les dépouille avant la cuisson, sauf si on les mange à l'anglaise. Elles ne se prêtent pas aux mêmes préparations culinaires: beaucoup de recettes pour petits pois, par exemple, conviennent aux **fèves**, mais les **haricots** ne sont jamais cuits comme des petits pois. Les **haricots** se mangent en gousses, mais les **fèves** ne se mangent pas en cosses complètes. La **fève** pousse bien dans n'importe quel sol humifère; le **haricot**, lui, a grand besoin de chaux. La culture des deux légumineuses est préhistorique, mais, tandis que la **fève** fait depuis cinq mille ans les délices des Chinois, d'autres Asiatiques et d'Africains, c'est en Amérique centrale qu'on mange des **haricots** depuis toujours. Enfin, le goût des **fèves** diffère nettement de celui des **haricots**.

Fève désigne la plante ainsi appelée, son fruit, c'est-à-dire la cosse remplie de graines, et les graines de **fève**. Par extension, **fève** désigne aussi la graine du caféier et celles de quelques autres plantes, comme le myrobolan de l'Inde (*fève du Bengale*) et le **soja** ou **soya** (*fève de soja*).

Haricot désigne la plante ainsi appelée (il y en plus de cent variétés), son fruit, c'est-à-dire la gousse, et les graines de **haricot**.

Haricot vient du mot aztèque **ayacotl**, dont l'adoption et l'adaptation ont été facilitées par le fait qu'au XVIe siècle, quand le **haricot** fut introduit d'Amérique en France, on appelait *haricot* un ragoût de mouton et l'on s'est rendu compte que les **haricots** amélioraient ce ragoût. Au début, on a confondu le **haricot** et la **fève**, que l'on connaissait en Europe depuis très longtemps. On a cru, semble-t-il, que le **haricot** était une variété américaine de **fève** et l'on a appelé ses graines *febves de haricot*, mais dès le début du XVIIIe siècle la différence entre les deux légumineuses était reconnue.

C'est sous l'influence de l'anglais qu'on prête aux **haricots** le nom de **fèves** au Canada: le même mot anglais **bean** désigne les **fèves** et les **haricots**.

Il ne faut pas dire [FÈVES VERTES], mais *haricots verts*. Il ne faut pas dire [FÈVES JAUNES], mais *haricots jaunes* ou *haricots mange-tout*. Il ne faut pas dire [FÈVES ROUGES], mais *haricots rouges*.

Ainsi, le mets américain appelé [FÈVES AU LARD] au Canada porte un nom fautif. On fait des **fèves au lard** en France (avec des **fèves**) cuites en casserole ou en marmite sur feu doux. On fait de même des **haricots au lard** en France en casserole ou en marmite sur feu doux. Les recettes de **haricots au lard** françaises ne comportent ni mélasse ni moutarde. Les **haricots au lard** qu'on mange au Canada d'après une recette américaine sont cuits avec de la mélasse et de la moutarde, au four (*voir* **FOURNEAU**), à feu modéré. Ce sont des **haricots-lard au four à l'américaine** ou, par abréviation, des **haricots-lard au four** et c'est ainsi qu'il faut les nommer.

Noter qu'il faut dire **haricot de Lima**, non [FÈVE] *de Lima*.

FIABLE — Ce mot a repris tous les sens qu'il eut en France du XIIe au XVIe siècle, et sans interruption au Canada. Une personne «à qui l'on peut accorder sa confiance» est une personne **fiable**. Néanmoins, d'autres adjectifs permettent de s'exprimer avec plus de force ou de précision comme **sûr**, **fidèle** et **loyal**: *un ami sûr, une personne loyale, une femme fidèle.*

FIANCÉE — *Voir* **BLONDE**.

FIDÈLE — *Voir* «**FIABLE**» *et* **RÉGULIER**.

FIGURER — Le verbe **figurer**, dérivé de *figure*, terme venu directement du latin

figura, substantif qui signifiait au propre et au figuré «forme, figure, apparence, manière d'être», est l'un des plus vieux mots de la langue française. Son usage a subi quelques modifications au cours des siècles, mais il n'a jamais acquis de sens éloignés de ceux qu'il avait pris au latin. En français moderne, il signifie «représenter par un moyen artistique»: *figurer Jésus en cire pour une crèche, figurer des anges dans un tableau de l'Assomption* et *figurer un proverbe par une saynette*; «jouer un rôle muet, de simple apparence, un rôle de figurant, dans un spectacle» et, à l'intransitif, «être représenté par son nom, par son signe, ou apparaître sans plus»: *ce métal ne figure pas sur la liste des exportations interdites, son nom ne figurait pas sur la liste des invités* et *il ne figurait pas à cette réception.* Ce sont là les seules significations du verbe **figurer**.

L'anglais, qui a emprunté le mot au français, est parti des sens premiers de **figure** pour donner à son nom **figure** et à son verbe **to figure** des acceptions nouvelles. Un chiffre est la représentation, la forme écrite d'une quantité. De là vient que **figure** signifie «chiffre» et que **to figure** signifie «calculer» et «compter», au propre et au figuré. On commet des anglicismes chaque fois que l'on prête l'un de ces sens au verbe français **figurer**. Il ne faut pas dire *ne dérange pas ton père parce qu'il est en train de* [FIGURER], mais *parce qu'il est en train de calculer.* Au lieu de *j'avais* [FIGURÉ] *aller vous voir la semaine prochaine*, il faut dire *je comptais aller vous voir la semaine prochaine.* Il ne faut pas dire *c'est une affaire difficile à* [FIGURER], mais *c'est une affaire difficile à apprécier*, ou *à évaluer.*

Le verbe anglais **to figure** a aussi le sens du verbe pronominal français **se figurer**: «s'imaginer, se représenter dans l'esprit». C'est commettre un autre anglicisme que de dire *je* [FIGURAIS] *bien que vous viendriez* au lieu de *je m'imaginais bien* ou *je me figurais bien que vous viendriez.*

FILATURE — *Voir* **MOULIN.**

FIL DE FER — *Voir* **BROCHE.**

FILER — *Filer doux* est une expression consacrée par l'usage qui s'emploie absolument depuis le XVe siècle pour dire «se montrer craintif» ou «se montrer docile». On ne peut s'autoriser de cette tournure particulière pour se servir du verbe **filer** dans des manières de s'exprimer comme [FILER] *bien,* [FILER] *mal* et [FILER POUR] *faire quelque chose* que le langage populaire utilise couramment au Canada.

Parler de la sorte, c'est prêter à **filer** deux des significations du verbe anglais **to feel**: «se sentir, se porter, se trouver, être d'une certaine humeur» et, quand il est suivi de l'adjectif **like**, «avoir envie de», «être porté à, être dans un certain état d'esprit (à l'égard de quelque chose)».

Il faut se servir des verbes **se porter, se sentir, se trouver**: *je me porte bien, il se sentait mal, nous nous trouvions bien dans cette atmosphère apaisante* ou d'expressions comme *être bien* ou *mal disposé, être de bonne* ou *de mauvaise humeur*, selon le sentiment que l'on veut rendre, et dire, au lieu de [FILER POUR], *avoir envie de*, ou *être* ou *se sentir disposé à,* ou *avoir l'intention de* comme dans les exemples suivants : *je n'avais pas envie de dormir, je ne me sentais pas disposé à entreprendre ce travail, il est charmant quand il en a l'intention* ou *quand il le veut.*

Voir **FILIÈRE.**

FILERIE — Au XIVe siècle, on appelait *filerie* une « soirée où des femmes se réunissaient pour filer de la laine (*voir* « **ÉPLUCHETTE** ») ». En électricité, **filerie** se dit d'un « ensemble de conducteurs de faible section utilisés dans l'équipement des tableaux et des pupitres pour les circuits de commande, de signalisation, etc. (QUILLET-LELAND, *NOUVELLE ENCYCLOPÉDIE DU MONDE*) ».

Au Canada, on se sert incorrectement du terme **filerie** pour désigner n'importe quelle installation de fils électriques. Les termes justes à employer sont **câblage**, **installation** et **pose**.

Câblage est le nom de tout « ensemble des fils et câbles d'une installation électrique ». On peut aussi se servir de l'expression **canalisation d'électricité** pour désigner cet ensemble.

Installation signifie « action de mettre en place dans un immeuble les éléments, câblage, dispositifs et appareils nécessaires au service de l'électricité » et « câblage et appareillage nécessaires au service de l'électricité dans un immeuble ».

Pose est synonyme d'**installation**, sauf qu'il s'applique à un élément en particulier d'une installation plutôt qu'à son ensemble : *pose d'un câble, d'un fil, d'une sonnerie*, etc.

Il ne faut pas parler du *perfectionnement des* [FILERIES] quand il s'agit du *perfectionnement des installations d'électricité*, non plus que de [FILERIES] *défectueuses* au lieu de *câblages défectueux*. Il ne faut pas dire *j'ai confié à cet électricien la* [FILERIE] *pour l'éclairage de notre piscine*, mais *j'ai confié à cet électricien la tâche d'installer l'éclairage de notre piscine* ou, plus simplement, *j'ai confié à cet électricien l'éclairage de notre piscine.*

FILET — *Voir* **DARNE.**

FILIÈRE — Le mot **filière**, dérivé de *fil*, eut d'abord le sens de « lacet », puis, en langage de chasse, celui de « cordeau pour retenir un oiseau de proie » pendant qu'on l'instruisait afin de s'en servir pour la recherche du gibier. Au XVIe siècle, **filière** signifiait « rang » : *les filières des bataillons* et « file, suite » : *la filière des ans.* Au siècle classique, on disait *aller à la filière* au sens d'*aller à la file.*

Les mots anglais **file** et **to file** viennent du français *file*, substantif verbal de *filer*, et cela explique de façon directe la plupart des sens de ces deux termes et de leurs dérivés. **To file** traduit **classer**, c'est-à-dire ranger des documents de façon qu'ils se trouvent à la suite les uns des autres ; le **filing**, c'est le **classement** des documents, la mise à la suite les uns des autres des documents et un **filing cabinet** (*voir* **CABINET**), c'est un meuble dans lequel on garde les documents **classés**, c'est-à-dire un **classeur**.

Le mot français moderne **filière** n'a conservé l'idée de « file », de « suite », que l'ancien mot **filière** exprimait aux XVIe et XVIIe siècles, que dans un sens figuré bien restreint, celui de «succession de formalités à remplir ou de degrés à franchir avant de parvenir à un certain résultat»: *passer par la filière administrative*, c'est accomplir toutes les formalités exigées par une administration avant d'arriver au résultat que l'on veut atteindre. Dire du président d'une entreprise (*voir ce mot*) qu'*il a passé par la filière avant d'accéder à son poste*, c'est dire qu'il a rempli tous les emplois par lesquels une personne entrée au service de l'entreprise pour y remplir des fonctions subalternes devait normalement passer avant d'arriver à la présidence. Encore n'est-il pas exact de dire que le mot **filière** a conservé là l'idée de «suite» qu'il avait exprimée il y a trois et quatre siècles, puisque, à la vérité, il l'a seulement reprise en acquérant ce sens figuré par allusion à l'instrument d'acier moderne appelé **filière**, qui sert à réduire le métal en fils de plus en plus fins (ROBERT PAUL, *DICTIONNAIRE ALPHABÉTIQUE ET ANALOGIQUE DE LA LANGUE FRANÇAISE*).

On commet des anglicismes en disant, par exemple, *mettre des documents en* [FILIÈRE] au lieu de *classer des documents*, ou *vous trouverez ce document dans ma* [FILIÈRE] au lieu de *vous trouverez ce document dans mon classeur*, ou *n'oubliez pas de* [FILER] *cette lettre* au lieu de *n'oubliez pas de classer cette lettre.*

Le sens le plus récent (1965) de **filière** concerne la technique nucléaire; une **filière nucléaire** est composée des principaux éléments d'un réacteur.

FILLE — FILS — *Voir* **DAME** (du latin **domina**), **GARÇON** *et* **SENIOR**.

FIN — *Voir* **COMPLÈTEMENT — COMPLÉTER**.

FINAL — Dans le langage courant, **final** signifie «qui se trouve à la fin de quelque chose» ou «qu'on met à la fin de quelque chose»: *la consonne finale d'un mot* et *point final.* L'adjectif anglais **final** a d'autres significations: il traduit souvent **dernier** et **définitif**. Se garder d'employer **final** au lieu de ces deux mots.

Dernier s'applique non à ce qui sert de fin à une chose mais à l'unité après laquelle il n'y en a pas d'autres dans une suite de choses ou de personnes: *la consonne finale d'un mot est la consonne qui se trouve à la fin d'un mot, tandis que la dernière consonne d'un mot est la consonne après laquelle il n'y en a pas d'autres dans un mot qui en contient plus d'une*, et *une consonne finale est la dernière lettre d'un mot.*

Définitif se dit d'une chose sur laquelle il n'y a plus à revenir, que cette chose soit unique ou la **dernière** d'une série: *une proposition de règlement définitive.*

Parler de *l'édition* [FINALE] *d'un numéro de périodique* au lieu de dire *la dernière édition* ou affirmer, par exemple, *c'est* [FINAL] *!* en parlant d'une offre au lieu de dire *c'est définitif!* c'est commettre des anglicismes. Un patron ne fait pas des offres [FINALES] à un syndicat, mais des offres **définitives**. En revanche, il est correct de parler de *l'épreuve finale d'un concours* parce que cette épreuve se trouve à la fin du concours; elle est **finale** par rapport au concours et **dernière** par rapport aux épreuves qui l'ont précédée.

Dans le cas d'un jugement ou d'une décision rendue par une autorité administrative ou par un arbitre, l'adjectif anglais **final** se traduit plus souvent par **sans appel** que par **définitif**. Pour exprimer l'idée qu'il n'existe aucune voie de recours contre une décision de justice, il ne faut pas parler de *jugement* [FINAL], mais de *jugement sans appel* ou *définitif* (*BULLETIN DE L'OFFICE DE LA LANGUE FRANÇAISE DU QUÉBEC*). Les décisions de l'arbitre d'un match (*voir* **JOUTE**) sont généralement **sans appel**, non [FINALES].

FINALEMENT — *Voir* **EN DÉFINITIVE** *et* **ÉVENTUELLEMENT**.

FINALISÉ — Le français a un adjectif **finalisé**. Il signifie «qui est orienté vers un but»: *un enseignement finalisé.* Mais le verbe [FINALISER] employé aux sens de «mener à bonne fin, conclure, mettre au point» est un anglicisme. C'est une transposition littérale du néologisme anglais **to finalize**.

Il ne faut pas dire *nous avons* [FINALISÉ] *notre entente hier soir*, mais *nous avons conclu notre entente.* Il ne faut pas dire *il ne reste plus qu'à* [FINALISER] *certains détails*, mais *il ne reste plus qu'à mettre au point certains détails.* Il ne faut pas dire *j'ai de bonnes chances de* [FINALISER] *mon projet*, mais *j'ai de bonnes chances de mener mon projet à bonne fin.*

FINANCE — FINANCEMENT — FINANCER — Le mot **finance** est un dérivé du verbe d'ancien français **finer**, lui-même dérivé de *fin*, substantif issu du latin **finis**, qui signifiait «terme, point d'arrêt, de réalisation». *Finer*, synonyme de *payer*, voulait dire «terminer une affaire en payant» et le premier sens de **financer**, dérivé de **finance** au cours du XVe siècle, fut celui de «payer». Le mot **financement**, qui désigne l'«action de financer», n'a guère plus d'un siècle d'existence.

Financer, c'est «verser de l'argent pour réaliser quelque chose»: *financer une entreprise, financer une expédition.* Le sens premier de **finance**, qui était celui d'«argent pour payer ce qu'on achète», n'est resté que dans l'expression *moyennant finance* («moyennant de l'argent comptant»). Au singulier, **finance** n'a de nos jours que deux significations: «maniement des affaires d'argent»: *la finance est un commerce tout à fait particulier* et «profession des personnes qui manient des affaires d'argent»: *à la fin de mes études secondaires, je déciderai d'entrer dans la finance.* Au pluriel, le mot (*voir* **LOI**) désigne l'«ensemble des ressources et des dépenses d'une administration publique» et l'«activité politique qui s'y rapporte»: *les finances d'un pays sont aussi intimement liées à la politique étrangère qu'à la politique sociale de son gouvernement.* Par extension, **finances** se dit dans le langage familier des affaires d'argent d'une personne: *mes finances m'inquiètent* et *mes finances me permettront de faire ce voyage l'an prochain.*

Sans doute, **prêter** à intérêt est une affaire d'argent, mais il faut se garder d'employer les termes **finance**, **financement** et **financer** comme synonymes de **prêt** et de **prêter** et se rappeler qu'une entreprise financière dont la principale activité est de **prêter** de l'argent est une entreprise de **crédit**. En Amérique du Nord, l'anglais donne à son substantif **finance** le sens de «crédit, prêt» et à son verbe **to finance** celui de «prêter». Ce sont des anglicismes que l'on commet quand on appelle [COMPAGNIE DE FINANCE] une *société de crédit*, quand on parle du [FINANCEMENT] *d'une voiture* au lieu du *crédit pour l'achat d'une voiture*, quand on dit *mes meubles sont* [SOUS LA FINANCE] au lieu de *mes meubles sont engagés*, quand on demande à son banquier de [FINANCER] *une transaction* au lieu de dire *accorder le crédit nécessaire à une transaction*, etc. Il ne faut pas dire *contrat de* [FINANCE] au lieu de *contrat de crédit* ou *de prêt* (*voir* **PLAN**). Bref, on peut **financer** une affaire avec du **crédit**, mais faire du **crédit**, **prêter** de l'argent, ce n'est pas **financer**.

FINANCIER — *Voir* **MONÉTAIRE**.

FIRME — Toute entreprise industrielle ou commerciale est une **firme**.

FIXER — *Voir* **CRAMPE — CRAMPILLON — CRAMPON — CRAMPONNER**.

FLACON — *Voir* **ACCRU**.

FLÈCHE — FLÉCHETTE — *Voir* **DARD**.

FLÉTAN («...DU CANADA») — *Voir* **POISSONS**.

FLIRT — FLIRTER — *Voir* **KNOCK-OUT** *et* **PROGRAMMATEUR — PROGRAMMATION — PROGRAMME — PROGRAMMER**.

FLOTTAGE — FLOTTER — FLOTTEUR — Dans le vocabulaire technique du bois, **flotter**, verbe transitif, signifie «faire porter du bois abattu dans des forêts par un cours d'eau qui le transporte»: *on flotte le bois qui alimente cette papeterie* (*voir* **MOULIN**). Le «transport de bois par un cours d'eau» est le **flottage** et un «ouvrier qui travaille au flottage» est un **flotteur**.

Les Canadiens ont emprunté de l'anglais les mots **to drive**, **drive** et **driver**, qui, appliqués au bois, signifient «diriger la marche du bois, flotter», «transport de bois flotté» et «conducteur de trains de bois de flottage», et en ont fait **draver**, **drave** et **draveur**. Ces anglicismes appartiennent à l'argot régional du métier. Il faut les considérer comme tels et s'abstenir de les écrire ou de s'en servir quand on veut parler correctement. Les termes français sont **flotter**, **flottage** et **flotteur**.

FONCTION — *Voir* **POSITION**.

FONCTIONNAIRE — FONCTIONNARISME — *Voir* **FONCTION PUBLIQUE**.

FONCTIONNEMENT — FONCTIONNER — *Voir* **ORDONNER — ORDRE**.

FONCTION PUBLIQUE — L'expression **fonction publique** désigne l'«ensemble des emplois civils de l'État»: *on trouve de nos jours dans la fonction publique à peu près tous les genres d'occupations* et, par extension, l'«ensemble des fonctionnaires de l'État»: *l'État ne peut permettre à la fonction publique d'abuser du droit de grève*.

L'expression [SERVICE CIVIL], dont on se sert depuis longtemps au Canada, de moins en moins cependant, pour dire ce que signifie **fonction publique**, est un anglicisme. C'est le calque du terme anglais **civil service**.

Dans les emplois civils de l'État, on accomplit des fonctions (*voir* **POSITION**) publiques et ceux qui les occupent sont des fonctionnaires, non des [EMPLOYÉS CIVILS]. Cette dernière expression est une traduction littérale de **civil servant**. **Civil** s'oppose à *militaire*, mais, comme les personnes qui occupent des emplois *militaires* sont des *militaires* et non des [EMPLOYÉS MILITAIRES], les personnes qui occupent des emplois **civils** de l'État sont des **fonctionnaires**.

Le mot **fonctionnarisme** quelquefois utilisé au Canada pour désigner l'ensemble des emplois civils de l'État et l'ensemble des fonctionnaires est incorrect dans ces acceptions. **Fonctionnarisme** est un terme péjoratif qui signifie «abus du nombre des fonctionnaires»: *le fonctionnarisme peut paralyser l'activité économique*, «recherche d'emplois civils par un trop grand nombre de citoyens»: *on assiste généralement à une vague de fonctionnarisme quand l'activité économique ralentit* et «abus des formalités administratives»: *le fonctionnarisme qui règne dans certains services de l'État est irritant*. Il ne faut pas dire *j'aurai bientôt un emploi dans le* [FONCTIONNARISME], mais *j'aurai bientôt un emploi dans la fonction publique*.

FONDATION — FONDEMENT — On désigne par le mot **fondation**, le plus souvent au pluriel, l'«ensemble des travaux nécessaires pour asseoir la base d'une construction»: *on commencera lundi à creuser la fondation* ou *les fondations du nouveau palais de justice*. Le même mot désigne la «partie inférieure d'une construction, en maçonnerie ou en bois, fixée dans le sol sur laquelle le corps du bâtiment s'appuie». Dans ce sens, **fondation** est synonyme de **fondement**: *l'incendie a tout détruit, il ne reste de la maison que les murs et les fondations* ou *fondements*.

Les Canadiens appellent souvent *solage* les **fondements** d'une maison: *ma maison de campagne a un bon* [SOLAGE]. *Solage* est un terme d'ancien français qui signifiait «terrain». Il a été usuel du XIIIe au XVIe siècle. À partir de l'idée de «terrain», les Français de l'Amérique du Nord lui ont prêté au début du XVIIIe siècle le sens de «ce qui d'une construction est fixé dans le sol» et on l'emploie depuis incorrectement au lieu de **fondements**. Il ne faut pas dire *on a dû creuser plus profondément qu'on l'avait prévu pour faire un* [SOLAGE] *solide*, mais *pour faire des fondements solides*.

FONDRE — *Voir* **FUSIONNER**.

FONDS — *Voir* **CHÈQUE**.

FONTAINE — *Voir* **ABREUVER — ABREUVOIR**.

FORGÉ — FORGER — Le verbe **forger** a le sens d'«imaginer, inventer» en parlant d'excuses, de subterfuges, de prétextes, de faux-fuyants (*voir* **ALIBI**): *pour se tirer d'embarras, son imagination forgeait les échappatoires les plus invraisemblables* et *tu forges bien les mensonges, mais tu y gagnerais à te forger un idéal*.

Forger n'a, cependant, jamais voulu dire «imiter», non plus qu'«imiter frauduleusement», ce qui est l'une des définitions du verbe **contrefaire**.

Contrefaire se traduit en anglais par **to forge** quand on parle de documents et de signatures imités frauduleusement et c'est commettre un anglicisme que de dire, par exemple, *cet adolescent est accusé d'avoir* [FORGÉ] *la signature de son frère aîné sur un chèque* au lieu de *cet adolescent est accusé d'avoir contrefait la signature de son frère aîné*.

De même, l'adjectif **forgé** signifie «fabriqué»: *une explication mal forgée*, non «fabriqué frauduleusement». C'est commettre un autre anglicisme que de désigner par l'expression *document* [FORGÉ] ce qui se nomme en français un **faux**. Il ne faut pas dire *on a établi qu'il se servait de documents* [FORGÉS] *pour obtenir du crédit*, mais *on a établi qu'il se servait de faux*. On ne dit pas *usage de documents* [FORGÉS], mais *usage de faux*.

FORMALITÉ — FORME — Dans le langage administratif et juridique, le mot **forme** a le sens de «manière d'agir selon la règle, la procédure établie»: *en bonne et due forme* et le mot **formalité** signifie «opération, acte prescrit par la règle, la loi, la procédure établie»: *les citoyens ont peu de formalités à remplir pour toucher les allocations familiales*. Ces deux choses peuvent s'exprimer en anglais par le terme **technicality**. Le mot [TECHNICALITÉ] qui a cours au Canada, simple calque de l'anglais, n'existe pas en français.

Il ne faut pas dire *c'est une* [TECHNICALITÉ] au lieu de *c'est une question de forme*. Il ne faut pas dire *le juge a arrêté la poursuite pour une* [TECHNICALITÉ], mais *le juge a arrêté la poursuite pour vice de forme*. Il ne faut pas dire *la multiplication des* [TECHNICALITÉS] *de la procédure*, mais *la multiplication des formalités de la procédure* (*voir ce mot*).

Les idées exprimées par le terme anglais **technicality** peuvent aussi se rendre autrement en français, selon les cas. On dira correctement *point de droit, les subtilités de la loi, les questions de procédure, détail de procédure, les pièges de la procédure*, etc.

FORMELLEMENT — *Voir* **POSITIVEMENT**.

FORMULAIRE — FORMULE — Il fut un temps où **formulaire** ne signifiait que «recueil de formules», mais la langue évolue. Aujourd'hui et depuis plusieurs années, **formulaire** signifie aussi «imprimé administratif où sont formulées des questions auxquelles l'intéressé doit répondre».

Le mot **formule** n'a jamais eu cette signification. **Formule** a principalement le sens de «forme déterminée qu'on doit respecter pour exprimer une idée ou énoncer une règle». Le mot ne s'applique pas à un imprimé auquel il faut répondre. On ne peut remplir une [FORMULE]. C'est un **formulaire** qu'il faut remplir.

FORTEMENT — *Voir* **D'APLOMB**.

FOU — Il est rare que la pensée exprimée par une locution proverbiale ou familière consacrée par l'usage puisse se rendre dans une autre langue par une traduction littérale. Les termes qui composent les locutions sont généralement pris dans des acceptions particulières et le tour de la phrase est souvent idiomatique. Il existe presque toujours dans sa langue une locution qui correspond à celle qu'emploient les usagers d'une autre langue, qui dit la même chose qu'elle, mais autrement. Se rappeler qu'on s'exprime presque toujours à contresens ou contre l'esprit de la langue en transposant en français une locution étrangère par simple calque.

Le mot **fou** se prête bien à la démonstration de cette difficulté.

L'anglais dit **to make a fool of oneself**. Cela peut se traduire par *se rendre ridicule*, ou *faire des âneries*, ou *se conduire comme un imbécile*, selon le cas, non par [FAIRE UN FOU DE SOI]. Au lieu d'[IL A FAIT UN FOU DE LUI], on dit correctement *il s'est couvert de ridicule* ou *il est tombé dans le ridicule*, etc. Pas plus qu'on ne peut faire de soi occasionnellement une personne intelligente, on ne peut faire de soi un imbécile, mais on peut agir occasionnellement en personne intelligente ou en imbécile.

De même, on ne peut traduire **to make a fool of someone** par [FAIRE UN FOU DE QUELQU'UN]. Il faut dire *tourner quelqu'un en ridicule*, ou *se moquer de quelqu'un*, ou *se payer la tête de quelqu'un*, ou, dans le langage populaire, *mettre quelqu'un en boîte*, selon le cas.

En revanche, le français emploie le verbe *faire* dans *faire l'idiot*, ce qui se traduit en anglais par **to play the fool**.

Pour traduire **there is no fool like an old fool**, le français substitue à la préposition **like** un adjectif superlatif et dit *un vieux fou est le pire des fous*, comme il remplace l'adjectif indéfini **any** par un adjectif ordinal pour traduire **any fool knows that** et dit *le premier imbécile venu sait cela*.

FOUDROYER — *Voir* **ÉCLAIRER**.

FOUINE — *Voir* **ANIMAUX**.

FOUINER — *Voir* **ÉCORNIFLER — ÉCORNIFLEUR**.

FOULARD — Beaucoup de Canadiens français n'ont pas fait la distinction nécessaire entre **foulard** et **écharpe**. Un **foulard** est un carré de soie ou de tissu léger qu'on porte autour du cou ou sur la tête.

Une **écharpe**, pièce de vêtement comparable, est une bande de lainage qu'on porte autour du cou.

Quand on a une bande de lainage autour du cou, on ne porte pas un [FOULARD], mais une **écharpe**.

FOUR — *Voir* **FOURNEAU**.

FOURMILLER — *Voir* **GROUILLER**.

FOURNAISE — Les Romains désignaient une sorte de grand four par le mot **fornax**, qui a donné *fornais* ou *fornaiz* et, au féminin, *fornaise* en ancien français. **Fournaise** a conservé jusqu'au XXe siècle dans l'industrie sa signification d'« ouvrage de maçonnerie où l'on fait régner une chaleur intense », mais il a surtout servi depuis le XIVe siècle à exprimer les idées de « feu violent » et de « chaleur extrême »: *ceux qui périrent dans la fournaise d'Hiroshima*. Il ne se dit plus guère aujourd'hui qu'à propos d'un feu pour en marquer la grande intensité: *la forêt qui avait commencé à brûler sourdement devint en peu de temps une fournaise*, ou à propos d'un lieu (*voir* **PLACE**) où la chaleur est excessive: *quand il monta dans sa voiture qu'il avait laissée depuis le matin exposée aux rayons d'un soleil de canicule* (*voir* **CANICULAIRE — CANICULE**), *il* *se trouva dans une fournaise*, ou à propos d'un foyer de destruction comparable à un feu ardent: *la fournaise des combats* et *il se consumait dans la fournaise d'une grande passion*. Il ne sert plus à nommer un objet.

L'anglais a emprunté le mot à l'ancien français pour faire **furnace**, terme qui rend les idées de «four» et de «brasier», et c'est à **furnace** qu'il a confié l'emploi de désigner l'«appareil dans lequel on fait chauffer de l'eau dans une installation de chauffage central». C'est en anglais que le chauffage central a été introduit au Canada au XIXe siècle et, calquant l'anglais, les francophones du pays ont appelé cet appareil [FOURNAISE]. Il se nomme **chaudière** en français. Le fait que les Canadiens employaient déjà le mot **chaudière** pour désigner un autre objet, le **seau**, a contribué à l'implantation de l'anglicisme [FOURNAISE] dans le vocabulaire du chauffage.

Le chauffage domestique (*voir ce mot et* **DOMICILE — DOMICILIAIRE**) s'effectue par trois types de moyens: les cheminées, les installations de chauffage central et les appareils autonomes.

De nos jours, les cheminées sont généralement accessoires. Elles servent autant et plus à la décoration qu'au chauffage, même dans les maisons de campagne (*voir* **CAMP**).

Le chauffage central s'effectue par la circulation d'eau chaude, de vapeur ou d'air chaud dans les pièces d'un immeuble, d'une maison, d'un appartement. Dans les installations où le fluide utilisé est l'eau ou la vapeur, l'appareil qui en est le foyer se nomme donc **chaudière**. Il ne faut pas dire *le chauffage central d'un grand immeuble d'habitation comprend plus d'une* [FOURNAISE], mais *le chauffage central d'un grand immeuble d'habitation comprend plus d'une chaudière*. Au lieu de [FOURNAISE] *à charbon*, il faut dire *chaudière à charbon*.

Le mot **chaudière**, comme **fournaise**, est d'origine latine. Il vient du substantif latin **caldaria**, qui eut les deux sens d'«étuve» et de «chaudron». Il a servi en premier lieu à désigner un «récipient métallique où l'on fait chauffer, cuire, bouillir des choses» de façon assez générale et il a gardé cette acception dans quelques industries: *une chaudière de sucre*. D'où vient *chaudron, chauderon* en ancien français, dans le vocabulaire de la cuisine: «petite chaudière munie d'une anse mobile». Cette idée de «récipient à anse» explique que quelques patois du centre-ouest de la France aient pu utiliser **chaudière**, confondu avec *chaudron*, dont on élargissait localement l'emploi, comme synonyme de **seau** pour désigner un «récipient à anse mobile pour transporter des choses». Cette signification qui était la seule dans laquelle la plupart des Canadiens entendaient **chaudière** jusqu'à ces dernières années serait un archaïsme angevin d'après le *GLOSSAIRE DU PARLER FRANÇAIS AU CANADA*. Il est également possible que le glissement de sens se soit opéré au Canada. Il ne faut pas dire *apporter du charbon dans une* [CHAUDIÈRE] *pour charger la* [FOURNAISE], mais *apporter du charbon dans un seau pour charger la chaudière*. En désignant par le mot **chaudière** l'appareil destiné à chauffer l'eau dans une installation de chauffage central, on a simplement appliqué à un objet nouveau le sens ancien du substantif, comme lorsqu'on a nommé **chaudière** le récipient métallique dans lequel on transforme de l'eau en vapeur pour obtenir de l'énergie mécanique: *la chaudière d'une locomotive à vapeur* et *les chaudières d'une usine*.

Une **chaudière** de chauffage central est un **générateur** d'énergie thermique. Le mot **générateur** est, cependant, le terme à employer pour désigner particulièrement l'« appareil destiné à chauffer l'air dans une installation de chauffage à air chaud ». Il ne faut pas dire *la* [FOURNAISE] *de mon chauffage à air chaud est équipée d'un ventilateur d'air pulsé à vitesse variable,* mais *le générateur de mon chauffage à air chaud est équipé*... Comme on doit dire *il suffit d'adapter un brûleur à sa chaudière pour passer du chauffage au charbon au chauffage au mazout* (*voir* **HUILE**), non *il suffit d'adapter un brûleur à sa* [FOURNAISE]...

Dans une installation de chauffage à air chaud, les pièces d'une maison sont chauffées par des bouches de soufflage. La technique moderne recourt à la méthode du rayonnement par tubes dissimulés derrière les plinthes ou enrobés dans les revêtements de sol (*voir* **PLANCHER**) pour répartir la chaleur que fournit la **chaudière** d'une installation de chauffage central utilisant l'eau comme transporteur, mais la répartition se fait plus souvent par le moyen d'un certain nombre d'appareils secondaires, selon la disposition des pièces à chauffer et leurs dimensions, qui sont les corps de chauffe de l'installation. Ces dispositifs, formés d'éléments juxtaposés, sont des **radiateurs**: *il faudra deux radiateurs pour chauffer cette grande pièce.* Au Canada, on les désigne incorrectement par le mot **calorifère**.

Calorifère a eu les sens d'« installation de chauffage central », particulièrement en parlant du chauffage à air chaud, et d'« ensemble de la tuyauterie et des radiateurs d'un chauffage central à eau chaude », mais il n'a jamais été synonyme de **radiateur** et il n'est plus employé dans ces acceptions. Il ne faut pas dire *il n'y a pas de* [CALORIFÈRES] *dans mon nouvel appartement*; *le chauffage se fait par tubes derrière les plinthes*, mais *il n'y a pas de radiateurs dans mon nouvel appartement.*

Aujourd'hui, **calorifère** est le nom d'un appareil de chauffage autonome, « sorte de poêle (*voir ce mot*) à feu continu qui fonctionne généralement au mazout ». Certains **calorifères**, toutefois, brûlent tous les combustibles. Les appareils de cette sorte maintiennent dans un petit appartement une température analogue par sa régularité à celle que donne un chauffage central et il y en a de diverses dimensions. Ce sont les appareils qu'on appelle *petites* [FOURNAISES] ou [FOURNAISES] *de* [PLANCHER] au Canada. Il y a deux fautes de vocabulaire dans cette dernière appellation : l'emploi de **fournaise** et celui de *plancher.*

Par analogie, étant donné le rôle du **radiateur** dans un chauffage central, le même nom s'applique aux petits appareils de chauffage domestique autonomes fonctionnant au mazout, au gaz ou à l'électricité qu'on appelle incorrectement [CHAUFFERETTES] au Canada. Il ne faut pas dire *j'ai dans ma chambre, au chalet, une excellente* [CHAUFFERETTE] *à gaz propane*, mais *j'ai un excellent radiateur à gaz propane.* Il ne faut pas dire *j'ai une* [CHAUFFERETTE] *électrique portative à infrarouges*, mais *j'ai un radiateur électrique.* Retenir qu'à côté des **radiateurs** de chauffage central il y a des **radiateurs** d'appoint qui ne chauffent pas de façon continue.

FOURNEAU — Le mot **fourneau** désigne « une petite construction, un ustensile, un appareil dans lequel on fait brûler des combustibles pour chauffer, pour cuire ou pour faire fondre ou calciner certaines substances». C'est, en quelque sorte, un terme générique. Il y a des **fourneaux** de chauffage, des **fourneaux** de cuisine (*voir* **POÊLE**) et des **fourneaux** industriels: *fourneau de verrier*.

La «partie d'un **fourneau** de cuisine aménagé pour faire rôtir ou cuire certaines viandes, pour faire cuire certains mets, des pâtisseries, etc.» est un **four**. Se garder d'appeler *fourneau* un **four**. On dit *faire cuire deux heures au four moyen*, non *à* [FOURNEAU] *moyen*. Il ne faut pas dire *mon* [FOURNEAU] *est pourvu d'une minuterie* (*voir* **HORLOGE**) au lieu de *mon four est pourvu d'une minuterie*. Il ne faut pas dire *nous nous mettrons à table dans vingt minutes, c'est le moment de mettre le ris de veau* [DANS LE FOURNEAU], mais *c'est le moment de mettre le ris de veau au four*.

FOURNIR — *Voir* **CONTRIBUER**.

FOURNISSEUR — *Voir* **TRAITEUR** *et* **VENDEUR**.

FRAIS — Comme le fait observer le *DICTIONNAIRE FONDAMENTAL* de G. GOUGENHEIM, le terme de finance **frais** est pluriel: *nous paierons vos frais de déplacement, ce sera à mes frais, frais généraux, etc.* On commet un solécisme en écrivant *sans* [AUCUN] *frais* au lieu de *sans aucuns frais*, l'adjectif *aucun* se mettant au pluriel devant un nom qui n'a pas de singulier. Cette faute de grammaire est principalement attribuable à l'influence de l'anglais. L'anglais dit **without any charge**, le mot anglais singulier **charge** ayant le sens du mot français pluriel **frais**. Il ne faut pas écrire *nous ne demandons* [AUCUN] *frais pour l'installation de nos appareils*, mais *nous ne demandons pas de frais* ou *nous ne demandons aucuns frais pour l'installation de nos appareils*.

Voir **CHARGE — CHARGER, COÛT** *et* **DÉFRAYER**.

FRAIS — *Voir* **COÛT**.

FRANCHISE — Terme d'administration et de droit, **franchise** a les seules acceptions d'«exemption» et d'«immunité», sauf dans le vocabulaire de l'assurance, où il désigne la «partie d'un risque, d'une perte, non garantie par l'assureur»: *franchise d'assurance*. On dit *franchise de bagages* pour désigner la quantité de bagages qu'un voyageur peut emporter sans payer plus que le prix de son billet. La *franchise douanière* est l'exonération des droits qu'il faudrait ordinairement payer pour des marchandises importées ou exportées et la *franchise postale* est l'exemption de la taxe sur la correspondance. La *franchise diplomatique* est l'immunité assurée aux diplomates en pays étrangers, le privilège de l'extraterritorialité.

Dans le langage courant, **franchise** signifie seulement «qualité de celui qui agit sans dissimulation et sans peur».

Le mot anglais **franchise**, évidemment emprunté au français , a pris d'autres significations. Celles en particulier, dans le vocabulaire commercial, de «droit d'exploiter un commerce concédé» et, dans le vocabulaire sportif, de «droit d'appartenir à un groupement (*voir* **LIGUE**), de participer aux compétitions de ce groupement». Ces idées s'expriment en français par les mots **admission**, **concession** et **privilège**.

On ne doit pas dire *la municipalité a accordé à trois entreprises les* [FRANCHISES] *en vue de l'exploitation de snack-bars dans les jardins publics*, mais *la municipalité a accordé à trois entreprises les concessions en vue de l'exploitation*. On ne doit pas parler d'une [FRANCHISE] *d'exploitation*, mais d'un *privilège d'exploitation*. Au lieu de *deux autres clubs ont obtenu des* [FRANCHISES] *du groupement de l'Est*, il faut dire *deux autres clubs ont obtenu leur admission dans le groupement de l'Est.*

Enfin, dans la terminologie du droit politique, le mot anglais **franchise** signifie «droit de vote».

FRAPPER — On frappe en donnant un ou des coups. On frappe du pied. Une personne peut frapper une autre personne de la main (la gifler), du poing, ou à l'aide d'une arme: *frapper quelqu'un à mort d'une balle.*

Heurter signifie «entrer brusquement et rudement, généralement de façon accidentelle, en contact avec» et c'est ce qui se produit quand, par exemple, une voiture en mouvement renverse une personne. Il ne faut pas dire *un chauffard a* [FRAPPÉ] *deux piétons qui traversaient la rue*, mais *un chauffard a heurté deux piétons.*

Le même verbe anglais **to hit** a les deux significations de **frapper** et de **heurter** (**hit and run**). Cela explique qu'on emploie souvent le verbe **frapper** au lieu de **heurter**.

FRASIL — Au Canada, on nomme **frasil** de la «glace en parcelles entraînée par un cours d'eau, flottant presque à sa surface, là où la rapidité du courant empêche les cristaux de former une masse», au pied de chutes particulièrement et surtout près du bord où l'eau commence à se congeler.

En ancien français, l'adjectif **fresé**, probablement issu d'un mot germanique qui signifiait «bord» et «frisure», voulait dire «orné» et «plissé». On appelait **fresel** une garniture, une frange, et **freseler** avait le sens d'«être orné de rubans, de franges» et, au figuré, ceux de «bouillonner» et de «flotter, onduler comme des franges». Un fabricant de franges était un **freseur** ou **fraseur**. Sans doute à partir de là et sous l'influence du mot latin signifiant «torche» qui a donné le mot *fraisil* en français technique moderne, on commença dans l'Orléanais à appeler **frasi** de la braise en poussière. On trouvera **frejer** dans le patois de la commune de Villé-Morgon au sens de «terre friable». Le glossaire de la langue d'oc donne **fresil** au sens général de «brisures». Il est facile de comprendre comment les Canadiens en sont arrivés à employer le mot **frasil** pour désigner des parcelles de glace flottant à la surface d'une eau mouvante. Il faut écarter l'hypothèse que **frasil** puisse avoir été emprunté à l'anglais **to freeze**. Ce n'est pas l'idée de congeler qu'il évoque, mais celle de parcelles, de brisures, de poussière agitée. Le **frasil**, c'est de la poussière de glace dans l'eau, de la dentelle de glace, de la glace qui offre l'apparence de l'effritement.

Il n'existe aucun autre mot français pour dire ce qu'il signifie. Son rôle incontesté est utile. Rien ne s'oppose à ce qu'il accède au français contemporain universel. La présence du terme technique *fraisil* employé pour désigner de la cendre de charbon de bois ou de terre incomplètement brûlé ne constitue pas une objection.

Frasil a pris dans diverses régions du Québec les formes de *frâsil* et de *fraisil*. Il se prononce généralement *frasi*, mais le *l* est quelquefois sonore (*voir* **GRÉSIL**).

FRAUDE — *Voir* **REPRÉSENTATION**.

FREEZER — *Voir* **FRIGO**.

FREIN — *Voir* **AUTOMOBILE**.

FRÉQUENTATIONS — FRÉQUENTER — Le mot pluriel **fréquentations** signifie «rapports habituels avec des personnes»: *il multipliait ses fréquentations dans les milieux ouvriers* et «personnes avec lesquelles on a des rapports habituels»: *ce jeune homme n'a jamais eu que des fréquentations honorables*. Prêter à *fréquentations* le sens d'«action de courtiser une femme, une jeune fille» ou celui de «relations assidues entre un homme et une femme», c'est commettre une impropriété. C'est le mot **relations** qu'il faut employer: *il est rare qu'un jeune homme et une jeune fille puissent se connaître assez bien par de courtes relations pour assurer le succès d'un mariage*. Il ne faut pas dire *ils se sont épousés après de longues* [FRÉQUENTATIONS], mais *il lui a fait la cour pendant plusieurs années avant de l'épouser*, ou *ils se sont épousés* (*voir* **MARIER**) *après plusieurs années de relations amoureuses*, ou *leurs relations duraient depuis plusieurs années quand ils se sont épousés*.

Employer le verbe **fréquenter** comme synonyme de **courtiser** est un provincialisme (*voir* **CANADIANISME**). Plutôt qu'*il fréquente cette jeune fille depuis plusieurs années*, il est préférable de dire *il courtise cette jeune fille depuis plusieurs années*.

FRÉTER — *Voir* **NOLISER**.

FRIGO — Se rappeler que **frigo**, terme du langage familier employé pour désigner un **régrigérateur**, n'est pas une abréviation de *frigidaire*, mais d'*appareil frigorifique*. Le mot *frigidaire* est un nom déposé par un fabricant *d'appareils frigorifiques* et il ne s'emploie proprement comme nom commun qu'à propos des **réfrigérateurs** de cette marque. **Frigo**, ou *appareil frigorifique*, est synonyme de **réfrigérateur**: *tu as oublié de mettre le beurre au frigo (ou frigorifique)* ou *dans le frigo (dans l'appareil frigorifique)*.

La plupart des **réfrigérateurs** ménagers comprennent, à l'intérieur de l'organe producteur de froid, dans le haut de la cuve, au-dessus des clayettes (*voir* **TABLETTE**) sur lesquelles on place les aliments à conserver, un compartiment pour le logement de produits congelés et la fabrication de desserts glacés et de glaçons (cubes ou boules de glace artificielle). Le français a emprunté à l'anglais le mot **freezer** (prononcer *fri-seur*) pour désigner ce compartiment. On peut aussi employer le mot **congélateur**, terme qui prête cependant à la confusion dans les maisons de plus en plus nombreuses où, en plus du **réfrigérateur**, on a un autre meuble en métal émaillé qui, lui, est entièrement un appareil servant à la congélation d'aliments et à la conservation de produits congelés. Dans ce cas, il faut souvent préciser et dire, par exemple, *mets ce poisson congelé dans le congélateur du frigo* au lieu de simplement *dans le* *congélateur*. Il est alors plus simple de se servir du mot **freezer**: *mets ce poisson congelé dans le freezer*. On comprend tout de suite qu'on ne doit pas le mettre *au congélateur* ou *dans le congélateur* tout court.

FRITE — *Voir* **PATATE**.

FROMAGE — FROMAGÉ — *Voir* **FROMAGE DE TÊTE**.

FROMAGE DE TÊTE — Le **fromage de tête** est une «sorte de galantine faite avec de la tête de porc hachée». Au Canada, on appelle cette préparation culinaire [TÊTE DE FROMAGE], [TÊTE EN FROMAGE] et [TÊTE FROMAGÉE].

L'adjectif **fromagé** signifie «accommodé avec du fromage». Comme la galantine de tête de porc n'est pas accommodée avec du fromage, le nom [TÊTE FROMAGÉE] est nettement fautif. Cette galantine n'ayant rien du fromage, elle ne peut non plus s'appeler [TÊTE DE FROMAGE]. Il est possible que [TÊTE EN FROMAGE] soit une expression venue d'une région de l'ancienne France.

Le mot **fromage** est issu d'un mot latin qui signifiait «moule à fromage» et c'est évidemment l'idée de «moule» qu'exprime le nom de la galantine. [TÊTE EN FROMAGE] aurait signifié «tête de porc en moule». L'usage a imposé **fromage de tête**, c'est-à-dire «moule de galantine faite avec de la tête de porc», comme on dit *terrine de foie gras, terrine de lièvre*.

Il faut dire **fromage de tête**, non [TÊTE EN FROMAGE], [TÊTE DE FROMAGE] ou [TÊTE FROMAGÉE].

FRONTIÈRE — *Voir* **LIGNE**.

FUEL — *Voir* **HUILE**.

FUNÉRAILLES — *Voir* **OBSÈQUES**.

FUSIL — *Voir* **AIGUISER — AIGUISEUR — AIGUISOIR**.

FUSIONNER — De même que le mot **action** (*voir ce mot*), issu du verbe latin **agere**, qui a aussi donné le verbe **agir** en français, a amené la formation du verbe **actionner**, le mot **fusion**, issu du verbe latin **fundere**, qui a aussi donné le verbe **fondre** au français, a amené la formation du verbe **fusionner**. Et, de même que le verbe **actionner** reprend dans le cas particulier du fonctionnement des machines l'un des sens du verbe **agir**, celui d'«exercer un effet», le verbe **fusionner** exprime dans un cas particulier le sens figuré de **fondre**, qui est de «combiner plusieurs choses en un tout».

Fusionner signifie «réunir en un seul deux ou plusieurs groupements de personnes, entreprises, organismes ou associations»: *le cabinet a fusionné deux ministères* ou *les actionnaires de ces deux entreprises ont décidé de les fusionner*.

À retenir: pour dire «se réunir en un seul» en parlant de groupements de personnes, d'entreprises, le verbe **fusionner** devient intransitif, non pronominal. Il ne faut pas dire *ces deux grandes compagnies* [SE SONT FUSIONNÉES], mais *ces deux grandes compagnies ont fusionné*.

G

«**GADELLE**» — *Voir* **GROSEILLE**.

GAGE — *Voir* **DÉPÔT**.

GAGER — GAGEURE — Le substantif se prononce comme s'il s'écrivait *gajure*.

Gager et **gageure** étaient jusque vers la fin du siècle dernier des synonymes parfaits de **parier** et **pari**. Les Canadiens continuent d'employer couramment **gager** et **gageure**, de préférence même à **parier** et **pari**.

En France, le verbe **gager** n'a plus cours que comme terme de finance au sens de «garantir par un objet mobilier ou immobilier»: *gager un emprunt par des titres*, sauf les expressions familières *je gage que* et *gageons que*, par lesquelles on fait précéder l'affirmation d'une chose dont on est presque sûr, qui restent vivantes: *je gage que vous l'aviez deviné* et *gageons que vous rencontrerez là* (*voir* **RENCONTRER**) *votre nouveau voisin*. Pour ce qui est du substantif **gageure**, il n'est à peu près plus usité qu'au figuré, aux sens d'«entreprise très difficile» et de «tour de force réalisé»: *ce projet est une gageure* et *il a accompli cette gageure de vaincre malgré des obstacles que tous jugeaient insurmontables*.

Comme synonymes de **parier** et de **pari**, **gager** et **gageure** sont des termes désuets.

GAGES — *Voir* **APPOINTEMENTS**.

GAGNER — *Voir* **MÉRITER**.

GALE — C'est le nom d'une «maladie de la peau contagieuse causée par un parasite et qui se manifeste sous forme de lésions dans lesquelles se produit un exsudat séreux». Peut-être parce que cette maladie cutanée s'accompagne de démangeaisons et qu'une **croûte**, «plaque de lymphe et de sang qui se forme sur une plaie», démange (en ancien français, **galer**, probablement dérivé de **gale**, signifiait «frotter, gratter»), certains patois du nord de la France, celui du Haut-Maine en particulier, ont employé le mot **gale** pour dire **croûte**

formée sur une plaie. Cette acception dialectale s'est implantée dans le langage courant au Canada. Une infirmière (*voir* **GARDE-MALADE**), par exemple, ne doit pas dire à un garçon qui s'est blessé à un genou en tombant de sa bicyclette (*voir* **BICYCLE — BICYCLETTE**) *ne touche pas à la* [GALE], *elle se détachera d'elle-même quand elle sera sèche*, mais *ne touche pas à la croûte*.

GALERIE — Une **galerie** n'est pas un **balcon**. Un **balcon** est une «plate-forme disposée en saillie sur une façade et entourée d'une balustrade». C'est une simple plate-forme non couverte et non vitrée. Des **balcons** superposés restent des **balcons**.

Un «balcon couvert et vitré ou grillagé» est une **véranda**.

En architecture, une **galerie** extérieure est une «plate-forme couverte qui fait communiquer plusieurs pièces d'un même appartement ou du même étage d'une maison». Il faut que plus d'une porte s'ouvre sur la plate-forme couverte pour qu'on puisse l'appeler **galerie**.

Un toit plat aménagé pour le repos ou l'agrément est une **terrasse**. Les **sun-decks** sont des **terrasses**.

Le mot **galerie** a plusieurs sens. Il a, en particulier, ceux de «salle d'exposition où se fait le commerce d'objets d'art»: *les galeries d'art font connaître les jeunes peintres*, de «collection d'objets d'art»: *notre ami possède une belle galerie de peintures* et de «local pour recevoir une collection d'objets d'art»: *les galeries du Musée du Québec*. L'édifice où se trouvent des collections d'objets d'art se nomme **musée** et chacune de ses salles est une **galerie**. Le **National Art Gallery** d'Ottawa est un **musée**, non une [GALERIE]. Dire *galerie* au lieu de **musée**, c'est commettre un anglicisme.

GALLICISME — *Voir* **ANGLICISME** *et* **CANADIANISME**.

GARÇON — Tout enfant du sexe masculin est un **garçon**, mais ce n'est que dans le langage très familier que le mot s'emploie comme synonyme de **fils**: *mes deux garçons font des études universitaires*. À la vérité, cet emploi de **garçon** au lieu de **fils** est populaire et, même dans le langage familier, il vaut mieux l'éviter si l'on tient à s'exprimer de façon quelque peu soignée. De même qu'un grand-père appelle *ma petite-fille* un enfant de son fils ou de sa fille, il dit *mon petit-fils*, non *mon* [PETIT-GARÇON]. Pour bien parler, on doit dire *mes deux fils font des études universitaires* (*voir* **COURS**). On ne doit jamais écrire [MON GARÇON] au lieu de *mon fils*.

Le mot **garçon** a été longtemps employé dans la désignation d'un grand nombre de travailleurs subalternes accomplissant toute sorte de travaux. Il ne sert plus à cette fin que comme synonyme d'*apprenti* dans quelques métiers: *garçon coiffeur* (*voir* **BARBIER**), *garçon boucher*, et pour désigner les membres du personnel qui servent les consommations (*voir ce mot*) et les repas dans les bars et les restaurants: *appeler le garçon pour commander une bouteille de vin*. Une personne du sexe féminin qui fait le même travail est une **serveuse**. [FILLE DE TABLE] est une expression provinciale vieillie. **Serveur** est synonyme de **garçon** de bar ou de restaurant, mais le mot n'est guère usité.

Un «serveur qui, derrière le comptoir d'un bar, prépare des boissons commandées par des clients et les remet à des garçons ou des serveuses qui les servent» est un **barman**. Au pluriel, ce mot s'écrit **barmans** ou **barmen**. Une femme qui fait ce travail est une **barmaid**. Empruntés de l'anglais, ces deux mots sont entrés dans l'usage français. Le mot *bar* servant à désigner et un débit de boisson et le comptoir d'un débit, ils permettent de les distinguer des **garçons** et des **serveuses**.

L'employé de restaurant appelé **bus-boy** en anglais est un **aide-serveur** ou **aide** tout court: *le personnel du restaurant comprend le maître d'hôtel, douze garçons* ou *douze serveuses et trois aides*. Se garder de dire [BUS-BOY]. On dit aussi **desserveur**.

On ne dit plus *garçon de bureau*; cet employé, de nos jours, est un **coursier** (*voir* **MESSAGER**).

Il ne faut pas dire [GARÇON D'ANTICHAMBRE], mais employer le mot **huissier** (*voir ce mot*).

On ne dit pas [GARÇON D'ÉCURIE] en parlant d'écuries de course. Le mot **lad**, emprunté tel quel de l'anglais comme **barman**, est le terme à employer.

On ne doit pas dire [LES GARÇONS DE LIVRAISON] *du magasin*, mais employer le mot **livreur**: *les livreurs du magasin*.

Enfin, se garder de commettre l'anglicisme grossier [MON AMI DE GARÇON], calque de **my boy-friend** ou [MON AMIE DE FILLE], calque de **my girl-friend**. On dira plutôt *mon ami* ou *mon flirt*, *mon amie*.

GARÇONNIÈRE — *Voir* **APPARTEMENT**.

GARDE — GARDER — *Voir* **ENTREPOSAGE — ENTREPOSER — ENTREPÔT** *et* **VEILLE — VEILLÉE — VEILLER**.

GARDE-À-VOUS et **GARDE À VOUS** — *Voir* **ATTENTION**.

GARDE-FOURRURE et **GARDE-MEUBLE** — *Voir* **ENTREPOSAGE — ENTREPOSER — ENTREPÔT**.

GARDE-MALADE — Au début du XIXe siècle, une **garde-malade** était une «personne qui donne des soins aux malades à domicile» et un **infirmier** ou une **infirmière** était une «personne qui soigne les malades dans un hôpital ou une infirmerie». Le sens de ces mots a changé. Au XXe siècle, une **garde-malade** est une «personne qui aide les malades dans les actes élémentaires de la vie (alimentation, excrétion, etc.) et éventuellement les surveille en cas d'agitation ou de coma, sans pratiquer les soins infirmiers ou médicaux relevant des praticiens» (*LAROUSSE ENCYCLOPÉDIQUE*) et un **infirmier** ou une **infirmière** est une «personne qui garde et soigne les malades à l'hôpital ou à domicile».

Les personnes qu'on appelle fautivement *infirmiers* dans les hôpitaux canadiens sont des **aides-infirmiers** et les personnes qu'on y appelle *gardes* ne sont pas des **gardes-malades** mais des **infirmières**. Elles méritent beaucoup plus que le titre de *garde*. Il ne faut pas dire en s'adressant à elles [GARDE], mais *mademoiselle* ou *madame l'infirmière*.

Voir **NURSE — NURSING.**

GARDE-ROBE — *Voir* **ARMOIRE.**

GARDER — Dans le vocabulaire de la route, on entend encore [GARDER LA DROITE], sans qu'il soit question ni de la surveiller, ni de la protéger, ni de la défendre, ce que signifie le verbe **garder**. Cette faute vient de l'anglais **to keep** qui a, entre autres acceptions, celle de **garder**.

En parlant d'un objet, le verbe **serrer** a le sens de « passer tout à fait contre » : *serrer sa droite*. C'est l'expression qu'il faut employer.

GARDIEN DE BUT — *Voir* **HOCKEY.**

GARE — *Voir* **TERMINUS.**

« **GARROCHER** » — Le verbe transitif [GARROCHER] au sens de « lancer » et le verbe pronominal [SE GARROCHER] au sens de « s'élancer, se précipiter » que le langage populaire emploie couramment au Canada sont des vieux mots dialectaux. On a noté l'existence de *garrocher* dans les patois d'un certain nombre de régions de France depuis le Poitou jusqu'au Massif central. Ce vocable est évidemment une altération de l'ancien verbe dialectal *garroter*, dérivé de *garrot*, nom emprunté au francique et qui a été usité jusqu'au XVIe siècle pour désigner le bois d'une flèche et un trait d'arbalète. De l'idée de « lancer un trait d'arbalète » à celle de simplement « lancer avec force comme un trait », le glissement était facile. Il ne faut pas dire [GARROCHER], mais **lancer**, non plus que [SE GARROCHER] à la place de **se précipiter**. Au lieu de [GARROCHER] *des pierres* (*voir* **ROCHE**), il faut dire *lancer des pierres*.

GAULTHÉRIE — *Voir* **PATATE.**

GAZ — *Voir* **GAZOLINE.**

GAZOLINE — Le fractionnement premier par distillation du pétrole brut, appelé *topping*, ou *étêtement*, ou *étêtage*, donne deux **essences** très légères, dont l'une est l'**éther de pétrole** et l'autre la **gazoline**, produits très volatils dont la manipulation est dangereuse et qui ne sont guère utilisés ailleurs qu'en laboratoire. Comme elle explose violemment en se mélangeant à l'oxygène de l'air, la **gazoline** ne peut servir de carburant. Le procédé suivant du raffinage du pétrole, qui s'appelle *craquage,* donne successivement les carburants pour les moteurs à explosion de l'automobile et de l'aviation proprement appelés **essences**, et les **huiles** plus ou moins lourdes employées comme combustibles appelées **mazouts** (*voir* **HUILE** *et* **FUELS**), et d'autres produits comme les **huiles de graissage**, aussi dites **huiles de lubrification**, pour les machines.

Substituer **gazoline** à **essence**, c'est commettre un anglicisme. En Amérique, l'anglais donne à son mot **gasoline** le sens de « carburant pétrolier pour l'automobile et l'aviation », tandis qu'en Europe les Anglais désignent ces **essences** par les mots **petrol** et **petroleum**, le terme **gasoline** ayant la même signification que **gazoline**. En Amérique, l'anglais confond le plus souvent la **gazoline** et **l'éther de pétrole** et les désigne par les mêmes expressions **petrolic ether**, **petroleum ether** et **oil ether**. Il ne faut pas dire *il ne reste presque plus de*

[GAZOLINE] *dans le réservoir de la voiture*, mais *il ne reste presque plus d'essence dans le réservoir.* Remplir ou faire remplir d'**essence** le réservoir d'une voiture, cela se dit *faire le plein*: « *Pompiste, faites le plein s'il vous plaît.* »

L'emploi fautif du mot **gazoline** pour désigner les carburants de pétrole (les entreprises pétrolières canadiennes disent correctement **essence** dans leur publicité depuis quelques années) a entraîné l'emploi plus fautif encore du mot **gaz** comme diminutif du premier: *nous avons assez de* [GAZ] *pour nous rendre à destination.*

Gaz est le nom générique de tous les corps fluides aériformes. On ne peut s'en servir pour désigner un liquide. Une **essence** produit un mélange gazeux dans un moteur à explosion, aussi peut-on employer le mot au pluriel en parlant de ce mélange: *les gaz d'admission, les gaz d'échappement, mettre les gaz* (« accélérer ») et *rouler pleins gaz*, mais il est aussi condamnable de dire *gaz* au singulier que *gazoline* au lieu d'**essence**. Il ne faut pas dire *j'ai acheté vingt litres de* [GAZ] quand on veut dire *j'ai acheté vingt litres d'essence.*

GAZONS — *Voir* **TOURBE.**

GÉLINOTTE — *Voir* **OISEAUX.**

GÉNÉRATEUR — *Voir* **FOURNAISE.**

GÉRANT — Le nom **gérant** désigne en premier lieu une « personne qui administre des affaires, des biens, des intérêts pour le compte d'une autre », non sous sa direction: *le comptable du propriétaire est gérant de l'hôtel pendant l'absence de celui-ci.* C'est aussi le nom d'une « personne placée à la tête d'un établissement d'une entreprise à succursales multiples pour en assurer l'exploitation (*voir* **OPÉRATEUR — OPÉRATION — OPÉRER**), et qui jouit à cette fin d'une large liberté de décision »: *pour ce qui est de la publicité à faire dans notre ville, adressez-vous au gérant de notre succursale.* Dans le cas du commerce de la banque, cependant, on ne doit pas dire [GÉRANT] *de succursale*, mais *directeur de succursale*, les affaires d'une banque qui compte plusieurs établissements excluant la possibilité même d'une administration locale. Il ne faut pas dire *j'ai obtenu de mon* [GÉRANT] *de banque le crédit dont j'avais besoin*, mais *j'ai obtenu de mon banquier* ou *du directeur de ma banque* (*voir ce mot*) *le crédit dont j'avais besoin.* Les personnes placées à la tête de l'ensemble des branches et de chacune des branches de l'activité d'un organisme administratif ou d'une entreprise industrielle ou commerciale administrée par son ou ses propriétaires pour en assurer le bon fonctionnement sont des **directeurs**. Il faut se garder de leur donner le titre de **gérant**.

Le même mot anglais **manager** traduit les deux substantifs **directeur** et **gérant** et c'est un anglicisme que l'on commet quand on appelle *gérant* un **directeur**. Il ne faut pas dire *le président de l'entreprise en est aussi le* [GÉRANT] *général*, mais *le président de l'entreprise en est aussi le directeur général.* Il ne faut pas dire *j'ai rendez-vous avec le* [GÉRANT] *du service de la vente de cette maison*, mais *j'ai rendez-vous avec le directeur du service...* Au lieu de [GÉRANT] *du personnel*, réunion de mots dépourvue de sens, il faut dire *directeur du personnel* ou *du service du personnel.* Il ne faut pas dire [GÉRANT] *de la* *fabrication* ou [GÉRANT] *de la publicité*, mais *directeur de la fabrication, de la publicité*, etc. Il y a, cependant, une exception à cette règle. Dans le vocabulaire de l'édition, on peut nommer *gérant* ou *directeur général* le responsable de la publication d'un périodique: *le gérant* ou *le directeur général de la revue est monsieur X.*

Il y a environ un siècle, le français a emprunté le terme **manager** à l'anglais. Il s'en sert pour nommer la «personne qui s'occupe des contrats à signer par un athlète ou une équipe sportive, par un artiste ou un groupe d'artistes relativement à leur activité professionnelle»: *le champion des poids moyens a changé de manager* et *cette chanteuse a un bon manager* (prononcer *manad-gère*). L'**imprésario** organise les spectacles, les concerts, les récitals de l'artiste ou des artistes qu'il représente en plus de s'occuper de leurs engagements. Il faut se garder d'appeler *gérant* le **manager** d'un champion ou d'un artiste. Cette personne n'est pas un **gérant**: elle n'est pas chargée d'administrer de façon générale les affaires, les biens du champion ou de l'artiste. Un **manager** est une sorte d'agent d'affaires, d'intermédiaire.

GICLER — *Voir* **REVOLER.**

GICLEUR — Ce terme appartient au vocabulaire de l'automobile. Il désigne un élément du carburateur, l'orifice calibré servant à faire gicler l'essence dans le courant d'air aspiré par un moteur à explosion.

Depuis une trentaine d'années, on se sert incorrectement au Canada du mot [GICLEUR] pour désigner les têtes des installations fixes d'extinction automatique. Le bon usage des mots s'est rétabli dans les milieux techniques, mais le langage populaire continue d'utiliser le mot fautif [GICLEUR]. Il ne faut pas dire *faire installer des* [GICLEURS] au lieu de *faire installer des extincteurs automatiques.*

Le mot anglais équivalent **sprinkler** est parfois utilisé. Il faut l'éviter et se garder de parler d'un [RISQUE SPRINKLÉ], qui est un anglicisme. Dire *risque protégé par des extincteurs automatiques.*

GILET — Contrairement aux sens qu'on attribue le plus souvent au Canada aux mots **gilet** et **veston**, un **gilet** est un vêtement sans manches et un **veston** est un vêtement à manches longues et à basques. Il y a des **gilets de laine** (*voir* **PULL-OVER**) pour les hommes et pour les femmes, mais le **veston** est une pièce du costume masculin (*voir* **HABILLAGE — HABILLEMENT — HABILLER — HABIT**).

Le **gilet** se porte sur la chemise et sous le **veston**. Les costumes de confection (*voir* **MERCERIE — MERCIER**) comportent de moins en moins un **gilet**. Le costume (*voir ce mot*) ne se compose plus le plus souvent que du **veston** et du **pantalon** (*voir ce mot*). Ceux qui tiennent à porter le **gilet**, c'est-à-dire un complet, doivent généralement en commander un en supplément.

Une **veste** est un vêtement de sport ou de travail qui couvre la partie supérieure du corps comme le **veston**, mais qui tombe droit sur les hanches, sans serrage et sans basques: *veste de chasse, de pêche, veste de coiffeur* (*voir* **BARBIER**), *veste de garçon de restaurant.* Les **vestons** ressemblent de plus en plus à des **vestes**. Aussi l'usage se répand-il d'employer **veste** comme synonyme de **veston**: *il ne portait pas de gilet sous la veste.*

La garde-robe féminine comprend des toilettes qui se composent d'une jupe et d'un vêtement supérieur ayant la forme d'une **veste**, qui porte aussi le nom de **veste** ou **jaquette**.

Un **blouson** (*voir* **COUPE-VENT**) est un vêtement de sport qui couvre la partie supérieure du corps, mais qui, contrairement à la **veste**, est serré aux hanches et est généralement en cuir ou en tissu imperméabilisé. Les vêtements appelés fautivement [COUPE-VENT] sont des **blousons**. Les adolescents qu'on désigne au Canada par l'expression [VESTES DE CUIR] portent des **blousons** en cuir. On les a appelés en France les *blousons noirs*, parce que la plupart d'entre eux portent des **blousons** de cuir noir.

Une **veste** de sport doublée de fourrure, avec ou sans ceinture au-dessus des hanches, est une **canadienne**. On emploie à tort au Canada le nom *station-wagon* pour la désigner.

Voir **ANORAK** *et* **BRASSIÈRE**.

GLAÇAGE — Sauf dans le vocabulaire de la confiserie, où il s'applique à la dernière couche de sucre dont on couvre les fruits glacés, et dans celui du textile, où il se dit de l'apprêt dont on se sert dans la préparation de certains tissus pour leur donner du brillant, le mot **glaçage** désigne des actions, non des choses. Dans la terminologie de la pâtisserie, **glaçage** signifie «action d'étendre une couche de blanc d'œuf ou de sirop de sucre aromatisé et le plus souvent coloré». Cette couche est une **glace** et ce même mot désigne la croûte entière de sucre qui enrobe les fruits confits, le **glaçage** n'en étant que la couche supérieure.

Au Canada, on désigne incorrectement la **glace** qui recouvre un gâteau non seulement par le mot **glaçage** mais aussi par le mot *crémage* (quelquefois écrit avec un accent circonflexe que rien ne pourrait justifier sur l'*e* de la première syllabe: [CRÊMAGE]). **Crémage** est un terme technique de l'industrie textile, où il se dit du demi-blanchiment de fils de lin et de chanvre. Il ne faut pas dire *le* [GLAÇAGE] ou [CRÉMAGE] *du gâteau de fête* (*voir ce mot*) *était parfumé au rhum*, mais *la glace du gâteau de fête était parfumée au rhum.*

GLACE — *Voir* **GLAÇAGE, LAIT** *et* **VITRE**.

GOLF — Le **golf**, sport d'origine écossaise, est surtout populaire dans le monde anglo-saxon. Cela explique son vocabulaire.

Il se joue sur des **terrains de golf**, qui, en règle générale, comprennent dix-huit **trous** disposés sur un **parcours** à suivre pour faire une **partie** (*voir* **JOUTE**).

Pour frapper leurs **balles de golf**, les joueurs se servent d'instruments qui tiennent de la crosse de hockey (*voir ce mot*) et du maillet. En français comme en anglais, ces instruments s'appellent **clubs**, mais il faut prononcer le mot à la française: *cleub.*

Des **porteurs** ou **caddies** portent ces **clubs** dans des sacs ou les joueurs les posent sur de petits **chariots** qu'ils traînent.

Il y a des **clubs** à **tête** de bois et d'autres à **tête** d'acier. L'un des premiers s'appelle *driver* et l'un des **clubs** à **tête** d'acier, *potter*. Ce sont pratiquement les deux seuls qu'on entend nommer sur un **terrain de golf** canadien. Les fabricants de **clubs** des États-Unis les ont tous numérotés et l'on se sert des numéros pour les autres. Si l'on veut les désigner par leurs noms, qui sont anglais, il faut prononcer tous ces mots à la française.

Le mot **trou** ne désigne pas seulement les trous eux-mêmes, mais aussi la distance et le terrain à parcourir pour atteindre l'un d'eux : *j'ai joué ce trou en deux coups de moins qu'hier* et *les trous les plus difficiles pour certains champions ne sont pas toujours les plus longs.*

Chaque **trou** (terrain à parcourir pour jouer un **trou**) comprend en premier lieu un petit tertre où les joueurs donnent le premier coup. Cette surface plane appelée **tee** en anglais se dit **départ** en français : *le joueur que vous cherchez est sur le départ du troisième trou.*

Le mot anglais **tee** désigne aussi le minuscule plateau pourvu d'une tige servant à le fixer au sol sur lequel on surélève la balle pour le coup du **départ**. Le français emploie le même mot pour désigner cet objet : *poser sa balle sur son tee*, mais on peut aussi dire **support de départ**.

Le mouvement rythmé d'oscillation et de pivotement plus ou moins marqué d'un joueur qui frappe une balle est son **ballant**: *le joueur mesure son ballant selon le club dont il se sert.* On peut aussi dire, plus simplement, *son mouvement.*

Chemin normal traduit le mot anglais **fairway**, qui désigne la partie soigneusement entretenue du **parcours** que les joueurs s'efforcent de faire suivre par leur balle pour atteindre le **trou** visé, mais il n'est pas fautif de dire **fairway** (prononcer *féroué*).

A côté du **chemin normal** ou *fairway*, l'herbe est longue et le terrain souvent très accidenté. En anglais, c'est le **rough**. On peut éviter d'employer ce mot dans la plupart des cas. On dira de préférence *ma balle est tombée dans l'herbe*, ou *dans les broussailles*, ou *dans une touffe d'arbustes*, etc.

Enfin, pour rendre le jeu plus difficile, le **parcours** présente des **obstacles**, dont les plus connus sont les **bunkers**. Ce sont des creux remplis de sable. Ces **obstacles** ont reçu le nom de **banquettes**. Il faut dire *ma balle est tombée dans le sable*, ou *dans un obstacle*, ou *dans une banquette*, non *dans un* [BUNKER].

Comme il y a une pelouse de **départ**, il y a une pelouse d'**arrivée**, où se trouve le **trou** visé. Ce tertre se désigne en français comme en anglais par le mot **green**, mais, bien entendu, on peut aussi dire **pelouse d'arrivée** ou, plus simplement, **arrivée** : *il a perdu le championnat pour une erreur commise sur l'arrivée* ou *sur le green.* On commet une faute en traduisant littéralement **green** par [VERT]. Le nom **vert** ne désigne pas un lieu, ni un terrain, ni une partie de terrain.

Le nombre de coups que joue normalement un bon joueur sur un **parcours** se dit **par** en anglais et en français, mais rien n'empêche d'employer le mot

normale: *je n'ai joué que deux coups de plus que la normale* ou *que le par.*

Un **trou** réalisé en prenant un coup de plus que la **normale** est un **bogey** (prononcé *bo-gué*).

Un **trou** réalisé en prenant un coup de moins que la **normale** est un **birdie** (prononcer *beurdé*). Si l'on prend deux coups de moins, c'est un **eagle** (prononcer *iguel*).

Le français emploie le mot **handicap** depuis longtemps.

Voir **MOTS ÉTRANGERS (PRONONCIATION DES...).**

GOMME — Se garder d'employer comme substantif la troisième personne du singulier de l'indicatif présent du verbe *effacer* au lieu de **gomme** pour désigner un «petit bloc de caoutchouc servant à faire disparaître du crayon ou de l'encre». Le nom [EFFACE] utilisé au Canada n'existe pas en français. On commet une faute en disant, par exemple, *cette* [EFFACE] *ne fait disparaître que le crayon, ce n'est pas une* [EFFACE] *pour encre* au lieu de *cette gomme n'efface que le crayon, ce n'est pas une gomme pour* (*voir* **PRÉPOSITIONS, EMPLOI DES...**) *encre.* Il ne faut pas dire [EFFACE] *de machine à écrire* (*voir* **DACTYLOGRAPHE**), mais *gomme de machine à écrire.* Au lieu d'[EFFACE] *à extrémités biseautées,* on doit dire *gomme à extrémités biseautées.*

GONELLE — *Voir* **POISSONS.**

GOURGANE — *Voir* **FÈVE.**

GOÛTER — Verbe transitif, **goûter** a deux significations: «manger ou boire quelque chose pour la première fois ou en petite quantité»: *faites goûter du miel à votre enfant et il vous en demandera tous les jours* et «trouver agréable quelqu'un ou quelque chose»: *goûter la compagnie de quelqu'un, goûter un musicien.*

Goûter s'emploie et comme transitif indirect et comme transitif direct dans le premier de ces sens, au propre et au figuré: *goûtez à ce plat exotique, goûtez aux joies de l'amour* et *goûtez ce miel, goûtez les merveilles de la science moderne.*

Goûter s'emploie absolument au sens de «prendre une collation»: *goûter tous les jours au milieu de l'après-midi.*

Contrairement à *sentir,* qui a les deux sens de «percevoir par l'odorat» et de «répandre une odeur», au propre et au figuré: *je sens le brûlé* et *cela sent bon,* **goûter** n'exprime que l'action du sujet qui perçoit, non celle de l'objet qui agit sur lui. Un objet qui a une odeur *sent* quelque chose, mais un objet qui a une saveur a un *goût.* Dans le cas du **goût**, c'est le sens du substantif qui est réversible au lieu de celui du verbe: *j'ai bon goût* et *cette pomme a bon goût.*

Il ne faut pas dire *cette pomme* [GOÛTE] *bon,* mais *cette pomme a bon goût.* Il ne faut pas dire *cette sauce* [GOÛTE] *trop le vinaigre,* mais *cette sauce est trop forte en vinaigre.* Il ne faut pas dire *ce mets* [GOÛTE] *mauvais,* mais *ce mets a mauvais goût.*

La faute qui consiste à employer le verbe **goûter** au sens d'«avoir un goût» en parlant des choses vient de ce que le sens du verbe anglais **to taste**, qui signifie «goûter», est réversible de l'objet au sujet: **to taste a new dish** (goûter un nouveau mets) et **to taste like honey** (avoir un goût de miel).

GOUVERNANTE — *Voir* **NURSE — NURSING.**

GOUVERNEMENT — Seul un ensemble de personnes ayant la conduite politique d'un État se nomme **gouvernement**.

Un ensemble de personnes exerçant une autorité politique par délégation de pouvoirs dans une région ou dans une localité ne forme pas un **gouvernement**.

On peut parler du **gouvernement** d'une ville au sens d'«action d'administrer»: *le gouvernement d'une ville moderne exige autant d'imagination que d'énergie*, mais on ne peut parler du **gouvernement** d'une ville si l'on veut désigner par ce mot les autorités politiques de la ville.

Le mot anglais **government** s'applique et aux ensembles de personnes qui conduisent un État et aux conseils municipaux. C'est commettre un anglicisme de dire, par exemple, *les* [GOUVERNEMENTS] *d'Ottawa, de Québec et de Montréal sont d'accord sur cette question* au lieu de *les gouvernements d'Ottawa et de Québec et les autorités montréalaises* (ou *le conseil municipal de Montréal*) *sont d'accord.* Les conseils municipaux du Québec ne gouvernent pas les États. Ils tiennent tous leurs pouvoirs de l'État du Québec.

Voir **ADMINISTRATION** *et* **PROVINCE.**

GOUVERNEUR — Le marquis de Vaudreuil a signé la capitulation de Montréal en 1760 à titre de **gouverneur général** de la Nouvelle-France. Maîtresse du pays, la Grande-Bretagne y nomma un **gouverneur** militaire auquel on ne tarda pas à confier la direction des affaires civiles. Il prit alors le titre de **gouverneur en chef**. En 1786, le territoire britannique de l'Amérique du Nord comprenait les quatre colonies de la Nouvelle-Écosse, du Nouveau-Brunswick, de l'Ile-du-Prince-Édouard et du Québec, qui portait seul alors le nom de Canada. Cette année-là, lord Dorchester fut nommé **gouverneur général** de l'ensemble de ces colonies. Il fut le premier à gouverner sous ce titre sous le régime anglais. Un **gouverneur** gouverne. Un **gouverneur** de pays est un «haut fonctionnaire nommé par le gouvernement de la métropole pour le représenter à la tête d'une colonie dont on le charge de diriger l'administration». En 1876, l'Acte de l'Amérique du Nord britannique (*voir* **ADJECTIF, PLACE DE L'**...), qui a fait de l'ensemble des possessions britanniques du continent nord-américain une monarchie constitutionnelle appelée Canada, a changé le rôle de **gouverneur général** en celui de représentant du chef de l'État, souverain de Grande-Bretagne et souverain du nouveau pays. Bien qu'il ait gardé en principe pendant plus d'un demi-siècle le pouvoir de refuser de sanctionner les lois votées par les Parlements du pays, ce qui faisait du **gouverneur général** un agent du gouvernement impérial en même temps que le représentant du monarque, son titre ne correspondait plus à sa fonction. Celui-ci est resté, cependant, et le délégué du **gouverneur général** auprès du Parlement de chacun des États constituants (*voir* **PROVINCE**) se nomme **lieutenant-gouverneur**. Ce titre de **gouverneur** que portaient correctement des personnages de l'époque coloniale ne peut qu'induire en erreur de nos jours les étrangers de langue française qui ne connaissent pas bien l'histoire, les institutions politiques et les subtilités souvent ambiguës du mécanisme constitutionnel du pays.

Le titre de **vice-roi** conviendrait au représentant du souverain de Grande-Bretagne et du Canada. Un **vice-roi** peut gouverner au nom d'un roi, mais il ne peut exercer à la place du roi une plus large mesure d'autorité que celle dont la constitution investit celui-ci: *le vice-roi des Indes était à la tête de ces possessions autant le mandataire du gouvernement impérial que le représentant de la Couronne.* Pour les partisans de la thèse de l'unité de la monarchie canadienne, les **lieutenants-gouverneurs** pourraient porter le titre de *vice-roi délégué.* Ceux qui croient que le partage des pouvoirs divise réellement l'autorité au Canada préféreraient *vice-roi du Canada, vice-roi du Québec, vice-roi de l'Ontario*, etc.

L'anglais semble s'accommoder du maintien du titre **gouverneur général**. Le français le tolère difficilement. Le sens étymologique de la particule *vice*, qui indique qu'on exerce une fonction à la place de quelqu'un, permet d'être **vice-roi** sans gouverner. Si le souverain venait habiter Ottawa, il pourrait se faire représenter par un **vice-roi** dans la capitale de chacun des États constituants, mais la constitution lui interdirait aujourd'hui d'y nommer des **gouverneurs**.

En Amérique du Nord, l'anglais donne à son mot **governor** dans quelques cas les sens d'«administrateur», de «contrôleur», de «directeur», de «surveillant», de «protecteur». Le mot **gouverneur** n'a pas ces significations. Il ne faut pas dire, par exemple, [GOUVERNEUR] *honoraire d'une université*, mais *administrateur honoraire*, ou *membre honoraire du comité de surveillance* ou *du comité de contrôle d'une université*, selon le cas. Il ne faut pas dire *on a doté la Société des Concerts symphoniques de notre ville d'un* [BUREAU DE GOUVERNEURS] quand on veut dire *on a doté la Société des Concerts symphoniques de notre ville d'un comité de patronage* (*voir ce mot*).

GRÂCE À — *Voir* **DÛ.**

GRACIEUX — *Voir* **BÉNÉVOLE — BÉNÉVOLEMENT.**

GRADE — GRADUATION — GRADUÉ — *Voir* **DEGRÉ.**

GRAMOPHONE — GRAPHOPHONE — *Voir* **PHONOGRAPHE.**

GRAND — *Voir* **IMPORTANT.**

GRANDILOQUENCE — *Voir* **EMPHASE.**

GRAND MAGASIN — *Voir* **DÉPARTEMENT — DÉPARTEMENTAL.**

GRANGE — *Voir* **HANGAR.**

GRAPPILLER — *Voir* **ÉCORNIFLER — ÉCORNIFLEUR.**

GRATIFICATION — *Voir* **BONI.**

GRATTONS — *Voir* **CRETONS.**

GRATUIT — *Voir* **BÉNÉVOLE — BÉNÉVOLEMENT.**

GRAVIER — *Voir* **ROCHE.**

GRAVURE — *Voir* **VIGNETTE.**

GRÉEMENT — *Voir* **AGRÈS.**

GREEN — *Voir* **GOLF.**

GREFFIER — *Voir* **REGISTRAIRE — REGISTRATEUR.**

GRÉSIL — La consonne finale (*voir ce mot*) de **grésil** était toujours muette jusqu'au début du XXe siècle. On disait *gré-si.* L'usage nouveau est de prononcer le *l* comme dans *avril* ou *péril.* Les prononciations *gré-si* et *gré-sil* sont actuellement correctes, mais il semble bien que cette dernière l'emportera.

Voir «**FRASIL**».

GRIFFE — *Voir* **ÉTIQUETTE.**

GRILLAGE — *Voir* **MOUSTIQUAIRE.**

GRILLER — *Voir* **BRÛLER.**

GRILLON — *Voir* **CRIQUET.**

GRINCEMENT — GRINCER — Un homme qui a le défaut d'être toujours de mauvaise humeur et d'éprouver constamment le besoin d'être désagréable est un **grincheux**, mais il faut se garder de prononcer **grincement** et **grincer** comme si ces mots s'écrivaient *grin-che-ment* et *grin-cher*. Cette prononciation est patoise. Elle s'explique par le fait que le français a fait **grincer** avec le verbe dialectal **grincher**, qui était courant dans plusieurs régions du Nord: en Picardie, en Normandie et dans le Haut et le Bas-Maine, où l'on disait aussi **grinche** pour «mauvaise humeur». Le verbe patois **grincher** était une altération de **crisser**, qui donna **crisner** puis **grisser** avant **grincher**, et **crisser** venait d'un mot francique qui voulait dire «craquer». Le verbe **grincer** est cependant entré dans la langue française au cours du XIVe siècle, deux cents ans environ avant **crisser**, qui, jusque-là, restait dialectal. Il ne faut pas dire [GRINCHER] *des dents*, mais *grincer des dents.*

Noter que **grincement**, **grincer** et **crissement**, **crisser** ne se disent pas des mêmes choses. **Grincer** signifie «produire par frottement un son strident et désagréable» comme si la chose dont on parle criait: *les gonds rouillés de la barrière grincèrent quand on l'ouvrit.* **Crisser** signifie «produire un bruit plus ou moins doux d'écrasement» en parlant de choses lisses: *la neige dure crissait sous nos pas.* Le bruit que cela produit quand on **grince** des dents tient à la fois du **grincement** et du **crissement**, comme celui des pneus d'une voiture (*voir* **CHAR**) quand on freine brusquement. On dit cependant *grincer des dents* et *les pneus crissent.*

GRINCHEUX — *Voir* **GRINCEMENT — GRINCER.**

GRIVE — *Voir* **OISEAUX.**

GROS — *Voir* **IMPORTANT.**

GROSEILLE — GROSEILLIER — Il y a trois principales espèces de **groseilliers**: le **groseillier à grappes**, le **groseillier à maquereau** et le **groseillier cassis** (prononcer le *s* final).

Les fruits du **groseillier à grappes** sont de petites baies rouges ou blanches qui, comme le nom même de l'arbrisseau le dit, viennent par grappes; ce sont les **groseilles**, le plus souvent appelées *gadelles* au Canada.

Les baies du **groseillier à maquereau** sont plus grosses et vertes; ce sont les **groseilles à maquereau** appelées *groseilles* ou *groseilles vertes* au Canada.

Le **groseillier cassis** produit de petites baies noires, appelées *gadelles noires* au Canada, qui, comme l'arbrisseau qui les porte, se désignent par le nom de **cassis.**

Ce n'est pas seulement au Canada qu'on désigne la **groseille** par le nom de *gadelle*. Le mot est aussi employé dans certaines régions du nord et de l'ouest de la France. C'est un terme dialectal qui ne peut être admis que dans la langue populaire.

La **groseille à maquereau** s'appelle ainsi parce qu'on s'est aperçu qu'une purée de *groseilles vertes* accompagne agréablement le maquereau poché.

Bref, on ne s'exprime pas correctement en disant *gadelle* au lieu de **groseille** et seulement *groseille* au lieu de **groseille à maquereau.**

Cassis ne s'emploie pas au pluriel. Les *groseilles noires ne sont pas* [DES CASSIS], mais des **baies de cassis** ou **du cassis**: *on a cueilli du cassis pour faire de la gelée.*

GROUILLER — Au XVIe siècle, **grouiller** signifiait «s'agiter» en parlant d'une personne: *il ne sert rien que de grouiller.* Au XVIIe siècle, dans le langage familier, on disait *grouiller* au sens de «bouger, remuer», acception que le verbe a conservée au Canada. La forme pronominale *se grouiller* s'emploie encore en France dans le parler populaire pour dire «se hâter»: *nous arriverons en retard si vous ne vous grouillez pas.* Employé au lieu de **bouger** ou **remuer**, **grouiller** est un mot vieilli et populaire. Au lieu de *si tu veux cesser de* [GROUILLER], *je pourrai nouer ta cravate*, on dira correctement à un enfant *si tu veux cesser de remuer, je pourrai nouer ta cravate.*

En français contemporain, **grouiller** est synonyme de *fourmiller* et signifie «s'agiter en grand nombre»: *les rues grouillaient de monde en ce jour de fête.*

GROUPE — *Voir* **TALLE.**

GROUPEMENT — *Voir* **LIGUE.**

GUENILLE — Prendre garde que la première syllabe de ce mot se prononce *gue* et s'écrit sans accent aigu.

Voir **SERVIETTE.**

GUILLEMETS (PLACE DES...) — On ne guillemette pas en français de la même façon qu'en anglais.

En français comme en anglais, le guillemet ouvrant se met avant une citation, ou un mot, ou un groupe de mots que l'on veut isoler soit pour lui donner de l'importance, soit pour indiquer qu'on l'emploie dans un sens particulier et l'on met un guillemet fermant après la citation ou les mots ainsi mis en valeur. Cependant, tandis qu'en anglais le guillemet fermant suit la ponctuation s'il y en a une à la fin de ou après la citation ou les mots détachés, le guillemet fermant en français suit la ponctuation quand elle appartient au texte guillemeté et la précède quand elle appartient à la rédaction générale.

Quelques exemples accompagnés de brèves explications feront voir comment ce principe s'applique.

A — ***Jean lui avait parlé de ces «oiseaux de mauvais augure, annonciateurs de nouvelles épreuves,» et, à son tour, il frissonna d'angoisse.***

La virgule qui précède le guillemet fermant sert à séparer un élément de la citation; elle ne se rattache pas à la phrase dans laquelle la citation est fondue. Le guillemet fermant suit la virgule.

B — *N'a-t-il pas dit: «On devient bon écrivain comme on devient bon menuisier»?*

Le point d'interrogation appartient nécessairement à la phrase qui comprend la citation. Le guillemet fermant précède la ponctuation.

De façon générale, cependant, le point final d'une citation commençant par une majuscule et formant une phrase complète introduite dans une phrase de texte par les deux-points et qui termine celle-ci se place avant le guillemet fermant, bien qu'il serve aussi de point final à la phrase de texte:

Jacques le rassura: «Je suis sûr que tout ira bien.»

Quand la citation se termine par un point d'exclamation ou par un point d'interrogation, on supprime toujours la ponctuation qu'exigerait normalement la rédaction générale après le guillemet fermant:

Son long monologue se termina par ces mots: «Faites donc de la lumière!»

Le point qui devrait suivre est supprimé.

C — *Comme Jean l'avait fait observer, «il trichait. Ses yeux trahissaient sa fourberie.»*

Si une citation introduite par un élément d'une phrase de texte comprend plus qu'une phrase et se termine par une phrase complète, le guillemet fermant suit le point final de la citation.

D — «*Je vous suivrai, répondit-il aussitôt, car j'ai confiance en vous.*»

Contrairement à l'usage anglais, on ne ferme pas les guillemets après la première partie d'une citation dans laquelle s'insère une courte incise, pour les rouvrir après celle-ci et les refermer à la fin. Dans l'exemple ci-dessus, le point final appartenant à la citation, il précède le guillemet fermant. On ne ferme et rouvre les guillemets pour une incise que dans les cas où celle-ci, trop longue, prêterait à confusion, ne permettrait plus, sans guillemets, de voir nettement où la citation recommence.

On met le guillemet ouvrant au début de chaque alinéa d'une citation qui en comprend plusieurs, mais on ne met le guillemet fermant qu'à la fin de l'alinéa par lequel la citation se termine.

Note — Si, dans un imprimé, on détache les citations par une composition en caractères italiques ou en d'autres caractères que celui du texte courant, on doit s'abstenir d'employer les guillemets. Il faut choisir entre un caractère particulier et les guillemets.

GUIRLANDE — *Voir* **LUMIÈRE.**

GYMNASE — *Voir* **ARÈNE.**

GYMNASTIQUE — *Voir* **AGRÈS.**

H

HABILE — *Voir* **OPPORTUNISME — OPPORTUNISTE.**

HABILETÉ — *Voir* **ALLURE.**

HABILLAGE — HABILLEMENT — HABILLER — HABIT — Noter, en premier lieu, que ni **habillage** ni **habillement** ne signifient l'action de mettre des vêtements. C'est commettre une faute que de dire, par exemple, *plus on a de vêtements à porter, plus l'*[HABILLAGE] ou *l'*[HABILLEMENT] *prend du temps.* Il faut dire... *plus il faut de temps pour s'habiller.* Il ne faut pas dire, par exemple, *la salle d'*[HABILLAGE] *des comédiens qui jouent dans ce film se trouve au rez-de-chaussée de l'hôtel où ils logent,* mais *la salle de déguisement* ou *de travestissement* (*voir* **COSTUME**) *se trouve...* On appelle, cependant, *habilleuse* une «personne qui aide des comédiens à mettre leurs costumes».

En premier lieu, **habillage** s'emploie dans quelques vocabulaires techniques au sens d'«apprêter, préparer pour un certain usage». On appelle **habillage** l'action d'ôter la peau d'une bête de boucherie, de vider celle-ci et de finir de la préparer pour être vendue. Dans le langage culinaire on nomme **habillage** l'action de plumer, vider, brider, bref de préparer une volaille pour la faire cuire, ainsi que l'action de nettoyer un poisson avant sa cuisson: *habillage d'une poule, habillage d'un achigan (voir ce mot),* etc. En horlogerie, l'action d'agencer toutes les pièces du mécanisme d'une montre, c'est l'**habillage** de la montre. En sylviculture, l'action de tailler les branches et les racines d'un arbre qu'on va replanter, c'est l'**habillage** de l'arbre.

À propos de trois sur quatre de ces acceptions, on serait porté à première vue à parler plutôt de **déshabillage**, mot qui, lui, au sens d'«action d'ôter des vêtements», s'emploie pour les personnes au propre et au figuré; *le déshabillage prend moins de temps qu'il n'en faut pour s'habiller* et *l'article que le critique du journal a écrit sur ce cabotin est un véritable déshabillage.*

Pour comprendre que le substantif **habillage** désigne les diverses actions indiquées ci-dessus et que le verbe **habiller** exprime en plus de celle de mettre des vêtements, il faut se rappeler que l'origine étymologique d'**habiller** et

habillage n'est pas le mot **habit**, mais le mot **bille**. Au début du XIIIe siècle, on disait *abiller* (le mot s'écrivait *abillier*) pour exprimer l'idée de préparer une **bille** (tronc d'arbre ou grosse branche) pour être travaillée. De l'idée de préparer, on passa à celle d'orner et c'est par rapprochement avec le mot **habit** que le verbe commença, un siècle plus tard environ, à s'écrire avec un *h* et à exprimer l'action de vêtir.

Deuxièmement, dans les vocabulaires du commerce et des arts graphiques, **habillage** est usité au sens d'«action d'envelopper comme d'un vêtement»: *habillage de bouteilles* (avec de la paille, par exemple), *l'habillage de certains produits de luxe est plus un art qu'un métier* et *habillage d'une illustration* (autour de laquelle on dispose un texte).

Tels sont les seuls sens du mot **habillage.**

Au sens d'«action de fournir des vêtements», **habillement** ne s'emploie plus que dans le vocabulaire militaire: *magasin d'habillement des troupes.*

De nos jours, dans le langage courant, **habillement** désigne l'«ensemble des pièces de vêtement dont une personne est couverte». L'**habillement** comprend le chapeau, les gants, les chaussures, les ornements, etc.: *il ne semblait pas à l'aise dans son habillement de chasseur* et *cette étrangère était vêtue d'un curieux habillement.* Dire *j'irai acheter demain un* [HABILLEMENT] *de chasseur,* c'est fausser le sens du mot **habillement**, car les diverses pièces du vêtement d'un chasseur ne deviennent à proprement parler **habillement** que quand il les porte. Il faut dire *j'irai acheter demain un vêtement complet de chasseur.*

Habillement se dit aussi de l'ensemble des professions du vêtement: *congrès* (*voir* **CONVENTION**) *des syndicats de l'habillement.*

Au Canada, le langage populaire emploie abusivement le mot **habillement** au sens d'«ensemble de deux ou trois pièces (veston et pantalon ou veston, gilet et pantalon) formant un vêtement masculin porté sur le linge de corps»: *mon mari a acheté un bel* [HABILLEMENT] au lieu de *mon mari a acheté un beau costume* ou *un beau complet.*

Des «pièces de vêtement faites par un tailleur ou une couturière formant un ensemble» constituent un **costume**: *costume masculin, costume féminin,* et **costume** se dit spécialement du vêtement masculin composé d'un veston et d'un pantalon ou d'un veston, d'un gilet *(voir ce mot)* et d'un pantalon.

Un «costume composé d'un veston, d'un gilet et d'un pantalon de la même étoffe» est un **complet**: *complet sur mesure, complet de confection* (*voir* **MERCERIE — MERCIER**).

Le **costume** de femme composé d'un vêtement supérieur ajusté à la taille nommé **jaquette** et d'une jupe est un **costume-tailleur** ou, absolument, un **tailleur**.

Le mot **habit** n'est plus usité au singulier que dans les deux sens suivants: vêtement masculin de cérémonie, noir, à basques longues en forme de queue et à revers de soie, avec lequel on porte un pantalon assorti (*voir* **APPAREILLER**), un gilet blanc et un nœud papillon blanc: *tous les hommes étaient en habit et les femmes en robe de bal*; et **costume** caractéristique: *habit de chasse, l'habit* *vert* (des membres de l'Académie française), *un habit ecclésiastique, habit de cérémonie.* Pris dans cette acception, **habit** est toujours suivi d'un complément indiquant sa caractéristique, sauf le cas de l'**habit** ecclésiastique: *prendre l'habit.* Prendre garde qu'un *habit de chasse,* par exemple, ne comprend que les pièces du **costume**, tandis qu'un *vêtement de chasse* comprend toutes les pièces de vêtement nécessaires à un chasseur: **costume**, coiffure, chaussures, etc. Comme synonyme de **costume** et de **complet**, le mot **habit** est désuet.

Le vêtement de cérémonie masculin à longs pans arrondis qui se porte en matinée (*voir* **MATIN — MATINÉE**) avec un pantalon rayé et une lavallière est une **jaquette**. Se garder d'employer le mot anglais **morning coat**. Certaines **jaquettes** d'homme dites *Windsor* ont des basques courtes comme celles d'un veston de **smoking**, costume habillé, noir, blanc ou bleu foncé, que les hommes portent au dîner et dans certaines soirées où l'**habit** n'est pas de rigueur. **Smoking** est évidemment un emprunt fait à l'anglais, tandis que, dans cette langue, le même vêtement est le **tuxedo**, ainsi désigné d'après le nom d'une station mondaine de l'État de New York, mot emprunté d'un dialecte algonquin. Il ne faut pas dire *le* [TUXEDO] *n'est pas de rigueur,* mais *le smoking n'est pas de rigueur.*

Se garder de dire [JAQUETTE] au lieu de **chemise de nuit**. Le mot n'a jamais eu cette acception et l'on commet une faute en la lui prêtant. Il ne faut pas dire [JAQUETTE] *d'hôpital,* mais *chemise d'hôpital.*

HABITUEL — *Voir* **RÉGULIER.**

HACHOIR — *Voir* **MOULIN.**

HADDOCK — *Voir* **POISSONS.**

HALTE — *Voir* **TERMINUS.**

HAMAC — *Voir* **BALANÇOIRE.**

HAMBURGER — *Voir* **DARNE.**

HANDICAP — *Voir* **GOLF.**

HANDICAP — HANDICAPÉ — HANDICAPER — Se rappeler que ces mots commencent par un h aspiré et qu'aucune liaison ne doit être faite avec leur première syllabe: *les (h)andicapés, le (h)andicapé, une (h)andicapée.*

Au Canada comme en Europe (GREVISSE), un certain nombre de gens ont tendance à considérer le h de **handicap** comme n'étant pas aspiré. Cette tendance reste insuffisante pour modifier la règle.

HANGAR — Se rappeler que *hangar* est un terme d'économie rurale. Il désigne un «abri construit en appentis ou lieu clos construit près d'une maison de ferme où l'on préserve de la pluie, de la neige et du soleil des véhicules, des instruments agricoles, des récoltes, des provisions». L'expression **hangar à récoltes** est synonyme de **grange**. Exceptionnellement, le vocabulaire des transports a emprunté un terme à la terminologie rurale et on emploie le mot **hangar** pour désigner un «abri fermé ou non pour locomotives» et un «grand bâtiment fermé pour abriter des avions»: *il y a de vastes hangars à l'aéroport* (*voir* **AÉRODROME**) *de Montréal à Dorval.*

Un «abri couvert et clos ou un local *(voir ce mot)* où l'on met à l'abri toute sorte d'objets» est une **remise**. C'est une faute que l'on commet sous l'influence de l'anglais, dont le mot **shed** traduit **hangar** et **remise**, que de dire *hangar* au lieu de **remise**. Il ne faut pas dire *on trouve un* [HANGAR] *à l'arrière d'un bon nombre de vieilles maisons de la ville,* mais *on trouve une remise.*

HARICOT — *Voir* **ANGLICISME** *et* **FÈVE.**

HARNACHER — HARNAIS — Le verbe **harnacher** n'a pas d'autre sens que celui de «mettre le harnais à un cheval» (*voir* **ATTELAGE — ATTELER**), tandis que le verbe anglais **to harness**, qui a la même signification, possède aussi celle de «maîtriser une force et la faire servir à un usage particulier». L'expression [HARNACHER] *un cours d'eau* est un calque de l'anglais. Il faut dire **aménager**: *on a aménagé de nombreux cours d'eau du Québec pour la production d'électricité.* De même, l'action de maîtriser un cours d'eau pour qu'il serve à la production d'électricité n'est pas le [HARNACHEMENT] d'un cours d'eau, mais son **aménagement**.

HASARD — *Voir* **ADONNER** *et* **(S'...).**

HÂTIF — *Voir* **D'AVANCE.**

HELVÉTISME — *Voir* **CANADIANISME.**

HERPÈS — L'**herpès** est une «affection cutanée causant l'éruption de quelques petites vésicules groupées en bouquet sur fond rouge, généralement sur la face et les organes génitaux, de préférence sur les muqueuses». Au XVIe siècle, on appelait *feu volage* toute espèce d'inflammation de la peau passagère ou d'éruption passagère. On disait aussi *feu volant* et, dans certaines régions, le Vendômois en particulier, *feu sec* en parlant des maux du visage chez les enfants. La médecine a alors adopté l'expression *feu volage* comme nom vulgaire de l'**herpès** labial, mais il y a deux siècles environ qu'elle n'est plus usitée ni dans le vocabulaire médical ni dans la langue courante.

C'est sans doute sous l'infuence du patois normand, qui appelait la gale *feu sauvage*, que l'expression *feu volage* est devenue *feu sauvage* au Canada comme nom vulgaire de l'**herpès** des lèvres. Il ne faut pas dire *cet enfant a un* [FEU SAUVAGE], mais *cet enfant a une éruption d'herpès labial,* ou *cet enfant a de l'herpès sur les lèvres,* ou *cet enfant a une lèvre enflammée par l'herpès.* Se garder de confondre l'**herpès** labial avec les gerçures des lèvres.

HEURTER — *Voir* **FRAPPER.**

HIPPOPHAGE — HIPPOPHAGIQUE — Une boucherie dont la spécialité est la viande de cheval est une **boucherie hippophagique** et le patron de l'étal, un **boucher hippophagique**. Le terme vient de deux mots grecs qui signifiaient «manger» et «cheval». L'adjectif **chevalin** n'est pas fautif, mais, s'il s'applique sans inconvénient à la boutique du boucher, il est difficile sans rire de l'employer pour ce dernier. Ceux qui aiment manger de la viande de cheval sont des **hippophages**.

HISTOIRE EN IMAGES — *Voir* **COMIQUE**.

HIVERNANT — *Voir* **VACANCE — VACANCES — VACANCIER**.

HOCKEY — Il y a deux sports de **hockey**: le **hockey sur gazon**, peu connu des Canadiens, et le **hockey sur glace**.

Le **hockey sur glace**, on le sait, se pratique sur des patinoires clôturées. Chacune des deux **équipes** en présence ne peut jamais mettre au jeu plus de six **hockeyeurs** en même temps: trois **avants** (un *avant-centre*, un *avant droit* aussi appelé *ailier droit* et un *avant gauche* aussi appelé *ailier gauche*), deux **arrières** (un *arrière droit* aussi appelé *joueur de défense droit* et un *arrière gauche* aussi appelé *joueur de défense gauche)* et un **gardien de but**.

Noter que le substantif **défense** ne peut désigner une personne. C'est commettre une faute que de dire *ce joueur est une bonne* [DÉFENSE] au lieu de *ce joueur est un bon arrière* ou *ce joueur est excellent à la défense*.

Tous les joueurs sont munis de **crosses** (la lame de la **crosse** d'un **gardien de but** est plus élevée que celle des **crosses** des **avants** et des **arrières**) et chaque **équipe** s'efforce, en se servant de ces **crosses** pour le pousser sur la glace et le lancer, de faire pénétrer une sorte de petit disque de caoutchouc appelé **palet** le plus grand nombre de fois possible dans un **but** protégé par l'**équipe** adverse au cours des trois périodes de jeu, de vingt minutes chacune, que compte une **partie** (*voir* **JOUTE**). Un **but** est marqué chaque fois que le **palet** tiré par un joueur passe la ligne d'un **but** et les joueurs qui ont immédiatement préparé le tir heureux méritent chacun un point d'assistance. Un **but** peut être marqué par un joueur avec le concours d'un ou de deux coéquipiers. Les fautes que les joueurs commettent contre les règles du jeu sont sanctionnées par des arbitres, qui sont assistés par des juges de but. Il y a la **pénalité mineure**: deux minutes à l'écart (*voir* **RANCART**) du jeu sur le banc de punition; la **pénalité majeure**: cinq minutes sur le banc; la **pénalité de méconduite** (néologisme du vocabulaire sportif): dix minutes sur le banc, et la **pénalité de match**: exclusion du jeu et renvoi au vestiaire pour le reste de la **partie**. Il y a aussi le **lancer de pénalité** contre une **équipe**, qui permet à un joueur de l'autre **équipe** de lancer d'une faible distance contre le **gardien de but** adverse sans qu'aucun autre joueur puisse intervenir. Enfin, certaines infractions sont passibles d'amendes. **Pénalisation** est synonyme de **pénalité** dans le vocabulaire sportif.

Le mot **crosse** a été formé dès le XIe siècle par le croisement d'un mot allemand qui signifiait «béquille» et d'un mot francique qui signifiait «crochet». **Crosse** signifie «bâton dont une extrémité est recourbée». Il désigne en premier lieu l'insigne des évêques en forme de haute canne dont l'extrémité supérieure est recourbée en volute et, par extension, dans le vocabulaire des sports, les bâtons recourbés dont on se sert pour jouer. Un **bâton** est droit; une **crosse** est recourbée. Il ne faut pas dire [BÂTON] *de hockey*, mais *crosse de hockey*.

Tout «objet plat et rond, de métal, de bois ou de caoutchouc durci, qu'on lance dans les jeux sportifs en visant un but» est un **palet**. Le mot **rondelle** employé au Canada au lieu de **palet** n'a pas cette acception. En termes de technique industrielle, **rondelle** signifie «pièce ronde et très mince, de métal, de cuir, etc., généralement percée d'un trou au milieu». On appelle aussi **rondelle** un ciseau arrondi de sculpteur. Les seuls autres sens modernes du mot sont «petite tranche d'un objet cylindrique», surtout dans le vocabulaire culinaire: *rondelle d'oignon, rondelle de saucisson,* etc., et «petite pièce ronde de tissu» dans le vocabulaire de la couture.

Au sens de **peine** (*voir* **SENTENCE**), le mot **pénalité** ne se dit à peu près plus que des sanctions dont la loi punit les délits d'ordre fiscal. Dans le vocabulaire sportif, **pénalité** et **pénalisation** ont les deux sens de «châtiment prévu par les règles du jeu» et de «sanction imposée»: *l'infraction était passible d'une double pénalité: une pénalisation de match et une amende.*

Voir **CLUB, COMPTE — COMPTER — COMPTEUR, INTERMISSION** *et* **LIGUE.**

HONNEUR — *Voir* **CRÉDIT.**

HONORAIRES — *Voir* **APPOINTEMENTS.**

HONTE — *Voir* **DISGRÂCE — DISGRACIEUX.**

HORAIRE — *Voir* **CÉDULE.**

HORLOGE — Les instruments d'horlogerie se sont multipliés depuis le XVIe siècle et il y a déjà longtemps qu'on n'emploie plus le mot **horloge** dans son sens générique d'«appareil destiné à marquer les heures». Chaque instrument d'horlogerie, selon sa forme et son utilité, a son nom propre, qu'il est fautif de ne pas employer pour le désigner. De même qu'on nomme **montre** et non **horloge** l'«objet servant à marquer les heures qu'on met dans une poche de son costume ou que l'on porte à un poignet», il faut nommer **pendule** et non **horloge** un appareil qui sert à indiquer l'heure qu'il est dans une maison, dans un appartement.

Horloge ne se dit plus que d'une «machine de plus ou moins grande dimension qui indique l'heure dans un lieu public ou dans un établissement industriel»: *l'horloge de la gare* (*voir* **TERMINUS**), *les succursales de cette banque ont une horloge comme enseigne, les horloges des bars et des cafés ne sonnent jamais les heures* et *trois horloges enregistreuses font le pointage dans notre usine.*

Tout «appareil à marquer les heures, muni ou non d'une sonnerie, portatif ou plus ou moins facile à déplacer, mural, de table ou de bureau qu'on place dans une pièce d'une maison ou d'un appartement ou dans un bureau particulier» est une **pendule**: *pendule de cuisine, pendule de vestibule, pendule de cheminée.* Une petite **pendule** est une **pendulette**: *pendulette de voyage.* Une «pendule qui sonne des airs en marquant les heures» est un **carillon**. Une «pendule de bois dont la sonnerie imite le chant du coucou en même temps qu'un coucou artificiel apparaît au-dessus du cadran» est un **coucou**. Sans doute à cause de ses dimensons, la seule machine à marquer les heures d'appartement qui ne soit pas toujours appelée *pendule* est la «pendule de parquet dont la boîte mesure généralement plus de six pieds et demi de hauteur». Cette **pendule** s'appelle en anglais **grandfather's clock** et l'expression [HORLOGE GRAND-PÈRE] employée au Canada pour la désigner est un anglicisme. Il faut dire **horloge de parquet**, ou **horloge comtoise**, ou **horloge normande**. On dit aussi correctement **pendule de parquet** ou **pendule comtoise**, désignations plus conformes au vocabulaire contemporain.

Se méfier du fait que le même mot anglais **clock** traduit les deux mots **horloge** et **pendule**.

Une «pendule munie d'une sonnerie qui réveille à une heure fixée» est un **réveille-matin** ou plus simplement et plus justement un **réveil**, puisqu'on peut se faire réveiller à n'importe quelle heure du jour ou de la nuit: *poste de radio-réveil* (*voir* **STATION**) et *réveil-pendulette de voyage* ou *réveil de voyage.*

Une **horloge**, une **pendule** et une **montre** marquent les heures sur un **cadran**. Le **cadran** est la «surface rectangulaire, ronde, ovale ou hexagonale sur laquelle sont inscrits les chiffres des heures (en parlant d'un instrument d'horlogerie) ou d'autres signes de division ou de graduation (en parlant d'autres appareils: cadran de téléphone, cadran de télévison, etc.)». L'**horloge**, ou la **pendule**, ou le **réveil** ne sont pas des **cadrans**. Il ne faut pas dire *j'ai besoin d'un* [CADRAN] *pour ma cuisine,* mais *j'ai besoin d'une pendule pour ma cuisine.* Il ne faut pas demander *as-tu un cadran pour nous réveiller demain matin?* mais *as-tu un réveil?*

Prendre garde que **montre** et **chronomètre** ne se disent pas indifféremment. Un **chronomètre** est une «montre de haute précision qui donne l'heure de façon parfaitement exacte, n'étant soumise ni aux variations magnétiques ni aux variations de température». Le **chronomètre** dont on peut mettre en marche et arrêter à n'importe quel moment l'aiguille à secondes et qui enregistre les temps au cours d'une action, d'un phénomène, d'une expérience, bref le **chronomètre** dont on se sert pour chronométrer est un **chronographe**.

Un «appareil d'horlogerie qui permet d'assurer un contact fournissant un courant d'électricité pendant un nombre déterminé de minutes» est une **minuterie**: *le four de ma nouvelle cuisinière électrique est muni d'une minuterie.*

HORS CONCOURS — *Voir* **EXHIBER — EXHIBITION.**

HORS-D'ŒUVRE — *Voir* **AMUSE-GUEULE.**

HORS SÉRIE — *Voir* **EXHIBER — EXHIBITION.**

HOSPITALISER — *Voir* **REPOSER.**

HOT DOG — Les Américains ont appelé **hot dog** un «petit pain fourré d'une saucisse chaude assaisonnée généralement de moutarde et de relish»: *on fabrique des saucisses et des petits pains de mie particulièrement destinés à la préparation de hot dogs.* Ce nom est intraduisible. Il faut en réciter au long la définition française chaque fois qu'on parle de l'objet qu'il désigne ou adopter le terme anglais.

HÔTEL DU GOUVERNEMENT — *Voir* **PARLEMENT.**

HUARD — *Voir* **OISEAUX.**

HUILE — Les **huiles** de pétrole utilisées comme combustibles (*voir* **GAZOLINE**) sont toutes désignées aujourd'hui par les termes **mazout** (le *t* final du mot est sonore) et **fuel**. Les seuls produits obtenus par le raffinage du pétrole qui portent de nos jours le nom d'**huile** sont les **huiles** lubrifiantes: *huile à graisser, huile de moteur* (*voir* **AUTOMOBILE**), *huile de coupe,* etc. Il ne faut pas dire *chauffage* [À L'HUILE], mais *chauffage au mazout.* Il ne faut pas dire [HUILE] *de chauffage* (encore moins [HUILE À CHAUFFAGE] — *voir* **SOLÉCISME** *et* **PRÉPOSITIONS, EMPLOI DES...**), mais *mazout* (*voir* **FOURNAISE**) ou *fuel.*

Parmi les appareils autonomes de chauffage, il en est un que les Canadiens appellent *poêle* [À L'HUILE] (*voir* **POÊLE**). Cet appareil est un **poêle à pétrole**. Le combustible qu'il utilise n'est ni un **mazout**, ni une **huile** lubrifiante, mais une sorte de kérosène, de pétrole lampant: les **mazouts** doivent être gazéifiés pour s'enflammer à la température ordinaire, d'où la nécessité d'un brûleur qui crée le mélange air-mazout dans un chauffage au **mazout**.

HUISSIER — La personne qui accueille les visiteurs dans l'antichambre d'un ministre, d'un maire, d'un haut fonctionnaire est un **huissier**: *il était dix heures quand l'huissier m'a introduit* (*voir* **INTRODUIRE**) *dans le bureau du ministre.* Il ne faut pas dire *le* [GARÇON D'ANTICHAMBRE] *m'a annoncé que le ministre avait dû s'absenter pour la journée,* mais *l'huissier m'a annoncé que le ministre avait dû s'absenter.*

HUÎTRE — L'expression [PARTIE D'HUÎTRES]: *nous sommes invités à une* [PARTIE D'HUÎTRES], est dépourvue de sens (*voir* **ÉRABLIÈRE**), à moins qu'on ne prenne le mot **huître** dans son acception figurée et qu'on entende «partie (de campagne, de danse, de pêche, etc.) à laquelle ne sont invitées que des personnes extrêmement discrètes»: *il ne faut pas compter apprendre quoi que ce soit sur qui que ce soit à cette partie d'huîtres.* Pour désigner une «réunion de personnes où l'on mange des huîtres», il faut dire **partie aux huîtres**, quand il ne s'agit pas simplement d'un **dîner aux huîtres**.

Il va de soi que le complément du mot **partie** employé au sens de «réunion de personnes qui se livrent ensemble à une certaine forme d'activité» ne peut être, pour désigner cette forme d'activité, qu'un nom collectif après la préposition *de.* On dit *une partie de pêche,* non *une partie de* [POISSONS], c'est-à-dire une **partie** qui appartient à l'activité de la pêche. La préposition *à* marque le but, la manière ou la caractéristique d'une action. Une *partie aux huîtres* est une réunion tenue pour manger des **huîtres**. On ne dira pas *une réception* [DE] *vin,* mais *une réception au vin* (*voir* **PRÉPOSITIONS, EMPLOI DES...**).

Une personne qui fait l'élevage des huîtres est un **ostréiculteur.**

Le *couteau à huîtres* porte mieux le nom d'**ouvre-huîtres.**

Une personne qui ouvre les **huîtres** pour les clients d'une salle à manger publique ou dans les maisons privées à l'occasion de **dîners aux huîtres** servis par un traiteur (voir ce mot) est un **écailler** ou une **écaillère**.

HUMIDE — *Voir* **CRU**.

I

IDENTIFICATION — IDENTIFIER — IDENTITÉ — Se rappeler que le verbe **identifier** ne peut avoir comme sujet qu'un nom de personne. Il a le sens de «reconnaître», non celui de «faire reconnaître». On s'exprime à contresens quand on dit, par exemple, *l'enseigne rouge qui* [IDENTIFIE] *nos magasins* au lieu de *l'enseigne rouge qui annonce,* ou *distingue,* ou *indique,* ou *fait reconnaître nos magasins.*

Le mot **identification** a le sens d'«action de reconnaître». Une pièce administrative qui atteste le fait qu'une personne est tel individu, tel citoyen, est une pièce d'**identité**. Ce n'est pas un instrument qui sert à faire l'action de reconnaître, mais une preuve de l'**identité** de la personne. Il ne faut pas dire *carte* ou *photo d'*[IDENTIFICATION], mais *carte* ou *photo d'identité.*

On dit correctement *les empreintes digitales sur une carte d'identité facilitent l'identification des personnes,* mais on ne peut dire *les empreintes digitales* [ONT IDENTIFIÉ] *le criminel* au lieu de *les empreintes digitales ont révélé l'identité du criminel.*

ÎLE — Une **île**, c'est comme un domaine, une ville. C'est une chose séparée des autres choses sur terre, comme une maison de cultivateurs l'est dans une ferme. Aussi faut-il dire *aller jouer dans l'île, habiter dans une île*, non *aller jouer* [SUR] *l'île, habiter* [SUR] *une île.* On dira *je vais à Anticosti,* mais on ne chasse pas [SUR] *l'île d'Anticosti.* On chasse *dans l'île d'Anticosti.*

Tant que l'usage général sera de dire *dans l'île*, c'est abusivement qu'on dira [SUR] *l'île,* sauf le cas rare où, parlant d'une **île**, on veut, par l'emploi de la préposition *sur,* exprimer nettement l'idée de «terre ferme» plutôt que celle d'«étendue de terre entourée d'eau»: *la vague forte qui soulevait notre radeau le déposa sur la plage : nous n'étions plus sur l'océan, mais sur une île,* un peu comme l'on dit *sur la terre* par rapport à *dans les airs* (*voir* **PRÉPOSITIONS, EMPLOI DES...**).

ILLUSTRATION — *Voir* **VIGNETTE.**

ILLUSTRÉ — *Voir* **COMIQUE.**

ÎLOT — *Voir* **BLOC.**

IMAGINER (S'...) — *Voir* **FIGURER.**

IMMATRICULATION — IMMATRICULER — *Voir* **AUTOMOBILE** *et* **ENREGISTREMENT — ENREGISTRER.**

IMMATURE — IMMATURÉ — *Voir* **MATURE.**

IMMEUBLE EN COPROPRIÉTÉ — *Voir* **CONDOMINIUM**

IMMOBILISATION — *Voir* **CAPITAL.**

IMMOBILISER — *Voir* **BARRER.**

IMPASSABLE — *Voir* **PRATICABLE.**

IMPLICATION — Sauf en philosophie et en grammaire, où il a des acceptions techniques, le substantif **implication** n'a d'autres significations que celles d'«action d'impliquer *(voir ce mot)*» quelqu'un : *l'implication de deux suspects dans une affaire criminelle* et de «fait (pour une personne) d'être impliqué» : *l'implication de ce fonctionnaire dans un scandale a brisé sa carrière.*

Il faut se garder de prêter à **implication** certains sens des mots **insinuation, portée, conséquence** et **répercussion**, que possède le mot anglais **implication**. C'est commettre des anglicismes que de dire, par exemple, *les* [IMPLICATIONS] *de cette déclaration de principe sont considérables* au lieu de *la portée de cette déclaration de principe est considérable, je trouve dans ces propos une* [IMPLICATION] *malveillante à mon endroit* au lieu de *je trouve dans ces propos une insinuation malveillante à mon endroit* et *il est encore impossible de mesurer l'ampleur des* [IMPLICATIONS] *de ce scandale* au lieu d'*il est encore impossible de mesurer l'ampleur des répercussions* ou *des conséquences de ce scandale.*

IMPLIQUER — Au sens d'«engager, mêler» quelqu'un, le verbe **impliquer** est toujours péjoratif. On ne doit l'employer qu'à propos d'affaires propres à causer des inquiétudes, des soucis, des difficultés. *Impliquer une personne dans un procès,* c'est la mettre en cause, l'incriminer, l'accuser. *Un fonctionnaire impliqué dans un scandale* est un fonctionnaire qui a participé à une affaire honteuse. On ne peut employer **impliquer** dans les cas où le fait d'être **mêlé** à un événement, de se trouver **engagé** dans une affaire ne comporte rien de défavorable ou de fâcheux. Il est fautif de dire, par exemple, *il convient de féliciter toutes les personnes* [IMPLIQUÉES] *dans cette nouvelle entreprise* au lieu de *toutes les personnes engagées dans cette nouvelle entreprise* ou *toutes les personnes* [IMPLIQUÉES] *dans cet incident s'en sont bien amusées* au lieu de *toutes les personnes mêlées à cet incident.*

D'un autre côté, **impliquer** ne signifie ni «viser», ni «désigner», ni «s'appliquer à», ni «comprendre». Il ne faut pas dire *cette définition* [IMPLIQUE] *un grand nombre de cas,* mais *cette définition s'applique à un grand nombre de* *cas.* Au lieu de *toutes les personnes* [IMPLIQUÉES] *dans ces catégories,* il faut dire *toutes les personnes comprises dans ces catégories.* Il faut dire *tous les milieux visés* ou *désignés par les indications précises qu'on vient de donner,* non *tous les milieux* [IMPLIQUÉS] *par les indications.*

Impliquer ne s'emploie de façon non péjorative qu'en parlant des choses et aux deux seuls sens de «comporter nécessairement»: *la sagesse implique la réflexion, l'ingéniosité que cette découverte implique, impliquer contradiction,* et d'«entraîner comme suite logique»: *la liberté d'action que la direction accorde à cet employé implique qu'elle assumera la responsabilité de ses actes.*

Il ne faut pas dire, par exemple, *les deux voitures* [IMPLIQUÉES] *dans l'accident,* mais *les deux voitures qui ont subi l'accident* ou *les deux voitures accidentées.* Un automobiliste peut, cependant, être **impliqué** dans un accident pour l'avoir provoqué par une infraction, sans que sa voiture l'ait subi d'aucune manière.

IMPORTANT — On abuse beaucoup de l'adjectif **important**, qui ne se dit bien des hommes et des choses que pour indiquer qu'ils ont une valeur marquée pour une société, un ensemble, une personne. Se garder de l'employer pour indiquer qu'une chose a en elle-même une valeur marquée. Il y a des *nouvelles importantes* pour la société, et des *hommes politiques importants* pour le pays, et chacun connaît quelqu'un qui veut *faire l'important.* Si on dit d'une vertu qu'elle est **importante**, c'est qu'on la considère supérieure à d'autres pour accroître la qualité morale d'une personne ou le bien-être d'une société.

Pour dire des choses qu'elles dépassent la mesure moyenne sans marquer une relation, il faut employer d'autres adjectifs comme **grand, gros, considérable, vaste**, etc.

On ne doit pas écrire *cet homme a été condamné à dix ans de pénitencier pour avoir volé une* [IMPORTANTE] *somme d'argent à un petit commerçant*, mais on est en droit d'écrire que *ce fut une perte importante pour celui-ci.* On dira *un immeuble considérable* en parlant d'un immeuble de grandes dimensions et *un immeuble important* en parlant d'un immeuble qui joue un grand rôle dans la vie d'une société ou d'une entreprise: *le palais du Parlement est l'édifice le plus important d'un État.*

Un million de dollars n'est pas en soi une somme d'argent **importante**. C'est une **grosse** somme d'argent, qui peut devenir **importante** pour le succès d'une œuvre. Une affaire est **importante** quand elle peut avoir des conséquences **considérables** et elle est **considérable** si elle porte sur une **grosse** somme d'argent. Toute chose **importante** est **considérable**, c'est-à-dire qu'elle attire une forme ou une autre de considération, mais les choses **considérables** ne sont pas toutes importantes; elles ne le sont que proportionnellement à d'autres.

IMPORTER — *Voir* **ENTRÉE — ENTRER.**

IMPORTUNER — *Voir* **«ACHALER»** *et* **«BÂDRER»**.

IMPÔT — *Voir* **LOI.**

IMPRATICABLE — *Voir* **PRATICABLE.**

IMPRÉSARIO — *Voir* **GÉRANT.**

IMPRESSION — Parmi les diverses acceptions du mot **impression**, il y a celles de «sensation, sentiment, illusion, connaissance vague d'un être ou d'un fait»: *j'éprouve l'impression que tout ne va pas pour le mieux* et *j'ai l'impression de vous avoir aperçu quelque part.* Se garder de commettre le solécisme [ÊTRE SOUS L'IMPRESSION] *de* ou *que*, calqué de l'anglais **to be under the impression of.** On ne saurait dire en français [JE SUIS SOUS] *une sensation,* ou [SOUS] *un sentiment,* ou [SOUS] *une illusion,* ou [SOUS] *une connaissance.* On *a,* on éprouve ou on ressent une sensation ou un sentiment: on *a* une illusion et on *a* une connaissance vague d'un être ou d'un fait. Il ne faut pas dire [JE SUIS SOUS L'IMPRESSION] *de vous avoir déjà vu,* mais *j'ai l'impression de vous avoir déjà vu.* Il ne faut pas dire [JE SUIS SOUS L'IMPRESSION] *que ses démonstrations (voir ce mot) d'amitié ne sont qu'hypocrisie,* mais *j'ai l'impression que ses démonstrations d'amitié ne sont qu'hypocrisie.*

IMPRESSIONNABLE — *Voir* **ÉMOTIONNEL.**

IMPRÉVISIBLE — IMPRÉVU — *Voir* **INCONTRÔLABLE.**

IMPRIMÉ — *Voir* **COPIE, LITTÉRATURE** *et* **PAMPHLET.**

IMPUTATION — IMPUTER — *Voir* **CHARGE — CHARGER.**

INCENDIE — *Voir* **CONFLAGRATION** *et* **FEU.**

INCERTAIN — *Voir* **DISCUTABLE.**

INCIDEMMENT — L'adverbe **incidemment** signifie «accessoirement dans une suite d'idées ou de faits»: *le professeur, qui analysait la politique étrangère de Louis XV, a parlé incidemment de la vie économique de la Nouvelle-France au début du* XVIIIe siècle. Il n'a pas comme l'adverbe anglais **incidentally** le sens de «soit dit en passant, à propos, entre parenthèses», locutions adverbiables par lesquelles on fait précéder l'expression d'une pensée ou l'énoncé d'un fait qui n'ont aucun rapport ou qui n'ont qu'un rapport éloigné, par association d'idées, avec ce qui vient d'être dit.

Demander à un interlocuteur au cours d'une conversation sur un écrivain [INCIDEMMENT], *avez-vous lu son dernier article sur le roman contemporain?* c'est commettre un anglicisme. Il faut dire *à propos, avez-vous lu.* On ne doit pas dire [INCIDEMMENT], *je serai à Québec en même temps que vous,* mais *soit dit en passant, je serai à Québec.*

INCIDENT — *Voir* **DÉVELOPPPEMENT.**

INCINÉRATION — *Voir* **BRÛLEMENT — BRÛLURE.**

INCLINER — *Voir* **«CANTER».**

INCONTESTABLEMENT — *Voir* **DÉFINITIVEMENT.**

INCONTRÔLABLE — Étant donné les sens, au propre et au figuré, du verbe **contrôler** (*voir* **CONTRÔLE — CONTRÔLER**), l'adjectif **incontrôlable** ne peut vouloir dire que deux choses : «qu'on ne peut vérifier» : *la comptabilité de cette firme est si embrouillée que certaines écritures* (*voir* **ENTRÉE — ENTRER**) *sont incontrôlables* et «qu'on ne peut surveiller de près» : *ces suspects sont si rusés que la plupart de leurs allées et venues sont incontrôlables.*

L'adjectif anglais **uncontrollable** a, entre autres, le sens de «qui ne dépend pas de la volonté humaine», ce qu'expriment les adjectifs **imprévisible, imprévu, inéluctable**, et c'est commettre un anglicisme que, par exemple, d'excuser un retard en l'attribuant à des *causes* [INCONTRÔLABLES]. Il faut parler de *circonstances indépendantes de la volonté*, ou *imprévues*, ou *imprévisibles*, ou *inéluctables*, non de *circonstances* [INCONTRÔLABLES].

INCORPORATION — INCORPORER — Le verbe **incorporer** a le sens général de «faire entrer dans un tout», c'est-à-dire faire en sorte qu'une chose fasse corps, ne fasse qu'un, avec une autre plus considérable : *incorporer du beurre à une sauce, incorporer un territoire à un État, incorporer quelques répliques dans un dialogue,* etc. **Incorporer** se dit très rarement en parlant de personnes hors du vocabulaire militaire : *incorporer des volontaires à un régiment.* Le verbe n'a pas d'autre signification que celle-là.

Le verbe anglais **to incorporate**, qui veut dire la même chose, a un autre sens dans le vocabulaire juridique, celui de «constituer en société dotée d'une personnalité morale et, partant, ayant une responsabilité civile». C'est un anglicisme que l'on commet quand on dit [INCORPORER] *une société commerciale* au lieu de *constituer un groupe de personnes en société commerciale* ou *constituer une société commerciale.* Il ne faut pas dire *le village a été* [INCORPORÉ] *en 1878,* mais *le village a été constitué* ou *érigé en municipalité en 1878.* Il ne faut pas dire *une compagnie* [INCORPORÉE], mais *une compagnie juridiquement constituée.* L'abréviation *inc.* dont on fait suivre le nom de certaines entreprises qui sont **constituées** en sociétés, pour obligatoire que l'ait rendue la loi, n'en est pas moins dépourvue de sens.

De même, le substantif **incorporation**, qui signifie «action ou fait d'incorporer», ne peut s'employer au sens juridique du mot anglais **incorporation**. On ne peut lui faire dire «action ou fait de constituer en société». Au lieu de *l'*[INCORPORATION] *d'une entreprise,* il faut dire *la constitution juridique d'une entreprise.*

Comme le cas de **corporation** *(voir ce mot),* c'est à une réadaptation générale à l'esprit français du droit commercial et administratif qu'incite la nécessité de redresser la langue juridique sur ce point.

INDEMNITÉ — *Voir* **BÉNÉFICE** *et* **BONI.**

INDICATEUR — *Voir* **CÉDULE.**

INDICATIF — *Voir* **THÈME.**

INDICATION DE PROVENANCE — *Voir* **CRÉDIT.**

INDIEN — *Voir* **AMÉRINDIEN.**

INDIGESTE — *Voir* **CHARGE — CHARGER.**

INDIQUÉ — *Voir* **MARQUE — MARQUÉ — MARQUER.**

INDISCRET — *Voir* **ÉCORNIFLER — ÉCORNIFLEUR.**

INDUSTRIE — Dans le vocabulaire courant du français moderne, le mot **industrie** n'a que deux significations. En premier lieu, il a celle d'«exploitation des richesses minérales, forestières et énergétiques et (de) transformation des matières premières». En ce sens, le terme s'oppose à *agriculture* et à *commerce: l'agriculture, le commerce et l'industrie sont les grandes divisions de l'activité économique.* Deuxièmement, l'une ou l'autre des branches de l'**industrie** se désigne par le même mot: *l'industrie minière, l'industrie du papier, l'industrie de l'automobile,* etc.

Une **entreprise** *(voir ce mot)* industrielle, encore moins un **établissement** industriel, n'est pas une **industrie**. Employé au sens d'«unité de production industrielle», **industrie** est une faute. Il ne faut pas dire *mille nouvelles* [INDUSTRIES] *se sont établies au Québec en un an* quand on veut dire *mille nouvelles entreprises industrielles se sont établies au Québec en un an* ou *on a construit mille nouvelles usines* ou *établissements industriels au Québec en un an.* Mais l'on dit correctement *il y a à Québec dix industries de plus que l'an dernier* si l'on entend que des industriels exploitent à Québec dix branches de l'**industrie** qui n'y avaient aucun **établissement** auparavant.

INÉBRANLABLE — *Voir* **ÉPREUVE.**

INÉLUCTABLE — *Voir* **INCONTRÔLABLE.**

INFARCTUS — Lésion causée par un épanchement sanguin dans un tissu, généralement consécutive *(voir ce mot)* à l'oblitération d'un vaisseau. Se garder de commettre la faute [INFRACTUS].

INFÉRIEUR — *Voir* **SENIOR.**

INFIRMIER — INFIRMIÈRE — *Voir* **GARDE-MALADE** *et* **NURSE — NURSING.**

INFLIGER — Le verbe **infliger** n'a d'autres significations que celles de «faire subir une peine, une humiliation»: *infliger une heure de retenue à un élève paresseux, le juge lui a infligé une forte amende, infliger un démenti* et d'«imposer quelque chose de pénible»: *le capitaine dut infliger à la troupe une marche épuisante* et *un importun nous a infligé sa présence.*

Le verbe anglais **to inflict**, qui signifie la même chose, a aussi le sens de «causer, occasionner par accident ou par négligence» en parlant de blessures, de souffrances, et c'est un anglicisme que l'on commet quand on emploie le verbe **infliger** pronominalement pour dire «se faire par accident ou par négligence» en parlant de blessures. Il ne faut pas dire *les automobilistes qui étaient au volant des deux voitures accidentées* (*voir* **IMPLIQUER**) [SE SONT INFLIGÉ] *des blessures,* mais *les automobilistes ont été blessés.* Il ne faut pas dire *elle*

[S'INFLIGEA] *une fracture de la jambe en tombant dans l'escalier,* mais *elle se fractura une jambe en tombant dans l'escalier.* Au lieu de *ce joueur devra rester à l'écart* (*voir* **RANCART**) *quelques jours parce qu'il* [S'EST INFLIGÉ] *une foulure de cheville pendant le match d'hier soir,* il faut dire *parce qu'il s'est foulé une cheville.*

INFLUER SUR — *Voir* **AFFECTER.**

INJURE — *Voir* **OFFENSE.**

INQUIÉTER — *Voir* **CHICOTER.**

INSATISFAIT — *Voir* **SATISFAIT.**

INSCRIPTION — INSCRIRE — *Voir* **ENREGISTREMENT — ENREGISTRER, ENTRÉE — ENTRER** *et* **MARQUE — MARQUER.**

INSINUATION — *Voir* **IMPLICATION.**

INSTALLATION — *Voir* **FILERIE.**

INSTITUER — *Voir* **INSTITUTEUR.**

INSTITUT — Qu'est-ce qu'un **institut** dans le vocabulaire de l'enseignement?

Sur le plan de l'enseignement supérieur, **institut** est synonyme de **faculté** quand on parle d'établissements libres, c'est-à-dire qui n'appartiennent pas à l'État: *Institut catholique de Paris, Institut catholique de Lille,* etc., ou d'établissements publics détachés d'une **université**: *l'institut national agronomique.*

Dans le domaine de l'enseignement technique général, il n'est employé nulle part en France. Toutes les maisons d'enseignement technique général y sont des **conservatoires** ou des **écoles**.

Le mot **conservatoire** se dit de deux sortes d'écoles: celles où l'on enseigne à un degré supérieur à appliquer les arts manuels et décoratifs et les sciences à des fins industrielles (*Conservatoire national des arts et métiers,* à Paris) et celles où l'on enseigne les arts libéraux de la musique et de la récitation dramatique (*Conservatoire de Musique,* à Paris, et *Conservatoire de Musique et d'Art dramatique,* à Montréal).

Dans l'enseignement de haute spécialisation, le mot **institut** désigne des maisons où l'on fait des recherches scientifiques ou encore où l'on apprend à appliquer à une fin déterminée des connaissances appartenant à des disciplines diverses: *Institut des hautes études de défense nationale, Institut d'études politiques,* etc. Au Canada on a, par exemple, l'*Institut d'études médiévales.*

INSTITUTEUR — Les mots **instituer** et **instituteur** montrent jusqu'à quel point l'évolution de la langue peut être capricieuse et, par là même, jusqu'à quel point il importe aux francophones du Canada de la suivre de près. Les deux vocables ont la même origine latine, **instituere**, verbe dont le sens propre était «établir» et qui eut le sens figuré d'«instruire». L'instruction, à la vérité, est un établissement.

Instituer, qui remonte au XIIIe siècle, eut d'abord le sens d'«établir», puis il prit aussi au XVIe siècle celui d'«instruire» (on disait *s'instituer aux lettres dans les universités).* L'**instituteur** fut ainsi premièrement «celui qui établit» et le mot garda ce sens jusqu'à la fin du XVIIe siècle : *Vincent de Paul fut l'instituteur de la congrégation de la mission.* Puis, presque brusquement, **instituer** perdit le sens d'«instruire» et **instituteur**, le sens de «celui qui établit». Dire aujourd'hui *cet homme politique fut l'*[INSTITUTEUR] *de grandes réformes,* c'est commettre une faute. **Instituer** n'a plus que le sens d'«établir» et **instituteur**, que le sens de «celui qui instruit», mais cette acception est restreinte: l'**instituteur** est «celui qui instruit dans une école primaire».

Le mot **professeur** vient aussi du latin. Il est issu de **professor**, dérivé du verbe **profiteri**, qui signifiait «enseigner publiquement», d'où vient que **professer** veut dire «déclarer hautement, publiquement»: *une profession* («action de professer») *de foi*; d'où vient que ce mot **profession** a aussi le sens de «carrière, métier», c'est-à-dire «l'état qu'on déclare exercer»; d'où vient enfin le mot **professionnel** *(voir ce mot)*, qui signifie en définitive «celui qui déclare exercer un état», qu'il s'agisse d'un art, d'un métier ou d'un sport.

Dans le vocabulaire de l'enseignement, **professeur** a aujourd'hui le sens général de «celui qui enseigne un art, une science» et le sens restreint de «celui qui instruit dans une école secondaire ou dans une école supérieure (*voir* **UNIVERSITAIRE — UNIVERSITÉ**)». Au sens général du terme, on trouve des **professeurs** dans les écoles primaires: *professeur de diction, professeur de dessin, professeur de chant,* mais les personnes chargées de l'enseignement général dans une classe de ces écoles sont des **instituteurs.** C'est une faute de dire *les* [PROFESSEURS] *des écoles primaires* en parlant des personnes qui y donnent l'enseignement général, comme c'en est une de dire *les* [INSTITUTEURS] en parlant de celles qui y enseignent un art.

Bien entendu, un **instituteur** professe: il instruit publiquement. Aussi peut-on inclure dans sa pensée les **instituteurs** quand on parle, au sens étymologique du terme, de l'ensemble des **professeurs**, mais, encore une fois, si l'on veut désigner particulièrement ceux qui professent dans les écoles primaires, il faut dire *les instituteurs.*

Le mot **maître**, lui aussi d'origine latine **magister**, désigne, de façon générale, quiconque enseigne, depuis l'**instituteur** jusqu'au philosophe qui, sans donner de cours, expose sa doctrine dans des livres: *un mauvais élève* (*voir* **ÉTUDIANT**) *apprendra plus d'un bon maître qu'un bon élève d'un mauvais maître,* mais les expressions **maître d'école** et **maîtresse d'école,** aujourd'hui désuètes, ne désignent que les **instituteurs**. Le mot **maître**, par extension de sens, désigne «celui qui est très savant» ou «celui qui possède à un degré supérieur les moyens de son art», de sorte qu'il peut enseigner et est un modèle.

Quant au mot **enseignant**, il désigne toute «personne qui instruit» dans une maison d'enseignement: *les instituteurs et les professeurs sont des enseignants.*

INSTITUTION — Le mot **institution** ne désigne aucun autre **établissement** qu'un «établissement d'enseignement privé»: *institution pour jeunes filles.* C'est une exception que seule la petite histoire des mots peut expliquer. Toutes les autres maisons d'enseignement, écoles ou collèges, sont des **établissements:** *établissements d'enseignement secondaire ou professionnel.*

Il ne faut pas dire [INSTITUTION] *hospitalière,* mais *établissement hospitalier,* ou *hôpital.*

Il ne faut pas dire [INSTITUTION] *pénitenciaire*, mais *établissement pénitenciaire*, ou *pénitencier*, ou *bagne.*

Quand on parle des grands organismes financiers, les banques, d'autres entreprises importantes d'administration et de crédit, les caisses populaires, on les considère globalement comme des *institutions financières* (l'expression ne s'emploie guère qu'au pluriel), c'est-à-dire comme des organismes qui exercent une influence générale sur la vie économique, mais chacun de leurs **établissements** reste un **établissement**: *il y a un établissement bancaire à deux pas d'ici.*

En Amérique du Nord, l'anglais utilise son mot **institution** pour désigner toute sorte d'**établissements**. Cela explique les erreurs commises au Canada français. Ce sont des anglicismes.

INSTRUCTEUR — Au sens général de «personne qui instruit», le substantif **instructeur** est plus que désuet. Sa seule signification de nos jours est celle de «gradé chargé d'enseigner le maniement des armes, l'exercice ou la manoeuvre dans une école ou un centre de formation militaire». Le nom **instructeur** n'appartient pas au vocabulaire sportif.

Une «personne qui prépare un athlète ou une équipe sportive à des compétitions ou à des matchs» est un **entraîneur**. Il ne faut pas dire *une grande partie du mérite* (*voir* **CRÉDIT**) *des performances (voir ce mot) de notre équipe de hockey doit être attribuée à son* [INSTRUCTEUR], mais *doit être attribuée à son entraîneur.* Dire *instructeur* au lieu d'**entraîneur**, c'est commettre une faute sous l'influence de l'anglais, dont le terme **instructor**, en Amérique du Nord, traduit et **entraîneur** et **moniteur**.

En termes de sport et d'éducation physique, **moniteur** s'oppose à **entraîneur** en ceci qu'il désigne une «personne qui enseigne la gymnastique ou un sport comme l'escrime, la natation ou le ski à des élèves ou à des commençants», tandis que l'**entraîneur** s'occupe d'athlètes, de professionnels ou d'amateurs possédant déjà une bonne formation.

INSU (À L'...) — *Voir* **CACHETTE.**

INTELLIGENT — *Voir* **OPPORTUNISTE.**

INTÉRESSER — *Voir* **AFFECTER.**

INTÉRÊT — *Voir* **ACCRU.**

INTERGOUVERNEMENTAL — *Voir* **CONJOINT — CONJOINTEMENT.**

INTÉRIEUR — *Voir* **DOMESTIQUE.**

INTERJETER APPEL — *Voir* **LOGER.**

INTERLIGNAGE — INTERLIGNE — INTERLIGNER — *Voir* **ESPACE — ESPACEMENT — ESPACER.**

INTERMISSION — Du milieu du XVIe au milieu du XVIIe siècle environ, **intermission** eut le sens d'« interruption ». On disait *le coeur me dit qu'il y a quelque mauvaise raison à cette intermission de correspondance.* Puis, bien qu'on le trouve encore dans les dictionnaires, le mot est sorti de l'usage, sauf dans le vocabulaire médical. Les médecins disent encore *intermission de fièvre* dans le cas de fièvre intermittente ou oscillante.

Le terme anglais **intermission**, venu directement du latin, semble-t-il, comme le mot français, a conservé sa vitalité. Il a les divers sens de « relâche, interruption, pause, suspension » et, en Amérique du Nord, d'« entracte ». L'anglicisme [INTERMISSION] au lieu d'**entracte** est courant au Canada. Il ne faut pas dire *j'ai fait la connaissance de cette personne au théâtre pendant une* [INTERMISSION], mais *j'ai fait la connaissance de cette personne au théâtre pendant un entracte.* Le vocabulaire sportif a étendu cet emploi fautif d'[INTERMISSION] pour désigner les repos réglementaires entre les périodes de jeu que comprend une partie (*voir* **JOUTE**) de hockey. Il ne faut pas dire en commentant un match de hockey *(voir ce mot) pendant la première* [INTERMISSION], *pendant la deuxième* [INTERMISSION], mais *pendant la première, la deuxième pause,* ou *pendant le premier, le deuxième repos,* ou *pendant le premier, le deuxième temps d'arrêt.*

INTERURBAIN — *Voir* **TÉLÉPHONE.**

INTRODUIRE — Sauf en fauconnerie, art inconnu au Canada, où il a conservé le sens d'« instruire », qu'il eut du XIIe au XVIe siècle, et en termes de droit dans l'expression *introduire une instance,* où il veut dire « faire commencer (une poursuite en justice) », le verbe **introduire** signifie uniquement, au propre, « faire entrer » et, au figuré, « donner accès » et « faire adopter » : *on introduit un visiteur dans un bureau, auprès de quelqu'un, dans un nouveau milieu, on introduit un objet dans une ouverture, un nouveau produit dans un pays, une idée dans une conversation* et *on introduit une nouvelle mode.*

Introduire n'a pas acquis comme le terme anglais **to introduce** (les deux verbes viennent du même mot latin) la signification supplémentaire de « faire connaître une personne à une autre en la nommant », action que **présenter** exprime en français. Dire, par exemple, *permettez-moi de vous* [INTRODUIRE] *mon ami Louis* au lieu de *permettez-moi de vous présenter mon ami Louis,* c'est commettre un anglicisme. On dira correctement *après avoir introduit son ami auprès de mon père, ma soeur le lui présenta* et *je l'ai rencontré* (*voir* **RENCONTRER**) *grâce à des amis qui m'ont présenté à lui.*

En revanche, **présenter** suivi de la préposition *dans* s'emploie comme synonyme d'**introduire** au sens de « donner accès » : *je vais vous présenter dans cette famille* équivaut à *je vais vous introduire dans cette famille.*

INVALIDATION — INVALIDER — *Voir* **ANNULER** et **DISQUALIFICATION — DISQUALIFIÉ — DISQUALIFIER.**

INVENTAIRE — En termes de droit, **inventaire** signifie « action de dénombrer et d'apprécier *(voir ce mot)* par écrit, article par article, les éléments de l'actif et du passif d'un individu ou d'une personne morale»: *faire l'inventaire d'un failli* (*voir* **BANQUEROUTE — BANQUEROUTIER**), *procéder à l'inventaire d'une succession* et l'«état descriptif, article par article, des éléments évalués de l'actif et du passif d'un individu ou d'une personne morale»: *l'inventaire de la succession sera remis demain aux héritiers.*

En termes de commerce, **inventaire** signifie «action de dénombrer et d'évaluer (*voir* **ESTIMATION — ESTIMER**), article par article (*voir* **ITEM**), les marchandises en magasin ou en entrepôt et les créances et autres valeurs que possède un commerçant afin qu'il puisse établir le compte de profits et pertes grâce auquel il pourra arrêter un bilan»: *magasin fermé pour cause d'inventaire* et l'«état descriptif, article par article des marchandises en magasin ou en entrepôt évaluées et des créances et autres valeurs que possède un commerçant...»: *mon banquier m'a accordé ce prêt après avoir étudié l'inventaire.*

Il faut retenir en premier lieu que l'**inventaire** est l'évaluation du **stock** et autres valeurs que possède un commerçant. Ce n'est pas le **stock** *(voir ce mot).* Un commerçant peut annoncer un *solde avant inventaire* ou *un solde après inventaire (voir* **VENTE**), non un *solde* [D'INVENTAIRE]. Il ne faut pas dire *l'*[INVENTAIRE] *immobilise une trop grande partie de nos capitaux,* mais *le stock immobilise une trop grande partie de nos capitaux.* Le poste d'un bilan *(voir ce mot)* qui donne la valeur globale des marchandises en magasin n'est pas le *poste de l'*[INVENTAIRE], mais le *poste du stock.*

En second lieu il y a deux façons de faire une levée d'**inventaire** pour ce qui est du **stock:** il y a la façon comptable qui consiste à additionner au **stock** dénombré au dernier **inventaire** les quantités de marchandises acquises depuis et à soustraire du chiffre ainsi obtenu pour chaque article le nombre d'unités vendues ou perdues depuis et à apprécier la différence, et il y a la façon matérielle de la faire, qui consiste à vérifier la présence et l'état de chaque unité de marchandises qui, d'après les registres, doivent se trouver en magasin. Cette dernière façon de procéder s'appelle en anglais **physical inventory** et c'est commettre un anglicisme que de dire *inventaire* [PHYSIQUE] *du stock* au lieu d'*inventaire matériel* ou *inventaire extra-comptable.*

INVENTER — INVENTION — *Voir* **PATENTE — PATENTER.**

IRRÉGULARITÉ — Terme abstrait, **irrégularité** désigne un «caractère asymétrique, inégal, ou non conforme à un ordre, à une règle, à un usage» en parlant des choses et des habitudes: *l'irrégularité d'une surface, l'irrégularité d'une façon de procéder, de fonctionner, l'irrégularité de la conduite d'un élève indiscipliné,* etc. Terme concret, il se dit d'une «chose asymétrique, inégale, ou non conforme à un ordre, à une règle, à un usage»: *une irrégularité de surface, une irrégularité de procédure, de fonctionnement, une irrégularité de conduite.* Ce sont les seules acceptions du mot. Toute maladie est une **irrégularité** contre l'ordre naturel, mais on ne peut employer le mot pour nommer une maladie en particulier. Dire *souffrir d'*[IRRÉGULARITÉ] au lieu de *souffrir de constipation*, ce n'est pas s'exprimer par euphémisme; c'est commettre une faute inspirée par une fausse pudeur que le français n'admet pas, c'est prêter à un vocable un sens qu'il ne possède pas. Il faudrait dire au long pour ne pas commettre de faute *souffrir d'une irrégularité du fonctionnement de l'intestin.*

IRRITER — *Voir* **ANTAGONISME — ANTAGONISTE.**

ITEM — Dans la langue latine, **item** était un adverbe qui eut les deux sens de «de même, semblablement» et d'«en plus». Le français l'a retenu tel quel dans ces deux acceptions, mais il ne l'emploie qu'au sujet de comptes et dans les simples énumérations: *j'ai payé tant pour ceci, item pour cela* et *à construire: un chalet, item un garage, item un kiosque au fond du jardin.*

C'est abusivement qu'on substantive **item** dans le langage familier pour désigner un article d'un compte.

À la vérité, sauf en psychologie et en linguistique, tout emploi du mot **item** comme substantif, même en comptabilité, est un anglicisme. L'anglais, en effet, a lui aussi retenu l'adverbe latin et il l'a substantivé pour signifier toute division de n'importe quel document. Il ne faut pas dire, par exemple, *nous nous arrêterons assez longuement sur ce point parce que c'est l'un des* [ITEMS] *les plus importants de l'ordre du jour* (*voir* **AGENDA**) *de notre assemblée,* mais *nous nous arrêterons assez longuement sur ce point parce que c'est l'un des articles les plus importants de l'ordre du jour...* Il ne faut pas dire *le bilan de notre firme comprend un bon nombre d'*[ITEMS] mais *le bilan de notre firme comprend un bon nombre de postes.* En termes de comptabilité, **poste** *(voir ce mot)* a le sens d'«article, opération consignée, inscription dans un livre». Autrement dit, tout chapitre d'un livre de comptes et toute opération inscrite dans un livre de comptabilité sont des **postes**, non des [ITEMS]

Voir **CHAPITRE** *et* **ENTRÉE — ENTRER.**

J

JAILLIR — *Voir* **REVOLER.**

JAMES (BAIE DE...) — Le bon usage, qui fait la grammaire, veut que le nom d'une baie, c'est-à-dire de l'étendue d'eau comprise dans une échancrure d'un littoral, qui la lie à celui d'un personnage ou à celui d'un lieu, comporte la préposition **de**. Exemples : au Canada, *Baie d'Hudson, Baie de Fundy;* à l'étranger, au Brésil, baie généralement appelée *baie de Janeiro*. Le législateur québécois n'a pas voulu se soumettre à cette règle pour la **baie de James**. Ce n'est pas la première fois que le législateur, quand on l'improvise linguiste, montre qu'il peut facilement mettre les pieds dans le plat. Même si son nom officiel au Québec est [BAIE JAMES], la **Baie de James** s'appelle correctement **Baie de James** en français.

JAQUETTE — *Voir* **HABILLAGE — HABILLEMENT — HABILLER — HABIT.**

JASER — JASEUR — En ancien français et jusqu'à la fin du XVIIe siècle, **jaser** avait le sens général de « bavarder, causer, s'entretenir familièrement ». Le mot a encore cours dans ce sens au Canada : *les deux amies ont passé la soirée* (*voir* **MATIN — MATINÉE**) *à* [JASER] *sérieusement*. C'est un sens vieilli. Il faut employer les verbes **causer** et **bavarder** selon les cas.

Verbe intransitif, **jaser** exprime l'action de pousser leurs cris en parlant de certains oiseaux : *le geai jase* et, en parlant de personnes, il signifie « babiller » : *le bébé m'a réveillée en jasant*, « parler avec puérilité, pour le plaisir de parler » : *toute à sa joie, la jeune fille jasait sans attendre de réponses aux questions qu'elle posait*, « raconter ce que la discrétion imposerait de taire » : *l'alcool le fait jaser* et « tenir des propos calomniateurs ou médisants » : *ses attitudes anticonformistes font jaser*. **Jaser** a aussi le sens d'« émettre des sons qui font penser à un babillage » : *une pluie fine jasait dans le feuillage*.

Il ne faut pas dire *j'aimerais* [JASER] *un peu avec vous* au lieu de *j'aimerais causer un peu avec vous*. Il ne faut pas dire *allons faire une promenade* (*voir* **MARCHE — MARCHER** *et* **PRENDRE**) *tout en* [JASANT] quand on veut dire *allons faire une promenade tout en bavardant*.

On emploie également au Canada le substantif et l'adjectif **jaseur** au sens général de «bavard». C'est un sens vieilli. Il ne faut pas dire *mon oncle est un grand* [JASEUR], mais *mon oncle est un intarissable bavard,* ou *mon oncle parle sans arrêt,* ou *mon oncle est un grand causeur*, ou *mon oncle taille des bavettes avec quiconque consent à s'arrêter pour l'écouter,* etc., selon la nuance à exprimer. Mais on dit correctement *un bébé jaseur* pour désigner un bébé qui babille beaucoup et *un ruisseau jaseur* est un ruisseau qui fait entendre des sons semblables à un babil.

Les substantifs [JASE] et [JASETTE] que le langage populaire emploie au Canada pour dire «loquacité» et «volubilité» sont des mots familiers. Au lieu de s'exclamer *il en a, de la* [JASETTE]! on dit correctement *quel bavard!* ou *ce qu'il a la parole facile!* ou *il est loquace, celui-là!* ou *quelle volubilité!*

Voir **OISEAUX.**

JET — *Voir* **RÉACTEUR — RÉACTION.**

JEU — *Voir* **MICROSILLON.**

JEUNE — *Voir* **SENIOR.**

JOINDRE — Se rappeler que **joindre** n'a ni le sens de «se joindre à» ni celui d'«entrer volontairement dans l'armée» que possède le verbe anglais **to join**, idées dont la première se rend en français par un bon nombre de verbes et d'expressions verbales formant une gamme nuancée comme *adhérer à, s'affilier à, devenir membre de, entrer dans, être du groupe* ou *de la partie (serez-vous des nôtres?), se joindre à, prendre rang dans,* et la seconde par les seuls verbes **s'engager** et **s'enrôler**. Ce sont des anglicismes que l'on commet quand on dit, par exemple, [JOINDRE] *un parti politique* au lieu *d'adhérer à un parti politique,* ou [JOINDRE] *un club de marchands* au lieu de *devenir membre d'un* ou *entrer dans un club de marchands,* ou [JOINDRE] *des manifestants* au lieu de *se joindre à des manifestants,* etc. Il ne faut pas dire *il prit ce soir-là la décision de* [JOINDRE] *le corps expéditionnaire,* mais *il prit ce soir-là la décision de s'engager* ou *s'enrôler dans le corps expéditionnaire.* Il ne faut pas dire [JOINDRE L'ARMÉE], mais, absolument, *s'engager* ou *s'enrôler.*

D'autre part, **joindre** a perdu les significations d'«aller retrouver» et de «retrouver quelqu'un qui avait de l'avance», usuelles aux XVIIe et XVIIIe siècles, que possède encore le verbe anglais **to join**. Les verbes à employer pour exprimer ces idées sont **rejoindre**, ou **rallier** en parlant d'une unité militaire, d'un poste, et **rattraper**. On ne dit plus [JOINDRE] *son régiment,* mais *rejoindre* ou *rallier son régiment,* ni [JOINDRE] *le poste dont on avait été détaché*, mais *rallier son poste*, ni *nous vous* [JOINDRONS] *en cours de route,* mais *nous vous rejoindrons* ou *rattraperons en cours de route.*

En revanche, on dit bien *joindre quelqu'un* au sens de «parvenir à entrer en communication avec»: *je n'ai jamais pu vous joindre par téléphone.*

JONC — Au sens de «petit cercle de métal précieux, avec ou sans chaton, porté à un doigt», le terme **anneau** *(voir ce mot)* est vieilli. Il ne subsiste plus que dans des expressions comme **anneau épiscopal** et **anneau nuptial**. De nos jours, on dit **bague**.

Une « bague sans chaton dont le cercle est de grosseur uniforme » est un **jonc**, mais ce mot n'est à peu près plus employé que dans le langage technique des orfèvres. Le fait est qu'on ne voit guère d'autres **joncs** que les **anneaux nuptiaux**.

Anneau nuptial est devenu un terme uniquement littéraire. Il n'est pas usité dans le langage courant. Un **anneau nuptial** se nomme aujourd'hui **alliance**. Il ne faut pas dire *quand je me marierai, ma femme et moi échangerons des* [JONCS], mais *ma femme et moi échangerons des alliance.* Un orfèvre, cependant, s'exprimera bien en disant *mes alliances sont des joncs parfaits.* Bref, une **alliance** est généralement un **jonc**, mais **jonc** ne signifie pas « anneau de mariage ».

JONGLER — JONGLEUR — D'où vient qu'on prête à **jongler** les significations des verbes **penser, réfléchir, rêvasser, rêver** et **songer** et que le nom **jongleur** soit employé adjectivement comme synonyme de **pensif**, de **rêveur** et de **songeur**?

Le verbe **jongler** signifie « faire des tours d'adresse qui consistent à lancer en l'air plusieurs objets qu'on relance au fur et à mesure qu'ils retombent l'un après l'autre sans jamais les laisser échapper jusqu'à terre » et il a au figuré le sens d'« utiliser avec adresse et apparemment sans difficulté, de façon dégagée, comme si l'on jouait » : *jongler avec les idées, avec les chiffres.* Un **jongleur** est une « personne qui fait des tours d'adresse avec des objets lancés et relancés alternativement » et, au figuré, le mot signifie « personne qui joue avec les mots, les idées, de façon surprenante, souvent avec l'intention de duper » : *ce soi-disant économiste n'est qu'un jongleur* et *le style de ce poète est celui d'un jongleur.*

Le mot **jongleur** eut, cependant, du XIIIe au XVIe siècle la signification générale d'« amuseur public » et le langage populaire s'en est servi péjorativement (jusqu'au début du XXe siècle encore, on rencontre **jongleur** employé pour désigner un charlatan) pour qualifier un plaisantin, une personne qu'on ne peut prendre au sérieux. On suppose facilement que cette idée d'attitude trompeuse, de conduite fallacieuse, et, par conséquent, peu sérieuse est à l'origine des glissements de sens qui se sont produits dans le patois canadien. On a dû commencer par dire à une personne qu'elle *jonglait* pour lui faire entendre qu'on ne croyait pas qu'elle était aussi profondément plongée dans ses pensées ou dans ses rêves qu'elle semblait l'être ou qu'on ne croyait pas à l'importance de ses pensées ou de ses rêves : façon de dire *ton air pensif nous amuse.*

Quoi qu'il en soit, il ne faut pas dire *le jeune homme* [JONGLAIT] *à son avenir* au lieu de *le jeune homme pensait à son avenir,* non plus qu'*elle avait longtemps* [JONGLÉ] *à cette possibilité* au lieu d'*elle avait longtemps réfléchi à cette possibilité,* non plus que *si tu passais moins de temps à* [JONGLER], *tu travaillerais avec plus de soin* au lieu de *si tu passais moins de temps à rêver* ou *à rêvasser*, non plus qu'*il ne sert à rien de* [JONGLER] *à ce qui ne peut plus être corrigé* au lieu d'*il ne sert à rien de songer à ce qui ne peut plus être corrigé.* Il ne faut pas dire *il avait l'air* [JONGLEUR], mais *il avait l'air pensif,* ou *rêveur*, ou *songeur.*

JOUR (À CE... *et* **JUSQU'À CE...,** *etc.***)** — *Voir* **DATE.**

JOUR ET NUIT — C'est l'expression correcte à employer pour désigner un établissement ouvert sans interruption: *restaurant ouvert jour et nuit.* Il n'existe pas d'autre façon de dire cela, à moins de réciter au long *ouvert les vingt-quatre heures de la journée* ou *vingt-quatre heures sur vingt-quatre.*

Éviter de dire [OUVERT VINGT-QUATRE HEURES PAR JOUR], anglicisme de **open 24 hours a day**.

JOURNALISTE — *Voir* **PUBLICISTE.**

JOUTE — La **joute** appartenait aux mœurs de la chevalerie du Moyen Âge. C'était un combat courtois, c'est-à-dire conduit avec politesse, d'homme à homme, à cheval, avec des lances. Par analogie, on appelle *joute nautique* ou *joute sur l'eau* un «divertissement où deux hommes debout chacun sur une étroite plate-forme à l'arrière d'une barque manœuvrée par une équipe de rameurs cherchent à se faire tomber à l'eau en se poussant avec une longue perche en forme de lance». Ce jeu est encore en honneur au Languedoc et dans d'autres régions de France. On dit aussi, au figuré, *joute oratoire.*

Le mot **joute** n'appartient pas au vocabulaire général des sports. [JOUTE] *de hockey* est une faute. Il y a déjà un siècle qu'on emploie le mot **match**, emprunté à l'anglais, pour désigner toute «épreuve sportive disputée entre deux concurrents ou deux équipes»: *un match de boxe, un match de hockey.* Au pluriel, **match** s'écrit indifféremment à la française *matchs* ou à l'anglaise *matches.*

Pas plus que le mot **joute** le mot **match** n'est employé dans le vocabulaire de l'athlétisme (*voir* **ATHLÈTE — ATHLÉTISME**), c'est-à-dire des sports individuels comme le ski, le saut, le lancer, etc. La rivalité s'y exerce sous la forme de **concours** et de **compétitions** (*voir* **COMPÉTITEUR — COMPÉTITION**).

Le mot **partie** désigne les règles de conduite et les conditions de durée d'un **match**: *la partie de hockey est de trois périodes de vingt minutes chacune,* ainsi que l'ensemble des actions à effectuer pour que gagne l'un des deux adversaires à un jeu non sportif: *jouer une partie d'échecs, de dames.* Il désigne aussi certains divertissements: *partie de pêche, partie de campagne* et, par extension, un certain temps passé à pratiquer un sport à deux ou à plusieurs pour s'amuser: *faire une partie de golf avec des amis* (*voir* **ÉRABLIÈRE** *et* **HUÎTRE**).

Voir **INTERMISSION.**

JUDICIAIRE — *Voir* **LÉGAL.**

JUGEMENT — [CONFESSER JUGEMENT] est l'un des anglicismes qui se commettent le plus couramment dans la langue juridique au Canada. C'est le calque de l'anglais **to confess judgment**. Cette expression signifie que le défendeur reconnaît l'exactitude des faits que le demandeur allègue dans une action afin d'obtenir un **jugement** favorable. Cela se dit en français *reconnaître les droits du demandeur* ou *faire un aveu*. Il ne faut pas dire *mon avocat m'a conseillé de signer une* [CONFESSION DE JUGEMENT], mais *mon avocat m'a conseillé de signer une reconnaissance des droits du demandeur,* ou *une reconnaissance de droits,* ou, plus brièvement encore *de signer un aveu.*

Le **jugement** qui sera ensuite rendu ne sera pas un [JUGEMENT SUR CONFESSION] ou un [JUGEMENT PAR CONFESSION], mais un *jugement sur aveu* ou *un jugement sur reconnaissance de droits.* De même, en droit pénal français, les mots **confesser** et **confession** ne sont pas usités : on dit *l'accusé a fait* ou *signé des aveux* ou *un aveu* et *l'accusé a avoué son crime.*

Voir **SENTENCE.**

JUIN — La voyelle nasale qui termine le nom du sixième mois de l'année se prononce *in* comme dans *main* et non [UN] comme dans *parfum.*

JUNIOR — *Voir* **SENIOR.**

JURIDICTION — Se garder d'employer ce mot pour désigner les domaines dans lesquels une autorité politique a le droit de légiférer. Il ne faut pas dire *la politique étrangère est une* [JURIDICTION] *fédérale,* mais *la politique étrangère est de la compétence du gouvernement fédéral.* **Compétence** a, entre autres significations, celle de «aptitude reconnue à une autorité politique de s'occuper de telle ou telle chose»: *ces champs d'activité publique appartiennent à la compétence des États membres de la fédération.*

Le terme **juridiction** ne s'emploie qu'en parlant de l'administration de la justice. Il signifie «pouvoir de rendre la justice»: *ce tribunal tient de la constitution sa juridiction en ce domaine,* et «ensemble des tribunaux appelés à juger des affaires de même nature»: *la juridiction criminelle,* etc.

JURIDIQUE — *Voir* **LÉGAL.**

JUSTE — *Voir* **D'APLOMB.**

JUTE — Ce mot, qui désigne un textile durable et bon marché, servant en particulier à faire de la toile de sac et que d'aucuns n'hésitent pas à utiliser dans la décoration intérieure, est masculin.

> Partir du principe que les mots empruntés à l'anglais ou les mots étrangers qui nous viennent par l'intermédiaire de l'anglais sont masculins: *un job, un drink, un gang, un sandwich, un round, un week-end.* On considère ces termes comme neutres.

Jute nous est venu du bengali par l'intermédiaire de l'anglais. Dire acheter **du jute** et non de [LA] jute.

K

KETCHUP — *Voir* **DARNE.**

KIOSQUE — Le mot **kiosque** a été emprunté au turc au début du XVIIe siècle et il n'a eu pendant plus de deux cents ans que le sens qu'il avait dans sa langue d'origine: «pavillon décoratif de jardin». Ce n'est qu'au XIXe siècle qu'il a pris en plus les acceptions modernes de «plate-forme couverte pour les orchestres dans un parc»: **kiosque à musique**; de «petit abri pour la vente de journaux, de fleurs, dans la rue»: **kiosque à journaux, kiosque à fleurs**; de «timonerie sur un navire»: **kiosque de la barre**; de «susperstructure (ou capot) d'un sous-marin»: **kiosque de sous-marin**, et enfin, dans le vocabulaire de l'électricité, d'«abri de transformateur»: **kiosque de transformation.**

Au Canada, on emploie fautivement **kiosque** pour désigner un «espace occupé par un exposant dans une exposition». Il faut dire **stand** (prononcer *and,* comme dans *demande*, à la française): *chaque stand* et non *chaque* [KIOSQUE] *de l'Exposition de Québec retient chaque année l'attention de nombreux visiteurs.* Emprunté à l'anglais vers 1875, le mot **stand** a cette signification depuis 1893. Le mot **kiosque** ne l'a jamais eue.

Un bâtiment entièrement occupé par un participant dans une exposition est un **pavillon**: *le Canada avait un pavillon à l'Exposition internationale de Bruxelles.* Un **pavillon** peut comprendre plusieurs **stands.**

KNOCK-OUT — À la boxe, la mise hors de combat de l'adversaire s'appelle **knock-out**. Ce mot anglais est francisé, mais il reste invariable au pluriel: *des knock-out.* Le mot étant francisé, on ne doit pas le prononcer à l'anglaise. La prononciation *nokoute,* plus facile, est populaire.

Le verbe [KNOCK-OUTER], employé par des chroniqueurs sportifs, n'existe pas en français. Il faut dire *mettre knock-out.* Se rappeler que le français répugne, à cause des difficultés de la conjugaison, à emprunter des verbes aux langues étrangères modernes ou à former des verbes à partir de noms qui leur sont empruntés *(FRANÇAIS ÉCRIT, FRANÇAIS PARLÉ,* LAROUSSE).

Toute règle générale, bien entendu, souffre des exceptions. Le nom **flirt**, par exemple, emprunté à l'anglais, a donné le verbe **flirter** et le nom **bluff, bluffer** (*voir* **PROGRAMMATEUR — PROGRAMMATION — PROGRAMME — PROGRAMMER**).

Voir **MOTS ÉTRANGERS (PRONONCIATION DES...).**

L

LABEL — *Voir* **ÉTIQUETTE.**

LAD — *Voir* **GARÇON.**

LAISSEZ-PASSER — *Voir* **PASSE.**

LAIT — Le lait de vache destiné à être consommé directement se vend sous diverses formes après avoir subi diverses préparations : *lait liquide, lait concentré* aussi appelé *lait condensé, lait sec.* Le *lait sec* est aussi un *lait concentré,* mais *en poudre* ou *en granules.* Certains *laits concentrés* sont *écrémés* ou *demi-écrémés* et il y a des *laits condensés sucrés* et d'autres qui ne le sont pas. On sait cela.

Un *lait concentré* s'obtient par une évaporation faite dans le vide, de là vient que l'anglais, pour qui il est naturel de désigner un produit en évoquant dans son nom un procédé suivi pour sa fabrication, appelle **evaporated milk** un *lait condensé.* On peut vendre en boîtes du lait qui a été évaporé et qui a repris de la densité, mais on ne peut vendre du lait à l'état de vapeur. Se garder de commettre l'anglicisme *lait* [ÉVAPORÉ]. Il faut dire *lait concentré* ou *condensé.*

On prépare diverses boissons avec du **lait**: du *lait battu* **(milk shake)** à l'aide d'un batteur ou fouet mécanique manuel ou électrique. Du **lait** auquel on a mêlé du malt en le battant est du *lait malté* **(malted milk)**. Un oeuf ou un jaune d'oeuf battu avec du lait sucré et aromatisé **(egg-nog)** est du *lait de poule : un lait de poule au cognac est une boisson réconfortante.*

On fait avec le **lait** des **glaces** diversement moulées : bombes, cônes et boules, bâtonnets, biscuits glacés, etc. Parce qu'on prépare les crèmes avec du **lait**, on dit que les **glaces** sont de la **crème glacée.** On dit *cornet de crème glacée* et *cornet de glace,* mais il faut se garder de dire [CRÈME À LA GLACE], car, si la crème est glacée, il n'entre pas d'eau congelée dans sa composition.

L'expression **crème glacée** est rarement employée ailleurs qu'au Canada pour désigner un rafraîchissement formé principalement d'une **crème glacée** aromatisée. On dit *servir des glaces* plutôt que *servir de la crème glacée.*

De la **crème glacée** garnie de fruits ou d'un sirop **(sundae)** est une **glace** aux fruits ou au sirop : *glace aux fraises, glace au sirop de caramel, glace au sirop de chocolat* (une *glace au chocolat* est une **glace** préparée avec du chocolat).

On a proposé de dire *banane royale* quand il s'agit de [BANANA SPLIT].

LAITUE — *Voir* **SALADE.**

LAMINOIR — *Voir* **MOULIN.**

LAMPADAIRE — LAMPE — *Voir* **LUMIÈRE.**

LANCER — *Voir* **ATHLÈTE — ATHLÉTISME, ÉMETTRE** *et* «**GARROCHER**».

LANDAU — *Voir* **CARROSSE.**

LAURÉAT — *Voir* **RÉCIPIENDAIRE.**

LAVABO — *Voir* **ÉVIER.**

LAVERIE — LAVOIR — *Voir* **BUANDERIE — BUANDIER.**

LE CAS ÉCHÉANT — *Voir* **ÉVENTUELLEMENT.**

LÉGAL — Les adjectifs **judiciaire, juridique** et **légal** ne se rapportent pas aux mêmes choses.

Légal se dit des choses qui sont permises, prescrites ou fournies par la loi. En somme, l'adjectif signifie «conforme à la loi»: *transaction légale, fête légale, moyens légaux.*

Juridique se dit des choses propres à la justice et au droit. En somme, l'adjectif signifie «qui règle ou entraîne l'application de la loi» et «qui appartient au droit»: *texte juridique, fait juridique, la science juridique.*

Judiciaire se dit des choses qui servent à l'application de la loi. En somme, l'adjectif signifie «relatif à la justice»: *le pouvoir judiciaire, enquête judiciaire, formes judiciaires, casier judiciaire* (*voir* **BOÎTE POSTALE**).

Se garder d'employer l'un de ces trois adjectifs pour l'un des deux autres. Il ne faut pas dire *conseiller* (*voir* **NOTICE — NOTIFICATION — NOTIFIER**) [LÉGAL], mais *conseiller juridique.* Il ne faut pas parler de *dispositions* [JURIDIQUES] quand on veut parler de *dispositions légales.* Il ne faut pas dire *vocabulaire* [JUDICIAIRE] au lieu de *vocabulaire juridique.* Il ne faut pas dire *je suis un interprète* [LÉGAL] au lieu de *je suis un interprète judiciaire.*

La principale difficulté vient de ce que le mot anglais **legal** traduit les trois termes français, de sorte qu'on est porté à employer l'adjectif **légal** à la place de **juridique** ou de **judiciaire**. De plus, le mot anglais **legal** a aussi le sens de «qui se rapporte à la profession d'avocat et au droit» que ne possède pas l'adjectif français **légal**. Il ne faut pas dire *je suis une secrétaire* [LÉGALE] au lieu de *je suis la secrétaire d'un avocat* ou *je suis secrétaire d'avocats.* Au lieu d'*études* [LÉGALES], il faut dire *études de droit.* Il ne faut pas dire *cabinet* [LÉGAL], mais *cabinet (voir ce mot) d'avocat.*

On dit *médecine légale* parce que l'application de la science médicale que l'expression désigne est un service prescrit par la loi, mais on ne peut dire *médecin* [LÉGAL] pour désigner une personne qui fait de la *médecine légale.* Il faut dire **médecin légiste**. La fonction d'un **médecin légiste** est de faire des **expertises médico-légales**.

Le service d'une entreprise qui s'occupe des affaires susceptibles de donner matière à procès n'est pas le *service* [LÉGAL] de l'entreprise, mais son **contentieux**: *confiez sans tarder cette affaire au contentieux.*

Voir **STATUT — STATUTAIRE.**

LÈGE — *Voir* **ALLÈGE.**

LÉGENDE — *Voir* **VIGNETTE.**

LÉGISLATURE — *Voir* **PARLEMENT.**

LEITMOTIV — *Voir* **THÈME.**

LESSIVE — *Voir* **BUANDERIE — BUANDIER.**

LESSIVEUSE — L'appareil principal d'une buanderie (*voir* **BUANDERIE — BUANDIER**) moderne, c'est évidemment la **machine à laver**. On a commencé, on le sait, par construire des **machines à laver** électriques dont les seules opérations sont de laver et de rincer le linge.

Pour exprimer l'eau du linge lavé et rincé, on le fait passer entre les deux rouleaux serrés de l'appareil à manivelle fautivement appelé [TORDEUR] et [TORDEUSE] au Canada, l'**essoreuse** manuelle. **Tordeur** et **tordeuse** désignent des personnes qui tordent des fils de laine, de soie, de chanvre dans une usine de textiles; **tordeuse** est aussi le nom d'une machine qui tord les fils des câbles et celui d'un genre de chenilles.

Les premières **machines à laver** remplacèrent très avantageusement le baquet de ménage avec sa planche à laver et la **lessiveuse**, appareil peu connu au Canada mais encore en usage en Europe, qui sert à laver du linge en le faisant bouillir dans une lessive. La **lessiveuse** est un baquet métallique, au milieu duquel se dresse un tube injecteur pour la circulation de l'eau, qu'on place sur un réchaud de parquet. On ne lave pas du linge à l'eau tiède dans une **lessiveuse**.

Aux **machines à laver** auxquelles s'adaptent des **essoreuses** à manivelle ont succédé les **machines à laver automatiques,** qui lavent, font bouillir, rincent et essorent dans la même cuve sans qu'aucune manipulation soit nécessaire.

L'automatisme de ces appareils n'a qu'un rapport éloigné avec le fonctionnement très simple de la **lessiveuse** et, pourtant on les désigne par ce nom au Canada. Il ne faut pas dire *mon mari et moi avons décidé d'acheter la* [LESSIVEUSE] *la plus perfectionnée à l'occasion de notre anniversaire de mariage,* mais *mon mari et moi avons décidé d'acheter la machine à laver (automatique) la plus perfectionnée.* Employer, pour désigner une **machine à laver automatique**, le mot [LESSIVEUSE] est une faute.

Se rappeler que parler français, c'est parler de manière que tous les francophones du monde puissent comprendre ce que l'on dit. Le mot **lessiveuse** évoque une image bien différente de celle d'une machine électrique automatique dans l'imagination d'un Bordelais, d'un Lyonnais, d'un Belge de Wallonie ou d'un Suisse français.

À propos de **machines à laver**, prendre garde que l'appareil qui lave automatiquement la vaisselle est une **machine à laver la vaisselle**, non une [LAVEUSE] *de vaisselle.* On dit aussi **lave-vaisselle**. Noter en passant qu'une «personne qui, employée ou domestique, lave la vaisselle dans un restaurant, une cantine, dans un couvent, un monastère ou une maison d'enseignement» est un **plongeur (plongeuse)**. *Laveur* (ou *laveuse*) *de vaisselle* se dit aussi, mais exprime une nuance légèrement péjorative. Le terme technique est **plongeur**.

LETTRES PATENTES — *Voir* **BANQUE.**

LIBELLE — LIBELLISTE — À peu près inusité au XXe siècle, le vieux mot français **libelle** a véhiculé plusieurs idées au cours de sa vie pratiquement millénaire. Issu d'un substantif latin qui eut les divers sens de «petit écrit, pamphlet, satire, billet, mémoire et mémoires, réclamation, affiche, etc.», il a eu, avec des nuances, la plupart de ces significations. Il a servi à désigner des ouvrages hérétiques, des demandes en justice, des avis juridiques, des certificats, des lettres de recommandation de caractère ecclésiastique, etc., mais, depuis le XVe siècle, il n'a eu qu'une acception : celle de «court écrit injurieux». Un **pamphlet** appelé *libelle* était quelquefois seulement injurieux, quelquefois nettement diffamatoire, d'où est venue l'expression *libelle diffamatoire* pour distinguer des libelles simplement satiriques les courts écrits injurieux tombant sous le coup de la loi. Un auteur de **libelles** était un **libelliste**. Aujourd'hui, on ne dit plus *libelle* mais **pamphlet** *(voir ce mot)*; on ne dit plus *libelliste*, mais **pamphlétaire**.

Libelle n'a jamais eu le sens d'«atteinte à la réputation ou à l'honneur de quelqu'un par la parole ou par l'écrit», ce qu'exprime le mot **diffamation**.

L'anglais a emprunté le terme au français il y a très longtemps, en a fait **libel** et a donné à ce vocable dans son langage juridique le sens de «diffamation». Dire *libelle* au lieu de **diffamation**, c'est commettre un anglicisme. Dire *libelle diffamatoire* au lieu de **diffamation** est doublement fautif. Il ne faut pas dire *il est poursuivi pour* [LIBELLE], encore moins *pour* [LIBELLE DIFFAMATOIRE], mais *il est poursuivi pour diffamation.* Au lieu d'*intenter un procès en* [LIBELLE], il faut dire *intenter un procès en diffamation.*

L'adjectif [LIBELLEUX] employé au Canada : *un article* [LIBELLEUX], n'existe pas en français. C'est un calque de l'adjectif anglais **libellous**, qui se traduit par **diffamatoire**. Il faut dire *un article, un écrit, une déclaration diffamatoires.*

LIBÉRATION — *Voir* **DÉCHARGE.**

LIBÉRER — *Voir* **CLAIR.**

LIBRAIRIE — Le mot **bibliothèque**, venu du grec par l'intermédiaire du latin, a fait son apparition à la fin du XVe siècle et il a remplacé **librairie**, qui, depuis le XIIe siècle, alors qu'il n'y avait pas de marchands de livres, avait les deux sens de «collection de livres et manuscrits» et de «lieu où se trouve une collection de livres et manuscrits». Depuis le milieu du XVIe siècle, une **librairie** est un «magasin de marchand de livres». Ce n'est cependant pas un vieux mot qu'on utilise au Canada quand on dit *librairie* au lieu de **bibliothèque**: *aller consulter un ouvrage à la* [LIBRAIRIE] *de l'entreprise,* mais un anglicisme. La faute s'explique par le fait que le terme anglais **library** signifie «bibliothèque», tandis que le mot français **librairie** se traduit par **bookshop** ou **bookstore** en anglais.

LICENCE — Ne pas confondre **licence** et **permis**. Une **licence**, par opposition à **permis** dans le langage administratif, est une «autorisation d'exercer une activité réglementée de telle sorte que n'importe quel citoyen ne peut s'y livrer librement». N'importe quel citoyen peut ouvrir (*voir* **DÉBUTER**) un magasin de chaussures. Il n'a qu'à payer la patente (*voir* **PATENT — PATENTE — PATENTER**) et la quittance qu'on lui remet tient lieu de **permis** d'exploitation. La vente des alcools, par exemple, est réglementée de façon restrictive. N'importe quel restaurateur ne peut décider n'importe quand de vendre des bières, des vins et des spiritueux à ses clients. Il lui faut obtenir préalablement une **licence**. Il est incorrect de désigner comme des *permis* les **licences** délivrées par la Société des Alcools de l'un des États constituants du Canada. Le propriétaire d'un magasin d'alimentation du Québec qui a obtenu l'autorisation de vendre de la bière n'est pas le titulaire d'un **permis**, mais d'une **licence**. Se rappeler à ce propos que l'adjectif [LICENCIÉ] n'existe pas en français. Il semble parfois employé adjectivement au sens de « qui a obtenu un diplôme de licence» après un nom comme *professeur,* mais, à la vérité, le mot reste alors un substantif et forme avec le mot qui le précède un nom composé non lié par un trait d'union: *le personnel de notre école compte deux enseignants licenciés,* car ce n'est pas en tant qu'enseignants qu'ils sont licenciés. Il ne faut pas désigner au Québec par l'expression *épicier* [LICENCIÉ] un épicier qui a obtenu une **licence** lui donnant le droit de vendre de la bière; il faut dire *épicier autorisé par la Société des Alcools.*

Les commerçants autorisés par la Société des alcools à vendre des boissons alcooliques n'ont pas tous obtenu la même **licence**. Certains hôteliers et certains propriétaires de bars et de cafés, par exemple, sont autorisés à vendre des boissons fermentées et tous les spiritueux, tandis que d'autres n'ont obtenu que le droit de vendre des boissons fermentées, bières et vins; mais le droit qu'a chacun d'eux d'exercer son commerce d'alcool est complet. Aucun des éléments qui en font une autorisation ne manque. L'anglais donne à son adjectif **complete** le sens de «sans restriction» et c'est un anglicisme que l'on commet quand on dit *licence* [COMPLÈTE] pour «autorisation de vendre des boissons alcooliques de toute sorte». Un hôtelier, un restaurateur, un propriétaire de café qui est autorisé à vendre des boissons distillées et des boissons fermentées est un titulaire de *grande licence* et celui qui n'a le droit de vendre que des boissons fermentées est le titulaire d'une *petite licence.* Les *petites* comme les *grandes* **licences** sont complètes. Un restaurateur n'a pas besoin d'annoncer [LICENCE COMPLÈTE] quand il peut dire simplement *vins, bières et spiritueux.*

Un **permis** est une «autorisation écrite pour l'exercice de certaines activités auxquelles n'importe quel citoyen peut se livrer conformément aux exigences de la loi» : *permis de chasse, permis de conduire,* etc. Au Canada, on emploie fautivement le mot **licence** pour désigner et le *permis de conduire* d'un automobiliste et le *certificat d'immatriculation* (*voir* **ENREGISTREMENT — ENREGISTRER**) de la voiture qu'il conduit. Un agent de police ne doit pas demander *vos* [LICENCES], *s'il vous plaît !* mais *vos papiers de circulation, s'il vous plaît !* le mot *papier* ayant au pluriel le sens général de «document» et, particulièrement, de «pièce d'identité ou d'immatriculation».

LICENCIEMENT — *Voir* **DÉCHARGE.**

LIEN — *Voir* **CONNECTER — CONNEXION.**

LIEU — *Voir* **PLACE** *et* **SITE.**

LIEU (NOMS DE...) — Les mots qui composent un nom de lieu (pays, île, ville, village, paroisse, rivière, rue, place, square, monument, etc.) sont liés par des traits d'union: *Nouveau-Brunswick, Trois-Rivières, Sainte-Luce-sur-Mer, boulevard Henri-Bourassa, place Jacques-Cartier, rue Notre-Dame, église Notre-Dame, pont Honoré-Mercier,* etc., sauf si le nom de lieu commence par un article; dans ce cas, cet article n'est pas lié au mot suivant par un trait d'union: *La Durantaye, La Conception, La Malbaie, La Visitation-de-la-Pointe-du-Lac.* Si le complément du mot principal est l'un des quatre points cardinaux, l'usage le plus suivi est d'omettre les traits d'union : *circonscription de Québec Sud, Corée du Sud, Nord Vietnam, Virginie de l'Ouest.*

LIEUTENANT-GOUVERNEUR — *Voir* **GOUVERNEUR.**

LIFTIER — *Voir* **ÉLÉVATEUR** *et* **GARÇON.**

LIGNE — Le mot anglais **line** traduit le mot français **ligne** dans toutes ses acceptions sauf de rares sens figurés et quelques emplois dans des locutions consacrées par l'usage. Cette proposition ne s'inverse pas. L'anglais exprime par **line** un bon nombre d'idées que le terme français ne rend pas et l'on commet des anglicismes quand on prête ces significations à celui-ci.

L'anglais, par exemple, se sert, au propre et au figuré, du mot **line**, dans le vocabulaire général, là où le français emploie des mots comme **département**, ou **ressort**, ou **domaine, frontière, occupation**, etc. Il ne faut pas dire *je ne peux vous rendre aucun service à ce sujet, car ce n'est pas dans ma* [LIGNE] au lieu de *je ne peux vous rendre aucun service à ce sujet, car ce n'est pas dans mon département* (*voir* **DÉPARTEMENT — DÉPARTEMENTAL**), ou *de mon ressort,* ou *de mon domaine.* Le mot **ligne** n'a pas le sens de «champ d'activité». Au lieu de *c'est tout à fait dans ma* [LIGNE], on dit correctement en langage familier *c'est tout à fait dans mes cordes.*

Il ne faut pas demander *dans quelle* [LIGNE] *êtes-vous?* au lieu de *que faites-vous?* ou *quelle est votre profession ?* ou *quel métier exercez-vous ?* ou *quel est votre genre d'affaires ?* Et il ne faut pas répondre à cela, par exemple, *ma* [LIGNE] *est la coiffure,* mais *je suis dans la coiffure* ou *je suis coiffeur* (*voir* **BARBIER**).

Il ne faut pas dire *nous habitons à moins de vingt kilomètres de la* [LIGNE] ou *des* [LIGNES] au lieu de *nous habitons à moins de vingt kilomètres de la frontière.* Certes, une **frontière** est une **ligne** au sens général de « trait », puisque c'est un « trait qui marque sur une carte la limite d'un territoire », mais **ligne** n'est pas synonyme de **frontière**. Le seul sens dans lequel **ligne** s'emploie absolument dans le vocabulaire de la géographie est celui de « ligne équinoxiale », c'est-à-dire comme synonyme d'*équateur : nous avons passé la ligne au large des îles Galapagos.*

L'anglais utilise aussi son mot **line** dans le vocabulaire du commerce pour désigner une « série d'articles », une « suite d'articles d'un certain modèle », même un « article ou produit particulier ». Il faut dire en français **article, ensemble, genre** ou **type, modèle, nouveauté, produit, série, suite**, etc. selon le cas. Le mot *ligne* devient une faute dans des phrases comme celles-ci : *voici une* [LIGNE] *de qualité* (quand on veut dire *voici un article de qualité*), *nous vous présentons une nouvelle* [LIGNE] *de casseroles* (quand on veut dire *nous vous présentons un nouvel ensemble de casseroles*), *nous avons des* [LIGNES] *de chapeaux pour tous les goûts* (quand on veut dire *nous avons des genres de chapeaux pour tous les goûts), nous annonçons deux* [LIGNES] *de petites voitures de ce fabricant* (quand on veut dire ... *deux types de petites voitures...*), *nous avons une* [LIGNE] *de robes qui vous conviendra* (quand on veut dire *nous avons un modèle de robes qui vous conviendra), ces souliers sont une nouvelle* [LIGNE] (quand on veut dire *ces souliers sont une nouveauté), cette* [LIGNE] *n'est plus fabriquée* (quand on veut dire *ce produit n'est plus fabriqué), une* [LIGNE] *complète de produits de beauté* (quand on veut dire *une série* ou *une suite,* ou *un ensemble complet de produits de beauté*) ou *des athlètes recommandent cette* [LIGNE] *d'agrès (voir ce mot)* (quand on veut dire *des athlètes recommandent cette série d'agrès),* etc.

LIGUE — Une **ligue** est une « union de personnes ou (une) fédération d'associations groupées pour défendre des intérêts qui leur sont communs *(ligue de propriétaires, ligue de consommateurs)* ou des intérêts généraux de caractère humanitaire, politique, religieux, etc. *(ligue antialcoolique, ligue contre le cancer, ligue du Sacré-Cœur,* etc.) » Dans le premier cas, les ligueurs défendent des intérêts personnels communs et, dans l'autre, des intérêts sociaux.

Le mot n'a pas une autre signification dans le vocabulaire des sports. Une *ligue sportive* peut être une union de personnes ou une fédération d'associations groupées pour veiller à ce que les intérêts sportifs d'une région, d'un peuple ou d'une catégorie de citoyens soient protégés et respectés : une *ligue sportive des cégeps* par exemple, qui se proposerait de veiller à ce que tous ces établissements soient pourvus des moyens nécessaires pour que les étudiants qui les fréquentent puissent pratiquer les sports convenant à leur âge. On peut de même imaginer une *ligue sportive nationale* qui se proposerait de défendre les intérêts relatifs à la santé d'un peuple en incitant la jeunesse à la pratique ordonnée des sports. Une **ligue** sportive peut aussi être une union des clubs *(voir ce mot)* s'adonnant au même sport dans une même région pour représenter cette région et en défendre l'honneur dans des compétitions ou des matchs de championnat entre régions, entre **ligues** (au sens propre du terme).

On ne peut correctement employer le mot **ligue**, comme l'anglais dit **league**, pour désigner la seule réunion d'un certain nombre de **clubs** ou d'**équipes** (scolaires, par exemple) non soutenues par un **club** dans une sorte de fédération. Les structures actuelles de l'activité sportive au Canada permettent difficilement d'employer sans équivoque le mot **division**, par lequel on désigne en France un niveau de qualité en parlant des **équipes**. Pour ne pas commettre l'anglicisme [LIGUE], il semble que le seul terme dont on puisse actuellement se servir pour dire «clubs formant un ensemble soumis à une autorité commune» soit **groupement**. Il ne faut pas dire [LIGUE] *mineure*, mais *groupement mineur*, de hockey, de baseball, et, si l'on veut s'exprimer en français, c'est-à-dire sans fausser le sens des mots, on ne peut traduire **National Hockey League** par [LIGUE NATIONALE DE HOCKEY]. Il faut dire *Groupement international de hockey (de l'Amérique du Nord* sous-entendu), car ce **groupement** n'est ni canadien ni américain, mais canado-américain, puisqu'il comprend des clubs des États-Unis et d'autres du Canada. À moins de désigner le **groupement** par son nom anglais et de dire *le National Hockey League*, ce qui en fait, à toutes fins utiles, un groupement des États-Unis auquel des **clubs** canadiens sont affiliés.

LIMONADE — LIMONADIER — *Voir* **LIQUEUR.**

LINGE — *Voir* **BUTIN.**

LINGERIE — *Voir* **ARMOIRE.**

LINOLÉUM — *Voir* **PRÉLART.**

LIQUEUR — Du XIIe au XVIIe siècle, le substantif **liqueur**, emprunté du latin **liquor**, a servi à désigner n'importe quel liquide. Depuis le début du XVIIIe siècle, il ne s'emploie plus dans la langue courante qu'au sens de «spiritueux sucré et aromatisé» généralement pris comme digestif, telles l'anisette, la bénédictine, la crème de menthe, etc. On appelle aussi *liqueurs* certaines solutions chimiques et pharmaceutiques.

Le substantif anglais **liquor**, venu du même mot latin, s'applique, lui, non seulement aux boissons alcooliques sirupeuses et aromatisées nommées **liqueurs** en français, mais à tous les spiritueux. On commet un anglicisme quand on dit *liqueur* au lieu d'**alcool** (*voir* **ALCOOL — ALCOOLIQUE**), terme qui désigne par extension, comme **liquor**, toute espèce de spiritueux. Il ne faut pas dire *aller à un magasin de* [LIQUEURS] au lieu d'*aller à un magasin d'alcools.*

De l'idée générale de «liquide» qu'il a exprimée autrefois, le mot **liqueur** a glissé au Canada au sens particulier de «boisson froide préparée industriellement qu'on sert dans une réunion mondaine» et l'on dit *liqueur forte* en parlant des spiritueux et *liqueur douce* en parlant des boissons carbonatées, sucrées, fruitées ou parfumées artificiellement qui s'appellent proprement **eaux gazeuses**. Il ne faut pas dire *il préfère prendre une* [LIQUEUR FORTE] *avec de l'eau du robinet plutôt qu'avec une* [LIQUEUR DOUCE], mais *il préfère prendre un alcool avec de l'eau du robinet* (*voir* **CHANTEPLEURE**) *plutôt qu'avec une eau gazeuse.* On dit aussi *boisson* (*voir* **BREUVAGE**) *gazeuse.* Au restaurant, il ne faut pas dire *j'ai commandé* (*voir* **ORDONNER — ORDRE**) *une* [LIQUEUR] *pour toi* quand on veut dire *j'ai commandé une eau gazeuse* ou *une boisson gazeuse pour toi.*

En français actuel, le mot **limonade** désigne toute boisson gazéifiée, sucrée, limpide et incolore, acidulée, additionnée de matières aromatiques ou sapides provenant d'hespéridées, notamment du citron. Le «producteur de boissons gazeuses» ou le «commerçant de boissons gazeuses» est appelé parfois **limonadier.**

LIQUIDATION — *Voir* **VENTE.**

LISTE — Deux fautes commises sous l'influence de l'anglais. Celui-ci appelle **price list** la nomenclature des articles vendus par une maison de commerce indiquant le prix (*voir* **COÛT**) normal de chacun. **Prix courant** est le nom composé d'une nomenclature de cette sorte en français. Et l'anglais désigne le prix indiqué pour la vente d'un article par l'expression **list price**. Ce prix, en français, est le prix **courant** (adjectif) de l'article. Ce sont des anglicismes qu'on commet quand on dit *une* [**LISTE DE PRIX**] au lieu d'*un prix courant* et *prix* [**DE LISTE**] au lieu de *prix courant.*

Les catalogues commerciaux portent aussi le nom de **tarif**: *ci-inclus le tarif de nos publications* et l'on appelle parfois *album-tarif* un catalogue abondamment illustré: *les albums-tarifs de certains grands magasins sont d'importants témoins des moeurs de notre époque pour les historiens de l'avenir.*

Il ne faut pas dire *nous avons fait imprimer une nouvelle* [**LISTE DE PRIX**], mais *nous avons fait imprimer un nouveau prix courant.* Il ne faut pas dire *les circonstances nous obligent à élever le prix* [**DE LISTE**] *de cet article,* mais *le prix courant de cet article.*

L'anglicisme formé avec le mot **liste**, le verbe **lister**, calque de **to list** pour donner une liste, porter une liste, énumérer, cataloguer, etc. est maintenant accepté en français. On trouve *cet article n'est pas* **listé** *dans le catalogue,* ou *cet article ne figure pas au catalogue, veuillez* **lister** *les achats de la journée* ou *veuillez dresser* ou *faire la liste des achats de la journée, tous nos services sont* **listés** *dans ce tableau* ou *tous nos services sont énumérés dans ce tableau.*

Voir **BILAN** *et* **PROGRAMMATEUR — PROGRAMMATION — PROGRAMME — PROGRAMMER.**

LIT — *Voir* **DOUBLE.**

LITTÉRATURE — Le mot **littérature** a eu autrefois les sens d'«érudition», de «connaissances générales». Au XVIIIe siècle, *avoir une vaste littérature* signifiait «avoir une culture étendue». Aujourd'hui, **littérature** n'a qu'un sens. Il désigne un «ensemble d'oeuvres littéraires»: *la littérature française, une littérature régionale, la littérature romanesque.*

Littérature n'a pas et n'a jamais eu les sens de «documentation», d'«imprimé de publicité, de propagande», de «renseignements publiés» que possède le mot anglais **literature**. Entre parenthèses, les deux termes viennent du même vocable latin **litteratura**, qui fut employé successivement par les Romains dans les cinq acceptions d'«écriture», de «grammaire», de «connaissances littéraires», de «savoir» et d'«ensemble d'ouvrages littéraires».

Un industriel qui informe le public qu'*on n'a qu'à la demander pour recevoir gratuitement une* [LITTÉRATURE] *complète sur les produits annoncés* commet un anglicisme; il faut dire *une documentation complète.* De même, un office de tourisme ne fournit pas *une* [LITTÉRATURE] *intéressante sur une région,* mais *une documentation intéressante.* Ou encore, il ne faut pas dire *cette firme distribue chaque année des tonnes de* [LITTÉRATURE] *à ses actionnaires et à ses clients pour les tenir au courant de ses affaires,* mais *des tonnes de documentation* ou *d'imprimés.*

Au sens propre du terme, de la **littérature** politique, ce n'est pas de la **documentation** électorale ou des publications sur les travaux d'un Parlement *(voir ce mot),* mais des ouvrages littéraires (essais, études historiques, etc.) sur des sujets politiques. Certes, l'ensemble des ouvrages littéraires sur des sujets politiques constitue la **littérature** politique et un ensemble d'ouvrages littéraires sur des sujets politiques forme une **documentation** politique, mais un seul ou quelques ouvrages ne font pas une **littérature** et tout ensemble de renseignements de toute sorte est une **documentation**.

LIVRE — *Voir* **ABRÉVIATION.**

LIVRER — Le verbe pronominal **se livrer** a le sens de «se confier»: *cet écrivain n'est jamais aussi intéressant que quand il se livre*, mais rien, dans toutes les autres acceptions de **livrer** et de **se livrer** ne permet le moindre rapprochement avec l'idée de prendre la parole publiquement. Il est curieux d'entendre fréquemment à la radio canadienne des phrases comme celles-ci:

— *Notre longue émission d'informations vous sera* [LIVRÉE] *dans un instant*, au lieu de *vous sera présentée.*

— *Le premier ministre* [LIVRERA] *son opinion sur cette question au cours d'une conférence de presse,* au lieu de *exprimera son opinion.*

— *Notre spécialiste* [LIVRERA] *maintenant le bulletin météorologique,* au lieu de *présentera.*

— *Notre reporter, qui s'est rendu sur les lieux, nous* [LIVRE] *ses observations,* au lieu de *nous fait part de...*

Cet emploi très incorrect du verbe **livrer** s'explique peut-être par le fait qu'on dit en anglais **to deliver a speech**.

On ne [LIVRE] pas un message de la Croix Rouge à la radio. On le **transmet**.

LIVRET — *Voir* **CARTON — CARTOUCHE.**

LIVREUR — *Voir* **GARÇON.**

LOCAL — Le substantif **local** n'a que la signification suivante en français moderne: «pièce ou partie d'un immeuble destinée à un usage déterminé ou considérée par rapport à son état»: *local commercial, notre association a son local dans le quartier des affaires* et *locaux humides, locaux mal éclairés.* Employé dans les autres sens qu'on lui prête au Canada, le mot est un anglicisme.

Dans le vocabulaire des chemins de fer, par exemple, le nom anglais **local** désigne un «train qui assure un service régulier à toutes les stations (*voir* **TERMINUS**) d'une ligne». Il ne faut pas dire *le* [LOCAL] *arrive à Saint-Hyacinthe à dix heures,* mais l'*omnibus* ou *le train d'intérêt local arrive à Saint-Hyacinthe à dix heures.* L'**omnibus** s'oppose à l'**express** (*voir* **SPÉCIAL**) ou **rapide**, qui lui, ne dessert pas toutes les stations d'une ligne. Dans le langage familier, on nomme **tortillard** un «omnibus lent qui fait de nombreux détours sur une voie secondaire»: *il décida de prendre le tortillard pour se rendre à Saint-Faustin.*

L'anglais se sert aussi de son substantif **local** pour désigner une **section** d'une association. Il ne faut pas dire *le* [LOCAL] *de Chicoutimi n'est pas d'accord avec le syndicat sur l'attitude que celui-ci vient d'adopter,* mais *la section de Chicoutimi.* Il ne faut pas dire le [LOCAL] *trifluvien de la Croix-Rouge,* mais *la section trifluvienne de la Croix-Rouge.*

En Amérique du Nord, l'anglais emploie son adjectif **local** substantivement comme synonyme d'**extension** pour désigner un **poste** de téléphone. C'est encore commettre un anglicisme que de dire [LOCAL] ou [EXTENSION] à la place de **poste** (*voir* **STATION**). Il ne faut pas dire *voici le numéro de téléphone de mon bureau et celui de mon* [LOCAL] ou *de mon* [EXTENSION], mais *voici le numéro de téléphone de mon bureau et celui de mon poste.* Une standardiste ne doit pas dire, par exemple, *le* [LOCAL] ou *l'*[EXTENSION] *que vous demandez est en communication, veuillez patienter un peu,* mais *le poste que vous demandez...*

L'adjectif **local**, comme l'adjectif anglais **local**, signifie de façon générale «relatif ou particulier à un lieu, à une partie de territoire déterminée», mais il faut prendre garde que, dans bien des cas où l'anglais se sert de son mot **local**, le français s'exprime autrement.

Dans le vocabulaire du téléphone, par exemple, il ne faut pas dire *appel* [LOCAL], mais *appel en ville* ou, s'il s'agit d'une communication entre abonnés de la campagne dont les lignes appartiennent au même réseau, *appel dans la localité*, par opposition à *appel interurbain.*

Il ne faut pas dire *heure* [LOCALE], mais *heure du lieu* (on pourrait dire correctement *heure du fuseau*), l'heure n'étant pas particulière à un lieu, mais à un fuseau horaire dans les limites duquel se trouve un lieu.

Il convient d'éviter d'employer le mot **local** au lieu de **régional** quand on veut qualifier une chose qui dépasse le territoire d'une localité pour s'étendre à une étendue territoriale non déterminée administrativement: *les abonnés peuvent être assurés que notre journal régional publie toutes les nouvelles locales de quelque importance.*

LOCALISER — Ce verbe a les deux seules significations suivantes: «situer avec précision» en parlant d'un phénomène: *on affirme avoir localisé la mémoire dans le cerveau, tenter de localiser l'hypocentre d'un séisme* et *les médecins ont parfois de la difficulté à localiser un trouble (voir ce mot) dans les fonctions physiologiques* et «limiter l'expansion de, enrayer» en parlant d'une calamité, d'un désastre: *localiser une guerre* et *l'épidémie a été localisée.* Une personne ne peut être l'objet d'une action exprimée par **localiser.**

Le verbe anglais **to locate**, qui traduit **localiser**, a pris en outre en Amérique du Nord les sens de « parvenir à entrer en communication avec» en parlant d'une personne, action que le français rend par les verbes **atteindre, joindre** et **trouver** et de « parvenir à connaître où se trouve caché (quelqu'un ou quelque chose) », ce qui se dit en français **découvrir** et **retrouver**. Ce sont des anglicismes qu'on commet quand, par exemple, une standardiste dit au téléphone *(voir ce mot) je vais essayer de* [LOCALISER] *la personne avec laquelle vous désirez entrer en communication* au lieu de *je vais essayer de joindre* ou *de trouver la personne avec laquelle vous désirez entrer en communication* et quand un reporter écrit *des hommes-grenouilles ont* [LOCALISÉ] *l'épave d'un bateau de plaisance disparu pendant la dernière tempête* ou *on a* [LOCALISÉ] *les malfaiteurs et leur arrestation est imminente* au lieu de *des hommes-grenouilles ont découvert l'épave d'un bateau de plaisance* et de *on a retrouvé les malfaiteurs.*

LOCATAIRE — *Voir* **CHAMBRER.**

LOCATAIRE — LOCATION — *Voir* **BAILLEUR.**

LOCUTIONS PRÉPOSITIVES — *Voir* **PRÉPOSITIONS (EMPLOI DES...).**

LOGE — *Voir* **CONCIERGE — CONCIERGERIE.**

LOGEMENT — LOGIS — Sauf dans quelques expressions consacrées : *garder le logis, rentrer au logis, déserter le logis,* le mot **logis** ne se dit plus guère qu'en parlant d'un « logement qu'on occupe en passant » : *Québec ne manque pas de bons logis pour les touristes* et, encore, cette acception est-elle rare, tandis que **logement** désigne plutôt le « lieu où l'on demeure habituellement » : *j'habite un beau logement de six pièces.*

Logis s'emploie surtout au singulier dans le sens général de « lieu où l'on peut coucher » : *un hôtel moderne est un logis confortable ; bon logis, bonne chère.*

Voir **ACCOMMODATION — ACCOMMODER** *et* **APPARTEMENT.**

LOGER — Intransitif, le verbe **loger** signifie « habiter » le plus souvent en parlant d'un endroit où l'on se trouve temporairement : *quand je vais à Québec, je loge chez un ami.* Transitif, il a le sens, en parlant des personnes, de « donner le logement » : *loger des invités sous une tente,* et, en parlant des choses, ceux de « caser » et de « faire entrer » : *loger un vieux meuble au grenier* et *loger une balle dans la tête de quelqu'un.* Ce sont les seules significations de **loger**.

Le verbe anglais **to lodge**, emprunté au français il y a très longtemps, a acquis d'autres acceptions, celle en particulier de « produire » en parlant d'appels, de plaintes, de preuves dans le langage juridique et, par extension, en parlant de protestations ou de représentations *(voir ce mot)* dans le langage général.

Le français a ses façons propres et bien déterminées d'exprimer ces idées et l'on commet des anglicismes quand on dit [LOGER UN APPEL] au lieu d'**interjeter appel**, ou [LOGER UNE PLAINTE] au lieu de **porter plainte**, ou [LOGER] *un nouvel élément de preuve au cours d'un procès* au lieu de *produire un nouvel élément de preuve au cours d'un procès,* ou encore [LOGER] *une protestation au gouver-*

nement au lieu de simplement *protester auprès du gouvernement,* ou [LOGER] *des représentations auprès de l'autorité* au lieu de *faire une remontrance* ou *des représentations à l'autorité.*

Voir **PENSIONNER.**

LOGEUR — *Voir* **CHAMBRER.**

LOI — L'un des effets les plus graves de l'influence de l'anglais sur les façons d'écrire et de parler des Canadiens d'origine française a été de fausser le sens du juste emploi des prépositions (*voir* **PRÉPOSITIONS, EMPLOI DES...**). Le français a une manière qui lui est propre d'articuler les éléments d'une proposition. En altérant l'agencement des mots, c'est la pensée même qu'on transforme, quelquefois au point de lui enlever tout caractère français. Cela se constate nettement dans la désignation des **lois**.

L'anglais emploie des noms, des expressions, des membres de phrase entiers qui sont compléments déterminatifs comme adjectifs en les plaçant avant les noms auxquels ils se rapportent (**the liquor law**) et cela le dispense de marquer la subordination par une préposition. Comme la plupart des rapports qui peuvent exister entre un nom et un complément déterminatif s'indiquent par la préposition **de**, les Canadiens d'origine française, qui ont fait l'apprentissage du parlementarisme en étant obligés d'en traduire tout le langage et qui devaient placer une préposition là où il n'y en avait pas en anglais quand il en fallait une en français, ont commis, entre beaucoup d'autres, l'erreur d'assigner (*voir* **ASSIGNATION — ASSIGNER**) à celle-ci des fonctions qu'il ne lui est pas donné de remplir. La préposition *de* après un nom ne sert jamais à indiquer un rapport de but ou motif, non plus que le sujet qui limite le sens dans lequel on l'emploie: *on parle de bonheur* mais *on fait un discours sur le bonheur* et *on s'inquiète d'une absence,* mais *on a de l'inquiétude à propos d'une absence.*

On a donc, au Canada et au Québec, des **lois** [DE] beaucoup de choses: une *loi* [DES] *assurances,* une *loi* [DES] *accidents du travail,* une *loi* [DES] *subventions* (*voir* **OCTROI**) pour telle ou telle catégorie de maisons d'enseignement, une *loi* [DU] *drapeau,* une *loi* [DES] *musées,* une *loi* [DE] *l'assurance-chômage,* etc. Il faut dire *loi sur, loi pour, loi concernant, loi modifiant* (*voir* **AMENDEMENT — AMENDER**), *loi autorisant, loi créant,* etc., selon le texte législatif.

Les deux seuls cas dans lesquels il soit correct d'employer la préposition *de* après le nom **loi** pour en désigner une sont les suivants.

En premier lieu, une **loi** par laquelle le Parlement autorise le gouvernement à engager les dépenses et à percevoir les recettes de l'État se nomme **loi de finances**, c'est-à-dire **loi** qui appartient (la préposition *de* exprime l'appartenance) à l'activité politique qui se rapporte à l'ensemble des ressources et des dépenses de l'administration publique (*voir* **FINANCE — FINANCEMENT — FINANCER**). En second lieu, la préposition *de* sert à marquer un rapport de genre, d'espèce, et l'on peut dire *loi d'exception sur* comme *acte de foi en* et *loi d'assainissement* comme *mesure de précaution.* Noter que, dans ce cas, le nom qui suit la préposition est nécessairement un substantif abstrait et que celui-ci ne peut être précédé d'un article.

Les mêmes observations s'appliquent à **projet de loi**. On ne peut dire, par exemple, *le projet de loi* [DU] *cinéma* au lieu de *le projet de loi sur le cinéma,* ou *relatif au cinéma,* ou *visant à favoriser l'expansion de l'industrie du cinéma,* etc., selon ce que l'on veut dire. Un «texte émanant du gouvernement que celui-ci demande au Parlement de transformer en loi» est un **projet de loi** (*voir* **BILL**). Un «texte déposé par un député qui demande au parlement d'en faire une loi» est une **proposition de loi** (la préposition *de* marquant ici une relation de genre entre *projet* ou *proposition* et *loi*). Un **projet de loi** appelé **public bill** en anglais est un **projet de loi d'intérêt général** et un **projet de loi** appelé **private bill** en anglais est un **projet de loi d'intérêt local** ou un **projet de loi d'intérêt particulier**.

Ce n'est pas seulement dans la désignation des **lois** qu'on se sert abusivement de la préposition *de*, mais également dans celle des **règlements municipaux**. On dit correctement *règlement de police* (règlement appartenant à l'activité municipale qui se rapporte à l'organisation de l'ordre public), mais on ne peut dire *règlement* [D'] *emprunt* au lieu de *règlement autorisant un emprunt.*

Par le même phénomène que cause dans la traduction le complément démonstratif adjectif de l'anglais, on se sert fautivement de la préposition *de* dans la désignation de certains **impôts** et **taxes**. Comme on dit bien *impôt sur le revenu* et non *impôt* [DU] *revenu,* il faut dire, par exemple, *taxe sur les ventes,* non *taxe* [DE] *vente.* Les seuls cas où la préposition *de* s'emploie correctement dans la désignation des **taxes** sont ceux des **taxes** administratives pour services payants, la préposition y marquant un rapport de cause: *taxe de nettoiement, taxe d'eau* (*voir* **AQUEDUC**). Deux exceptions: les expressions *taxe de séjour* et *taxe de luxe* qui sont des abréviations de *taxe sur les frais de séjour* (à l'hôtel) et de *taxes sur les articles de luxe.* Il ne faut pas dire *taxe* [D'AMUSEMENT] *(voir ce mot),* mais *taxe sur les spectacles.*

Voir **STATUT — STATUTAIRE.**

LONGE — *Voir* **DARNE.**

LONGTEMPS — *Voir* **SECOUSSE.**

LORS DE — *Voir* **PRÉPOSITIONS (EMPLOI DES...).**

LORSQUE — *Voir* **QUAND.**

LOT — LOTERIE — *Voir* **TIRAGE.**

LOTISSEMENT — *Voir* **DÉVELOPPEMENT.**

LOUER — *Voir* **NOLISER.**

LOURD — *Voir* **CHARGE — CHARGER.**

LOYAL — *Voir* **«FIABLE».**

LUGE — *Voir* **TRAÎNEAU.**

LUMIÈRE — Ce mot signifie «radiation, de source naturelle ou artificielle, qui rend les objets visibles» : *la lumière du soleil* et *faire de la lumière dans une pièce à la tombée de la nuit* (*voir* «**BRUNANTE, À LA...**» — **BRUNE**). Il désigne aussi une «source de lumière» considérée comme telle et quelle qu'elle soit : *les lumières de l'espace* (planètes, étoiles) et *des lumières de toute sorte, lustres, lampadaires, appliques et bougies, éclairaient la salle,* mais **lumière** ne désigne un objet propre à éclairer que lorsqu'il donne de la **lumière**. Ce n'est pas en tant qu'objet mais en tant que foyer actif qu'une chose est une **lumière** et il est fautif de dire, par exemple, *des trois* [LUMIÈRES] *de la pièce, une seule était allumée,* au lieu de *des trois lampes de la pièce.* On dit correctement, toutefois, *lustre six lumières* pour «lustre qui, une fois allumé, porte six lumières».

Outre les bougies, les flambeaux et les torchères, on se sert de **lampes** pour l'éclairage artificiel. Le mot **lampe** employé pour désigner un «appareil d'éclairage électrique» se dit du foyer de **lumière** de l'appareil, ou de chacun de ses foyers de **lumière**, et de l'appareil tout entier. Le foyer de **lumière** d'un appareil d'éclairage électrique peut avoir la forme d'un long **tube** et ce mot sert alors à le nommer: *tube fluorescent.* Dans la plupart des appareils, c'est un globe de verre plus ou moins sphérique, quelquefois allongé comme un **tube** court, qui porte le nom d'**ampoule**. Les deux mots **lampe** et **ampoule** sont synonymes pour dire «source de lumière d'un appareil d'éclairage électrique». L'usage, cependant, réduit de plus en plus cet emploi d'**ampoule**. On ne s'en sert pour ainsi dire plus que pour désigner l'objet comme article de commerce : *n'oublie pas d'acheter trois ampoules rondes 100 watts et deux ampoules-tubes.* On dit *il y a trois lampes dans ce plafonnier* plutôt qu'*il y a trois ampoules dans ce plafonnier.* Même dans le commerce, **ampoule** sert surtout maintenant à désigner le globe d'une **lampe** considéré séparément du culot : *lampe à ampoule ronde opale.* D'un autre côté, on se sert correctement du mot **ampoule** au sens péjoratif de «foyer de lumière électrique dépourvu de tout ornement, de tout accessoire» : *une ampoule fixée au plafond éclairait faiblement la pièce.*

Le mot **lampe** est le nom générique des appareils d'éclairage par l'électricité, mais ceux-ci se partagent en diverses espèces dont chacune porte un nom particulier. Les principales sortes de **lampes** pour l'éclairage domestique *(voir ce mot et* **DOMICILE — DOMICILIAIRE**) sont les **plafonniers, lustres** et **suspensions,** les **appliques,** les **lampadaires** et les **lampes de bureau** et **lampes de chevet.**

Un **plafonnier** est un «appareil d'éclairage fixé au plafond auquel il touche ou presque». Le **plafonnier** se distingue de la **suspension** en ce qu'un appareil de ce nom n'est qu'accroché au plafond auquel il est suspendu. Il y a des **suspensions** fixes et des **suspensions** mobiles à ressorts aussi appelées *suspensions monte-et-baisse.* Le **lustre** est une «sorte de suspension qui porte plusieurs lampes». Il y a des **lustres** à plateau, des **lustres** à coupes ou coupelles de verrerie (*voir* **VERRE — VERRERIE**), des **lustres** à diffuseurs, des **lustres** à abat-jour, etc. Dire [ÉLECTROLIER] au lieu de **lustre**, c'est commettre un anglicisme. **Electrolier** est un mot anglais.

On nomme **applique** tout «appareil d'éclairage formé par une plaque fixée à un mur et d'une ou plusieurs branches dont chacune porte une ou plusieurs lampes». Il y a des **appliques** fixes et des **appliques-suspensions** dont certaines sont à ressorts et d'autres à contrepoids. L'expression [APPLIQUE MURALE] est un pléonasme.

Un «appareil d'éclairage porté par un haut support vertical dont la base repose sur le sol» est un **lampadaire**. Un **lampadaire** qui emprunte sa forme à la torchère est un **lampadaire-torchère**.

Les montures des **lampes de bureau, lampes de chevet, lampes d'ambiance** et **lampes de travail** qui se posent sur des meubles sont en bois, en métal, en plastique, en verre. Leur pied (*voir* **PATTE**) s'appuie sur un socle. Elles sont pourvues d'un abat-jour ou d'un réflecteur.

L'ensemble des appareils d'éclairage et un ensemble d'appareils d'éclairage se désignent par le mot **luminaire**: *vous trouverez chez ce marchand des luminaires de luxe.* Se garder d'employer le mot anglais **fixture** prononcé à la française pour désigner les appareils d'éclairage électrique. Il ne faut pas dire *une* [FIXTURE] *bien étudiée* au lieu d'*un luminaire bien étudié.* Il ne faut pas dire *magasin de* [FIXTURES] *électriques* au lieu de *magasin de luminaires,* ou *magasin de lampes,* ou *magasin d'appareils d'éclairage.*

Un «cordon électrique portant une série de petites lampes (dont on décore les arbres de Noël, qu'on suspend dans les rues les jours de fête, etc.)» est une **guirlande**. On dit *guirlande lumineuse* et *guirlande électrique.* Se garder de désigner une **guirlande** lumineuse par l'expression [JEU DE LUMIÈRES]. Le mot *jeu* sert à désigner des ensembles d'objets dont on se sert séparément: *jeu de brosses, jeu de clefs.* Un *jeu de lumière* (au singulier) est une combinaison changeante de rayons lumineux: *le jeu de lumière de la fontaine.* C'est sous l'influence du substantif anglais **set**, qui sert à désigner toute sorte d'ensembles, qu'on dit fautivement [JEU DE LUMIÈRES] au lieu de *guirlande électrique* ou *guirlande lumineuse.*

Enfin, **lumière** désigne une source de radiation propre à rendre les objets visibles, à éclairer, non un signal lumineux. C'est encore sous l'influence de l'anglais, qui dit **traffic-light**, qu'on désigne souvent au Canada les **feux** de circulation par le mot **lumière**. Tout signal lumineux est un **feu**: *feux arrière d'une voiture* (par opposition à la **lumière** des phares qui éclairent la route), les *feux d'un navire, feux clignotants.* Il ne faut pas dire *brûler une* [LUMIÈRE] *rouge,* mais *brûler un feu rouge,* non plus qu'*il n'y a pas de* [LUMIÈRES] *de circulation à cette intersection* au lieu d'*il n'y a pas de feux de circulation à cette intersection.*

Voir **BRÛLER.**

LUMINAIRE — *Voir* **LUMIÈRE.**

LUSTRE — *Voir* **LUMIÈRE.**

M

MACÉDOINE — *Voir* **SALADE.**

MACHINE À COUDRE — *Voir* **MOULIN.**

MACHINE À ÉCRIRE — *Voir* **DACTYLOGRAPHE** *et* **DISPENDIEUX.**

MACHINE À LAVER — *Voir* **LESSIVEUSE** *et* **MOULIN.**

MACHINE À PAPIER — *Voir* **MOULIN.**

MACHINISTE — Au XVIIᵉ siècle, ce mot avait les deux sens d'«inventeur de machines» et d'«homme habile en mécanique». Il s'employait aussi au sens moderne du mot **opérateur**, «conducteur de machines, d'appareils». Il n'a conservé dans le vocabulaire contemporain que ceux de «conducteur d'autobus» et d'«ouvrier chargé de mettre en place et de démonter les décors, au théâtre et au cinéma». Le **mécanicien** n'est pas un **machiniste**.

Le terme anglais **machinist** désigne maintenant de façon générale les **mécaniciens**. De sorte que c'est un anglicisme qu'on commet, particulièrement dans le vocabulaire syndical, quand on dit [MACHINISTE] au lieu de **mécanicien**.

MADAME — MADEMOISELLE — MONSIEUR — *Voir* **ABRÉVIATION** *et* **DAME** (du latin **domina**).

«**MAGANER**» — À force de parler du latin, et des langues issues du latin et du grec, on oublie que les anciens dialectes germaniques ont été des facteurs du français dans une mesure qui n'est pas négligeable (*voir* **CONTRE**). Le canadianisme [MAGANER] a été apporté par des ancêtres venus de régions de la France où le verbe d'ancien français **mehaignier** (qui s'écrivait aussi *mahaignier* et se prononçait à peu près comme [MAGANER]) était encore d'usage courant aux XVIᵉ et XVIIᵉ siècles. Ce verbe, qui était utilisé en France dès le XIIᵉ siècle, a toujours signifié au cours de ses quatre cents ans d'existence «mutiler, blesser, maltraiter, tourmenter» et le substantif d'ancien français **mehaing**, dérivé de **mehai-**

gnier, voulait dire «blessure, maladie, souffrance, chagrin et malheur». Le verbe **mehaignier** était d'origine germanique, comme le verbe anglais **to maim**, de même source, qui signifie «estropier, mutiler».

[MAGANER] est un vieux mot dialectal. Il faut se servir en français de nos jours des verbes **maltraiter**, **malmener**, **fatiguer**, **épuiser** en parlant des personnes et **endommager, détériorer** et **salir** en parlant des choses. Quand on l'applique aux choses, le verbe n'est plus un vieux mot mais plutôt une faute: *j'ai* [MAGANÉ] *mes souliers en marchant dans la boue.*

Au lieu de l'adjectif [MAGANÉ], on doit dire, pour les personnes, **fatigué, épuisé**, **malmené** ou **souffrant**. Au lieu de *tu as l'air* [MAGANÉ] *ce matin*, il faut dire *tu as l'air souffrant ce matin* ou *tu as l'air fatigué*... etc. Pour les choses, on dit **endommagé** ou **sali**.

MAGASINAGE — MAGASINER — Le verbe **magasiner** est un mot désuet qui a vécu obscurément jusque vers le milieu du XIXe siècle. Il figure dans les dictionnaires HATZFELD-DARMESTETER, BESCHERELLE AÎNÉ (*voir* **SENIOR**) et LAROUSSE DU XXe SIÈCLE comme synonyme peu usité d'*emmagasiner* au sens de «mettre en magasin». Il semble bien que sa principale fonction aura été de donner le dérivé **magasinage**, en dépit des dictionnaires d'étymologie qui font descendre ce dernier mot directement de *magasin*, ce qui serait contraire à la très ancienne manière de former des mots nouveaux à l'aide du suffixe *age* pour désigner des actions. *Marchandage* ne vient pas de *marchand*, mais de *marchander* (*voir* **BARGUIGNAGE — BARGUIGNER — BARGUIGNEUR**), et *balayage* n'est pas un dérivé de *balai*, mais de *balayer* (*voir* **VADROUILLE**). Le substantif **magasinage**, né vers 1675, continue d'avoir cours. Il signifie «action de mettre en magasin» et, particulièrement, «action de mettre en dépôt dans un magasin»: *le magasinage de nouveaux produits* et *le magasinage des stocks.*

Pour désigner l'«action d'aller d'un magasin à l'autre pour faire des achats», on dit correctement, depuis longtemps, **courir les magasins**. On dit aussi, pour «faire des achats», **faire des emplettes** et, depuis moins longtemps, **faire des courses**. Quand on parle d'articles de consommation alimentaire, on dit **faire des provisions**. Par goût de la nouveauté et peut-être aussi un peu par snobisme, on dit depuis quelques années **faire du shopping**, mais l'expression n'est guère usitée encore de façon courante hors de la région parisienne. Noter que **courses**, mot pluriel, a le sens d'«achats d'articles dans les grands magasins ou dans les boutiques»: *j'ai fait des courses chez le quincaillier* (*voir* **FERRONNERIE**), que **provisions**, mot pluriel, se dit de tous les produits alimentaires et d'entretien domestique: *n'oublie pas de faire nos provisions chez l'épicier* et qu'**emplette**, au singulier et au pluriel, signifie «achat de toute chose utile pour les personnes ou pour la maison»: *faire l'emplette d'un électrophone* (*voir* **PHONOGRAPHE**) et *je fais mes emplettes de la semaine le vendredi.*

Au Canada, on a repris le nom **magasinage**, qui n'y est à peu près jamais employé dans son sens propre, et le verbe désuet **magasiner** pour, sur le vieux modèle de **voisinage** et de **voisiner**, leur faire désigner et exprimer l'«action de fréquenter les magasins pour y faire des achats» et l'on dit [FAIRE DU MAGASINAGE] et [MAGASINER] au lieu de *faire des courses, faire ses emplettes, faire ses provisions, courir les magasins* ou *faire du shopping.*

On peut objecter (*voir ce mot*) de si nombreuses raisons à ces emplois de **magasinage** et de **magasiner** qu'il est inutile d'espérer qu'ils passent jamais au français correct.

Premièrement, ils se heurtent à des expressions universellement utilisées. Deuxièmement, l'exemple du substantif *voisinage* est mauvais. L'emploi de ce mot français au sens d'«action de fréquenter ses voisins» est patois. On a longtemps entendu au Canada des phrases comme celle-ci : *c'est un ours, il ne fait pas de voisinage*. Cela vient sans doute de ce que le verbe **voisiner**, issu d'un mot de latin décadent qui signifiait «proche, voisin», lui-même venu d'un mot latin qui avait les sens de «ferme» et de «village», eut au XVIe siècle la signification de «fréquenter»: on *voisinait* les gens des fermes et des villages environnants. Le mot **voisinage** n'a, cependant, jamais eu en français le sens de «fréquentation».

Troisièmement, pour signifier une action, on n'a jamais construit un mot avec un verbe et le suffixe *age* que pour désigner l'action qu'exprime le verbe dont il est dérivé: le *marchandage* est l'action qu'exprime le verbe dont il est dérivé: le *marchandage* est l'action de *marchander*, comme le *balayage* est l'action de *balayer*.

On ne construit pas un mot se terminant par *age* pour signifier une action en se servant d'un nom commun comme radical.

Au sens où on l'emploie au Canada, [MAGASINAGE] ne peut venir que de **magasiner**. Or **magasiner** n 'a jamais exprimé l'action que l'on veut faire désigner par [MAGASINAGE].

Quatrièmement, peut-on recréer le verbe **magasiner** pour lui donner le sens de «fréquenter les magasins»? A. — Au sens de «fréquenter ses voisins», **voisiner** a tellement vieilli qu'il est presque désuet et il ne faut pas oublier que ce verbe a déjà eu le sens absolu de «fréquenter». B. — Il n'existe aucun autre verbe français exprimant l'idée de «fréquenter» les personnes ou les choses nommées par le substantif dont il est dérivé. On ne dirait pas *caféier* pour «fréquenter les cafés», ou *parenter* pour «fréquenter ses parents», ou *cluber* pour «fréquenter les clubs». On ne dit pas *restauranter* pour «prendre ses repas au restaurant». C. — [MAGASINER], pris dans l'acception d'«aller faire des achats dans les magasins», s'oppose nettement au sens du substantif *magasinier*, qui veut dire «personne chargée de recevoir les choses à mettre en magasin et de veiller sur elles», non de les acheter.

Il ne faut pas dire *je vais* [MAGASINER] *cet après-midi* (*voir* **MATIN — MATINÉE**), mais *je vais faire des emplettes cet après-midi*. Il ne faut pas dire *faites votre* [MAGASINAGE] *au centre commercial* (*voir* **CENTRE**) *de votre quartier*, mais *faites vos achats*, ou *vos courses*, ou *vos emplettes*, ou *vos provisions*, ou *votre shopping au centre commercial de votre quartier*.

Aux sens où on les emploie au Canada, [MAGASINAGE] et [MAGASINER] sont des termes à proscrire. Mieux vaut emprunter le terme **shopping** tel quel de l'anglais que de s'en inspirer (en pensant au sens du mot **shop**) pour fausser les structures du français.

MAGASIN DE TABAC — MARCHAND DE TABAC — *Voir* **TABAGIE**.

MAGISTRATURE — *Voir* **BANC**.

MAI — Se garder de prononcer *mé* quand on nomme le cinquième mois de l'année. Le mot *mai* se prononce *mè* comme la première syllabe de *maison*.

Voir **BAIE**.

MAIL — Le jeu de mail, que nous ne connaissons pas, eut de nombreux fervents en France, mais il a perdu tout son charme et cet ancien élément de la vie courante dans plusieurs régions a disparu. Il a, cependant, laissé son nom aux allées bordées d'arbres où l'on jouait au mail. Il reste un certain nombre de promenades publiques ayant cette origine en France. Ce sont des **mails**.

Aux États-Unis, l'anglais utilise le substantif **mall** pour nommer de grands centres commerciaux. L'anglais a le droit d'employer le mot **mall** dans cette acception au Canada: *Cavendish Mall*. Mais c'est le *centre commercial Cavendish* qu'il faut dire en français (*voir* **CENTRE**), non le [MAIL] *Cavendish*.

D'aucuns eurent d'autre part la mauvaise idée d'appeler [MAIL] une rue réservée à la circulation des piétons. Une rue de cette sorte est une **rue piétonne** ou **piétonnière**. On poussa la maladresse jusqu'à dire [MAIL PIÉTONNIER].

Mail est un mot français inutilisable au Canada.

MAIN — *Voir* **BRASSE — BRASSER**.

MAIN (DE SECONDE...) — L'expression **de seconde main** ne s'emploie qu'à propos de renseignements ou d'ouvrages documentaires aux seuls sens d'«appris par intermédiaire» et de «fait d'après un ou des intermédiaires». *Je tiens de première main que la situation de cette entreprise est saine* signifie qu'on a appris cela d'une personne qui le sait par ses propres constatations, du comptable de la firme par exemple. *Je tiens ce renseignement de seconde main* signifie qu'on le tient d'un tiers, qu'on l'a eu par ouï-dire. Un *ouvrage de seconde main* est un ouvrage qui n'est pas fait directement d'après les sources, mais qui est fait d'après des travaux dont les auteurs s'étaient, eux, renseignés aux sources.

C'est commettre une faute que de prêter à **de seconde main** le sens de «d'occasion, usagé, de revente» qu'a le terme anglais **second-hand**. La locution adverbiale **d'occasion** signifie «par occasion», c'est-à-dire dans des circonstances particulièrement favorables, et elle s'emploie adjectivement au sens de «qui n'est plus neuf, qui a déjà servi» quand on parle de marchandises: *j'ai acheté ce livre d'occasion* et *on peut acheter à bon marché de bonnes voitures d'occasion*. **Usagé** a le même sens de «qui n'est plus neuf, qui a déjà servi», mais il s'applique à n'importe quel objet, particulièrement aux vêtements, et non seulement aux marchandises: *porter des souliers usagés*; *cet homme est pauvre ou avare, car le seul costume qu'il porte est très usagé* et *acheter une voiture usagée*. *De revente* se dit des marchandises **d'occasion** ou **usagées** et du commerce de ces marchandises: *le commerce de revente porte le nom de brocante* et *on appelle brocanteurs les marchands qui ne font commerce que d'articles de revente*. **Brocanter** signifie «faire commerce d'objets achetés d'occasion». Celui qui fait ce commerce est un **brocanteur** et son commerce est la **brocante**.

NOTE — L'expression **de seconde main** a eu longtemps dans le langage commercial les significations de « par intermédiaire » et d'« en tant qu'intermédiaire » : *acheter de seconde main* et *vendre de seconde main*. On disait *acheter de première main* quand on achetait de celui qui avait le premier fabriqué ou mis en vente la chose dont il s'agissait. La multiplication des intermédiaires au XXe siècle a fait disparaître ces acceptions et seuls des auteurs de dictionnaires continuent d'employer l'expression **de seconde main** pour dire ceci ou cela quand ils parlent de commerces du passé, comme celui du regrattier (*voir ce mot*). Qu'elle ait eu cours en France dans quelques milieux au début du siècle au sens de « d'occasion », cela semble certain, car l'ACADÉMIE FRANÇAISE, seule à le faire, en autorise malheureusement cet emploi dans la dernière édition de son *DICTIONNAIRE* (1935). Personne, aujourd'hui, en France, ne dit *de seconde main* au lieu de **d'occasion**. Cette extension de sens reste un anglicisme.

Il ne faut pas dire *je n'ai acheté pour mon appartement que des meubles* [DE SECONDE MAIN], mais *je n'ai acheté que des meubles d'occasion* ou *je n'ai acheté que des meubles usagés*. Il ne faut pas dire *un magasin d'articles* [DE SECONDE MAIN], mais *une boutique de brocanteur* ou *un magasin d'articles de revente* ou *d'articles d'occasion.*

MAINTENANCE — L'ancien français a dérivé de *maintenir* au XIIe siècle un substantif **maintenance** qui fut employé jusqu'au XVIe siècle aux divers sens d'« action de protéger », « action de conserver », « protection », « surveillance », « maintien, tenue ». L'anglais a emprunté ce nom et l'a gardé sans en changer la forme orthographique, tandis que le français du XVIIe siècle le laissait échapper. Seuls quelques parlers romans du Sud le conservèrent dans des acceptions particulières : « conservation des terres » en dauphinois et « société littéraire pour la survivance de la langue d'oc » en provençal.

Devenu anglais, le substantif a acquis dans cette langue de nouvelles significations. Dans le vocabulaire courant, il a pris le sens général d'« entretien, ensemble des vérifications et des travaux à faire pour maintenir une chose en bon état ». Le français a repris le mot à l'anglais il y a un demi-siècle environ, probablement pendant la première Grande Guerre, mais comme terme technique seulement. Le terme **maintenance** s'est répandu en technique industrielle depuis quelques années : « ensemble de tout ce qui permet de maintenir un système ou une partie de système en état de fonctionnement » *(PETIT LAROUSSE ILLUSTRÉ).*

On commet un anglicisme chaque fois que l'on se sert du mot **maintenance** à la place d'**entretien** ou de **rénovation** dans le langage courant. Un entrepreneur de plomberie ne doit pas dire *je fais plus de* [MAINTENANCE] *que de construction*, mais *je fais plus d'entretien* ou *de rénovation que de construction.* Il ne faut pas dire *le service de la* [MAINTENANCE] *d'un parc d'attractions* (*voir* **AMUSEMENT**), mais *le service de l'entretien d'un parc d'attractions.* Il ne faut pas dire *cet immeuble a besoin de plus de* [MAINTENANCE] *qu'on y en fait*, mais *cet immeuble a besoin de plus d'entretien* ou *a besoin de rénovations*, selon ce que l'on veut dire.

Se garder, d'autre part, d'employer le mot **service** au lieu d'**entretien** : *la garantie assure un an de* [SERVICE] *gratuit après la vente* au lieu de *la garantie* *assure un an d'entretien gratuit après la vente.* On peut, cependant, dire par ellipse *service après vente* pour *service d'entretien après vente*, que ce **service** fasse ou non gratuitement l'**entretien**.

MAINTENANT — Dans le langage familier, les Canadiens disent souvent *asteure* au lieu de **maintenant** ou **à présent**. L'adverbe **asteure** (qui s'écrivait aussi *astheure* et *asthure*) se trouve dans les ouvrages des meilleurs écrivains du XVIe siècle, auquel il n'a pas survécu. Il ne faut pas dire [ASTEURE] *que vous avez accepté de discuter, aussi bien aller jusqu'au fond de la question*, mais *maintenant que vous avez accepté de discuter.* Au lieu d'[ASTEURE] *qu'il fait beau, allons nous promener!* il faut dire *maintenant* ou *à présent qu'il fait beau, allons nous promener!*

On l'emploie encore dans quelques provinces de France.

MAIRE — *Voir* ÉCHEVIN.

MAIS — *Voir* PAR EXEMPLE.

La locution conjonctive *mais que* signifiant «quand», restée vivante dans le langage familier au Canada, était usuelle dans le français populaire du XVIe siècle, où elle avait aussi le sens de «sitôt que» et de «pourvu que». Condamnée par les grammairiens comme expression de bas étage, *mais que* disparut du vocabulaire français vers la fin du XVIIe siècle. La locution commandait le subjonctif: *mais qu'il soit là, mais qu'il vienne.* Au Canada, on l'a fait parfois suivre d'un futur: *mais qu'il aura chanté.* Suivie d'un subjonctif ou d'un futur, cette vieille tournure est d'autant plus à proscrire qu'elle n'a jamais été de bon ton. Il faut dire correctement *quand il sera là, quand il viendra* et non [MAIS QU'IL SOIT LÀ], [MAIS QU'IL VIENNE] OU [MAIS QU'IL VIENDRA].

MAÏS — *Voir* BLÉ D'INDE.

MAISON DE CAMPAGNE — *Voir* CAMP.

MAISON DE RABAIS — *Voir* VENTE.

MAISON DE RAPPORT — *Voir* APPARTEMENT.

MAÎTRE — *Voir* INSTITUTEUR.

MAÎTRESSE — *Voir* BLONDE.

MAÎTRISE — MAÎTRISER — *Voir* CONTRÔLE — CONTRÔLER.

MAJORITÉ — Ce mot ne se dit qu'à propos d'un groupe qui se compte par unités: *la majorité des électeurs, la majorité des spectateurs, dans la majorité des cas.* Mais on ne peut dire *la* [MAJORITÉ] *de l'opinion publique*, parce que l'opinion publique ne se compte pas, au lieu de *la plus grande partie de l'opinion publique.*

Le mot **majorité** ne peut déterminer un complément collectif.

MAJUSCULE (adjectif) — *Voir* CAPITAL.

MAJUSCULES (ACCENTS SUR LES...) — *Voir* **SIGNES ORTHOGRAPHIQUES.**

MAL — *Voir* **MISÈRE.**

MALFAITEUR — *Voir* **SUSPECT.**

MALHEUREUX — *Voir* **VALEUR (DE...).**

MALLE — MALLETTE — *Voir* **POSTE** *et* **VALISE.**

MALMENER — *Voir* «**MAGANER**».

MALTRAITER — *Voir* «**MAGANER**».

MANAGER — *Voir* **GÉRANT.**

MANDARINE — MANDARINIER — La **mandarine** est un fruit qui appartient à la famille des agrumes (*voir ce mot*). Ce fruit, cousin de l'orange, a un parfum particulièrement estimé. L'arbrisseau qui le produit, le **mandarinier**, est originaire de Chine.

Le nom **mandarine**, semble-t-il, a été emprunté à l'espagnol (**naranja mandarina**: orange des mandarins). Les Italiens appellent ce fruit **mandarina**.

En Occident, on a commencé à cultiver le **mandarinier** dans le Sud-Est de la France et le Nord-Ouest de l'Afrique. Les premières **mandarines** importées aux États-Unis sont probablement venues de la région de Tanger, car, en Amérique du Nord (en Grande-Bretagne, on dit **mandarin**), ce fruit s'appelle **tangerine** et le **mandarinier**, **tangerine-tree**.

Dire [TANGERINE] au lieu de **mandarine**, c'est commettre un anglicisme.

MANDAT — *Voir* **TERME.**

MANÈGE — Ce mot (*voir* **ARSENAL** *et* **CARROUSEL**) désigne une attraction mécanique, mais ce n'est pas le terme générique qui convient à toutes les attractions. Son étymologie l'indique nettement: quand on dit **manège**, on parle de chevaux.

Dans les journaux du Canada, ceux de Montréal en particulier, il est périodiquement question des [MANÈGES] *de la Ronde*, alors qu'on veut parler des **attractions** *de la Ronde*.

Les *montagnes russes* sont une **attraction** destinée à une autre clientèle que celle du **manège**. On ne peut dire des *montagnes russes* que c'est un [MANÈGE]. C'est une **attraction**.

MANIFESTATION — *Voir* **DÉMONSTRATION.**

MANIFESTER — *Voir* **DÉVELOPPER.**

MANNEQUIN — *Voir* **MODÈLE — MODELER.**

MANOEUVRES ABORTIVES — *Voir* **OPÉRATEUR — OPÉRATION — OPÉRER.**

MANQUER — Dans le langage familier, *vous me manquez beaucoup* a le même sens que *je m'ennuie beaucoup de vous*, c'est-à-dire «vous me faites défaut alors que j'ai grand besoin de vous». Au sens de «faire défaut», **manquer** n'est pas un verbe transitif direct.

Vouloir exprimer la même pensée en plaçant le complément à la place du sujet et en employant le verbe transitivement de façon directe, c'est commettre un anglicisme. [JE VOUS MANQUE BEAUCOUP] au lieu de *vous me manquez beaucoup* est un calque de la phrase anglaise **I miss you very much**. Contrairement à **manquer**, le verbe anglais **to miss** est transitif direct dans toutes ses acceptions.

Je vous manque beaucoup («je vous fais défaut») ne peut signifier qu'une chose: «vous vous ennuyez beaucoup de moi» et une mère absente écrira correctement à ses jeunes enfants restés à la maison *je sais que je vous manque beaucoup, mais songez que je serai bientôt de retour.*

MANTEAU — *Voir* **PARDESSUS**.

MANUCURE — **Manucure** est un mot relativement jeune. Son origine remonte aux années 1870. Comme il désigna en premier lieu une «personne qui s'occupe de guérir les affections des mains» et que cela correspondait à *pédicure*, on l'orthographia d'abord *manicure*. Depuis le début du siècle, on ne dit plus et l'on n'écrit plus que **manucure** et le mot ne désigne plus qu'une «personne chargée des soins de beauté des mains et en particulier des ongles chez un coiffeur (*voir* **BARBIER**) ou dans un institut de beauté». À la vérité, bien que très ressemblants, **manicure** et **manucure** sont des mots différents, n'ayant ni la même forme ni le même sens. Le premier est tombé hors d'usage après une courte existence et le second est issu du premier. Il ne faut pas dire, par exemple, sous l'influence de l'anglais **manicurist**, *il y a une excellente* [MANICURE] *chez mon coiffeur*, mais *il y a une excellente manucure chez mon coiffeur.*

Se rappeler que **manucure** désigne une personne et non les soins qu'elle donne. Le substantif anglais **manicure** a les deux significations et c'est commettre un anglicisme que de dire *je me suis fait faire un* [MANUCURE] *chez mon coiffeur* au lieu de *je me suis fait faire les ongles* ou *je me suis fait faire les mains chez mon coiffeur.* Il ne faut pas dire *je me suis donné un* [MANUCURE], mais *je me suis fait les ongles.*

L'adjectif [MANUCURÉ], calque du participe passé du néologisme anglais **to manicure** («faire les ongles»), est une faute. Au lieu de *cet homme a toujours les mains* [MANUCURÉES], il faut dire *cet homme a toujours les mains soignées* ou *les ongles faits.*

MANUFACTURE — *Voir* **ARSENAL**.

MARATHON — *Voir* **RADIO — TÉLÉ**.

MARBRE — Les **billes** à jouer, petites boules de pierre, de marbre, d'agate, de verre (*voir* **VITRE**), etc., s'appellent **marbles** en anglais et l'on commet une faute quand, calquant cette langue, on se sert du mot **marbre** pour les désigner. Il ne faut pas dire *les enfants jouaient aux* [MARBRES], mais *les enfants jouaient aux billes.*

MARCHAND — *Voir* **VENDEUR**.

MARCHANDAGE — MARCHANDER — MARCHANDEUR — *Voir* **BARGUIGNAGE — BARGUIGNER — BARGUIGNEUR**.

MARCHANDE — *Voir* **ABRÉVIATION**.

MARCHE — MARCHER — **Se promener** signifie «aller ça et là pour se distraire, prendre l'air ou faire un exercice agréable et salutaire». **Marcher** n'a pas cette signification. Il est incorrect de dire *je vais* [MARCHER] au lieu de *je vais me promener*.

Marche désigne l'«action de se déplacer en marchant». Cette action peut être pratiquée pour le plaisir, ou comme sport, ou comme exercice d'hygiène; on dit alors *faire de la marche*. Le mot se dit en particulier de cette action considérée sous le rapport de la durée : *faire de longues marches après les repas*. Mais il ne se dit pas de la seule «action d'aller ça et là pour se distraire, prendre l'air ou faire un exercice agréable et salutaire», définition de **promenade**. Pour exprimer le fait de se déplacer, **marche** ne s'emploie comme terme individuel qu'accompagné d'un qualificatif: *je vais faire une petite marche d'une demi-heure*.

Il ne faut pas dire absolument *faire une* [MARCHE] comme on dit *faire une promenade*. Dans le langage familier, **tour** est synonyme de **promenade**. On dit aussi *faire un tour*.

Voir **PRENDRE**.

MARIAGE — Se garder d'écrire ce mot avec deux *r*, comme l'anglais **marriage**.

MARIER — Sauf en patois normand, ce verbe n'a jamais été synonyme d'**épouser**, c'est-à-dire qu'il n'a jamais signifié en français «prendre une femme ou un homme en mariage». Il ne faut pas dire il [MARIERA] *sa fiancée la semaine prochaine*, mais *il épousera sa fiancée la semaine prochaine*. Une femme ne doit pas dire *j'ai* [MARIÉ] *mon mari parce que je l'aimais*, mais *j'ai épousé mon mari parce que je l'aimais*.

Un père **marie** sa fille quand il la donne en mariage et un prêtre **marie** des fiancés quand il les unit par le lien conjugal, mais chacun des fiancés **se marie**, c'est-à-dire se lie par le lien conjugal, et **épouse** l'autre. Des fiancés que l'on **marie** s'**épousent**. On ne peut dire qu'[ILS SE MARIENT L'UN L'AUTRE]: ils se **marient** l'un avec l'autre et s'**épousent** l'un l'autre.

MARINE — *Voir* **BLEU**.

MARMELADE — Le mot anglais **marmalade** vient du mot français **marmelade**, venu du grec, passé au latin et reçu par l'intermédiaire du portugais. Dire [MARMALADE] au lieu de **marmelade**, c'est commettre un anglicisme.

MARMOTTE — *Voir* **ANIMAUX**.

MARQUE — MARQUÉ — MARQUER — Il y a des **marques**, «signes qui distinguent une chose», que l'on peut lire : *j'ai écrit une marque indélébile indiquant* *ses initiales et un numéro sur tous les sous-vêtements de mon fils avant son entrée au pensionnat*, mais on ne peut employer le verbe **marquer** comme synonyme d'**écrire** ou d'**inscrire**. Il ne faut pas dire *nous avons* [MARQUÉ] *sur l'étiquette* au lieu de *nous avons écrit sur l'étiquette*, non plus que *vous avez oublié de* [MARQUER] *cette dépense* au lieu de *vous avez oublié d'inscrire cette dépense.*

L'adjectif **marqué** se dit, cependant, dans le langage familier, d'une simple indication: *les distances ne sont pas marquées sur les poteaux* et *l'adresse de l'expéditeur n'est pas marquée sur le colis*. Il reste préférable d'employer l'adjectif **indiqué**: *la distance indiquée, l'adresse indiquée.*

Marquer avait au XVIIe siècle le sens de «faire remarquer» (les mots *remarquer* et *remarque* sont des dérivés de **marquer**). On disait, par exemple, *je vous marque dans ma lettre que*... Cette acception n'a plus cours depuis plus de deux siècles, mais il est possible que la faute qui consiste à prêter à **marquer** le sens d'«écrire, noter, indiquer» soit du vieux français dialectal.

Voir **COMMÉMORER, COMPTE — COMPTER — COMPTEUR** *et* **ÉTIQUETTE.**

MARQUEUR — *Voir* **COMPTE — COMPTER — COMPTEUR.**

«**MASKINONGÉ**» — Ce mot emprunté à l'algonquin désigne une espèce de gros brochets qui n'habite que les Grands Lacs et la vallée du Saint-Laurent. Ce poisson indigène garde légitimement le nom que les Amérindiens lui avaient donné, car il n'en a pas reçu du français et apparaît maintenant dans les dictionnaires.

MATCH — *Voir* **JOUTE.**

MATÉRIEL — L'adjectif **matériel** a été substantivé vers la fin du XVIIe siècle. Il eut en premier lieu le sens abstrait de «ce qui fait la matière d'une oeuvre d'art», par opposition au *spirituel* qui l'anime, et le sens concret collectif d'«ensemble des choses matérielles». Ces acceptions sont vieillies. On n'en trouve plus guère trace que dans l'expression populaire *s'occuper du matériel*, qui signifie «veiller à disposer d'assez d'argent pour manger tous les jours». On dit aussi dans le langage populaire *gagner la matérielle* ou *avoir la matérielle assurée*, pour dire «ce qui suffit pour vivre au jour le jour».

De nos jours, le nom **matériel** n'a que les significations suivantes: «ensemble d'instruments servant à une sorte de travail ou d'activité»: *matériel d'imprimerie, matériel roulant, matériel de bureau, matériel de chasse*, et «ensemble des instruments appartenant à une entreprise, à un établissement»: *service de l'entretien* (*voir* **MAINTENANCE**) *du matériel de l'usine* et *ce cultivateur possède un matériel moderne pour l'exploitation de sa ferme*. **Matériel** est synonyme (*voir* **DISPENDIEUX**) d'*appareillage*, d'*équipement* et d'*outillage*. Le mot désigne des moyens employés pour transformer un produit, non des produits à transformer ou à utiliser.

Le substantif anglais **material** a le sens de «matériau» en parlant de construction et celui d'«étoffe ou tissu pour la fabrication de vêtements, de draperies, de pièces de lingerie de maison, etc.» Un tailleur qui dit à un client *pour un costume chic* (*voir* **HABILLAGE — HABILLEMENT — HABILLER — HABIT**), *voici un* [MATÉRIEL] *d'excellente qualité* au lieu de *voici une étoffe d'excellente qualité* commet un anglicisme. Il ne faut pas dire *ce n'est pas la qualité du* [MATÉRIEL] *de sa robe qui fait l'élégance d'une femme*, mais *ce n'est pas la qualité de l'étoffe.* Au lieu de *le* [MATÉRIEL] *de ce manteau de pluie* (*voir* **PARDESSUS**) *est vraiment imperméable*, il faut dire *l'étoffe de ce manteau de pluie.* Il ne faut pas dire *je paie volontiers quelques cents de plus pour avoir des torchons de cuisine* (*voir* **SERVIETTE**) *en* [MATÉRIEL] *solide*, mais *en tissu solide.*

Le mot **tissu** se dit de tous les produits tissés ou maillés: *tissu de laine, tissu-éponge, tissu infroissable*, etc.

Le mot **étoffe** désigne les **tissus** dont on se sert pour faire des vêtements et des meubles: *étoffe fantaisie pour recouvrir des fauteuils.*

MATIN — MATINÉE — Le mot **matin** désigne les douze premières heures de la journée: *il était deux heures du matin*, mais il s'applique particulièrement au temps qui s'écoule entre le lever du jour et midi: *sa journée de travail commence tôt le matin* et, plus particulièrement encore parfois, au lever du jour: *la fraîcheur d'un matin d'août.* Pris absolument, le mot **matinée** désigne le temps qui s'écoule entre le lever du jour et midi. Dans cette acception, il est synonyme de **matin**: *sa journée de travail commence tôt dans la matinée* et *une matinée d'automne pluvieuse.* **Matinée**, cependant, se dit particulièrement de cette période de temps par rapport à ce à quoi on l'emploie, aux choses qui s'y passent: *une matinée de travail, ce fut une matinée d'émeutes* et *j'ai étudié toute la matinée.*

La période de temps qui s'écoule de midi à dix-sept heures est l'**après-midi**. Dans le vocabulaire des spectacles et de la vie mondaine, cependant, un événement qui commence au début de l'après-midi est une **matinée**: *une matinée de cinéma* et *la présidente a reçu les membres du bureau* (*voir* **EXÉCUTIF**) *de notre cercle littéraire pour une matinée de bridge.* On dit *quatre heures de l'après-midi* et *cinq heures du soir.*

Soir et **soirée** désignent le temps qui s'écoule depuis dix-sept heures jusqu'à minuit ou jusqu'au moment où l'on se couche pour la nuit: *un soir de printemps, une belle soirée d'automne.* Comme **matinée** à l'égard de **matin**, le mot **soirée**, cependant, se dit particulièrement de ce à quoi l'on emploie le **soir**, des choses qui s'y passent: *une soirée de musique, une soirée dansante, une longue soirée de discussion.*

L'expression *avant-midi* formée au Canada sur le modèle d'**après-midi** est un provincialisme inutile. Il faut s'abstenir de l'employer quand on écrit ou quand on veut parler dans un langage soigné. **Matin** et **matinée** suffisent: partout ailleurs dans le monde, les francophones ne se servent que de ces deux termes. Au lieu de *je vous attendrai jusqu'à onze heures de l'*[AVANT-MIDI] *demain*, on écrit correctement *je vous attendrai jusqu'à onze heures demain matin.*

Les abréviations A.M. et P.M. (abréviations des expressions latines **ante meridiem** et **post meridiem**) sont anglaises. Le français ne les utilise pas. Dans un horaire (*voir* **CÉDULE**) annonçant les heures de départ des trains affiché dans une gare, par exemple, on ne doit pas écrire [7H, A.M.] et [7H, P.M.], mais *7h* et *19h*. Il ne faut pas écrire *la séance s'est ouverte à cinq heures* [P.M.], mais *la séance s'est ouverte à cinq heures du soir*. Il ne faut pas écrire *le mariage sera célébré à dix heures* [A.M.], mais *le mariage sera célébré à dix heures* ou *à dix heures du matin* s'il est nécessaire de faire cette précision.

MATRICULE — *Voir* **AUTOMOBILE**.

MATURE — L'adjectif **mature**, du latin **maturus**, est un terme d'ichtyologie. Il se dit du poisson prêt à frayer: *omble mature* (*voir* **POISSONS**). L'employer au sens de «qui a atteint un certain degré de maturité d'esprit, qui a le sens de la responsabilité», c'est lui prêter l'une des significations de l'adjectif anglais **mature**. C'est commettre un anglicisme. On s'explique autrement en français. Il ne faut pas dire *avoir l'esprit* [MATURE], mais *avoir l'esprit mûr*, s'il s'agit d'une personne arrivée au terme de son développement intellectuel. Il ne faut pas dire *adolescent* [MATURE] quand on veut parler d'un *adolescent réfléchi*. Il ne faut pas dire *voilà un caractère* (*voir ce mot*) [MATURE] au lieu de *voilà un caractère prudent* ni parler d'un *enfant* [MATURE] quand on pense à un *enfant sérieux*. Les adjectifs **mûr**, **prudent**, **réfléchi** et **sérieux** sont les termes à utiliser selon le cas.

On qualifie, cependant, d'**immature** ou d'**immaturé**, du latin **immaturus**, quelqu'un qui manque de stabilité intellectuelle: *à trente ans, il est encore immature*.

MAUVAIS — *Voir* **MÉCHANT**.

MAZOUT — *Voir* **HUILE** *et* **SOLÉCISME**.

MÉCANICIEN — *Voir* **MACHINISTE**.

MÉCHANT — L'adjectif **méchant** signifia d'abord «qui est dans le malheur» et, par extension, «qui est dans la misère». Au XVIe siècle, on avait ajouté à cela le sens de «qui a peu de valeur, qui ne vaut rien en son genre» en parlant des personnes et des choses. Le XVIIe siècle l'a employé autant dans cette dernière acception: *des vers fort méchants* et, par extension, au sens de «déplorable»: *de méchantes nouvelles*, qu'en ceux dans lesquels le mot est le plus usité aujourd'hui de «qui est porté, qui se plaît à faire du mal» en parlant des personnes: *une mégère est une femme méchante* et de «qui montre de la malice» ou «qui est nuisible» en parlant des choses: *avoir dans les yeux une lueur méchante* et *répandre des rumeurs méchantes sur ses adversaires*.

En français actuel, «qui a peu de valeur, qui ne vaut rien dans son genre» est l'une des acceptions de l'adjectif **mauvais**: *un mauvais roman, un mauvais ouvrier*. Mauvais signifie aussi «erroné, faux»: *donner une mauvaise adresse*. Rien n'indique que l'adjectif **méchant** ait jamais voulu dire cela. Il semble bien qu'on commette une faute de français en disant *un* [MÉCHANT] *numéro de téléphone* au lieu d'*un mauvais numéro de téléphone*, tandis que l'on utilise un sens vieilli quand on dit *ce café est* [MÉCHANT] au lieu de *ce café est mauvais* ou *c'est un méchant café*. Car l'usage a établi une règle depuis le XVIIe siècle: l'adjectif **méchant** employé au sens de «qui a peu de valeur, qui ne vaut rien dans son genre» doit se placer avant le nom qu'il qualifie: de la *méchante viande*, une *méchante affaire* et un *méchant avocat*. **Méchant** se place après le nom si l'on veut attribuer un caractère de malignité à la personne ou à la chose dont on parle. On s'exprime correctement en reprochant à *un méchant poète*, c'est-à-dire à un écrivain qui a peu de valeur, d'écrire *des vers méchants* si l'on veut dire que ses vers sont empreints d'un désir de nuire.

MÈCHE — *Voir* **COUETTE**.

MÉCONTENT — *Voir* **SATISFAIT**.

MÉDECIN-LÉGISTE — *Voir* **LÉGAL**.

MÉDICAMENT — MÉDICAMENTER — MÉDICAMENTEUX — Le verbe **médicamenter** est désuet. Il signifiait «soigner en administrant ou en appliquant des médicaments». **Médicament** est remplacé dans un nombre croissant de cas par le mot **remède** et l'on ne dit plus *médicamenter*, mais simplement **soigner. Médicamenter** n'est plus usité depuis un bon demi-siècle, rarement du reste, qu'au sens ironique et péjoratif de «mal soigner»: *il est mort d'avoir été médicamenté par un charlatan.*

Médicament se dit d'une «substance administrée ou appliquée dans un but thérapeutique» sans tenir compte de la valeur curative de cette substance: *la médecine n'a pas approuvé tous les médicaments de nos grands-mères*, tandis que **remède** désigne «tout moyen réellement curatif»: *des gens chez qui la digestion se fait très lentement boivent du thé ou du café très chaud comme médicament, mais les remèdes que les médecins prescrivent sont généralement des spécifiques* et *la culture physique n'est pas un médicament, mais c'est un bon remède dans votre cas.*

Médicamenter n'a jamais eu le sens de «donner à un produit des qualités thérapeutiques en y incorporant (*voir* **INCORPORATION — INCORPORER**) une substance qui a ou peut avoir un effet curatif». C'est commettre une faute sous l'influence de l'anglais que de parler, par exemple, de *bonbons* [**MÉDICAMENTÉS**]. Outre celle de «qui a naturellement la vertu d'un médicament», l'adjectif **médicamenteux** a cette signification: *le lait et la quinine sont médicamenteux* et *pour soigner la constipation* (*voir* **IRRÉGULARITÉ**) *chez les enfants, on a mis au point* (*voir* **DÉVELOPPER**) *des bouchées de chocolat médicamenteuses.*

Le verbe anglais **to medicate** a les deux significations de «soigner à l'aide de médicaments» et de «rendre médicamenteux». L'adjectif [**MÉDICAMENTÉ**] est le calque du participe passé anglais **medicated**.

Employer ainsi l'adjectif [**MÉDECINÉ**] au Canada au lieu de **médicamenteux** est une faute. Ni le verbe [**MÉDECINER**] ni l'adjectif [**MÉDECINÉ**] n'ont jamais existé en français.

Il ne faut pas dire *ce produit est impropre à la consommation courante parce qu'il est* [**MÉDICAMENTÉ**] ou [**MÉDECINÉ**], mais *parce qu'il est médicamenteux.*

MÉDIUM — Le mot français **médium** est un substantif qui n'a que des acceptions techniques. En termes de spiritisme, il désigne une «personne qui sert d'intermédiaire, ou prétend, ou croit servir d'intermédiaire entre les hommes et les esprits dont elle reçoit ou semble recevoir des messages». C'est la plus connue de ses significations. Il en a d'autres en musique et en peinture. Dans les vocabulaires du spiritisme et de ces deux arts, **médium** fait **médiums** au pluriel.

Le métier de la publicité moderne a emprunté à l'anglais son mot **medium**, lui a ajouté un accent aigu et s'en sert pour désigner un «élément matériel destiné à véhiculer ou à supporter les moyens de publicité *(ENCYCLOPÉDIE QUILLET)*». En termes de publicité, **médium** fait **médias** au pluriel: *les journaux, la radio et la télévision ne sont pas les seuls médias.* On continue de dire dans le langage courant **organe de publicité** et **support publicitaire** plutôt que le néologisme **médium**. On emploie aussi de plus en plus **média** au singulier.

Le substantif **médium**, qui ne s'emploie jamais adjectivement, n'est pas un terme de cuisine. Le mot anglais **medium** est substantif et adjectif. Usité comme adjectif, il signifie en parlant des viandes «qui n'est ni trop ni trop peu cuit au goût de la majorité des gens» et c'est commettre un anglicisme que d'employer comme adjectif dans ce sens le mot français **médium**.

Une viande servie peu cuite est une viande **saignante**: *un bifteck saignant.*

Une viande servie très cuite est une viande **bien cuite**: *une grillade bien cuite.*

Une viande servie au degré de cuisson convenable pour la plupart des gens est une viande cuite **à point**. Une serveuse ne doit pas demander à un client *désirez-vous le boeuf saignant, bien cuit ou* [MÉDIUM]*?* mais *désirez-vous le boeuf saignant, bien cuit ou à point?*

À point est une locution adverbiale qui signifie «au moment ou au degré convenable»: *vous arrivez à point* et *la température est à point pour cette épreuve de laboratoire.* Quand on dit *une viande à point*, **à point** est une locution adjective.

Se garder de dire *au point* au lieu d'**à point**. L'expression **au point** signifie «amené au point final», «achevé, parfait» et ne s'emploie qu'avec le verbe *mettre* ou absolument: *mettre un travail au point* (l'achever) et *cela est au point* (cela est parfait).

MEILLEUR — Suivi de la préposition *de*, l'adjectif **meilleur** s'emploie substantivement pour dire «ce qu'il y a de meilleur (dans une personne ou dans quelque chose)»: *donner le meilleur de soi-même* et *le meilleur de la plaisanterie est que celui qu'elle visait était le seul à ne pouvoir la saisir.* Il s'emploie aussi absolument comme substantif pour désigner une personne ou une chose qui est supérieure aux autres de la même classe: *là comme ailleurs, les meilleurs connaissent le doute* et *ce client a le sens de la qualité, il choisit toujours le meilleur.* Ce sont les seuls emplois du mot utilisé comme nom.

L'anglais se sert plus librement de son substantif **best** et son influence a donné naissance à des solécismes comme [ÊTRE À SON MEILLEUR], calque de **to be at one's best**, locution qui traduit des idées qu'on rend autrement en français: *se montrer sous son meilleur jour, être à son avantage, n'avoir jamais été plus belle, être en forme* ou *en pleine forme,* etc., [AVOIR LE MEILLEUR SUR], calque de

to have the best of, au lieu d'*avoir le dessus sur, remporter un avantage sur, l'emporter sur, surclasser*, etc.

MÉLANCOLIE — *Voir* **BLEU**.

MÉLANGER — MÊLER — Ces deux verbes expriment l'idée générale de «mettre ensemble». Il en faut au moins deux pour qu'on puisse mettre des choses ensemble: *mêler les cartes, mélanger* ou *mêler des oeufs et de la farine, mêler des documents*, etc. **Mélanger** et **mêler** n'ont pas, comme le verbe anglais **to mix**, qui les traduit l'un et l'autre, le sens de «faire» en parlant d'un mélange, de «malaxer» en parlant d'une préparation culinaire, de «préparer, composer» en parlant d'une boisson faite avec plusieurs liquides ou d'une salade (*voir ce mot*), etc. Ce sont des anglicismes que l'on commet quand, ne nommant qu'une chose comme complément, on dit, par exemple, [MÉLANGER] *une pâte* au lieu de *faire une pâte* (en **mélangeant** de la farine avec une sauce), ou *il faut peu de temps pour* [MÊLER] *ce gâteau* au lieu d'*il faut peu de temps pour préparer ce gâteau*, ou *Jean sait* [MÊLER] *ce cocktail au cognac* au lieu de *Jean sait préparer ce cocktail* (**mêler** ou **mélanger** des cocktails, c'est en mettre plusieurs ensemble), ou [MÉLANGER] *la salade* au lieu de *faire, retourner* ou *fatiguer la salade*, etc.

La tournure *être mêlé dans* pour dire «ne plus se retrouver dans, s'empêtrer, s'embrouiller dans» est archaïque. On disait au XVIIe siècle *je suis bien mêlé dans ma géographie*, mais on ne s'exprime plus de la sorte. Il ne faut pas dire *il est* [MÊLÉ] *dans ses idées*, mais *il s'embrouille*, ou *il est perdu*, ou *il ne s'y retrouve plus*, ou *il perd la tête*.

Voir **BRASSE — BRASSER** *et* **IMPLIQUER**.

MÉLODIE — *Voir* **THÈME**.

MELON D'EAU — *Voir* **DISPENDIEUX**.

MÉNAGER — *Voir* **SAUVER**.

MÉNAGÈRE — *Voir* **COUTELLERIE**.

MENER À BONNE FIN — *Voir* **FINALISÉ**.

MENSUALITÉ — Le mot **mensualité** est rarement employé dans le monde des affaires au Canada, mais on y paie toute sorte de choses par [VERSEMENTS MENSUELS ÉGAUX], calque de l'anglais **monthly payments**. Une somme versée chaque mois pendant un certain nombre de mois pour acquérir un bien ou se libérer d'une dette progressivement est une **mensualité**. Dire [VERSEMENT MENSUEL] au lieu de **mensualité**, c'est, sous l'influence de l'anglais, employer la définition du mot au lieu du mot lui-même.

Pour la même raison, il faut dire **annuité** et non [PAIEMENT ANNUEL]. Une **annuité** est une «somme versée chaque année pour acquérir un bien ou se libérer d'une dette progressivement».

MENTION DE PROVENANCE — *Voir* **CRÉDIT**.

MENTIONNER — *Voir* **RÉFÉRER.**

MENU — *Voir* **ANGLICISME.**

MÉPRIS — *Voir* **OFFENSE.**

MERCERIE — MERCIER — Jusqu'au XVIe siècle, le mot **mercerie** a eu en France le sens général de « marchandise » et, ce siècle-là, le **mercier** était un colporteur qui vendait des articles nécessaires au vêtement. On peut croire que la plupart des colons qui sont arrivés en Nouvelle-France au cours des XVIIe et XVIIIe siècles, partis des diverses provinces, ignoraient que Paris restreignait l'acception de **mercerie**. Cela explique peut-être le sens que ce mot a pris au Canada : une [MERCERIE POUR HOMMES] y est un commerce de pièces de vêtements pour les hommes et une [MERCERIE POUR FEMMES], un commerce de pièces de vêtements pour les femmes. Il y a, de même, des [MERCERIES POUR ENFANTS].

En français moderne, **mercerie** signifie exclusivement l'« ensemble des menus articles qui servent à la couture et à l'ornementation des vêtements » : aiguilles, enfile-aiguilles et passe-lacets, dévidoirs et fils, cotons à tricoter, cache-coutures et boutons, dés à coudre et épingles, coffrets à ouvrage, etc. Le **mercier** ou la **mercière** est la personne qui vend ces articles et son commerce et sa boutique portent comme l'ensemble de ceux-ci le nom de **mercerie**. Les **merceries** seront bientôt chose du passé.

Le mot **mercerie** ne désigne pas un commerce de vêtements ni un magasin où l'on vend des vêtements, non plus que le nom **mercier** ne convient à un commerçant de vêtements.

Une boutique de **tailleur** ou de **couturière** se distingue d'une [MERCERIE] au Canada par l'absence d'un **tailleur** ou d'une **couturière** dans une [MERCERIE], c'est-à-dire qu'on ne peut s'y faire tailler des vêtements sur mesure. Or les pièces de vêtement non taillées sur mesure, c'est-à-dire fabriquées en série, se nomment **vêtements de confection**. Les [MERCERIES] du Canada sont des **magasins de confection**.

Au lieu de [MERCERIE POUR HOMMES] ou [MERCERIE POUR ENFANTS], il faut dire *magasin de confection pour hommes, magasin de confection pour enfants*. Le rayon d'un grand magasin où l'on vend des vêtements prêts à porter pour adolescentes ne doit pas avoir comme indication [MERCERIE POUR JEUNES FILLES], mais *confection pour jeunes filles* ou *prêt à porter pour jeunes filles*.

Dans beaucoup de magasins de vêtements masculins, on ne vend pas de costumes (*voir* **HABILLAGE — HABILLEMENT — HABILLER — HABIT**). Le principal article offert y est la chemise, à laquelle s'ajoutent la lingerie, les chaussettes (*voir* **CHAUSSETTE — CHAUSSON**), les cravates et les mouchoirs. Ces magasins ne sont ni des **merceries** ni des **magasins de confection**, mais des **chemiseries** et les commerçants qui les exploitent sont des **chemisiers**.

Aussi à retenir : un **tailleur** n'est un **tailleur** que s'il fait des vêtements. Un marchand de complets de **confection** peut avoir comme employé un **tailleur** ou **retoucheur** pour ajuster (*voir* **AJUSTAGE — AJUSTEMENT — AJUSTER — AJUSTEUR**) les vêtements qu'il vend aux clients, mais on ne doit pas pour cela donner au patron le titre de **tailleur** s'il n'en est pas un véritablement.

MÉRITE — Au pluriel, le mot anglais **merit** a, dans le langage administratif et juridique, les deux sens de «fond, valeur réelle» et de «bien-fondé» qu'il faut se garder de prêter au substantif français. Il ne faut pas dire *discuter une question* [À SON MÉRITE] ou [À SES MÉRITES], mais *discuter le fond d'une question* ou *discuter une question au fond.* Il ne faut pas dire *examiner* [LE MÉRITE] ou [LES MÉRITES] *d'une réclamation* au lieu d'*examiner le bien-fondé d'une réclamation.* Il ne faut pas dire *le juge a été saisi du* [MÉRITE] *de l'affaire,* mais *le juge a été saisi du fond de l'affaire.*

Voir **CRÉDIT**.

MÉRITER — **Mériter** est un verbe transitif. En parlant des personnes, il signifie «avoir légitimement gagné»: *mériter un prix de littérature, mériter un honneur,* et «avoir justement encouru»: *mériter des reproches, mériter une peine de prison.* Le verbe ne s'emploie pronominalement en parlant des personnes que pour marquer une réciprocité: *ces deux époux, dont le mariage a été célébré après une longue séparation pendant laquelle ils sont restés fidèles l'un à l'autre, se méritaient.*

Mériter s'emploie pronominalement au sens passif en parlant des choses: *les récompenses comme les punitions se méritent.*

[SE MÉRITER] au lieu de **mériter** est un solécisme courant au Canada: [SE MÉRITER] *une récompense,* [SE MÉRITER] *un honneur, cet athlète* [S'EST MÉRITÉ] *deux trophées.* Il ne faut pas dire *l'enfant* [S'ÉTAIT BIEN MÉRITÉ] *les réprimandes de ses parents,* mais *l'enfant avait bien mérité les réprimandes.*

Employer **mériter** au sens de «recevoir, obtenir par hasard», c'est commettre une faute. Cette action s'exprime par le verbe **gagner**. Au lieu de *cette personne a* [MÉRITÉ] *le gros lot à la dernière loterie,* il faut dire *cette personne a gagné le gros lot.* Dire [SE MÉRITER] *le gros lot d'une loterie,* c'est commettre en même temps une faute et un solécisme.

En parlant de prix, de trophées, de succès, de victoires, et aux deux sens d'«obtenir par son mérite» et d'«obtenir par hasard», le verbe **remporter** est synonyme de **gagner**. Au lieu d'*il* [S'EST MÉRITÉ] *le premier prix* et d'*il* [S'EST MÉRITÉ] *une éclatante victoire,* on dit correctement *il a remporté le premier prix* et *il a remporté une éclatante victoire.*

MERLE — *Voir* **OISEAUX**.

MESS — *Voir* **SALLE À MANGER**.

MESSAGER — Appeler *messager* une «personne dont le métier est de faire les courses dans une administration ou en ville pour une administration (agence, magasin, entreprise industrielle, etc.)», c'est commettre un anglicisme. Cette personne porte le nom de **messenger** en anglais, mais le mot français **messager** ne se dit que d'une personne chargée de dire ou de porter quelque chose ou des choses d'une certaine importance: *les intéressés ont dépêché auprès du ministre un messager porteur d'un document secret.* Depuis le début du XXe siècle, un «garçon de bureau» ou «garçon de courses» est un **coursier** (*voir* **GARÇON**). Auparavant et naguère encore, on disait *commissionnaire.* Le terme

commissionnaire sert aujourd'hui à désigner une «personne qui fait les commissions du public»: *cet hôtel met des commissionnaires à la disposition de ses clients.*

Un imprimeur ne doit pas dire à un auteur *je vous envoie porter les épreuves à corriger de votre livre par notre* [MESSAGER], mais *par notre coursier.*

MÉTHODE — *Voir* **PROCÉDURE.**

MÉTICULEUX — *Voir* **PARTICULIER.**

MÉTROPOLE — MÉTROPOLITAIN — Quand on parle, non d'un État par rapport à ses colonies, mais d'une ville (*voir* **CITÉ**), le substantif **métropole** signifie «ville la plus importante (d'une région, d'un pays) par la population et par son activité économique, sociale et culturelle». L'adjectif **métropolitain** signifie «qui se rapporte à une métropole». La ville la plus importante d'un pays sous le rapport de la politique est la **capitale** de ce pays. Dans la plupart des pays, la **capitale** en est en même temps la **métropole**: *Paris est la capitale et la métropole de la France, mais New York est la métropole des États-Unis d'Amérique, dont la capitale est Washington.* Pas plus qu'il ne peut y avoir deux **capitales**, il ne peut y avoir deux **métropoles** d'un même État: *Québec est la capitale du Québec et Montréal en est la métropole.*

L'adjectif **métropolitain** se dit du territoire d'une **métropole** et de sa banlieue (*voir ce mot*): *la région métropolitaine*, mais c'est commettre une faute que d'étendre le sens du terme pour l'appliquer au territoire de n'importe quelle ville de quelque importance et des municipalités qui l'entourent. Québec, par exemple, n'étant pas la **métropole** de l'État, on ne peut parler de *la région* [MÉTROPOLITAINE] *de Québec.* Il faut dire *l'agglomération québécoise* ou *Québec et ses environs.*

METTRE AU POINT — MISE AU POINT — *Voir* **DÉVELOPPER** *et* **FINALISÉ.**

METTRE EN DOUTE — *Voir* **QUESTIONNER.**

METTRE EN RELIEF — *Voir* **EMPHASE.**

METTRE EN VALEUR — MISE EN VALEUR — *Voir* **DÉVELOPPEMENT, DÉVELOPPER** *et* **EMPHASE.**

METTRE L'ACCENT SUR — *Voir* **EMPHASE.**

MEUBLE — *Voir* **ARMOIRE.**

MICROSILLON — Le français nomme **microsillon** un «disque (*voir* **RECORD**) à sillons étroits très finement espacés permettant une longue durée d'audition». Les Américains emploient l'expression **long playing** pour désigner un **disque** ainsi fait. On commet un anglicisme quand, calquant l'anglais, on dit [LONG JEU] au lieu de **microsillon**. Il faut dire *cette chanteuse vient d'enregistrer ses derniers succès sur un microsillon*, non *cette chanteuse vient d'enregistrer ses derniers succès sur un* [LONG JEU].

Le mot **jeu** a le sens d'«exécution» en parlant d'une oeuvre musicale ou dramatique, mais, quand on parle d'un **microsillon**, ce n'est pas l'exécution qui est longue; c'est la durée d'audition d'une ou de plusieurs exécutions dont la durée n'est nullement modifiée. Le **jeu** n'est ni plus long ni plus court selon qu'il est enregistré sur un **microsillon** ou sur un autre disque. La traduction quasi littérale exacte de **long playing** serait « longue audition », non [LONG JEU], pure et simple faute. Mais il faut dire **microsillon**.

MILLÉSIME — *Voir* **QUANTIÈME**.

MINE — *Voir* **ALLURE** *et* **FAÇON**.

MINISTÈRE — *Voir* **DÉPARTEMENT — DÉPARTEMENTAL**.

MINISTRE — Voici les titres que portent actuellement les membres du gouvernement français. Après le **président** de la République et le **premier ministre**, on nomme généralement les **ministres d'État**. Ce titre s'est substitué à celui de *ministre sans portefeuille*, qui est sorti de l'usage. Un **ministre d'État** est un « agent du pouvoir dont le rôle est essentiellement d'orienter et de diriger une vaste activité nationale hors des cadres stricts d'un département (*voir* **DÉPARTEMENT — DÉPARTEMENTAL**) ministériel ».

Viennent ensuite les **ministres** titulaires de départements ministériels: *ministre des Affaires étrangères, ministre de l'Intérieur, ministre de l'Économie et des Finances*, etc.

Au Canada, on nomme *secrétaire d'État* le titulaire d'un département dont le rôle, qui est variable, reste imprécis.

Quant au titre de [SOUS-MINISTRE], calque de l'anglais **deputy-minister**, donné au Canada au « haut fonctionnaire qui assiste un ministre dans la gestion des affaires de son département », c'est un provincialisme. Le **deputy-minister** n'est pas un *ministre* en second; il n'est pas *ministre* du tout. Un **deputy-minister** pourrait porter correctement le titre de *secrétaire général de ministère*.

Voir **AMBASSADEUR, REGISTRAIRE — REGISTRATEUR** *et* **SOLLICITEUR**.

MINUTE — MINUTER — Le mot **minute** est issu d'un mot latin qui signifiait « petit morceau ». En outre de désigner une parcelle de temps, un moment, il eut dès son passage du latin au français vers la fin du Moyen Âge, le sens d'« écriture menue », c'est-à-dire écriture par petites lettres. D'où vient qu'aujourd'hui **minute** désigne la soixantième partie d'une heure et a les deux sens de **brouillon** dans le langage courant: *j'ai gardé la minute de cette lettre que je vous écrivais l'an dernier* (cette acception tombe en désuétude) et, par extension, d'**original** d'un jugement ou d'un acte dans le langage juridique: *il n'est pas de jugement dont les archives judiciaires ne conservent la minute* et *les notaires conservent dans un minutier les minutes de tous les actes signés devant eux*.

Le verbe **minuter** a, parallèlement, les deux sens de « mesurer ou déterminer par minutes la durée de certaines choses (attaque, discours, spectacle, émission radiophonique ou télévisée, etc.) » et de « rédiger l'original d'un jugement (pour un juge) ou d'un écrit authentifiant un fait ou une convention (pour un notaire)» : *le juge n'a fini de minuter son jugement qu'hier soir* et *le notaire m'a promis de minuter notre contrat dès demain.*

Le mot anglais **minute**, qui a la même étymologie que le terme français, a pris, au pluriel, le sens de «compte rendu écrit authentique d'une séance» en parlant des corps constitués. Un compte rendu de cette sorte s'appelle **procès-verbal** en français. Dire *l'assemblée a adopté à l'unanimité les* [MINUTES] *de la dernière séance* au lieu de *l'assemblée a adopté à l'unanimité le procès-verbal de la dernière séance,* c'est commettre un anglicisme.

En Amérique du Nord, le mot anglais **minute** s'emploie parfois au pluriel pour désigner la transcription en clair du **sténogramme** (texte sténographié) d'une audience (*voir ce mot*) d'un tribunal et c'est commettre également un anglicisme que de dire, par exemple, *la Cour d'Appel a accordé un délai au nouvel avocat de l'accusé parce que les* [MINUTES] *du procès ne sont pas encore terminées* au lieu de *parce que la transcription des témoignages n'est pas encore terminée.*

MINUTERIE — *Voir* **HORLOGE**.

MINUTIEUX — *Voir* **PARTICULIER**.

MISÈRE — Il semble bien que ce soit un ancêtre venu du massif de l'Ardenne qui a apporté en Nouvelle-France le mot **misère** au sens de «peine, difficulté». (On employait aussi dans cette région montagneuse du nord-est de la France le mot *ruse* dans le même sens, mais cela n'a pas traversé l'Atlantique.) C'était une acception patoise et cette faute qui survit malheureusement est à proscrire. Il ne faut pas dire *j'ai de la* [MISÈRE] *à lui faire conprendre cela* ou *j'ai eu beaucoup de* [MISÈRE] *à peindre* (*voir* **PEINDRE — PEINTURER**) *le toit de la maison*, mais *j'ai beaucoup de difficulté, j'ai eu beaucoup de mal, j'ai beaucoup de peine.* Au lieu de *je me donne beaucoup de* [MISÈRE] *pour lui être agréable*, il faut dire *je me donne beaucoup de mal* ou *peine.* **Difficulté**, **peine** et **mal** sont synonymes pour exprimer l'idée de «travail pénible».

MITAINE — Au XIIe siècle, le langage populaire, particulièrement le langage enfantin, appelait le chat *mite*, comme on dit aujourd'hui *minou*, et tout indique que c'est par comparaison entre la douceur de la laine et celle de la fourrure du chat qu'on a alors formé le mot **mitaine** pour désigner une pièce de vêtement qui couvre la main sans séparation pour les doigts excepté pour le pouce. À la même époque, le mot **moufle** désignait une sorte de gros gant. Par rapprochement avec ce mot, **mitaine** s'est transformé en **mitoufle** au cours du XVIe siècle et cette modification a laissé au français le terme **emmitoufler**. Dès le début du XVIIe siècle, **mitoufle** avait disparu. **Mitaine** et **moufle** sont restés, mais **moufle** a pris l'ancien sens de **mitaine** et **mitaine** a une signification nouvelle dans le français du XXe siècle : «gant qui recouvre la main mais laisse à nu les deux dernières phalanges des doigts». Aujourd'hui, on ne dit plus *mitaine* mais **moufle** pour désigner la «pièce de vêtement de laine ou de cuir qui couvre la main sans séparation pour les doigts excepté pour le pouce»: *les enfants portent des moufles pour luger* (*voir* **TRAÎNEAU**). L'anglais a emprunté **mitaine** au français et en a fait **mitten** pour nommer l'objet que le français moderne nomme **moufle** et c'est autant sous l'influence de l'anglais **mitten** que par souvenir du sens vieilli de **mitaine** qu'on dit encore ce mot au Canada au lieu de **moufle**.

MIXTE — *Voir* **CONJOINT — CONJOINTEMENT**.

MOBILIER — *Voir* **SET**.

MOCASSIN — *Voir* **PANTOUFLE**.

MODE DE — *Voir* **PROCÉDURE**.

MODÈLE — MODELER — Un homme ou une femme qui pose devant un peintre est un **modèle**, mais une jeune femme qui présente sur elle la dernière création d'un grand couturier est un **mannequin**.

Le même mot anglais **model** désigne les deux personnes et dire *modèle* au lieu de **mannequin** est un anglicisme fréquemment commis, qui a fini par en produire un autre: [MODELER] au sens d'«être mannequin».

Le **mannequin** à qui l'on demande sa profession et qui répond *je* [MODÈLE] oublie que le verbe **modeler**, loin de signifier «servir d'objet d'imitation», a, pour un artiste, le sens de «faire en petit le modèle de l'oeuvre qu'on se propose de réaliser en grand» et, au figuré, pour tous les être humains, celui d'«imiter», de «rendre semblable à»: *modeler sa conduite sur celle de ses amis.*

On dit *je suis mannequin* comme *je suis menuisier* ou *je suis dentiste.*

Voir **LIGNE**.

MODÉRÉ — *Voir* **CONSERVATEUR**.

MODIFICATION — MODIFIER — *Voir* **AMENDEMENT — AMENDER**.

MODISTE — Au XVIIIe siècle et au début du XIXe, une **couturière** qui travaillait à son propre compte ou qui tenait boutique était une *marchande de modes*. Au début du XIXe siècle, on forma le mot **modiste**, qui fut d'abord masculin et féminin, pour dire «marchand, marchande de modes». Le mot pluriel *modes* signifiait alors «ajustements, parures et vêtements à la mode pour les femmes». Depuis un siècle environ, ce mot pluriel ne se dit plus que des chapeaux et autres coiffures pour femmes et enfants et le terme **modiste**, devenu féminin seulement parce qu'il ne s'applique plus qu'à des femmes, n'a plus d'autre acception que celle de «personne qui exécute et vend au détail des chapeaux de femme et d'enfant». On commet une faute en disant *modiste* au lieu de **couturière**. On dit correctement *depuis que je les achète chez cette modiste, on me complimente pour mes chapeaux*, mais il est fautif de dire *je vais faire l'essayage de deux robes ce soir chez ma* [MODISTE] au lieu de *je vais faire l'essayage de deux robes ce soir chez ma couturière*. Une **modiste** n'est pas une **couturière**.

MOMENT — *Voir* **SECOUSSE**.

MONDAIN — MONDANITÉ — *Voir* **SOCIAL**.

MONÉTAIRE — L'adjectif **monétaire** ne signifie rien d'autre que «relatif à la monnaie, aux monnaies ou à leur fabrication»: *système monétaire, réforme monétaire, le marché monétaire, politique monétaire, l'art monétaire*, etc. Il ne signifie pas «qui a rapport à l'argent» ou «qui consiste en argent (*voir ce mot*)». Ce sont là les définitions des adjectifs **pécuniaire** et **financier**.

Prendre garde que cet adjectif s'écrit et se prononce **pécuniaire** au masculin et au féminin. L'orthographe *pécunier* et *pécunière*, quelque peu usitée au siècle dernier, est condamnée aujourd'hui parce qu'elle n'est pas formée conformément à l'origine étymologique du mot, qui vient du substantif latin **pecunia**, «argent».

Des difficultés d'argent sont des difficultés **pécuniaires**, non des difficultés [MONÉTAIRES]. De même des avantages qui consistent en argent, comme les allocations (*voir ce mot*) sociales, sont des avantages **pécuniaires** ou **financiers**, non des avantages [MONÉTAIRES].

L'adjectif **financier** s'emploie aussi au sens de «relatif aux ressources d'argent»: *avoir des embarras financiers.*

L'adjectif anglais **monetary** a les deux significations de «relatif à la monnaie, aux devises» et de «relatif à l'argent» et l'on commet un anglicisme chaque fois que l'on parle de *dispositions* [MONÉTAIRES] *d'un contrat,* de *clauses* [MONÉTAIRES] *d'une convention collective,* d'*aspects* [MONÉTAIRES] *d'un projet* au lieu de dire *dispositions pécuniaires, clauses pécuniaires* et *aspects pécuniaires.*

Il ne faut pas dire *il ne reste plus que les questions* [MONÉTAIRES] *à régler pour mettre fin à la grève*, mais *il ne reste plus que les questions pécuniaires*, ou *que la question des salaires*, ou *que les questions de rémunération à régler.*

MONITEUR — *Voir* **INSTRUCTEUR.**

MONNAIE — *Voir* **CHANGE — CHANGER.**

MONTE-CHARGE — *Voir* **ÉLÉVATEUR.**

MONTER — *Voir* **EMBARQUER.**

MONTRE — Dans le vocabulaire commercial, le mot **montre** n'a jamais voulu dire autre chose que «ensemble des marchandises exposées dans la ou les vitrines ou devantures d'un établissement de commerce»: *cette montre est très attrayante.* C'est l'étalage. Le mot n'est pas synonyme d'**exposition**. Aussi ne faut-il pas dire [SALLE DE MONTRE] au lieu de *salle d'exposition.*

Voir **HORLOGE.**

MONTRER — *Voir* **EXHIBER — EXHIBITION.**

MOQUETTE — Une grande pièce d'étoffe de laine ou de coton qui recouvre entièrement et uniformément le parquet (*voir* **PLANCHER**) d'une pièce est une **moquette**. Au lieu d'[UN TAPIS MUR À MUR] (calque de l'anglo-américain **wall to wall carpet**) *conviendrait à cette pièce*, on dira correctement *cette moquette conviendrait à cette pièce.*

MORALITÉ — *Voir* **CARACTÈRE.**

MORCEAU — Un **morceau** est une partie qui a été séparée d'un tout : *morceau de pain, poterie tombée en morceaux, morceau de papier*. Ce n'est pas une partie d'un tout considérée séparément, sauf dans le domaine musical, où l'on dit *morceau de musique* pour désigner une pièce.

On ne peut se servir du mot **morceau** pour dire « pièce séparée d'un ensemble ». La publicité qui annonce qu'*un mobilier de salle de séjour compte cinq* [MORCEAUX] se trompe. Il faut dire *cinq pièces* ou *cinq meubles*. Il faut dire *service de vaisselle de 74 pièces*, non *de 74* [MORCEAUX]. Chacune de ces pièces de vaisselle est complète.

MORTADELLE — Gros saucisson, mélange de porc et de boeuf, très épicé, originaire de Bologne, en Italie, fabriqué dans tous les pays occidentaux. *Voir* **ANGLICISME**.

MOTION — Au cours de nombreuses émissions radiophoniques relatives au baseball, on entend souvent parler de la [MOTION] du lanceur.

À toutes fins utiles, le mot **motion** n'a qu'une signification en français, celle de « proposition faite dans une assemblée délibérante » : *présenter une motion de clôture à l'Assemblée nationale.*

Employer le mot [MOTION] pour parler de mouvement, d'action, d'un **geste**, c'est simplement se servir du mot anglais **motion** et le prononcer « à la française ».

Bien sûr, il faut dire le *geste du lanceur.*

Voir **GESTE**.

MOTS ÉTRANGERS (PRONONCIATION DES...) — Il va de soi que les paragraphes qui suivent ne constituent pas un abrégé de ce qu'il faut savoir sur la prononciation française des **mots étrangers**. La question est trop complexe pour qu'on puisse la traiter dans son ensemble brièvement. On ne trouvera ci-dessous que quelques idées générales, des observations et des indications d'une portée assez étendue pour qu'elles soient utiles dans un très grand nombre de cas.

En premier lieu, il ne faut pas confondre **mot étranger** (nom étranger de personne, ou de lieu, ou d'objet que l'on doit prononcer quand on parle en français) et *mot emprunté* par la langue à l'étranger, francisé.

On peut dire grosso modo que le français modifie de moins en moins depuis le début du XIXe siècle l'orthographe des mots qu'il emprunte à des langues qui utilisent comme lui l'alphabet latin. Il en résulte que les problèmes que pose la prononciation de ces mots francisés sont dans une grande mesure les mêmes que ceux qu'il faut résoudre pour bien prononcer les **mots étrangers** quand on parle en français.

Le premier principe à retenir est celui-ci : on ne peut parler deux langues en même temps. Le second : les mots sont d'abord des sons. La distinction formelle entre un mot de langue anglaise et un mot de langue française qui s'écrivent de la même façon, comme *balance, brassière, centre* (*voir ce mot*) et *menu*, est leur prononciation. Les anglophones prononcent naturellement à l'anglaise les mots qu'ils empruntent au français et les francophones doivent de même prononcer à la française les mots qu'ils empruntent à l'anglais.

Pour ce qui est des consonnes, la prononciation des mots francisés suit les règles ordinaires de la phonétique française. On ne dit pas [CAME-PING] (*voir* **CAMPING**), non plus que [TCHÈQUE] au lieu de *chèque* (*voir ce mot*) et l'on ne prononce pas le *s* du pluriel de *cent* (*voir ce mot*). Toute règle, on le sait, comporte des exceptions. La prononciation étrangère *dj* et *j*, par exemple, est conservée dans les deux monosyllabes *gin* et *jet* (avion à réaction — *voir* **RÉACTION**).

Les voyelles et les diphtongues soulèvent les grosses difficultés. L'assimilation des termes empruntés s'est toujours faite premièrement par l'oreille, mais, avant le développement et la multiplication des communications qui ont tout modifié depuis le début du XXe siècle, c'est l'orthographe du mot qui, le plus souvent, en déterminait, en français moderne, la prononciation chez la majorité des usagers de la langue. Par exemple, quand la société *Singer* a commencé à fabriquer des machines à coudre en France, au début du siècle, le nom fut couramment employé pour désigner le produit et on y a vendu et acheté des *sin* (comme *saint*) *gèr* (comme *gère*). Si le nom y était apparu il y a quelques années seulement, on l'aurait prononcé spontanément *signèr* ou *signeur*, la publicité par la radio et la télévision corrigeant l'indication orthographique. Aujourd'hui, de plus en plus, parce que le nombre des personnes qui connaissent la prononciation étrangère des mots empruntés ne cesse de croître, l'oreille, qui, naguère, ne guidait la parole que d'une certaine élite (*club* s'est toujours prononcé *cleub*; *hall, holl* et *music-hall, music-holl*), agit sur l'ensemble du peuple. Ce changement (notons, cependant, une réaction qui semble indiquer une velléité de retour à l'empire de l'orthographe: *junte* et *jungle*, que l'oreille faisait prononcer naguère *jonte* et *jongle*, se prononcent maintenant presque toujours *junte* et *jungle*) a amené inévitablement une certaine confusion.

Il faut le répéter : quand on parle une langue, on ne peut utiliser que des sons qui lui sont propres. Toutes les autres langues se parlent avec des articulations phoniques, des intonations, des formes toniques et des modulations de timbre très souvent inexistantes en français. La difficulté pour l'oreille française est de trouver la prononciation naturelle la plus proche de la prononciation étrangère.

Voici, par exemple, le cas de la diphtongue anglaise *ou* qui n'a pas plus d'équivalent en français que la voyelle française *u* n'en a en anglais. D'où vient la difficulté de prononcer un emprunt comme *knock-out* (*voir ce mot*).

La difficulté de prononciation posée par les mots se terminant en *er* empruntés à l'anglais est typique : on prononce parfois *èr* comme dans *reporter, revolver* et *starter* (*voir ce mot*), quelquefois *eur* comme dans *freezer* (*voir* **FRIGO**), *leader* et *best-seller* (*voir* **VENDEUR**) et, quelquefois, les deux prononciations sont courantes : *pullover* (*voir ce mot*) se prononce *poulovèr* et *pouloveur*. On a adopté (par l'oreille) le son *eur* pour les emprunts les plus récents. Il semble donc que la prononciation *èr* soit condamnée. Elle restera, cependant, dans quelques mots dont le dernier phonème a été fixé par l'usage.

La conclusion à tirer pour les Canadiens d'origine française, qui connaissent bien la prononciation anglaise, est qu'ils doivent exercer sur leur langage une surveillance attentive afin de ne pas céder à la tentation de prononcer à l'anglaise les mots français empruntés à l'anglais.

La règle à suivre pour les **mots étrangers** comme pour les emprunts est de ne jamais, qu'il s'agisse de noms de personnes, de noms de lieux ou de noms de produits, utiliser des sons qui n'existent pas en français, tout en veillant à ce que la prononciation française soit aussi proche que possible, encore une fois, de la prononciation étrangère. Pour les **mots étrangers**, bien entendu, on prononce les consonnes en tenant compte des phonétiques étrangères. On les fait sonner quand il le faut. Le nom, par exemple, qui s'écrit *Campbell* se prononce *campebeul*, non *quand-beul*.

Se rappeler particulièrement que le *s* du pluriel ne se prononce jamais en français.

MOUFLE — *Voir* **MITAINE**.

MOUILLER — Le verbe **mouiller** ne s'emploie intransitivement que dans le vocabulaire de la marine, où il signifie «s'arrêter dans un port» en parlant d'un bateau : *c'est la première fois que ce paquebot mouille à Québec* et, depuis quelques années, dans le langage populaire, où il signifie «avoir peur» : *entouré de gamins menaçants, le garçonnet mouillait*. Transitif, **mouiller** signifie «imbiber» ou, simplement, «rendre humide»: *mouiller un torchon* (*voir* **SERVIETTE**) *pour nettoyer un meuble*, «étendre avec de l'eau»: *mouiller une eau-de-vie*, «faire une sauce en ajoutant un liquide à» en parlant d'un mets qui cuit : *mouiller un poisson avec du vin blanc* et «mettre à l'eau»: *le bateau a touché une mine mouillée dans le port*.

La pluie **mouille**, mais **mouiller** n'est pas synonyme de **pleuvoir**. C'est commettre une faute d'origine dialectale que de dire *il* [MOUILLE] au lieu d'*il pleut*. Ce mot patois vient de l'Anjou et du Poitou. [MOUILLASSER] est aussi d'origine européenne : on disait [MOUILLASSER] dans le Haut-Maine par exemple comme encore de nos jours au Canada pour *pleuvoir un peu* ou *pleuvoir par intermittence*.

Il semble, cependant, que le sens de «boire à l'occasion de» dans lequel les Canadiens emploient aussi le verbe **mouiller** soit du patois du cru. Il ne faut pas dire *il est allé* [MOUILLER] *son chagrin*, mais *il est allé noyer son chagrin dans l'alcool*. À l'occasion d'un heureux événement, il ne faut pas dire *allons* [MOUILLER] *ça !* mais *allons boire un verre pour célébrer cela* ou, familièrement, *allons arroser cela !*

MOULE À TARTE — *Voir* **TOURTE — TOURTIÈRE.**

MOULÉE — Dans l'ancien patois normand, **moulée** a eu le sens de «quantité de grain que l'on fait moudre d'une fois par le meunier» (on disait aussi *mounée*), mais le mot s'appliquait presque exclusivement au froment pour le pain. Apporté en Nouvelle-France, le mot a continué d'y être employé dans cette acception.

Il est encore en usage au Canada, mais on lui a donné une autre signification. Il désigne maintenant toute «mouture préparée pour l'alimentation des animaux». Au lieu de [MOULÉE], c'est **farine** pour animaux qu'il faut dire, ou **aliment** pour animaux, ou **pâtée** (mélange de farine et d'herbes) quand on parle d'**aliments** pour volailles.

En français, **moulée** n'a jamais désigné d'autres choses qu'une ancienne mesure de bois de chauffage (on disait aussi *moule*), le bois mesuré à la **moulée** et, plus récemment, des billes de bois choisies d'une certaine longueur et d'une certaine largeur (*bois de moulée*). Cela est très éloigné de l'alimentation des animaux.

MOULIN — Le mot romain **mola**, qui signifiait «meule, appareil à meule pour broyer les grains des céréales afin de les réduire en farine», avait pris la forme **molinum** dans le latin de basse époque avant de passer à l'ancien français, auquel il a donné directement **moulin**, resté inchangé et employé depuis dans le même sens, sauf qu'aujourd'hui des cylindres remplissent le rôle des meules dans l'industrie. De l'idée de moudre à celle d'endroit où l'on moud, le glissement se faisait naturellement et **moulin** eut tôt fait de désigner non seulement les appareils mécaniques servant à mettre les meules en mouvement: *moulin à eau, moulin à vent, moulin à bras*, mais les bâtiments où l'on fabrique de la farine à l'aide d'un **moulin**: *le meunier du village habite son moulin*. Tels sont les premiers sens du mot **moulin**: l'établissement d'un fabricant de farine et l'appareil ou la machine dont il se sert pour en produire.

On a commencé, dès le XIVe siècle, à appeler **moulin** par analogie d'autres appareils servant à pulvériser (petits **moulins** à moudre les épices pour la cuisine) et, dès le début de l'ère moderne, toute sorte de machines servant à broyer ou à presser ou fonctionnant par un mouvement de rotation comme un **moulin**, de même que certains établissements où ces machines étaient utilisées, prirent aussi le nom de **moulin**. Aujourd'hui, on désigne correctement certains appareils ménagers en les nommant **moulin à café**, **moulin à poivre**, **moulin à fromage**, **moulin à légumes** et **moulinette**, et certaines machines industrielles restent des **moulins**: **moulin à sucre**, **moulin à huile**, **moulin à minerai**, mais, dans un certain nombre de cas, **moulin** a fait place à d'autres noms, qu'il faut maintenant employer. Par exemple, l'expression [MOULIN À PAPIER] est devenue fautive: il faut dire **papeterie** ou **usine de papier** en parlant de l'établissement et **machine à papier** en parlant de la principale machine d'une **papeterie** (*voir* **PULPE**). On ne dit plus [MOULIN À BOIS] pour désigner une usine où des scies mécaniques débitent du bois, mais **scierie**. Il n'y a plus de [MOULINS À LINGE] (à manivelle), mais des **machines à laver** (*voir* **LESSIVEUSE**).

L'existence du mot anglais **mill**, aussi issu du vocable latin **mola**, a suivi le même cours que celle de **moulin** jusque vers le milieu du siècle dernier. À partir de là, cependant, tandis que **moulin** perdait graduellement de sa vitalité, **mill** s'est imposé et l'on continue de dire en anglais **saw-mill** (**scierie**), **paper-mill** (**papeterie**), **spinning-mill** (**filature**), **rolling-mill** (**laminoir**), **cider-mill** (**pressoir**). Il est difficile de déterminer la mesure dans laquelle on peut attribuer à l'anglais la multiplicité des applications que les Canadiens ont faites du mot **moulin**. Quoi qu'il en soit, il faut se garder de dire [MOULIN À COUDRE] au lieu de **machine à coudre**, [MOULIN À GAZON] au lieu de **tondeuse**, [MOULIN À VIANDE] au lieu de **hachoir**, [MOULIN À TORDRE] au lieu d'**essoreuse**, etc.

MOUSSE — *Voir* «**BROUE**».

MOUSSELINE DE SOIE — *Voir* **CHIFFON**.

MOUSTIQUAIRE — Le substantif **moustiquaire** est féminin. Il désigne un «rideau de mousseline ou de gaze dont on entoure un lit pour se préserver des piqûres de moustiques»: *un enfant dormait sur la terrasse dans le landau* (*voir* **CARROSSE**) *protégé par une moustiquaire*. Le mot sert aussi à désigner les châssis légers garnis d'une toile métallique ou en fibre de verre qu'on place aux fenêtres pour empêcher les moustiques d'entrer dans un lieu. Les «châssis garnis d'un treillis métallique qu'on met aux fenêtres de façon permanente» sont des **grillages**: *la fenêtre était ouverte, mais le grillage bien abaissé obligea le voleur à commettre une effraction*. Se garder de dire *moustiquaire* au lieu de **grillage** et [UN] *moustiquaire* au lieu d'*une moustiquaire*.

MOUSTIQUE — À l'époque lointaine, du XIIe au XVe siècle, où la langue française et la langue anglaise se sont formées pour ainsi dire autant l'une avec l'autre que l'une contre l'autre, les choses se sont passées curieusement. L'anglais avait emprunté au XIIe siècle au flamand le mot **wimpel**, qui signifiait «foret, tarière», pour en faire le mot **wimble**, qui a conservé jusqu'à nos jours son sens originel de «vrille, vilebrequin». L'ayant aussitôt emprunté à l'anglais, l'ancien français en fit **guibelet**, **guimbelet** et, bientôt, en raccourci, **guibet**, pour désigner les **moustiques**, parce que la femelle des **moustiques** pique comme avec une vrille pour sucer le sang. Au XVe siècle, **guibet** était devenu **bibet** et servait spécialement à désigner l'une des espèces les plus courantes de **moustiques**, les cousins, et les parasites qui sucent le sang de la tête, les **poux**.

Les colons français de la Nouvelle-France ont transformé une fois de plus le mot pour en faire [BIBITE]. Le mot **bibet** est mort au XVIIe siècle et [BIBITE] est une faute issue d'un terme désuet. Il ne faut pas dire *personne ne va dans cette forêt marécageuse au printemps parce que les* [BIBITES] *y pullulent*, mais *parce que les moustiques y pullulent*. Il ne faut pas dire *cet enfant se gratte la tête parce qu'il a des* [BIBITES] mais *parce qu'il a des poux*.

MULE — *Voir* **PANTOUFLE**.

MUNICIPAL — MUNICIPALITÉ — *Voir* **BANLIEUE** *et* **COMMUNAL — COMMUNE**.

MÛR — *Voir* **MATURE**.

MUSÉE — *Voir* **GALERIE**.

MYRTILLE — *Voir* **BLEUET**.

N

NACELLE — *Voir* **CARROSSE**.

NATTE — *Voir* **COUETTE**.

NÉGATIVE — NÉGATIVEMENT — *Voir* **AFFIRMATIVE — AFFIRMATIVEMENT**.

NÉGOCIANT — *Voir* **VENDEUR**.

NEIGE — *Voir* «**BANC DE NEIGE**» *et* **BORDÉE**.

NÉOLOGISME — Il y a trois sortes de **néologismes**.

En premier lieu, on nomme **néologismes** les termes empruntés récemment à d'autres langues, les termes nouveaux dérivés de mots existants, les termes nouveaux créés par composition et les nouvelles onomatopées: **mazout** (*voir* **HUILE**) importé du russe et **week-end** (*voir ce mot*) importé de l'anglais; **téléviseur** (*voir* **TÉLÉVISEUR — TÉLÉVISION**), dérivé de *vision,* et **contacter**, dérivé de *contact*; **électroménager** et **électrophone** (*voir* **PHONOGRAPHE**) ; **zoom**, dans le vocabulaire de la télévision, qui traduit l'anglais **zoom** pour désigner un «objectif à distance focale variable».

Deuxièmement, un sens nouveau donné à un mot ancien est un **néologisme** et le mot ancien employé dans un sens nouveau devient lui-même un **néologisme** quand sa forme est modifiée (passage du singulier au pluriel, par exemple), comme **actualités** dans le sens de «courte bande cinématographique montrant les principaux faits de l'actualité (*voir ce mot*)».

Troisièmement, outre les **néologismes** de vocabulaire, il y a des **néologismes** de grammaire, qui modifient la syntaxe. On dit aujourd'hui correctement *partir à la campagne* et *partir en voyage* au lieu de *partir pour la campagne* et *partir pour un voyage.*

Se rappeler que la langue, qui est un être vivant, subit constamment comme l'homme des changements et des modifications.

NE... QUE — *Voir* **PEU.**

NET — *Voir* **CLAIR.**

NETTEMENT — *Voir* **DÉFINITIVEMENT.**

NETTOIEMENT — *Voir* **VIDANGES.**

NETTOYEUR — NETTOYEUSE — Se rappeler que **nettoyeur** est le nom d'une « personne qui nettoie » : *nettoyeur de blé, nettoyeur de fenêtres.* Ce n'est pas le nom d'une chose. Les produits utilisés dans le blanchissage, le nettoyage, le lavage d'un grand nombre d'objets pour enlever facilement ce qui les salit sont des **détergents** ou **détersifs**. Au sens de « produit détersif », **détergent** est un néologisme dans le vocabulaire de l'économie domestique. **Détergent** et **détersif** y sont actuellement synonymes. Il ne faut pas dire *voici un excellent* [NETTOYEUR] *pour les ustensiles de cuisine* ni *on conseille l'emploi de ce* [NETTOYEUR] *pour les surfaces émaillées*, mais *voici un excellent détergent* ou *détersif* et *on conseille l'emploi de ce détergent* ou *détersif.*

On peut désigner certains **détergents** selon l'usage auquel ils sont destinés par des noms composés commençant par *nettoie*: *des nettoie-parquets* (*voir* **PLANCHER**), *des nettoie-meubles, des nettoie-cuivres*, etc.

La publicité française utilise aussi le participe présent de *nettoyer* employé adjectivement : *liquide nettoyant, crème nettoyante.*

Les appareils et machines qui nettoient sont des **nettoyeuses** : *nettoyeuse de grains.*

Voir **TEINTURERIE — TEINTURIER.**

NEZ À NEZ — Se trouver **nez à nez** avec quelqu'un signifie « se trouver face à face avec quelqu'un d'une façon soudaine et imprévue » : *je me suis trouvé nez à nez avec un vieux copain dont j'étais sans nouvelles depuis plusieurs mois.* Au Canada, on prête inconsidérément à **nez à nez** le sens d'« à égalité » : *les sondages indiquent que ces candidats sont* [NEZ À NEZ]. Cela vient d'une mauvaise traduction de l'expression du turf anglais **neck to neck** qui signifie « à égalité ». L'**encolure** d'un cheval de course n'est pas son nez ; un cheval peut gagner une course d'une **encolure**, non d'un nez.

NOIR — NOIRCEUR — Le mot **noirceur** exprime la qualité de ce qui est **noir** et l'on dit correctement *la nuit était d'une noirceur absolue.* Mais prêter à **noirceur** le sens d'**obscurité**, ou de **nuit**, ou de **ténèbres**, c'est commettre une faute.

Le mot **noir** est synonyme, au propre et au figuré, de ces trois substantifs ; pas **noirceur**. Il ne faut pas dire *avoir peur dans la* [NOIRCEUR], mais *avoir peur la nuit, avoir peur dans le noir*, ou *dans l'obscurité*, ou *dans les ténèbres.* Pour exprimer l'idée que l'on ne comprend rien à ce qui se passe, il ne faut pas dire *je suis dans la* [NOIRCEUR], mais *je suis dans le noir, je suis en pleine obscurité, ma pensée est dans une nuit complète*, etc.

NOIX — *Voir* **TARAUD — TARAUDAGE.**

NOLISER — **Noliser** signifie «prendre à louage» en parlant d'un navire et, par analogie, d'un avion. Le terme **charter** emprunté à l'anglais se dit néanmoins d'un «avion affrété par une société de tourisme ou un groupe». «Donner à louage» un bateau se dit **fréter**. On applique parfois par extension les verbes **fréter** et **affréter** à des véhicules terrestres : *fréter des camions*, mais **noliser** ne se dit que des véhicules qui naviguent. Cet emploi de **fréter** et d'**affréter** est généralement limité aux véhicules de transport de marchandises. C'est une faute de dire [NOLISER] *un autocar* (*voir* **AUTOBUS** *et* **CAR**) *pour une excursion, un pélerinage*. Un autocar pris à louage n'est pas [NOLISÉ], mais **loué**.

NOMBRE — *Voir* **BILAN**.

NOMINATION — Le mot **nomination** signifie «action d'un supérieur qui désigne quelqu'un pour occuper une situation (*voir* **POSITION**), un poste, remplir un emploi, une charge, exercer une fonction ou être investi d'une dignité» : *la nomination d'un juge* et, passivement, le «fait d'avoir été nommé»: *ma nomination à ce poste sera annoncée demain.*

Sous l'influence de l'anglais, dont le mot **nomination** a, outre ceux de **nomination**, les sens de «choix», de «désignation» et de «présentation» à propos de candidats, on parle au Canada de la *nomination* d'un candidat à la députation (*voir ce mot*) ou d'un candidat à un trophée dans le monde des spectacles. La candidature à une charge, à une dignité n'est ni un poste, ni une fonction.

Choix, **désignation** et **présentation** sont les termes à employer en parlant de candidats.

Il ne faut pas dire *le jour de la* [NOMINATION] *des candidats avant l'élection*, mais *le jour de la présentation des candidats avant l'élection*. Il ne faut pas dire *congrès politique de* [NOMINATION], mais *congrès électoral* (comme on dit *collège électoral*), c'est-à-dire «congrès tenu par un parti dans une circonscription en vue de choisir ou désigner un candidat à une élection» (*voir* **CONVENTION**).

Il ne faut pas parler de la [NOMINATION] *par un scrutin préliminaire de trois candidats à un prix d'art dramatique*, mais du *choix* ou de la *désignation de trois candidats.*

Les expressions [MISE EN NOMINATION] et [METTRE EN NOMINATION] sont patoises. Elles ne signifient rien en français. Il ne faut pas dire *deux femmes ont été* [MISES EN NOMINATION] *pour ce poste*, mais *deux femmes sont candidates à ce poste.*

Il ne faut pas dire *la* [MISE EN NOMINATION] *en vue de l'attribution de ce trophée aura lieu lundi prochain*, mais *le choix des candidats à ce trophée aura lieu lundi prochain.*

Voir **ASSIGNATION — ASSIGNER**.

NOMMER — *Voir* **ASSIGNATION — ASSIGNER**.

NOMS COLLECTIFS — Un nom collectif est un «terme singulier qui désigne un ensemble d'êtres ou d'objets»: *armée, foule, groupe, Sénat.*

La grammaire anglaise permet de façon générale qu'un sujet collectif soit représenté par un pronom pluriel et que ce qui lui est relatif soit indiqué par un adjectif possessif et un complément pluriels.

La grammaire française ne permet de passer d'un terme collectif au pluriel que s'il est suivi d'un complément déterminatif: *un groupe d'amis l'ont accueilli et l'ont assuré de leur fidélité.* On passe ainsi du collectif au pluriel quand on a en vue non l'ensemble comme tel, mais les êtres ou les objets désignés par le complément déterminatif. Dans l'exemple donné ci-dessus, c'est des amis qu'on veut parler. Si l'on écrit *le syndicat des employés de bureau était représenté et a approuvé la proposition*, c'est du syndicat que l'on parle comme groupe, non des employés de bureau considérés individuellement.

> Retenir que, si le collectif n'est pas accompagné d'un complément déterminatif, tout ce qu'il commande par la suite, non seulement dans la même proposition mais aussi dans les propositions et les phrases qui suivent, doit être au singulier.

Dire, par exemple, *que veut cette foule?* [ILS VEULENT] *qu'on traite le peuple avec justice* ou *c'est un ordre du conseil d'administration*: [ILS EXIGENT] *que nous suivions cette ligne de conduite*, c'est faire de la construction grammaticale anglaise. Il faut dire *que veut cette foule? elle veut qu'on traite le peuple avec justice* et *c'est un ordre du conseil d'administration: il exige que nous suivions cette ligne de conduite.*

Après avoir noté que, dès le très ancien français, *les règles essentielles de la syntaxe sont intangibles: le nom impose ses formes à l'adjectif et le sujet impose le singulier ou le pluriel au verbe*, CHARLES BRUNEAU fait observer dans sa *PETITE HISTOIRE DE LA LANGUE FRANÇAISE* qu'on y trouve cependant *des cas douteux: le singulier collectif entraîne souvent le pluriel de la forme verbale* et il cite JOINVILLE: *le conseil du roi vint à lui et lui dirent.* Il faut sans doute voir là une influence tardive de certains grands auteurs latins. TITE-LIVE a écrit **cetera classis fugerunt** («le reste de la flotte s'enfuirent») et OVIDE, **conveniunt vicinia** («le voisinage s'assemblèrent»). Assez rare chez les Romains, cet accord fut tôt rejeté par le français. Ecrire le verbe au pluriel quand le sujet est un collectif singulier non suivi d'un complément pluriel, c'est commettre un pur et simple anglicisme.

NOMS D'IMMEUBLES — On a commencé à donner au Canada le nom de **place** à des immeubles, ce qui va à l'encontre du sens des mots. Un immeuble ne peut pas être un «espace public, découvert, dans une agglomération». C'est sous l'influence de l'anglais américain qu'on en est venu à cette aberration.

On peut comprendre, par exemple, qu'une ville importante des États-Unis ait songé à donner à son palais des congrès, hôtel de soixante-douze étages, le nom de [PLACE VENDÔME], parce que c'est le prestige du nom qu'on allait chercher uniquement. Le vocabulaire anglais, particulièrement américain, est plus souple que le nôtre, c'est-à-dire qu'il n'a pas la même rigueur.

Mais, si l'on veut assurer la survie du français au Canada, il importe qu'on commence à modifier les noms de certains de ces immeubles. En premier lieu, la [PLACE DES ARTS], qui n'est pas un «espace public et découvert», mais un ensemble d'immeubles. Il aurait fallu dire le *complexe des Arts*, ou *les salles nationales des Arts*, ou encore *la cité des Arts*.

Le nom de **tour** conviendrait à la [PLACE] *Bonaventure* qui en a, du reste, les apparences.

Il ne faut pas dire [PLACE] *Desjardins*. Pour ce qui est de la grande salle principale du *complexe Desjardins*, il suffit de consulter un bon dictionnaire pour constater que c'est un **hall**. On devrait sans doute parler du *hall du complexe Desjardins*.

Complexe ou **tours** auraient mieux convenu que [PLACE] aux immeubles Ville-Marie.

NORMALE — *Voir* **GOLF**.

NOTE — *Voir* **ADDITION**.

NOTICE — NOTIFICATION — NOTIFIER — Le substantif **notice** ne signifie ni «action de notifier» ni «acte ou pièce par lequel on notifie». Sa seule signification est celle de «court écrit résumant ce qu'il faut savoir à propos d'une personne ou d'une chose»: *notice nécrologique, notice bibliographique*. Il se dit particulièrement de la présentation d'un auteur par son éditeur: *on trouvera une notice sur l'auteur et sa photographie sur la jaquette du livre*; dans le commerce, d'un ensemble d'indications sur l'emploi d'un produit, d'une machine, etc.: *les notices d'entretien des voitures tiennent compte de toutes leurs caractéristiques* et *chacun de nos appareils est livré avec une notice technique* et, dans le vocabulaire de la finance, des conditions d'une émission de titres par une société (*voir* **CORPORATION**): *j'ai reçu de mon courtier la notice relative aux actions nouvelles de cette entreprise*.

Le terme anglais **notice** a les sens d'«action de faire prendre connaissance (de quelque chose à quelqu'un)» et de «pièce par laquelle on fait prendre connaissance (de quelque chose)». Ce sont des anglicismes que l'on commet quand on emploie **notice** comme synonyme, par exemple, **d'avis** ou **d'avertissement**: *le changement est annoncé par une* [NOTICE] *affichée à la porte* au lieu de *le changement est annoncé par un avis affiché à la porte* et *la* [NOTICE] *que j'ai reçue de mon créancier ne me donne que six jours pour le payer* (*voir ce mot*) au lieu de *l'avertissement ou l'avis que j'ai reçu de mon créancier*... Il ne faut pas dire [NOTICE] *de débit* au lieu *d'avis de débit*. Au sens d'«avis», le substantif anglais **notice** se dit absolument pour *avis de congé, de congédiement* ou *de démission* et c'est encore sous l'influence de l'anglais qu'on dit *donner sa* [NOTICE] *à un locataire* au lieu de *donner congé à un locataire*, ou *le chef du service a donné sa* [NOTICE] au lieu de *le chef du service a donné sa démission* ou *a résigné ses fonctions*, ou *trois employés ont reçu leur* [NOTICE] au lieu de *trois employés ont reçu leur congé*, ou *ont reçu leur avis de congédiement*, ou *ont été remerciés* ou *renvoyés*. Dans le vocabulaire administratif et juridique, le substantif **notification** est, lui, synonyme d'**avis**: *recevoir notification d'un* *jugement, il faut faire parvenir sans délai une notification de l'arrêté ministériel aux chefs des services intéressés.*

Le verbe **notifier** signifie «faire connaître (quelque chose) dans les formes légales ou usuelles»: *notifier son congédiement à un employé, notifier son congé à un locataire.* Le verbe anglais **to notify** a la même signification, mais il a en plus celle d'«informer (quelqu'un)», de «faire savoir à (quelqu'un)» et ce sont des anglicismes que l'on commet quand on construit **notifier** avec un nom de personne comme complément direct au lieu d'employer les verbes **avertir, aviser** ou **prévenir**. Il ne faut pas dire *veuillez* [NOTIFIER] *les intéressés de cette décision,* mais *veuillez notifier cette décision aux intéressés* ou *veuillez aviser*, ou *avertir*, ou *prévenir les intéressés de cette décision*. Il ne faut pas dire *ils n'ont pas encore été* [NOTIFIÉS] *du changement*, mais *on ne leur a pas encore notifié le changement* ou *on ne les a pas encore avertis*, ou *avisés*, ou *prévenus du changement*.

Quant au mot [AVISEUR], calque de l'anglais **adviser**, employé au Canada pour désigner une «personne qui donne des conseils», au lieu de *conseiller*, il est fautif. Ce nom n'existe pas en français, même si **avis**, au sens «d'opinion», est synonyme de *conseil.*

NOUVEAUTÉ — *Voir* **LIGNE.**

NUIRE À — *Voir* **AFFECTER.**

NUIRE (SE...) — *Voir* **CALER** (du grec...).

NUIT — *Voir* «**BRUNANTE (À LA...) — BRUNE** *et* **NOIR — NOIRCEUR.**

NU-PIED — *Voir* **PANTOUFLE.**

NURSE — NURSING — Le latin a donné au français le mot *nourrice* dès le XIIe siècle. Au début du XIVe siècle, *nourrice* a donné naissance à **nourricerie**, vocable dont la vie a été de courte durée. L'anglais a emprunté ces deux mots au français pour former **nurse** et **nursery** et le dérivé **nursing**. Enfin, le français a récemment adopté de l'anglais **nurse** et **nursing** (prononcer *neurse* et *neursigne*).

Prendre garde que le mot français **nurse** n'a pas d'autres significations que celles de «bonne d'enfant en bas âge» et de «gouvernante». Il n'a pas comme le terme anglais **nurse** le sens d'«infirmière (*voir* **GARDE-MALADE**)» et c'est commettre un anglicisme que de le lui prêter. **Gouvernante** est préférable à **nurse** quand on parle d'une personne qui s'occupe de l'éducation d'un ou de plusieurs enfants. On dit correctement *leur nurse s'occupe consciencieusement de nos jeunes enfants quand nous devons nous absenter*, mais il ne faut pas dire *ma femme est maintenant si malade qu'elle a besoin jour et nuit des services d'une* [NURSE] au lieu de... *des services d'une infirmière.*

Le mot **nursing**, entré depuis peu dans le vocabulaire médical, ne se dit que de la «surveillance permanente d'un malade inconscient, après une opération par exemple, par un personnel infirmier qualifié». Il ne désigne pas, comme le terme anglais **nursing**, la profession d'infirmier, non plus que l'ensemble des soins dispensés aux malades, non plus que l'enseignement donné aux futures infirmières. Il ne faut pas dire *le* [NURSING] *est une profession digne du plus grand respect*, mais *la profession d'infirmière est digne du plus grand respect*. Il ne faut pas dire *nous avons une nouvelle directrice du* [NURSING] *à l'hôpital*, mais *notre service des soins infirmiers à l'hôpital a une nouvelle directrice*. Il faut dire *école d'infirmières,* non *école de* [NURSING], et *diplôme d'infirmière*, non *diplôme de* [NURSING].

O

O — Voir **pot** au sujet de la prononciation de cette voyelle dans un certain nombre de mots.

OBJECTER — Ce mot signifie «répondre en opposant (une difficulté, une raison)»: *objecter à une proposition de promotion l'inexpérience de l'employé, je n'ai pas d'argument à objecter à ce projet, je n'objecte rien contre cela* et *on m'objecte que l'entreprise est téméraire, mais la fortune sourit aux audacieux.* La définition même d'**objecter** rendrait inexplicable l'emploi de ce verbe à la forme pronominale: *je* [M'OBJECTE] *à ce projet*, n'était le fait que le verbe anglais **to object** traduit et **objecter** et le verbe pronominal **s'opposer** (**I object to** signifie «je m'oppose à»). C'est sous l'influence de l'anglais que se commet le solécisme qui consiste à construire **objecter** pronominalement en lui prêtant le sens de **s'opposer**. L'idée d'«affirmer, déclarer son opposition» se rend aussi par le verbe **protester**. Il ne faut pas dire *nous* [NOUS OBJECTONS], *monsieur le président*, au lieu de *nous nous opposons à cela, monsieur le président*, ou, absolument, *nous protestons, monsieur le président*. On peut encore se servir d'expressions comme *différer d'opinion, s'inscrire en faux contre*, selon les cas.

OBJET — *Voir* **AFFAIRE.**

OBSCURITÉ — *Voir* **NOIR — NOIRCEUR.**

OBSÈQUES — «Cérémonie religieuse ou laïque et convoi funèbre». C'est le mot qu'il conviendrait d'adopter au lieu de **funérailles** dans la plupart des cas. **Funérailles** s'emploie surtout pour désigner l'«ensemble des cérémonies solennelles ou somptueuses qui accompagnent l'enterrement d'une personnalité» (*LEXIS*).

On dit cependant *obsèques nationales* (plutôt que [D'ÉTAT], par anglicisme) aussi bien que *funérailles nationales, obsèques* étant le terme plus courant.

OBSTACLE — *Voir* **GOLF.**

OBSTINER (S'...) — Au XVIIe siècle, **obstiner** était un verbe transitif qui signifiait «contrarier par la contradiction», idée qu'exprime aujourd'hui le verbe **contredire**. On continue au Canada à dire [OBSTINER] *quelqu'un*. Dire *il ne perd pas une occasion de l'*[OBSTINER] au lieu d'*il ne perd pas une occasion de le contredire*, c'est commettre une faute. Il ne faut pas dire *cesse donc de m'*[OBSTINER] au lieu de *cesse donc de me contredire*. Il ne faut pas dire *drôle de ménage : ils passent leur vie à s'*[OBSTINER], mais *drôle de ménage : ils passent leur vie à se contredire*.

Au XVIIe siècle, **obstiner** se prononçait *ostiner*. Cette prononciation vieillie est courante au Canada autant que l'emploi de l'ancien verbe actif duquel on a dérivé le mot [OBSTINEUR] (prononcer *ostineur*) pour dire «qui aime contredire»: *c'est un* [OSTINEUR]. Ce mot n'a jamais existé en français.

Enfin, il faut se garder de prêter au verbe pronominal **s'obstiner**, en le faisant suivre de la préposition *avec*, le sens de «contredire» qu'avait l'ancien verbe actif: *il n'a pas perdu la mauvaise habitude de* [S'OBSTINER AVEC] *tout le monde* au lieu d'*il n'a pas perdu la mauvaise habitude de contredire tout le monde*. **S'obstiner** n'a pas d'autre signification que celle d'«agir en montrant de la ténacité, de l'opiniâtreté»: *s'obstiner dans une décision* et *malade, il s'obstinait encore à mener lui-même ses affaires à bonne fin*.

OCCASION — **Occasion** (l'adjectif *favorable* étant implicite) traduit dans bien des cas le mot anglais **lift** employé au sens de «transport gratuit par bienveillance». Un élève dira, par exemple, *j'ai eu une occasion ce matin; c'est pourquoi j'arrive au collège plus tôt que d'habitude*. Des jeunes gens qui font de l'**auto-stop** diront de même *nous avons eu deux occasions en nous rendant de Québec à Montréal*. Une personne qui, debout au bord de la route, signale du pouce aux automobilistes qu'elle aimerait être transportée gratuitement ne doit pas se dire *pas un* [LIFT] *après une heure d'attente !* mais peut se dire *pas une occasion* (c'est-à-dire «pas une circonstance favorable») *après une heure d'attente !*

[VOYAGER SUR LE POUCE] est un solécisme à cause de l'emploi abusif de la préposition *sur* (*voir* **PRÉPOSITIONS, EMPLOI DES...**).

Même quand l'**occasion** devient habituelle, comme dans le cas où un automobiliste fait prendre place tous les matins dans sa voiture à un piéton pour le transporter gratuitement à son travail parce que la distance à parcourir fait partie du trajet qui le mène au sien, on peut employer le mot, avec une nuance d'humour: *j'attends mon occasion*, comme on dirait en plaisantant *j'attends mon chauffeur* au lieu de simplement *j'attends mon automobiliste*.

Le mot **occasion** ne peut s'employer, cependant, pour désigner le fait de faire monter quelqu'un dans sa voiture et de le transporter gratuitement. Certes, l'on peut dire *j'ai fourni à un jeune homme l'occasion de se rendre gratuitement de Trois-Rivières à Québec*, mais c'est là du langage écrit plutôt que du langage parlé. On dira mieux, familièrement, *j'ai transporté un jeune auto-stoppeur depuis Trois-Rivières jusqu'à Québec*. Au lieu de *j'ai donné un* [LIFT] *à quelqu'un*, il faut dire *j'ai fait monter* ou *j'ai pris*, au sens d'«accueillir», *un auto-stoppeur*. Au lieu de *j'ai donné un* [LIFT] *au petit voisin jusqu'à son* *école*, il faut dire *j'ai pris le petit voisin et l'ai laissé à son école.*

Voir **OPPORTUNITÉ**.

OCCUPANT — *Voir* **PASSAGE — PASSAGER**.

OCCUPATION — *Voir* **LIGNE**.

OCCUPÉ — *Voir* **ENGAGÉ**.

OCCUPER (S'... DE) — *Voir* **PRENDRE SOIN DE**.

OCTROI — Au sens de «chose donnée par l'autorité politique», **octroi** est un terme vieilli. Au XVIIe siècle, il signifiait encore «privilège accordé par le roi»: *le roi a annulé cet octroi.* Depuis sa naissance, il y a quelque huit cents ans, **octroi** a toujours signifié «action d'octroyer», c'est-à-dire d'accorder, de concéder: *l'octroi d'une grâce, d'un privilège.* Par extension, le mot a désigné en France sous le régime monarchique et jusqu'en 1949 une taxe indirecte que l'État permettait à certaines municipalités (*voir* **COMMUNAL — COMMUNE**) de percevoir (*voir* **COLLECTER — COLLECTEUR — COLLECTION**) sur les denrées qui entraient chez elles. Ces contributions étaient des concessions de l'État (d'où vient le nom **octroi** qu'elles portaient) à ces municipalités, qui n'avaient pas autrement des ressources suffisantes pour subvenir aux besoins collectifs de leurs administrés. Ce sont les deux seules acceptions qu'a eues le mot **octroi** depuis le XVIIIe siècle et il n'est plus usité que pour dire «action d'accorder».

Un «don d'assistance que l'État fait à une association, à une collectivité locale, à une entreprise, à une oeuvre de charité ou à une personne» est une **subvention**. Il ne faut pas dire, par exemple, *les hôpitaux du Québec ont reçu récemment des* [OCTROIS] *considérables*, mais *les hôpitaux de Québec ont reçu récemment des subventions considérables* ou *plusieurs sociétés littéraires et artistiques ne pourraient subsister sans les* [OCTROIS] *qu'elles reçoivent de l'État*, mais *sans les subventions qu'elles reçoivent.*

Se garder d'employer le mot **subside** dans ce sens au lieu de **subvention**. Jusqu'au XVIIe siècle, **subside** a eu le sens d'«impôt exigé par le souverain ou don fait par le peuple au souverain pour l'aider à subvenir à des charges imprévues». Il s'emploie aujourd'hui au sens général de «secours en argent», mais en parlant d'assistance accordée par des personnes plutôt que par l'État: *ce fainéant ne compte que sur les subsides que sa mère lui verse régulièrement* et *j'étais disposé à aider ce jeune sculpteur, mais je lui couperai mes subsides s'il continue à ne rien produire.* En parlant de sommes accordées par un État, **subside** s'est dit de l'aide financière qu'un pays s'engageait par traité à fournir à un autre, le plus souvent sous forme de prêts, mais cette acception vieillit. On dit aujourd'hui *la France s'est engagée à accorder des prêts à son ancienne colonie* de préférence à *la France s'est engagée à accorder des subsides à son ancienne colonie.*

Parler, par exemple, des [SUBSIDES] *octroyés aux universités* au lieu des *subventions octroyées aux universités*, c'est commettre une faute sous l'influence de l'anglais: le mot anglais **subsidy** traduit les deux mot français **subside** et **subvention**.

OEUVRER — Ce verbe, synonyme de **travailler**, appartient au langage littéraire: *les romanciers œuvrent dans la solitude.* Il s'emploie néanmoins depuis quelques années dans le langage soigné comme verbe intransitif pour dire «travailler avec désintéressement»: *nous avons œuvré pour le succès de cette cause.*

Il faut se garder d'employer indifféremment les verbes **travailler** et **œuvrer**. On ne peut dire, par exemple *les travailleurs qui* [**OEUVRENT**] *dans la construction.* Il ne faut pas dire *cet homme* [**OEUVRE**] *dans la même usine depuis quinze ans*, mais *cet homme travaille dans la même usine.*

Quand on reçoit un salaire pour le travail qu'on accomplit, on n'œuvre pas. Cela n'empêche que les salariés peuvent **œuvrer** pour une œuvre de charité, pour un parti politique, pour une cause.

OFFENSE — Le mot **offense** a les sens modernes suivants. Premièrement, dans la langue courante, il signifie «affront, injure, outrage»: *je vous ai fait une offense involontaire et je vous prie de m'excuser.* Le terme n'est plus guère usité dans cette acception. On dit plutôt **affront**, **injure** et **outrage**. En termes de religion, **offense** est synonyme de **péché**: *Seigneur, pardonnez-nous nos offenses.* Enfin, dans la langue du droit, le mot se dit des **outrages** envers les chefs d'État: *offense envers le vice-roi*, et envers les juges. **Offense à la cour** est synonyme d'**outrage à magistrat**, les deux expressions à employer au lieu de la faute [**MÉPRIS DE COUR**], mauvais calque de l'anglais **contempt of court**.

Le mot anglais **offence**, emprunté à l'ancien français, a conservé les sens d'«attaque», et d'«agression», et de «blessure» qu'**offense** eut jadis et, en plus de signifier «injure» et «outrage» comme celui-ci, il désigne aujourd'hui, dans le vocabulaire juridique, toute violation de la loi, depuis la simple contravention, le **délit**, jusqu'au **crime** capital. C'est commettre un anglicisme que de dire *offense* au lieu de **délit** ou de **crime**. Il ne faut pas dire *cet homme est accusé de plusieurs* [**OFFENSES**], mais *cet homme est accusé de plusieurs crimes* ou *de plusieurs délits.*

Se garder de commettre un anglicisme orthographique en substituant le *c* de l'anglais **offence** au *s* du mot français.

OFFICIEL — Se garder d'employer l'adjectif **officiel**, sous l'influence de l'anglais **official** (*voir* **OFFICIER**), pour dire seulement **authentique**. L'un des sens de l'adjectif **officiel** est «qui émane publiquement du gouvernement ou d'une autorité compétente»: *le conseil des ministres n'a pas encore donné de réponse officielle* et *cette nouvelle vient de source officielle.* En parlant de documents, **authentique** signifie «dont on ne peut contester l'exactitude ou la validité» et, bien entendu, tous les actes **officiels** sont **authentiques**, mais tous les actes **authentiques** ne sont pas **officiels**. Il ne faut pas dire *voici le texte* [**OFFICIEL**] *du contrat qui lie ces deux entreprises*, mais *voici le texte authentique du contrat*, non plus que *voici le texte* [**OFFICIEL**] *de la conférence que doit prononcer notre invité d'honneur*, mais *voici le texte authentique.*

Se garder aussi de prêter, encore sous l'influence de l'anglais, à l'adjectif **officiel** le sens de «qui appartient à la fonction publique» de façon générale. **Officiel** a le sens de «qui remplit une fonction d'autorité dans l'administration» ou «qui représente une autorité reconnue comme porte-parole»: *personnage officiel* et *nous attendons le représentant officiel du conseil d'administration*. Un sténographe n'est pas un personnage **officiel**. Il ne faut pas dire *sténographe* [OFFICIEL] au lieu de *sténographe parlementaire* ou de *sténographe judiciaire* (*voir* **LÉGAL**).

OFFICIER — Le substantif **officier** se dit dans le vocabulaire juridique seulement du titulaire d'une charge dans l'administration d'un État (non d'une municipalité): *les officiers ministériels s'appellent fonctionnaires dans le langage courant comme les fonctionnaires municipaux*. C'est aussi le nom des titulaires d'un certain grade dans des associations honorifiques: *notre ordre du mérite comprend un grand officier, des commandeurs, des officiers et de simples membres*. Le mot n'a pas d'autres emplois que ceux-là hors de la terminologie militaire. Il ne faut pas dire *les* [OFFICIERS] *du ministère* au lieu de *les hauts fonctionnaires* ou *les cadres du ministère*.

L'anglais nomme **officer** quiconque remplit une fonction d'autorité dans n'importe quel organisme civil: administrateurs et directeurs d'entreprises, membres d'associations élus pour en diriger l'activité, etc., et ce sont des anglicismes que l'on commet quand on prête cette acception au mot **officier**. Il ne faut pas dire *les* [OFFICIERS] *de notre cercle littéraire* au lieu de *le bureau* (*voir ce mot et* **EXÉCUTIF**) *de notre cercle littéraire*. Il ne faut pas dire *les* [OFFICIERS] *du syndicat* (*voir* **UNION**) au lieu de *le bureau* ou *les dirigeants du syndicat*. Il ne faut pas dire *les* [OFFICIERS] *de la société* (*voir* **CORPORATION**) *sont en conférence* quand on veut dire *les administrateurs* ou, selon le cas, *les membres de la direction de la société sont en conférence*.

Quand on parle d'élections, il ne faut pas dire [OFFICIER RAPPORTEUR], calque dépourvu de sens de l'anglais **returning officer**, mais *président d'élection* ou *directeur général du scrutin*. La «personne qui surveille, dépouille et vérifie le scrutin dans un bureau de vote» n'est pas un [SOUS-OFFICIER RAPPORTEUR], calque de **deputy returning officer**, mais un *scrutateur-surveillant de bureau de scrutin*.

OISEAUX — Plusieurs oiseaux du Canada portent des noms qui ne leur conviennent pas (CLAUDE MELANÇON, *CHARMANTS VOISINS*) ou ont perdu leur nom propre.

Comme il n'y a pas de truites du Québec, mais des ombles (*voir* **POISSONS**), on ne trouve pas de **perdrix** au Canada, mais des **gélinottes**. Dans l'ordre des gallinacés (oiseaux dont le type est le coq de basse-cour), les **gélinottes** et les **perdrix** forment deux genres différents. Il y a des **gélinottes** en Asie, en Europe et en Amérique, mais il n'y a de **perdrix** qu'en Europe et en Asie. La **gélinotte**, *la poule des bois*, est plus grosse que la **perdrix**. Celle-ci est à peine plus grosse qu'un **merle**.

À propos du **merle**, l'oiseau appelé *grive* au Canada est, en réalité, un **merle**. L'erreur, cependant, est moins grave ici, car **merles** et **grives** appartiennent à la même famille et ne diffèrent que par les coloris de leurs plumages. Reste que la [GRIVE] du Canada est un **merle**.

Il faut savoir que l'oiseau auquel on donne, d'après son cri, le nom vulgaire de *bois pourri* est un **engoulevent**. C'est l'**engoulevent criard**.

Récollet est le nom usuel donné au Canada à une espèce de **jaseurs**, le **jaseur des cèdres**.

Le [ROSSIGNOL] du Canada est un **pinson**.

[HUART], nom par lequel on désigne une espèce de **plongeon** (oiseau aquatique à long cou et long bec droit), est une faute. On écrit aussi *huard*, mais le **huard** est un oiseau rapace de la famille des faucons.

Cette liste est incomplète. C'est une mise en garde contre l'acceptation inconsidérée de termes impropres employés couramment.

Voir **CAILLE**.

OMBLE — *Voir* **POISSONS**.

OMBRE — *Voir* **POISSONS**.

OMNIBUS — *Voir* **LOCAL**.

ONÉREUX — *Voir* **DISPENDIEUX**.

OPÉRATEUR — OPÉRATION — OPÉRER — Le verbe **opérer** s'emploie intransitivement aux sens suivants: «être efficace, produire un effet»: *les pressions économiques ont opéré comme on l'avait prévu* et *il arrive souvent qu'un médicament efficace chez un malade n'opère pas chez un autre*; «pratiquer une ou des opérations chirurgicales»: *ce chirurgien opère avec un art consommé*; dans le vocabulaire technique en parlant de machines, «remplir sa fonction»: *cette machine opère à merveille*; en termes de finance, «spéculer»: *ce brasseur d'affaires opère audacieusement.*

Transitif, **opérer** signifie «produire, accomplir, effectuer»: *opérer une saisie, opérer un miracle, opérer une transformation*; «soumettre à une opération chirurgicale»: *opérer un patient*; dans le vocabulaire technique, «actionner» en parlant de certains appareils (*voir la fin de l'article*): *il faut suivre un cours pour apprendre à opérer certaines machines électroniques.*

Opérer n'a pas comme le verbe anglais **to operate** en Amérique du Nord les significations de «diriger, posséder, tenir, exploiter» en parlant d'entreprises commerciales ou industrielles et ce sont des anglicismes que l'on commet quand on dit, par exemple, *cette compagnie* (*voir* **CORPORATION**) [OPÈRE] *une chaîne de restaurants* ou *il a sa façon à lui d'*[OPÉRER] *un commerce.* Il faut se servir, selon le cas, des verbes **posséder**, **tenir**, **diriger**, **exploiter**: *cette compagnie possède* ou *exploite une chaîne de restaurants* et *il a sa façon à lui de tenir* ou *diriger un commerce.* Au lieu d'[OPÉRER] *un restaurant*, on dit correctement *tenir restaurant.* Au lieu de *ce n'est plus X qui* [OPÈRE] *ce magasin, il l'a vendu à Y*, on dira en français *X n'est plus le propriétaire de ce magasin, il l'a vendu à Y.*

La première acception du verbe **exploiter** n'est pas le sens figuré péjoratif de «tirer un profit abusif de»: *profiter d'une pénurie pour exploiter les clients*, mais le sens de «mettre en oeuvre, faire valoir, tirer parti de»: *exploiter une* *maison d'édition, exploiter des ressources naturelles, exploiter un commerce*, etc. Une «personne qui met en valeur une source de richesse» est un **exploitant**, tandis qu'une «personne qui tire un profit abusif» d'une situation ou d'autrui est un **exploiteur**.

Le substantif **opération** a plusieurs significations. Il a en premier lieu celle d'«action» en parlant d'un agent qui produit un effet selon sa nature: *opération intellectuelle, opération du Saint-Esprit* et en parlant d'une combinaison de moyens mis en oeuvre selon un plan établi et en vue d'un résultat déterminé: *opération chimique, opération industrielle, opération technique*. Se garder d'employer **opération** pour désigner le résultat obtenu ou à atteindre par ces moyens. C'est commettre un anglicisme que de dire, par exemple, *les* [OPÉRATIONS] *de notre entreprise sont diversifiées* quand on veut dire *la production de notre entreprise est diversifiée*. En mathématiques, **opération** signifie «processus de calcul»: *les opérations arithmétiques*. En termes de commerce et de finance, il veut dire «transaction, affaire»: *opération de banque, opération au comptant, opération forfaitaire*. Dans le vocabulaire militaire, il désigne un ensemble de mouvements en vue d'atteindre un résultat déterminé: *opération défensive, opération d'enveloppement*. Enfin, en termes de chirurgie, il signifie «intervention sur une partie d'un corps vivant pour la modifier, la retrancher ou la couper».

On voit par cette définition que c'est abusivement qu'on se sert du mot **opération** en parlant d'un accouchement ou d'un avortement provoqué. L'expression *opération illégale* employée au Canada devant les tribunaux pour désigner un avortement provoqué est fautive. Il faut parler de **manœuvres abortives** criminelles. Une intervention chirurgicale s'accomplit par un certain nombre de manœuvres opératoires, mais les manoeuvres du médecin à la naissance d'un enfant ou celles d'une personne qui provoque un avortement n'ont nullement pour but de modifier, retrancher ou couper une partie du corps de la femme qui y est soumise. Cette faute vient aussi de l'anglais: **manœuvres abortives** criminelles, ou avortement provoqué criminellement, se dit dans cette langue **illegal operation**.

De même que le verbe anglais **to operate** a en Amérique du Nord le sens d'«exploiter», le substantif anglais **operation** y a celui de «mise en valeur», qu'il s'agisse de biens naturels, de biens industriels ou de biens commerciaux. Or c'est là la première définition du mot français **exploitation**. On commet encore des anglicismes en parlant de *l'*[OPÉRATION] *bien conduite d'une entreprise* au lieu de *l'exploitation bien conduite d'une entreprise* ou des *frais* [D'OPÉRATION] *d'une entreprise* au lieu des *frais d'exploitation*. Il ne faut pas dire *bénéfice* ou *perte d'*[OPÉRATION], mais *bénéfice* ou *perte d'exploitation*.

Noter au sujet du substantif **opération** qu'il n'a pas comme le nom anglais **operation** en termes de droit et d'administration le sens d'«application, mise à exécution» qu'a aussi le substantif anglais **force** et que ce sont d'autres anglicismes que l'on commet quand on dit d'une loi ou d'un règlement qu'elle est ou qu'il est *en* [OPÉRATION] ou *en* [FORCE]. L'expression française généralement employée est **en vigueur**: *la nouvelle loi sera en vigueur le mois prochain*. On dit aussi **prendre effet**: *le nouveau règlement prendra effet le mois prochain*.

Ce qu'il faut retenir au sujet du nom **opérateur**, c'est qu'il n'a pas comme le terme anglais **operator** la signification générale d'« ouvrier qui actionne une machine, qui fait fonctionner un appareil ». Le verbe **opérer** et le substantif **opérateur** ne s'emploient en parlant de personnes qui font fonctionner un appareil qu'à propos d'appareils photographiques, cinématographiques, radiotélégraphiques à bord des navires et des avions particulièrement et de quelques machines électroniques. Il ne faut pas dire [OPÉRATEUR] ou [OPÉRATRICE] *de téléphone*, mais *téléphoniste* ou *standardiste* (*voir* **TÉLÉPHONE**), non plus qu'[OPÉRATEUR] *de télégraphe*, mais *télégraphiste*. Il ne faut pas dire [OPÉRATEUR] *de tour*, mais *tourneur*, non plus qu'[OPÉRATEUR] *d'ascenseur* (*voir* **ÉLÉVATEUR**), mais *liftier*, etc.

Voir **MACHINISTE**.

OPPORTUNISME — OPPORTUNISTE — Les mots **opportunisme** et **opportuniste** sont péjoratifs.

Opportunisme signifie « manière de se conduire de celui qui place son intérêt immédiat au-dessus des principes ». On taxera justement d'**opportunisme** une personne qui n'hésite pas à provoquer une querelle entre deux concurrents au moment où cela peut favoriser ses intérêts ou une personne qui, se trouvant successivement en présence de deux adversaires, dira blanc à l'un et noir à l'autre, s'il croit que cela peut lui être utile. **Arriviste** est un synonyme.

L'**opportuniste** est le contraire de celui qui règle sa conduite selon des principes. Ce qui lui est momentanément avantageux est tout ce qui lui importe. Dire qu'ils sont **opportunistes** d'un homme d'affaires qui profite honnêtement des hausses et des baisses de l'offre et de la demande pour accroître les bénéfices de son commerce ou d'un joueur de hockey qui ne laisse jamais passer une occasion de marquer (*voir* **COMPTE — COMPTER — COMPTEUR**) un but, ce n'est pas leur faire un compliment. C'est dire que le premier n'a aucun scrupule à agir contre la probité et l'honneur quand cela lui convient et que le second viole volontiers les règles du sport quand il croit que cela passera inaperçu.

Un homme qui se rend compte que les circonstances lui deviennent favorables et qui s'empresse d'en profiter correctement est un homme **habile**, par opposition à l'homme seulement **intelligent**, qui comprend qu'une bonne occasion se présente, mais qui ne sait pas en tirer avantage. On commet un anglicisme en prêtant à **opportuniste** le sens d'« habile » : c'est l'une des acceptions du mot anglais **opportunist**. Il ne faut pas dire d'un bon joueur de hockey qu'il est [OPPORTUNISTE], mais qu'il est **habile**.

OPPORTUNITÉ — Le terme **opportunité**, venu au français par l'intermédiaire du provençal, a longtemps conservé, du XIIIe siècle jusqu'à la fin du siècle dernier, le sens premier du mot latin **opportunitas** : « occasion favorable ». Cela explique qu'on trouve encore cette définition du mot dans les dictionnaires contemporains. *On se prévalait d'une opportunité.* De plus, le terme a pris cette acception dans le langage courant.

Au XXe siècle, **opportunité** a surtout le sens de « caractère de ce qui est opportun », c'est-à-dire « qui arrive à propos » ou « qui se présente à un moment favorable»: *le gouvernement et le peuple sont d'accord sur l'opportunité de créer ce nouveau ministère*, c'est-à-dire sur le fait que la création du nouveau ministère convient aux circonstances.

Le terme anglais **opportunity**, qui vient directement du latin **opportunitas**, a pris le sens d'«occasion», dans l'acception la plus large du mot, et celui de simple «possibilité». On commet un anglicisme quand on dit *je suis heureux d'avoir l'*[OPPORTUNITÉ] *de faire votre connaissance* (*voir* **RENCONTRER**) au lieu de *je suis heureux d'avoir l'occasion de faire votre connaissance* ou quand on affirme que le *Canada offre de grandes* [OPPORTUNITÉS] *à tous les hommes d'initiative* au lieu de soutenir que *le Canada offre de grandes possibilités à tous les hommes d'initiative.*

Qu'il s'agisse d'une **occasion** tout court ou d'une **possibilité**, on commet une faute en la désignant par le mot **opportunité**.

OPPOSER (S'...) — *Voir* **OBJECTER**.

OPTION — Sauf dans le langage juridique, où il a le sens de «droit préférentiel», ce mot désigne la faculté ou l'action de choisir entre deux ou plusieurs possibilités: *le Québec tient à son droit d'option.* La réforme de l'enseignement a donné à **option** une autre signification précise: **cours à option**, c'est-à-dire «cours que doit choisir l'élève parmi ceux qui lui sont proposés». Les expressions **cours à option** et **cours facultatifs** ne sont pas synonymes.

Il faut se garder d'abuser de ce nouvel emploi du terme. S'il se dit correctement d'une matière en particulier, aussi générale qu'elle soit comme les arts ou les mathématiques, c'est exagérer que de l'employer pour dire «ensemble des cours que suivent un certain nombre des élèves d'une année»: *nous avions le choix entre l'*[OPTION] *arts et lettres et l'*[OPTION] *lettres et sciences.* Dans un enseignement totalement polyvalent, chaque cours serait une **option** pour chaque élève. Des ensembles de cours entre lesquels les élèves d'une maison d'enseignement peuvent choisir sont des **sections** scolaires, ou des **séries** de cours, ou des **voies** scolaires différenciées.

Se rappeler, en second lieu, qu'**option** n'a le sens de «possibilité entre plusieurs» que dans le vocabulaire de l'enseignement. Il est fautif, par exemple, de dire [OPTIONS] *politiques* au lieu d'*opinions*, ou *thèses*, ou *théories*, ou *doctrines*, ou *partis politiques*. Il ne faut pas dire *nous nous trouvons devant deux* [OPTIONS] *également inacceptables*, mais *nous nous trouvons devant deux propositions*, ou *deux possibilités*, ou *deux théories*, ou *deux opinions également inacceptables*.

OPUSCULE — *Voir* **PAMPHLET — PAMPHLÉTAIRE**.

ORDINAIRE — *Voir* **CONVENTIONNEL, RÉGULIER** *et* **SPÉCIAL**.

ORDONNANCE — *Voir* **BREF** (nom).

ORDONNER — ORDRE — En termes de commerce, **ordre** et **commande** sont synonymes. On **passe** une **commande** ou un **ordre** à son fournisseur (*voir* **VENDEUR**). L'usage, cependant, réserve l'emploi du mot **ordre** au commerce des valeurs en bourse et le mot **commande** à ceux des objets matériels et des services. On téléphone un **ordre** d'achat ou de vente à son courtier en valeurs et on **passe** une **commande** de vive voix à un vendeur, par bon de **commande**, par téléphone, par lettre ou par l'intermédiaire d'un voyageur ou d'un représentant, à un fabricant, à un grossiste ou à un détaillant. Retenir qu'il faut dire *passer* (ou *faire*) *une commande*, non [DONNER] *une commande.*

Si, en principe seulement, les mots **ordre** et **commande** sont des synonymes au sens de « demande d'objets ou d'effets de commerce qu'on s'engage à payer » et de « marchandises ou valeurs commandées », le verbe **ordonner** ne s'emploie jamais dans le vocabulaire commercial. C'est sous l'influence de l'anglais **to order** que l'on commet la faute [ORDONNER] *des marchandises à un fabricant* ou [ORDONNER] *des valeurs à un courtier* ou lieu de dire *commander des marchandises* et *passer un ordre de vente* ou *d'achat de valeurs.*

Au restaurant, au café, au bar, plutôt que *passer une commande*, on dit simplement *commander quelque chose.* Au lieu de *monsieur a-t-il* [ORDONNÉ] *quelque chose?* ou *monsieur a-t-il* [DONNÉ SON ORDRE]*?* une serveuse ou un garçon doit demander *monsieur a-t-il commandé quelque chose?* et, si, par exemple, le client désire des toasts (*voir ce mot*), la serveuse ou le garçon ne doit pas dire au cuisinier *un* [ORDRE] *de toasts*, mais *une commande de toasts. Voir* **REMPLIR**.

[ORDER], verbe issu de l'anglais **to order** employé au Canada au lieu de **commander** dans le langage commercial: *j'ai* [ORDÉ] *le bois dont tu as besoin*, est un mot patois.

D'un autre côté, le substantif **ordre** est employé abusivement au Canada aux sens d'« état » en parlant de n'importe quoi: *la maison n'est pas en bon* [ORDRE] au lieu de *la maison n'est pas en bon état*; d'« état de fonctionnement » en parlant de machines et d'appareils: *le téléphone est maintenant en bon* [ORDRE] *et vous pouvez vous en servir* au lieu de *le téléphone a été réparé* ou *fonctionne bien* et *le téléviseur* (*voir* **TÉLÉVISEUR — TÉLÉVISION**) *est en mauvais* [ORDRE] au lieu de *le téléviseur fonctionne mal* ou *est déréglé*; de « bonne forme » en parlant d'un compte: *ce compte est en* [ORDRE] au lieu de *ce compte est à jour, juste, bien établi* ou *exact*; d'« accord avec la loi, l'usage »: *passeport en* [ORDRE] au lieu de *passeport en règle*. Toutes ces fautes sont des anglicismes. *Voir* **DÉRANGEMENT**.

C'est encore sous l'influence de l'anglais, **order in council**, que l'on appelle [ORDRE EN CONSEIL] les décisions administratives d'un conseil des ministres. Ces décisions sont des **arrêtés ministériels** ou des **décrets.** Ces deux termes sont synonymes. Une décision d'un conseil des ministres qui présente un caractère législatif est un **décret-loi** *(voir* **LOI***).*

Se rappeler, d'autre part, que, dans une assemblée délibérante, il ne faut pas dire [SOULEVER UN POINT D'ORDRE], mais *invoquer le règlement*. L'expression [SOULEVER UN POINT D'ORDRE] est un calque de la phrase anglaise **to raise a point of order**, qui se traduirait correctement par « soulever la question de savoir si ceci ou cela est conforme à la méthode établie par le règlement pour la conduite des délibérations ». Il ne faut pas non plus reprocher à un membre d'une assemblée qui prend la parole (*voir* **ADRESSER**) d'*être* [HORS D'ORDRE], comme on dit en anglais **to be out of order**, mais *on invoque le règlement* pour s'opposer (*voir* **OBJECTER**) à ce qu'il dit, c'est-à-dire qu'on lui reproche d'enfreindre ou de violer le règlement. On dit correctement, cependant, *rappeler à l'ordre*, par ellipse, quand on veut ramener un membre d'une assemblée qui s'en écarte dans son discours à la question inscrite à l'ordre du jour (*voir* **AGENDA**). Une motion irrecevable par le président d'une assemblée parce qu'elle n'est pas conforme au règlement est une *motion irrégulière* ou *irrecevable*, non une *motion* [**HORS D'ORDRE**].

ORFÈVRERIE — *Voir* **COUTELLERIE**.

ORGANE DE PUBLICITÉ — *Voir* **MÉDIUM**.

ORIGINAL — *Voir* **CAS, DIFFÉRENT** *et* **MINUTE — MINUTER**.

ORIGINE — Le mot **origine**, qui s'emploie comme synonyme de *cause, commencement, début, extraction, naissance, point de départ, provenance, source*, etc., est un très vieux vocable. Au XVIe siècle, il a donné naissance à l'adjectif **originé**, qui n'a pas vécu longtemps. Jamais le français n'en a tiré un verbe.

Dire [**ORIGINER**] au lieu de **commencer**, **prendre naissance** ou **provenir**, c'est commettre une faute sous l'influence de l'anglais. Celui-ci a emprunté au français son substantif **origin**, qui a servi à former un verbe, **to originate**.

Il ne faut pas dire *le feu a* [**ORIGINÉ**] *dans le sous-sol*, mais *le feu a pris naissance* ou *a commencé dans le sous-sol*. Il ne faut pas dire *ces rumeurs ne peuvent* [**ORIGINER**] *que de l'ennemi*, mais *ces rumeurs ne peuvent provenir que de l'ennemi*. L'emploi de l'anglicisme [**ORIGINER**] n'est heureusement pas répandu.

ORIGNAL — *Voir* **ANIMAUX**.

OSTRACISME — *Voir* **ANTAGONISME**.

OSTRÉICULTEUR — *Voir* **HUÎTRE**.

OÙ — *Voir* **Y**.

«**OUANANICHE**» — L'**ouananiche** est un saumon d'eau douce de la région du Saguenay et du lac Saint-Jean. Les Amérindiens qui y vivaient avant l'arrivée des Blancs, les Montagnais, l'avaient ainsi nommé «petit saumon» et les colons français adoptèrent le mot, qu'ils féminisèrent. On dit *une ouananiche*. Comme devant *ouate*, l'élision de l'article *la* est facultative: on dit et on écrit *l'ouananiche* ou *la ouananiche*. L'**ouananiche** est connue sous ce nom et sous nul autre par de nombreux touristes francophones d'Europe qui l'ont pêchée. Ce nom figure maintenant aux dictionnaires.

Voir **POISSONS**.

«**OUAOUARON**» — Ce mot d'origine iroquoise désigne au Canada la grenouille de très grande taille qui ne se trouve qu'en Amérique du Nord.

Comme il désigne un animal exclusivement américain, le terme d'origine amérindienne **ouaouaron** a sa place dans les dictionnaires français.

OUATE — *Voir* **ABSORBANT**.

OURLER — OURLET — *Voir* **BORDER**.

OUTRAGE — *Voir* **OFFENSE**.

OUTRAGE AUX MOEURS — *Voir* **ASSAUT**.

OUVERTURE — Ce mot a comme premières significations celles d'«action d'ouvrir» et d'«état de ce qui est ouvert»: *l'ouverture des portes du magasin a dû être retardée* et *heures, jours d'ouverture*. C'est le mot **ouverture** qu'il faut employer: *nos heures d'ouverture sont de 9h à 18h* et non *nos heures* [D'AFFAIRES].

L'expression *homme d'affaires* est française, mais les heures ne peuvent être [D'AFFAIRES], non plus que des voyages.

Se garder de parler de [L'OUVERTURE D'UN CONTRAT], d'une convention collective, pour signifier leur *remise en question*, leur *résiliation* (avant terme).

OUVRAGE — *Voir* **PROJET**.

OUVRE-HUÎTRES — *Voir* **HUÎTRES**.

OUVRIER — *Voir* **EMPLOI — EMPLOYÉ — EMPLOYER**.

OUVRIR — *Voir* **DÉBUTER**.

P

PACAGER — *Voir* **ABATTIS.**

PAGAIE — *Voir* **AVIRON.**

PAIN DE MIE — *Voir* **SANDWICH.**

PAIN GRILLÉ — *Voir* **TOAST.**

PAIRE — *Voir* **APPAREILLER** *et* **COUPLE.**

PALAIS — *Voir* **PARLEMENT.**

PALET — *Voir* **HOCKEY.**

PALETOT — *Voir* **PARDESSUS.**

PALETTE — Venu, par l'intermédiaire du provençal, du même terme latin qui devait donner *pelle* plus tard au français, le mot *pale*, dont on se servait alors comme aujourd'hui pour nommer la partie plate d'un aviron (*voir ce mot*), a produit le dérivé **palette** vers la fin du XIIIe siècle. **Palette** a été et est encore le nom de nombreux objets: plaques, plateaux, ustensiles, instruments, parties d'instruments, etc., dont il serait inutile de dresser la liste ici. Se rappeler seulement que, s'il est correct de dire **palette** pour désigner la petite raquette en bois du tennis de table, le mot n'est synonyme ni de **tablette** (*voir ce mot*) en parlant de produits moulés en petits rectangles plats, ni de **visière** en parlant d'une casquette ou d'un képi, ni de **spatule** en parlant, par exemple, de l'instrument en bois dont on se sert dans une sucrerie d'érablière (*voir ce mot*) pour remuer le sirop ou pour servir du sucre légèrement cuit et refroidi. Il ne faut pas dire *une* [PALETTE] *de chocolat* ou *de chewing-gum*, mais *une tablette de chocolat, de chewing-gum*. Il ne faut pas dire *il portait sa casquette* [PALETTE] *derrière*, mais *il portait sa casquette visière derrière*. Il ne faut pas dire *manger du sucre d'érable avec des* [PALETTES], mais *avec des spatules*.

PALPITER — *Voir* **DÉBATTRE.**

PAMPHLET — PAMPHLÉTAIRE — Un **pamphlet** est un ouvrage littéraire généralement court, d'un style violent et mordant, dirigé contre un ou des personnages, ou contre un ou des groupes de personnes. L'auteur d'écrits de cette sorte est un **pamphlétaire**. On lit encore avec intérêt quelques-uns des **pamphlets** politiques écrits par l'écrivain français Paul-Louis Courrier au début du siècle dernier. Claude-Henri Grignon a pratiqué ce genre littéraire au Canada.

Le mot, emprunté à l'anglais à la fin du XVIIe siècle, a gardé le sens qu'il avait alors dans cette langue et n'en a acquis aucun autre. C'est une contraction de **pamphilet**, nom populaire que prit en Angleterre, au XVIe siècle, une comédie satirique en vers latins dont le titre commençait par le prénom **Pamphilus**. Aujourd'hui le mot anglais **pamphlet** ne désigne plus seulement un écrit satirique, mais toute publication courte, non reliée, sur un sujet d'actualité. Par extension de sens, l'anglais commercial l'emploie aussi pour désigner toute publication courte non reliée (dépliant, brochure, imprimé descriptif, etc.) sur un ou plusieurs produits, ou sur une ou plusieurs entreprises. C'est commettre un anglicisme que de prêter au terme français **pamphlet** ces sens modernes du mot anglais dont il est issu. Il ne faut pas dire *les compagnies d'assurances publient de nombreux* [PAMPHLETS] *sur toute sorte de questions sociales*, mais *les compagnies d'assurances publient de nombreuses brochures* ou *de nombreux opuscules*. Il ne faut pas dire *vous trouverez dans ce* [PAMPHLET] *tous les renseignements utiles sur le fonctionnement de notre appareil*, mais *dans ce dépliant*.

Un **dépliant** est un «imprimé comprenant plusieurs pages repliées les unes sur les autres et qu'il faut déplier pour prendre connaissance du texte». Une simple feuille pliée en deux pour faire quatre pages n'est pas un **dépliant**: il suffit de l'ouvrir pour lire le texte. Une feuille pliée en trois de façon à faire six pages repliées les unes sur les autres est un **dépliant**, car il faut la déplier pour lire le texte. **Brochurette**, diminutif de **brochure** (*voir* **BROCHE**), désigne un ouvrage broché ne comprenant qu'un petit nombre de pages. Un **opuscule** est un ouvrage très court sur un sujet littéraire ou scientifique. On ne peut employer ce mot au sujet d'une **brochurette** publicitaire.

Voir **LIBELLE — LIBELLISTE**.

PANIER — *Voir* **CARTON — CARTOUCHE**.

PANNE — *Voir* **DÉRANGEMENT** *et* **TROUBLE**.

PANTALON — Noter que, de nos jours, **pantalon** est toujours un nom singulier pour désigner une pièce de vêtement qui couvre depuis les reins jusqu'au cou-de-pied: *porter le pantalon, enlever son pantalon, ceinture de pantalon*. Dire *une* [PAIRE DE PANTALONS] au lieu d'*un pantalon*, c'est s'exprimer de façon incorrecte. Le fait que les mots anglais qui désignent toute pièce de vêtement pour une personne du sexe masculin ou du sexe féminin nommée **pantalon** en français sont toujours pluriels (**trousers, pants, slacks**) exige des Canadiens qu'ils se défendent constamment contre la tentation de dire [MES PANTALONS] au lieu de *mon pantalon*.

Se garder de commettre le pléonasme [PANTALON LONG], qui s'explique par le double fait que, dans le langage familier, on emploie abusivement *culotte* pour **pantalon** *(dans ce ménage, la femme porte la culotte)* et que le **pantalon** est une sorte de culotte longue. On dit correctement *mon grand fils* (*voir* **GARÇON**) *de dix ans a quitté définitivement* (*voir ce mot*) *la culotte, il ne porte plus que le pantalon*, non *le* [PANTALON LONG].

PANTOUFLE — Une **pantoufle** est une chaussure de chambre souple à talon non renforcé mais à semelle plus épaisse à l'arrière qu'à l'avant. Une chaussure de chambre à talon renforcé et à semelle égale est un **chausson** (*voir* **CHAUSSETTE — CHAUSSON**). Une chaussure de chambre à semelle égale ou non qui couvre le dessus du pied mais laisse le talon découvert est une **mule**.

On nomme **mocassin** une chaussure en peausserie très souple, sans lacets, à semelle très élastique souvent en caoutchouc crêpé. On sait que le mot **mocassin** désigne en premier lieu une chaussure amérindienne en peau non tannée.

Le **bottillon** est une chaussure fourrée (doublée) qui a plus ou moins la forme d'une botte basse.

Le **brodequin** est une très forte chaussure lacée souvent à semelle antidérapante.

Un **escarpin** est un soulier découvert à semelle très mince, pour la danse. C'est le soulier de bal, pour les hommes et pour les femmes. Le soulier de femme à semelle mince et très découvert, sans col d'empeigne, pour la ville (en anglais **court shoe**), qui porte aussi le nom d'**escarpin**, est plutôt nommé maintenant **soulier décolleté** ou **décolleté** tout court.

Une chaussure d'été qui laisse le talon à découvert et dont le dessus en une seule pièce ajourée ou fait de brides croisées ne recouvre pas ou que peu le cou-de-pied et les orteils, a pris le nom de **nu-pied** (des **nu-pieds**) aujourd'hui employé de façon générale.

Une **espadrille** est une chaussure à empeigne (dessus) de toile, comme le **soulier de tennis**, mais, tandis que la semelle du **tennis** est faite de caoutchouc, celle de l'**espadrille** est faite de corde.

La **sandale** est une simple semelle retenue au pied par des cordes ou des rubans.

PAPETERIE — *Voir* **MOULIN**.

PAPIER HYGIÉNIQUE — *Voir* **TOILETTE — TOILETTES**.

PAPILLON — *Voir* **TICKET**.

PAR — *Voir* **GOLF**.

PARACHÈVEMENT — *Voir* **COMPLÈTEMENT — COMPLÉTER**.

PARADE — PARADER — Les diverses significations des mots anglais **parade** et **procession**, l'un et l'autre empruntés au français, ont causé des déviations dans l'emploi des mots **parade** et **procession** au Canada. Particulièrement, on s'y sert de ces termes au lieu de **défilé**, nom qui n'a pas d'équivalent en anglais, c'est-à-dire qu'il se traduit dans cette langue selon les cas soit par **parade** soit par **procession**.

L'action de «marcher en file» s'exprime par le verbe **défiler** et toute «marche de personnes ou de voitures allant par colonne, en file» est un **défilé**. Pour désigner un rassemblement de personnes qui marchent à la file, **parade** ne s'applique qu'à des cérémonies militaires.

Il ne faut pas dire *la* [PARADE] *de la Saint-Jean*, mais *le défilé de la Saint-Jean*, non plus que *la* [PARADE] *du père Noël*, mais *le défilé du père Noël*. Au lieu de *les anciens combattants* (*voir* **VÉTÉRAN**) *ont* [PARADÉ] *hier dans les rues de la ville*, il faut dire *les anciens combattants ont défilé hier dans les rues de la ville*. Il ne faut pas dire non plus [PARADE] *de modes*, mais *défilé de mannequins* (*voir* **MODÈLE — MODELER**) ou *présentation de collections*.

Il est aussi incorrect de dire [PROCESSION] *de la Saint-Jean* au lieu de *défilé de la Saint-Jean*. **Procession** est un terme du vocabulaire liturgique de l'Église catholique qui signifie «défilé de membres du clergé ou (par extension) de membres du clergé et des fidèles laïcs qui marchent en chantant». Ce n'est qu'au figuré que le mot sert à désigner une suite de personnes ou de choses qui avancent à la file: *l'antichambre du ministre a été animée toute la journée par une procession de solliciteurs* (*voir ce mot*).

Se garder, enfin, de dire *parade* ou *procession* au lieu de **cortège**. Une «suite de personnes qui accompagnent ou suivent quelqu'un pour lui faire honneur» est un **cortège**: *cortège funèbre*. Il ne faut pas dire [PROCESSION] ou [PARADE] au lieu de *cortège nuptial*.

PARAPHER — L'anglais a tiré de son substantif **initial** le verbe transitif **to initial**, qui exprime l'idée d'«apposer, inscrire ses initiales sur». Le calque [INITIALER] souvent employé au Canada dans ce sens est une faute. Ce verbe n'existe pas en français. «Signer de ses initiales» se dit **parapher**. Au lieu de *n'oubliez pas d'*[INITIALER] *le bordereau*, on dit correctement *n'oubliez pas de parapher le bordereau* ou *d'inscrire vos initiales sur le bordereau*. Au lieu de *toute rature sur un chèque doit être* [INITIALÉE], il faut dire *toute rature sur un chèque doit être paraphée*. Il ne faut pas dire *veuillez* [INITIALER] *ce document au bas de chaque page*, mais *veuillez parapher ce document*, ou *signer ce document de vos initiales au bas de chaque page*, ou *veuillez mettre vos initiales au bas de chaque page de ce document*.

PARASITE — *Voir* **ÉCORNIFLER — ÉCORNIFLEUR**.

PARASITES — *Voir* **STATIQUE**.

PARAVENT — *Voir* **ÉCRAN**.

PARCE QUE — *Voir* **QUAND**.

PARCOURS — *Voir* **GOLF**.

PARDESSUS — Le mot **pardessus** n'a qu'un sens. Il désigne un «manteau d'homme en étoffe épaisse qu'on porte quand il fait très froid». Aussi l'expression *d'hiver* ajoutée généralement à **pardessus**, au Canada et en France, est-elle superfétatoire. On doit dire simplement *pardessus* et non *pardessus* [D'HIVER].

Pardessus n'ayant que cette signification, il est fautif d'employer le terme pour désigner une «chaussure imperméable recouvrant le pied jusqu'à la cheville qui se porte par-dessus une autre chaussure». Une chaussure de cette sorte est un **couvre-chaussure**. Il ne faut pas dire *j'ai acheté une paire de* [PARDESSUS] *en plastique*, mais *j'ai acheté une paire de couvre-chaussures en plastique*.

Un «couvre-chaussure qui protège seulement la semelle et une partie de l'empeigne d'un soulier» est un **caoutchouc**, non une *claque*. Le mot **claque** a désigné autrefois une sorte de socque, c'est-à-dire une sorte de chaussure de bois ou de cuir portée par-dessus une autre chaussure pour la protéger contre la boue. Cette socque n'existe plus et c'est le mot **caoutchouc** qui désigne la chaussure de dessus caoutchoutée ou, par extension, en matière plastique et basse qu'on porte de nos jours.

Un «couvre-chaussure sans fermeture qui protège non seulement le pied mais aussi une partie de la jambe» est une **botte**.

Tout «vêtement pourvu de manches porté par un homme ou une femme par-dessus d'autres vêtements depuis les épaules jusqu'aux genoux» est un **manteau**: *manteau de printemps, manteau imperméable, manteau de jeune homme.*

Un **palelot** est un «manteau court, boutonné et muni de poches extérieures». Un **paletot** ne recouvre les autres vêtements que depuis les épaules jusqu'à mi-cuisse.

PARE-BRISE — *Voir* **AUTOMOBILE**.

PARE-CHOCS — *Voir* **AUTOMOBILE**.

PARE-ÉTINCELLES — *Voir* **ÉCRAN**.

PAREIL — *Voir* **APPAREILLER** *et* **DE MÊME**.

PAR EXEMPLE — Employer la locution adverbiale **par exemple** au lieu de la conjonction **mais** est une faute courante dans le langage familier au Canada: *je n'ai pas le goût de jouer au bridge,* [PAR EXEMPLE] *j'irais au cinéma* au lieu de *mais j'irais au cinéma* ou *cet homme ne la haïssait pas, il la méprisait* [PAR EXEMPLE] au lieu de *mais il la méprisait*. La locution adverbiale **par exemple** n'a d'autre sens que «pour en citer un exemple»: *il était généreux; par exemple, il s'imposa longtemps des heures de travail supplémentaire afin de pouvoir payer le loyer d'un ami malade.* **Par exemple** est aussi une interjection familière qui marque la surprise: *par exemple! que faites-vous ici?* Ce n'est pas une conjonction.

PARFUM — *Voir* **ESSENCE**.

PARI — PARIER — *Voir* **GAGER — GAGEURE**.

PAR LA SUITE — *Voir* **ÉVENTUELLEMENT**.

PARLEMENT — C'est fautivement qu'on emploie le mot **parlement** pour désigner l'édifice où siège un **Parlement**. On dit correctement **palais du Parlement**, ou **hôtel du gouvernement** quand, comme à Québec, c'est au **palais du Parlement** que le premier ministre a son bureau et préside les séances du cabinet. Le mot **parlement**, écrit avec un *p* minuscule, n'existe que pour désigner les corps de justice suprêmes de l'Ancien Régime français.

Il faut se garder d'employer le mot **Parlement** pour désigner la période durant laquelle une assemblée législative élue, comme la Chambre des communes d'Ottawa et l'Assemblée nationale de Québec, exerce son mandat. La seule définition de **Parlement**, c'est «ensemble des corps législatifs d'un pays».

Au Canada, le **Parlement** comprend deux Chambres : le Sénat et la Chambre des communes à Ottawa. Les sénateurs ne sont pas élus. Ils sont au **Parlement** en permanence, même s'ils n'exercent pas leurs fonctions en période électorale. Quand le peuple élit des députés qui formeront une nouvelle Chambre des communes, il n'élit pas un nouveau **Parlement**, mais il donne un mandat d'au plus cinq ans à des délégués qui, pendant cette période de temps, composeront l'une des deux assemblées délibérantes du **Parlement** fédéral.

Le mot **législature** signifie «temps durant lequel une assemblée législative exerce son mandat». Il ne faut pas dire *j'ai assisté à l'ouverture du nouveau* [PARLEMENT] *fédéral*, mais *j'ai assisté à l'ouverture de la nouvelle législature fédérale*. On dit, cependant, de façon correcte : *j'ai assisté à l'ouverture de la nouvelle session du Parlement*. Un **Parlement** tient d'ordinaire plusieurs **sessions** (*voir ce mot*) pendant une **législature**.

PARLOIR — *Voir* **TICKET** *et* «**VIVOIR**».

PAROLE — Adresser la parole et prendre la parole. *Voir* **ADRESSER**.

PARQUET — *Voir* **PLANCHER**.

PARRAIN — *Voir* **SECONDER**.

PAR SUITE DE — *Voir* **DÛ**.

PART — Employer **part** au sens d'**action** de société industrielle ou commerciale (*voir* **CORPORATION**) est un anglicisme. C'est traduire **share** par le mot qui exprime le sens le plus général de ce terme anglais, alors que, dans le vocabulaire français des valeurs mobilières, **share** se traduit par **action**.

Le terme de finance **action**, qui remonte au XVIIe siècle, semble venir du mot **actif**, une **action** (*DICTIONNAIRE ÉTYMOLOGIQUE*, O. BLOCH et W. von WARTBURG) étant une «partie de l'actif» d'une entreprise.

Certes, le mot **part**, dans le langage des affaires, désigne «ce qui revient à chacun», mais la **part** d'un actionnaire est la valeur des **actions** qu'il possède. L'**action**, c'est le titre qui représente une fraction déterminée du capital investi par les actionnaires d'une entreprise. La **part** de chaque actionnaire est déterminée par le nombre d'**actions** qui représente la somme qu'il a souscrite. Il est fautif de dire de quelqu'un *il a acheté mille* [PARTS] *de cette nouvelle entreprise* au lieu d'*il a acheté mille actions,* actions qui forment sa **part** du capital souscrit de cette entreprise.

Voir **STOCK.**

PAR TERRE — *Voir* **AUTOMOBILE.**

PARTICIPE PRÉSENT — Se rappeler que le participe présent ne remplit correctement en français que deux fonctions : soit qu'il indique un rapport de simultanéité ou un rapport d'étroite logique entre l'action ou le fait qu'il exprime et l'action ou le fait que représente le verbe qui le précède ou le suit : *il s'approcha tremblant d'émotion* et *n'ayant plus rien à désirer, il s'ennuyait*, soit qu'il établisse la généralité d'un fait dans l'énoncé ou l'exposé d'un principe, d'une règle, d'une loi ou d'une forme d'expression : *on refusera l'entrée à toute personne portant une arme* et *voici comment on peut abréger les mots commençant par une consonne* (*voir* **ABRÉVIATION**).

Pour décrire une circonstance de l'action exprimée par le verbe principal afin de la préciser, il faut recourir au gérondif, forme adverbiale du verbe dans laquelle le participe présent est précédé de la préposition *en* : *je me suis blessé en faisant du ski* et *tout en parlant il observait ce qui se passait.*

L'anglais se sert largement du participe présent. Il l'emploie dans de nombreux cas de préférence à une subordonnée (ce qui contribue à réduire dans ses phrases le nombre des mots d'articulation et celui des propositions commençant par un pronom relatif) et pour marquer toute sorte de rapports de circonstance. Il faut se garder d'utiliser inconsidérément le participe présent sous l'influence de l'anglais. L'un des principaux facteurs de la précision du français est son articulation.

Par exemple, la construction d'une phrase comme celle-ci est anglaise : *il fit de nombreuses démarches, se faisant traiter d'importun.* À moins que l'on veuille dire — et ce serait une mauvaise façon de s'exprimer — que l'homme que représente le sujet *il* s'est fait traiter d'importun à chacune de ses démarches (ce qui se décrirait comme suit : *il fit de nombreuses démarches, se faisant à tous coups traiter d'importun*), le rapport de simultanéité n'existe pas ; mais un rapport d'étroite logique, de causalité, peut se marquer ici en donnant à la première proposition et non à la deuxième la forme du participe présent : *ayant fait de nombreuses démarches, il se fit traiter d'importun.*

L'anglais emploie aussi souvent le participe présent là où le français se sert de l'infinitif. *Je l'ai vu* [RÉUSSISSANT] *ce tour de force* est une tournure anglaise pour dire *je l'ai vu réussir ce tour de force.* Au lieu de *je l'ai vu fumant une cigarette*, on dira correctement *je l'ai vu fumer une cigarette* (ou *je l'ai vu qui fumait une cigarette*) si c'est sur l'action de fumer une cigarette plutôt que sur la personne qu'on veut faire porter le sens du verbe *voir.*

Il ne faut pas dire dans les pronostics du temps : *demain matin, temps* (*voir* **TEMPÉRATURE**) *clair* [**S'ASSOMBRISSANT**] *un peu avant midi*, mais *demain matin, temps clair qui s'assombrira un peu avant midi.*

PARTICIPER — *Voir* **CONTRIBUER**.

PARTICULIER — Se rappeler que l'adjectif **particulier**, quand il n'est pas employé pour dire «qui est propre à», ou «qui appartient exclusivement à», ou «qui concerne une seule personne»: *le style particulier de cet écrivain, une secrétaire particulière* et *avoir un entretien particulier avec quelqu'un*, n'a d'autre signification que celle d'«exceptionnel, hors du commun» et, utilisé dans cette acception, il ne se joint qu'à des noms de choses: *on présentait hier soir un spectacle tout à fait particulier, ce jeune musicien manifeste un talent particulier* et *avoir des mœurs particulières* (contre nature).

Se garder de prêter à **particulier** d'autres sens que peut avoir l'adjectif anglais **particular** quand on parle de personnes. Ce sont des anglicismes que l'on commet quand on dit *particulier* au lieu des adjectifs **difficile**, **exigeant**, **méticuleux**, **minutieux**, **vétilleux** ou de l'expression **soigneux de**. Il ne faut pas dire *ma fille est* [**PARTICULIÈRE**] *sur la nourriture* au lieu de *ma fille est difficile pour la nourriture*, non plus qu'*il est trop* [**PARTICULIER**] *en fait d'ordre et de discipline* au lieu d'*il est trop exigeant en fait d'ordre et de discipline*, non plus que *cet employé modèle est très* [**PARTICULIER**] *dans son travail* au lieu de *cet employé modèle est très méticuleux* ou *minutieux dans son travail*, non plus que *vous vous montrez trop* [**PARTICULIÈRE**] au lieu de *vous vous montrez vétilleuse*, non plus qu'*il n'est pas assez* [**PARTICULIER**], *il a toujours les mains sales* au lieu d'*il n'est pas assez soigneux de sa personne*.

Voir **PRIVÉ** *et* **SPÉCIAL**.

PARTIE — *Voir* **ÉRABLIÈRE, HUÎTRE** *et* **JOUTE**.

PARTIR — Sauf quand il est employé par extension au sens d'«exploser», de «mettre en marche»: *faire partir un pétard, faire partir un moteur*, le verbe **partir** est toujours intransitif. Il a le sens général de «quitter»: *partir de Montréal*. Il a aussi celui d'«avoir tel ou tel début»; *l'affaire part bien*. Il arrive qu'il s'emploie pour dire «commencer»: *les vacances partiront du début du mois prochain.*

Au Canada, le verbe est parfois utilisé comme transitif. On dit, par exemple, [**PARTIR**] *une association*, au lieu de *fonder une association*, ou [**PARTIR**] *un magasin*, ou *un bureau*, au lieu d'*ouvrir un magasin, un bureau*, ou [**PARTIR**] *une discussion*, au lieu de *provoquer une discussion*, etc. C'est un anglicisme.

Cela vient de ce que l'anglais se sert de son verbe **to start**, surtout dans le langage familier, dans ces acceptions.

PARTISAN — *Voir* **EN FAVEUR DE** *et* **SUPPORT — SUPPORTER**.

PARTITION — En ancien français, **partition** a eu les sens d'«action de diviser, de partager» et de «catégorie», mais il n'a jamais désigné des objets servant à diviser un espace extérieur ou intérieur. Il conservait ainsi les significations générales du mot latin **partitio**, dont il était issu. Disparu au début du XVIIe siècle, il fut repris vers 1690 à l'italien **partizione**, lui-même venu du latin

partitio, aux sens musicaux qu'il a encore de nos jours et qui sont ses seules acceptions: «réunion sur une page des diverses parties d'une composition, de l'aigu au grave»: *partition d'opéra* et «adaptation aux ressources du piano d'une composition pour orchestre»: *partition de symphonie pour deux pianos.* [MUSIQUE EN FEUILLE] est un anglicisme **sheet music.**

L'anglais a reçu du latin par l'intermédiaire du français son mot **partition**, qui a gardé les significations de l'ancien terme français, mais qui a acquis par la suite le sens supplémentaire de «cloison». C'est commettre un anglicisme que de dire *partition* au lieu de **cloison**. Il ne faut pas dire *nous aménagerons dans nos nouveaux bureaux dès que les* [PARTITIONS] *seront faites*, mais *dès que les cloisons seront faites.*

PASSABLE — *Voir* **PRATICABLE.**

PASSAGE — PASSAGER — Le mot **passage** se dit d'une **traversée** et du prix d'une **traversée**, c'est-à-dire d'un **voyage** (*voir ce mot*) d'un pays à un autre ou d'une région du monde à une autre par eau ou par air et, par extension, de tout **voyage** et du prix de tout **voyage** par eau ou par air: *nous avons fait le passage de l'Atlantique au Pacifique par le canal de Panama* et *le passage par avion de Montréal à Vancouver n'est pas aussi élevé que je le croyais.* On ne peut, cependant, employer le mot *passage* au sens de «prix d'une place à bord d'un train, ou dans un autocar, ou un autobus»: *je paierai vos* [PASSAGES] *dans le train* au lieu de *je paierai vos places dans le train.*

Le mot **passager** s'applique proprement aux **voyageurs** qui, sans faire partie de l'équipage, font un **voyage** par eau ou par air, mais il s'emploie aussi de nos jours pour désigner une personne transportée par train ou par autocar (*voir* **AUTOBUS — AUTOCAR**). Il reste préférable de dire *les voyageurs du train, de l'autocar*. Les personnes transportées par autobus ou par train de chemin de fer métropolitain (métro) sont aussi, par extension de sens, des **voyageurs**. Les personnes transportées dans un taxi sont des **clients**. Il ne faut pas dire *il n'y avait que dix* [PASSAGERS] *dans l'autobus au moment de l'accident* ou *les deux* [PASSAGERS] *que le chauffeur de taxi conduisait à la gare,* mais *il n'y avait que dix voyageurs dans l'autobus* et *les deux clients que le chauffeur du taxi conduisait à la gare.*

Employer le mot **passager** pour désigner une personne transportée dans une voiture privée, c'est se permettre un néologisme discutable. Il est certainement fautif de dire *occupant*. Au lieu de *les trois* [OCCUPANTS] *de la voiture se sont tirés indemnes de l'accident*, on dit correctement *les trois personnes que la voiture transportait* ou *les trois voyageurs* (si ces personnes étaient en voyage) *se sont tirés indemnes de l'accident.* N'est **occupant** qu'une personne qui occupe ou habite un lieu, non une place (*voir ce mot*) dans un véhicule ou dans une salle. La faute indiquée ci-dessus est aussi commise en France, même dans de bons journaux.

PASSAGE À NIVEAU — *Voir* **TRAVERSE.**

PASSE — Aux sens de «permis d'entrée, de passage» et de «droit de circulation», le mot **passe** est plus que désuet, sauf dans le vocabulaire des chemins de fer, où il signifie «permis de circulation gratuite»: *vous remettrez leurs passes à ces deux nouveaux cheminots.*

Les cartes qui permettent à une catégorie de personnes de bénéficier de certains avantages, comme de remises (*voir* **VENTE**), ne sont pas des *passes*, mais des **cartes**, des **certificats** ou des **titres**. Il ne faut pas dire *les transports en commun véhiculent à tarif réduit les adolescents munis d'une* [PASSE D'ÉCOLIER], mais *les transports en commun véhiculent à tarif réduit les adolescents munis d'un certificat scolaire* ou *d'un titre d'élève* (*voir* **ÉTUDIANT**). Les permis d'assister gratuitement à un spectacle ne sont pas des *passes*, mais des **billets de faveur** (*voir* **TICKET**). Il ne faut pas dire *on a distribué un bon nombre de* [PASSES] *pour la première de cette pièce*, mais *on a distribué un bon nombre de billets de faveur pour la première de cette pièce*. La **carte du métro** de Montréal n'est pas une [PASSE].

Un «permis d'entrer, de sortir, de circuler» est un **laissez-passer**. Ce mot ne s'applique pas seulement aux personnes, mais aussi aux marchandises. Dire *passe* au lieu de **certificat**, **titre**, **billet de faveur** et **laissez-passer**, c'est commettre des anglicismes: le terme anglais **pass** traduit l'idée d'autorisation qui se trouve dans ces quatre expressions.

Laissez-passer a trois synonymes (*voir* **DISPENDIEUX**) qu'il importe d'employer pour désigner les sortes de **laissez-passer** qu'ils définissent respectivement: **coupe-file, sauf-conduit** et **passeport**.

Un **coupe-file** est un «laissez-passer délivré par la police ou par l'autorité militaire permettant de passer sans prendre la file et de franchir les barrages qui interdisent la circulation du public». Il ne faut pas dire *les journalistes sont munis de* [LAISSEZ-PASSER] *de la police*, mais *les journalistes sont munis de coupe-file.*

Un **sauf-conduit** est un «laissez-passer délivré par l'autorité politique ou militaire permettant à une personne d'aller à un endroit, d'y séjourner et d'en revenir ou de traverser un endroit sans crainte d'être arrêtée ou faite prisonnière». Il ne faut pas dire *le représentant de notre journal a reçu le* [LAISSEZ-PASSER] *qui lui permettra de circuler dans les régions occupées par les rebelles*, mais *le représentant de notre journal a reçu le sauf-conduit qui lui permettra de circuler.*

Passeport, on le sait, désigne un «laissez-passer délivré par l'autorité politique d'un pays qui autorise à voyager à l'étranger la personne dont il certifie l'identité».

PASSEPORT — *Voir* **PASSE.**

PASSER — *Voir* **ORDONNER — ORDRE.**

PASSEUR — *Voir* **TRAVERSIER.**

PASSIF — Le grammairien n'est pas un fabricant de règles, mais un observateur de faits de langue. Les conclusions qu'il tire de ce qu'il constate sont une simple analyse de la réalité. Il est vain de chercher à déterminer l'agent psychologique qui fait que l'anglais prend naturellement et spontanément la voix passive, tandis que la voix active est le mode d'expression ordinaire du français. Le fait est que le français ne recourt au passif que pour faire ressortir des nuances de la pensée ou pour indiquer l'importance du sujet qui la subit par rapport à l'action que l'on veut faire connaître. *On a renversé hier le gouvernement de coalition allemand* n'a pas le même sens que *le gouvernement de coalition allemand a été renversé hier.* Les choses ne se présentent pas sous le même aspect selon la façon de les dire. Dans le premier cas, l'accent porte sur l'action; dans le second sur le sujet. *Les amis qui étaient reçus par lui étaient soigneusement choisis* n'équivaut pas à *il choisissait soigneusement les amis qu'il recevait.* Dans le premier cas, on parle des amis, et dans le second, de leur hôte.

Le français au Canada souffre de l'influence du passif anglais, qui fausse ses perspectives. Il importe de s'appliquer à s'exprimer le plus possible par la voix active. On cherchera le plus possible à éviter le passif. Au lieu d'*un projet de loi sur la mise en valeur de cette région a été présenté hier par le ministre Untel,* on écrira *le ministre Untel a présenté hier un projet de loi sur la mise en valeur de cette région.* Plutôt que [COMPTABLE DEMANDÉ] (anglicisme), on affichera correctement *on demande un comptable.* Plutôt que *les routes sont* [DITES] *dangereuses dans tout l'État,* on dira *on rapporte que toutes les routes de l'État sont dangereuses.* Plutôt que *la conduite de cette jeune fille ne peut être agréable à ses parents,* on dira *la conduite de cette jeune fille ne peut plaire à ses parents.* Il ne faut pas dire *ce sont là des faits à* [ÊTRE CITÉS] *en exemple,* mais *ce sont là des faits à citer en exemple,* non plus que *ce sont là des choses à* [ÊTRE DITES] (**that should be told**), mais *ce sont là des choses à dire.*

Voir **ACTIF.**

PASTÈQUE — *Voir* **DISPENDIEUX.**

PATATE — On affirme généralement que la **patate** est originaire des Indes. Quoi qu'il en soit, c'est aux Antilles que les Espagnols l'ont trouvée vers la fin du XVe siècle et il en pousse dans beaucoup de pays chauds. La **patate** est un tubercule sucré qui contient plus d'eau que la **pomme de terre**. Son goût se rapproche beaucoup plus de celui de l'artichaut que de celui de la **pomme de terre**. Il en existe un bon nombre de variétés, dont aucune, à cause du climat, n'est cultivée au Canada. On en fait des friandises confites, des marmelades (*voir ce mot*), des gâteaux, des confitures et, dans quelques pays, on consomme les jeunes feuilles de la **patate** à la façon des épinards. La plante appartient à la famille des convolvulacées, plantes à tiges au suc blanc souvent grimpantes. Les Espagnols empruntèrent un vocable à la langue des aborigènes d'Haïti pour la nommer. Ils l'appelèrent **batata** puis **patata**.

Les Espagnols furent aussi les Européens qui découvrirent la **pomme de terre**, en Équateur, un demi-siècle plus tard environ. La plante qui donne ce tubercule alimentaire appartient à la famille des solanées, dont font aussi partie la tomate et l'aubergine. La **pomme de terre** présente à l'oeil quelque analogie avec la **patate** et les Espagnols ne les distinguèrent pas tout de suite. Ils la nommèrent aussi **patata**, quitte, pour se comprendre, à dire **dulce patata** («pomme de terre sucrée») pour désigner la **patate**.

Au milieu du XVIe siècle, les Anglais, qui voulaient imposer leur suprématie sur les mers, faisaient la guerre aux Espagnols et, en 1586, ils rapportèrent d'une campagne menée contre ceux-ci en Colombie des plants de **pomme de terre**. Ils la nommèrent **potato** d'après l'espagnol **patata**. Quand ils connurent la **patate**, ils firent comme les Espagnols et la désignèrent par l'expression **sweet potato** («pomme de terre sucrée»). De nos jours, l'espagnol dit **batata** ou **dulce patata** en parlant de la **patate** et **patata** en parlant de la **pomme de terre**.

La **patate**, venue d'Espagne, fut introduite en France avant la **pomme de terre**. Elle porta le nom de **batate** au début du XVIe siècle avant celui de **patate**, d'après les mots espagnols **batata** et **patata**. Quand la **pomme de terre** commença à se répandre en France, venue d'Angleterre au nord et d'Espagne au sud-ouest, on ne tarda pas à se rendre compte qu'elle différait du tubercule nommé **patate**. Comme les Espagnols disaient quand même **patata** et les Anglais **potato**, le mot **patate** continua d'avoir cours pendant quelque temps pour la désigner dans certaines régions. On l'entend encore de nos jours dans le langage populaire. Mais on chercha à nommer autrement le nouveau légume et il reçut plusieurs appellations comme *cartoufle* et *truffe*. Ce n'est qu'en 1762 qu'on eut l'idée de le nommer **pomme de terre**, quelques années seulement avant que l'agronome Parmentier eût entrepris, avec succès, de populariser le légume en France.

À retenir : **patate** et **pomme de terre** désignent des tubercules différents et il est impossible de cultiver la **patate** dans les champs du Canada. Il ne faut pas dire *la plupart des Canadiens mangent des* [PATATES] *tous les jours*, mais *la plupart des Canadiens mangent des pommes de terre tous les jours.*

On prépare de la même façon des *patates frites* et des *pommes de terre frites*, mais il n'y a pas de *patates frites* au Canada. On commet une faute chaque fois qu'on dit *patates frites*, sauf pour parler d'une chose qu'on ne trouve pas au pays. Il n'est pas nécessaire, cependant, de dire au long *pommes de terre frites.* L'adjectif féminin **frite** est substantivé au sens de «pomme de terre frite». Une serveuse peut demander aussi bien à un client *voulez-vous des frites ou de la purée de pommes de terre?* que *voulez-vous les pommes de terre frites ou en purée?* D'un autre côté, dans le langage des restaurateurs, **pomme de terre** s'abrège en **pomme** dans un contexte où il est évident qu'on parle d'un légume et non d'un fruit. Un menu annonce correctement dans la liste des légumes: *pommes purée, frites et pommes au four.*

Le français a emprunté à l'anglais le mot pluriel **chips** (ne pas prononcer à l'anglaise, comme s'il y avait un *t* avant les consonnes *ch*, mais dire *chip* comme la première syllabe de *chiper*) pour désigner des «pommes de terre frites en très minces rondelles croustillantes». On a aussi commencé à utiliser **croustilles** pour désigner les **chips** au Canada.

Dans quelques régions de l'est du Canada, aux îles de la Madeleine en particulier, on appelle fautivement *pomme de terre* la **gaulthérie couchée**, plante à petits fruits rouges communément appelée *petit thé* et *thé des bois*, parce qu'elle est parfois employée comme succédané du thé.

PÂTE À PAPIER — *Voir* **PULPE**.

PÂTÉ — *Voir* «**BARBOT**».

PÂTÉ DE MAISONS — *Voir* **BLOC**.

PÂTÉE — *Voir* **MOULÉE**.

PATENT — PATENTE — PATENTER — L'histoire du mot **patente** commence à la naissance, au début du XIVe siècle, de l'adjectif **patent**, issu du latin **poteus**, terme qui signifiait «ouvert, découvert, manifeste, évident», d'où vient qu'on dise encore, par exemple, *il fut bientôt patent* (évident) *que les choses allaient mal dans cette entreprise.* **Patent** fut d'abord employé au sens d'«ouvert», d'où, dès 1307, les *lettres patentes* (*voir* **BANQUE**), «certificats, brevets, lettres ouvertes rendant publiques des décisions royales».

Dérivé de **patent** par l'abréviation de *lettre patente*, le nom **patente** fit son apparition dans le vocabulaire français en 1695. Il désigna en premier lieu un diplôme. Puis, vers la fin du XVIIIe siècle, il prit pour peu de temps le sens de «brevet pour exercer un commerce ou une industrie». Enfin, par une loi de 1791, la Révolution française a fixé la seule signification que le terme ait encore de nos jours, celle de «contribution spéciale à laquelle sont assujetties la plupart des personnes qui exercent une industrie, un commerce, une profession». Cet impôt qui fut d'abord d'État est devenu local en France comme il l'est au Canada. **Patente** est le nom de la contribution appelée **business tax** en anglais, expression très incorrectement traduite par [TAXE D'AFFAIRES] (*voir* **LOI**). Le mot **patente** désigne aussi la quittance qui atteste le paiement de la contribution et qui tient lieu de permis (*voir* **LICENCE**) d'exploitation. Le verbe **patenter** signifie «soumettre à la patente»: *tous les commerces de la ville sont patentés*. Un commerçant **patenté** est un commerçant qui paie le **business tax**, c'est-à-dire la **patente**.

L'anglais a emprunté au français son adjectif **patent** et son substantif **patent**. Il donne au premier le sens de «qui fait l'objet d'un titre assurant la propriété ou le droit d'exploitation» en parlant d'inventions et le second signifie «titre qui assure la propriété ou le droit d'exploitation d'une invention», définitions de **breveté** et de **brevet**. Ce sont des anglicismes que l'on commet quand on emploie l'adjectif **patenté**, qui veut dire «soumis à la patente», au lieu de **breveté** et le nom **patente** au lieu de **brevet d'invention**.

Il ne faut pas dire *mon invention est protégée par une* [PATENTE] au lieu de *mon invention est brevetée* ou *je me suis muni d'un brevet sur mon invention.*

Par extension de l'anglicisme, on emploie fautivement le substantif **patente** aux sens de «machine», d'«organisme» et de «plan, projet»: *c'est une belle* [PATENTE] *que tu viens d'acheter pour ton atelier, votre* [PATENTE] *est bonne* et *ta* [PATENTE] *ne fonctionne pas.* Se garder aussi de dire **patenter** au lieu d'**inventer**: *il a* [PATENTÉ] *une machine.*

PATÈRE — La **patère** est une «sorte de croc non pointu fixé à un mur ou à un support (meuble) auquel on suspend des vêtements». Un support de **patères** vertical ou horizontal est un **portemanteau**. Il ne faut pas dire *j'ai dans mon bureau une* [PATÈRE] *à laquelle huit personnes peuvent suspendre leurs manteaux*, mais *le portemanteau de mon bureau a huit patères.*

PATRONAGE — Se garder d'employer le mot **patronage** dans un sens péjoratif.

Il n'a d'autre signification que celle d'«appui, protection, soutien accordé par un personnage puissant, par un groupe de personnes ou par un saint»: *monastère placé sous le patronage du saint fondateur de l'Ordre auquel il appartient, collection d'ouvrages publiés sous le patronage du ministère des Affaires culturelles* et *grâce au patronage d'une grande puissance, cette nouvelle république a pu faire respecter ses droits.*

L'«abus de pouvoir politique qui consiste à attribuer des avantages, des contrats, des situations, des faveurs pour des motifs électoraux sans tenir compte de la justice non plus que du mérite de ceux dont on en fait bénéficier» se nomme **favoritisme**. Tandis que **patronage** est toujours mélioratif, **favoritisme** est toujours péjoratif.

Il ne faut pas dire *cet homme politique s'est rendu coupable de* [PATRONAGE], mais *de favoritisme.* On dit correctement *les hommes politiques doivent veiller à ce que leur patronage ne se transforme pas en favoritisme.*

Le substantif anglais **patronage**, qui a la même signification que **patronage**, désigne aussi le fait d'être un client. On commet un anglicisme en prêtant cette acception au mot français. Un marchand ne doit pas dire à un acheteur *nous vous remercions de votre* [PATRONAGE] au lieu de *merci, monsieur, nous sommes heureux de vous compter parmi nos clients.*

PATTE — Le mot **patte** se dit de façon générale des membres ou appendices des animaux qui leur permettent de se déplacer sur terre. Il se dit aussi, dans le langage populaire et dans certaines expressions consacrées du langage familier, des mains, des jambes et des **pieds** de l'homme: *traîner la patte, montrer patte blanche, marcher à quatre pattes*, etc. Mais il ne doit jamais se dire de la partie ou d'une partie d'un objet par laquelle il repose sur le sol ou qui lui sert de support. C'est commettre une faute que de parler, par exemple, des [PATTES] *d'un meuble* ou *de la* [PATTE] *d'un verre.* Pour les objets inanimés, il faut employer le mot **pied** et dire *les pieds de la table, les pieds de la chaise, le pied de la coupe*, etc.

Voir **RABAT**.

PAUSE — *Voir* **INTERMISSION**.

PAVAGE — PAVÉ — PAVER — Le mot **pavage** signifie «action de revêtir une chaussée de petits blocs de pierre». Ces petits blocs de pierre sont les **pavés**. Le mot **paver** signifie «couvrir de pavés le sol d'une rue».

Au Canada, les rues pavées sont rares. Ce qu'on utilise généralement pour le revêtement des chaussées et des trottoirs, c'est l'**asphalte**. Parler du [PAVAGE] des rues au lieu de l'**asphaltage** des rues, c'est commettre une erreur qui nous est suggérée par l'anglais, dont le verbe **to pave** s'applique à toute espèce de revêtement.

Il faut dire **asphaltage** et **asphalter**: *l'asphaltage de cette rue a duré une semaine.*

PAVILLON — *Voir* **KIOSQUE**.

PAYER — Le verbe transitif **payer** signifie, quand il a un nom de personne comme complément direct, «donner ce qui est dû à»: *payer ses employés, payer un créancier, payer quelqu'un par chèque* et, au figuré, avec un complément indirect amené par la préposition *de*, «récompenser»: *leur succès les a payés de leur peine*; quand il a un nom de chose comme complément direct, il signifie «débourser, verser»: *j'ai payé une somme considérable* (*voir* **IMPORTANT**) *pour obtenir ce renseignement* ou «débourser, verser le montant qui correspond à»: *payer le loyer, payer ses emplettes comptant, payer ses dettes, payer une demi-journée de travail, je paierai le déjeuner de tout le monde* et, au figuré, «dédommager de, compenser, réparer»: *tu me paieras cela, les regrets qui le rongent lui font payer sa faute* ou «donner en contrepartie, sacrifier, pour mériter, obtenir»: *il a payé sa réussite de sa santé.*

Pour dire «verser la somme indiquée sur (une addition, une note d'hôtel, une facture)» **payer** ne s'emploie, par extension, que dans le langage familier. **Acquitter** et **régler** sont les verbes dont il faut se servir pour s'exprimer correctement: *régler ses comptes à la fin du mois, acquitter une facture par chèque, garçon, voici un billet de vingt dollars pour régler l'addition.* On **paie** un repas ou des consommations en **réglant** l'addition (*voir ce mot*) et on *paie* une marchandise en **acquittant** ou **réglant** la facture. On dit de même **acquitter** ou **régler** en parlant de droits (d'entrée, de transport, d'auteur) plutôt que *payer des droits*: *j'ai dû payer dix dollars pour acquitter les droits de douane.*

Ce n'est encore que dans le langage familier que **payer** est synonyme de **rapporter** et il ne s'emploie dans cette acception qu'absolument. Plutôt que *ce commerce paie* et *la publicité paie*, il est préférable de dire *ce commerce rapporte* et *la publicité rapporte.* Dire *ce commerce* [PAIE] *un bon revenu* au lieu de *ce commerce rapporte un bon revenu*, c'est commettre un anglicisme: transitif direct, le verbe anglais **to pay** a le sens de «rapporter» en parlant d'un revenu, d'un bénéfice, d'un intérêt, etc.

Ce sont aussi des anglicismes que l'on commet quand on dit [PAYER] *un compliment à quelqu'un*, calque de **to pay a compliment**, au lieu de *faire un compliment à quelqu'un* et [PAYER] *une visite à quelqu'un*, calque de **to pay a visit**, au lieu de *faire une visite* ou *rendre visite à quelqu'un.*

C'est un autre anglicisme que la tournure qui consiste à transformer un complément direct de **payer** en complément indirect par l'introduction fautive de la préposition *pour* (*voir* **PRÉPOSITIONS, EMPLOI DES...**). Payer quelque chose se dit **to pay for** en anglais. Il ne faut pas demander *combien avez-vous payé* [POUR] *cette voiture?* mais *combien avez-vous payé cette voiture?* Il ne faut pas dire *tu paieras* [POUR] *cela*, mais *tu paieras cela.*

PÉCHÉ — *Voir* **OFFENSE.**

PÉCUNIAIRE — *Voir* **MONÉTAIRE.**

PÉDAGOGIQUE — *Voir* **ACADÉMIE — ACADÉMIQUE.**

PEINDRE — PEINTURER — Le verbe **peinturer** n'est presque plus employé. On ne s'en sert plus que pour exprimer l'action d'«enduire un objet d'une couleur ou de plusieurs couleurs sans autre dessein que d'ôter à cet objet sa couleur naturelle» (FICHES DU COMITÉ DE LINGUISTIQUE DE RADIO-CANADA). Comme, de nos jours, on ne couvre plus une surface d'une ou de plusieurs couleurs sans un dessein de décoration, le verbe **peindre**, qui prête à l'action une intention artistique, prive de presque toute utilité le mot **peinturer**, qui est tombé en désuétude. Le peintre en bâtiment **peint** une maison, un mur ou un plafond, comme l'artiste **peint** un portrait ou un paysage. Il faut dire *le propriétaire a fait peindre le balcon en gris* et non *le propriétaire a fait* [PEINTURER] *le balcon en gris.*

PEINE — *Voir* **MISÈRE, SENTENCE** *et* **TROUBLE.**

PÉNALISATION — PÉNALITÉ — *Voir* **HOCKEY.**

PENCHER — *Voir* «**CANTER**».

PENDANT QUE — *Voir* **QUAND.**

PENDERIE — *Voir* **ARMOIRE.**

PENDULE — PENDULETTE — *Voir* **HORLOGE.**

PÉNICHE — *Voir* **BARGE.**

PENSER — PENSIF — *Voir* **JONGLER — JONGLEUR.**

PENSIONNER — Le verbe **pensionner**, rarement usité, signifie uniquement «assurer une allocation périodique à»: *l'État pensionne tous les citoyens à partir d'un certain âge.*

Au Canada, on l'emploie fautivement pour dire «être logé et nourri (chez quelqu'un, à un endroit)»: *pendant l'année scolaire, ma fille* [PENSIONNE] *chez l'une de ses tantes à Québec* et *l'été dernier, je* [PENSIONNAIS] *dans une auberge près de cette petite ville.* Cette faute est un anglicisme subtil. Au sens de «logement et nourriture», *pension* se traduit en anglais par le substantif **board** et **to board** veut dire «être logé et nourri, être en pension». On s'exprime comme en anglais quand on dit [PENSIONNER] au lieu de *prendre pension chez* ou *loger chez.* On dit correctement *pendant l'année scolaire, ma fille loge chez l'une de ses tantes à Québec* et *l'été dernier, j'ai pris pension dans une auberge près de cette petite ville.* Le verbe **loger** rend généralement la pensée: sauf indication contraire, on suppose qu'une personne prend les repas là où elle **loge** (*voir* **LOGER** *et* **LOGEMENT — LOGIS**). L'expression **prendre pension** souligne le fait qu'on **loge** et prend ses repas au même endroit.

PÉPINIÈRE — *Voir* **CLUB.**

PERCEPTEUR — PERCEPTION — PERCEVOIR — *Voir* **COLLECTER — COLLECTEUR — COLLECTION.**

PERCOLATEUR — Le terme technique **percolateur** n'a qu'un peu plus d'un siècle d'existence. Il dérive du verbe latin **percolare**, qui signifiait «filtrer». Il a déjà désigné une sorte de **cafetière** à filtrer, mais on ne s'en sert plus que pour nommer les appareils commerciaux utilisés dans des restaurants, des cantines, des cafétérias (*voir ce mot*), etc., pour faire du café à la vapeur en grande quantité.

L'anglais a tiré du même verbe latin son mot **percolator** et c'est le nom qu'il a donné à toute **cafetière** comprenant un récipient supérieur à filtrer où l'on met le café au-dessus de l'eau qui, une fois bouillante, est poussée par la vapeur jusque par-dessus les filtres à travers lesquels elle retombe sur le café puis dans la partie inférieure. C'est commettre un anglicisme que d'appeler *percolateur* un appareil ménager de cette sorte. Il faut dire **cafetière-filtre** ou **cafetière automatique**. Les **cafetières électriques** sont toutes automatiques. Il n'est pas utile de le préciser à leur sujet. Il ne faut pas dire *j'ai acheté une cafetière* [AUTOMATIQUE] *électrique pour remplacer mon vieux* [PERCOLATEUR], mais *j'ai acheté une cafetière électrique pour remplacer ma vieille cafetière-filtre* ou *ma vieille cafetière automatique*. Il ne faut pas dire *je n'ai pas besoin d'une cafetière électrique, mon* [PERCOLATEUR] *me suffit*, mais *je n'ai pas besoin d'une cafetière électrique, ma cafetière automatique me suffit.*

PERDRE — *Voir* **CALER** (du grec...) *et* **ÉCARTER**.

PERDRIX — *Voir* **OISEAUX**.

PERDURER — Ce verbe est un terme littéraire ou familier. Dans le langage courant correct, il faut s'abstenir de l'employer.

Pour exprimer l'idée qu'une situation semble ne pas devoir cesser, le verbe **perdurer** est impropre.

Par exemple, il ne faut pas dire *cette grève* [PERDURE], mais *cette grève continue*, ou *se poursuit*, ou *se prolonge*. On peut dire aussi très simplement *cette grève dure*.

PÈRE — *Voir* **SENIOR**.

PERFORMANCE — L'anglais a emprunté à l'ancien français le mot **parformance**, qui signifiait «exécution, réalisation» en parlant d'une promesse, d'un engagement, d'un projet, d'une entreprise, resté vivant jusqu'à la fin du XVIe siècle, pour en faire son mot **performance**. En 1839, le sport du turf, dont la vogue, venue d'Angleterre, se répandit en France, reprit à l'anglais ce terme d'ancien français en lui conservant son orthographe d'outre-Manche. Du vocabulaire des courses de chevaux, **performance** ne tarda pas à passer à celui de l'athlétisme et il a pris dans le langage général du sport la signification large de «tenue et résultat obtenu dans une épreuve, compétition ou match». Aussi n'est-il pas incorrect de dire, par exemple, d'une équipe après un tournoi que *sa performance a été médiocre*. C'est dans cette acception que, par analogie, on emploie le mot dans le vocabulaire de l'automobile. La **performance** d'une voiture est le résultat qu'elle donne par rapport à la puissance de son moteur. Il reste qu'on ne dit généralement **performance** que pour désigner des exploits, des victoires: *accomplir une performance* et *la réputation de ce jeune boxeur s'appuie sur de nombreuses performances*.

Employé de nos jours au figuré dans le vocabulaire courant, il a le seul sens d'«exploit»: *une performance économique, une performance commerciale, une performance amoureuse.*

En Amérique du Nord, l'anglais donne à **performance** la signification d'«exécution, jeu, interprétation, spectacle» en parlant des artistes (BERGEN ET CORNELIA EVANS — *A DICTIONARY OF CONTEMPORARY AMERICAN USAGE*) et l'on commet un anglicisme quand on prête cette acception à **performance**. Il ne faut pas dire *cette belle* [PERFORMANCE] *de l'orchestre a soulevé l'enthousiasme de la salle*, mais *cette belle interprétation de l'orchestre a soulevé l'enthousiasme de la salle*. Au lieu de *nous avons assisté hier soir à une magnifique* [PERFORMANCE] *de ce chansonnier*, il faut dire *ce chansonnier a donné un magnifique spectacle hier soir*. Il faut dire *ce pianiste de talent a joué hier soir de façon médiocre* ou *ce pianiste a donné hier soir une piètre manifestation de son talent*, non *ce pianiste de talent a donné hier soir une piètre* [PERFORMANCE]. Mais on dit correctement *étant donné la hâte avec laquelle elle a dû s'y préparer, le spectacle présenté hier soir par cette troupe de théâtre est une performance.*

PÉRIODE — *Voir* **SECOUSSE**.

PERMIS — *Voir* **LICENCE**.

PÈSE-BÉBÉ — PÈSE-LETTRES — PÈSE-PERSONNE — *Voir* **BALANCE**.

PESÉE — *Voir* **BALANCE**.

PESER — «Exercer une forte pression» sur une chose est l'un des sens du verbe **peser**. Plusieurs dictionnaires donnent l'exemple suivant: *peser sur un levier*. L'emploi de **peser** au sens d'appuyer plus ou moins légèrement est contraire à l'usage. On **presse** sur un bouton qui s'accroche par simple pression. Il ne faut pas dire *pour fermer ce gant au poignet, on* [PÈSE] *sur le bouton-pression*, mais *on presse sur le bouton*. Quand il suffit d'exercer une pression très légère pour obtenir l'effet désiré, le verbe **appuyer** s'impose. Il ne faut pas dire [PESER] *sur le bouton d'appel de l'ascenseur* (*voir* **ÉLÉVATEUR**), ou *sur le bouton de la sonnerie* (*voir* **SONNETTE**), ou *sur le bouton de la minuterie* (*voir* **HORLOGE**), mais *appuyer sur le bouton d'appel de l'ascenseur, sur le bouton de la sonnerie, de la minuterie.*

Le verbe **peser**, d'autre part, exprime l'action d'exercer une pression verticale. Il ne faut pas dire *ce n'est qu'en* [PESANT] *à trois sur la porte que nous avons pu faire sauter le loquet*, mais *ce n'est qu'en nous mettant à trois pour pousser la porte que nous avons pu faire sauter le loquet*. Se garder de dire [POUSSER SUR] (*voir* **PRÉPOSITIONS, EMPLOI DES...**). Le verbe **pousser** employé transitivement commande un complément direct. On **pousse** une porte comme on **pousse** des cris et comme une plante **pousse** des racines. Il n'est pas français de dire qu'on [POUSSE SUR] une chose. [POUSSER SUR] quelqu'un est un anglicisme. [POUSSER SUR] dans une phrase comme celle-ci: [POUSSER SUR] *quelqu'un pour qu'il termine son travail à temps* est un calque de l'anglais **to push someone on to do something**. On **presse** quelqu'un afin qu'il termine son travail à temps.

PETIT — *Voir* **SENIOR**.

PEU — L'adverbe **peu** a les deux sens de «dans une petite mesure, en petite quantité, pas beaucoup» et d'«en petit nombre»: *les médecins recommandent de manger tous les matins, aussi peu que ce soit* et *soyons courageux et nous remporterons la victoire, aussi peu que nous soyons pour vaincre un aussi grand nombre d'ennemis.*

Peu signifie aussi «pas cher»: *ce costume* (*voir ce mot et* **HABILLAGE — HABILLEMENT — HABILLER — HABIT**) *coûte peu*, mais l'adverbe ne peut avoir cette acception dans la locution [AUSSI PEU QUE], car [AUSSI PAS CHER QUE] au lieu d'*aussi bon marché que* serait un solécisme. Dire [AUSSI PEU QUE] au sens d'*aussi peu cher que*, c'est-à-dire «cher dans une aussi petite mesure que», c'est calquer fautivement la locution anglaise **as little as**, qui a les deux sens de «dans une aussi petite mesure que, en aussi petite quantité que» et d'«aussi peu cher que».

Il ne faut pas dire, par exemple, *ce magnifique téléviseur coûte* [AUSSI PEU QUE] *trois cents dollars*. Ce qu'on veut dire ici, c'est «ne coûte rien de plus que». «Rien de plus que» est le premier sens de l'adverbe **seulement**: *ce magnifique téléviseur coûte seulement trois cents dollars* et l'adverbe **ne** employé avec **que** signifie de même «pas plus que»: *ce magnifique téléviseur ne coûte que trois cents dollars.*

PHONOGRAPHE — Les anciens appareils à produire les paroles et les sons par un procédé purement mécanique se sont appelés **graphophones, gramophones** et **phonographes**. Seul le dernier de ces trois synonymes est resté, mais il ne s'applique plus qu'à des machines devenues hors d'usage. On ne construit, depuis plusieurs années, que des appareils fonctionnant à l'électricité et un «phonographe électrique» est un **électrophone**. Appeler *phonographe* au lieu d'**électrophone** un appareil électrique de reproduction d'enregistrements phonographiques équivaut à désigner une **bicyclette** par le terme **vélocipède**, qui fut l'un des noms de l'ancêtre de la **bicyclette**, (*voir* **BICYCLE — BICYCLETTE**); mais comme vélo, l'abréviation de **vélocipède**, sert encore à désigner familièrement la **bicyclette**, l'abréviation de **phonographe, phono**, s'emploie encore dans la conversation pour dire **électrophone**. À retenir: il ne se vend plus de **phonographes**, les appareils qu'on achète aujourd'hui sont des **électrophones**.

Un **électrophone** est un appareil de reproduction complet. Il comprend un plateau porte-disque, un amplificateur et un ou plusieurs haut-parleurs. L'appareil appelé **tourne-disque** n'est qu'un plateau porte-disque pourvu d'un bras de lecture et il faut qu'il soit relié au haut-parleur d'un récepteur de radio (*voir* **TÉLÉVISEUR — TÉLÉVISION**) par un dispositif appelé **pick-up** pour que les vibrations du saphir lecteur puissent être transformées en sons. Portatif ou non, un appareil électrique complet de reproduction d'enregistrements phonographiques n'est pas un **tourne-disque**, non plus qu'un **phonographe**, mais un **électrophone** et le **pick-up** n'est qu'un dispositif indispensable au **tourne-disque**, non l'appareil lui-même. Il est aussi abusif, au Canada comme en France, de dire *pick-up* quand on veut dire **tourne-disque** que d'appeler *tourne-disque* un **électrophone** portatif.

Les mots [TABLE TOURNANTE] sont des calques de l'anglais **turn table.** Il faut dire **tourne-disque.**

PHOTOGRAPHIE — PHOTOGRAPHIER — *Voir* **CAMÉRA — CAMÉRAMAN** *et* **PORTRAIT.**

PHOTOROMAN — *Voir* **COMIQUE.**

PHYSALIS — *Voir* **COQUERELLE — COQUERET.**

PIASTRE — Le mot est français pour désigner des devises de divers pays, mais il n'a jamais été le nom d'une monnaie française.

La piastre que nos ancêtres ont connue était une unité monétaire espagnole qui eut cours dans toute l'Amérique du Nord jusqu'à la fin du XVIIIe siècle. Une fois que sa valeur fut fixée, en 1777, on se rendit compte qu'elle équivalait au cours du dollar.

L'unité monétaire du Canada est le dollar et la piastre espagnole a cessé depuis longtemps d'avoir cours au Canada.

Il est normal que le mot **piastre** ait fait partie du vocabulaire quotidien des Canadiens français tout le temps qu'ils ont utilisé la piastre espagnole, mais il n'est plus réaliste de dire **piastre** au lieu de **dollar**.

PIC — L'outil qui s'appelle **pic**, fer courbe et pointu muni d'un long manche perpendiculaire, sert à démolir, à creuser et à casser. Ce n'est pas un ustensile de cuisine. Le printemps, on casse la glace qui ne fond pas assez vite dans les rues à l'aide de **pics**, mais ce n'est pas avec un **pic** qu'on casse un bloc de glace pour en mettre les morceaux dans une sorbetière ou dans un seau à glace; c'est avec un **poinçon à glace**, quand ce n'est pas avec un **pique-glace** (à plusieurs dents). [PIC À GLACE] au lieu de **poinçon à glace** est un anglicisme: c'est le calque du mot composé **ice pick**.

Voir **À PIC.**

PICHENETTE — On dit au Canada [PICHENELLE], [PICHENOQUE] et [PICHENOTTE], selon les régions. Ces mots sont employés depuis longtemps, de sorte qu'on ne peut y voir des altérations de **pichenette**, terme qui n'a fait son apparition en France qu'au XIXe siècle et dont l'origine, que l'on croit généralement provençale, reste incertaine. [PICHENELLE], [PICHENOQUE] et [PICHENOTTE] viennent presque nécessairement d'une ou plusieurs déformations dialectales de *pique-nez* et cela donne du poids à l'opinion des auteurs de dictionnaires (ALBERT DAUZAT, JEAN DUBOIS et HENRI MITTERAND, *NOUVEAU DICTIONNAIRE ÉTYMOLOGIQUE*) qui ont indiqué la possibilité d'un rapport entre **pichenette** et *pique-nez*. Synonyme de **chiquenaude**, le mot **pichenette** comporte une nuance diminutive et appartient au langage familier.

PICK-UP — *Voir* **PHONOGRAPHE.**

PIE — *Voir* **CAILLE.**

PIÈCE — *Voir* **APPARTEMENT** *et* **CHAMBRE.**

PIÈCE À L'APPUI — PIÈCE À CONVICTION — *Voir* **EXHIBER — EXHIBITION.**

PIED — *Voir* **PATTE.**

PIÈGE — PIÉGEUR — *Voir* **TRAPPE — TRAPPEUR.**

PIERRE — *Voir* **ROCHE.**

PIÉTONNE, PIÉTONNIÈRE (RUE...) — *Voir* **MAIL.**

PILE — *Voir* **BATTERIE** *et* **PILIER.**

PILER — Voici trois emplois fautifs du verbe **piler**, qui signifie «broyer, réduire en fragments, en poudre ou en pâte en frappant à coups successifs à l'aide d'un pilon»: *piler des noix, verre pilé* et, par extension, «écraser en piétinant»: *piler des peaux.*

En premier lieu, on ne peut sans commettre une faute parler de *pommes de terre pilées* (*voir* **PATATE**) que si on les a **passées** ou **écrasées** à l'aide d'un pilon de bois. Si on les **écrase** seulement avec une fourchette, les pommes de terre sont **écrasées**. Des pommes de terre **pilées** ou **écrasées** puis préparées avec du beurre et du lait donnent un mets qui se nomme **purée** de pommes de terre. Il ne faut pas dire *mes enfants aiment les pommes de terre* [PILÉES] quand c'est la **purée** de pommes de terre qu'ils aiment. Si l'on s'est servi d'un pilon pour les passer ou les **écraser**, on dira correctement: *voici les pommes de terre pilées pour faire la purée.* On se sert de nos jours de mixeurs pour préparer de la **purée** de pommes de terre.

En deuxième lieu, c'est s'exprimer comme le faisaient les Normands du XVIIe siècle que de prêter à **piler** le sens de «marcher sur, mettre le pied sur». Cet emploi de **piler** a subsisté dans le nord de la France jusqu'au début du XXe siècle. Il est encore courant au Canada, où l'on dit très souvent [PILER] *sur les pieds de quelqu'un* au lieu de *marcher sur les pieds de quelqu'un.* Ce terme dialectal est à proscrire. La débutante que son jeune frère suit pas à pas pendant qu'elle achève de se préparer à aller au bal doit lui dire *prends garde de ne pas mettre le pied sur ma robe en descendant l'escalier*, non *prends garde de ne pas* [PILER] *sur ma robe en descendant l'escalier.*

Enfin, on se sert au Canada de **piler** au lieu d'**empiler**. On dit par exemple: [PILE] *ce qui reste de briques contre le mur* au lieu d'*empile ce qui reste de briques contre le mur*, ou encore *les planches étaient bien* [PILÉES] *dans la cour* au lieu de *les planches étaient bien empilées dans la cour.* Cette faute est un anglicisme. Elle s'exprime par le fait qu'**empiler** se dit **to pile** en anglais.

PILIER — Le mot **pilier** signifie «support vertical isolé, généralement massif, souvent carré, et sans ornements, qui porte une charge de charpente ou de maçonnerie»: *pilier en béton, pilier formé de charpentes métalliques.*

La **colonne** se distingue du **pilier** en ce qu'elle est ornementale, de forme cylindrique, et qu'elle est surmontée d'une partie qui déborde, le chapiteau, sur laquelle s'appuie la charge.

Un «ouvrage de maçonnerie formant un pilier pour les arches d'un pont» porte cependant un nom particulier : **pile**. Les deux mots **pile** et **pilier**, de même origine latine, existent depuis que le français a commencé à se faire et **pile** a toujours désigné un **pilier** de pont. Il ne faut pas dire *ce pont a trois* [PILIERS], mais *ce pont a trois piles*.

PINCE — *Voir* **BROCHE**.

PINSON — *Voir* **OISEAUX**.

PIQUE-ASSIETTE — *Voir* **ÉCORNIFLER — ÉCORNIFLEUR**.

PISTACHE — *Voir* **CACAHOUÈTE**.

PLACARD — *Voir* **ARMOIRE**.

PLACE — Le mot **place** désigne un «espace qui est occupé, qui peut l'être ou qui doit l'être, d'une certaine manière, en vue d'une fin particulière, par une ou des personnes, ou par une ou plusieurs choses» : *remettre chaque chose à sa place, une salle de concerts de cinq cents places* et *de la place où je me trouvais*. Sauf quand on parle d'une *place publique* ou d'une *place forte*, **place** ne désigne jamais un objet matériel. Le mot a pris au figuré les sens de «rang», de «rôle», de «situation» et dans le langage familier, d'«emploi» : *la première place de la classe, tenir sa place, je n'aimerais pas me trouver à sa place* et *j'ai une bonne place dans cette entreprise*.

Pour désigner un espace, les mots **endroit** et **lieu** sont des synonymes presque parfaits. Le premier est plus usité que le second dans le langage ordinaire. Ils ont l'un et l'autre le sens d'«espace déterminé considéré sous l'ensemble de ses aspects matériels ou de ses qualités, ou sous un aspect particulier, ou par rapport à l'une ou l'autre de ses qualités, indépendamment de l'utilisation qu'on en fait ou à laquelle il est destiné» : *l'endroit* ou *le lieu où j'habite, ce terrain au bord du lac est un bon endroit* ou *est un lieu tout indiqué pour construire une maison* et *je ne sais pas à quel endroit* ou *en quel lieu je pourrais me procurer cet objet*. Une localité, des locaux, un terrain, un immeuble sont des **endroits** ou, dans le langage littéraire, des **lieux**. On dit correctement *il y a de la place pour construire une maison à cet endroit au bord du lac* et *vous trouverez plus de place qu'il n'en faut pour vos bureaux à cet endroit*.

Le mot anglais **place** rend les deux idées de **place** et d'**endroit** ou **lieu** et ce sont des anglicismes que l'on commet quand on demande, par exemple, *à quelle* [PLACE] *as-tu trouvé cela ?* au lieu d'*à quel endroit as-tu trouvé cela ?* ou quand on dit *je ne sais pas à quelle* [PLACE] *j'irai passer mes vacances* (*voir* **VACANCE — VACANCES — VACANCIER**), *mais ce sera dans les Laurentides* au lieu de *je ne sais pas à quel endroit*, ou *je suis allée à plusieurs* [PLACES] *avant de trouver le tissu dont j'avais besoin* au lieu de *je suis allée à plusieurs endroits avant de trouver*, ou encore *c'est la* [PLACE] *où aller se reposer* au lieu de *c'est l'endroit où aller se reposer*. Il ne faut pas dire *il est né dans la* [PLACE] au lieu d'*il est né dans la localité* ou *il est natif de l'endroit*. Il ne faut pas dire [PLACE] *d'affaires* au lieu d'*établissement de commerce* ou *de bureau*. Il ne faut pas dire *cette salle n'est pas une* [PLACE] *convenable pour les jeunes gens*, mais *cette salle n'est pas un endroit convenable*. Il ne faut pas dire *il y a plusieurs* [PLACES] *où* *l'on mange bien dans le quartier*, mais *il y a plusieurs bons restaurants* ou *il y a plusieurs endroits où l'on mange bien dans le quartier.*

Voir **CARRÉ, POSITION** *et* **NOMS D'IMMEUBLES.**

PLACIER — *Voir* **SOLLICITEUR.**

PLAFONNIER — *Voir* **LUMIÈRE.**

PLAINDRE (SE...) — *Voir* **BRAILLER.**

PLAIN-PIED — *Voir* **APPARTEMENT.**

PLAN — À la vérité, il y a deux mots, aujourd'hui confondus, qui s'écrivent **plan**. Le premier, issu du latin **planus**, adjectif et nom, parle de surfaces: *surface plane* et *plan incliné, géométrie plane* et *de premier plan*, et, au figuré, *sur tous les plans.* L'autre, venu du verbe latin **plantare**, qui signifiait «planter», s'est écrit *plant* en premier lieu. C'est le terme que l'on continue d'employer sous cette forme pour désigner, par exemple, un végétal qui vient d'être repiqué. Vers la fin du XVIe siècle, sans aucun doute sous l'influence de **plan** autant que sous celle de l'italien **pianta**, qui voulait dire «espace qu'occupe un bâtiment», on a commencé à écrire le mot *plant* sans le *t* pour désigner l'aménagement et la représentation de l'aménagement d'une surface devant porter ou portant une implantation, une chose plantée, dressée sur elle: *le plan d'une ville.* Du **plan** d'une ville on a passé au **plan** du château, c'est-à-dire à la représentation non plus seulement de l'aménagement d'une surface, mais de l'aménagement de la chose plantée dessus. Cette chose se composant de **plans** au sens du premier mot **plan**, la confusion des deux termes était pour ainsi dire inévitable. Du **plan** du château, on se rend au **plan** d'un ouvrage littéraire et à un **plan** d'action ou de travail.

Plan a pris récemment un nouveau sens figuré en économie politique. Il y désigne un «ensemble de mesures à mettre en oeuvre par un ou plusieurs gouvernements en vue de stimuler l'activité économique et sociale dans un pays, une région»: *plan quinquennal, plan intergouvernemental* (*voir* **CONJOINT — CONJOINTEMENT**) *pour la mise en valeur de régions insuffisamment exploitées.* Ne pas confondre un ensemble de mesures avec un organisme chargé de les mettre en oeuvre. Il ne faut pas dire *la Régie des marchés agricoles est un* [PLAN] *intergouvernemental*, mais *la Régie des marchés agricoles met en pratique un plan intergouvernemental.*

En économie politique, **programme** (*voir* **PROGRAMMATEUR — PROGRAMMATION — PROGRAMME — PROGRAMMER**) se dit d'une «suite d'actions à accomplir de façon ordonnée dans un domaine donné ou pour une région déterminée dans la mise en oeuvre d'un plan»: *le programme gaspésien du plan intergouvernemental d'aide aux régions souffrant d'un développement* (*voir ce mot*) *économique insuffisant*; mais il faut se garder de se servir du mot *programme* au lieu de **plan** sous l'influence de l'anglais, qui, en Amérique du Nord, emploie ses deux mots **plan** et **program** pour dire la même chose.

En législation sociale, un «ensemble de règles qui organisent l'application d'une mesure d'assistance» est un **plan** en anglais et un **régime** en français. Il ne faut pas parler, par exemple, d'un [PLAN] *général d'allocations* ou d'un [PLAN] *spécial pour les étudiants*, mais d'un *régime général d'allocations* et d'un *régime spécial pour les étudiants*. On dit de même (*voir cette expression*) **régime** (non [PLAN]) *d'assurance maladie* quand il s'agit d'une mesure d'assistance sociale de l'État. De plus en plus fréquente, l'expression **régime de rentes** est utilisée pour signifier un ensemble de règles en vue du versement d'une rente de retraite à des cotisants.

Dans le vocabulaire de l'assurance (*voir ce mot*) privée et de la finance (*voir* **FINANCE — FINANCEMENT — FINANCIER**), l'anglais donne à son mot **plan** le sens des termes français **police** et **contrat** et ce sont des anglicismes que l'on commet quand on dit [PLAN] *d'assurance* au lieu de *police d'assurance*, [PLAN] *de crédit* au lieu de *contrat de crédit* ou [PLANS] *d'investissements* au lieu de *contrats d'investissements*. On peut parler d'un *projet de police d'assurance*, d'un *type de police d'assurance* ou d'un *projet* ou *type de contrat d'assurance*. L'expression *plan d'assurance* ne peut désigner qu'un ensemble de **contrats** d'assurance établi en vue de satisfaire de façon équilibrée à un certain nombre de fins. On ne peut dire *cette police est un bon* [PLAN] *d'assurance*. Les banquiers (*voir* **BANQUE**) ne peuvent offrir en français des [PLANS] *de prêts à leurs clients* au lieu de *contrats* ou *types de contrats de prêts* ou de *crédit*. On peut parler de *contrats d'assurance* ou *de crédit de toutes combinaisons*, non de [PLANS] *d'assurance* ou [PLANS] *de crédit de toutes combinaisons*.

Enfin, se garder de prêter aux mots **plan** ou **plant** le sens d'« usine » qu'a le substantif anglais **plant**. Il ne faut pas dire le [PLAN] *Bouchard* quand on veut parler de l'*usine Bouchard*.

PLANCHER — On désigne par le mot **plancher** tout « ouvrage de charpente formant plate-forme au rez-de-chaussée ou séparant le rez-de-chaussée d'un étage ou séparant deux étages d'un bâtiment » : *plancher en bois, plancher en béton, plancher en hourdis, plancher en dalle*, etc. La plate-forme que constitue un **plancher** est le **sol**, c'est-à-dire la surface de la maison, de l'appartement, de l'étage sur laquelle on marche.

Quand la partie supérieure du **plancher** est faite de planches grossièrement assemblées, elle porte le nom même de l'ouvrage de charpente : *c'était un méchant* (*voir ce mot*) *plancher dont une partie seulement était couverte d'une vieille pièce de linoléum* (*voir* **PRÉLART**). Quand la partie supérieure de l'ouvrage est un « assemblage soigné, bien ajusté, de lames de bois disposées régulièrement », on nomme celui-ci **parquet** : *les planchers de bois des appartements modernes sont tous garnis d'un parquet*. Le mot **sol** se dit du **parquet** comme de l'ouvrage de charpente entier : *il y avait deux carpettes sur le sol de chêne de la pièce*. Il ne faut pas dire *encaustique pour* [PLANCHERS], mais *encaustique* (*voir* **CIRE — CIRER**) *pour parquets* ou *pour sols*.

On couvre de nos jours la partie supérieure des **planchers**, qu'ils soient en bois, en béton ou en hourdis, non seulement de tapis mais d'éléments décoratifs de toute sorte (caoutchouc, plastique, grès-cérame, etc.). Ces éléments décoratifs sont des **revêtements de sol** (quelquefois appelés *couvre-sol* dans la publicité européenne). Ces **revêtements** portent également, par extension, les noms de **parquet** et de **sol** : *parquets décoratifs en carreaux thermoplastiques, sols à poser sur béton, parquets en mosaïques de carreaux* (*voir* **TUILE**), *sol de dalles plastiques*. Il ne faut pas dire *fabricant de* [COUVRE-PLANCHERS], mais *fabricant de revêtements de sol.*

Le mot **étage** signifie «espace compris entre deux planchers successifs», mais il faut prendre garde que, depuis le XVIIe siècle, le terme ne s'applique pas au **rez-de-chaussée** et l'on doit commencer à compter les **étages** d'un immeuble à partir de celui qui se trouve immédiatement au-dessus du **rez-de-chaussée**. Quand on dit en français maison de deux **étages**, on parle d'une maison qui a deux **étages** au-dessus du **rez-de-chaussée** : *habiter au premier étage, c'est habiter immédiatement au-dessus du rez-de-chaussée.* Il est courant au Canada de dire *plancher* au lieu de **rez-de-chaussée** ou d'**étage**. Il ne faut pas dire *vous trouverez cet article au* [PREMIER PLANCHER] *du magasin*, mais *au rez-de-chaussée du magasin.* Il ne faut pas dire *l'incendie a éclaté au troisième* [PLANCHER] *de l'immeuble*, mais *au deuxième étage de l'immeuble.*

Les fautes commises dans l'emploi du mot **plancher** viennent de ce que le même terme anglais **floor** traduit **plancher**, **sol**, **parquet** et **étage** et de ce que **rez-de-chaussée** se dit **first floor** ou **ground floor** en anglais.

PLAN DE TRAVAIL — *Voir* **CÉDULE**.

PLANIFICATION — PLANNING — Il ne faut pas confondre **planification** et **planning**.

Planification est un terme de portée générale qui signifie «organisation d'une activité complexe de la façon la plus efficace possible». Le mot s'emploie particulièrement dans le vocabulaire économique : *la planification du commerce extérieur*, mais il se dit par analogie de n'importe quelle suite ordonnée d'opérations : *pour l'ambitieux, une certaine planification est aussi utile dans les relations mondaines que dans les affaires.*

Emprunté à l'anglais **to plan**, **planning** a une signification limitée. C'est le «programme détaillé de réalisation d'un ouvrage industriel au double point de vue de l'agencement des opérations et de leur durée» : *le planning d'une construction, tableau de planning.*

Il semble abusif d'étendre le sens de **planning**, comme certains le font en France, pour désigner la **planification** de l'activité d'un service d'une entreprise industrielle ou commerciale. *Planification des achats* reste préférable à *planning des achats.* Retenir que **planning** ne se dit proprement qu'en parlant d'un projet (*voir ce mot*) chiffré de travail dans l'industrie.

Voir **CAMPING**.

PLAQUE MATRICULE — *Voir* **AUTOMOBILE**.

PLATEAU — *Voir* **CABARET**.

PLATE-FORME — Se rappeler que **plate-forme** est un mot composé qui prend un trait d'union, contrairement au mot **platform**, dont l'anglais a soudé les éléments en l'empruntant au français.

PLEURER — *Voir* **BRAILLER.**

PLEURNICHER — *Voir* **BRAILLER.**

PLEUVOIR — *Voir* **MOUILLER.**

PLIE («...DU CANADA») — *Voir* **POISSONS.**

PLONGEON — *Voir* **OISEAUX.**

PLONGEUR — *Voir* **LESSIVEUSE.**

POCHETTE — *Voir* **ALBUM, BOURSE** *et* **CARTON — CARTOUCHE.**

POÊLE — Le mot **poêle**, venu d'une expression latine par laquelle les Romains désignaient un établissement chauffé par-dessous où l'on prenait des bains, a signifié en premier lieu «chambre chauffée par un fourneau (*voir ce mot*)». Puis le fourneau a pris le nom de **poêle**. On nomme **poêle** depuis le XVIe siècle un «appareil de chauffage autonome (*voir* **FOURNAISE**) construit en fonte ou en acier et utilisant comme combustible le bois, le charbon ou un produit pétrolier (*voir* **HUILE**)». Avant l'apparition des fourneaux de cuisine modernes, vers la fin du siècle dernier, destinés principalement puis uniquement à cuire les aliments et nommés **cuisinières**, des **poêles** ont servi à la cuisson des aliments autant qu'au chauffage. De là vient la difficulté qu'éprouvent un certain nombre de Canadiens à employer le mot **cuisinière** pour désigner le «fourneau de cuisine». Ils continuent de dire **poêle**, ce en quoi ils commettent une faute, ce nom ne s'appliquant plus qu'à des appareils clos qui servent seulement au chauffage. On fabrique encore, cependant, des appareils servant à chauffer d'une part et à cuire de l'autre; ce sont des **poêles-cuisinières**. Il ne faut pas dire *il y a un tourne-broche dans le four-grilloir de mon nouveau* [POÊLE] *électrique*, mais *dans le four-grilloir de ma nouvelle cuisinière électrique*. Il ne faut pas dire [POÊLE] *à gaz* au lieu de *cuisinière à gaz*.

Un «fourneau de cuisine portatif» servant à faire cuire ou à chauffer ou réchauffer des aliments est un **réchaud**. Il ne faut pas dire [POÊLE] *de camping*, mais *réchaud de camping* (*voir ce mot*).

Le mot **poêle** qui désigne l'ustensile de cuisine rond, à longue queue, dans lequel on fait frire ou griller des aliments n'a pas la même origine étymologique. Il vient d'un autre mot latin qui, lui, signifiait «plat, assiette». Se garder d'employer son dérivé **poêlon** au sens de «petite poêle». Un **poêlon** est une «casserole en terre ou en cuivre, munie d'une poignée, dans laquelle on fait mijoter ou rissoler des aliments».

POÊLON — *Voir* **POÊLE.**

«POIGNER» — Ce verbe qui est employé dans à peu près tous les sens de **prendre** et de **saisir**, n'a jamais été français, même pas d'un français dialectal. Il fait double emploi. Son existence s'explique par le contexte historique, mais il est injustifiable. Seul **empoigner** existe en français.

On dit fautivement *se faire* [POIGNER] pour *se faire prendre, être* [POIGNÉ] *par les policiers* pour *se faire arrêter*, [POIGNER] *la balle* pour *saisir la balle*, etc.

POINÇON À GLACE — *Voir* **PIC**.

POINT (METTRE AU...) — *Voir* **MÉDIUM**.

POINTAGE — *Voir* **COMPTE — COMPTER — COMPTEUR**.

POINTER — *Voir* **CHÈQUE** *et* **COMPTE — COMPTER — COMPTEUR**.

POISSONS — Plusieurs poissons du Canada portent des noms qui ne leur conviennent pas (CLAUDE MELANÇON, *LES POISSONS DE NOS EAUX*). Il y a la **gonelle** ou **gonnelle**. Ce poisson côtier est tacheté de noir, ce qui explique son nom vulgaire : *papillon des mers*. Au Canada, on l'appelle [ANGUILLE DE ROCHE] parce qu'il se meut en se repliant comme un serpent, mais ce nom est fautif, car la **gonelle** n'appartient pas à la famille des anguilles. Le **congre**, auquel on a donné le nom vulgaire d'*anguille de mer*, est, lui, un anguillidé, de sorte qu'on ne saurait invoquer cet exemple pour justifier [ANGUILLE DE ROCHE]. De plus, s'il est permis à l'imagination de donner aux bêtes des noms usuels qui ne respectent pas la propriété des termes (la **gonelle** n'est sûrement pas un *papillon*), on ne peut leur enlever leurs noms véritables, encore moins prendre le nom propre d'un animal pour l'attribuer à un autre.

Haddock est le nom anglais de l'**aiglefin** ou **églefin**. Au Canada, on donne à ce poisson le nom vulgaire de *poisson de saint Pierre* d'après une légende inspirée par la piété envers le premier apôtre, et on le désigne presque toujours par son nom anglais ou par ce nom prononcé ou écrit à la française : [HADECQUE]. L'**aiglefin** se mange autrement que fumé. Le fait est qu'il se prête à nombre de préparations culinaires. Se rappeler que le vocabulaire gastronomique n'a emprunté le nom **haddock** (ou **finnen haddock**) à l'anglais que pour l'« aiglefin fumé ».

Pourquoi appelle-t-on [PLIE DU CANADA] une espèce de **flétan** ? Ce poisson devrait s'appeler **flétan du Canada**. Ce n'est pas en lui donnant le nom de la **plie** qu'on le rend plus facile à distinguer du **flétan commun**, auquel, naturellement, il ressemble.

Comme il n'y a pas de chevreuils au Canada, mais des cerfs (*voir* **ANIMAUX**), il n'y a pas de **truites** originaires du Québec. Les poissons indigènes du Québec appelés *truites* sont des **ombles**. Ne pas confondre **omble** et **ombre**. Il n'existe qu'une sorte d'**ombre** du Canada, l'**ombre de l'Arctique**, à chair savoureuse, qui a fait son apparition sur nos tables il y a quelques années seulement. Le poisson appelé [OMBRE DE VASE] ou *poisson-chien* (nom vulgaire) n'appartient pas à l'espèce des **ombres**, qui sont des salmonidés comme les **ombles**.

Le poisson appelé au Québec [TRUITE MOUCHETÉE] est l'**omble de fontaine** et celui que l'on y désigne incorrectement par l'appellation [TRUITE GRISE] est l'**omble gris** ou **omble du Canada**. La **truite arc-en-ciel**, originaire de l'ouest du pays, et la **truite brune** importée d'Europe sont correctement nommées.

Le poisson qu'on appelle [SOLE] dans les restaurants est le plus souvent de la **plie grise** ou de la **plie rouge** ou de la **limande.**

Le menu fretin qui sert d'appât aux pêcheurs se compose d'un grand nombre d'espèces qui appartiennent pour la plupart à la famille des cyprinidés. L'anglais appelle ces petits poissons **minnows**. Ce nom, comme l'adjectif français *menu*, vient du latin **minutus**, qui voulait dire «petit». Au Canada, faute de connaître le mot juste, on aurait pu faire de l'adjectif français un nom et appeler les **minnows** les *menus*. Cela aurait été admissible comme nom vulgaire. Mais on a pris le mot anglais en modifiant l'écriture et la prononciation et cela a donné la faute [MÉNÉ]. Les [MÉNÉS] sont des **cyprins**. Avant le départ pour une partie de pêche, il faudrait demander *avons-nous assez de cyprins?* et non *avons-nous assez de* [MÉNÉS]*?*

Cette liste de noms fautifs est incomplète. C'est une mise en garde contre l'acceptation inconsidérée de termes impropres employés couramment.

Voir «ACHIGAN», DARNE, «MASKINONGÉ» *et* «OUANANICHE».

POLICE — *Voir* PLAN.

POMME DE TERRE — *Voir* PATATE.

PONCTUATION DES CHIFFRES — L'anglais ponctue les chiffres à sa manière et le français à la sienne, qui sont irréconciliables.

Pendant de nombreuses années, l'école nous a enseigné qu'il devait exister un point décimal en français puisqu'il en existe un en anglais. C'est la virgule qui est décimale en français.

Voyons comment s'écrivent les chiffres français et gardons ce tableau comme guide:

1 $	1,25 $
	10 700,50 $
	100 500,75 $
	1 000 000,00 $
	10 000 000,00 $

On met préférablement un espace entre les groupes de deux ou trois chiffres, la virgule servant de marque décimale. Le symbole de l'unité monétaire se place après le dernier chiffre.

PONCTUEL — *Voir* RÉGULIER.

PORTE-BAGAGES — *Voir* SUPPORT — SUPPORTER.

PORTE-BROSSES À DENTS — *Voir* SUPPORT — SUPPORTER.

PORTE-COSTUME — *Voir* CINTRE.

PORTÉE — *Voir* IMPLICATION.

PORTEFEUILLE — *Voir* BOURSE.

PORTEMANTEAU — *Voir* **PATÈRE.**

PORTE-MONNAIE — *Voir* **BOURSE.**

PORTE-PANTALONS — *Voir* **CINTRE** *et* **PANTALON.**

PORTER (SE...) — *Voir* **FILER.**

PORTER À — *Voir* **CHARGE — CHARGER.**

PORTER PLAINTE — *Voir* **LOGER.**

PORTE-SAVON — *Voir* **SAVONNIER.**

PORTEUR — *Voir* **CHÈQUE** *et* **GOLF.**

PORTIQUE — Dans le vocabulaire de l'architecture, un **portique** est une «sorte de galerie extérieure devant une façade ou, à l'époque de la Renaissance, s'ouvrant sur une cour intérieure dont la voûte est soutenue par des colonnes». De nombreux monuments de l'ancienne Grèce et de l'ancienne Rome comprenaient des **portiques**. À Montréal, il y a un **portique**, par exemple, devant la façade du vieux palais de justice, rue Notre-Dame, et devant celle de la Bibliothèque municipale, rue Sherbrooke. Les **portiques** sont rares dans l'architecture moderne.

Employer ce mot au lieu d'**entrée** ou de **vestibule** pour désigner une «petite pièce par laquelle on passe pour entrer dans une maison, un appartement et qui sert parfois de passage pour aller aux autres pièces», c'est commettre une faute. Les mots **entrée** et **vestibule** sont synonymes. Le second, cependant, se dit difficilement d'une petite pièce d'entrée non fermée, sorte de passage plus ou moins large, par laquelle on accède à une ou plusieurs pièces d'un appartement d'un immeuble résidentiel (*voir* **APPARTEMENT**). Parce que plus simple aussi, le terme **entrée** est devenu plus courant que **vestibule**.

Il ne faut pas dire à un enfant *n'entre pas avec tes caoutchoucs* (*voir* **PARDESSUS**) *mouillés, laisse-les dans le* [PORTIQUE], mais *laisse-les dans l'entrée* ou *dans le vestibule.*

PORTRAIT — Le mot **portrait** signifie «représentation d'une personne réelle», quel que soit le moyen dont on s'est servi pour la faire. On a donc des **portraits** photographiques, mais **portrait** ne se dit proprement que de représentations photographiques étudiées, pour lesquelles les personnes photographiées ont longuement **posé**. Il est abusif de dire *portrait* en parlant d'un instantané et il est incorrect de désigner par le nom *portrait* une **photographie** représentant deux ou plusieurs personnes. Il ne faut pas dire *l'album* (*voir ce mot*) *de famille contient plusieurs* [PORTRAITS] *de grand-père et de grand-mère photographiés ensemble*, mais *l'album de famille contient plusieurs photographies de grand-père et de grand-mère ensemble.*

Se garder d'employer le verbe **poser** comme s'il était synonyme de **photographier**. Il ne faut pas dire *je suis allé me faire* [POSER] *chez le photographe*, mais *je suis allé me faire photographier*, même s'il est vrai que le photographe fait **poser** la personne qu'il va photographier en lui faisant prendre une certaine attitude avant de se servir de son appareil.

Voir **CAMÉRA — CAMÉRAMAN** *et* **PRENDRE.**

POSE — *Voir* **FILERIE.**

POSER — *Voir* **PORTRAIT.**

POSITIF — Appliqué aux choses, l'adjectif **positif** signifie «certain, prouvé, évident»: *c'est un fait positif que les marées se produisent sous l'influence du soleil et de la lune.* Appliqué aux personnes, l'adjectif **positif** qualifie l'utilitaire: un homme qui mesure la valeur des choses à leur utilité est un homme **positif** (par opposition à l'idéaliste).

Appliqué aux personnes, l'adjectif anglais **positive** a le sens favorable de «certain, convaincu» (**I am positive that he was there**: *je suis certain qu'il était là*) et le sens péjoratif de «trop sûr de soi» (**don't be so positive**: *ne soyez pas si affirmatif*). Il est fautif d'employer l'adjectif **positif** pour les personnes au lieu de **certain.** *Je suis* [POSITIF] *qu'il était là* est un anglicisme.

POSITION — Employé comme synonyme d'**emploi**, ce mot appartient au langage familier: *ce jeune homme a déjà une belle position.* De plus, cette acception du mot est désuète. Aujourd'hui on dit plutôt **situation.** Il est toujours préférable de se servir des termes **emploi**, **fonction**, **place**, **poste** ou **charge**, selon le cas. Au lieu de *je cherche une position*, on dira correctement *je cherche un emploi* et *cet homme remplit une fonction de confiance* ou *occupe un poste supérieur dans l'entreprise* se disent mieux que *cet homme occupe une position élevée dans l'entreprise.* Au Canada, on abuse de **position** au sens d'«emploi» sous l'influence de l'anglais, dont le mot **position** traduit dans le langage soigné **emploi**, **charge**, **fonction**, **place** et **poste**.

Emploi est le terme général (*voir* **EMPLOI — EMPLOYÉ — EMPLOYER**). Il convient à n'importe quel genre d'occupation. **Fonction** désigne l'activité de l'employé plutôt que l'emploi lui-même. La **place** est l'**emploi** vu par rapport aux autres **emplois** dans la même entreprise: *cet homme occupe une place importante dans son service.* **Poste** ne s'applique correctement qu'à un **emploi** de confiance ou de direction dans n'importe quelle entreprise, tandis que **charge** ne se dit qu'en parlant d'un **emploi** de confiance dans la fonction publique *(voir cette expression)* et dans les professions libérales: *une* **charge d'huissier.**

POSITIVEMENT — L'adverbe **positivement** signifie «comme fait certain»: *je ne saurais affirmer positivement qu'il était présent, mais on m'a assuré qu'on l'avait aperçu* ou encore *je ne nie pas positivement votre compétence, mais je n'y crois pas.*

L'anglais **positively** a deux autres sens que **positivement** n'a pas, celui d'«absolument», de «catégoriquement» (**I positively refuse to leave**: *je refuse absolument de partir*; **it is positively forbidden to**: *il est formellement interdit de) et d'*«affirmativement» (**he answered positively**: *il répondit affirmativement*).

Ceux qui ont voté [POSITIVEMENT] au lieu de *ceux qui ont voté affirmativement* (*voir* **AFFIRMATIVE — AFFIRMATIVEMENT**) et *il est* [POSITIVEMENT] *interdit de passer sur ce terrain* au lieu d'*il est formellement interdit de passer* sont des anglicismes.

POSSÉDER — *Voir* **OPÉRATEUR — OPÉRATION — OPÉRER** *et* **VALOIR.**

POSSIBILITÉ — *Voir* **OPPORTUNITÉ.**

POSTDATER — *Voir* **ANTIDATER.**

POSTE — Du XIIe siècle jusqu'au XVIIe, le mot **malle** a eu le sens de «sac» et de «petit coffre» qu'on faisait porter par les chevaux pour le transport de marchandises, d'objets personnels, et de «panier de mercier (*voir* **MERCERIE — MERCIER**)». Quand le cardinal Richelieu organisa la **poste** aux lettres en France en 1622, les voitures du service royal des dépêches, qui étaient transportées dans de petits coffres, prirent le nom de *malle-poste* et l'on disait simplement *les malles.* De là le nom de *malle des Indes* donné par extension, au XIXe siècle, au service de transport des dépêches et missives entre l'Angleterre et les Indes à travers le territoire français, mais, sauf ce cas particulier, le mot **malle** n'a jamais désigné un service de **poste** aux lettres (on dit aussi *service des postes*) non plus que le **courrier** (*voir* **CORRESPONDANCE**) transporté et il a perdu tout rapport avec la **poste**.

Son seul sens moderne est celui de «coffre pour emporter des effets personnels en voyage (*voir* **VALISE**)».

Le mot anglais **mail** vient du français **malle**, dont il a retenu l'ancien sens de «sac», et, à partir de l'idée du sac dans lequel on transporte du **courrier**, il a fini par désigner le **courrier** lui-même et le service de transport du **courrier**. Il a donné par dérivation le verbe **to mail**, le substantif **mailing** et l'adjectif **mailable**, qui signifient «mettre à la poste, poster», «mise à la poste, expédition du courrier» et «propre à être transporté par la poste». Ce ne sont pas des archaïsmes, mais des anglicismes que l'on commet en disant *malle* au lieu de **courrier**: *la* [MALLE] *est-elle arrivée?* ou de **poste**: *mettre une lettre à la* [MALLE]; [MALLER] au lieu de **mettre à la poste** ou **poster**: *n'oubliez pas de* [MALLER] *cette lettre;* [MALLAGE] au lieu de **mise à la poste** ou d'**expédition du courrier**: *quelqu'un s'est-il occupé du* [MALLAGE]*?* et [MALLABLE] au lieu de **transmissible**, en parlant d'un écrit, d'un document, ou de **transportable**, en parlant d'un colis, **par la poste**. Les mots [MALLER], [MALLAGE] et [MALLABLE] n'existent pas en français.

Voir **ITEM, LOCAL, POSITION, STATION** *et* **TÉLÉVISEUR — TÉLÉVISION.**

POSTER — *Voir* **POSTE.**

POSTULANT — *Voir* **APPLICATION.**

POT — De tous les mots qui commencent par les lettres *p-o-t*, celui dont ce sont les seules, **pot**, et les mots composés dont il est le premier élément quand il est suivi d'une consonne: *pot-de-vin, pot-pourri*, etc., ainsi que **potion**, sont les seuls dont la voyelle *o* de cette syllabe soit fermée. Dans la première syllabe de tous les autres, l'*o* est ouvert comme celui de *vote, dote, grotte, morte*, etc.

Les habitants de la ville de Québec, qui prononcent la première syllabe de **poteau** comme celle de *potelé, poterie* ou *potin*, ont raison contre les Montréalais qui disent [PEAUTEAU], [PEAU-TASSE] et [PEAU-TENTIEL].

POTASSE — *Voir* **POT** au sujet de la prononciation de ce mot.

POTEAU — *Voir* **POT** au sujet de la prononciation de ce mot.

POTENTIEL — *Voir* **POT** au sujet de la prononciation de ce mot *et* **POUVOIR**.

POTION — *Voir* **POT** au sujet de la prononciation de ce mot.

POU — *Voir* **MOUSTIQUE**.

POUDRERIE — Une poudrerie est une fabrique de poudres explosives (*voir* «**AVIONNERIE**»). Au Canada, quand une neige fine vole en tourbillonnant, on dit que c'est une [POUDRERIE]. Dans ce sens, le mot est fautif.

Dans le très ancien français et jusqu'à la fin du XVIe siècle, les mots *poudrier* et *poudrière* ont eu le sens de «poussière soulevée, tourbillon de poussière» et *poudroyer* (*poudrer* a été employé intransitivement au sens de «poudroyer» aux XIIIe et XIVe siècles) était un verbe transitif pour dire «couvrir de poussière», intransitif au sens de «s'élever en poussière» et pronominal passif au sens d'«être couvert d'une poussière soulevée». On disait, par exemple, *les seigneurs qui chevauchaient s'éloignaient les uns des autres pour être moins poudroyés*. Au XVIIe siècle, on ne disait plus ni *poudrier* ni *poudrière*, mais *poudre* en parlant de poussière: *j'ai fait mordre la poudre à ces audacieux*, écrivait RACINE. Cela explique qu'on ait cru au Canada pouvoir dire *poudrerie* pour désigner une «poussière de neige qui tourbillonne», le suffixe *erie* ayant toujours servi à former des mots qui expriment des choses sous certains aspects particuliers (*voir* «**ÉPLUCHETTE**» *et* **VEILLE — VEILLÉE — VEILLER**): *chevalerie, sensiblerie, espièglerie*, etc. Étant pris au sens de «poussière», le radical *poudre* est un terme vieilli.

On peut aussi imaginer que c'est *poudroirie*, dérivé de *poudroyer*, qu'on a dit d'abord et qu'une mauvaise prononciation a déformé le vocable, car, encore une fois, [POUDRERIE] désigne en Amérique du Nord une neige agitée par le vent, une neige qui poudroie, c'est-à-dire soulevée, non une neige qui tombe régulièrement, une neige qui poudre, c'est-à-dire qui couvre simplement la terre d'une couche légère.

À la vérité, ce qu'on appelle [POUDRERIE] au Canada est une **tempête de neige** ou des **rafales de neige**. L'hiver, quand, à la radio, on informe les automobilistes du temps (*voir* **TEMPÉRATURE**) qu'il fait dans les différentes régions afin de les mettre au courant de l'état des routes, il ne faut pas dire, par exemple, *neige, vent de trente kilomètres à l'heure*, [POUDRERIE], mais *rafales de neige créées par un vent de trente kilomètres à l'heure*, ni *légère* [POUDRERIE] *ici et là*, mais *faibles rafales de neige ici et là*.

En français, un «vent violent qui soulève la neige, la fait tourbillonner, et qui forme des congères (*voir* «**BANC DE NEIGE**») est un **chasse-neige.**» Le terme est invariable.

POUPÉE — *Voir* **CATIN.**

POUR — *Voir* **EN FAVEUR DE** *et* **PRÉPOSITIONS (EMPLOI DES...).**

POURCENTAGE — Se garder de commettre, dans l'écriture et la prononciation, l'anglicisme [PERCENTAGE].

POURSUITE — *Voir* **PROCÉDURE.**

POURSUIVRE (SE) — *Voir* **PERDURER.**

POURVU QUE — *Voir* **D'ABORD.**

POUSSER — *Voir* **PESER.**

POUSSETTE — *Voir* **CARROSSE.**

POUSSOIR — *Voir* **CARROSSE.**

POUVOIR — Les Canadiens commettent de moins en moins l'anglicisme qui consiste à employer ce mot sous l'influence du substantif **power** en parlant de l'**électricité**, mais quelque temps s'écoulera encore avant que la faute disparaisse complètement.

Le mot **pouvoir** est un terme technique dans une acception particulière. Il désigne une capacité de subir ou d'exercer certains effets physiques: *pouvoir calorifique, pouvoir colorant*, etc., mais il n'est synonyme ni de **courant** électrique, ni d'**énergie** électrique, ni de **potentiel** d'énergie électrique, ni de **ressources** énergétiques, ni d'**électricité**. Il ne faut pas dire *panne de* [POUVOIR], mais *panne* (*voir* **DÉRANGEMENT**) *de courant* ou *d'électricité.* Il ne faut pas dire *les cours d'eau du Québec sont riches en* [POUVOIR] *électrique*, mais *les cours d'eau du Québec constituent un riche potentiel d'énergie électrique*, ou *sont une source généreuse d'énergie électrique*, ou *peuvent fournir une grande quantité d'énergie électrique.* Il ne faut pas dire *les* [POUVOIRS D'EAU] (calque de **water-power**) *du Québec sont considérables* au lieu de *les ressources hydrauliques du Québec sont considérables.*

Se garder de même de calquer l'anglais **power** quand on parle de la **puissance** d'une machine, d'un moteur. Il ne faut pas dire *les nouveaux moteurs de nos appareils ont un* [POUVOIR] *accru*, mais *les nouveaux moteurs de nos appareils ont plus de puissance* ou *sont plus puissants.*

PRATICABLE — L'emploi des adjectifs **praticable** et **impraticable** pour qualifier les chemins où l'on circule facilement: *il y a maintenant partout au Québec des chemins praticables en toute saison,* et les chemins où il est impossible ou très difficile de passer: *le dégel a rendu cette route impraticable,* remonte au siècle dernier seulement. Aussi n'y a-t-il rien d'étonnant à ce que l'on ait conservé dans certaines régions du Canada (LOUVIGNY DE MONTIGNY, *AU PAYS DE QUÉBEC*) l'ancien mot français **allable**, qui s'écrivait *alable*, usité jusqu'au XVIe

siècle pour qualifier les lieux difficiles à traverser où se trouvaient, cependant, des chemins que l'on pouvait emprunter : *les Alpes passables et allables* et, par extension, ces chemins eux-mêmes.

Dire *ces chemins ne sont pas* [ALLABLES] au lieu de *ces chemins ne sont pas praticables*, c'est employer un terme désuet.

Quant aux adjectifs **passable** et **impassable**, le premier a perdu le sens de «que l'on peut traverser» et l'on dit aujourd'hui **traversable** : *le chemin de fer et la route ont rendu les Rocheuses facilement traversables* ; et le second ne se dit plus guère que des cours d'eau : *cette rivière est impassable*, mais *un gué est impraticable* ou *praticable*.

PRATIQUE — Au singulier, le nom féminin **pratique** désigne l'«application des principes», par opposition à la théorie qui les propose : *la distance est souvent grande entre la théorie et la pratique*, ou l'«application d'un principe ou d'un plan» : *la mise en pratique d'un théorème, d'un plan d'action*, ou une «manière d'application» : *ce manuel enseigne une excellente pratique*, ou encore le «fait d'appliquer les règles d'un art, d'une science, d'un sport de façon habituelle ou pour acquérir de l'expérience» : *la pratique du droit, de la chimie, des affaires* et *la pratique du golf*, etc.

Le nom féminin **pratique** n'est individuel qu'au pluriel et, encore, il ne s'emploie aujourd'hui comme tel que pour désigner les «exercices extérieurs d'une religion»: on parle correctement des pratiques religieuses, mais on ne peut dire *cet exercice de piété est* [UNE BONNE PRATIQUE].

Pour exprimer les idées de «moyen de pratique» et de «séance d'entraînement, de pratique», on doit s'abstenir d'employer ce dernier mot au singulier au lieu d'**exercice** et dire *un exercice scolaire, un exercice de hockey*, sauf dans le vocabulaire des spectacles et des concerts, où un **exercice** est une **répétition**. Dire *l'équipe du Club Canadien* (*voir* **CLUB**) *a eu deux* [PRATIQUES] *hier* au lieu de *a eu deux exercices hier* ou *la troupe a eu besoin de plusieurs* [PRATIQUES] *pour trouver le rythme du dialogue* au lieu de *la troupe a eu besoin de plusieurs répétitions,* c'est commettre des fautes la plupart du temps sous l'influence de l'anglais, qui, en Amérique du Nord, donne à **practice** le sens d'**exercice** et de **répétition**.

PRÉCIPITER (SE...) — *Voir* **DARDER** *et* «**GARROCHER**».

PRÉCIS — *Voir* **SPÉCIFICATION — SPÉCIFIER — SPÉCIFIQUE.**

PRÉCONISER — *Voir* **FAVORISER.**

PRÉFÉRER — *Voir* **FAVORISER.**

PRÉFIXES (...avec ou sans trait d'union) — *Voir* **SIGNES ORTHOGRAPHIQUES.**

PRÉJUDICE — Le mot **préjudice** signifie «perte subie à la suite d'une atteinte aux droits d'une personne ou d'une atteinte à l'intégrité d'une valeur morale». *Porter préjudice à quelqu'un,* c'est «agir à son désavantage, à l'encontre de ses droits»; l'expression *sans préjudice de mes droits* veut dire «sans que mes droits en soient diminués» et *au préjudice de l'honneur* équivaut à «au détriment de l'honneur». **Préjudice** n'a pas d'autre sens.

Le mot anglais **prejudice** a la même signification, mais il a aussi celle de «jugement préconçu, idée toute faite fondée sur un parti pris plutôt que sur un examen objectif des faits», ce que **préjugé** exprime en français. On commet un anglicisme en employant le mot **préjudice** au lieu de **préjugé**. Il ne faut pas dire *ces gens-là souffrent de* [PRÉJUDICES] quand on veut dire *ces gens-là souffrent de préjugés.*

PRÉJUGÉ — L'adjectif [PRÉJUGÉ] n'existe pas en français. Pour exprimer l'idée d'être «poussé par un sentiment préconçu pour ou contre», l'anglais dit **prejudiced in favour of** et **prejudiced against** et ce sont des anglicismes que l'on commet quand on dit *être* [PRÉJUGÉ] *en faveur de quelqu'un* ou *quelque chose* ou *être* [PRÉJUGÉ] *contre quelqu'un* ou *quelque chose.* C'est l'adjectif **prévenu** qu'il faut employer: *nous étions tous un peu prévenus contre lui* et *après tout ce qu'on nous en avait dit, nous étions prévenus en faveur du projet.* Être **prévenu** pour ou contre, c'est avoir des **préjugés** (nom) pour ou contre: *il était prévenu contre le projet par de vieux préjugés.*

Voir **PRÉJUDICE.**

PRÉLART — À la fin du XVIIe siècle, un nouveau terme d'origine inconnue a fait son apparition dans le vocabulaire de la marine pour désigner une «grosse toile goudronnée servant à recouvrir un bateau ou des objets sur un bateau afin de les garantir des intempéries». Au XIXe siècle, le mot est passé au vocabulaire général comme synonyme de **bâche**, vocable tiré de l'ancien français au cours du XVIIIe siècle, et on l'a employé pour désigner toute «toile imperméabilisée servant à protéger des chargements de marchandises». Au XXe siècle, **prélart** redevient un terme de marine. Il s'applique particulièrement aux toiles dont on recouvre les embarcations d'un navire. **Bâche** l'a supplanté dans le langage courant.

Il faut noter ici encore une fois l'influence que le vocabulaire de la marine a exercée sur le langage des Canadiens d'origine française. Quand les premiers **linoléums** furent offerts en vente au Canada, on a voulu donner à ce nouveau revêtement de sol (*voir* **PLANCHER**) un nom qui traduirait en français son appellation anglaise. **Linoléum**, formé de deux mots latins qui signifiaient «lin» et «huile», est de création anglaise. Le français l'a emprunté tel quel, ajoutant seulement un accent aigu sur l'*e*. Un **linoléum** est un «revêtement de sol imperméable fait d'une toile de jute enduite d'huile de lin, de liège en poudre et de résine». L'idée de «toile imperméable de protection» a mené les Canadiens, bien intentionnés mais mal inspirés, à dire *prélart* au lieu de **linoléum** et à commettre ainsi une faute. Il ne faut pas dire *laver le* [PRÉLART] *de la cuisine* au lieu de *laver le linoléum de la cuisine.*

On dit **lino** pour **linoléum** dans le langage familier: *j'ai acheté du lino pour le vestibule* (*voir* **PORTIQUE**).

PREMIER — *Voir* **SENIOR.**

PRENDRE — Le verbe anglais **to take** exprime la plupart des significations de

prendre, mais il faut se garder de prêter à celui-ci certaines acceptions de **to take** qu'il ne possède pas. **Prendre** n'est synonyme ni de **courir** ni de **suivre**. Non plus que de **faire**, sauf en parlant de reproductions: *prendre une copie, prendre une photographie.*

Il ne faut pas dire [PRENDRE] *un risque* au lieu de *courir un risque.* [PRENDRE UNE CHANCE] au lieu de *courir un risque* (*voir* **CHANCE**) est une double faute. *Prendre un risque, des risques*, c'est «assumer la responsabilité d'agir dangereusement», non simplement «s'exposer de façon plus ou moins consciente au-devant de possibilités de désagréments, de malheurs», action qu'exprime le verbe **courir**: *vous me dites qu'une explosion peut se produire, je prends ce risque* et *on court des risques chaque fois que l'on agit.*

Il ne faut pas dire [PRENDRE] *un cours* (*voir ce mot*) au lieu de *suivre un cours.*

Il ne faut pas dire [PRENDRE] *une promenade*, mais *faire une promenade.* [PRENDRE UNE MARCHE] au lieu de *faire une promenade* est une double faute. Ne pas dire [PRENDRE POUR ACQUIS] au lieu de *tenir pour acquis.* (*voir* **MARCHE — MARCHER**).

Voir «**POIGNER**».

PRENDRE EFFET — *Voir* **OPÉRATEUR — OPÉRATION — OPÉRER.**

PRENDRE NAISSANCE — *Voir* **ORIGINE.**

PRENDRE PENSION — *Voir* **PENSIONNER.**

PRENDRE PLACE — Cette expression n'a qu'une signification, celle de «s'installer»: *montons prendre place dans l'autocar.* Une fois qu'on est installé, on ne prend plus place. Aussi est-il incorrect de dire après un accident *les quatre personnes qui* [PRENAIENT PLACE] *dans cette voiture ont été blessées.* Il faut dire *qui voyageaient dans cette voiture.*

Le verbe **voyager** ne signifie pas seulement «se déplacer hors de sa ville, de sa région, de son pays». Il a aussi le sens de «faire un trajet, être transporté».

Qu'il s'agisse d'un trajet court ou long, on peut aussi employer le verbe se **déplacer**: *les quatre personnes qui se déplaçaient dans cette voiture ont été blessées*, ou simplement: *les quatre passagers ont été blessés.*

PRENDRE SOIN DE — L'expression est française au sens de «veiller au bien-être, au bon état de»: *prendre soin de ses parents, prendre soin de sa santé.* L'expression anglaise **to take care of** qui la traduit a une signification beaucoup plus large et c'est, par exemple, commettre un anglicisme que de dire *je vous présente un vendeur qui* [PRENDRA SOIN] *de vous* au lieu de *qui s'occupera de vous.*

Dans tous les cas où l'on veut dire «consacrer quelque temps, quelque activité» à quelqu'un ou à quelque chose, c'est le verbe **s'occuper de** qu'il faut employer.

PRENDRE SON SERVICE — *Voir* **DEVOIR.**

PRÉPOSITIONS (EMPLOI DES...) — Les **prépositions** et les **locutions prépositives** ne sont pas seulement des outils utiles du français. Dans les structures analytiques de la langue, elles jouent un rôle essentiel. Elles sont pour les francophones des aiguilleurs indispensables de la pensée. Sans elles, on ne pourrait exprimer que des actions générales et des faits absolus, que désigner des choses indéterminées : *je vous aime, ils faisaient la guerre* et *je boirais un verre*, car elles servent à indiquer les relations de circonstance que l'on veut faire voir ou que l'on veut établir entre les choses, rapports de cause, de condition, de lieu, de manière, de temps, etc. : *je vous aime à la folie, ils faisaient la guerre en Asie, je boirais un verre d'eau de Vichy*, etc. Elles ont d'autres emplois nécessaires, comme de marquer dans la construction de certains verbes la signification qu'on leur donne : le verbe *penser*, par exemple, ne veut pas dire la même chose dans *ah ! ce que je pense de vous !* que dans *ah ! ce que je pense à vous !* L'information que pourrait fournir l'intonation dans le langage parlé, la **préposition** la donne clairement dans la langue écrite. Il est donc d'une extrême importance de respecter les valeurs que l'usage contemporain attribue à chacune des **prépositions** et des **locutions prépositives**. *L'emploi d'une préposition pour une autre est une faute grave, une faute qui saute aux yeux* (CHARLES BRUNEAU, *GRAMMAIRE ET STYLISTIQUE*). C'est commettre une faute grave, une faute qui saute aux yeux des véritables francophones, que de dire, par exemple, *je suis* [EN FAVEUR DE] *ce candidat* au lieu de *je suis pour ce candidat* (*voir* **EN FAVEUR DE**) ou *il voyageait* [SUR] *le même train que moi* au lieu d'*il voyageait dans le même train que moi.*

Des grammairiens (en particulier FERDINAND BRUNOT et CHARLES BRUNEAU dans leur *PRÉCIS DE GRAMMAIRE HISTORIQUE DE LA LANGUE FRANÇAISE*) ont enseigné qu'il y a des *prépositions vides* (*à, de,* etc.) « qui peuvent exprimer des rapports très variés » et des *prépositions à valeur précise* (*avant, après,* etc.). Mais les **prépositions** que ces auteurs disent *vides* le sont beaucoup moins aux yeux des Canadiens qui doivent apprendre leur langue qu'à ceux des francophones d'Europe et d'Afrique qui parlent français aussi naturellement qu'ils respirent. On le verra tout à l'heure. Il reste que l'emploi de certaines **prépositions** omniprésentes, à cause même de leur serviabilité, suscite plus de problèmes que celui de **locutions prépositives** aussi précises qu'*à l'exclusion de, à l'insu de* (*voir* **CACHETTE**) ou *en dépit de.*

Pour ce qui est de la grammaire comme pour ce qui est du vocabulaire, les premières difficultés dont il faut parler au Canada, bien qu'elles soient nettement inférieures aux autres en quantité, sont celles qui tiennent au long isolement du peuple de la Nouvelle-France après 1760. Le fait est que l'admirable jeu de **prépositions** que le français s'était donné à la fin du XVIIe siècle a subi par la suite de nombreuses et délicates adaptations. Cela va sans dire qu'il est impossible d'en dresser la liste complète.

Les autres fautes commises au Canada s'expliquent par l'influence de l'anglais et, en même temps mais à un moindre degré, par la méconnaissance des valeurs actuelles des diverses **prépositions** et **locutions prépositives**. Il faut dire que le juste emploi des **prépositions** est plus qu'une affaire de connaissance. C'est un art forgé par des siècles d'usage, et l'usage est changeant et parfois capricieux. Cet art néanmoins s'acquiert par l'étude et l'observation.

Voici donc des notes pratiques sur des emplois qu'exercent ou ne peuvent pas exercer les plus usitées des **prépositions**.

À

La valeur d'une préposition prend de siècle en siècle des dimensions nouvelles, qui restent variables comme les points de vue où l'esprit se place selon les époques pour considérer les choses, mais l'usage prend soin de faire disparaître les chevauchements au fur et à mesure qu'ils se produisent par le rapprochement d'emplois de deux prépositions. De sorte que ce n'est jamais que durant des périodes de temps relativement courtes qu'on utilise deux d'entre elles pour marquer le même rapport. Au début du XVIIe siècle, par exemple, les prépositions **à** et **de** servaient à indiquer la même espèce d'appartenance devant un complément de nom : *la maison à ma tante* et *la maison de ma tante*. Cet emploi de **à** ne se trouve plus correctement que dans l'expression figée du langage familier *fils à papa*, mais il est resté courant au Canada, non seulement dans le langage populaire, mais même dans le langage familier des gens instruits. Il ne faut pas dire *c'est au tour* [À] *Marie de nous recevoir*, mais *c'est au tour de Marie de nous recevoir*, non plus que *ne touchez pas à la pipe* [À] *papa*, mais *ne touchez pas à la pipe de papa*. La préposition **à** n'indique plus l'appartenance qu'après le verbe *être* : *ces livres sont à toi*.

D'un autre côté, le français moderne a laissé échapper des jointures que le français classique jugeait utiles. Au XVIIe siècle encore, la préposition **à** marquait un rapport de temps quand on parlait d'un moment non déterminé par une heure précise. On disait *à ce matin, à ce soir, à cette fois*, etc. Cette construction vieillie est répandue au Canada où l'on dit [À] *tous les jours* au lieu de *tous les jours*, [À] *chaque matin* au lieu de *chaque matin*, [À] *chaque fois* au lieu de *chaque fois* et cela explique qu'on y dise [À] *matin* et [À] *soir* (c'est le démonstratif *ce* qu'on a laissé tomber) au lieu de *ce matin* et *ce soir*. Le mot *midi* étant le nom de la douzième heure du jour, on dit *à midi* ou *vers midi* de préférence à *ce midi*. De bons auteurs ont cependant écrit *ce midi* en parlant du milieu du jour de façon indéterminée.

Toujours au XVIIe siècle, on construisait le verbe *aider* avec la préposition **à** quand son complément était un nom d'être vivant. Le verbe était toujours transitif indirect et l'on disait *aider à quelqu'un*. De nos jours, **aider** ne se construit plus avec la préposition **à** que s'il a un nom de chose comme complément et il signifie alors « contribuer à en facilitant » : *son intervention a aidé au règlement du litige*. Il ne faut pas dire *je vais* [LUI] *aider dans cette entreprise*, mais *je vais l'aider dans cette entreprise*.

Le cas de la préposition **à** par opposition à la préposition **pour** montre bien qu'elle est moins *vidée* d'une valeur propre que les apparences semblent l'indiquer. Il est dangereux d'enseigner au Canada que la préposition **à** a cessé de marquer un rapport précis. Cela conduit à la formation de solécismes (*voir ce mot*) comme [CABANE À SUCRE], [CIRE À PARQUETS], [CUILLER À TABLE] et [HUILE À CHAUFFAGE] (*voir* **ÉRABLIÈRE, CIRE — CIRER, CUILLER** *ou* **CUILLÈRE — CUILLERÉE** *et* **HUILE**).

La préposition **à** marque originellement une «direction»: *aller à Rimouski.* L'idée de «direction» mène tout droit à celle de «destination» et la préposition **à** sert à marquer un rapport de destination (comme mais autrement que la préposition **pour**); pas n'importe quel rapport de destination, cependant, non plus que dans n'importe quelle construction grammaticale. Il y a ici plus qu'un ensemble de simples caprices de l'usage. Il y a vraiment une règle de grammaire à suivre.

Après un substantif, on ne peut se servir de la préposition **à** pour marquer un rapport de destination que si

1. — Le complément introduit étant lui-même un nom,

   a) c'est un nom d'objet: *cuiller à thé*
   (on ne peut employer la préposition **à** si le nom désigne une action: on ne dit pas [MACHINE À LAVAGE], mais *machine à laver*, de sorte que l'expression [HUILE À CHAUFFAGE] est fautive — *voir* **LESSIVEUSE** *et* **HUILE**; on ne dit pas non plus *tente* [À] *enfants*, mais *tente pour enfants*);

   b) c'est le nom d'un objet entre lequel et celui que représente le premier substantif s'établit un rapport de destination permanent, général, spécifique, non temporaire, non accidentel ou non particulier: *cuiller à thé, terre à blé, verre à vin, pâte à galette, cabane à chien;*

   (dans le cas d'un rapport de destination temporaire, occasionnel ou particulier, on emploie la préposition **pour** qui exprime alors un simple rapport d'utilité ou d'adaptation: *accessoires pour pièges, articles pour salle de bains*);

   c) la destination indiquée se réalise directement, sans intermédiaire étranger, sans l'intervention d'un élément extérieur: *cuiller à thé, terre à blé, verre à vin, brosse à ongles;*

2. — Le complément est un verbe à l'infinitif: *machine à laver, machine à coudre, correspondance à faire, pâte à détacher.* On pourrait dire *huile à chauffer* si cela n'était une définition du mot **mazout** (*voir* **HUILE**).

APRÈS

Faire suivre le verbe *être* de la préposition **après** avant un infinitif au lieu d'employer les locutions **être en train de** et **être à** (cette dernière est de moins en moins usitée), c'est commettre une faute. Au XVIIe siècle, on disait *être après, être après à* ou *être après de* pour marquer l'idée qu'une action est en voie d'accomplissement. Il ne faut pas dire *il était* [APRÈS] *s'habiller quand je suis arrivé* au lieu d'*il était en train de s'habiller*, non plus qu'*elle était* [APRÈS] *se maquiller* au lieu d'*elle était en train de se maquiller.*

Être à est employé parfois au Canada dans le sens anglais de «se préparer à», «devoir». C'est faire un anglicisme de dire: [JE SUIS À] *faire ce travail dès ce matin* au lieu de *je dois, j'ai l'intention de faire ce travail dès ce matin.*

Voir **APRÈS**.

AVEC

La préposition **avec** est l'une de celles qui offrent les exemples les plus manifestes de calques irréfléchis de l'anglais (*voir* **ANGLICISME**).

L'anglais emploie sa préposition **with**, qui traduit premièrement la préposition **avec**, dans bien des cas où il est fautif de se servir de celle-ci. Voici quelques exemples tirés du *DICTIONNAIRE MODERNE FRANÇAIS-ANGLAIS ET ANGLAIS-FRANÇAIS de* LAROUSSE:

the man with the long beard — *l'homme à la longue barbe*

to find credit with someone — *trouver crédit auprès de quelqu'un*

furious with him — *furieux contre lui*

he lives with us — *il vit chez nous*

he followed her out with his eyes — *il la suivit des yeux*

with a jacket on — *en veston*

it's the case with you — *c'est le cas pour vous.*

L'influence de l'anglais est telle que les Canadiens doivent être constamment sur leurs gardes pour ne pas se servir fautivement de la préposition **avec**.

On dit, par exemple, *déjeuner* [AVEC] *des céréales* (*voir ce mot*) au lieu de *déjeuner de céréales* (on déjeune de céréales **avec** quelqu'un), ou *s'assurer* [AVEC] *la société Ixe* au lieu de *s'assurer à la société Ixe* ou *chez l'assureur Ixe*, ou *as-tu fini* [AVEC] *le lait?* au lieu d'*as-tu fini de te servir du lait?*, ou *la soirée débutera* [AVEC] *l'arrivée du président* au lieu de *la soirée débutera à l'arrivée du président*, ou *la session débutera* [AVEC] *l'étude de ce projet de loi* (*voir* **BILL** *et* **LOI**) au lieu de *la session débutera par l'étude de ce projet de loi*, ou *le tribunal a été sévère* [AVEC] *ce récidiviste* au lieu de *pour ce récidiviste*, ou *il faut être juste* [AVEC] *son prochain* au lieu d'*il faut être juste pour* ou *envers son prochain*, ou *remplir la marmite* [AVEC] *de l'eau* au lieu de *remplir la marmite d'eau*, ou *je serai* [AVEC] *vous dans un instant* au lieu de *je serai à vous dans un instant*, ou encore, dans le langage populaire, *laisse cette boîte* [AVEC] *le concierge* au lieu de *chez le concierge.*

DANS

En quoi la préposition **dans** s'oppose-t-elle à la préposition **sur**? En ce que **dans** s'applique à des choses considérées comme contenants (*se trouver dans un lieu*) ou comme conduites (*aller dans la bonne voie*), tandis que **sur** s'applique à des choses considérées comme surfaces. C'est ainsi qu'on dit *donner un baiser sur la joue* parce que la joue est alors considérée comme surface et *recevoir une injection dans la joue* parce que l'idée d'introduction dans un contenant se trouve dans celle d'injection. Il faut dire *je me renseigne dans les journaux* ou *j'ai lu cela dans le journal.*

D'un autre côté, les fonctions de la préposition **dans** étant ce qu'elles sont, il faut se garder de lui substituer, pour marquer les mêmes rapports, les prépositions **à** et **par**. Par exemple, on peut avoir quelque intérêt **dans** une affaire, mais on est intéressé **par** une affaire et l'on s'intéresse **à** une affaire. L'abus du **passif** (*voir ce mot*) joue de mauvais tours aux Canadiens dans des cas comme celui-ci. Il ne faut pas dire, par exemple, *il est très intéressé* [DANS] *le sport* au lieu de *le sport l'intéresse beaucoup* ou *il s'intéresse beaucoup au sport*. Ici, l'influence de l'anglais est double : elle s'exerce par le mode d'expression et par le rôle que joue la préposition **in** (**to be interested in**).

DE

L'une des fonctions de la préposition **de** est de marquer un rapport de «matière» : *un vase de porcelaine*. Elle sert aussi à marquer un rapport d'«espèce» : *un homme de courage*. Pour marquer une «caractéristique», c'est la préposition **à** qui est usitée : *un pichet est un petit broc à grosse panse, portefeuille à deux poches, réception au champagne*.

C'est commettre un solécisme que d'employer la préposition **de** avant *d'autres* pour marquer l'appartenance. Il ne faut pas dire *quand il s'agit* [DE] *d'autres que vous*, mais *quand il s'agit d'autres que vous*.

Voir **LOI**.

EN

On dit *en ville* en parlant de la ville à l'intérieur de laquelle on se trouve : *faire des courses en ville, je déjeunerai en ville* (pour dire qu'on ne déjeunera pas à la maison). *À la ville* se dit d'une ville à l'extérieur de laquelle on se trouve ou, du moins, à l'extérieur de laquelle l'esprit se place avant d'en parler : *je ne retournerai à la ville que mardi matin, quand nous allions à la ville pour rendre visite à nos cousins* et *comme nous arriverons tard à la ville, nous dînerons en ville*. Il ne faut pas dire *il vivait retiré à la campagne et n'allait* [EN] *ville qu'une ou deux fois l'an*, mais *il vivait retiré à la campagne et n'allait à la ville qu'une ou deux fois l'an*.

Se garder de même de dire [EN] *campagne* au lieu d'*à la campagne*. L'expression *en campagne* appartient au vocabulaire militaire, où elle signifie «en opération de guerre» : *on craint que les événements n'obligent l'armée à se remettre en campagne*. Au figuré, on l'emploie pour dire «à la découverte, à la recherche de, à l'aventure» : *ils se sont mis en campagne pour dénicher un appartement*. Il ne faut pas dire *nous avons passé l'après-midi* [EN] *campagne* au lieu de *nous avons passé l'après-midi à la campagne*.

LORS DE

Se rappeler que la locution prépositive **lors de** ne signifie pas «à l'occasion de» ou «pendant». Elle n'a pas d'autre fonction que celle de marquer un rapport avec un moment, une époque : *il était encore enfant lors de l'élection de son père à la Chambre des communes* et *lors de mon mariage, je voyais les choses autrement qu'aujourd'hui*. Il ne faut pas dire *le premier ministre fera une déclaration sur cette question* [LORS D'] *une conférence de presse annoncée* *pour demain matin*, mais *à une conférence de presse*, ou *au cours d'une conférence de presse*, ou *pendant une conférence de presse*.

POUR

Voir ci-dessus **À**.

Se garder de commettre l'anglicisme de syntaxe [MOI POUR UN] **I for one**. Il faut dire *quant à moi*.

Se garder d'employer la préposition **pour** avant un infinitif après l'auxiliaire **être** pour marquer l'intention dans une phrase négative: *je ne suis pas* [POUR] *le laisser faire cela* (calque de l'anglais **I am not going to**). Il faut recourir au futur et dire *je ne le laisserai pas faire cela*.

Voir **EN FAVEUR DE** *et* **PAYER**.

SUR

La préposition **sur** marque la position, la direction, la proportion, la cause, le sujet, le temps, quelquefois la qualité dans des expressions consacrées: *sur ce ton*, mais jamais la manière; il ne faut pas dire [VOYAGER SUR LE POUCE], mais *faire de l'auto-stop* (*voir* **OCCASION**).

Se garder de commettre les anglicismes suivants:

travailler [SUR] *une ferme* au lieu de *travailler dans une ferme*, une ferme étant considérée comme un lieu circonscrit comme une ville, comme une île (*voir ce mot*);

voyager [SUR] *un train* au lieu de *voyager dans un train*, comme il faut dire *dans un autobus, dans un avion, dans un fourgon, dans une voiture*:

se trouver [SUR] *l'étage* au lieu d' *à l'étage*, l'étage n'étant pas le plancher (*voir ce mot*), mais un espace;

siéger [SUR] *un comité*, ou *un bureau*, ou *une commission* au lieu d'*être membre d'un comité, d'un bureau, d'une commission*;

[SUR] *semaine* au lieu d'*en semaine*.

Il faut dire *dans la rue* et *dans l'avenue*: *jouer dans la rue, il y a un incendie* (*voir* **FEU**) *dans l'avenue*, non [SUR] *la rue* ou [SUR] *l'avenue* (**on the street**). Une rue ou une avenue est un «chemin bordé de maisons», c'est-à-dire une sorte de contenant. Mais il faut dire *sur le boulevard*. Cela vient de ce que les premiers boulevards (étymologiquement, ce mot désigne un ouvrage de fortification), construits sur l'emplacement des anciens remparts de Paris, ne furent d'abord que des chemins de promenade.

L'anglais construit avec sa proposition **on** un certain nombre de verbes dont les équivalents français sont transitifs directs ou se construisent avec une autre préposition que **sur** (qui traduit le sens le plus courant de **on**). Attention (*voir ce mot*) aux calques! Par exemple, il ne faut pas dire *une montre* [SUR] *laquelle on peut se fier*, mais *à laquelle on peut se fier* (**to rely** ou **depend on**).

Voir **PESER**.

PRÉSAGER — *Voir* **AUGURE — AUGURER**.

PRESCRIPTION — *Voir* **SPÉCIFICATION — SPÉCIFIER — SPÉCIFIQUE.**

PRÉSENT — *Voir* **ÉTRENNES.**

PRÉSENT (À... QUE) — *Voir* **MAINTENANT.**

PRÉSENTATION — *Voir* **NOMINATION** *et* **REPRÉSENTATION.**

PRÉSENTER — *Voir* **INTRODUIRE.**

PRÉSENTER (SE...) — *Voir* **RAPPORTER (SE...).**

PRESSAGE — PRESSER — Employer le substantif **pressage** et le verbe **presser** au lieu de **repassage** et de **repasser**, c'est commettre des anglicismes: les termes anglais **pressing** et **to press** ont ces significations en parlant des vêtements. Une mère de famille ne doit pas dire *je fais tous les samedis le* [PRESSAGE] *des pantalons de mon mari et de mes fils* (*voir* **GARÇON**), mais *je fais tous les samedis le repassage des pantalons*. Une femme ne doit pas dire à son mari *j'ai envoyé ton pantalon* (*voir ce mot*) *gris chez le teinturier* (*voir* **TEINTURERIE — TEINTURIER**), *de sorte qu'il sera propre et* [PRESSÉ] *pour la soirée de samedi*, mais *de sorte qu'il sera propre et repassé pour la soirée de samedi*.

Le français a emprunté à l'anglais le mot **pressing** et lui a donné les sens particuliers de « repassage commercial à la vapeur » et de « boutique où l'on fait le repassage à la vapeur » (le terme anglais **pressing** désigne aussi bien l'action de **repasser** à l'aide d'un fer électrique que celle de **repasser** à l'aide de grands appareils utilisant la vapeur). Des puristes ont proposé de remplacer **pressing** par *pressage*, mais il est plus que douteux qu'ils obtiennent jamais gain de cause. En premier lieu, le mot **pressage** est déjà usité dans le vocabulaire des tailleurs pour désigner l'« action de donner un apprêt à un vêtement à l'aide du fer à repasser », le lustrage du vêtement; deuxièmement, la finale *ing* s'est solidement implantée dans le français contemporain (*voir* **CAMPING**) et le changement suggéré risquerait de paver la voie aux anglicismes courants au Canada qui sont indiqués ci-dessus: la substitution de **pressage** et de **presser** à **repassage** et à **repasser**. Pourquoi faire **repasser** un pantalon au [PRESSAGE] quand on pourrait l'y faire [PRESSER]? Il semble plus sûr pour la bonne santé des verbes **presser** et **repasser** que l'on continue d'aller faire **repasser** ses pantalons au **pressing**.

Voir **PESER.**

PRESSENTIR — *Voir* **APPROCHER.**

PRESSING — *Voir* **PRESSAGE — PRESSER.**

PRESSOIR — *Voir* **MOULIN.**

PRESTANCE — *Voir* **ALLURE.**

PRESTATION — *Voir* **ASSURANCE.**

PRESTATION DE SERMENT — *Voir* **ASSERMENTER.**

PRÊT — PRÊTER — *Voir* **FINANCE — FINANCEMENT — FINANCER.**

PRÊTEUR SUR GAGES — *Voir* **REGRATTIER.**

PRÉVENIR — *Voir* **ANTICIPER** *et* **NOTICE — NOTIFICATION — NOTIFIER.**

PRÉVENU — *Voir* **PRÉJUGÉ.**

PRÉVISION — *Voir* **CÉDULE.**

PRÉVOIR — *Voir* **AUGURE — AUGURER.**

PRIME — *Voir* **BÉNÉFICE, BONI** *et* **VENTE.**

PRINCIPAL — Le nom **principal** employé pour désigner un directeur de maison d'enseignement ne s'est dit que de personnes qui dirigeaient des maisons d'enseignement secondaire publiques. On ne peut appeler **principal** le directeur d'une école primaire, mais un établissement d'enseignement des premier et deuxième degrés peut être dirigé par un **principal**, bien que ce titre n'ait guère servi en France que pour désigner des directeurs de collèges municipaux. À la vérité, le terme est désuet.

Voir **SENIOR.**

PRIS — *Voir* **ENGAGÉ.**

PRIVÉ — L'adjectif **privé** signifie «qui ne concerne pas le public» et dans cette acception il se dit d'objets concrets et de faits individuels: *chemin privé, séance privée*; «qui concerne ce qui appartient aux personnes considérées comme telles» et dans cette acception il se dit de choses abstraites ou se joint à des noms collectifs: *la vie privée, le droit privé, la propriété privée* et «qui n'appartient pas à l'État mais à un ou des particuliers»: *il y a l'enseignement public et l'enseignement privé* ou *les écoles publiques et les écoles privées* et *les intérêts privés.*

Privé n'a pas comme l'adjectif anglais **private** les sens de «qui concerne une personne en particulier» et de «retiré, isolé» en parlant d'un lieu. Ce sont des anglicismes que l'on commet quand on dit *privé* au lieu de **particulier** ou de **retiré**. Il ne faut pas dire *cet instituteur donne des leçons* [PRIVÉES], mais *des leçons particulières.* Il ne faut pas dire *cours* (*voir ce mot*) [PRIVÉ] au lieu de *cours particulier,* non plus que *j'ai un bureau* [PRIVÉ] au lieu de *j'ai un bureau particulier.* Il ne faut pas dire *j'aime cet endroit parce qu'il est très* [PRIVÉ], mais *parce qu'il est très retiré* ou *isolé.*

PRIVILÈGE — *Voir* **FRANCHISE.**

PRIVILÉGIÉ — *Voir* **BANQUE.**

PRIX — *Voir* **CHARGE — CHARGER, COTATION — COTER, COÛT** *et* **TIRAGE.**

PRIX COURANT — *Voir* **LISTE.**

PROCÉDÉ — *Voir* **PROCÉDURE.**

PROCÉDURE — Même en France, ce mot a du mal (*voir* **MISÈRE**) à se défendre contre l'influence de l'anglais. Il signifie en premier lieu, dans le langage courant, «manière d'agir pour parvenir à un résultat dans une administration», mais il n'est usité pour dire cela que dans deux ou trois expressions stéréotypées: *la procédure à suivre* (pour obtenir un permis, par exemple) et *la procédure établie* (dans tel ou tel organisme). Deuxièmement, c'est un terme de droit qui désigne les «règles et formalités (*voir* **FORMALITÉ — FORME**) suivant lesquelles se déroule tel ou tel genre d'instance, de procès»: *procédure civile, procédure de faillite* (*voir* **BANQUEROUTE — BANQUEROUTIER**), *acte de procédure, terme de procédure*, et l'«ensemble des actes de procédure dans une instance»: *la procédure de cette affaire a été longue et volumineuse*. Ce sont là les seules acceptions admissibles de **procédure**.

Noter que **procédure** ne s'emploie qu'au singulier. C'est un terme collectif.

Le substantif anglais **procedure** a, outre le sens de «procédure» dans le vocabulaire juridique, ceux de «procédé, méthode, mode d'action, façon ou manière d'agir» dans le langage courant et il s'emploie au pluriel en parlant de **méthodes**, de **modes de** et de **procédés**. Le substantif anglais **proceeding** traduit **procédé**, *acte de* **procédure, poursuite** et **procès** et, dans toutes ces acceptions, s'emploie au pluriel. Enfin, le substantif anglais **process** traduit aussi dans certains cas **méthode**, **procédé**, **procès**, en même temps qu'il exprime l'idée que rend le terme français **processus**, et, dans tous ses sens, il s'emploie, comme les deux premiers, au pluriel. Toutes les fautes que l'on commet au Canada dans l'emploi de **procédure** s'expliquent par les pressions que ces trois mots anglais exercent sur lui.

Un avocat ne doit pas dire *cette intervention exige une nouvelle* [**PROCÉDURE**], mais *cette intervention exige un nouvel acte de procédure.*

Il ne faut pas dire *prendre des* [**PROCÉDURES**] *contre un débiteur*, mais *engager des poursuites* ou *intenter une action contre un débiteur.*

Il ne faut pas dire, dans le vocabulaire technique, [**PROCÉDURE**] *de fabrication* au lieu de *procédé de fabrication*, ou de *procédé technique*, ou de *mode opératoire*, ou de *mode de fabrication*, selon le cas.

Il ne faut pas dire *les* [**PROCÉDURES**] *administratives* au lieu de *les méthodes administratives.*

Il ne faut pas dire *l'évolution des classes sociales ne suit pas toujours la même* [**PROCÉDURE**] ou *les mêmes* [**PROCÉDURES**] quand on veut dire *l'évolution des classes sociales ne suit pas toujours le même processus.*

Il ne faut pas dire *le parti a décidé de changer la* [**PROCÉDURE**] *à suivre pour l'élection d'un nouveau chef*, mais *le parti a décidé de changer le mode d'élection de son chef.*

Au lieu de dire *procédure parlementaire*, on s'exprime correctement en parlant du **règlement** intérieur d'une assemblée délibérante.

PROCÈS — *Voir* **PROCÉDURE**.

PROCESSION — *Voir* **PARADE — PARADER**.

PROCESSUS — *Voir* **PROCÉDURE**.

PROCÈS-VERBAL — *Voir* **MINUTE — MINUTER**.

PRODUCTEUR — *Voir* **VENDEUR**.

PRODUIRE — *Voir* **DÉVELOPPER** *et* **LOGER**.

PRODUIT — *Voir* **LIGNE**.

PRODUIT CÉRÉALIER — *Voir* **CÉRÉALE**.

PROFESSER — *Voir* **INSTITUTEUR**.

PROFESSEUR — *Voir* **INSTITUTEUR** *et* **UNIVERSITAIRE — UNIVERSITÉ**.

PROFESSION — *Voir* **INSTITUTEUR** *et* **PROFESSIONNEL**.

PROFESSIONNEL — Nom, le mot **professionnel** se dit de personnes. Il signifie «personne qui fait métier, profession d'une activité, qui la pratique afin d'en tirer une rémunération comme gagne-pain». Il est l'antonyme d'**amateur**: *l'affaire est importante et je vous conseille d'avoir recours aux services d'un professionnel plutôt que d'en laisser la conduite à un amateur*. Au figuré, il désigne aussi une «personne qui a une habitude bien enracinée»: *en fait de générosité, voici un professionnel*. L'adjectif **professionnel** se dit de personnes et de choses. Il veut dire «par profession»: *peintre professionnel, sportif professionnel*, «qui a l'habitude de»: *voleur professionnel*, «relatif à la profession»: *orientation professionnelle, déformation professionnelle, association professionnelle* et «pratiqué par profession»: *le hockey professionnel*.

Le substantif anglais **professional** a les mêmes acceptions que le nom **professionnel**, mais il sert aussi à désigner une «personne qui exerce une profession libérale». L'expression **profession libérale** signifie «profession de caractère intellectuel à laquelle s'attache un prestige social» comme le droit, la médecine, le génie civil, l'enseignement, etc. C'est commettre un anglicisme que de prêter cette signification à **professionnel**. Il ne faut pas dire *la fonction publique* (*voir cette expression*) *compte un nombre croissant de* [PROFESSIONNELS] au lieu de *la fonction publique compte un nombre croissant de membres de professions libérales*. Un électricien de métier est un **professionnel** au même titre qu'un notaire.

Nom et adjectif, **amateur** ne se dit correctement que de personnes. Il se dit, premièrement, d'une «personne qui a beaucoup de goût pour quelque chose»: *un amateur de musique*; deuxièmement, d'une «personne qui pratique un métier, un art, un sport, quelquefois avec beaucoup de compétence, mais sans en faire profession ou pour son seul plaisir sans recevoir de rémunération», ce en quoi le mot s'oppose à **professionnel**: *jouer du piano en amateur, un violoncelliste amateur*, et, par extension, d'une «personne qui s'occupe d'une chose frivolement, par désoeuvrement, sans y mettre de sérieux»: *savant amateur* et *en tout ce qu'il fera, ce garçon ne sera jamais qu'un amateur*.

Même dans le langage des sports, il est abusif d'appliquer l'adjectif **amateur** aux choses. Il ne faut pas dire le *hockey* [AMATEUR], mais *le hockey d'amateurs.* Au lieu de *championnat* [AMATEUR], il faut dire *championnat des amateurs.*

PROFITER — *Voir* **BÉNÉFICIER.**

PROGRAMMATEUR — PROGRAMMATION — PROGRAMME — PROGRAMMER

La dérivation qui consiste à former un verbe à partir d'un nom par l'addition d'un suffixe se terminant par *er* ou naguère encore par *ir* suit depuis des siècles les exigences d'une certaine forme de pensée propre au génie français. Il est conforme aux règles du langage, par exemple, de tirer un verbe d'un nom d'objet : *étiquette* a donné *étiqueter, hydrate* a donné *hydrater* et *capiton* a donné *capitonner*, ou de tirer un verbe d'un substantif signifiant une forme d'activité physique : *boxe* a donné *boxer* et *flirt* a donné *flirter* (*voir* **KNOCK-OUT**), mais ce ne l'est pas de tirer d'un substantif qui désigne la forme extérieure d'une opération intellectuelle un verbe exprimant cette action.

Un verbe qui exprime une opération de l'esprit donne spontanément naissance à un substantif : *soustraire*, par exemple, a produit *soustraction. Additionner* est un dérivé d'*addition*, mais, au moment de la création du verbe, *addition* ne signifiait pas une opération mathématique; *addition* avait le seul sens d'« action d'ajouter » et *additionner* prit celui d'« ajouter » de façon générale. Ce n'est qu'à la fin du XVIIe siècle qu'*additionner* a remplacé *ajouter* dans le langage des mathématiciens.

Aussi le verbe **programmer**, qui a pris naissance dans le vocabulaire du cinéma pour s'implanter ensuite dans ceux de la radio, de la télévision et de l'informatique, a-t-il été l'objet de critiques justifiées. Mais il arrive exceptionnellement que l'usage violente ses propres règles et le verbe **programmer**, si improprement formé qu'il soit, est entré, pour y rester au moins quelque temps, dans la langue française contemporaine. Ce n'est pas en l'employant que l'on commet une faute au Canada, mais dans l'emploi qu'on fait du substantif dont il dérive : **programme**.

Programme signifie « ordre dans lequel et forme sous laquelle un certain nombre d'actions doivent se succéder » : *le programme d'une fête, un programme d'expansion économique, programme d'un spectacle de music-hall* et *programme d'une campagne électorale.*

Le **programmateur** d'une station (*voir ce mot*) de radio ou de télévision (*voir* **TÉLÉVISEUR — TÉLÉVISION**) agence la succession des émissions de ce poste émetteur et son travail est la **programmation** des **émissions**.

Un **programme** de radio ou de télévision est une suite d'**émissions**, mais une **émission** peut avoir son **programme** si elle comprend plusieurs éléments détachés : *le programme de cette émission de variétés était parfaitement équilibré.* Il ne faut pas dire *j'ai vu une tranche de votre roman-feuilleton à la télévision l'autre soir : c'était un beau* [PROGRAMME], mais *c'était une bonne* *émission.* Cette faute s'explique par le fait que le même mot anglais **program** ou **programme** traduit les deux mots **émission** et **programme.**

Voir **CÉDULE** *et* **PLAN.**

PROJECTEUR — Ne pas confondre **réflecteur** et **projecteur**. Même si le **projecteur** comprend nécessairement un **réflecteur**, un miroir réflecteur, l'appareil d'optique, le plus souvent autonome et orientable, qui sert à projeter une source lumineuse en un faisceau parallèle, comme les projecteurs d'un stade, les projecteurs d'une salle de spectacles, etc., est un **projecteur**. Il ne faut pas dire *les* [RÉFLECTEURS] *du stade,* mais *les projecteurs du stade.*

Voir **CAMÉRA.**

PROJET — Dans le langage courant, **projet** signifie «idée d'une chose qu'on se propose de réaliser»: *faire des projets* et «but que l'on se propose d'atteindre»: *les autorités municipales* (*voir* **GOUVERNEMENT**) *ont de nombreux projets* et *ce nouveau projet sera plus facile d'exécution que celui qu'on a abandonné* (*voir ce mot*). Dans la terminologie de la construction et des travaux publics, **projet** a le sens particulier de «dessin en plan, coupe et élévation» d'un ouvrage à construire. Le terme anglais **project** a pris dans ce vocabulaire en Amérique du Nord deux autres significations qu'il faut se garder de prêter à **projet**: «objet à construire (bâtiment, pont, route, etc.)», sens qu'exprime le mot **ouvrage**, et «emplacement où un ouvrage est en voie de construction», sens qu'exprime le mot **chantier**. Un entrepreneur (*voir* **CONTRACTANT — CONTRACTER**) ne doit pas dire *j'ai obtenu le contrat pour ce* [PROJET], mais *j'ai obtenu le contrat pour cet ouvrage.* Il ne faut pas dire *les ouvriers prennent leur repas à la cantine* (*voir* **CAFÉTÉRIA** *et* **SALLE À MANGER**) *du* [PROJET], mais *les ouvriers prennent leur repas à la cantine du chantier.*

PROJET DE LOI — *Voir* **AMENDEMENT, BILL** *et* **LOI.**

PROJETER — *Voir* **REVOLVER.**

PROLONGATION — *Voir* **EXTENSION.**

PROLONGER (SE) — *Voir* **PERDURER.**

PROMENADE — PROMENER (SE...) — *Voir* **MARCHE — MARCHER.**

PRÔNER — *Voir* **FAVORISER.**

PROPAGANDE — PROPAGANDISTE — *Voir* **CABALE — CABALER — CABALEUR.**

PROPOSANT — *Voir* **ASSURANCE.**

PROPOSITION — *Voir* **ASSURANCE.**

PROPOSITION DE LOI — *Voir* **LOI.**

PROPRIÉTAIRE — *Voir* **ABRÉVIATION.**

PROTESTER — *Voir* **LOGER** *et* **OBJECTER.**

PROTONOTAIRE — Le mot **protonotaire** employé au Québec pour désigner le fonctionnaire de la justice à la cour supérieure, dont la fonction principale est l'enregistrement et la garde des documents qui constituent les dossiers des instances introduites, est fautif. **Protonotaire** n'existe au XXe siècle que dans la langue ecclésiastique de l'Église catholique. C'est le nom de certains prélats romains: *les protonotaires apostoliques ne sont pas revêtus du caractère épiscopal.* Au lieu de *protonotaire* de la cour supérieure, on dirait correctement *secrétaire* ou *garde des dossiers* de la cour supérieure.

Voir **REGISTRAIRE — REGISTRATEUR.**

PROVENIR — *Voir* **ORIGINE.**

PROVINCE — En termes de politique, **province** n'a d'autre sens que celui de «division territoriale où l'autorité est exercée par un délégué du pouvoir central». Les gouvernements des territoires organisés composant le Canada n'administrent pas les affaires publiques par délégation. Leur pouvoir est souverain dans tous les domaines qui leur sont propres. Ces territoires sont constitués en **États** fédérés. Il est vrai que le Canada est resté jusqu'à la fin de la première Grande Guerre dans ses relations avec les pays étrangers une sorte de colonie de la Couronne britannique et qu'à ce point de vue l'**État** fédéral était lui-même une **province**, comme le reconnaît la constitution de 1867 en le désignant par le mot anglais **dominion** (improprement traduit par *puissance*), qui signifie «partie d'un Empire jouissant d'une certaine mesure d'autonomie». Depuis le traité de Versailles, surtout depuis le Statut (*voir* **STATUT — STATUTAIRE**) de Westminster, l'indépendance de l'**État** fédéral et des **États** fédérés du Canada est complète. Les lois organiques du pays sont devenues fautives en continuant de désigner l'**État** fédéral par le mot anglais **dominion** et les **États** fédérés par le mot **province**. Dans tous les cas où il n'est pas essentiel de suivre le vocabulaire actuel de l'Acte de l'Amérique du Nord britannique (*voir* **ADJECTIF, PLACE DE L'**...), il ne faudrait pas dire *la* [PROVINCE] *du Québec* ou *la* [PROVINCE] *du Saskatchewan* (*voir ce mot*), mais *l'État du Québec, l'État du Saskatchewan*, etc.

PROVINCE ECCLÉSIASTIQUE — *Voir* **ARCHIDIOCÈSE.**

PROVINCIALISME — *Voir* **CANADIANISME.**

PROVISION — *Voir* **CHÈQUE** *et* **MAGASINAGE — MAGASINER.**

PRUDENT — *Voir* **CONSERVATEUR** *et* **MATURE.**

PUBLIC — *Voir* **ASSISTANCE.**

PUBLICISTE — **Publiciste** tire son origine directement de **public**, tandis que **publicitaire** est un dérivé de **publicité**. Le premier de ces mots est tombé en désuétude.

Publiciste a signifié autrefois «personne qui écrit sur le droit public». Il a signifié naguère «personne qui écrit sur les matières politiques» et plus récemment «personne qui commente l'actualité politique dans les journaux». Il n'est à peu près plus usité. On dit aujourd'hui **écrivain politique** et **journaliste**.

Publicitaire est un néologisme. D'abord adjectif, il a été créé en 1932 pour signifier «relatif à la publicité, qui a un caractère de publicité»: *le budget publicitaire de notre société ne cesse d'augmenter* et *relations publicitaires*; le mot est substantivé au sens de «personne qui s'occupe de publicité»: *notre entreprise bénéficie des services d'excellents publicitaires.*

Il ne faut pas dire *un bon* [PUBLICISTE] *trouve des slogans bien frappés*, mais *un bon publicitaire trouve des slogans* (*voir ce mot*) *bien frappés*. Prêter à **publiciste** le sens de «personne qui s'occupe de publicité» au lieu de dire **publicitaire**, c'est commettre une faute sous l'influence de l'anglais: le même substantif anglais **publicist** exprime les trois idées qu'a signifiées le mot **publiciste** et traduit le néologisme **publicitaire**.

PUBLICITAIRE — *Voir* **PUBLICISTE**.

PUISQUE — *Voir* **D'ABORD** *et* **QUAND**.

PUISSANCE — *Voir* **POUVOIR**.

PULL-OVER — Il y a une quarantaine d'années, le français a emprunté à l'anglais le mot **pull-over** pour désigner les **tricots** avec ou sans manches que l'on passe par la tête.

Un tricot à manches longues qui se ferme en avant par des boutons ou une **fermeture à glissière** (**fermeture-éclair** est un nom donné par un fabricant européen à ses **fermetures à glissière**) est un **cardigan**, autre mot emprunté à l'anglais. Comme le **sandwich** (*voir ce mot*) doit son nom à un lord Sandwich du XVIIIe siècle, le **cardigan** doit le sien à un membre de la noblesse de Grande-Bretagne, un comte de Cardigan, qui vécut au siècle dernier.

Un **tricot** sans manches qui se ferme en avant est un **gilet de laine** (*voir* **GILET**).

Un **tricot** sans manches qu'on passe par la tête est un **pull-over gilet** (abréviation: **pull-gilet**).

Tricot est le terme générique pour tous les maillots de laine couvrant le torse. Un **gilet de laine**, un **pull-over**, un **pull-over gilet** et un **cardigan** sont des **tricots**. Pour désigner l'une de ces sortes de maillots, il faut l'appeler par son nom. Prononcer soit *pu-lo-ver* soit *pou-lo-veur*.

Voir **CHANDAIL** *et* **MOTS ÉTRANGERS (PRONONCIATION DES...)**.

PULPE — Le mot **pulpe** a été pendant quelques années, peut-être sous l'influence de l'anglais, synonyme de **pâte à papier**. Il est devenu incorrect de l'employer dans cette acception. La **pâte à papier** est la «matière fibreuse, obtenue principalement du bois de nos jours, à laquelle on donne la forme du papier par diverses opérations de feutrage et de laminage». Cette **pâte** ne donne que du papier, ce qui explique qu'on dise **pâte à papier** (*voir* **PRÉPOSITIONS, EMPLOI DES...**). Au Canada, on désigne souvent les arbres des forêts et des bois destinés à l'alimentation des papeteries (*voir* **MOULIN**) par l'expression [BOIS DE PULPE].

Il ne faut pas dire [BOIS DE PULPE], mais *bois de papeterie* (appartenance), ou *bois pour pâte à papier*, ou *bois pour papier*. Il serait incorrect de dire [BOIS À PAPIER], car, contrairement à la **pâte à papier**, qui n'existe que pour donner du papier, le bois des arbres destinés à la fabrication du papier peut servir à bien d'autres fins et il ne deviendra **pâte** qu'après avoir été soumis à une véritable métamorphose par plusieurs agents.

PUPITRE — *Voir* **BUREAU.**

PURÉE — *Voir* **CASSÉ — CASSER** *et* **PILER.**

Q

Q — La lettre *q* se nomme *ku*, non [KE].

QUALIFICATION — QUALIFIÉ — QUALIFIER — Le verbe **qualifier** a le sens de «rendre compétent»: *un simple apprentissage ne qualifie pas quelqu'un pour entreprendre des travaux aussi difficiles*. L'adjectif **qualifié** suivi de la préposition *pour* signifie «qui a la compétence»: *vous n'êtes pas qualifié pour trancher cette question*. On ne peut, cependant, employer le substantif **qualification** comme synonyme de **compétence**.

Dans la langue courante, **qualification** n'a d'autre signification que celle d'«attribution d'une qualité»: *ces études vous donneront droit à la qualification d'expert* (*voir* **AUDITEUR**). Ce n'est que dans le vocabulaire sportif qu'il veut dire «fait d'être qualifié (pour une épreuve)»: *la qualification de ce cycliste pour la course internationale a été reconnue*.

Se garder de dire **qualification** au singulier au lieu de **compétence** et au pluriel au lieu de **qualité** ou de **titre**. Ce sont là des acceptions du mot anglais **qualification**. Il ne faut pas demander à un candidat (*voir* **APPLICATION**) à une fonction *quelle* [QUALIFICATION] *avez-vous pour cet emploi?* mais *quelle compétence avez-vous?* C'est également commettre un anglicisme que de dire, par exemple, *vous n'avez pas les* [QUALIFICATIONS] *voulues pour enseigner l'économie politique* au lieu de *vous n'avez pas les titres voulus pour enseigner l'économie politique*. Il ne faut pas dire *cet homme a la* [QUALIFICATION] ou *les* [QUALIFICATIONS] *requises pour diriger une entreprise de cette sorte*, mais *cet homme a la compétence* ou *les qualités requises pour diriger une entreprise de cette sorte*.

Voir **DISQUALIFICATION — DISQUALIFIER** *et* **ÉLIGIBLE.**

QUALITÉ — *Voir* **QUALIFICATION — QUALIFIÉ — QUALIFIER** *et* **VALEUR.**

QUAND — Les conjonctions synonymes **lorsque** et **quand** expriment un simple rapport de temps: *vous aurez peut-être plusieurs petits-enfants quand vous serez encore jeune*. On a écrit qu'elles peuvent aussi marquer la causalité, comme dans la phrase suivante : *comment ne pas être ému quand tout le monde pleure ?* Mais il n'y a là, grammaticalement, qu'un rapport de temps, car on peut dire de même *il reste impassible quand tout le monde s'émeut.* C'est « pendant que » tout le monde pleure et « pendant que » tout le monde s'émeut. On se rend compte au Canada, où s'exerce largement l'influence de l'anglais **when**, qui a tous les sens de toutes les conjonctions et locutions conjonctives étudiées dans cet article, des dangers auxquels on s'expose en laissant l'imagination trop assouplir la définition des conjonctions **lorsque** et **quand** pour leur faire exprimer diverses nuances.

Les locutions conjonctives **alors que**, **tandis que** et **pendant que** expriment aussi, évidemment, un rapport de temps, mais c'est un rapport particulier : la simultanéité. Elles peuvent marquer une simple apposition ou une opposition. Simple apposition : *réfléchissons tandis que nous sommes seuls* et *ce qu'ils craignaient se produisit pendant qu'ils étaient en voyage.* Opposition : *alors que vous enseignez le courage, vous agissez comme un poltron*; *vous vous amusez tandis que vous devriez travailler* et *vous dormez pendant qu'on s'inquiète.*

La locution conjonctive **après que**, qui marque un autre rapport de temps, n'exprime pas non plus la causalité par elle-même : la phrase *il s'évanouit après qu'il eut appris la nouvelle* indique grammaticalement un simple rapport de succession entre les deux faits; si l'on veut faire saisir un rapport de cause à effet, on ajoute généralement un complément : *il s'évanouit de joie après qu'il eut appris la nouvelle.*

La causalité se marque par d'autres locutions conjonctives : **parce que, puisque, attendu que** ou **vu que** et par la conjonction **car**, selon le cas.

Au Canada, on abuse en particulier des conjonctions **quand** et **lorsque** et de la locution conjonctive **alors que**. Au début de chaque semaine, les journaux et les stations de radio et de télévision donnent la liste des accidents graves qui se sont produits pendant le week-end *(voir ce mot).* On écrit ou on dit, par exemple, *M. X. a été grièvement blessé* [QUAND] *sa voiture a capoté hier sur la route 200.* Certes, c'est au moment où sa voiture a capoté que M. X. a été blessé, mais ce n'est pas ce qu'on veut dire. La nouvelle est que M. X a été blessé **parce que** sa voiture a capoté. Ce n'est pas une coïncidence que l'on porte à la connaissance du public, mais une relation de cause à effet entre deux faits et cette relation, ce n'est pas le rôle de l a conjonction **quand** de la marquer. On serait, cependant, porté à croire que c'est là sa principale fonction devant l'usage immodéré qu'on en fait à cette fin. Il vaut mieux s'exprimer autrement : *une voiture conduite par M. X. a capoté hier sur la route 200 et celui-ci a été grièvement blessé. On dit de même trois personnes sont mortes* [ALORS QUE] *l'avion dut faire un atterrissage forcé* au lieu de *l'atterrissage forcé de l'avion a causé la mort de trois personnes* ou *trois personnes sont mortes dans l'atterrissage forcé de l'avion.* Ou encore : *l'accusé ne pourra subir son procès que dans un mois* [ALORS QUE] *s'ouvriront les prochaines assises* au lieu de *après* (préposition) *l'ouverture des prochaines assises* ou *au cours des prochaines assises.*

Voir **MAIS.**

QUANTIÈME — Le **quantième** n'est pas une **date**. Une **date**, à proprement parler, indique le jour et l'année, mais elle peut aussi indiquer le mois et le **millésime** (numéro d'une année civile — *voir* **ANNÉE**) seulement: *L'auteur a donné comme date à son récit «mars 1937»*, ou le **millésime** seulement: *il y a sûrement erreur, car ce récit porte la date de 1573 et on l'attribue à un chroniqueur mort l'année précédente.* Un **quantième**, c'est «le numéro d'un des jours d'un mois»: *on sait que cet écrivain est né en octobre 1573, mais on n'est pas certain du quantième.* L'employé qui attend avec impatience son chèque d'appointements *(voir ce mot)* du 15 ou du 30 du mois demandera correctement à un camarade de travail *quel quantième sommes-nous?* mais il commettra une faute s'il demande *quelle* [DATE] *sommes-nous?* car le **millésime** est absent de sa pensée. Bien entendu, il peut aussi demander *quel jour du mois* (définition de **quantième**) *sommes-nous?* mais, s'il demande, omettant le mot *mois: quel jour sommes-nous?* il risque qu'on lui réponde *que vous êtes distrait! c'est aujourd'hui vendredi.*

De façon générale, on exprime fautivement le **quantième** au Canada. On dit [JEUDI LE 10 SEPTEMBRE] au lieu de *le jeudi 10 septembre.* Comme il y a 52 semaines dans l'année, on y compte 52 jeudis et il s'en trouve quatre ou cinq dans un mois. L'objet à déterminer, c'est le jour: duquel des 52 ou des quatre ou cinq jeudis veut-on parler? Le jour déterminé dans l'exemple ci-dessus est le jeudi qui tombe un 10e jour de septembre. Le **quantième** détermine le jour et doit en suivre le nom immédiatement. On ne dit pas [JEUDI LE SAINT]: ce jeudi-là, c'est un des 52 jeudis de l'année qui est *le Jeudi Saint.*

On est justifié de placer un article entre le nom du jour et le **quantième** quand celui-ci ne remplit pas le rôle d'un adjectif déterminatif, dans le cas, par exemple, où le jour est si nettement déterminé par le contexte qu'il ne peut y avoir de confusion sur le mois: *la fête aura lieu jeudi prochain, le 10 septembre.* Le **quantième** est ici une simple apposition, une sorte de répétition d'insistance, et il doit être, comme toute apposition, précédé et suivi d'un signe de ponctuation. Bref, si l'on parle d'un des six jours prochains, on peut omettre l'adjectif *prochain* et écrire *j'irai vous voir lundi, 18 octobre*, mais, si le lundi dont on parle n'est pas l'un des six jours prochains, il faut écrire *j'irai vous voir le lundi 18 octobre*, sans virgule entre le nom du jour et le **quantième**.

QUARTIER — *Voir* **DISTRICT**.

QUARTIER GÉNÉRAL — Pour désigner l'emplacement d'un commandement, d'un état-major, l'anglais emploie le mot **headquarters**, qui n'a pas de singulier. Au contraire, le français s'exprime au singulier: *le quartier général de la deuxième armée.* C'est commettre un anglicisme que de dire *quartiers généraux* en parlant d'un **quartier général**. Il ne faut pas dire *le suspect a été interrogé* [AUX QUARTIERS GÉNÉRAUX] *de la Sûreté*, mais *le suspect a été interrogé au quartier général de la Sûreté.* Bien entendu **quartier général** fait *quartiers généraux* quand on parle de plusieurs emplacements: *on a découvert* (*voir* **LOCALISER**) *les quartiers généraux de deux bandes de voleurs.*

QUÉBEC — Se rappeler que le nom de l'État (*voir* **PROVINCE**), que l'on parle du territoire, de la population qui l'habite ou de la personne morale du pays, doit toujours être précédé de l'article *le*. Le nom de la capitale, qui, bien entendu, n'est jamais précédé de l'article, peut assurément s'employer pour désigner le gouvernement. On dit correctement *Québec interviendra dans ce conflit* aussi bien que *Paris et Washington ont conclu un accord*, mais il est fautif de dire *les lois* [DE] *Québec dans ce domaine sont exemplaires* au lieu de *les lois* (*voir ce mot*) *du Québec dans ce domaine sont exemplaires*, car les lois n'appartiennent pas à un gouvernement, mais à l'État. Pas plus que *cette affaire* [INTÉRESSE CANADA], on ne peut dire *cette affaire* [INTÉRESSE QUÉBEC], quand il s'agit de l'État et non seulement du gouvernement.

Prendre garde que le mot **Québec** ne s'abrège pas (*voir* **ABRÉVIATION** et **CORRESPONDANCE**), sauf quand c'est absolument nécessaire dans une énumération, et on doit alors l'abréger par la seule lettre *Q* suivie d'un point ou par les deux consonnes *Qc* sans point dans le langage informatisé.

QUESTION — Voici un mot qui, dans l'une de ses acceptions, accuse (*voir* **ACCUSER**) le caractère abstrait du français par opposition à la nature concrète de l'anglais. Le mot français **question** signifie «demande d'information ou d'explication», tandis que son équivalent anglais **question** désigne l'information, l'explication à donner. Aussi, en anglais, demande-t-on une **question** (**to ask a question**), mais on ne peut le faire en français, l'idée de «demande» étant comprise dans la signification de **question**. [DEMANDER] *une question* est un anglicisme. Il faut dire *poser une question*, c'est-à-dire «adresser à quelqu'un une demande d'information, d'explication».

Voir **DISCUTABLE**.

QUESTIONNER — Ce verbe transitif synonyme d'interroger ne peut s'employer qu'en parlant de personnes: *comme vous êtes spécialiste, j'aimerais vous questionner* ou *les policiers ont questionné un suspect toute la nuit sur ses allées et venues*.

Le verbe anglais **to question**, emprunté au français, a pris d'autres significations. Il se dit à propos de choses dans un sens particulier. Ce sont des anglicismes qu'on commet quand on dit, par exemple, *je* [QUESTIONNE] *votre autorité en cette matière* au lieu de *je mets en doute votre autorité*, ou *on peut* [QUESTIONNER] *la valeur de cet article* au lieu de *on peut constater la valeur* ou *je* [QUESTIONNE] *sa sincérité* au lieu de *je mets en doute sa sincérité*.

QUÊTEUR — *Voir* **SOLLICITEUR**.

QUINCAILLE — QUINCAILLERIE — QUINCAILLER — *Voir* **COUTELLERIE** *et* **FERRONNERIE**.

QUITTER — *Voir* **TÉLÉPHONE**.

R

RABAIS — *Voir* **SPÉCIAL** *et* **VENTE.**

RABAT — Le mot **rabat** désigne, entre autres choses, la partie d'une enveloppe qui s'abaisse sur l'ouverture pour la fermer: *les rabats des enveloppes sont généralement gommés*, mais on commet une faute quand on se sert de ce mot ou de **revers** pour désigner une petite bande d'étoffe fixée sur un vêtement au-dessus d'une poche pour en couvrir l'ouverture. Cette petite bande d'étoffe, qui ne fait pas partie de la poche mais du vêtement, est une **patte**. Pas plus qu'il ne faut dire [PATTE] *d'une enveloppe* au lieu de *rabat d'une enveloppe*, il ne faut dire [RABAT] ou [REVERS] *d'une poche de vêtement.*

Dans le vocabulaire du vêtement, **revers** ne désigne que des parties repliées où l'envers de l'étoffe, de la peau ou de la fourrure se présente par le dessus: replis d'un veston, d'une veste, d'un manteau (*voir* **PARDESSUS**), etc., qui se joignent sur la poitrine, repli du haut d'une botte et replis du bas d'un pantalon.

Rabat ne désigne de nos jours comme objet de vêtement qu'une «pièce d'étoffe en forme de large cravate qui se rabat, comme un plastron, sur le haut de la poitrine»: *les avocats qui plaident et les membres de quelques communautés religieuses portent des rabats.*

RACCORD — *Voir* **CONNECTER — CONNEXION.**

RACCROCHER — *Voir* **TÉLÉPHONE.**

RADIATEUR — *Voir* **FOURNAISE.**

RADIER — *Voir* **ANNULER.**

RADIO — TÉLÉ — Certains termes ont été mal construits, mal composés dans les domaines de la radio et de la télé:

— [RADIOTÉLÉDIFFUSION] Le mot **diffusion** s'applique particulièrement à la radio (c'est son complément): **radiodiffusion**. Pour ce qui est de la transmission directe des images, on dit simplement **télévision**. L'expression *la radiodiffusion-télévision nationale* est exemplaire.

— [CÂBLODISTRIBUTION] Pour désigner la distribution surtout de programmes de télévision à des abonnés reliés par câble à la station émettrice, c'est **télédiffusion** qui serait plus exact. Au moins on saurait qu'il s'agit de **télévision**. La **télédistribution** est définie ainsi: «radiodiffusion et télévision par câbles». Dans ce cas, le préfixe télé reprend son sens de «au loin». La **télédistribution** signifie littéralement «distribution au loin» sans que celle-ci s'applique uniquement à la télévision. Au Québec, on a créé le mot [CÂBLODISTRIBUTION], hybride, qui veut dire exactement la même chose, mais qui est mal composé. Il est à éviter.

Il y a aussi [RADIOTHON] et [TÉLÉTHON], comme s'il suffisait d'emprunter la dernière syllabe de *marathon* pour donner à ces mots les sens de «concours radiophonique» et de «concours de télévision». Cela peut se faire en anglais, pas en français. C'est **marathon radiophonique** et **télémarathon** qu'il faut dire.

Voir **PROGRAMMATEUR — PROGRAMMATION — PROGRAMME — PROGRAMMER, STATION** *et* **TÉLÉVISEUR — TÉLÉVISION.**

RAFALE DE NEIGE — *Voir* **POUDRERIE.**

RAISONNABLE — *Voir* **ADÉQUAT** *et* **CONSERVATEUR.**

RAJOUT — *Voir* **EXTENSION.**

RALLIER — *Voir* **JOINDRE.**

RALLONGE — *Voir* **EXTENSION.**

RAME — RAMER — RAMEUR — *Voir* **AVIRON** *et* **CHALOUPE.**

RANCART — Le mot **rancart** ne s'emploie correctement que dans **mettre au rancart** et **jeter au rancart**, deux expressions du langage familier qui signifient «mettre de côté, négliger, abandonner, jeter au rebut». **Mettre au rancart** a eu les sens de «mettre à leur retraite» et de «priver de leur emploi» en parlant des fonctionnaires, mais cette acception est désuète.

Le mot est toujours péjoratif. *Mettre un projet au rancart*, c'est l'abandonner; *un livre tout juste bon à jeter au rancart* est un livre à jeter au rebut; *mettre quelqu'un au rancart*, c'est cesser de s'occuper de lui, le négliger, l'abandonner.

Employer **au rancart** comme synonyme d'**à l'écart de**, c'est commettre une faute. Il ne faut pas dire *sa blessure au genou tiendra ce joueur de hockey* [AU RANCART] *pendant une dizaine de jours encore*, mais *sa blessure au genou tiendra ce joueur de hockey à l'écart du jeu*.

RANG — Les Canadiens appellent *rang* une «division territoriale d'une municipalité rurale indiquée par un chemin qui en marque souvent la limite et au long duquel les habitations des cultivateurs sont construites» ainsi que ce chemin: *j'habite le quatrième rang* et *pour venir chez moi il faut prendre le deuxième rang à la sortie du village*. Il est facile de comprendre comment on en est venu à adopter l'expression.

En premier lieu, le mot **rang** a eu en ancien français le sens de « branche » et, par extension, de « route à un embranchement ». Il s'écrivait alors *raim* et était féminin : *l'un prit la destre raim et l'autre déguerpit à la senestre.* Deuxièmement, au XVIe siècle, la locution *de rang* signifiait « de suite », particulièrement en parlant du temps : *trois jours de rang* et le patois normand prêtait à *de rang* le sens général de « sans cesser, sans rien passer », en parlant de l'espace autant que du temps : *placer les choses de rang.* Le rapprochement entre l'idée de chemin à une bifurcation et celle de choses qui se suivent explique l'emploi de **rang** pour désigner une succession ininterrompue de lopins de terre auxquels on accède par une même route qui s'écarte de celle par laquelle on se rend au village ou à la ville. Ce provincialisme, qui désigne une réalité particulière au pays, qui ne se substitue à aucun terme français et qui ne fait qu'étendre le sens général de **rang**, n'est pas à proscrire.

RAPIDE — *Voir* **LOCAL.**

RAPPORT — La locution *en rapport avec* signifie « proportionné à, qui convient à » : *ces responsabilités ne sont pas en rapport avec votre expérience* et *heureux les hommes dont les ambitions sont en rapport avec leurs aptitudes.* Le substantif **rapport**, qui a le sens général de « lien, relation », traduit le terme anglais **relation.** Or l'anglais a formé avec **relation** la locution **in relation to,** qui veut dire « relativement à ». Prêter cette signification à *en rapport avec*, c'est, calquant l'anglais, commettre une faute. Il ne faut pas dire *de nombreuses rumeurs courent* [EN RAPPORT AVEC] *cette affaire*, mais *de nombreuses rumeurs courent relativement à cette affaire.*

Voir **CONNECTER — CONNEXION.**

RAPPORTER — RAPPORTEUR — *Voir* **BAVASSER** *et* **PAYER.**

RAPPORTER (SE...) — Le verbe pronominal **se rapporter** (*à*) s'emploie en parlant de choses pour dire « se rattacher logiquement à » : *ce que vous expliquez ne se rapporte nullement au sujet de la conversation* et *voici les faits principaux qui se rapportent à cet incident.* Construit avec le pronom adverbial *en* : *s'en rapporter à,* en parlant de personnes et de choses, il signifie « se fier à » : *je m'en rapporte à vous pour mener cette affaire à bonne fin* et *je m'en rapporte à votre avis.*

Le verbe anglais **to report**, qui ne rend nullement ces idées, s'emploie pronominalement **to report oneself** pour dire « se présenter, paraître (devant quelqu'un) » et, par extension, « entrer en contact avec, communiquer avec (quelqu'un) » ; c'est commettre un anglicisme que de calquer le verbe anglais et prêter cette acception à **se rapporter** au lieu de dire **se présenter** ou **communiquer**. Il ne faut pas dire *vous vous* [RAPPORTEREZ] *au bureau demain matin*, mais *vous vous présenterez au bureau demain matin.* Il ne faut pas dire *je tiens à ce que vous vous* [RAPPORTIEZ] *au bureau par téléphone tous les jours à la fin de la matinée* (*voir* **MATIN — MATINÉE**) *et à la fin de l'après-midi*, mais *je tiens à ce que vous communiquiez avec le bureau.*

Voir **RÉFÉRER.**

RATON LAVEUR — *Voir* **ANIMAUX.**

RATTRAPER — *Voir* **JOINDRE.**

RATTRAPEUR — *Voir* **BASE-BALL.**

RAYER — *Voir* **ANNULER** *et* **BARRER.**

RAYON — *Voir* **DÉPARTEMENT — DÉPARTEMENTAL** *et* **TABLETTE.**

RAYONNAGE — *Voir* **TABLETTE.**

RÉACTEUR — RÉACTION — Le nom **réaction** a la fonction particulière en aéronautique de désigner un mode de propulsion qui consiste à projeter un objet mobile dans une direction en chassant avec force un flux gazeux dans la direction contraire; c'est la *propulsion par réaction.* Le terme a donné un dérivé: **réacteur**, qui signifie «propulseur à réaction», propulseur aussi appelé *moteur-fusée.* Enfin, **réacteur** a servi à la création d'un certain nombre de mots composés comme *biréacteur, quadriréacteur, turboréacteur*, etc. **Réacteur** a été formé d'après **réaction**, tandis que le substantif *acteur* provient directement du latin **actor**.

On a formé au Canada le substantif [RÉACTÉ] pour désigner un «avion propulsé par réaction». Comme le verbe [ACTER] n'existe pas en français (*voir* **ACTE — ACTION — ACTIONNER**), la dérivation ne peut s'être opérée qu'à partir de **réaction**. Or, dans la dérivation effectuée à l'aide du vieux suffixe *é*, il n'est pas arrivé que la finale du radical ait été modifiée quand le mot primitif est un substantif se terminant par une consonne. On a parfois ajouté une lettre ou deux, comme dans *duché*, qui fut d'abord *duchée*, mais la syllabe n'a jamais été amputée ou changée. Si *salaire* a fait *salarié*, c'est à cause du latin **salarium**. Quand le radical se termine par un *e* muet, le suffixe *é* remplace tout simplement celui-ci. *Évêché* est la forme moderne d'*évesqué*, mot formé au Xe siècle lorsque *évêque* s'écrivait *évesque*.

L'ancien français **barbel** a donné *barbelé* et le français moderne a formé *accidenté* à partir d'*accident*. **Réaction** pourrait donner *réactionné*, non [RÉACTÉ]. On commet une faute de dérivation en disant [RÉACTÉ] au lieu d'**avion à réaction** ou **jet**. Dire [RÉACTÉ] équivaut à dire [ACCIDÉ] au lieu d'**accidenté**.

RÉADAPTATION — RÉADAPTER — *Voir* **RÉHABILITATION — RÉHABILITER.**

RECALER — *Voir* **CALER** (du grec...).

RECENSEMENT — RECENSEUR — *Voir* **ÉNUMÉRATEUR — ÉNUMÉRATION.**

RECETTE — On ne peut dire [LES RECETTES] *ont été bonnes aujourd'hui* pour *la recette a été bonne.* Le mot **recette** désigne au singulier le «total des sommes d'argent reçues» en un jour, une semaine, un mois par un établissement commercial ou industriel: *la recette hebdomadaire de cette librairie s'est accrue.* Aussi demande-t-on correctement dans le bureau d'un siège social, au pluriel, *avons-nous reçu les recettes de toutes les succursales?* On dit *les recettes de l'État* parce qu'elles viennent de diverses sources. **Recette** n'est pas synonyme de **rentrée**. Chacune des sommes d'argent perçues, tout encaissement, est une **rentrée** : *nous n'avons eu que cinq rentrées aujourd'hui.*

Voir **DÉBOURSÉ**.

RECEVEUR — *Voir* **BASE-BALL**.

RÉCHAUD — *Voir* **POÊLE**.

RÉCIPIENDAIRE — Appeler *récipiendaire* quelqu'un qui reçoit quelque chose, c'est commettre une faute. Dérivé d'un adjectif verbal latin dont le sens était «qui doit être reçu», ce nom a été créé au XVIIe siècle pour désigner quelqu'un qui est reçu dans une compagnie éducative, littéraire, artistique, savante ou religieuse avec un certain cérémonial et il n'a jamais eu d'autre acception. Au moment de sa réception, chaque nouveau membre de l'Académie canadienne-française est un **récipiendaire**. Les étudiants qui reçoivent des diplômes se trouvent reçus par l'une ou l'autre des facultés et, par conséquent, sont des **récipiendaires** le jour de la collation. Mais le gagnant d'un prix littéraire n'est pas un *récipiendaire*; c'est un **lauréat**. C'est abusivement qu'on emploie, souvent au Canada, rarement en France, le mot **récipiendaire** au sens général de «bénéficiaire».

Se rappeler que **récipiendaire** est un nom. L'employer comme adjectif au sens de «à qui l'on remet quelque chose avec une certaine solennité» est doublement fautif. On ne peut pas dire *cent étudiants ont été* [RÉCIPIENDAIRES] *d'une licence en droit aujourd'hui*, mais on dira correctement *cent des récipiendaires de la faculté de droit ont reçu la licence et dix le doctorat.*

RÉCLAMATION — *Voir* **ASSURANCE**.

RECOIN-REPAS — *Voir* **DÎNETTE**.

«**RÉCOLLET**» — *Voir* **OISEAUX**.

RECOMMANDER — *Voir* **ENREGISTREMENT — ENREGISTRER** *et* **FAVORISER**.

RECONNAISSANCE — *Voir* **APPRÉCIATION**.

RECONNAISSANCE (...DE DROITS) — *Voir* **JUGEMENT**.

RECORD — Dès le XIIe siècle, l'ancien français avait tiré des deux verbes latins **recordari** et **recordare**, dont le premier signifiait «se rappeler, se souvenir» et l'autre, «rappeler, faire se ressouvenir», le verbe **recorder**, qu'on employait dans ces deux sens, auxquels s'ajoutèrent au XIIIe siècle ceux de «conter, réciter, répéter», d'«instruire» et de «témoigner, rapporter comme témoin devant un tribunal». Au XVIIe siècle, on disait encore **recorder** pour exprimer l'idée de «rafraîchir la mémoire» et le mot avait acquis les deux nouvelles acceptions d'«apprendre par coeur» et de «répéter» en parlant d'une pièce de théâtre. Au sens de «rappeler comme témoin», le verbe est resté dans la langue juridique jusqu'au XVIIIe siècle. Puis il a cessé d'exister.

L'ancien substantif **recort** ou **record** est un dérivé de **recorder**. Il eut, du XIIe au XVIe siècle, les sens de «souvenir», de «récit», d'«enquête, rappel en justice» et de «témoin». Il désigna aussi aux XVIe et XVIIe siècles (il s'écrivait alors **recors**) une «personne qui accompagne un huissier comme témoin à la signification d'un exploit (*voir* **BREF**, nom)». Puis le substantif **recort**, ou **recors**, ou **record** est mort.

Un autre substantif **record** a fait son apparition en France au cours des années 1880. Celui-ci venait de l'anglais **record** et il prit le sens de «succès sportif constaté et enregistré officiellement surpassant tout ce qui a été fait dans le même genre»: *record d'alpinisme.* Par extension, le mot (employé aussi adjectivement) s'applique dans le langage général à tout ce qui dépasse ce qui a été fait précédemment: *record de production* et *une chaleur record.*

Or le verbe anglais **to record**, qui a donné le substantif **record**, tire son origine de l'ancien français, de l'ancien verbe **recorder** et ce sont les idées de «rappeler, conserver à la mémoire, enregistrer comme témoin et pour l'avenir» qu'il exprime dans ses diverses acceptions. Le substantif anglais **record** désigne un «enregistrement», non pas les faits qu'on enregistre ni la personne qui les enregistre, mais un objet sur lequel ils sont enregistrés. Il a les sens de «dossier», d'«archives», de «registre», etc., toutes choses que l'ancien mot français **recort, recors** ou **record** n'a jamais signifiées.

Ce sont des anglicismes que l'on commet quand on dit, par exemple, *cet homme a un* [RECORD] *judiciaire* au lieu de *cet homme a un dossier judiciaire* ou *ce joueur de hockey a un bon* [RECORD] *pour la dernière saison* au lieu de *ce joueur de hockey a un bon dossier pour la dernière saison.* Il ne faut pas dire *je suis employé au service des* [RECORDS], mais *je suis employé au service des dossiers,* ou *des registres,* ou *des archives,* selon le cas. Au lieu de *les* [RECORDS] *de la compagnie indiquent que cet ouvrier a touché jusqu'à cent dollars de salaire par semaine,* il faut dire *les registres de la compagnie indiquent.* Les mots **archives, dossier** et **registre** expriment la plupart de ces diverses acceptions du terme anglais **record**.

De même, un «enregistrement phonographique sur plaque circulaire de matière plastique» n'est pas un *record,* mais un **disque**. Il ne faut pas dire *ma discothèque comprend un bon nombre de* [RECORDS] *de musique française,* mais *ma discothèque comprend un bon nombre de disques de musique française.*

RECOUVREMENT — RECOUVRER — *Voir* **COLLECTER — COLLECTEUR — COLLECTION.**

RECTIFIER — *Voir* **AMENDEMENT — AMENDER.**

RECTO — *Voir* **ENDOS — ENDOSSATAIRE — ENDOSSEMENT.**

REDEVANCE — *Voir* **ROYAUTÉ.**

REDRESSER — *Voir* **AJUSTAGE — AJUSTEMENT — AJUSTER — AJUSTEUR.**

RÉDUCTION — RÉDUIRE — *Voir* **COUPER — COUPURE.**

RÉÉDUCATION — RÉÉDUQUER — *Voir* **RÉHABILITATION — RÉHABILITER.**

RÉFECTOIRE — *Voir* **SALLE À MANGER.**

RÉFÉRENDUM — Se garder de prononcer ce mot à l'anglaise. L'avant-dernière syllabe ne se prononce pas *ren* (*n* sonore), comme dans *renne* (*voir ce mot*), mais *rin* (et non *ran*), comme dans *rincer*. La dernière syllabe se prononce *dom* (*m* sonore), comme dans *dommage*.

RÉFÉRER — Le verbe anglais **to refer** remplit les fonctions d'un verbe transitif direct et d'un verbe transitif indirect. **Référer** n'est jamais transitif direct. Ce sont des anglicismes que l'on commet quand on dit, par exemple, [**RÉFÉRER**] *une question à un comité*, [**RÉFÉRER**] *un malade à un spécialiste* ou [**RÉFÉRER**] *un élève à un ouvrage de documentation* au lieu d'employer les verbes **soumettre**, **adresser** (à) ou **diriger** (vers) et **renvoyer**: *soumettre* ou *renvoyer une question à un comité, adresser un malade à un spécialiste* ou *diriger un malade vers un spécialiste* et *renvoyer un élève à un ouvrage.*

Transitif indirect, **référer** ne s'emploie que dans la construction *en référer à*, qui signifie «soumettre en vue d'obtenir une décision»: *las de discuter, ils décidèrent d'en référer à un tiers.* Il ne faut pas dire sous l'influence de l'anglais, *je dois* [**RÉFÉRER**] *à mon chef de service* au lieu de *je dois en référer à mon chef de service.* Le verbe anglais **to refer** a aussi le sens de «mentionner, faire allusion à». C'est encore un anglicisme que l'on commet quand on dit *référer à* au lieu d'utiliser le verbe **mentionner** ou la locution **faire allusion à**. Il ne faut pas dire *vous avez* [**RÉFÉRÉ**] *aux années que nous avons passées ensemble* ou *vous êtes bien aimable de* [**RÉFÉRER**] *au temps que j'ai consacré à ce travail* au lieu de *vous avez fait allusion aux années que nous avons passées ensemble* et *vous êtes bien aimable de mentionner le temps que j'ai consacré à ce travail.*

Le verbe pronominal **se référer**, qui se construit avec la préposition *à*, signifie «recourir à»: *se référer à un texte, se référer à une autorité.* C'est encore sous l'influence de l'anglais **to refer** qu'on emploie **référer** comme transitif indirect pour dire cela: [**RÉFÉRER**] *à un texte*, [**RÉFÉRER**] *à une autorité.* Il faut dire **se référer à** ou **s'en rapporter à** (*voir* **RAPPORTER, SE...**).

RÉFLÉCHI — *Voir* **MATURE.**

RÉFLÉCHIR — *Voir* **JONGLER — JONGLEUR.**

RÉFLECTEUR — *Voir* **PROJECTEUR.**

RÉFRIGÉRATEUR — *Voir* **FRIGO.**

REFUSER — *Voir* **CHÈQUE.**

REGARD — *Voir* **TROU D'HOMME.**

RÉGIME — *Voir* **PLAN.**

RÉGION — *Voir* **DISTRICT.**

RÉGIONAL — *Voir* **LOCAL.**

RÉGIR — *Voir* **CONTRÔLE — CONTRÔLER.**

REGISTRAIRE — REGISTRATEUR — Les mots **registraire** et **registrateur** sont morts. Ils ne représentent plus rien dans le monde moderne. Ils ne servent plus qu'à désigner des personnes du passé. Autrefois, on donnait au «garde des registres publics» le nom de **registraire**. On emploie encore le mot dans ce sens au Canada: *le* [REGISTRAIRE] *général du Canada* et *le* [REGISTRAIRE] *du Québec*. C'est un mot désuet. Ces fonctionnaires supérieurs doivent aujourd'hui porter le nom d'**archiviste**, vocable qui date du début du XVIIIe siècle. Il faut dire *l'archiviste général du Canada* et *l'archiviste général du Québec*. Sous l'influence de l'anglais **registrar**, les Canadiens disent aussi [REGISTRAIRE] au lieu de **greffier** en parlant de certaines cours de justice. Il ne faut pas dire *le* [REGISTRAIRE] *de la cour supérieure*, mais *le greffier de la cour supérieure*. Employer **registraire** dans cette acception, c'est commettre une faute.

Le terme **registrateur** désignait en France au Moyen Âge les **greffiers** de la cour de justice royale. Ce fut aussi le nom de certains fonctionnaires des Archives pontificales. Il n'a jamais eu d'autres significations. Appeler [REGISTRATEUR] le fonctionnaire chargé, dans une division administrative du territoire d'un pays, d'enregistrer les actes de transfert de propriétés immobilières et de transfert de droits relatifs à ces propriétés, c'est encore commettre une faute. Ce fonctionnaire est un **conservateur des actes** et son bureau n'est pas un [BUREAU D'ENREGISTREMENT], mais un *bureau de conservation des actes*.

Enfin, on ne peut parler ni du [REGISTRAIRE] ni du [REGISTRATEUR] d'une université, mais du **secrétaire-archiviste** d'une université.

REGISTRE — Se garder de commettre la faute d'orthographe et de prononciation [RÉGISTRE]. La première syllabe s'écrit sans accent aigu et se prononce *re*.

Voir **RECORD.**

RÉGLAGE — RÈGLEMENT — RÉGLER — *Voir* **AJUSTAGE — AJUSTEMENT — AJUSTER — AJUSTEUR.**

RÈGLE (EN...) — *Voir* **ORDONNER — ORDRE.**

RÈGLEMENT — *Voir* **PROCÉDURE.**

RÈGLEMENT MUNICIPAL — *Voir* **LOI.**

RÉGLER — *Voir* **PAYER.**

RÉGLER LE SORT DE — *Voir* **DISPOSER.**

REGRATTIER — Le mot **regrattier** figure encore dans les dictionnaires, mais il a cessé d'avoir cours vers la fin du siècle dernier. Il ne désigne plus que des personnes du passé. Du XIIe au XIVe siècle, la vente au détail de produits faits par d'autres s'appelait le **regrat** et un **regrattier** était un marchand au détail de denrées, particulièrement le sel, qu'il ne produisait pas lui-même. Son commerce était la **regraterie**. Jusqu'à la révolution de 1789, les **regrattiers** étaient les personnes qui vendaient au détail à petite mesure les grains, le charbon et le sel. On les accusait de tirer de leur commerce des bénéfices exorbitants, bien qu'ils fussent étroitement surveillés, et ils avaient mauvaise réputation. Au

XIXe siècle, **regrattier** prit le sens de «personne qui vend au détail comme marchand intermédiaire des marchandises de médiocre valeur» et, au figuré, ceux de «personne qui a l'habitude de faire des réductions sur les petits articles d'un compte» et de «mauvais écrivain, compilateur ignorant». Dans le langage familier, on appelait aussi *regrattier* ou *regrattière* une personne chiche et mesquine et une personne qui, sans être libraire, achetait des livres pour les revendre avec profit. Puis le mot a, pour ainsi dire, disparu en France. Aujourd'hui, toute «personne qui vend au détail des produits qu'elle achète du fabricant ou d'un grossiste ou qu'elle fabrique elle-même» est un **détaillant** et celui ou celle qui vend des articles d'occasion est un **brocanteur.**

Voir **MAIN (DE SECONDE...).**

On commet une faute en disant, par exemple, *j'ai acheté ce tapis d'occasion chez un* [REGRATTIER] au lieu de *j'ai acheté ce tapis d'occasion chez un brocanteur.* On en commet une autre en employant le mot **regrattier** pour désigner un **prêteur sur gages** qui vend les objets sur lesquels il a prêté de l'argent et que l'on n'a pas dégagés. Bref, il n'y a plus de **regrattiers** et le mot **regrattier** n'a jamais eu les sens qu'on lui prête au Canada. Il ne faut pas dire *on trouve toute sorte d'articles d'occasion chez les* [REGRATTIERS] *de cette rue*, mais *on trouve toute sorte d'articles d'occasion chez les brocanteurs* ou *chez les prêteurs sur gages de cette rue*, ou *dans les boutiques des brocanteurs* ou *dans les boutiques des prêteurs sur gages de cette rue.*

REGRETTABLE — *Voir* **VALEUR (DE...).**

RÉGULIER — Sauf dans le vocabulaire ecclésiastique, où il signifie «soumis à des statuts et à une discipline particuliers»: *les jésuites, qui sont soumis à la règle de saint Ignace, font partie du clergé régulier*, et dans le vocabulaire militaire, où il se dit des troupes d'une armée permanente par opposition aux miliciens: *la milice renforcera les troupes régulières dans ce secteur*, l'adjectif **régulier** n'a que les significations suivantes pour les personnes en français moderne. En premier lieu, il a le sens de «ponctuel, assidu, consciencieux» et ces trois adjectifs sont employés de préférence à **régulier** dans le style simple: quand on dit d'un adolescent (*voir ce mot*) qu'il est un élève **régulier**, on veut dire qu'il est **ponctuel, assidu, consciencieux.** Deuxièmement, dans le langage familier, **régulier** signifie «qui respecte l'éthique de sa profession, les usages de son milieu»: *vous pouvez avoir confiance en lui, car il est régulier en affaires.*

L'adjectif anglais **regular** a les mêmes acceptions que **régulier** dans les vocabulaires ecclésiastique et militaire et dans le langage familier, mais sa signification générale est tout à fait différente. Il a les sens de «fidèle, habituel, permanent» et l'on commet un anglicisme chaque fois qu'on prête à **régulier** le sens de l'un de ces mots. Il ne faut pas dire *cet écrivain compte sur un grand nombre de lecteurs* [RÉGULIERS], mais *sur un grand nombre de lecteurs fidèles.* Il ne faut pas dire *plus de la moitié des tables de ce restaurant sont occupées tous les midis par des clients* [RÉGULIERS], mais *par des clients habituels* ou *par des habitués de la maison.* Il ne faut pas dire *le personnel* [RÉGULIER] *de l'entreprise*, mais *le personnel permanent.*

Quand on parle de choses, l'adjectif **régulier** a plusieurs sens selon les objets auxquels on l'applique. Premièrement, à propos de formes, il signifie «égal, harmonieux et symétrique»: *cette personne a des traits réguliers, voilà un polygone régulier, une surface régulière*; deuxièmement, à propos d'actions et d'institutions, il signifie «correct, légal, conforme aux normes établies, aux règles de la nature»: *formation régulière d'un mot, gouvernement régulier, maison d'enseignement régulière*; troisièmement, à propos du mouvement et de tout ce qui se produit ou s'effectue selon une succession de faits liés les uns aux autres, il signifie «uniforme, égal, sans heurts ou sans interruption»: *rouler à une vitesse régulière, cette machine fonctionne à un rythme régulier, service de transport régulier, courant électrique régulier*; enfin, à propos d'une action, d'un phénomène qui se reproduit, il signifie «périodique, à dates fixes, de même durée, à intervalles égaux»: *le retour régulier des saisons, la publication régulière d'une revue.*

L'adjectif anglais **regular** s'emploie dans toutes ces acceptions, mais il a aussi le sens d'«ordinaire, courant, habituel, usuel» que n'a pas l'adjectif français. Un conseil municipal, par exemple, tient des séances selon une succession **régulière**, mais chacune des séances ainsi tenues est une séance **ordinaire**. On commet un anglicisme chaque fois que l'on emploie l'adjectif **régulier** au lieu des adjectifs **ordinaire, courant, habituel** et **usuel**. Il ne faut pas dire *il y a deux qualités de ce produit: la qualité* [RÉGULIÈRE] *et la qualité supérieure,* mais *la qualité ordinaire et la qualité supérieure.* Il ne faut pas dire *nous vendons aujourd'hui la bouteille* [RÉGULIÈRE] *de ce produit dix cents de moins que le prix* [RÉGULIER], mais *nous vendons aujourd'hui la bouteille ordinaire de ce produit dix cents de moins que le prix courant.* Il ne faut pas dire *le cabinet fédéral a tenu une séance* [RÉGULIÈRE] *ce matin,* mais *le cabinet fédéral a tenu sa séance ordinaire ce matin.* Il ne faut pas dire *les moyens d'enquête* [RÉGULIERS] *n'ont donné aucun résultat,* mais *les moyens d'enquête usuels n'ont donné aucun résultat.* Il ne faut pas dire *ne vous écartez pas de votre ligne de conduite* [RÉGULIÈRE], mais *ne vous écartez pas de votre ligne de conduite habituelle.*

Voir **SPÉCIAL**.

RÉHABILITATION — RÉHABILITER — Le verbe **réhabiliter** se compose du préfixe *ré*, qui sert à indiquer un rétablissement, et du verbe *habiliter*, terme de droit qui signifie «rendre capable d'exercer certains droits, d'accomplir certains actes». **Réhabiliter** signifie premièrement «rétablir dans l'aptitude à exercer certains droits, à accomplir certains actes»: *réhabiliter une personne jugée incapable par erreur.* Par extension, **réhabiliter** a aussi le sens de «rendre de nouveau digne de l'estime, de la considération d'autrui»: *sa générosité envers les pauvres a réhabilité cet ancien ivrogne.*

L'action de **réhabiliter** se nomme **réhabilitation**: *réhabilitation d'un condamné innocenté* et *réhabilitation de la mémoire d'un homme longtemps après sa mort.*

Réhabilitation et **réhabiliter** n'ont pas comme les termes anglais **rehabilitation** et **to rehabilitate** les sens qui s'expriment en français par les substantifs et les verbes **réadaptation**, **réadapter**, **rééducation** et **rééduquer** en thérapeutique et en sociologie. On commet des anglicismes en parlant, par exemple, de la [RÉHABILITATION] *psychique d'un malade* au lieu de dire *la rééducation psychi-*

que d'un malade, en disant [RÉHABILITER] *les blessés de guerre* au lieu de *rééduquer les blessés de guerre*, en parlant *de la* [RÉHABILITATION] *des accidentés du travail* au lieu de dire *réadaptation des accidentés du travail* ou en disant [RÉHABILITER] *des convalescents* au lieu de *réadapter des convalescents*. En thérapeutique, **réadapter** et **rééduquer** sont synonymes, sauf que **réadapter** exprime de façon générale l'idée de «réhabituer», tandis que **rééduquer** fait entendre qu'on emploie des moyens particuliers pour faire recouvrer l'usage de certaines facultés, de certains membres, ou pour faire surmonter les obstacles qu'élèvent certaines infirmités.

REJOINDRE — Pour ce qui est des personnes, le verbe **rejoindre** n'a d'autre signification que celle d'«aller retrouver quelqu'un dont on est séparé»: *l'état des routes m'a permis de vous rejoindre rapidement*, ou *je vous rejoindrai le mois prochain*, ou *venez me rejoindre au restaurant*. Il faut se déplacer pour **rejoindre**. L'expression courante au Canada [REJOINDRE] *par téléphone* est donc une absurdité.

Pour dire «parvenir à rencontrer quelqu'un, à lui parler», le verbe **joindre** (*voir ce mot*) est excellent: *je n'ai pu le joindre depuis le début de la semaine*, ou *je ne sais si je pourrai la joindre aujourd'hui*, ou *je l'ai jointe ce matin par téléphone*.

RELATION — *Voir* **CONNECTER — CONNEXION** *et* **FRÉQUENTATIONS — FRÉQUENTER.**

RELIGION — *Voir* **DÉNOMINATION.**

RELISH — *Voir* **DARNE.**

«**RELOCALISER**» — Néologisme régional assez souvent entendu à la radio dans des phrases comme celle-ci: *il a fallu* [RELOCALISER] *un certain nombre de patients pendant l'incendie qui a endommagé cette partie de l'hôpital*. Il est bon de rappeler les deux seules acceptions que le français donne au verbe **localiser** (*voir ce mot*) pour voir qu'on se trouve devant une faute.

Dans l'exemple cité plus haut et dans des phrases de cette sorte, les verbes à employer sont **déplacer**, s'il s'agit de réinstaller des personnes ailleurs dans le même établissement (*voir* **INSTITUTION**), ou **transporter**, s'il s'agit de faire passer des personnes d'un établissement à un autre: *il a fallu déplacer un certain nombre de patients et en transporter autant dans d'autres hôpitaux*.

Le verbe **reloger** s'impose parfois: *reloger des personnes âgées* par exemple, quand l'immeuble dans lequel elles s'étaient retirées a subi de graves dégâts, ou qu'il est condamné.

RELOGER — *Voir* «**RELOCALISER**».

REMBOURRAGE — REMBOURRER — En ancien français, on disait également **embourrer** et **rembourrer**. Au XVIe siècle, **embourrer** a donné deux dérivés, *embourreur* et *embourrure*. Ce dernier est resté tel quel comme terme technique dans le vocabulaire du **tapissier**, tandis qu'*embourreur* ne figurait déjà plus dans le français du XVIIe. Il a survécu au Canada sous la forme de

[REMBOURREUR], mot par lequel on traduit incorrectement le nom anglais **upholsterer**. C'est un terme désuet.

Le **rembourrage**, c'est-à-dire l'« action de garnir de bourre (un fauteuil, un coussin, un matelas, etc.) » est l'une des tâches du **tapissier** d'ameublement.

Le mot **tapissier** sert à désigner plusieurs personnes : un « fabricant de tentures, d'étoffes d'ameublement », un « marchand de tapis, de tentures, d'étoffes (*voir* **MATÉRIEL**) d'ameublement », un « fabricant de papiers peints », un « marchand de papiers peints », un « ouvrier qui pose des tapis, des tentures, des papiers peints dans des maisons, des appartements », un « décorateur d'intérieur » : *tapissier décorateur*, et un « commerçant-fabricant qui rembourre, capitonne, matelasse et recouvre des meubles avec des étoffes ou des cuirs et qui répare des meubles rembourrés ». Cette dernière personne est le **tapissier** d'ameublement : *certains tapissiers d'ameublement sont aussi des tapissiers décorateurs.* Il ne faut pas dire *envoyer un canapé* (*voir ce mot*) *chez le* [REMBOURREUR], mais *envoyer un canapé chez le tapissier*, pour le faire rembourrer ou recouvrir.

REMÈDE — *Voir* **MÉDICAMENT — MÉDICAMENTER — MÉDICAMENTEUX.**

REMISE — *Voir* **HANGAR** *et* **VENTE.**

REMORQUE — REMORQUEUR — Un véhicule qui en remorque un autre n'est pas une *remorque*, mais un **tracteur** ou un véhicule **remorqueur** : *planeur tiré par un avion remorqueur.* Le substantif **remorque** désigne un véhicule sans moteur traîné ou tracté. Un « véhicule remorqueur qui traîne en les soulevant des voitures en panne » est une **dépanneuse**.

Voir **CARAVANE — CARAVANING.**

REMPLIR — Le verbe **remplir** eut autrefois le sens figuré d'« être à la hauteur de ». On disait alors *remplir les dons qu'on a reçus en naissant.* **Remplir** a conservé de cette acception la signification d'« effectuer, accomplir, occuper convenablement, avec compétence, grâce à sa valeur » : *il remplit le poste qu'il occupe, remplir son devoir*, etc. Mais **remplir** n'a pas le sens de seulement « accomplir suivant un plan indiqué, une direction donnée ». Le verbe qui exprime cette action est **exécuter** : *on exécute un ordre* ou *des directives* et *l'Église veut exécuter les desseins de Dieu.*

En termes de commerce, une commande est un ordre (*voir* **ORDONNER — ORDRE**) et dire [REMPLIR] *une commande* au lieu d'*exécuter une commande*, c'est commettre une faute sous l'influence de l'anglais : en Amérique du Nord, le verbe anglais **to fill** traduit **remplir** et **exécuter**. Il ne faut pas demander à un fournisseur (*voir* **VENDEUR**) *quand pourrez-vous* [REMPLIR] *ma commande ?* mais *quand pourrez-vous exécuter ma commande ?*

Voir **COMPLÈTEMENT — COMPLÉTER.**

REMPORTER — *Voir* **MÉRITER.**

REMUER — *Voir* **GROUILLER.**

RÉMUNÉRATION — Attention à la faute [**RÉNUMÉRATION**]!

Voir **APPOINTEMENTS.**

RENCONTRER — En parlant de personnes, le verbe **rencontrer** a les sens suivants: «se trouver par hasard en présence de, en compagnie de»: *je suis heureux de vous rencontrer, car je me proposais justement de vous téléphoner* ou *en sortant de l'usine, j'ai rencontré une caravane scolaire* (*voir* **CARAVANE —CARAVANING**) et, au figuré, *les beaux esprits se rencontrent souvent*; «avoir une entrevue préalablement ménagée avec quelqu'un»: *nos représentants rencontreront demain le premier ministre* et *je serai heureux de rencontrer votre publicitaire* (*voir* **PUBLICISTE**); «se trouver pour la première fois en présence de quelqu'un»: *c'est à ce bal que j'ai rencontré ma fiancée.* **Rencontrer** dans cette dernière acception est synonyme de **faire la connaissance de.**

En parlant de choses, **rencontrer** signifie «trouver par hasard»: *j'ai rencontré dans ce livre le renseignement que je cherchais* et *j'ai rencontré cette expression dans un dépliant* (*voir* **PAMPHLET — PAMPHLÉTAIRE**) *publicitaire*; et «se trouver fortuitement en présence de», particulièrement d'un obstacle, d'une résistance physique, de circonstances ou de sentiments défavorables auxquels on se heurte ou que l'on heurte: *rencontrer un mur, rencontrer un vent contraire, ne rencontrer que de l'indifférence.* On dit aussi *rencontrer le succès* et *rencontrer une bonne occasion.*

Le verbe anglais **to meet**, qui exprime ces diverses actions, a plusieurs autres significations. Il a celles, en particulier, des expressions **faire honneur à** en parlant d'obligations, **faire face à** en parlant de difficultés, de dépenses, et **satisfaire**, **répondre à** en parlant de besoins, d'exigences. On commet un anglicisme chaque fois qu'on prête l'une de ces acceptions à **rencontrer**. Il ne faut pas dire [**RENCONTRER**] *ses échéances*, mais *faire honneur à ses échéances.* Il faut dire *il a pu faire face à toutes les dépenses*, non *il a pu* [**RENCONTRER**] *toutes les dépenses.* Il faut dire *cette loi satisfera* ou *répondra aux exigences des intéressés*, non *cette loi* [**RENCONTRERA**] *les exigences des intéressés.*

Enfin, dans le langage familier, l'anglais emploie à l'impératif le verbe **to meet** pour dire «je vous présente»: **meet my friend.** Il faut dire *je vous présente mon ami*, non [**RENCONTREZ**] *mon ami.* S'il est vrai que **rencontrer** a le sens de «faire la connaissance de», on ne dit pas *faites la connaissance de mon ami*, mais *je vous présente mon ami* (*voir* **INTRODUIRE**). En français, dans un cas comme celui-ci, la forme impérative est impolie.

RENDEZ-VOUS — *Voir* **APPOINTEMENTS** *et* **ENGAGEMENT.**

RENDRE — *Voir* **ÉMETTRE.**

RENNE — Prononcer comme si le mot s'écrivait *rè-ne*, sans allonger la première syllabe.

Voir **CARIBOU.**

RÉNOVATION — *Voir* **ALTÉRATION — ALTÉRER** *et* **MAINTENANCE.**

RENTE — *Voir* **ASSURANCE.**

RENTRÉE — *Voir* **RECETTE.**

RENVOYER — *Voir* **CHÈQUE** *et* **RÉFÉRER.**

RÉPARER — *Voir* **AJUSTAGE — AJUSTEMENT — AJUSTER — AJUSTEUR.**

RÉPARTITEUR — *Voir* **ESTIMATION — ESTIMER.**

REPASSAGE — REPASSER — *Voir* **PRESSAGE — PRESSER.**

RÉPERCUSSION — *Voir* **IMPLICATION.**

RÉPÉTITION — *Voir* **PRATIQUE.**

RÉPONDRE À — *Voir* **DISPOSER** *et* **RENCONTRER.**

REPORTER — *Voir* **ANGLICISME.**

REPOSER — En forme pronominale, le verbe **reposer** signifie «cesser d'être en mouvement pour faire disparaître la fatigue»: *madame se repose.* Verbe intransitif, sauf en de rares exceptions littéraires, le verbe **reposer** ne peut vouloir dire qu'une chose, «être mort et enterré»: *qu'il repose en paix.*

On ne peut pas dire qu'une personne blessée dans un accident [REPOSE] à l'hôpital dans un état plus ou moins grave. Il faut dire que cette personne est **hospitalisée**. C'est le verbe **hospitaliser** qu'il faut employer dans ce cas, non [REPOSER].

REPRENDRE — *Voir* **CORRIGER.**

REPRÉSENTANT — *Voir* **SOLLICITEUR** *et* **VENDEUR.**

REPRÉSENTATION — L'expression juridique anglaise **false pretences** signifie «présentation mensongère des choses en vue d'escroquer des biens». «Manière d'exposer une chose comme étant telle ou telle» est l'un des sens du mot **présentation**, non du mot **représentation**. Les Canadiens qui rendent par [FAUSSE REPRÉSENTATION] ou [FAUSSES REPRÉSENTATIONS] l'idée que traduit l'expression anglaise **false pretences** faussent en premier lieu le sens des mots et ils commettent un anglicisme, car le terme juridique français pour ce délit est **escroquerie**, auquel **tromperie** correspond dans le langage courant: *l'escroquerie est une tromperie criminelle.* Il ne faut pas dire *obtenir de l'argent de quelqu'un* [SOUS DE FAUSSES REPRÉSENTATIONS], mais *escroquer quelqu'un.* Il ne faut pas dire *le juge a décidé que la* [FAUSSE REPRÉSENTATION] *n'a pas été prouvée*, mais *le juge a décidé que l'escroquerie n'a pas été prouvée.* Bien entendu, une **escroquerie** est une **fraude** et l'on peut toujours employer ce mot: *la fraude n'a pas été prouvée* et *obtenir de l'argent par fraude.* Quand on veut dénoncer un mensonge qui n'est pas criminel, il ne faut pas dire *c'est de la* [FAUSSE REPRÉSENTATION], mais *c'est une tromperie.* Il ne faut pas dire *toute sa réputation repose sur de la* [FAUSSE REPRÉSENTATION], mais *toute sa réputation repose sur une tromperie.*

Avant d'adopter l'expression incorrecte [SOUS DE FAUSSES REPRÉSENTATIONS], des Canadiens ont dit et plusieurs disent encore [SOUS DE FAUX PRÉTEXTES], doublant ainsi l'anglicisme d'un pléonasme.

REPRÉSENTER — Se méfier des emplois abusifs du verbe **représenter**. Avec un nom de chose comme sujet, il est correct de l'utiliser au sens de «correspondre à, équivaloir à»: *l'achat d'un matériel agricole moderne représente une dépense considérable.* Il est correct de dire, par exemple: *chacun de ses succès a représenté pour lui la réalisation d'un rêve*, mais on ne peut dire *la présence de ce joueur au match de ce soir* [REPRÉSENTE] *un cas douteux* au lieu de *est douteuse.*

RÉPRIMANDER — *Voir* CORRIGER.

REPRISAGE — Se garder de dire [REPRISAGE INVISIBLE], calque de l'anglais **invisible mending**, au lieu de **stoppage**, terme emprunté au néerlandais **stoppen**, «rénover». **Reprisage** signifie «action de repriser», non le résultat de cette action. On ne veut pas dire que l'on n'a pas vu l'action de raccommoder, mais que la réparation est invisible. Le **stoppage** est l'«action de refaire la trame et la chaîne d'un tissu pour faire disparaître une déchirure sans que la réparation soit visible». Le verbe qui exprime cette action est **stopper** et celui dont le métier est de **stopper** des étoffes est un **stoppeur**.

REPRISE — *Voir* ÉCHANGE — ÉCHANGER.

RÉSERVOIR — *Voir* AQUEDUC.

RÉSIDENCE — RÉSIDENTIEL — *Voir* DOMICILE — DOMICILIAIRE.

RÉSIGNER — Le verbe **résigner** est souvent employé au Canada absolument au sens d'«abandonner un poste, une charge, des fonctions»: *notre directeur général* (*voir* GÉRANT) [A RÉSIGNÉ] *la semaine dernière.* Cette faute est à la fois un mot désuet et un anglicisme. **Résigner** a été employé absolument avant le XVIIe siècle et le verbe anglais **to resign** est transitif et intransitif; il signifie «abandonner» en parlant d'un poste, d'un emploi, de fonctions ou «abandonner un poste, un emploi, des fonctions». En français moderne, **résigner** doit toujours être accompagné d'un complément direct qui indique ce que l'on abandonne: *il a résigné les fonctions de président.*

RÉSILIER — *Voir* ANNULER.

RESPONSABLE — Cet adjectif signifie «qui doit répondre de ses actes» et ne peut, par conséquent, se dire que des personnes.

Les choses ne pouvant «répondre d'un acte», l'adjectif ne leur convient pas. Au lieu, par exemple, de dire *un court-circuit est* [RESPONSABLE] *de cet incendie*, on dira correctement *un court-circuit a causé cet incendie.* Au lieu de *cette découverte est* [RESPONSABLE] *de nombreuses autres qui l'ont suivie*, il faut dire *cette découverte fut le début de nombreuses autres* ou *à l'origine de nombreuses autres.*

RESQUILLEUR — *Voir* ÉCORNIFLER — ÉCORNIFLEUR.

RESSORT — *Voir* **DÉPARTEMENT — DÉPARTEMENTAL** *et* **LIGNE.**

RESSOURCES — *Voir* **POUVOIR.**

RESTANT — RESTE — *Voir* **BALANCE.**

RESTAURANT — *Voir* **BUFFET, CAFÉTÉRIA** *et* **SALLE À MANGER.**

RESTRICTIONS ÉCONOMIQUES — *Voir* **AUSTÉRITÉ.**

RÉTICULE — *Voir* **BOURSE.**

RETIRÉ — *Voir* **PRIVÉ.**

RETIRER — *Voir* **ANNULER.**

RETOUCHE — *Voir* **ALTÉRATION — ALTÉRER.**

RETOURNER — *Voir* **CHÈQUE** *et* **VIRER.**

RETRACER — Tout au début de l'ancien français, il y eut un verbe **tracer** dont le sens était à peu près celui d'«aller sur une trace», de «chercher à la trace», mais quand, à la fin du XIVe siècle, le verbe **retracer** fut créé, il n'avait aucun lien avec l'idée de «trace»; on l'a formé à partir du verbe latin populaire **tractiare**, du substantif **tractus**, qui voulait dire «trait».

De sorte que les dictionnaires disent que **retracer** signifie, premièrement, «tracer de nouveau» et, deuxièmement, «raconter de façon à faire revivre»: *on a bien retracé les exploits de ces héros.*

Le vieux verbe **tracer** continue cependant à faire des siennes, au Canada en tout cas, où l'on va jusqu'à prêter à **retracer** le mauvais sens de «retrouver». On dira, par exemple, *cette lettre perdue a été* [**RETRACÉE**] et *les voleurs ont été* [**RETRACÉS**] *et arrêtés.*

RÉTRIBUTION — *Voir* **APPOINTEMENTS.**

RETROUVER — *Voir* **LOCALISER.**

RÉUNION — Le mot anglais **caucus** vient de l'algonquin. Il a d'abord eu le sens de «comité électoral». Il désigne aujourd'hui toute «réunion à huis clos d'hommes politiques appartenant à un même parti où ils discutent des questions relatives à la ligne de conduite et à la politique du parti». C'est dans ce sens que les francophones du Canada l'emploient à leur tour.

Le fait qu'il soit d'origine amérindienne n'empêche pas ce vocable d'être anglais. Le français a déjà emprunté à l'anglais plusieurs mots venus de langues amérindiennes: **toboggan** (*voir ce mot*) par exemple, mais ces mots, comme **achigan**, **maskinongé** et **ouananiche** (*voir ces mots*) venus directement de langues indiennes, sont les noms d'objets propres à l'Amérique, de choses qui n'existaient pas en France. Des réunions de parlementaires, d'hommes politiques appartenant à un parti, de comités électoraux à huis clos, cela existe depuis longtemps dans tous les pays démocratiques et il ne semble y avoir aucun avantage à dire *les députés libéraux des Communes ont prolongé leur*

[CAUCUS] *hebdomadaire jusqu'à cinq heures* plutôt que *les députés libéraux des Communes ont prolongé leur réunion hebdomadaire jusqu'à cinq heures.*

Au lieu de *le parti conservateur tiendra un* [CAUCUS] *demain*, il faut dire *les parlementaires conservateurs se réuniront demain* ou *le parti conservateur réunira demain son comité électoral*, selon le cas, etc. Il n'est même pas nécessaire de dire *à huis clos*. Cette caractéristique des réunions de cette sorte va sans dire.

[CAUCUS] est un anglicisme. Il faut employer les mots **réunion** quand la précision ne s'impose pas et **réunion à huis clos** dans les cas qui exigent une exactitude rigoureuse.

RÊVASSER — RÊVER — RÊVEUR — *Voir* **JONGLER — JONGLEUR.**

RÉVEIL — *Voir* **HORLOGE.**

REVENTE — *Voir* **MAIN (DE SECONDE...).**

REVERS — *Voir* **ENDOS — ENDOSSATAIRE — ENDOSSEMENT** *et* **RABAT.**

REVÊTEMENT — *Voir* **PLANCHER.**

REVIRER — *Voir* **VIRER.**

RÉVISER — RÉVISION — Il est désuet d'écrire ces mots sans accent sur l'*e* de la première syllabe. Se garder de prononcer et d'écrire [REVISER] et [REVISION].

Le mot [REVISE] employé au Canada dans le vocabulaire de l'imprimerie pour désigner une deuxième ou troisième épreuve, une «épreuve de révision», n'existe pas en français. C'est un anglicisme. Il faut dire **épreuve de révision**: *j'ai corrigé les premières épreuves de révision* et *voici les dernières* (*voir* **FINAL**) *épreuves de révision.*

REVOLER — **Revoler** est un verbe transitif qui signifie «prendre de nouveau à autrui par la force ou par la ruse»: *il avait revolé ma voiture, mais, cette fois, il a été pincé.* **Revoler** est un verbe intransitif au sens propre de «se mouvoir de nouveau dans les airs»: *l'oiseau blessé a revolé après deux jours de repos* ou *ce pilote a revolé après l'atterrissage forcé qui a failli lui coûter la vie* et au sens figuré de «retourner avec élan»: *après quelques heures de repos seulement, nos soldats ont revolé au combat.*

Employé au sens de «jaillir en se répandant», de «gicler» et d'«être projeté dans l'air», ce verbe est une faute. Il ne faut pas dire *l'eau* [REVOLAIT] *partout*, mais *l'eau jaillissait et se répandait partout* ou *l'eau giclait*. Il ne faut pas dire *je fis* [REVOLER] *le livre qu'il tenait* ou *il a* [REVOLÉ] *contre le mur*, mais *je fis voler le livre qu'il tenait* et *il a été projeté contre le mur.* **Gicler, jaillir, projeter, voler** sont les verbes à employer.

RÉVOQUER — *Voir* **ANNULER.**

REZ-DE-CHAUSSÉE — *Voir* **PLANCHER.**

RIBAMBELLE — *Voir* **«TRALÉE».**

RILLETTES — *Voir* **CRETONS.**

RINGARD — *Voir* **ATTISER.**

RISQUE — *Voir* **CHANCE.**

RISQUER — *Voir* **ENCOURIR.**

ROCHE — L'emploi dialectal qu'on fait de **roche** au Canada, au sens de «morceau de roche», serait d'origine saintongeaise ou bretonne. Le mot **roche** désigne «une masse minérale dure»: *on voit plus de roche que de terre dans cette région* et *le granite est une roche volcanique.*

Le mot **pierre** désigne en premier lieu la matière des **roches** et particulièrement de celles dont on se sert pour construire: *pierre calcaire* et *pierre de taille,* mais il sert également à désigner un «fragment, façonné ou non, de matière minérale dure»: *un amas de pierres* et *pierre précieuse.* Il ne faut pas dire *jeter, lancer des* [ROCHES], mais *jeter, lancer des pierres* ou *des cailloux* (*voir* «**GARROCHER**»).

Un **caillou** est une **pierre** non façonnée de moyenne ou petite dimension: *cailloux pour l'empierrement d'une route* et *jeter des cailloux dans l'eau.* On nomme **gravier**, nom dérivé de *grève*, un «ensemble de très petits cailloux»: *les allées du parc sont revêtues de gravier.* Du XIIe au XVIe siècle, le **gravier** s'appelait aussi *gravelle* et c'est utiliser un mot vieilli que de dire, par exemple, *un chargement de* [GRAVELLE] au lieu d'*un chargement de gravier.*

RODER et **RÔDER** — Ne pas confondre **roder**, issu du latin **rodere**, qui signifiait «ronger» et qui est aussi à l'origine des verbes *corroder* et *éroder*, et **rôder**, issu du latin **rotare**, qui voulait dire «tourner». L'*o* de la première syllabe de **roder** est ouvert et se prononce comme dans *rogner*, tandis que celui de **rôder** est fermé comme dans *rôle.* Ne pas dire [RAU-DER] *une automobile* au lieu de *ro-der une automobile. Voir* **CASSÉ — CASSER.**

ROBINET — *Voir* **CHANTEPLEURE.**

ROCKING-CHAIR — *Voir* **BERÇANT.**

ROMAN DESSINÉ, EN IMAGES — *Voir* **COMIQUE.**

ROND DE SERVIETTE — *Voir* **ANNEAU.**

RONDELLE — *Voir* **HOCKEY.**

RÔTIE — *Voir* **TOAST.**

ROUE — *Voir* **AUTOMOBILE.**

ROULOTTE — *Voir* **CARAVANE — CARAVANING.**

ROYAUTÉ — Le mot **royauté** n'a que trois sens. Il désigne en premier lieu la «dignité de roi»: *les insignes de la royauté.* Il signifie aussi l'«ensemble des rois»: *il est injuste de reprocher ses erreurs à la royauté sans tenir compte de ses* *grandes réalisations.* Enfin, au figuré, **royauté** exprime l'idée de «supériorité reconnue»: *la royauté du lion sur tous les animaux est l'invention d'un fabuliste.*

Une fois passé du français à l'anglais, quand cette langue s'est formée sous le règne des souverains normands, le mot, devenu **royalty**, a pris des acceptions nouvelles qu'il n'a jamais eues en français. On lui a fait désigner les prérogatives de la monarchie et, en particulier, les impôts auxquels les rois absolus avaient droit personnellement. Puis on a assimilé les droits d'un auteur sur son oeuvre, ceux d'un inventeur sur son invention, ceux d'une entreprise sur les produits qu'elle a fait breveter et ceux du propriétaire d'une terre où d'autres exploitent des richesses minérales, aux droits que la Couronne avait, par exemple, sur l'exploitation des mines d'or et d'argent: les sommes versées aux auteurs par les éditeurs et celles que les exploitants versent aux titulaires de brevets et aux propriétaires de terres contenant des gisements minéraux sont devenues des **royalties**.

En français, les sommes auxquelles la propriété littéraire ou artistique donne droit sont des **droits d'auteur** ou des **redevances** et celles auxquelles un brevet ou la propriété du sol donne droit sont des **redevances**. Il ne faut pas dire *cet écrivain a reçu de son éditeur plusieurs avances de* [ROYAUTÉS], mais *cet écrivain a reçu plusieurs avances de droits d'auteur.* Il ne faut pas dire *le demandeur réclame de l'entreprise défenderesse des* [ROYAUTÉS] *sur la fabrication d'un produit à l'aide d'une invention brevetée à son nom*, mais *le demandeur réclame des redevances.*

Le français a récemment emprunté à l'anglais le mot **royalties**, au pluriel (prononcer *royal-tiz*), pour désigner les «redevances sur l'exploitation de gisements pétrolifères et sur l'utilisation de pipes-lines dans un pays étranger». Cet emprunt est discuté.

RUDEMENT — *Voir* D'APLOMB.

RUE — *Voir* PRÉPOSITIONS (EMPLOI DES...).

RUINER SA SANTÉ — *Voir* BRÛLER.

S

SAC À MAIN — *Voir* **BOURSE**.

SACOCHE — *Voir* **BOURSE**.

SAIGNANT — *Voir* **MÉDIUM**.

SAISIR — *Voir* «**POIGNER**».

SALADE — **Salade** n'est pas synonyme de **laitue**. Ce dernier mot désigne une plante particulière, tandis que **salade** est le nom générique de toutes les plantes qui servent à faire des «mets de feuilles d'herbes potagères ornés ou non et assaisonnés au moins d'huile, de vinaigre et de sel» aussi nommés **salades**. Le français a emprunté **salade** à l'italien au cours du XIVe siècle apparemment par l'intermédiaire du provençal, dont le vocable **salada** signifiait «salé». La chicorée, le cresson, les endives, la **laitue** et le pissenlit sont des **salades** (plantes) : *on assure que la laitue est la plus digestible des salades*. On achète de la **salade** (plantes) pour préparer une **salade** (mets) verte de **laitue**, mais il ne faut pas dire *acheter un pied de* [SALADE] quand on veut dire *acheter un pied de laitue*, car un pied de chicorée ou de cresson est aussi un pied de **salade** (plantes), surtout quand la **laitue** que l'on achète n'est pas destinée à la préparation d'une **salade** (mets). Il ne faut pas dire *acheter un pied de* [SALADE] *pommée*, mais *un pied de laitue pommée*. Au lieu de *sandwich au poulet avec* [SALADE] *et mayonnaise*, on dira correctement *sandwich au poulet avec laitue et mayonnaise*.

Par analogie, le terme gastronomique **salade** désigne des «mets généralement froids faits de légumes crus ou cuits variés, de viande, de poisson, de crustacés, de volaille, d'oeufs, etc., servis seuls ou en mélange et assaisonnés d'une vinaigrette ou d'une mayonnaise» : *la salade de pommes de terre* (*voir* **PATATE**) *est une salade simple* et *les salades composées faites de laitue, de crustacés et d'oeufs durs sont fortifiantes*.

Par extension, on nomme **salades de fruits** des «mélanges de fruits menus et de fruits coupés servis froids, la plupart du temps sur des feuilles de laitue, assaisonnés d'une mayonnaise, et souvent avec du fromage blanc (comme mets principal, à l'américaine), ou sans laitue, accommodés avec un sirop ou une liqueur (comme dessert, à la française)».

Les **macédoines** de légumes ou de fruits se distinguent des **salades** de légumes ou de fruits en ce que ces mets ne comportent jamais de feuilles d'herbes potagères de l'espèce des **salades** (laitue, cresson, etc.) et en ce que les fruits ou les légumes sont détaillés en dés, en petits losanges ou en petites boules. Les **macédoines** de légumes sont servies chaudes et les **macédoines** de fruits très froides. Les «macédoines de légumes ou de fruits servis froids dans une gelée moulée» sont des **aspics**.

C'est abusivement qu'on emploie le mot **cocktail** pour désigner les **salades** et les **macédoines** de fruits servis comme desserts. Il ne faut pas dire *on nous a servi un* [COCKTAIL] *de fruits au kirsh*, mais *on nous a servi une salade de fruits au kirsh* ou *on nous a servi des coupes de fruits au kirsh*. Cette acception prêtée au mot **cocktail** est un anglicisme. **Cocktail** ne s'emploie comme synonyme de *mélange* qu'au figuré: *les toiles de ce peintre sont de riches cocktails de couleurs.*

Le mot **coupe** désigne proprement un «verre à boire plus large que profond» et le «contenu d'un verre à boire plus large que profond»: *une coupe à champagne* et *une coupe de champagne*, mais il a aussi par extension les sens de «récipient à pied très bas pour la table» et de «portion d'un mets servie dans un récipient à pied (*voir* **PATTE**) très bas»: *servir une coupe de compote* et *la coupe de salade de fruits* ou, par abréviation, *la coupe de fruits était délicieuse.*

C'est aussi abusivement sous l'influence de l'anglais qu'on emploie le mot **cocktail** pour désigner une «portion de crevettes servie assaisonnée d'une sauce piquante et enveloppée de laitue dans un verre à pied». Il ne faut pas dire *un* [COCKTAIL] *de crevettes* mais *une coupe de crevettes* ou *un verre de crevettes.* On sert des *crevettes en coupe* ou *en verre*, non des crevettes en [COCKTAIL].

Pour l'anglais, des «portions de mets préparés pour être servis en coupe ou en verre» sont des **cocktails**. En français, ce sont des **coupes** ou des **verres**.

SALAIRE — *Voir* **APPOINTEMENTS.**

SALARIÉ — *Voir* **APPOINTEMENTS.**

SALIR — *Voir* «**MAGANER**».

SALLE À MANGER — La pièce d'une maison ou d'un grand appartement où l'on prend ses repas s'appelle en anglais **dining-room**. Cela vient de ce que le verbe anglais **to dine** a deux sens: intransitif, il veut dire «prendre le principal repas du jour, dîner»; transitif, il signifie «servir un repas à». Le **dining-room**, c'est la «salle où l'on sert les repas». Cette pièce s'appelle en français **salle à manger** et c'est commettre un anglicisme que de substituer à cette expression le calque de **dining-room** [SALLE À DÎNER], car le verbe **dîner** n'a qu'une seule signification: «prendre le repas du soir» ou, dans quelques régions encore, «prendre le repas du midi». Une **salle à manger** est une pièce où l'on prend, si l'on veut, tous les repas.

Les **salles à manger** où les membres d'une communauté de personnes (internes d'une maison d'enseignement, religieux d'un monastère, etc.) prennent ensemble leurs repas (qui ne leur y sont pas vendus) sont des **réfectoires**.

Les **salles à manger** où des élèves ou des ouvriers prennent en commun des repas qu'ils y achètent sont des **cantines** (*voir* **CAFÉTÉRIA**).

Les **salles à manger** des officiers et des sous-officiers d'une formation militaire sont des **mess**, mot invariable venu de l'anglais, qui l'avait lui-même emprunté au français : **mess** est issu de *mes*, ancienne orthographe du mot français **mets**.

Une salle publique où l'on vend à boire et à manger est un **restaurant** ou un **café**, abréviations de **café-restaurant**.

SALLE DE SÉJOUR — *Voir* «**VIVOIR**».

SALLE D'EXERCICE — *Voir* **ARSENAL**.

SANDALE — *Voir* **PANTOUFLE**.

SANDWICH — Le mets qui consiste en «deux tranches de pain beurrées entre lesquelles on a placé quelque autre substance alimentaire» a reçu son nom d'un homme politique anglais du XVIIIe siècle, John Montagu, qui était le quatrième comte de Sandwich. Ce noble, de moeurs peu recommandables, se faisait servir ce mets en guise de repas à sa table de jeu, afin de pouvoir continuer de jouer tout en mangeant. Il y avait longtemps, cependant, que cette façon de manger était connue en France, sans qu'on eût jamais songé à nommer le mets. Depuis toujours, les paysans se munissaient, pour aller passer une journée aux champs, d'aliments froids contenus entre deux tranches de pain. De même, depuis les diligences, les voyageurs apportent, pour se nourrir en cours de route, des tranches de viande ou de fromage entre des morceaux de pain. Le fait que le nom du mets soit venu d'Angleterre explique qu'il s'écrive au pluriel de deux manières : **sandwichs** à la française et **sandwiches**. Le mot est masculin : il faut dire *un sandwich*, non [UNE] *sandwich*.

Les **sandwichs** se font avec toute sorte de pain, mais on les prépare généralement en Amérique avec du **pain de mie**, aussi appelé *pain anglais*, c'est-à-dire un pain dont la croûte est très mince, qui est fabriqué principalement en France pour préparer des canapés, faire des toasts (*voir ce mot*) et confectionner des **sandwichs**. L'anglais appelle ce pain et une pièce de ce pain vendue tranchée ou non **sandwich-bread** ou **sandwich-loaf** et c'est un anglicisme que l'on commet quand, au magasin d'alimentation, on demande *un* [PAIN SANDWICH] *tranché* au lieu de dire *un pain de mie tranché* ou *un pain pour sandwichs tranché*.

On prépare les **sandwichs** avec des tranches de pain non grillées ou avec des tranches de pain grillées : *un sandwich au pain grillé aux tomates* ou... *au homard*. Dans le vocabulaire anglais de la cuisine, l'adjectif **plain** a le sens général d'«au naturel, sans préparation particulière» : **plain bread and butter** se traduit par *pain et beurre*, par opposition à *pain grillé et beurre*. Il va de soi qu'une tranche de pain n'est pas grillée si l'on ne dit pas qu'elle l'est.

Pour **plain sandwich**, on se contente de dire **sandwich** en français, tandis que **toasted sandwich** se traduit par *sandwich au pain grillé* (un **grilled cheese sandwich** est un *sandwich au fromage grillé*). Les garçons et les serveuses qui, dans les restaurants, après avoir reçu la commande d'un **sandwich** demandent aux clients *comment le voulez-vous,* [PLAIN (prononcé *pléne*) OU TOASTÉ]*?* s'expriment de façon risible : l'adjectif **plain** est anglais, la préposition *ou* est française et le verbe français *toaster* n'a pas le sens de « faire griller ». C'est du charabia. Les garçons et les serveuses doivent demander simplement *au pain grillé, monsieur?*, ce à quoi le client répondra *oui* ou *non.* De même, un client ne doit pas commander *un sandwich au fromage* [TOASTÉ], mais *un sandwich au pain grillé au fromage*, non plus qu'*un sandwich au pâté de foie* [PLAIN], mais, simplement, *un sandwich au pâté de foie* et, si l'on veut prévenir la question effarante [PLAIN OU TOASTÉ]?, il suffit d'ajouter *pain non grillé.*

SANS APPEL — *Voir* **FINAL**.

SASKATCHEWAN — Retenir qu'un nom de fleuve, de rivière ou de pays qui se termine par une consonne est masculin.

Il ne faut pas dire *le premier ministre* [DE LA] *Saskatchewan*, mais *le premier ministre du Saskatchewan.* Par parenthèse, **Saskatchewan** vient d'un mot de la langue crie qui signifie « courant du dégel ». En dépit de la mauvaise habitude acquise, il faudrait dire *le Saskatchewan est une grande rivière qui prend sa source dans les Rocheuses,* non [LA] *Saskatchewan est une grande rivière.*

Voir **QUÉBEC**.

SATISFACTION — *Voir* **APPRÉCIATION**.

SATISFAIRE À — *Voir* **RENCONTRER**.

SATISFAISANT — *Voir* **ADÉQUAT**.

SATISFAIT — L'adjectif **satisfait** exprime les seules idées suivantes. Premièrement, en parlant de quelqu'un, « qui a ce qu'il désire » : *êtes-vous satisfait ?* et « qui est content », quand, construit avec la préposition *de*, il est suivi d'un complément : *je suis satisfait de ce résultat* et *il est très satisfait de lui-même.* Deuxièmement, en parlant de choses, « qui est assouvi » ou « qui est réalisé » : *une ambition satisfaite* et *des désirs satisfaits.* Il n'a pas comme l'adjectif anglais **satisfied** les sens de « qui a reçu l'assurance » et de « qui est convaincu ». Dire *je suis* [SATISFAIT] *de votre bonne foi* quand on veut dire *je suis assuré* ou *convaincu de votre bonne foi*, c'est commettre un anglicisme.

Prêter ces acceptions à **satisfait** mène inévitablement à la construction *je suis* [SATISFAIT QUE], comme l'anglais dit **I am satisfied that** et comme on dit correctement en français *je crois que, je suis persuadé que* (*voir* **APPRÉCIER**). Pas plus que *je suis* [SATISFAIT DE] *votre bonne foi*, il ne faut dire *je suis* [SATISFAIT QUE] *vous agissez de bonne foi* pour *je suis convaincu que vous êtes de bonne foi.*

On commet la même faute de construction avec l'adjectif **confiant**, auquel on prête les mêmes significations de « sûr, convaincu » que possède l'adjectif anglais **confident**, mais qu'il n'a pas plus que **satisfait**. On dit *je suis* [CONFIANT] *que tout ira bien* quand on veut dire *je suis assuré* ou *convaincu que tout ira bien*. **Confiant** signifie «qui se fie» à quelqu'un ou à quelque chose: *j'étais confiant en cet homme que je croyais un ami* et *il est confiant en l'avenir*, «qui est enclin à se fier»: *ce garçon confiant se prépare des déceptions* et «qui manifeste qu'on se fie»: *un regard confiant*.

Bref, il ne faut pas dire *le ministre est* [SATISFAIT] *qu'il s'agit d'une erreur*, mais *le ministre est convaincu qu'il s'agit d'une erreur*, non plus que *votre père est* [CONFIANT] *que vous réussirez*, mais *votre père est convaincu que vous réussirez*.

Se garder, d'autre part, d'employer la faute [DISSATISFAIT], calque de l'anglais **dissatisfied**, mot qui n'existe pas en français. Il faut dire **insatisfait** ou **mécontent**, selon le cas.

SAUCISSON — *Voir* **ANGLICISME**.

SAUF-CONDUIT — *Voir* **PASSE**.

SAUT — *Voir* **ATHLÈTE — ATHLÉTISME**.

SAUT-DE-MOUTON — *Voir* **TRAVERSE**.

SAUVER — Le verbe **sauver** n'a que les trois significations suivantes. Premièrement, en parlant d'un être vivant, «tirer d'un danger, d'un malheur»: *son chirurgien l'a sauvé de la mort, un héritage l'a sauvé d'un désastre financier* et, dans le vocabulaire religieux, «assurer la félicité éternelle»: *le prédicateur a développé la pensée que la charité sauve les hommes*. Deuxièmement, en parlant d'une chose, «empêcher la perte, la destruction, la ruine de»: *il a au moins sauvé sa réputation, il a plu tout le mois et l'on n'a pu sauver qu'une partie de la récolte* et *c'est sa présence d'esprit qui a sauvé la situation*. Troisièmement, dans la langue littéraire, «faire accepter par quelque compensation, atténuer en dissimulant, pallier»: *l'excellence de la typographie et des illustrations ne peut sauver ce recueil de mauvais vers* et *il arrive que les apparences sauvent le fond*.

Le verbe anglais **to save** exprime d'autres actions. En plus de **sauver**, il traduit particulièrement **économiser**, **épargner**, **ménager** et c'est commettre des anglicismes que de prêter diverses acceptions de ces verbes à **sauver**.

Économiser et **épargner** sont des synonymes. Ils ont l'un et l'autre le sens de «mettre de côté» en parlant d'argent. **Ménager** ne s'emploie guère au sens de «mettre de côté» en parlant d'argent que dans l'expression populaire *ménager son argent*, mais c'est un synonyme presque parfait d'**économiser** et d'**épargner** en parlant d'autres choses que d'argent, aux deux sens d'«employer avec mesure» et d'«éviter de dépenser»: *ménager son énergie, sa santé* et *ménager ses paroles*.

Il ne faut pas dire [SAUVER] *du temps*, mais *économiser* ou *épargner du temps*. Pour exprimer la même idée, on dit aussi *gagner du temps*. Il ne faut pas dire *après avoir bien marchandé* (*voir* **BARGUIGNAGE — BARGUIGNER — BAR-**

GUIGNEUR), *j'ai* [SAUVÉ] *dix dollars*, mais *j'ai économisé* ou *épargné dix dollars.*

Il ne faut pas dire *vous vous* [SAUVEREZ] *beaucoup de travail en utilisant cet appareil*, mais *vous économiserez* ou *vous vous épargnerez beaucoup de travail.* Au sens d'«éviter, faire en sorte qu'on ne souffre pas de», **épargner** se traduit aussi par **to save** en anglais et il est vrai que le verbe **sauver** avait cette signification au XVIIe siècle (on disait *je vous suis obligé de m'avoir sauvé tant de peines*), mais on dit **épargner** depuis le XVIIIe siècle et, de nos jours, c'est commettre un autre anglicisme que de dire, par exemple, *si vos affaires étaient bien administrées, cela vous* [SAUVERAIT] *bien des ennuis* au lieu de *cela vous épargnerait* (ou *vous éviterait*) *bien des ennuis.*

Enfin, dans le vocabulaire sportif, le verbe anglais **to save** a le sens d'«empêcher d'être marqué (*voir* **COMPTE — COMPTER — COMPTEUR**)» en parlant d'un but : **to save a goal**. Le verbe **sauver** n'a pas cette signification. Il ne faut pas dire, au hockey par exemple, *le gardien a* [SAUVÉ] *un but qui paraissait certain*, mais *le gardien a empêché la marque d'un but presque certain*, ou *le gardien a arrêté le palet* (*voir* **HOCKEY**) *comme par miracle*, ou *le gardien a privé l'adversaire d'un but presque certain*, etc.

SAVATE — *Voir* **CHAUSSETTE — CHAUSSON.**

SAVON — *Voir* **SAVONNETTE** *et* **SAVONNIER.**

SAVONNETTE — Le **savon** est un produit solide, en poudre ou liquide, qui s'obtient par une préparation chimique d'un corps gras, pour le nettoyage et le dégraissage.

Un «pain de savon», c'est-à-dire une masse de savon moulé, se nomme aussi **savon** : *j'ai acheté deux savons à l'oxyde de titane pour laver mon chien.* Mais les pains de savon parfumé qui servent à la toilette des êtres humains sont des **savonnettes** : *les savonnettes sont fournies gratuitement dans tous les bons hôtels de l'Amérique du Nord.* Quand on veut acheter des «savons de toilette», on doit demander des **savonnettes**, non des **savons**.

Un **savon** à barbe, parfumé ou non, peut se vendre en bâton ou en poudre. On achète alors un **étui** de **savon** en poudre ou un **bâton**. Il y a aussi des **crèmes à raser**, produits de consistance onctueuse, qui se vendent en tubes. Ce sont des **crèmes**, non des **savons**.

SAVONNIER — L'industrie du savon, comme cela va pour ainsi dire de soi, est l'une des plus vieilles du monde. On a fabriqué du savon depuis la plus haute antiquité, partout en Orient et dans l'ancienne Égypte. Les Gaulois et les Germains en fabriquaient en Europe avant les conquêtes de Jules César et c'est eux, semble-t-il, qui ont enseigné aux Romains à en faire. En même temps qu'ils découvraient la chose, ceux-ci ont emprunté au germanique le mot **sapo**, par lequel ils la nommèrent et qui a donné *savon* au français. L'influence de l'industrie sur les langues, qui est de plus en plus considérable, s'est toujours exercée.

Dès le début du XIVe siècle, **savonnier** est devenu le nom d'un «fabricant de savon» et les propriétaires de *savonneries* le portent encore de nos jours. Le mot **savonnier** désigne aussi un «ouvrier qui travaille à la fabrication du savon».

Le mot latin **sapo** a donné naissance à d'autres vocables français, en particulier le terme de botanique *saponaire*, nom d'un «genre de plantes dicotylédones ainsi nommées parce qu'elles contiennent un glucoside dont la dissolution mousse comme du savon quand on en frotte les feuilles dans l'eau». On a donné le nom de **savonnier** à l'une des variétés les plus connues de cette plante. C'est le *savonnier des Antilles*, qui fournit le bois dit de Panama.

Enfin, pour une raison ou pour une autre, on a encore nommé **savonnier** une «espèce de poissons téléostéens à peau douce des régions chaudes de l'Atlantique». Cette espèce est bien connue des pêcheurs des Antilles.

Ce sont là les seules significations du substantif **savonnier** en français.

Au Canada, sous l'influence de mots comme *bénitier, cendrier*, etc., on appelle incorrectement *savonnier* tout «support métallique, de plastique ou en grès, d'applique, à suspendre ou à poser, destiné à recevoir du savon». Un support de cette sorte est un **porte-savon**. Un «endroit destiné à porter le savon sur une baignoire ou un lavabo (*voir* **ÉVIER**)» est aussi un **porte-savon**. Il ne faut pas dire *n'oublie pas de bien nettoyer le* [SAVONNIER] *du lavabo*, mais *n'oublie pas de bien nettoyer le porte-savon du lavabo*. Au lieu de *j'ai acheté un* [SAVONNIER] *à arceaux pour la baignoire* (*voir* **BAIGNOIRE — BAIN**) *de notre maison de campagne* (*voir* **CAMP — CAMPER**), il faut dire *j'ai acheté un porte-savon à arceaux pour la baignoire de notre maison de campagne.*

SCANDALEUX — *Voir* **DISGRÂCE — DISGRACIEUX.**

SCIERIE — *Voir* **MOULIN.**

SCIURE — Poussière qui tombe de toute matière que l'on scie.

Voir **BRAN.**

SCOLAIRE — *Voir* **ACADÉMIE — ACADÉMIQUE.**

SCORE — *Voir* **COMPTE — COMPTER — COMPTEUR.**

SCRUTIN — *Voir* **VOTATION — VOTE — VOTER.**

SCULPTURE — Le *p* des mots **sculpté, sculpter, sculpteur, sculptural** et **sculpture** ne se prononce pas. Il faut dire *scul - té, scul - teur, scul - tural* et *scul -ture* et non [SCUL - PTÉ], etc.

SÉANCE — *Voir* **SESSION.**

SEAU — *Voir* **FOURNAISE.**

SÉCHEUSE — SÉCHOIR — Le mot **sécheuse** désigne des machines et appareils industriels. Les appareils domestiques et commerciaux qui servent à faire sécher le linge qui sort d'une machine à laver (*voir* **LESSIVEUSE**) et ceux qu'on emploie pour le séchage des cheveux après un shampooing (*voir* **CAMPING**) sont des **séchoirs** : *j'ai demandé à maman de m'acheter un séchoir à cheveux.* Il ne faut pas dire *la buanderie* (*voir* **BUANDERIE — BUANDIER**) *de cet immeuble résidentiel* (*voir* **APPARTEMENT**) *comprend cinq machines à laver et trois* [**SÉCHEUSES**] *automatiques*, mais *et trois séchoirs automatiques.*

Un **séchoir** à cheveux se nomme aussi **sèche-cheveux**.

SECONDAIRE — *Voir* **SENIOR**.

SECONDER — Après avoir signifié «suivre» quelqu'un, puis «imiter» et «égaler» quelqu'un, le verbe **seconder** a pris dès le XVIIe siècle son sens actuel de «servir d'aide» à quelqu'un, de «servir» quelqu'un dans un travail, dans une entreprise : *tout le personnel du service a secondé son directeur avec loyauté dans cette affaire.* Par extension, au cours du XIXe siècle, **seconder** a acquis la signification d'«appuyer» en parlant des sentiments de quelqu'un. On dira correctement *je seconde vos voeux et vos désirs* et *nous seconderons votre esprit d'initiative*, mais le verbe est rarement usité dans cette acception.

Seconder ne s'est jamais dit au sens d'**appuyer** que de choses intimement liées à la personnalité.

De son côté, le verbe anglais **to second**, reçu du français, a pris le sens d'«appuyer» quand on parle des propositions, projets de loi et motions présentés dans les assemblées délibérantes. On commet un anglicisme en disant *je* [**SECONDE**] *la motion présentée par le vice-président* au lieu de *j'appuie la motion.*

Quant au substantif anglais **seconder**, qui désigne celui qui appuie une proposition, ou un projet de loi, ou une motion et le second membre d'un cercle ou d'une société qui signe comme **parrain** une demande d'admission, il n'a pas de pendant en français. Il désigne des personnes qui accomplissent des actions en premier lieu différentes l'une de l'autre et que le verbe **seconder** n'exprime pas. Il ne faut pas dire *le député de notre circonscription aux Communes sera le* [**SECONDEUR**] *de l'adresse en réponse au discours du Trône au début de la prochaine session*, mais *le député de notre comté sera le second proposeur de* ou *appuiera l'adresse en réponse au discours du Trône* et, au lieu de *je serai volontiers le* [**SECONDEUR**] *de votre demande d'admission au cercle,* il faut dire *je serai volontiers votre parrain au cercle.* Un membre d'un cercle ou d'une société qui y présente une personne désireuse d'en faire partie se nomme **parrain**. Le mot [**SECONDEUR**] n'existe pas en français.

SECOUSSE — Pour exprimer les idées de «secouer, agiter, arracher, lancer, repousser», les Romains disaient **excutere**. Ce terme latin a donné au très ancien français le verbe **escourre**, par lequel on a commencé à dire «secouer». Au XIIe siècle, **escourre** avait donné naissance au substantif **escosse**, première forme d'**escousse**. Ce mot devait prendre au cours de plus de trois siècles, par extension, par analogie et au figuré, les divers sens de «secousse, coup, effort, délivrance, résistance, violence, critique, choc en retour, rencontre» et, finalement, d'«élan, recul pour prendre un élan». Ces dernières acceptions sont les seules dans lesquelles **escousse** était encore employé, rarement, au XVIIe siècle.

D'un autre côté, le très ancien français avait emprunté au latin le verbe

succurere («aller au secours de») pour former le verbe **secorre** et le substantif **secors**, qui voulaient dire «secourir» et «secours». Au XVe siècle, **secorre** est devenu *secourir* et **secors**, *secours*. Sous l'influence de l'orthographe et de la prononciation de ces mots, **escourre** et **escousse** se sont transformés au XVIe siècle en *secouer* et **secousse**, changement facilité par le fait qu'un autre verbe latin, **succutere**, avait signifié «secouer, ébranler, remuer».

Outre le seul sens dans lequel il est couramment usité aujourd'hui, celui de «mouvement brusque qui fait trembler un corps ou le fait changer de position»: *secousse sismique, avancer par secousses*, le mot a pris au figuré celui de «choc, ébranlement causé par un malheur soudain»: *son échec fut une dure secousse pour lui.* Cette acception vieillit.

Un certain nombre de dialectes et de patois qui, avant l'apparition de *secouer* et de **secousse**, se servaient de l'ancien vocable **escousse** dans des acceptions régionales, l'ont conservé. D'autres lui ont substitué **secousse** en chargeant le nouveau terme des significations particulières qu'ils prêtaient jusque-là à **escousse**. Cela explique qu'au Canada le langage populaire dise encore *escousse* autant que *secousse* au lieu de **moment**: *il nous a fait attendre une bonne* [ESCOUSSE] ou [SECOUSSE], **longtemps**: *il y a une* [ESCOUSSE] ou [SECOUSSE] *qu'il n'est venu* et **période**: *il y a eu une* [ESCOUSSE] ou [SECOUSSE] *de grand froid pendant votre absence.* **Escousse** est à proscrire comme désuet et ces acceptions prêtées à **secousse**, qui sont d'origine dialectale, sont des fautes de sens. Il faut dire *il nous a fait attendre un grand moment, il y a longtemps qu'il n'est venu* et *il y a eu une période de grand froid pendant votre absence.*

SECRET — *Voir* **CACHETTE.**

SECRÉTAIRE — *Voir* **PROTONOTAIRE.**

SECRÉTAIRE D'ÉTAT — *Voir* **MINISTRE.**

SECRÉTAIRE-ARCHIVISTE — *Voir* **REGISTRAIRE — REGISTRATEUR.**

SECTION — *Voir* **CHAPITRE, DÉPARTEMENT — DÉPARTEMENTAL, LOCAL** *et* **OPTION.**

SÉMANTIQUE — *Voir* **BUREAU.**

SEMBLABLE — *Voir* **DE MÊME.**

SEMENCE DE TAPISSIER — *Voir* **BROQUETTE.**

SEMESTRIEL — Se garder de dire [SEMI-ANNUEL], calque de l'anglais **semi-annual**, au lieu de **semestriel** pour qualifier une chose qui se fait une fois par six mois. Il ne faut pas dire *l'assemblée* [SEMI-ANNUELLE] *de notre société aura lieu la semaine prochaine* au lieu de *l'assemblée semestrielle aura lieu la semaine prochaine.*

SENIOR — Venu au français vers la fin du siècle dernier par l'intermédiaire de l'anglais, le mot d'origine latine **senior** s'écrit sans accent aigu sur l'*e* mais prend la forme plurielle. Noter que c'est avec ce même mot que le français a formé *seigneur* il y a très longtemps.

Adjectif et nom, **senior** est exclusivement un terme de sport. Il se dit des sportifs adultes (l'âge de la fin de l'adolescence varie selon les sports) qu'on ne peut encore considérer comme des vétérans (*voir ce mot*).

Le mot anglais **senior** a d'autres emplois. Il sert, par exemple, à désigner la plus âgée de deux personnes qui portent le même nom et c'est un anglicisme que l'on commet quand on dit *Monsieur IXE* [SENIOR]. Cette indication s'exprime en français en faisant suivre le nom de la personne du mot **aîné** ou du mot **père**, selon le cas: *le romancier J.-H. Rosny aîné* et *le chirurgien aura comme assistant* (*voir* **ADJOINT**) *pour cette opération, le docteur (voir ce mot) Bordeleau père.*

Le mot anglais **senior** se dit aussi de personnes qui, par leur rang ou leur autorité, sont supérieures à d'autres auxquelles elles sont liées par des affaires communes ou qui appartiennent au même service dans un établissement commercial. C'est également commettre un anglicisme que de dire, par exemple, *je suis le commis* [SENIOR] *au service de l'expédition* au lieu de *je suis le premier commis.* Il ne faut pas dire *associé* [SENIOR], mais *associé principal.* Ce sont ces adjectifs **premier** et **principal**, qu'il faut employer au lieu de [SENIOR] pour indiquer la supériorité d'une personne.

Enfin, en Amérique du Nord, on applique l'adjectif **senior** aux élèves de la dernière année d'un cours secondaire, supérieur ou universitaire. Se garder de dire *les étudiants* [SENIORS] *de la faculté* au lieu de *les étudiants de dernière année.*

Le mot **junior**, forme du mot latin qui a donné **jeune** au français, emprunté de l'anglais en même temps que **senior**, est aussi un terme de sport. Il se dit des jeunes sportifs qui ne sont plus des enfants mais n'ont pas encore l'âge d'être comptés parmi les **seniors**: *championnat des juniors.*

Contrairement à **senior**, le mot **junior** est entré dans la langue commerciale. Il y sert à désigner le plus jeune de deux frères: *ce commerce appartient à Bordelin junior.* Dans le langage courant, toutefois, il est aussi fautif d'employer **junior** que **senior** en parlant de personnes qui ne sont pas des sportifs. Ce sont les mots **jeune** ou **fils**, selon le cas, qu'il faut utiliser: *le romancier J.-H. Rosny jeune* et *j'ai rendez-vous* (*voir* **APPOINTEMENTS**) *avec l'architecte Buralin fils*, et **secondaire**, ou **inférieur**, ou **petit** au sujet d'associés ou d'employés. Il ne faut pas dire *associé* [JUNIOR], mais *associé secondaire,* non plus que *commis* [JUNIOR], mais *commis inférieur* ou *petit commis.* Enfin, en parlant d'élèves et d'étudiants qui ne sont pas de la dernière année d'un cours, il ne faut pas dire *les élèves* ou *les étudiants* (*voir ce mot*) [JUNIORS], mais *les élèves des premières années, de l'avant-dernière année de cours.*

SENSIBLE — *Voir* **ÉMOTIONNEL.**

SENTENCE — On a longtemps appelé **sentence** n'importe quelle décision prise par un juge et le mot a été pendant un certain temps un synonyme parfait de **jugement**. L'usage en a graduellement limité l'application jusqu'au point où il a cessé d'avoir cours dans le vocabulaire du droit civil et n'a plus eu dans celui du droit pénal que le sens de «condamnation par jugement». En pratique, aujourd'hui, sauf en termes recherchés, rendre une **sentence** pour un juge, c'est juger un accusé coupable et le condamner à une **peine**. Dans tous les autres cas, on ne dit que **jugement**, sauf quand on parle des décisions prises par une cour de haute juridiction, comme la Cour suprême du Canada et la Cour d'appel du Québec, qu'on peut nommer **arrêts**.

On s'exprime donc correctement en désignant par le mot **sentence** un **jugement** condamnant un accusé à une sanction dont il s'est rendu passible en commettant une infraction ou un crime. Mais la punition à laquelle il est condamné est une **peine**, non une **sentence**. Un juge rend une **sentence** de détention à perpétuité, mais *l'accusé jugé coupable n'est pas condamné à une* [SENTENCE] *de détention à perpétuité: il est condamné à la détention à perpétuité.*

Le mot anglais **sentence** signifie et «jugement» et «peine», et c'est commettre un double anglicisme que de qualifier de [SENTENCES CONCURRENTES] deux ou plusieurs **peines** de prison infligées à un même criminel dont il n'effectuera que la plus élevée. Ce qui s'appelle en anglais **concurrence of sentences** se dit **confusion des peines** en français et les condamnations à purger sont alors des **peines non cumulées**. L'adjectif **concurrent** a le sens de «qui tend au même résultat»: *les démarches concurrentes*, mais il n'a pas celui de «qui ne s'ajoute pas l'un à l'autre». Un **jugement** qui inflige une pluralité de sanctions sans ordonner la **confusion des peines** ordonne automatiquement le **cumul juridique des peines**, c'est-à-dire qu'elles s'ajouteront les unes aux autres, que les condamnations seront purgées l'une après l'autre sans interruption (*voir* **CONSÉCUTIF**). Il ne faut pas dire *le juge a condamné ce jeune voleur à trois* [SENTENCES CONCURRENTES] *d'un an de prison chacune*, mais *à trois peines non cumulées d'un an de prison chacune* ou *à trois peines d'un an de prison chacune avec confusion*. Il ne faut pas parler de la [CONCURRENCE] *des peines*, mais de la *confusion des peines* et il ne faut pas dire *le juge a expliqué que c'est parce que le condamné est un récidiviste qu'il ne le fait pas bénéficier de* [SENTENCES CONCURRENTES], mais *qu'il ne le fait pas bénéficier de la confusion des peines.*

Autre anglicisme courant: [SENTENCE SUSPENDUE] au lieu de *condamnation avec sursis* (sous-entendu: *à l'exécution de la peine*). C'est le calque de **suspended sentence**. Sans doute, le verbe **suspendre** signifie «différer» et le substantif **sursis** veut dire «ajournement, renvoi à une date ultérieure», mais, outre que l'expression propre en termes de droit français est **avec sursis**, le mot **sentence** est encore employé ici au sens de **peine**, qu'il ne possède pas. Ce n'est pas le **jugement** qui est différé, mais l'exécution de la condamnation, c'est-à-dire la **peine**. Il faut dire *comme c'était le premier délit de ce jeune homme, le juge ne l'a condamné qu'à six mois de prison avec sursis*, non *le juge ne l'a condamné qu'à une* [SENTENCE SUSPENDUE] *de six mois de prison.*

SENTIR (SE...) — *Voir* **FILER**.

SÉRIE — *Voir* **LIGNE** *et* **OPTION**.

SÉRIEUX — *Voir* **ALLURE** *et* **MATURE**.

SERRER — *Voir* **GARDER.**

SERRURE — *Voir* **BARRER.**

SERVEUR — SERVEUSE — *Voir* **GARÇON.**

SERVICE — *Voir* **COUTELLERIE, DÉPARTEMENT — DÉPARTEMENTAL, DEVOIR, EMPLOI — EMPLOYÉ — EMPLOYER, MAINTENANCE** *et* **VERRERIE.**

SERVICE D'EAU ou **SERVICE DES EAUX** — *Voir* **AQUEDUC.**

SERVICE DU NETTOIEMENT — *Voir* **VIDANGES — VIDANGEUR.**

SERVIETTE — Les **serviettes** dont on se sert à table sont des **serviettes de table**. Les **serviettes** qui servent à se laver la figure sont des **serviettes de toilette**. Celles avec lesquelles on s'essuie les mains après les avoir lavées sont des **essuie-mains**. Les grandes **serviettes** avec lesquelles on s'essuie le corps après un bain sont les **serviettes de bain**.

Les **serviettes de toilette**, les **essuie-mains** et les **serviettes de bain** en tissu bouclé sont des **serviettes-éponges**. Noter que les deux mots de ce nom composé prennent un *s* au pluriel.

Une grande pièce de tissu éponge ayant à peu près la moitié des dimensions d'un drap de lit pour une personne (*voir* **DOUBLE**), sur laquelle on peut s'étendre sur la plage et dans laquelle on peut s'envelopper après le bain, sur la plage ou dans une salle de bains (*voir* **BAIGNOIRE — BAIN**), «sorte de grande serviette de bain», se nomme **drap de bain**. On assortit (*voir* **APPAREILLER**) souvent des **draps de bain** et des **serviettes de bain**.

Les **serviettes** dont on se sert pour essuyer la vaisselle ne sont pas des [SERVIETTES DE VAISSELLE], non plus que des [LINGES À VAISSELLE], mais des **torchons de cuisine**. Il ne faut pas dire *si tu veux que je continue à essuyer la vaisselle, dis-moi où trouver une* [SERVIETTE] *sèche*, mais *dis-moi où trouver un torchon sec*. La locution familière *mélanger les torchons avec les serviettes* signifie «tout embrouiller». Les **torchons de cuisine** qui servent à essuyer les verres sont des **essuie-verres**.

Les **serviettes** très souples qu'on emploie, imprégnées d'un produit lustrant, pour le nettoyage des objets en argenterie, en cuivre ou en quelque autre métal sont des **serviettes à polir**, mais les **serviettes** dont on se sert pour l'entretien des chaussures sont des **torchons à chaussures**.

Les **torchons** dont on se sert pour essuyer les meubles sont des **torchons de ménage**.

Se rappeler que **torchon** n'est pas synonyme de **chiffon** ou de **guenille**. Un **chiffon** est un «morceau d'étoffe usée ou déchirée», tandis qu'un **torchon** est une sorte de **serviette**. On peut se servir d'un **chiffon** en guise de **torchon**, mais un **torchon** n'est pas un **chiffon**. Le mot **chiffon** se dit de préférence à **guenille** pour désigner un vieux morceau d'étoffe. **Guenille** s'emploie pour désigner un **chiffon** devenu inutilisable : *ce chiffon n'est plus qu'une guenille*, mais il se dit surtout d'un «lambeau de vêtement» et, par extension, de vieux vêtements en lambeaux : *être vêtu en guenilles*.

Voir **ANNEAU, «DÉBARBOUILLETTE»** *et* **GUENILLE.**

SERVIETTE-VALISE — *Voir* **VALISE.**

SESSION — Les mots **séance** et **session** ne peuvent s'employer l'un pour l'autre.

Séance désigne le «temps que dure une réunion de n'importe quel corps constitué siégeant pour s'occuper de ses travaux»: *le Conseil municipal a tenu deux séances hier, le premier ministre a présidé une séance extraordinaire* (*voir* **SPÉCIAL**) *du cabinet* et *l'ordre du jour* (*voir* **AGENDA**) *de l'assemblée annuelle des actionnaires a exigé quatre séances.*

Session s'applique aux corps délibérants et aux tribunaux non permanents. C'est une «période de temps pendant laquelle ils siègent pour exercer leurs fonctions».

Normalement, une **session** comprend plusieurs **séances.**

C'est sous l'influence de l'anglais, dont le mot **session** a les deux sens de **session** et de **séance**, que l'on dit, par exemple: *j'ai assisté à la* [SESSION] *d'ouverture du Parlement.* Il faut dire *à la séance d'ouverture.* Au lieu d'*il a fallu dix* [SESSIONS] *au tribunal pour entendre les témoins à charge* (*voir* **À CHARGE**), il faut dire *il a fallu dix séances au tribunal* ou, mieux encore, *il a fallu dix audiences.*

Une **séance** d'un tribunal est une **audience**: *le juge a levé l'audience à quatre heures* et *l'audience a été suspendue.*

Par extension, le mot **session** désigne le «temps durant lequel les examens ont lieu, c'est-à-dire durant lequel les jurys d'examens siègent, dans une université»: *la deuxième session du baccalauréat en droit commencera lundi prochain.*

Voir **TERME.**

SET — Ce mot emprunté à l'anglais a quelques acceptions en français. Un **set**, c'est une sorte de manche au tennis, au ping-pong et au volley-ball: *jouer une partie en cinq sets.* Dans le vocabulaire du cinéma, on désigne par le mot **set** le «plateau sur lequel ont lieu les prises de vues». On appelle aussi **set** un «ensemble de napperons qui peut remplacer une nappe». Mais il faut s'interdire d'employer le mot dans un sens qu'il n'a qu'en anglais, celui de **mobilier**. Il ne faut pas dire, par exemple, *un* [SET] *de cuisine* au lieu d'*un mobilier de cuisine.* Cet anglicisme, de plus en plus rare dans la publicité, s'est implanté dans le langage courant.

SEULEMENT — *Voir* **PEU.**

SHAMPOOING — *Voir* **CAMPING.**

SIÈGE — Le mot **siège** désigne «l'établissement ou l'immeuble d'une entreprise commerciale ou industrielle qui est son domicile légal, où s'exerce son autorité administrative». On dit aussi **siège social.**

Se garder, dans le cas où le **siège** d'une entreprise (*voir ce mot*) n'est pas son seul établissement, de substituer à **siège** ou à **siège social** l'anglicisme [BUREAU CHEF], simple calque de **head office**.

Dans le cas d'un établissement comprenant plusieurs bâtiments qui n'est pas le **siège** d'une entreprise mais où une certaine autorité administrative ou technique locale s'exerce dans l'un de ces immeubles, celui-ci ne doit pas, non plus, être appelé le [BUREAU CHEF] de l'établissement, mais son **bureau principal**: *à Québec, le bureau principal de cette entreprise qui a son siège* (ou *son siège social) à Montréal se trouve rue Saint-Jean.*

Voir **COMTÉ**.

SIGLE — Un **sigle** est l'abréviation (*voir ce mot*) de la désignation d'un organisme par les initiales des mots qui la composent: l'*U.R.S.S.*, la *S.S.J.B.* La formation, la façon d'écrire et celle de lire ou de dire les sigles suivent certaines règles fixées par l'usage.

1 — Les articles et les prépositions compris dans les désignations ainsi abrégées ne sont retenus dans les sigles que si les désignations sont très courtes: le sigle pour l'ancienne *Société des Nations* était *S.D.N.* De même *Société des Alcools* (*voir* **LIQUEUR**) s'abrège par le sigle *S.D.A.*, mais pour abréger *Société des Alcools du Québec*, il faut écrire *S.A.Q.*

2 — Chacune des initiales qui forment un sigle est suivie d'un point si le sigle ne peut se lire comme un mot, ne devient pas lui-même un mot. C'est abusivement qu'on écrit, par exemple, [SNFMM] au lieu de *S.N.F.M.M.* pour abréger *Syndicat national des Fonctionnaires municipaux de Montréal.*

3 — Un sigle qui représente un son ou une suite de sons qui se prononcent comme des syllabes s'articule comme un mot: *U.R.S.S.* ou *URSS* se prononce *urse* et *C.E.G.P.* ou *CEGEP (collège d'enseignement général et professionnel)* se prononce *cégep.* On le désigne sous le nom d'*acronyme*.

4 — Il n'est pas nécessaire de faire suivre d'un point les initiales qui le composent quand il s'agit d'un acronyme.

5 — Seule la première des initiales formant un sigle qui se prononce comme un mot doit être une majuscule. Les autres initiales peuvent s'écrire en minuscules: UNESCO et Unesco, SPEQ et Speq.

SIGNAL — *Voir* **TÉLÉPHONE**.

SIGNES ORTHOGRAPHIQUES — L'usage relatif à l'emploi du **trait d'union** s'est modifié pour ce qui est des noms propres donnés aux voies de communication urbaines et pour ce qui est de deux **préfixes**.

L'administration des postes a imposé en France l'emploi, condamné par plusieurs grammairiens, du trait d'union entre tous les mots d'un nom propre devenu le nom d'une voie de communication urbaine, même quand le nom de la rue, de la place ou du pont se compose du prénom et du nom d'une personne: *rue Alexandre-Dumas* à Paris et *rue Christophe-Colomb* à Montréal. Il est devenu fautif d'écrire, par exemple, *boulevard Henri Bourassa* au lieu de *boulevard Henri-Bourassa.*

L'usage voulait naguère que les mots composés commençant par le préfixe *anti* s'écrivent de façon générale sans trait d'union: *antialcoolique*, sauf le cas où le préfixe est lié à un mot commençant par la lettre *i*: *anti-inflationniste* et celui où le composé comprend plus d'un mot après le préfixe: *anti-démocrate-chrétien.* De nos jours, en outre, on admet la création de composés commençant par la particule *anti* jointe par un trait d'union à un nom simple pour désigner une ou des personnes particulièrement en parlant de leur attitude à l'endroit d'autres personnes: *cet anti-chef ne se soumet à aucune autorité.* Ces composés, comme le fait observer ADOLPHE-V. THOMAS dans son *DICTIONNAIRE DES DIFFICULTÉS DE LA LANGUE FRANÇAISE,* sont des *mots forgés pour la circonstance.* Sauf les exceptions indiquées ci-dessus, il reste fautif d'écrire avec un trait d'union les mots composés du préfixe *anti* et d'un nom ou d'un adjectif. Il ne faut pas écrire *pneu* [ANTI-DÉRAPANT], mais *pneu antidérapant.*

On admet maintenant dans la publicité que des composés formés du préfixe *super* et d'un adjectif s'écrivent exceptionnellement avec un trait d'union afin de faire nettement ressortir l'idée d'une supériorité du produit qualifié, surtout quand l'adjectif a plus de deux syllabes: *super-rutilant, super-hygiénique.* Hors de la publicité, cependant, la règle reste que le préfixe *super* et un adjectif se soudent: *il était superélégant dans son nouveau complet.*

Se rappeler que les mots composés du préfixe *co* et d'un nom ou d'un adjectif ne s'écrivent pas avec un trait d'union, même si le deuxième élément du composé commence par une voyelle. Il faut écrire *coauteur, coaccusé, coopératif* et non [CO-AUTEUR, CO-ACCUSÉ, CO-OPÉRATIF]. En revanche, les mots composés du préfixe *intra* et d'un adjectif commençant par une voyelle prennent un trait d'union: *intra-atomique.*

Pour ce qui est des **accents**, de la **cédille** et du **tréma**, quand faut-il s'en servir avec les majuscules dans les textes imprimés?

1 — En parfaite typographie, les majuscules prennent tous les signes orthographiques, par conséquent tous les accents, la cédille et le tréma, dans les titres et dans le corps des textes. Le point sur l'*i* n'est pas un accent. Un *i* majuscule n'est jamais surmonté d'un point. L'emploi des accents, de la cédille et du tréma avec les majuscules n'est jamais fautif. Il est recommandable dans tous les cas.

2 — Voici, toutefois, les règles généralement suivies dans la pratique par les imprimeurs de journaux, de revues, de livres et de textes commerciaux:

a) ce n'est que dans les titres et les sous-titres qu'on emploie les accents, la cédille et le tréma; on les omet dans le corps des textes;

b) les *E* prennent les accents et le tréma et c'est montrer de la négligence que d'omettre ces signes orthographiques sur les *E*;

c) le *C* prend la cédille;

d) le *I* peut prendre le tréma; il ne prend généralement pas l'accent circonflexe;

e) Le *O* ne prend généralement pas l'accent circonflexe, mais il arrive qu'il le prenne ainsi que le tréma;

f) le *A* ne prend généralement pas d'accents;

g) le *U* ne prend généralement ni l'accent grave ni l'accent circonflexe.

À retenir: aller plus loin que cela et employer les signes orthographiques dans toute la mesure du possible, c'est entretenir le sens et la mémoire de l'orthographe française chez les lecteurs.

L'Office de la langue française recommande que les majuscules prennent les accents, le tréma et la cédille lorsque les minuscules équivalentes en comportent.

SILENCIEUX — *Voir* **AUTOMOBILE.**

SIMPLE — *Voir* **DOUBLE.**

SINISTRE — *Voir* **ASSURANCE.**

SITE — Confondre **site** et **emplacement** est un anglicisme. Sauf dans le vocabulaire militaire, où il a des acceptions techniques, le mot **site** n'a qu'un sens. Il désigne un «paysage pittoresque»: *cette vallée plantée d'arbres fruitiers des deux côtés d'une rivière au cours capricieux est un site à voir* ou encore *les architectes paysagistes feront un site ordonné à la française de ce coin du Québec.*

Le mot anglais **site**, qui a le sens général de «lieu»: **historical sites** fautivement traduit au Canada par [SITES HISTORIQUES] au lieu de *lieux historiques*, a, en particulier, celui d'«emplacement».

Un **emplacement**, sauf aussi en termes militaires, est un «lieu où l'on a construit, où l'on construit, où l'on construira un ou plusieurs bâtiments»: *on a choisi cet emplacement* (non ce [SITE]) *pour la bibliothèque communale* ou *l'emplacement de ce nouvel immeuble résidentiel offre l'avantage de se trouver tout près d'un grand centre commercial* (*voir* **CENTRE**).

SITUATION — *Voir* **POSITION.**

SKELETON — *Voir* **TOBOGGAN.**

SLOGAN — Le mot **slogan**, d'origine gaélique, est francisé. Il se prononce *slo* comme dans *slovaque* et *gan* comme *gant*. Se garder de faire entendre le *n* final. Il ne faut pas dire [SLO-GA-NE] comme se prononce le mot anglais **slogan**.

SMOKING — *Voir* **HABILLAGE — HABILLEMENT — HABILLER — HABIT.**

SNOB — Le mot **snob**, nom et adjectif, n'a pas de féminin, mais il prend un *s* au pluriel : *des snobs, elles sont snobs.*

SOBRE — *Voir* **CONSERVATEUR.**

SOCIAL — L'adjectif **social** signifie «qui concerne les intérêts collectifs, les institutions, les conditions de vie générales des membres d'une collectivité humaine considérée non comme corps politique mais comme groupement lié par un commun destin» et «qui concerne les relations qu'entretiennent entre elles collectivement les diverses catégories de citoyens d'une même société» : *classes sociales, assurances sociales, réformes sociales, climat social, oeuvres sociales.* **Social** se dit aussi de ce «qui concerne une société d'affaires» : *raison sociale, capital social.*

Se garder de prêter à **social** le sens de «mondain» que possède l'adjectif anglais **social**. **Mondain** et **mondanités** sont les termes à employer quand on parle des réunions et des divertissements pour plusieurs personnes auxquels une certaine richesse permet de donner de l'éclat. Un cocktail, par exemple, n'est pas un *événement* [SOCIAL], mais un *événement mondain*, un événement qui fait partie des **mondanités**. Un cocktail, comme un grand mariage ou un bal, est un événement d'un intérêt particulier, même s'il manifeste le fait **social** de l'existence d'une classe riche dans une collectivité. Il ne faut pas dire *carnet* [SOCIAL] au lieu de *carnet mondain*. Il ne faut pas dire *réunions* [SOCIALES] quand on veut parler d'une soirée, d'un dîner, d'une soirée de théâtre, d'un tournoi de bridge, d'une conférence, d'une partie de campagne, etc. Au lieu de *les membres de notre cercle pourront participer à de nombreux événements* [SOCIAUX], il faut dire *les membres de notre cercle pourront participer à toute sorte de réunions et de divertissements.* Il ne faut pas parler de ses *obligations* [SOCIALES] quand on veut dire *obligations mondaines*. D'un autre côté, la naissance et la mort d'une personne ne sont pas des événements *sociaux*, même si la naissance ou la mort de telle ou telle personne peut avoir des conséquences **sociales**. Il ne faut pas intituler *événements* [SOCIAUX] une liste des naissances et des décès survenus dans une certaine période de temps.

C'est aussi commettre un anglicisme que de qualifier de *sociale* une association de personnes qui se réunissent pour entretenir des relations agréables entre elles en même temps que pour pratiquer ensemble le civisme, ou la philanthropie, ou l'humanitarisme sous une forme ou sous une autre. Un club peut participer à une œuvre **sociale**, mais il n'est pas *social* en tant que club. C'est un club, tout simplement, que l'on peut, si l'on veut, qualifier de *patriotique* ou de *philanthropique* ou d'*humanitaire* selon le cas : *les cercles Richelieu forment un club patriotique* et *le club Rotary est une association humanitaire.*

SOCIÉTÉ — *Voir* **CORPORATION.**

SOFA — *Voir* **CANAPÉ.**

SOFTBALL — *Voir* **BASE-BALL.**

SOIGNÉ — *Voir* **ÉLABORER.**

SOIGNER — *Voir* **MÉDICAMENT — MÉDICAMENTER — MÉDICAMENTEUX.**

SOIGNEUX DE — *Voir* **PARTICULIER.**

SOIR — SOIRÉE — *Voir* **MATIN — MATINÉE** *et* **VEILLE — VEILLÉE — VEILLER.**

SOIT DIT EN PASSANT — *Voir* **INCIDEMMENT.**

SOJA ou **SOYA** — *Voir* **FÈVE.**

SOL — *Voir* **PLANCHER.**

SOLDE — *Voir* **APPOINTEMENTS, BALANCE, SPÉCIAL** *et* **VENTE.**

SOLIDAIRE — *Voir* **CONJOINT — CONJOINTEMENT.**

SOLLICITEUR — De nos jours, le substantif **solliciteur** n'a qu'une signification: «personne qui fait appel de façon pressante à quelqu'un de puissant ou d'influent pour obtenir quelque chose». On dit correctement *de nombreux solliciteurs faisaient antichambre.*

Le terme anglais **solicitor** représente d'autres personnes. Dans le vocabulaire juridique, le **solicitor** est un avocat, d'où vient le titre **solicitor-general** donné au Canada à un ministre qui, remplissant en quelque sorte un rôle de conseiller juridique de l'État, s'occupe de l'administration de la justice. On a traduit **solicitor-general** par [SOLLICITEUR GÉNÉRAL]. C'est un anglicisme. Il faudrait trouver un titre français qui conviendrait aux fonctions diverses que le ministre exerce. En attendant, il n'y a rien à faire d'autre pour éviter la faute que d'appeler *solicitor-general* (en prononçant à la française) ce membre du cabinet: *le solicitor-general a annoncé hier...*

En Amérique du Nord, **solicitor** désigne aussi une «personne qui propose des marchandises, des services ou des valeurs aux particuliers, à domicile ou au lieu de travail, dans une ville, et apporte à son ou ses patrons des commandes que celui-ci ou ceux-ci exécuteront (*voir* **REMPLIR**)».

Un vendeur (*voir ce mot*) de cette sorte s'appelle **placier** en français et c'est commettre un autre anglicisme que de dire, par exemple, *on ne permet pas aux* [SOLLICITEURS] *d'entrer dans cet immeuble d'habitation* (*voir* **APPARTEMENT**) au lieu d'*on ne permet pas aux placiers d'entrer dans cet immeuble d'habitation.*

Un «vendeur qui vend à domicile ou au lieu de travail des marchandises qu'il porte avec lui et remet sur-le-champ aux acheteurs» est un **colporteur.**

Le mot anglais **solicitor** est encore le nom qu'on donne en Amérique du Nord à une personne qui sollicite des dons à domicile pour une oeuvre de charité, c'est-à-dire à un représentant ou quêteur d'une oeuvre de charité ou d'une fédération d'oeuvres de charité. Il ne faut pas dire *les* [SOLLICITEURS] *de notre fédération d'oeuvres de charité ont recueilli deux fois autant de dons* ou *d'aumônes que l'an dernier*, mais *les représentants* ou *les quêteurs de notre fédération*...

SONGER — SONGEUR — *Voir* **JONGLER — JONGLEUR**.

SONNERIE — *Voir* **SONNETTE**.

SONNETTE — Une **sonnette** est une cloche minuscule. Exemple: la petite clochette qui appelle à table les membres d'une famille quand les repas sont prêts. Une **sonnette** a la forme d'une coupe renversée à l'intérieur de laquelle un battant est suspendu. Naguère, la plupart des portes des maisons étaient munies d'une **sonnette**. Un visiteur s'annonçait en faisant tinter la **sonnette** ou, si l'on préfère, par un *coup de sonnette*.

La **sonnette** de porte ne sera bientôt plus qu'un souvenir. Au début du siècle, elle a été remplacée à peu près partout par le **timbre** de porte, sorte de clochette fixe frappée non par un battant mais par un marteau placé à l'intérieur ou à l'extérieur de sa calotte. Il y a encore de ces **timbres** de porte dont le marteau intérieur est mû par un bouton tournant.

On a appelé [SONNETTES ÉLECTRIQUES] les **timbres** actionnés à distance par un courant électrique, mais c'est abusif et l'expression n'a pas fait long feu. Elle est de plus en plus rarement employée.

Une **sonnette** est une simple clochette. Tout mécanisme, fonctionnant ou non à l'aide de l'électricité, qui appelle ou avertit en émettant un son est une **sonnerie**. L'avertisseur sonore d'une minuterie de cuisine (*voir* **HORLOGE**) est une **sonnerie**. L'avertisseur d'un réveil est une **sonnerie**. Le mécanisme d'appel d'un poste de téléphone (*voir* **LOCAL** *et* **TÉLÉPHONE**) est une **sonnerie**. Le mécanisme d'appel électrique dont les portes des maisons et des appartements modernes sont munies est une **sonnerie**. Du reste, l'organe de ce mécanisme qui appelle ou avertit par un son n'est le plus souvent ni une clochette ni un **timbre**, mais un **vibreur**. Ainsi se dit en français l'objet que l'anglais appelle **buzzer**.

On ne donne plus un *coup de sonnette* à la porte. On dit par exemple, *j'ai sonné trois fois sans réponse*.

Sonnette, pour dire **sonnerie**, est tombé du familier au populaire.

SORTIE — *Voir* «**DÉBOURSÉ**».

SORTIE DE SECOURS — *Voir* **EXIT**.

SOUBASSEMENT — Terme d'architecture, **soubassement** désigne la «partie inférieure des murs reposant sur les fondations et sur laquelle tout un bâtiment semble porter». **Soubassement** ne désigne pas un espace dans un bâtiment. Appeler [SOUBASSEMENT] au lieu de **sous-sol** une partie d'un bâtiment qui se trouve sous le rez-de-chaussée, c'est commettre un anglicisme. Le terme anglais **basement** a les deux sens de «soubassement» et de «sous-sol». Il faut dire *sous-sol aménagé en garage* et *les cases des locataires sont au second sous-sol*. Il ne faut pas dire *il y a une chapelle dans le* [SOUBASSEMENT] *de l'église*, mais *il y a une chapelle au sous-sol de l'église*.

SOUCI — *Voir* **TROUBLE.**

SOUFFRANT — *Voir* «**MAGANER**».

SOUFFRIR — *Voir* **ENDURER.**

SOULIER DE TENNIS — *Voir* **PANTOUFLE.**

SOULIGNER — *Voir* **EMPHASE.**

SOUMETTRE — *Voir* **RÉFÉRER.**

SOUMISSION — SOUMISSIONNER — *Voir* **COTATION — COTER.**

SOUSCRIPTEUR — SOUSCRIPTION — SOUSCRIRE — Le verbe **souscrire** est transitif direct et transitif indirect et il s'emploie intransitivement. Transitif direct, il n'a qu'une signification en français contemporain, celle de «donner à un acte une valeur d'engagement en le signant»: *souscrire un contrat, souscrire un billet, souscrire une commande.* Transitif indirect, suivi de la préposition *à*, il a le sens général de «s'engager à participer» en parlant d'une oeuvre, d'une entreprise, d'une dépense: *souscrire à un emprunt, souscrire au capital d'une agence de publicité, souscrire aux frais d'une réception*, et il s'emploie intransitivement dans cette acception: *je souscrirai pour que ce projet se réalise pourvu qu'on me le demande*, et le sens particulier, dans le vocabulaire de l'édition, de «s'engager à acheter en versant d'avance une partie du prix» en parlant d'un ouvrage non encore publié ou publié seulement en partie. Au figuré, il a celui de «donner son assentiment, affirmer qu'on la partage» en parlant d'une proposition qui vient d'être faite: *je souscris à votre opinion.*

Souscrire n'a pas comme le verbe anglais **to subscribe** le sens de «s'assurer un service pendant un temps déterminé en payant un prix convenu», ce que veut dire le verbe pronominal **s'abonner à**: *s'abonner à un service d'information, à un journal, au téléphone, à l'électricité.*

Un **souscripteur** est une personne qui **souscrit**, non une personne qui **s'abonne.**

Une **souscription** est un engagement à participer pour une certaine somme et, par extension, la somme à verser en vertu de l'engagement, non un **abonnement.** Noter que le substantif **souscription** désigne aussi la signature d'une lettre et la formule de civilité qui l'accompagne (*voir* **CORRESPONDANCE**).

On commet un anglicisme en disant *je renouvellerai ma* [SOUSCRIPTION] *à votre revue* au lieu de *je renouvellerai mon abonnement à votre revue.* Il ne faut pas dire *les* [SOUSCRIPTEURS] *de notre journal sont de plus en plus nombreux*, quand on veut dire *les abonnés de notre journal.* Il ne faut pas dire *j'ai* [SOUSCRIT] *à ce nouveau périodique* si l'on veut dire *je me suis abonné à ce nouveau périodique.*

Voir **ASSURANCE** *et* **SUPPORT — SUPPORTER.**

SOUS-ENTREPRENEUR — *Voir* **CONTRACTANT — CONTRACTER.**

SOUS RÉSERVE DE — *Voir* **SUJET À.**

SOUS-SOL — *Voir* **SOUBASSEMENT.**

SOUS-TRAITANT — *Voir* **CONTRACTANT — CONTRACTER.**

SOUTIEN — *Voir* **SUPPORT — SUPPORTER.**

SOUTIEN DE FAMILLE — *Voir* **DÉPENDANT.**

SOUTIEN-GORGE — *Voir* **BRASSIÈRE.**

SPATULE — *Voir* **PALETTE.**

SPÉCIAL — **Spécial** se dit de ce «qui est propre à une sorte de personnes ou de choses, qui n'est pas commun dans son genre ou qui est destiné à une application exclusive»: *chaque classe de la société a une attitude spéciale devant la vie, un cas spécial* et *autorisation spéciale, instrument spécial, édition spéciale*, etc.

Particulier se dit de ce «qui appartient à une personne ou à une chose individuellement»: *des soins spéciaux* sont des soins destinés à une application exclusive et *des soins particuliers* sont des soins qui présentent un caractère personnel; *un talent spécial* est un talent destiné à une application exclusive et *un talent particulier* est un talent par lequel on distingue une personne d'une autre aussi douée pour faire le même travail.

Il y a des cas où **spécial** et **particulier** peuvent s'employer l'un pour l'autre: *mission spéciale et mission particulière* signifient également «ordre donné à une personne de faire une chose à l'exclusion d'autres», mais il faut prendre garde que ce n'est que dans les cas où les idées exprimées par les deux adjectifs s'appliquent en même temps à la même personne ou à la même chose qu'ils deviennent pratiquement des synonymes parfaits. Par exemple, on ne peut indiquer des *signes* [SPÉCIAUX] caractérisant une personne sur son passeport, mais des *signes particuliers* (ou des particularités).

Ordinaire se dit de ce qui est «conforme à l'usage courant» et **extraordinaire** de ce «qui s'écarte de l'usage courant». Pas plus qu'une *assemblée ordinaire* d'un corps délibérant n'est une *assemblée* [RÉGULIÈRE] (*voir ce mot*), une *assemblée extraordinaire* n'est une *assemblée* [SPÉCIALE]. Il ne faut pas dire *le conseil municipal* (*voir* **COMMUNAL — COMMUNE**) *a tenu une séance* [SPÉCIALE] *hier soir*, mais *le conseil municipal a tenu une séance extraordinaire hier soir*. Il faut dire *ambassadeur extraordinaire* et non *ambassadeur* [SPÉCIAL], mais on dit correctement *l'ambassadeur extraordinaire a rempli la mission spéciale qui lui avait été confiée*.

C'est sous l'influence de l'anglais, dont l'adjectif **special** se dit de tout ce qui s'écarte du général, du commun, de l'usuel, de la moyenne et du collectif, que l'on emploie abusivement l'adjectif français **spécial** dans un grand nombre de cas.

Dans le commerce, par exemple, on commet un anglicisme chaque fois qu'on dit *prix* [SPÉCIAL] au lieu de *prix de faveur, prix réduit* ou *prix de solde* (*voir* **VENTE**).

Dans le vocabulaire des postes, il ne faut pas dire *livraison* [SPÉCIALE], mais

livraison par exprès : *j'ai reçu une lettre par exprès*. Le mot **exprès** employé ici substantivement désigne l'employé des Postes envoyé spécialement pour porter la lettre.

Se garder de confondre **exprès** et **express**. Ce dernier terme désigne un «train ou autocar (*voir* **AUTOBUS — AUTOCAR**) rapide». Il y a des trains rapides qui transportent du courrier (*voir* **CORRESPONDANCE**), mais on fait livrer une lettre par *exprès*, non par [EXPRESS]. Se garder de prononcer la consonne finale d'**exprès** : le *s* de ce mot est muet.

Enfin, l'adjectif **spécial** ne s'emploie pas comme substantif en français. Les commerçants et les publicitaires commettent un autre anglicisme quand ils annoncent des [SPÉCIAUX] du mois, de la semaine ou du jour au lieu de parler de **soldes** ou de **rabais**.

SPÉCIFICATION — SPÉCIFIER — SPÉCIFIQUE — Le verbe **spécifier** signifie «mentionner, indiquer en particulier et de manière précise» : *en commandant l'un de nos appareils, veuillez spécifier le numéro du modèle que vous avez choisi* et *le marchand a bien spécifié qu'il ne pourrait livrer notre commande qu'au début de la semaine prochaine*. Il comporte une idée d'insistance ou de mise en relief en parlant d'une précision, ce en quoi il enchérit sur des verbes comme *déterminer, fixer, indiquer, mentionner, préciser*.

L'adjectif **spécifique**, cependant, ne désigne pas depuis le XVIIe siècle le caractère particulier de précision d'une chose énoncée formellement. Pour dire cela de nos jours, il faut employer selon le cas les adjectifs **explicite** ou **précis** que traduit l'adjectif anglais **specific**. Ce sont des anglicismes que l'on commet quand on dit, par exemple, *soyez* [SPÉCIFIQUE] au lieu de *soyez explicite* ou *cette déclaration n'est pas très* [SPÉCIFIQUE] au lieu de *cette déclaration n'est pas très précise*. Les seuls sens que l'adjectif **spécifique** a maintenant sont «ce qui est propre ou se rapporte particulièrement à une espèce» (le verbe **spécifier**, dont **spécifique** est un dérivé, vient d'un verbe latin issu du substantif **species**, qui voulait dire «espèce») : *le rire est une qualité spécifique de l'homme, le poids spécifique d'un corps, remède spécifique* et «ce qui constitue une espèce» : *un argot est un langage spécifique*.

Le substantif anglais **specification** (les termes anglais **to specify, specific** et **specification** ont été empruntés au français) a, dans les vocabulaires du commerce, de l'industrie et du droit, certaines significations qu'il faut se garder de prêter au mot français **spécification**. Celui-ci signifie «action ou fait de spécifier» : *un communiqué annonce une prochaine rencontre des deux chefs d'État sans spécification de date ni de lieu*. Dans le vocabulaire du commerce et de l'industrie, **spécification** s'emploie pour désigner la «définition d'un produit, d'un matériel, d'un ouvrage par la détermination de ses caractéristiques» : *il faut joindre à la demande de brevet la spécification du produit* (on dit aussi *un mémoire descriptif*) et *mise en adjudication d'un matériel roulant dont voici la spécification*. Dans le cas des travaux de construction ou d'installation adjugés à des entrepreneurs, **spécification** est synonyme de **cahier des charges** et c'est cette dernière expression qui est généralement employée. **Spécification** se dit donc de l'ensemble des caractéristiques d'une chose, non de chacune d'elles prise séparément, et ce sont des anglicismes que l'on commet quand on dit *spécification* au lieu de **caractéristique** ou de **stipulation**. Il ne faut pas dire *les* [SPÉCIFICATIONS] *du contrat* au lieu de *les stipulations du contrat*, non plus que *la notice* (*voir* **NOTICE — NOTIFICATION — NOTIFIER**) *technique explique les* [SPÉCIFICATIONS] *de la machine* au lieu de *la notice technique explique les caractéristiques de la machine*. Il faut de même se garder de dire *spécification* au lieu de **prescription** pour désigner une «chose commandée de façon formelle et particulière». Il ne faut pas dire *les* [SPÉCIFICATIONS] *de la loi* au lieu de *les prescriptions de la loi.*

SPLEEN — *Voir* **BLEU.**

SPORT — *Voir* **ATHLÈTE — ATHLÉTISME** *et* **TICKET.**

SQUARE — *Voir* **CARRÉ.**

STADE — *Voir* **ARÈNE** *et* **STAGE — STAGIAIRE.**

STAGE — STAGIAIRE — **Stage** vient du mot du latin de cuisine médiéval **stagium**, fait sur le substantif d'ancien français **estage**, devenu par la suite *étage* (*voir* **PLANCHER**), issu du terme de latin populaire **staticum**, qui avait le sens général de «séjour». De là vient qu'en droit féodal le mot **estage** désignait le temps qu'un vassal devait passer au château de son seigneur pour contribuer à sa défense et que **stage** fut créé vers le milieu du XVIIe siècle pour dire en français ce que **stagium** disait en mauvais latin: «temps de résidence (*voir* **DOMICILE — DOMICILIAIRE**) qu'un nouveau chanoine devait faire avant d'avoir droit au revenu attaché à sa charge». De là viennent enfin les sens modernes de **stage**: «période de pratique en même temps que d'étude imposée aux candidats à certaines professions ou à certaines fonctions», *stage d'avocat*, et, par extension, «période d'initiation à un travail», *notre entreprise exige que ses nouveaux employés fassent avec succès un stage de trois mois avant de faire partie du personnel permanent*. Dans le domaine des occupations manuelles ou mécaniques, le **stage** se nomme **apprentissage**. Celui qui fait un **stage** est un **stagiaire** et l'ouvrier qui s'initie à un métier est un **apprenti**. Enfin, **stage** se dit au figuré d'un temps ou d'un séjour de préparation quelconque: *faire un stage d'études en France* et *ce jeune écrivain n'en est encore qu'à son stage.*

Au Canada, on prête couramment au mot **stage** une signification qu'il n'a pas, l'une de celles du mot **stade**. Celui-ci a fait son apparition au début du XVIIe siècle. C'est la forme moderne du mot d'ancien français **estade**, qui n'avait d'autre emploi que de désigner une certaine mesure de longueur empruntée à la Grèce par l'intermédiaire des Romains (180 mètres ou un peu moins que 600 pieds). Les anciens Grecs donnaient aussi le nom de cette unité de mesure aux carrières de cette longueur où l'on disputait des courses et à d'autres emplacements aménagés pour des exercices d'athlétisme. De là vient le sens moderne du mot **stade** (*voir* **ARÈNE**) dans le vocabulaire des sports. Au cours du siècle dernier, le vocabulaire médical a pris le mot **stade** pour lui donner le sens particulier de «phase d'une maladie» et, par extension, **stade** signifie aujourd'hui de façon générale «chacune des étapes d'un développement (*voir ce* *mot*), d'une évolution, d'une réalisation»: *la formation de notre entreprise n'en est qu'à son premier stade.*

Stage signifie «temps ou séjour, obligatoire ou volontaire, de préparation», tandis que **stade** signifie «période distincte d'un déroulement». Ce sont des fautes que l'on commet (souvent sous l'influence de l'anglais, dont le mot **stage** a ces deux significations) quand on dit, par exemple, *à ce* [STAGE] *des négociations* au lieu d'*à ce stade des négociations* ou *au* [STAGE] *actuel de notre expansion économique* au lieu d'*au stade actuel de notre expansion économique.* Il ne faut pas dire *à ce* [STAGE] *des études*, mais *à ce stade des études.* Au lieu de *nous en sommes encore au* [STAGE] *des préliminaires*, on dira correctement *nous en sommes encore au stade des préliminaires.*

STAND — Le mot français **stand** (*voir* **KIOSQUE**) n'a pas comme le mot anglais **stand** le sens de «lieu où stationnent des taxis entre les locations». [STAND] *de taxis* est un anglicisme. Il faut dire *station de taxis.*

STARTER — Le mot français **starter** (prononcer *star* comme dans le nom de la déesse *Astarté* et *ter* comme dans *éther*) n'a pas dans le vocabulaire des moteurs (*voir* **AUTOMOBILE**) la même signification que le mot anglais **starter**, mais il a retenu de celui-ci dans le vocabulaire sportif le sens de «personne qui donne le signal du départ d'une course»: *un starter charge toujours son revolver de cartouches à blanc.*

STATION — On croit généralement au Canada que désigner un **poste** émetteur de radio ou de télévision par le vocable **station**, c'est commettre un anglicisme. On se trompe là-dessus. Le mot **station** a le sens d'«organisme de production de courant électrique». On dit aussi correctement *une station de radio* ou *une station de télévision* qu'*une station de radar.*

Dans le vocabulaire des communications, tout appareil ou tout ensemble d'appareils qui émet ou reçoit, ou émet et reçoit des signaux radio-électriques est un **poste**: *poste émetteur de radio, de télévision, poste récepteur de radio, de télévision, poste téléphonique* (à la fois émetteur et récepteur). Dans le langage courant, toutefois, **poste** désigne un «poste récepteur» et **station**, un «poste émetteur». De sorte qu'on achète *un poste portatif de télévision pour sa maison de campagne* (*voir* **CAMP**), sans qu'il soit besoin de préciser qu'il s'agit d'un **poste** récepteur. Tandis que, si l'on veut dire qu'on a acheté un **poste** émetteur de radio ou de télévision, il faut dire au long *j'ai acheté un poste émetteur de radio* ou *télévision* quand on ne veut pas employer le mot **station**. La phrase *j'ai acheté une station de radio* ou *de télévision* ne prête à aucune équivoque: elle signifie nettement *j'ai acheté un poste émetteur.* Un **poste** (à la fois émetteur et récepteur) de téléphone est un **téléphone** (*voir ce mot et* **LOCAL**). Un **poste** récepteur de radio est un **poste de radio** ou un **récepteur de radio** et un **poste** récepteur de télévision est un **téléviseur** (*voir* **TÉLÉVISEUR — TÉLÉVISION**).

Voir **STAND** *et* **TERMINUS.**

STATIQUE — Le mot est français. C'est le nom d'une branche de la mécanique. C'est aussi un adjectif signifiant «qui n'évolue pas».

D'un autre côté, le substantif anglais **static** est le nom de «bruits qui perturbent la réception d'émissions radiophoniques». Ces bruits importuns et gênants sont des **parasites** en français.

Aussi est-ce commettre un anglicisme que de dire, par exemple, [DU STATIQUE] OU [DE LA STATIQUE] *m'a empêché de l'écouter hier à la radio*, au lieu de *des parasites m'ont empêché de l'écouter hier à la radio.*

STATUT — STATUTAIRE — Tout comme le substantif français *congrès* ne s'emploie au sens de «parlement» qu'en parlant de Washington et le substantif *convention* (*voir ce mot*) au sens d'«assemblée politique pré-électorale tenue par un parti pour arrêter un programme de gouvernement et choisir un candidat» qu'en parlant des États-Unis d'Amérique, le substantif **statut** ne se dit au sens de «loi» qu'en parlant de la Grande-Bretagne et, par extension, des autres monarchies constitutionnelles de langue anglaise du Commonwealth. Le Canada et le Québec sont des pays bilingues et il n'existe aucune raison pour qu'on substitue le mot **statut** au mot **loi** quand on y parle français. Dire *les* [STATUTS] *du Québec* au lieu de *la législation* ou *les lois du Québec*, c'est commettre un anglicisme, mais il est correct de parler du *Statut de Westminster*, qui est une loi (*voir ce mot*) du Parlement de Londres.

L'adjectif **statutaire** employé au sens de «qui est fixé par la loi» en parlant des subventions (*voir* **OCTROI**) par opposition à **discrétionnaire** («laissé à l'appréciation, à la discrétion de») est conséquemment un anglicisme aussi. Il ne faut pas dire *les subventions* [STATUTAIRES] *sont souvent préférables aux subventions discrétionnaires*, mais *les subventions légales* (*voir ce mot*) ou *déterminées par la loi sont souvent préférables.*

D'un autre côté, le mot **statut** n'a pas, en parlant des personnes prises individuellement, les significations de «condition, position, place, rang, état, qualité, situation», que possède le vocable anglais **status**, et ce sont autant d'anglicismes que l'on commet quand on dit, par exemple, *il jouit d'un* [STATUT] *social très élevé* au lieu d'*il occupe un rang social très élevé*; ou *son* [STATUT] *dans le parti lui permet d'imposer ses vues* au lieu de *sa position dans le parti*, ou *la place qu'il occupe dans le parti*, ou *le prestige dont il jouit dans le parti lui permet d'imposer ses vues*; ou *je ne sais plus au juste quel est mon* [STATUT] *dans votre société* au lieu de *je ne sais plus au juste quelle est ma situation dans votre société* ou *à quel titre j'appartiens à votre société.* Il ne faut pas dire *votre* [STATUT] *d'employé supérieur vous donne droit à certains privilèges*, mais *votre qualité d'employé supérieur.*

Statut signifie en langage juridique français «ensemble des lois qui déterminent l'état et la capacité d'une personne» (statut personnel) et «législation relative aux biens individuels» (statut réel). En langage administratif, il a le sens d'«ensemble des textes qui règlent la conduite d'un groupe de personnes» et, par extension, les «droits et devoirs des personnes qui appartiennent à un groupe»: *le statut des instituteurs, le statut de la femme mariée en communauté de biens.* Enfin, dans le langage général, il signifie «règles qui déterminent le fonctionnement et la conduite d'une société, d'une association»: *les statuts de la Société des Écrivains.* **Statut** s'emploie aussi au singulier, par extension, pour désigner l'«ensemble des conditions dans lesquelles se trouve de fait une certaine catégorie de personnes»: *le statut social des agriculteurs.*

L'adjectif **statutaire** se dit de ce qui est relatif à des **statuts** ou à un **statut**: *c'est une obligation statutaire pour cette société de donner des bourses d'études à trois étudiants chaque année, un juge a reconnu que cette entreprise a un droit statutaire à faire les investissements qu'elle projette* et *les avantages statutaires des fonctionnaires.*

STÉNOGRAMME — *Voir* **MINUTE — MINUTER.**

STÉRÉOSCOPE — *Voir* **CAMÉRA.**

STIPULATION — *Voir* **SPÉCIFICATION — SPÉCIFIER — SPÉCIFIQUE.**

STOCK — Le mot **stock** appartient au vocabulaire commercial français depuis environ un siècle. Il y désigne la «quantité d'une marchandise qu'une entreprise a en magasin ou en entrepôt»: *notre stock de blousons* (*voir* **COUPE-VENT** *et* **GILET**) *diminue rapidement,* ou l'«ensemble des marchandises qu'une entreprise a en magasin ou en entrepôt»: *notre stock immobilise trop de capitaux et il nous faudra faire une nouvelle demande de crédit à la banque.* Il signifie les marchandises elles-mêmes et non l'idée qu'elles sont en vente ou en réserve, tandis que le mot anglais **stock**, lui, a les deux sens. Aussi utilise-t-on un simple calque de l'anglais **to have in stock** en disant [AVOIR EN STOCK] au lieu d'*avoir en vente, en magasin* ou d'*avoir en entrepôt, en réserve.*

Le mot anglais **stock** est aussi un terme de finance qui désigne les titres de bourse et d'autres valeurs mobilières, mais le mot français **stock** n'a pas cette signification. On commet un autre anglicisme quand on dit en parlant d'une valeur de bourse *c'est un bon* [STOCK] au lieu de *c'est une bonne valeur* ou quand on dit *j'ai du* [STOCK] *de cette entreprise* au lieu de *j'ai des actions* (*voir* **PART**) *de cette entreprise.*

Voir **INVENTAIRE.**

STOP — *Voir* **ARRÊT.**

STOPPAGE — STOPPER — STOPPEUR — *Voir* **REPRISAGE.**

STUC — «STUCCO» — Ne pas confondre **stuc** et **stucco**. Le **stuc** est un enduit composé généralement de plâtre et de colle forte qui imite le marbre. Les Canadiens ont emprunté à l'anglais le mot **stucco**, qui désigne un enduit coloré fait de plâtre et de ciment dont on se sert en Amérique du Nord comme revêtement de murs extérieurs. Ce matériau de construction un peu baroque est inconnu en France. Se garder d'employer le mot **stuc** pour désigner un revêtement de **stucco**.

STUDIO — *Voir* **APPARTEMENT.**

SUBIR — *Voir* **ENCOURIR.**

SUBSIDE — *Voir* **OCTROI.**

SUBVENTION — *Voir* **ALLOCATION** *et* **OCTROI.**

SUCETTE — SUÇON — Se garder de substantiver la troisième personne du singulier du présent de l'indicatif (*voir* **GOMME**) du verbe *sucer* pour désigner les objets qui se nomment en français **tétine** et **sucette**. Le mot [SUCE] employé au Canada est patois. L'«embouchure en caoutchouc percée de trous qui s'adapte à un biberon pour l'allaitement des nourrissons» est une **tétine**. Le même mot sert à désigner une «sorte de tétine sans biberon qu'on donne aux enfants pour les empêcher de sucer leur pouce et les occuper», mais cette pièce de caoutchouc est généralement nommée **sucette**. Il ne faut pas dire *n'oubliez pas de stériliser la* [SUCE] *avant de l'adapter au biberon*, mais *n'oubliez pas de stériliser la tétine*. Il ne faut pas dire *la* [SUCE] *du petit est tombée, il faut la laver avant de la lui remettre dans la bouche*, mais *la sucette* ou *la tétine du petit est tombée.*

Le premier sens de **sucette**, cependant, est celui de «bonbon fixé à l'extrémité d'un bâtonnet pour être sucé»: *sucette à la pomme, sucette au chocolat.* Ces bonbons sont appelés *suçons* au Canada. Un **suçon** est un terme du langage familier qui désigne une «marque faite sur la peau quand on la suce»: *l'enfant s'amusait à se faire un suçon sur le bras, qu'il montrait ensuite en affirmant qu'il avait été vacciné comme son grand frère.* C'est commettre une faute que de dire à des enfants *je vous ai apporté des* [SUÇONS] *au caramel* au lieu de *je vous ai apporté des sucettes au caramel.*

SUCRE — Pour désigner un «sucre roux qui n'a été raffiné qu'une fois», se garder de dire [SUCRE BRUN], calque de l'anglais **brown sugar**, au lieu de **cassonade**. Il ne faut pas dire le [SUCRE BRUN] *de canne a un léger parfum de rhum*, mais *la cassonade de canne à sucre a un léger parfum de rhum.* Au lieu de *j'aime sucrer les crêpes avec du* [SUCRE BRUN], il faut dire *j'aime sucrer les crêpes avec de la cassonade.*

Voir **ÉRABLIÈRE.**

SUCRERIE — *Voir* **ÉRABLIÈRE.**

SUFFISANT — *Voir* **ADÉQUAT.**

SUFFRAGE — *Voir* **VOTATION — VOTE — VOTER.**

SUGGESTION — Beaucoup de Canadiens disent ce mot comme si le premier *g* ne se prononçait pas: [SU-JES-TION]. Cette prononciation est fautive. Il faut dire *sug (g* sonore comme dans *fugue)-jes* (comme dans *geste*)*-tion.*

SUITE — *Voir* **LIGNE.**

SUITE À — Cette locution est tolérée dans le vocabulaire commercial, où elle peut servir à abréger le membre de phrase «pour donner suite à»: *suite à votre commande, nous vous expédions...*

La locution **suite à** n'a aucune autre signification. On ne peut la considérer comme un synonyme d'**après** ou d'**à la suite de**. Il est incorrect de dire [SUITE À] *ces événements le gouvernement prit la décision de* au lieu de *à la suite de ces* *événements le gouvernement prit la décision de.* Il ne faut pas dire *il a passé un mois à l'hôpital* [SUITE À] *cet accident*, mais *après* ou *à la suite de cet accident.*

SUIVRE — *Voir* **PRENDRE.**

SUJET À — L'adjectif **sujet** joint à la préposition **à** signifie «être prédisposé à certaines maladies, exposé à certains inconvénients»: *mon frère est sujet à la migraine* et *ma belle-soeur est sujette à des crises de colère épouvantables.*

L'anglais **subject to** a d'autres significations qui ne se traduisent pas par **sujet à**. Par exemple, il ne faut pas dire *être* [SUJET AUX] *lois de la nature*, mais *être soumis aux lois de la nature.* Au lieu de *prix de détail* [SUJETS À] *des rabais*, il faut dire *prix de détails qui comportent des rabais.* Il faut dire *l'autorisation a été donnée sous réserve d'un changement de circonstances* et non *l'autorisation a été donnée* [SUJETTE À]... Autant d'anglicismes à ne pas commettre.

SUPÉRIEUR — *Voir* **DIFFÉRENT.**

SUPPLÉMENT — SUPPLÉMENTAIRE — *Voir* **ADDENDA, ADDITIONNEL** *et* **EXTRA.**

SUPPORT — SUPPORTER — Un **support** est un objet qui sert à maintenir une chose à une certaine hauteur en la portant. Un *porte-brosse à dents*, un *porte-bagages* pour bicyclette (*voir* **BICYCLE — BICYCLETTE**) et *un cintre* (*voir ce mot*) sont des **supports.**

Un **appui** est un objet qui empêche une chose de tomber: des *appuis-livres*, ou sur lequel une chose peut simplement s'appuyer: les *appuis-bras* d'une voiture et l'*appui-tête* d'un fauteuil.

Le mot **soutien** désigne un objet qui sert à consolider une chose provisoirement ou de façon permanente: un *étai* et une *colonne* sont des **soutiens.**

Support, appui et **soutien** désignent à proprement parler des objets matériels, mais **appui** et **soutien** ont aussi des sens figurés qui permettent de les employer en parlant de personnes et d'objets non matériels: *je compte sur votre appui* et *cet homme fut pour moi un soutien solide dans mon malheur.*

Support ne s'emploie pas au figuré. Le mot anglais **support**, emprunté au français, a, au contraire, outre le sens de **support**, toutes les significations des termes **appui** et **soutien.** On commet des anglicismes quand on parle de [SUPPORT] *moral* au lieu d'*appui moral* et de [SUPPORT] *de famille* au lieu de *soutien de famille.*

C'est également commettre des anglicismes que de prêter au verbe **supporter** les sens d'«accorder son appui à» et de «subvenir aux besoins de». Quand on veut dire *il réussit difficilement à faire vivre sa famille, à subvenir aux besoins de sa famille*, il ne faut pas dire *il réussit difficilement à* [SUPPORTER] *sa famille.* Il ne faut pas dire *je* [SUPPORTERAI] *votre candidature*, mais *j'appuierai votre candidature.*

Le verbe **supporter**, dont le sens propre est «soutenir en portant», n'a d'autres sens figurés que ceux d'«endurer» (*voir ce mot*): *supporter les ennuis avec sérénité*, de «tolérer»: *il ne supporte pas la réplique,* d'«être à l'épreuve de » : *notre produit supporte les températures les plus basses* et *il y a des oeuvres musicales qui ne supportent pas d'être entendues deux fois* et, enfin, comme terme d'affaires, d'« être chargé de » en parlant de frais : *supporter les frais d'un procès.*

Quant au canadianisme [SUPPORTEUR] employé au lieu de **partisan**, d'**appui**, de **souscripteur**, etc., c'est une faute. Le mot n'existe pas en français. Il ne faut pas dire *cette oeuvre de charité compte de nombreux* [SUPPORTEURS], mais *cette oeuvre de charité compte de nombreux souscripteurs* (*voir* **SOUSCRIPTEUR — SOUSCRIPTION — SOUSCRIRE**).

Dans le vocabulaire des sports, « celui qui appuie et encourage particulièrement un athlète ou une équipe de joueurs » est un **supporter**, mot emprunté tel quel à l'anglais comme *reporter, revolver* et *pull-over* et que, comme ceux-ci, il faut prononcer à la française.

Voir **GOLF**.

SUPPORT PUBLICITAIRE — *Voir* **MÉDIUM**.

SUPPRIMER — *Voir* **ANNULER**.

SUR — *Voir* **PRÉPOSITIONS (EMPLOI DES...)**.

SURCHARGE — SURCHARGER — *Voir* **CHARGE — CHARGER**.

SÛR — *Voir* **FIABLE**.

SURCHARGE — SURCHARGER — *Voir* **CHARGE — CHARGER**.

SURINTENDANT — *Voir* **AUDITEUR** *et* **CONCIERGE — CONCIERGERIE**.

SURNUMÉRAIRE — *Voir* **ADDITIONNEL**.

SURSIS (AVEC...) — *Voir* **SENTENCE**.

SURVEILLER — Que signifie ce verbe ? Premièrement « veiller avec attention et autorité, en exerçant un contrôle » : *surveiller des élèves, des enfants qui jouent, surveiller des travaux.* Deuxièmement, pour certaines personnes, « observer les faits et gestes » : *surveiller un espion, un suspect.* Ce sont là les seules significations de **surveiller**.

Comment en est-on venu à dire des choses comme [SURVEILLEZ] *les journaux pour vous tenir au courant des faits,* [SURVEILLEZ] *la publicité pour connaître les meilleures offres,* ou [SURVEILLEZ] *nos annonces à la radio ?*

C'est bien sûr que le mot anglais qui traduit **surveiller, to watch**, a aussi les sens de « faire attention », « être aux aguets », sans qu'il soit question d'autorité ni de contrôle, que l'on croit dire *lisez les journaux en faisant attention* quand on dit ainsi [SURVEILLEZ] *les journaux,* ou *suivez la publicité avec attention,* quand on dit [SURVEILLEZ] *la publicité,* ou *suivez nos annonces à la radio avec attention,* quand on dit [SURVEILLEZ] *nos annonces,* sans qu'il soit jamais question de surveillance !

SUSPECT — Un **suspect** est une « personne soupçonnée de » : *les policiers inter-*

rogent deux suspects. Une «personne qui prête aux soupçons» est qualifiée de suspecte : *à cause de ses allées et venues, tous les voisins regardaient cet homme comme un individu suspect.* Pour être suspect, il faut être connu. On ne peut pas dire, par exemple, *les deux* [SUSPECTS] *sont sortis de la banque après leur vol et ont disparu sans laisser de trace.* Ce sont des mots comme **bandit** ou **malfaiteur** qu'il faut employer dans ce cas.

Prendre soin de ne pas prononcer les deux dernières consonnes.

SUSPENDRE — *Voir* ACCROCHER *et* SENTENCE.

SUSPENSION — *Voir* LUMIÈRE.

SYMPATHIE — **Sympathie** signifie cette sorte de «penchant instinctif qui pousse une personne vers une autre» : *se prendre de sympathie pour quelqu'un.* Le mot s'emploie au pluriel, comme **amitié** : *avoir ses amitiés et ses inimitiés,* pour désigner les cas où l'on éprouve le même sentiment : *chacun a ses sympathies et ses antipathies,* c'est-à-dire chacun éprouve des penchants instinctifs ou des répugnances non raisonnées à l'égard de certaines gens, mais il ne s'emploie jamais au pluriel, contrairement à **amitié** : *mon frère m'a prié de vous transmettre ses amitiés,* pour exprimer un témoignage de son sentiment.

On n'offre pas ses [SYMPATHIES] à quelqu'un à l'occasion d'un deuil; on l'assure de sa **sympathie** et on lui offre des **condoléances**. Les **condoléances** sont le «témoignage de sympathie offert à l'occasion d'un deuil». Le mot **condoléance** ne se dit au singulier que pour indiquer le caractère d'une communication orale ou écrite offrant des **condoléances** : *une lettre, un message de condoléance.*

Noter que le mot français **sympathie** n'a pas comme le mot anglais **sympathy** le sens de «pitié», de «compassion». Il exprime le «fait de participer aux joies et aux peines de quelqu'un». Dire à une personne *vous avez toute ma sympathie,* ne signifie pas qu'on a pitié d'elle ou qu'on a de la compassion pour elle, mais qu'il existe entre elle et soi des rapports cordiaux et que l'on partage ses sentiments.

SYNDICAT — *Voir* UNION.

SYNONYME — *Voir* DISPENDIEUX.

«**SYSTÈME DE SON**» — Cette expression, courante au Canada, est aussi impossible en français que le serait [SYSTÈME DE LUMIÈRE]. On ne peut pas faire un système avec du son, non plus qu'avec de la lumière. On peut, cependant, avoir des **systèmes d'éclairage** et des **systèmes d'allumage**, car il s'agit là de moyens, d'installations pour l'utilisation de la lumière. De même a-t-on en français des «systèmes de reproduction du son». On les appelle **chaînes de haute fidélité**. On dit aussi **chaîne de stéréophonie** ou **chaîne stéréo**.

Au lieu de *j'ai acheté à mon fils un* [SYSTÈME DE SON] *pour son anniversaire,* on dit correctement *j'ai acheté à mon fils une chaîne de haute fidélité.*

La faute s'explique par le fait que l'anglais emploie, lui, selon le génie de cette langue, l'expression **sound system**.

T

TABAGIE — Le mot **tabagie**, dont on se sert fautivement au Canada, particulièrement à Québec et dans certaines villes de province, pour désigner un débit de tabac, n'est pas un dérivé de *tabac.* Il vient d'un vocable algonquin qui signifiait «festin» et c'est dans cette acception qu'on l'a employé durant tout le XVIIe siècle non seulement en Nouvelle-France mais en France même. Au début de ce même siècle, les Espagnols enseignèrent à l'Europe à fumer les feuilles d'une plante trouvée aux Antilles et qu'ils avaient nommée **tobaco** d'après un terme de la langue des indigènes d'Haïti. Les Français ont hésité entre *tobac* et *tabac. Tabac* a fini par s'imposer. Sous l'influence de *tabac*, le mot **tabagie** a changé de sens dès le début du XVIIIe siècle. Ce devint le nom de lieux publics où l'on se réunissait pour fumer, comme on va dans un bar pour prendre un verre ou dans un restaurant pour manger. Outre cette signification de «sorte de fumoir public», **tabagie** eut aussi plus tard celle de «cassette renfermant tout ce qu'il faut pour fumer (tabac, pipes, cigares, cigarettes, etc.)». De nos jours, **tabagie** ne s'emploie plus que péjorativement en parlant d'une «pièce remplie de fumée et d'odeur de tabac»: *quand nous sommes entrés, mon fils et ses invités avaient fait une tabagie de la salle de séjour !* (*voir* «**VIVOIR**»). Dire *tabagie* au lieu de **magasin de tabac** ou **boutique de tabac**, c'est commettre une faute.

Appeler [TOBACONISTE] ou [TABACONISTE] un marchand de tabac, c'est commettre un anglicisme. C'est prononcer à la française le mot anglais **tobacconist**, qui signifie «marchand, débitant de tabac».

Il ne faut pas dire *je suis allé à la* [TABAGIE] *du coin et le* [TABACONISTE] *m'a conseillé de faire l'essai de ces nouvelles cigarettes*, mais *je suis allé au magasin de tabac du coin et le marchand m'a conseillé de faire l'essai de ces nouvelles cigarettes.*

TABLE à écrire — *Voir* **BUREAU.**

...de cuisine et de travail dans la cuisine — *Voir* **ARMOIRE.**

TABLETTE — Ce mot est l'un de ceux sur lesquels une étude sémantique (*voir*

BUREAU) pourrait s'étendre indéfiniment. Il suffit ici de rappeler que le français a fait le mot *table*, dont **tablette** est un dérivé, avec le mot latin **tabula**, dont le premier sens fut celui de «planche», tandis que les Romains employaient le terme **mensa** pour désigner une *table*. Pour les peuples qui ont commencé à faire la langue française, c'est l'idée de «planche» qu'éveilla en premier lieu la «sorte de plateau horizontal soutenu par un ou plusieurs pieds (*voir* **PATTE**) sur lequel on dispose des objets à des fins diverses». De l'idée de «planche» les Romains étaient passés à celle d'«assemblage de planches formant un sol» et l'on trouve dans CICÉRON le mot **tabula** pour dire «plancher» (*voir ce mot*).

De là vient que, de nos jours, le même mot *tablier* désigne, d'une part, une pièce de vêtement qui servit en premier lieu à protéger le devant de son costume quand on était à une table, après avoir eu le sens de «toile pour protéger la surface d'une table», et, d'autre part, la «plate-forme qui constitue le plancher d'un pont». Au XVIe siècle, on ne disait pas *planchéier une maison*, mais *tabler une maison*. Depuis le XVIIe, *tabler* n'est plus usité que dans l'expression figurée *tabler sur* (quelque chose) venue du jeu de trictrac, qui se jouait sur une planchette comme le jeu de dames et le jeu d'échecs (*voir* **CHÈQUE**). Encore aujourd'hui, on appelle *tabletier* un ouvrier qui fabrique des damiers et des échiquiers. Cela aussi vient directement du latin : les Romains prêtèrent à leur mot **tabula** (qui a cette signification dans SÉNÈQUE) l'acception de «plateau d'une table de jeu». Le mot *tableau*, qui désigne une oeuvre picturale, vient de ce qu'avant d'utiliser la toile, les peintres ornaient des panneaux de bois des images qu'ils créaient. Le même CICÉRON, qui se servait du mot **tabula** pour dire «plancher», l'utilisa également au sens d'«image sur bois». C'est encore l'idée de «planche» qui explique qu'on parle des *tables de la loi*, des *tables de logarithmes*, etc. Bref, une **tablette** est une «petite planche posée horizontalement».

C'est un corps solide, une plaque de bois ou de quelque autre matière dure, un objet plein, c'est-à-dire dont la matière occupe tout le volume. Ce n'est pas un assemblage. Aussi ne peut-on se servir du mot, par exemple, pour désigner les «supports métalliques à claire-voie» sur lesquels on place les aliments dans un réfrigérateur (*voir* **FRIGO**). Ces supports sont des **clayettes**. Il ne faut pas dire *des* [TABLETTES] *amovibles facilitent l'entretien du réfrigérateur*, mais *des clayettes facilitent...*

Le mot **bloc** (*voir ce mot*), comme **tablette**, se dit d'un corps solide, mais, contrairement à celui-ci, on l'emploie par analogie pour désigner des assemblages qui offrent l'apparence d'objets pleins. Comme on nomme *bloc-notes* un «assemblage de feuilles détachables pour prendre des notes», il faut dire *bloc de papier à lettres* ou *bloc de correspondance* et *bloc de dactylo et de sténo*. En Amérique du Nord, l'anglais se sert du mot **tablet** pour nommer les **blocs** de feuilles de papier pour notes ou pour correspondance et c'est commettre un anglicisme que de dire [TABLETTE] *de papier à lettres* ou [TABLETTE] *de correspondance*, [TABLETTE] *de dactylo et de sténo*.

En revanche, **tablette** se dit par analogie d'un produit alimentaire, pharmaceutique ou autre, moulé en petites plaques d'une forme rectangulaire analogue à celle d'une **tablette**. On dit correctement *une tablette de chocolat, une tablette d'encens, une tablette de chewing-gum* (*voir* **PALETTE**).

Un «ensemble de tablettes superposées formant un meuble» se nomme *bibliothèque, étagère* ou **rayonnage**. Un «ensemble de tablettes servant à l'étalage de marchandises dans un magasin» est un **rayonnage**. C'est aussi calquer l'anglais qui dit **shelves**, traduction de **tablettes**, que d'annoncer, par exemple, qu'*on trouvera sur nos* [TABLETTES] *les produits les plus nouveaux* au lieu de dire *on trouvera dans nos rayonnages les produits les plus nouveaux*.

TAILLE-CRAYON — TAILLER — *Voir* **AIGUISER — AIGUISEUR — AIGUISOIR.**

TAILLEUR — *Voir* **HABILLAGE — HABILLEMENT — HABILLER — HABIT** *et* **MERCERIE — MERCIER.**

TALLE — **Talle** appartient au vocabulaire de l'agriculture. Le mot signifie «rejeton qui pousse au pied d'une plante après le développement de la tige principale». L'ensemble des pousses à partir de la tige principale est le *tallage* de la plante.

C'est abusivement qu'on emploie le mot **talle** pour désigner un ensemble de plantes d'une même espèce : *une* [TALLE] *de framboisiers*. Il faut dire *une touffe de framboisiers, un groupe de framboisiers. Une* [TALLE] *de* [BLEUETS] est, en français, *une touffe d'airelles* (*des bois*), dont les fruits s'appellent *myrtilles* (*voir* **BLEUET**).

Se garder de dire [TALLE] quand on veut dire **touffe** ou **groupe** de plantes.

[ÔTE-TOI DE DANS MA TALLE] pour dire *occupe-toi de tes affaires* est du patois.

TANDIS QUE — *Voir* **QUAND.**

TANNER — Contrairement à «**ACHALER**» et à «**BÂDRER**» (*voir ces mots*), qui sont des fautes, **tanner** est un verbe français. Dès le XIIIe siècle, on l'employait au figuré à peu près dans le même sens qu'aujourd'hui, mais, tandis qu'il fut usité dans le vocabulaire littéraire jusqu'au XVIIe siècle, il ne sert plus au figuré que dans le langage populaire.

Ses dérivés en usage au Canada, [TANNANT] employé comme superlatif : *une* [TANNANTE] *de belle robe* et [TANNERIE] employé au sens de «chose ennuyeuse» : *toutes ces* [TANNERIES] *lui ont enlevé son enthousiasme*, sont, eux, des fautes.

Le verbe populaire **tanner** s'emploie surtout au passif pour exprimer l'agacement, l'ennui, la vexation : *je suis tanné de ne rien faire* et *je suis tanné par tes bêtises*. Le mot tombe en désuétude. On dit correctement *je n'en peux plus de ne rien faire* et *j'en ai plein le dos*, ou *j'en ai assez*, ou *j'en ai par-dessus la tête de tes bêtises*.

TAPIS — *Voir* **MOQUETTE.**

TAPISSIER — *Voir* **REMBOURRAGE — REMBOURRER.**

TAQUIN — TAQUINERIE — Se garder de dire [TAQUINAGE] ou [AGAÇAGE] pour **taquinerie** et [TAQUINEUR] pour **taquin**.

TAQUINER — *Voir* «**ÉTRIVER**».

TARAUD — TARAUDAGE — Une «pièce, généralement de métal, percée d'un trou fileté pour recevoir et immobiliser une vis ou un boulon» est un **écrou**. Un **taraud** est un «outil dont on se sert pour pratiquer dans le trou d'un écrou les tours de rainure, le pas de vis ou filetage, auxquels s'adaptera une vis ou un boulon correspondant». Employer **taraud** au lieu d'**écrou**, c'est s'exprimer contre le sens des mots. Il ne faut pas dire ce [TARAUD] *ne s'adapte pas à cette vis*, mais *cet écrou ne s'adapte pas à cette vis*. La faute s'explique peut-être par le fait que le substantif **taraudage** signifie et l'«action de percer une pièce en pratiquant un pas de vis pour en faire un écrou» et, par extension, le «trou dans la paroi duquel le pas de vis d'un écrou est pratiqué». Il est possible qu'on ait commencé à dire *taraud* comme abréviation de **taraudage** dans des phrases comme celles-ci: *ce* [TARAUD] *ne convient pas* (au lieu de *ce taraudage ne convient pas)* et *ne me donne pas des* [TARAUDS] *trop grands pour les vis* (au lieu de *des taraudages trop grands)* et que, peu à peu, **taraud** se soit ainsi incorrectement substitué à **écrou**.

Se garder aussi de dire *noix* au lieu d'**écrou**. C'est un anglicisme: **écrou**, comme le mot *noix*, se traduit par **nut** en anglais. **Noix** est le nom de plusieurs choses différentes dans des vocabulaires techniques divers, mais il ne désigne pas une pièce percée pour loger une vis ou un boulon afin de l'immobiliser. Il ne faut pas dire *tu ne m'as pas donné autant de* [NOIX] *que de vis*, mais *tu ne m'as pas donné autant d'écrous que de vis*.

TARGETTE — *Voir* **BARRER**.

TARIF — *Voir* **CÉDULE** *et* **LISTE**.

TARTE — *Voir* **TOURTE — TOURTIÈRE**.

TARTINE — *Voir* **BEURRÉE**.

TAXE — *Voir* **AMUSEMENT, LOI** *et* **PATENT — PATENTE — PATENTER**.

TAXI — *Voir* **PASSAGE — PASSAGER** *et* **STAND**.

TAXIPHONE — *Voir* **TÉLÉPHONE**.

TEINTURERIE — TEINTURIER — Pour désigner une «personne dont le commerce ou le métier est d'exécuter la teinture, le dégraissage, le nettoyage et le repassage de vêtements», **teinturier** est le terme propre et la boutique ou le commerce d'un **teinturier** est une **teinturerie**: *faire dégraisser un costume* (*voir ce mot et* **HABILLAGE — HABILLEMENT — HABILLER — HABIT**) *chez le teinturier* et *apporter un complet à la teinturerie*.

Le dégraissage étant, de façon générale, le principal élément de la remise en état d'un vêtement, on dit souvent **dégraisseur** au lieu de **teinturier** dans le langage courant: *donner une jupe au dégraisseur*. On peut se servir des mots **teinturier** et **dégraisseur** de préférence à **nettoyeur** (*voir* **NETTOYEUR — NETTOYEUSE**), terme trop faible pour bien traduire ce que l'anglais entend par **dry cleaner** ou **french cleaner** et **valet cleaner**. L'emploi généralisé du mot **net-**

toyeur au Canada vient de ce que le substantif **cleaner**, qu'il traduit littéralement, se trouve dans ces trois expressions anglaises. Toutefois, on dit correctement «faire nettoyer un vêtement».

Voir **PRESSAGE — PRESSER.**

TEL — *Voir* **DE MÊME** *et* **EFFET.**

TÉLÉDIFFUSION — *Voir* **RADIO — TÉLÉ.**

TÉLÉDISTRIBUTION — *Voir* **RADIO — TÉLÉ.**

TÉLÉPHONE — Noter en premier lieu que le mot **téléphone** désigne un «appareil téléphonique», non une communication téléphonique. Recevoir un **téléphone**, c'est recevoir un poste téléphonique, pour étrennes (*voir ce mot*) par exemple; ce n'est pas recevoir un **appel**. Faire un **téléphone**, c'est fabriquer un poste, ce n'est pas faire un **appel**. Une secrétaire ne doit pas dire à son patron qui rentre au bureau après le déjeuner *vous avez reçu deux* [TÉLÉPHONES] au lieu de *vous avez reçu deux* (*voir* **COUPLE**) *appels* et son patron ne doit pas lui dire *n'oubliez pas de faire ce* [TÉLÉPHONE] *en arrivant, demain matin,* mais *n'oubliez pas de faire cet appel en arrivant, demain matin.*

Voici quelques fautes commises fréquemment quand on parle du **téléphone**:

[ÉCHANGE TÉLÉPHONIQUE] calque de l'anglais **exchange**, au lieu de **central**: *des chiffres remplacent les noms des centraux téléphoniques*;

[BRUIT DU CADRAN], calque de l'anglais **dial tone**, au lieu de **signal de manœuvre**: *la ligne est en dérangement (voir ce mot), car le signal de manœuvre ne se fait pas entendre*;

[OUVRIR LA LIGNE] et [FERMER LA LIGNE], calques des expressions anglaises **to open the line** et **to close the line**, au lieu de **décrocher** et **raccrocher**: *curieuse coïncidence, j'allais justement décrocher pour vous appeler* et *je dois raccrocher et vous rappellerai plus tard*;

[SIGNALER] au lieu de **composer** un numéro: *vous avez mal composé votre numéro*;

[SIGNALER] au lieu de **faire un chiffre** quand il suffit de manœuvrer le cadran une seule fois pour établir une liaison: *faire le 1 pour établir la liaison avec l'interurbain*;

l'emploi du mot anglais **hello** au lieu de **j'écoute** ou, familièrement, **allô**: *j'écoute, avec quel poste* (*voir* **LOCAL**) *désirez-vous entrer en communication?*

demander [QUI PARLE?], calque de l'anglais **who is speaking**? au lieu de **qui est à l'appareil?** ou **de la part de qui?**

[ÊTRE SUR LA LIGNE], calque de l'anglais **to be on the line**, au lieu d'**être à l'écoute**: *j'étais à l'écoute à mon appareil, dans la pièce voisine, quand cette communication téléphonique a eu lieu;*

[PERSONNE À PERSONNE], calque de l'anglais **person to person**, au lieu d'**appel avec préavis**;

[GARDER LA LIGNE], calque de l'anglais **hold the line**, au lieu de **ne quittez pas** : *ne quittez pas, je vous passe le directeur du service*;

[LONGUE DISTANCE], calque de l'anglais **long distance**, au lieu d'**interurbain** : *je suis téléphoniste à l'interurbain* et *faire un appel interurbain*. En Europe, on distingue l'appel **interurbain** de l'appel **à grande distance**;

[CHARGES RENVERSÉES] (*voir* **CHARGE — CHARGER**), calque de l'anglais **reversed charges**, au lieu d'**aux frais du correspondant** : *je demande une communication avec M. Ixe, à Rimouski, à ses frais*, ou *en P.C.V.* (paiement contre vérification), qui est courant en France;

[TÉLÉPHONE PAYANT] ou [PUBLIC], calque de l'anglais **public telephone**, au lieu de **taxiphone** : *il y a des taxiphones dans le hall de l'hôtel.*

Un **answering service** est un **secrétariat** ou **service pour abonnés absents** : *un secrétariat téléphonique répond aux appels quand je suis absent.*

Se garder de faire du verbe **téléphoner** un verbe transitif direct. On commet une faute en disant [JE VAIS TÉLÉPHONER MA MÈRE] au lieu de *je vais téléphoner à ma mère.*

Voir **CONNECTER — CONNEXION, ENGAGÉ, OPÉRATEUR — OPÉRATION — OPÉRER** *et* **STATION.**

TÉLÉVISEUR — TÉLÉVISION — Les Canadiens, qui, non sans motif, reprochent aux Français de dire familièrement *une radio*, abréviation d'*une radiophonie*, au lieu d'*un récepteur de radio* ou d'*un poste radio*, disent [UNE TÉLÉVISION] au lieu d'*un téléviseur.*

Une radio s'explique par le fait que le nom masculin **radio** est l'abréviation de **radio-télégramme** ou **radiogramme** : *j'ai reçu un radio de mon frère qui est en Amérique du Sud.* S'il est vrai que certains traités et manuels portent le nom féminin de quelques sciences dont ils font l'exposé : *une arithmétique, une cosmographie, une géographie*, alors que, de façon générale, on s'exprime autrement : *un traité de physique, un manuel de chimie*, etc., il n'était pas d'exemple, cependant, avant *une radio* qu'un appareil ou un instrument ait pris, même en abrégé, le nom féminin de la technique à laquelle il appartient. On dit en France, plus familièrement «le poste», pour la radio ou la télévision, en désignant l'appareil.

Une radio est une exception, non un exemple. On n'a pas chez soi *une téléphonie* mais *un téléphone* et une personne qui envoie des messages par télégraphie fait fonctionner *un télégraphe* non *une télégraphie*. De même on a un **téléviseur** d'une belle ébénisterie (*voir* **CABINET**) en noyer, non une [TÉLÉVISION] en noyer. Il ne faut pas dire *j'ai apporté* [MA TÉLÉVISION] *portative à la campagne*, mais *j'ai apporté mon téléviseur portatif* ou *portable à la campagne.*

Télévision s'abrège (*voir* **ABRÉVIATION**) par les lettres majuscules TV sans point après le T et le V. Mais on dit : *la télé.*

Voir **PROGRAMMATEUR — PROGRAMMATION — PROGRAMME — PROGRAMMER** *et* **STATION.**

TÉLÉVISION — *Voir* **RADIO — TÉLÉ.**

TEL QUE — TEL QUEL — Suivi de *que*, l'adjectif **tel** forme une sorte de locution conjonctive qui signifie «comme»: *un courage tel que le vôtre* et *une femme telle que vous*, mais il faut se rappeler que **tel que** ne peut avoir cette signification que devant un nom ou un pronom. **Tel que** marque alors un rapport de ressemblance entre ou avec des êtres vivants ou des objets.

Tel que ne signifie pas comme la conjonction anglaise **as** «de la manière qu'on a» ou «de la manière qu'a été» et c'est commettre un anglicisme que de dire *tel que* pour exprimer cette idée. On ne peut faire suivre **tel que** d'un participe passé ou d'un adjectif. Pour dire «dans son état actuel, sans changement», on dit **tel quel** et, pour rendre l'idée de «de la manière qu'on a» ou «de la manière qu'a été», on doit faire suivre **tel que** d'une proposition subordonnée ou supprimer la locution conjonctive si l'on se sert d'un adjectif.

Il ne faut pas dire *le procès-verbal a été adopté* [TEL QUE] *lu*, mais *le procès-verbal a été adopté tel quel*. Il ne faut pas dire *les événements se sont déroulés* [TEL QUE] *prévu*, mais *les événements se sont déroulés tel qu'on* ou *comme on l'avait prévu*. Il ne faut pas dire *les règlements* [TELS QUE] *modifiés*, mais simplement, *les règlements modifiés*. Il ne faut pas dire devant trois portraits *voici la même jeune femme* [TELLE QUE] *vue par trois peintres*, mais *voici la même jeune femme vue par trois peintres*.

TÉMOIN À CHARGE — *Voir* **À CHARGE.**

TEMPÉRATURE — Les termes **température** et **temps** sont aussi courants l'un que l'autre dans le vocabulaire relatif aux phénomènes atmosphériques, mais ils n'y signifient pas les mêmes choses et on ne peut les employer indifféremment l'un pour l'autre. Le second, **temps**, a rapport à l'état général de l'atmosphère, à l'ensemble des facteurs météorologiques ou à l'état général de l'atmosphère considéré dans la manifestation de l'un de ces facteurs. Il signifie «état du ciel et de la terre dans un lieu donné, à un moment donné»: *temps clair, temps nuageux, temps doux, temps froid, temps calme, temps orageux* et *pronostics du temps*.

Le premier, **température**, a rapport seulement à la chaleur ou au froid et à l'humidité qui fait que la chaleur ou le froid, à un même degré, est plus ou moins ressenti par les êtres humains. Il ne s'applique nullement à l'état du ciel. Il signifie «air considéré dans son état thermique et hygrométrique»: *température élevée, température moyenne, température humide, température glaciale, température qui s'adoucit*.

Pour parler du soleil, du vent et des nuages, de la neige, de la pluie et de la grêle, il faut se servir du mot **temps**. Quand il fait soleil, on doit dire *nous avons du beau temps aujourd'hui*, non *nous avons une belle* [TEMPÉRATURE]. S'il fait une chaleur humide sous un ciel clair, on dira *temps clair, chaud et humide*. Une **température** ne peut être claire. Il ne faut pas dire *nous avons eu une* [TEMPÉRATURE] *désagréable ces jours derniers*: *il ne faisait pas trop froid, mais les rafales de neige* (*voir* **POUDRERIE**) *se sont succédé sans interruption*, mais *nous avons eu un temps désagréable ces jours derniers*.

TEMPÊTE DE NEIGE — *Voir* **POUDRERIE.**

TEMPORAIRE — *Voir* **ASSURANCE.**

TEMPS — Se rappeler que la locution adverbiale [EN TEMPS] n'est pas française. On commet souvent au Canada le solécisme qui consiste à dire [EN TEMPS] au lieu d'**à temps** pour exprimer l'idée de « ni trop tôt ni trop tard ». Il ne faut pas dire *nous sommes arrivés* [EN TEMPS] *à la gare pour prendre le train*, mais *nous sommes arrivés à temps à la gare*. Au lieu de *je lui ai téléphoné* [EN TEMPS] *pour l'avertir*, il faut dire *je lui ai téléphoné à temps pour l'avertir*. Il ne faut pas dire *si vous étiez parti* [EN TEMPS] *de chez vous* (*voir* **CHEZ**), *vous n'auriez pas perdu ce contrat*, mais *si vous étiez parti à temps.*

On peut considérer [EN TEMPS] comme un anglicisme (calque de **on time**). Une autre locution formée au Canada avec le mot **temps**, [EN AVANT DE SON TEMPS], en est sûrement un. La locution française est **en avance**. On dit *être* [EN AVANT DE SON TEMPS] comme en anglais **to be before** (ou **ahead of**) **one's time** au lieu d'*être en avance*. On dit de même *arriver* [EN AVANT DE SON TEMPS] (**ahead of time**) au lieu d'*arriver en avance*, ou *d'avance* (*voir cette locution*), ou *avant l'heure prévue*.

Voir **TEMPÉRATURE.**

TEMPS D'ARRÊT — *Voir* **INTERMISSION.**

TÉNÈBRES — *Voir* **NOIR — NOIRCEUR.**

TENIR — *Voir* **OPÉRATEUR — OPÉRATION — OPÉRER.**

TENIR EN ESTIME — *Voir* **APPRÉCIER.**

TENIR TÊTE À — *Voir* **ACCOTER.**

TERME — Ce mot vient du substantif de latin classique **terminus**, qui avait le sens général de « borne, limite, frontière » et qui prit dans le latin médiéval le sens figuré de « définition ». Cela explique de façon plus ou moins directe toutes les acceptions actuelles de **terme**. Au sens de « mot, expression », par exemple, un terme n'est-il pas ce qui détermine en la limitant la représentation d'une chose dans l'esprit ? L'anglais a emprunté le mot au français vers la fin du Moyen Âge et en a fait le substantif **term**, auquel il a donné, toujours à partir de l'idée de « limite », certaines significations que le vocable français n'a pas et qu'il faut se garder de lui prêter. Celles, en particulier, de « durée » en parlant d'une fonction confiée à quelqu'un, idée qu'exprime en français le mot **mandat**, de « session » *(voir ce mot)* en parlant d'un tribunal et de « condition » en parlant des modalités d'un accord ou d'un contrat, idées que rendent en français les mots **session** et **condition**.

On commet des anglicismes quand on dit *les électeurs de la circonscription* (*voir* **COMTÉ**) *ont réélu leur député pour un troisième* [TERME] au lieu de *pour un troisième mandat*, ou *le prochain* [TERME] *de la cour d'assises* au lieu de *la prochaine session de la cour d'assises*, ou [TERMES] *de paiement avantageux* au lieu de *conditions de paiement avantageuses.*

Il faut de même se garder, calquant l'anglais, de parler des [TERMES DE RÉFÉRENCE] (**terms of reference**) d'une commission parlementaire au lieu de dire *les attributions* ou *le mandat de la commission.*

TERMES — Notre vocabulaire syndical est défectueux. Par exemple, on entend et on lit à plusieurs occasions que les syndiqués se sont mis d'accord sur [LES TERMES] d'une nouvelle convention collective.

Le mot anglais **terms** (pluriel) a le sens de «conditions», de «clauses» en parlant d'un contrat, et c'est dans le sens du mot anglais qu'on l'emploie ici. C'est un anglicisme.

Être d'accord sur les termes, en français, voudrait dire «être d'accord sur les mots techniques» utilisés dans la formulation des **clauses** et des **conditions** de la nouvelle convention. Or la question du vocabulaire fait généralement partie des négociations.

Il ne faut pas parler des [TERMES] d'une convention collective, mais des **conditions** et des **clauses** d'une convention collective.

En français, le mot pluriel **termes** a le sens de «relations»: *être en mauvais termes avec quelqu'un.*

TERMINUS — **Terminus** est un mot, substantif et adjectif invariable, qui ne s'emploie que dans le vocabulaire des transports. Il désigne un point d'arrêt extrême d'une ligne d'aviation, de chemin de fer, de transport maritime ou fluvial, de transport routier (autocars) ou de transport urbain (autobus ou métro). **Terminus** n'a ni le sens de **gare** ni celui de **station**, sauf dans le cas des **stations** extrêmes.

Qu'est-ce qu'une **station** dans le vocabulaire des transports? C'est un «point d'arrêt d'une ligne de transport terrestre où se trouve un ensemble d'installations pour l'embarquement et le débarquement des voyageurs (*voir* **PASSAGE — PASSAGER**) et des marchandises». Les **stations** extrêmes sont les **stations terminus**.

Qu'est-ce qu'une **gare**? C'est «le bâtiment ou l'ensemble des bâtiments qui font partie des installations d'une station pour l'embarquement et le débarquement des voyageurs»: *toute station a sa gare.* Au sens d'ensemble des installations autres que les bâtiments destinés aux voyageurs, **gare** ne s'emploie que dans l'expression *gare de triage.* Les points d'arrêt où un véhicule de transport public, train ou autocar, s'arrête pour prendre ou laisser des **voyageurs**, sans que le temps d'arrêt soit fixé par l'horaire et où il n'y a pas de **gare**, ne sont pas des **stations** mais des **haltes**: *j'ai oublié de dire au contrôleur que je devais descendre à cette halte que le train vient de passer sans s'y arrêter.*

Dans le langage courant, **gare** se dit comme synonyme de **station** pour les transports interurbains: *les voies de garage de la gare de chemin de fer* et *le parc de stationnement de la gare des autocars.* On réserve le mot **station** pour désigner les points d'arrêt des transports en commun urbains: *station de métro, station de correspondance* (*voir ce mot et* **CORRESPONDRE**) *d'autobus,* etc.

Au Canada, dans le transport routier surtout, on confond les sens de **gare,**

station et **terminus**. On ne peut appeler **terminus** une **gare** (ou une **station**) d'une ligne d'autocars où les véhicules ne s'arrêtent que pour les besoins locaux, même si cette **gare** sert de **terminus** à une ligne secondaire d'autocars. Il ne faut pas dire, par exemple, *le* [TERMINUS] *des autocars à Granby* au lieu de *la gare* ou *la station des autocars à Granby*. La **gare centrale** des chemins de fer nationaux à Montréal est une **gare terminus**, mais on désigne par le mot **gare**, non par le mot **terminus**, les bâtiments de ce **terminus**. Au lieu de *j'ai déjeuné au buffet (voir ce mot) du* [TERMINUS] *des autocars*, on s'exprimera mieux en disant *j'ai déjeuné au buffet de la gare des autocars*.

TERRASSE — *Voir* **GALERIE**.

TESSON — *Voir* **VITRE**.

TÊTE — *Voir* **GOLF**.

TÉTINE — *Voir* **SUCETTE — SUÇON**.

THÈME — Dans le langage général, **thème** signifie «sujet, idée principale qu'on développe dans un discours, dans un colloque, dans un ouvrage artistique ou littéraire»: *le thème de son discours se prêtait à de nombreuses explications* et *on retrouve les mêmes thèmes dans la plupart des toiles de ce peintre régionaliste*. En termes d'enseignement, **thème** est le nom donné à une «traduction faite par un élève de sa langue maternelle dans une langue qu'il apprend»: *pour un élève francophone, traduire un texte du français à l'anglais, c'est faire un thème anglais*. Dans le vocabulaire de la musique, le **thème** est le «sujet d'une composition représentée par une mélodie ou un fragment mélodique qui fait l'objet de variations»: *il n'est pas toujours facile de retenir le thème d'une composition musicale moderne*. **Thème** a aussi une signification particulière en grammaire.

Le mot anglais **theme**, emprunté il y a longtemps au français, a exactement les mêmes sens, mais il se dit dans deux autres acceptions que ne possède pas le mot français. En premier lieu, employé adjectivement avec le mot **song**, en parlant d'un opéra, d'une opérette ou d'un film, il signifie «principal» ou «qui revient à plusieurs reprises» et c'est commettre un anglicisme que de parler de la [CHANSON THÈME] d'un film ou d'une opérette, imitation servile de **theme song**, au lieu de dire **mélodie principale** ou, quand on veut désigner un «fragment mélodique qui revient à plusieurs reprises pour marquer un personnage ou un état d'âme», **leitmotiv**. Il ne faut pas dire *les premiers mots de la* [CHANSON THÈME] *sont le titre de cette opérette*, mais *les premiers mots de la mélodie principale sont le titre de cette opérette*. Il ne faut pas dire *chaque fois que l'héroïne du film pense à son passé on entend le même fragment de la* [CHANSON THÈME], mais *on entend un leitmotiv tiré de la mélodie principale*.

Deuxièmement, en termes de radiodiffusion et de télévision, le mot anglais **theme** a pris le sens de «fragment musical ou bruitage qui annonce une émission régulière *(voir ce mot)*». Ce fragment musical est un **indicatif**. Au lieu de *le* [THÈME] *de cette émission est tiré de la* [CHANSON THÈME] *d'un film sentimental,* il faut dire *l'indicatif de cette émission est tiré de la mélodie principale d'un film sentimental*.

TICKET — De même que **sport**, terme que tout le monde emploie sans sourciller, est la forme que l'anglais a donnée au substantif d'ancien français **desport**, qui avait le sens d'«amusement, divertissement, fête», **ticket** est la forme que l'anglais a donnée au substantif masculin d'ancien français **estiquet**.

Estiquet était un dérivé du verbe **estiquier**, que l'ancien français avait fait au XIVe siècle avec le mot néerlandais **stikken**, issu du germanique **stikan**, qui a donné directement à l'anglais le verbe **to stitch. Estiquier**, comme ses ancêtres néerlandais et germanique, signifiait «piquer, attacher en piquant», autrement dit «attacher avec une épingle». **Estiquet** désignait une note, un billet, une fiche, un bulletin, un petit écriteau attaché à quelque chose. Le mot est devenu féminin en français moderne: *une étiquette (voir ce mot)* et **estiquier** s'est transformé en *étiqueter*.

Au cours du XVe siècle, l'anglais a emprunté **estiquet** et il en a fait **ticket**. Dès le XVIIIe siècle, le français reprenait ce mot de l'anglais et il l'utilise de nos jours pour dire «sorte de billet de petit format, en carton ou en papier, donnant droit de monter dans un véhicule de transport en commun ou d'entrer dans certains établissements».

Un **ticket** atteste seulement un droit à l'admission *(voir ce mot)*, ce en quoi il se distingue du **billet**, qui, comportant des conditions particulières, est une sorte de contrat. C'est pourquoi l'on dit correctement *billet de chemin de fer* ou *de train, billet d'autocar, billet d'avion, billet de théâtre*, ou *d'opéra*, ou *de concert* et *ticket d'autobus* ou *de métro* et *ticket de cinéma*. Un **billet** de chemin de fer n'est valide que pour une certaine période de temps, à partir d'un certain lieu vers une seule destination et il donne droit, moyennant suppléments (*voir* **EXTRA**), à certains services (fauteuil dans une voiture-salon ou voiture-club —se garder de dire [**VOITURE-PARLOIR**], calque de l'anglais **parlor-car**, qui fausse le sens du mot **parloir** par lequel le français désigne une salle où l'on reçoit les visiteurs dans une maison d'enseignement ou dans quelque autre établissement communautaire —, lit, compartiment particulier). La validité d'un **billet** d'autocar est aussi limitée. Un **billet** d'avion est délivré pour un vol *(voir* **ENVOL — ENVOLÉE**) déterminé. Un **billet** de théâtre, ou d'opéra, ou de concert donne le droit d'occuper un siège généralement numéroté, un jour particulier, à une heure indiquée, pour assister à tel spectacle, à tel concert. Mais on peut se servir n'importe quand, pour n'importe quelle destination, d'un **ticket** d'autobus ou de métro et il se peut qu'on ne puisse s'en servir, aux heures d'affluence, au moment précis où on désirerait le faire, et un **ticket** de cinéma donne le droit d'entrer dans un établissement n'importe quel jour, à n'importe quelle heure, sans place réservée, et pour assister à n'importe quelle représentation.

Voici un exemple qui montre bien la distinction à faire entre **ticket** et **billet**. Les Français achètent des carnets de **tickets** de métro, mais les étrangers peuvent se procurer un **billet** de tourisme vendu à prix fixe qui leur permet de voyager à volonté pendant sept jours consécutifs *(voir ce mot)* sur toutes les lignes du métro de Paris.

Par parenthèse, **ticket** se prononce *ti-què*. Le *t* final n'est pas sonore comme celui du mot anglais.

En Amérique du Nord, l'anglais se sert de son mot **ticket** pour désigner, dans le langage familier, un «avis de contravention à une loi ou à un règlement sur la circulation automobile». En français familier, cet avis se nomme **papillon**: *comme je sortais de chez toi, un agent mettait un papillon au pare-brise de ma voiture* et *j'ai reçu un papillon pour avoir brûlé un feu rouge* (*voir* **LUMIÈRE**). D'un autre côté, l'avis donné n'est pas la **contravention** constatée, non plus que l'**amende** dont elle rend passible. L'anglais populaire confond dans **ticket** les idées d'«avis», de «contravention» et d'«amende» et c'est un anglicisme que l'on commet quand on dit, par exemple, *j'ai dû payer trois* [TICKETS DE CIRCULATION] *depuis un mois* au lieu de *j'ai dû payer trois amendes depuis un mois pour des infractions à des règlements sur la circulation*. La plupart du temps, le contexte permet de dire simplement *j'ai payé trois amendes depuis un mois*. Enfin, pas plus que **ticket**, le mot **billet** ne signifie «avis de contravention», «contravention» ou «amende» et c'est également commettre un anglicisme que de traduire dans ce cas le mot anglais **ticket** par **billet**. Il ne faut pas dire *j'ai reçu un* [BILLET] *pour avoir brûlé un feu rouge*, mais *un agent m'a dressé une contravention* ou *j'ai reçu un papillon pour avoir brûlé un feu rouge*, non plus que *j'ai dû payer trois* [BILLETS DE CIRCULATION] au lieu de *j'ai dû payer trois amendes*, etc. Il s'agit ici, en effet, d'une mauvaise traduction. C'est parce que l'anglais familier dit **ticket** que l'on dit incorrectement [BILLET] ou [TICKET] au lieu d'**avis de contravention** ou **papillon**, de **contravention** et d'**amende**.

TIMBRE — *Voir* **ESTAMPE** *et* **SONNETTE**.

TIRAGE — Se garder de confondre **tirage** et **loterie**. Le «jeu de hasard qui consiste à distribuer un certain nombre de billets numérotés, chacun attestant le plus souvent le versement d'un certain prix de participation, puis à attribuer une ou plusieurs sommes d'argent ou un ou plusieurs objets à un ou plusieurs participants désignés par le sort» s'appelle **loterie**. L'«action de tirer au sort les billets ou numéros gagnants d'une loterie» est le **tirage** de la **loterie**. Ce qui échoit à un numéro gagnant d'une **loterie** est un **lot**. Ce mot, pris dans cette acception, se traduit en anglais par **prize** et c'est un anglicisme que l'on commet quand on parle des [PRIX] d'une loterie. Le terme **prix** désigne la récompense attribuée à un gagnant dans un concours ou une compétition.

Il ne faut pas demander *voulez-vous participer à un* [TIRAGE] *au bénéfice de notre oeuvre?* et il ne faut pas ajouter *le premier* [PRIX] *sera une décapotable* (*voir* **AUTOMOBILE**) *de l'année*. Il faut dire *voulez-vous participer à une loterie au bénéfice de notre oeuvre? Le gros lot sera une décapotable de l'année*.

Voir **CIRCULATION**.

TIRELIRE — *Voir* **BANQUE**.

TIREUR — *Voir* **CHÈQUE**.

TISONNIER — *Voir* **ATTISER**.

TISSU — *Voir* **MATÉRIEL**.

TITANE — Le corps simple métallique appelé **titane** en français se nomme **tita-**

nium en anglais. C'est commettre un anglicisme que de dire [TITANIUM] au lieu de **titane**.

TITRE — *Voir* **DÉNOMINATION, PASSE** *et* **QUALIFICATION — QUALIFIÉ — QUALIFIER.**

TITUBER — *Voir* «**CHAMBRANLER**».

TITULAIRE — *Voir* **DÉTENTEUR.**

TOAST — Parmi les nombreux mots d'ancien français disparus au cours des XVe, XVIe et XVIIe siècles que l'anglais a empruntés et gardés tels quels ou en les modifiant et que le français contemporain a repris à l'anglais, le substantif **toast** est particulièrement intéressant à étudier. Il vient de *tostée*, dérivé de l'ancien verbe *toster*, issu du verbe de latin populaire **tostare**, qui voulait dire «brûler». On rencontre, par exemple, le mot **tostée** dans la ballade des *Contredictz de Franc Gontier* de FRANÇOIS VILLON: *une bise tostée* (*une rôtie de pain bis*). On appelait *tostée* une tranche de pain rôtie à feu vif que l'on mangeait en buvant.

Les Anglais, chez qui les Normands avaient apporté le mot, firent de l'action de manger une bouchée de **tostée** trempée dans son gobelet ou sa coupe de vin un geste symbolique pour rendre honneur à quelqu'un, geste qui, par la suite, fut réduit au mouvement de lever son verre avant de boire (les Normands appelaient *trempette des mariés* une **tostée** au vin qu'on apportait cérémonieusement aux mariés le soir de leurs noces). D'où vient que **toast** a reçu de l'anglais le sens d'«action ou fait de boire à la santé de quelqu'un, au succès de quelque chose»: *porter un toast de bienvenue* et *le président proposa un toast à la pleine réalisation des projets de l'entreprise* et celui de «petit discours prononcé à l'occasion d'un toast»: *on m'a demandé de prononcer le toast à la santé du nouveau député de la circonscription* (*voir* **COMTÉ**). Cette acception de **toast** a fait renaître le verbe **toster**, qui s'écrit aujourd'hui **toaster**, mais il faut prendre garde que ce verbe, rarement usité, est intransitif et n'a d'autre signification que celle de «porter un ou des toasts»: *on a chargé le secrétaire de toaster à la fin du banquet.*

Depuis la fin du siècle dernier, le français emploie aussi **toast** au sens premier de «tranche de pain rôtie ou grillée» que le mot anglais a reçu de **tostée** pour désigner une «tranche de pain de mie grillée» généralement servie beurrée (*voir* **BEURRÉE**). **Toast** est synonyme de **rôtie** et de **pain grillé**, mais on se sert surtout de ce dernier substantif et de cette expression en parlant de pain croûteux et **rôtie** ne se dit plus guère que de tranches de pain croûteux non grillées mais brunies à feu vif. C'est commettre une faute que de parler de pain [TOASTÉ] et encore plus, de poser la question [«TOASTÉ OU PLAIN?»]

En Amérique du Nord, l'anglais appelle **Melba toasts** les petites tranches de pain de mie séchées au four qui se nomment **biscottes** en français. Il faut dire *acheter, servir des biscottes*, non *acheter, servir des* [TOASTS MELBA].

Se rappeler que dans l'une et l'autre de ses acceptions, le mot **toast** est masculin. C'est commettre une faute, par exemple, que de dire *je n'ai mangé* *qu'*[UNE] *toast tartiné*[E] *de confiture ce matin* au lieu de *je n'ai mangé qu'un toast tartiné de confiture.*

Voir **SANDWICH**.

TOBOGGAN — Ce mot venu de l'algonquin par l'intermédiaire de l'anglais est entré dans la langue française à la fin du siècle dernier. Il existait déjà dans le vocabulaire des Canadiens d'origine française sous les formes de *tobagan, tabagan* et *tabagane* et il aurait pu arriver au français par leur influence plutôt que par celle des Canadiens de langue anglaise et des Américains, s'ils ne l'avaient pas mis au rancart *(voir ce mot)* pour donner à l'objet principal qu'il désigne le nom fautif de [TRAÎNE SAUVAGE].

Contrairement au nom **traîneau**, qui se dit de véhicules qui glissent, le nom **traîne** n'a jamais exprimé une autre idée que celle de «tirer après soi». Un véhicule appelé **traîne** (il y en a eu) ne peut être qu'un véhicule qu'on tire après soi, que l'on traîne, non un véhicule qui glisse. Le **toboggan** canadien (prononcer la dernière syllabe comme *gant*) n'est pas un objet que l'on traîne, ou qui traîne quelque chose, ou qui sert à traîner quelque chose. C'est un véhicule dépourvu de patins métalliques sur lequel on glisse. Quant à l'adjectif *sauvage,* qui s'explique par le double fait que les colons de la Nouvelle-France disaient *les Sauvages* quand ils parlaient des Amérindiens et qu'on a malheureusement continué trop longtemps à les appeler ainsi, il est évidemment fautif. Le **toboggan** n'a rien de sauvage, mais il est d'invention amérindienne. Dire [TRAÎNE SAUVAGE] au lieu de **toboggan**, c'est commettre une faute.

Outre le «traîneau sans patins des Amérindiens», le mot **toboggan** désigne en France depuis plusieurs années le **bobsleigh** (on dit aussi **bob** tout court) et la luge basse de compétition (*voir* **TRAÎNEAU**). **Bobsleigh** s'est finalement imposé et la luge de compétition a aussi pris le nom de **skeleton**, mais on dit encore le **tobogganning** (*voir* **CAMPING**) pour désigner les compétitions individuelle sur **skeletons** ou luges, ou sur **toboggans**.

TOILETTE — TOILETTES — En français d'aujourd'hui, le nom singulier **toilette** s'emploie pour désigner un meuble (*voir* **BUREAU**), l'action et le fait pour une femme de s'habiller et de se parer (*elle consacrait beaucoup de temps à sa toilette chaque fois qu'elle allait sortir*) ainsi que l'ensemble des vêtements que porte une femme en une occasion (*toilette de cocktail*), l'ensemble des soins de propreté du corps (*être à sa toilette, serviette de toilette, nécessaire de toilette*) et, par extension, le nettoyage et la décoration d'une chose (*faire la toilette de la salle de séjour*). La propreté du corps est un élément essentiel de l'hygiène et le français nomme **papier hygiénique** le papier à usage sanitaire des cabinets d'aisances. L'anglais l'appelle **toilet paper** et [PAPIER DE TOILETTE] est un anglicisme. On dit correctement *un rouleau de papier hygiénique*, non *un rouleau de* [PAPIER DE TOILETTE].

Le nom pluriel **toilettes** est synonyme de *cabinet d'aisances*. Se garder de dire *aller à* [LA TOILETTE] au lieu *d'aller aux toilettes*. Bref, il faut dire *j'ai renouvelé le papier hygiénique dans les toilettes*, non *j'ai renouvelé le* [PAPIER DE TOILETTE] *dans* [LA TOILETTE].

Voir **BUREAU**.

TÔLE — *Voir* **TOURTE — TOURTIÈRE.**

TOLÉRER — *Voir* **ENDURER** *et* **SUPPORT — SUPPORTER.**

TÔLERIE — TÔLIER — *Voir* **DÉBOSSELAGE — DÉBOSSELER.**

TOMBE — TOMBEAU — C'est s'exprimer à contresens que d'employer les mots **tombe** et **tombeau** au lieu de **cercueil** ou **bière**.

Le mot **tombeau** désigne un «monument funéraire élevé sur une tombe ou servant de sépulture»: *les caveaux* (*voir* **VOÛTE**) *que possèdent certaines familles au cimetière sont de beaux tombeaux.* Par extension, le mot se dit d'une chose dans laquelle une ou plusieurs personnes sont mortes et de laquelle on n'a pu retirer leurs cadavres: *ce puits abandonné est le tombeau de douze mineurs qui sont morts dans un coup de grisou.*

Tombe est le nom de la «fosse, recouverte ou non d'une dalle ou d'un monument, ou autre lieu où un mort est enseveli»: *descendre un cercueil dans la tombe.*

La «caisse allongée de bois ou de plomb dans laquelle on enferme un mort avant de l'enterrer» est un **cercueil**. On dit aussi *bière*, mais ce synonyme de **cercueil**, plus vieux que ce mot de plusieurs siècles, ne s'emploie plus guère que dans l'expression *mise en bière*. Noter que le mot *bière* qui a le même sens que **cercueil** n'est pas le mot *bière* qui désigne la boisson fermentée appelée de ce nom. Le premier, qui était en usage dès le XIe siècle, vient d'un vocable francique qui signifiait «civière», tandis que le second a été emprunté du néerlandais **bier** au XVe siècle, quand la bière fut introduite en France. C'était le nom du produit importé, comme *whisky* (*voir* **CAMPING**) est celui de la boisson importée d'Écosse.

Il ne faut pas dire *des milliers de personnes ont défilé devant la* [TOMBE] ou *le* [TOMBEAU] *du grand homme* quand on veut dire *des milliers de personnes ont défilé devant le cercueil du grand homme*. À l'occasion d'un anniversaire de sa mort, par exemple, on pourra dire correctement que des milliers de personnes ont défilé devant la **tombe** ou le **tombeau** du grand homme, c'est-à-dire devant le lieu de sa sépulture, devant le monument qui marque ce lieu.

Il est possible que l'emploi de **tombe** au lieu de **cercueil** soit un terme désuet et dialectal. Certains auteurs attribuent cette faute à une influence champenoise. Ce n'en reste pas moins une faute.

TOMBÉE (...DU JOUR, DE LA NUIT) — *Voir* **BRUNANTE (À LA...) — BRUNE.**

TONDEUSE À GAZON — *Voir* **MOULIN.**

TONNER — *Voir* **ÉCLAIRER.**

TORCHON — *Voir* **SERVIETTE.**

TORDEUR et **TORDEUSE** — *Voir* **LESSIVEUSE.**

TORTILLARD — *Voir* **LOCAL.**

TÔT — *Voir* **VITE.**

TOUCHER — *Voir* **CHANGE — CHANGER, CHÈQUE** *et* **COLLECTER — COLLECTEUR — COLLECTION.**

TOUFFE — *Voir* **TALLE.**

TOUR — *Voir* **MARCHE — MARCHER.**

TOURBE — Deux mots s'écrivent **tourbe**. L'un vient du latin et signifie «foule, multitude confuse». C'est un terme désuet qui n'a probablement pas été employé une seule fois depuis le début du XXe siècle. L'autre vient du francique et désigne un combustible, charbon fossile formé par la décomposition de débris végétaux plus ou moins carbonisés.

Appeler *tourbe* des mottes de terre rectangulaires couvertes de gazon destinées à être appliquées sur un terrain pour en faire une pelouse, c'est commettre un anglicisme. La faute vient de ce que le même mot anglais **turf** a les deux sens de «tourbe» (combustible) et de «motte de gazon». Les mottes de gazon rectangulaires qui servent à faire artificiellement des pelouses sont des **gazons**, mais ce néologisme ne s'emploie qu'au pluriel. Il ne faut pas dire *il a fallu cent mottes de* [TOURBE] *pour le placage du terrain devant la maison*, mais *il a fallu cent mottes de gazon* ou *il a fallu cent gazons*. Il ne faut pas dire *il ne reste plus qu'une motte de* [TOURBE] *à placer pour terminer la pelouse*, mais *il ne reste plus qu'une motte de gazon* ou *il ne reste plus qu'un rectangle de gazon à placer*.

TOURNE-DISQUE — *Voir* **PHONOGRAPHE.**

TOURNÉE — *Voir* **TRAITE.**

TOURNER — *Voir* **VIRER.**

TOURNIQUET — *Voir* **BALANÇOIRE.**

TOURTE — TOURTIÈRE — La **tourtière** est un ustensile de cuisine pour faire cuire des **tourtes** et des **tartes**. Il semble que le mot **tarte** soit venu de l'allemand, tandis que le mot **tourte** est issu d'un mot latin qui, appliqué au pain, signifiait «tourné en rond». Quoi qu'il en soit, les **tartes** étant généralement rondes comme les **tourtes**, le même ustensile, la **tourtière**, sert à faire cuire les unes et les autres.

Au Canada, on appelle *tourtière* non l'ustensile dans lequel on le met au four, mais le plat de cuisine lui-même. Une sorte de pigeon sauvage aujourd'hui disparue a porté en Amérique le nom de **tourte**, évidemment dérivé de *tourterelle*. (La tourterelle, oiseau du même ordre que le pigeon, n'habite pas l'Amérique.) En dépit d'une légende répandue, la [TOURTIÈRE] du Canada ne doit pas son nom à cet oiseau avec la chair duquel, raconte-t-on, on la préparait jadis. La **tourte** est un vieux plat français. Le nom de l'ustensile dans lequel on le fait cuire, **tourtière**, est né en France au XVIe siècle. Les anciens Canadiens ont simplement substitué ce nom à celui du mets. Et ils ont mis au point des recettes qui convenaient aux circonstances dans lesquelles ils vivaient. Une **tourtière** est un ustensile et un plat à la viande cuit à l'aide de cet ustensile est une **tourte**. Au sens qu'on lui donne au Canada, [TOURTIÈRE] est une faute. Il ne faut pas dire *mon charcutier vend d'excellentes* [TOURTIÈRES] *canadiennes*, mais *mon charcutier vend d'excellentes tourtes canadiennes.*

Moule à tarte et **tôle à tarte** sont synonymes de **tourtière**.

TOUT COMPTE FAIT — *Voir* **EN DÉFINITIVE.**

TRACASSER — *Voir* «**BÂDRER**» *et* **CHICOTER.**

TRACTEUR — *Voir* **REMORQUE — REMORQUEUR.**

TRAFIC — Prendre garde que le mot français **trafic** s'écrit avec un seul *f*.

Voir **CIRCULATION.**

TRAÎNEAU — Dans les vocabulaires de l'agriculture, de la pêche et de la manutention, ce mot a des acceptions particulières qui auront bientôt cessé d'avoir cours par suite de la modernisation des techniques. Le **traîneau** est une «voiture sans roues, munie de patins, qu'on fait glisser en la traînant sur la neige et sur la glace». C'est un véhicule pour grandes personnes tiré par des chevaux ou d'autres animaux. Ce n'est pas un objet qui sert à l'amusement des enfants, non plus qu'au sport.

Les «petits traîneaux sur lesquels les enfants glissent sur des pentes couvertes de neige» sont des **luges**.

Le mot **luge** fournit une occasion de remonter loin dans l'histoire de la parole, jusqu'à l'indo-européen. À une époque reculée avant notre ère, certaines contrées de l'Est méditerranéen et de cette région du monde appelée aujourd'hui Moyen-Orient étaient habitées par des peuples qui parlaient des langues proches l'une de l'autre et dont l'ensemble a reçu le nom d'indo-européen, parce qu'elles ont donné naissance à toutes les langues modernes de l'Occident et à celles d'une grande partie de l'Asie. Au cours des milliers d'années qui nous séparent de l'indo-européen, les mots ont beaucoup cheminé et subi en route d'innombrables avatars. Il n'est pas souvent facile d'en reconnaître l'origine commune. Dans quelques cas, cependant, celle-ci se manifeste clairement. On peut, par exemple, établir la parenté qui existe entre le vocable français **luge**, qu'il faut commencer à employer au Canada, et l'anglais **sleigh**, si étonnant que cela puisse paraître à première vue, et, en même temps, remonter jusqu'à la langue originelle.

Le mot **luge**, qui signifie «petit traîneau pour glisser», venu de la Savoie, a fait son apparition dans les dictionnaires français à la fin du siècle dernier. Il se préparait, en passant par beaucoup de transformations, depuis longtemps. Au XIIe siècle, par exemple, l'ancien français disait **esluer** pour «glisser». Ce verbe venait du bas latin **sludia**, mot qui, au cours du IXe siècle, avait été emprunté tel quel au gaulois pour désigner un objet qui glisse. De **sludia** à **luge** se sont produites en définitive la disparition du *s*, la substitution du *g* au *d* et la francisation de la finale. C'est toujours l'idée de «glisser» qui s'exprime. Les mots anglais **sleigh**, **sledge** et **slide** viennent du vocable néerlandais **slee** et de l'anglo-saxon **slidan**; ils sont d'origine germanique. En allemand, **traîneau** se dit **schlitten**. En italien, c'est **slitta**. En sanskrit, langue sacrée des brahmanes et langue littéraire de l'Inde, *il glisse* se dit **sredhati**. Le lien entre tous ces mots qui se ressemblent et qui dans autant de langues ont dit ou disent «glisser» saute aux yeux: un même vocable indo-européen à l'origine (GRANDSAIGNES D'HAUTERIVE, *DICTIONNAIRE DES RACINES DES LANGUES EUROPÉENNES*).

Ainsi continuent de se former toutes les langues. Les mots passent d'une langue à une autre, se reproduisent en changeant de forme, se multiplient par dérivation, mais, au sens propre du terme, ils ne s'inventent pas. Sauf, bien entendu, les onomatopées.

Cette brève excursion en étymologie terminée, il faut se rappeler qu'un petit traîneau sur lequel un enfant glisse pour s'amuser est une **luge**. Il ne faut pas dire *j'offre un beau* [TRAÎNEAU] *en étrennes (voir ce mot) à mon neveu*, mais *une belle luge*. Jouer avec une **luge**, aller en **luge**, se dit **luger**: *maman, est-ce que je peux aller luger avec mes camarades?*

TRAIT D'UNION (EMPLOI DU...) — *Voir* **LIEUX (NOMS DE...)** *et* **SIGNES ORTHOGRAPHIQUES.**

TRAITE — Sauf dans les expressions *traite des blanches* «fait d'entraîner des femmes pour le commerce de la prostitution», *traite des noirs* «mise en esclavage d'Africains de race noire qui se pratiquait autrefois et transport de ces esclaves» et *d'une traite, tout d'une traite* «sans s'arrêter, sans interruption», le substantif **traite** ne s'emploie au XXe siècle que dans les acceptions suivantes. Il désigne en premier lieu un effet de commerce (*voir* **CHÈQUE**): *cette traite n'a pas été payée à l'échéance* et, deuxièmement, dans le vocabulaire de l'agriculture, l'action de traire les vaches: *la traite se fait à l'aide d'appareils mécaniques dans les fermes modernes.*

Le mot n'a jamais eu les significations de «régal» et de «tournée (en parlant d'un ensemble de consommations *(voir ce mot)*», idées qu'exprime le substantif anglais **treat**. C'est commettre un anglicisme que de dire, par exemple, à des enfants *vous aimez les glaces* (*voir* **LAIT**)? *Eh! bien, je vais vous en payer la* [TRAITE] au lieu de *je vais vous en régaler*, ou *je vous en offre*, ou *je vous en sers*, ou *je vous en fais servir*, ou *je vous en achète*. Quand on est au bar avec quelques personnes, il ne faut pas dire *c'est ma* [TRAITE], mais *c'est ma tournée*, ou *c'est moi qui paie*, ou *je vous offre cette tournée*. Se rappeler que **tournée** est le terme à employer quand on offre ou paie un verre à plus d'une personne dans un débit de boissons alcooliques.

TRAITEMENT — *Voir* **APPOINTEMENTS.**

TRAITEUR — Un commerçant de mets préparés d'avance fournis et servis à domicile ou dans une salle louée ou prêtée est un **traiteur**: *c'est ce traiteur qui a préparé le buffet pour la réception qui a suivi le mariage de Jeanne, je vous le recommande.*

«**TRALÉE**» — Dérivé du verbe d'ancien français **troller** ou **traller**, ce nom que le parler populaire emploie au Canada au lieu de **ribambelle**, c'est-à-dire au sens de «suite nombreuse», particulièrement en parlant d'enfants, est un vieux mot patois: *il y avait dans cette famille une* [TRALÉE] *d'enfants.* Les auteurs de dictionnaires étymologiques s'accordent pour faire descendre l'ancien verbe **troller**, qui s'écrivit en premier lieu *trailler* et qui s'est transformé en *trôler* vers le XVIe siècle, du verbe de latin populaire **tragulare**, dont la signification était «suivre à la trace». **Troller** voulait dire «aller, courir de-ci de-là». On peut se demander, cependant, si le mot d'ancien français **troigh**, qui rendait l'idée d'«essaim» d'abeilles, n'a pas influé sur l'emploi du substantif [TRALÉE] au sens de «ribambelle» que les Canadiens ont hérité, semble-t-il, de quelques patois du nord de la France. Il convient aussi de rappeler que le verbe **trailler** a eu pendant quelque temps le deuxième sens de «haler» et que l'expression [TRALÉE] *d'enfants* traduit un peu l'idée de tirer derrière soi. Quoi qu'il en soit, il ne faut pas dire *dans ce quartier misérable, l'homme d'affaires fut bientôt suivi d'une* [TRALÉE] *de gamins*, mais *d'une ribambelle de gamins*, ou *d'une bande de gamins*, ou *d'une troupe de gamins.* On entend encore ce mot dans certaines provinces françaises.

TRANCHE — *Voir* **DARNE.**

TRANSBORDEUR — *Voir* **TRAVERSIER.**

TRANSFÉRER — *Voir* **CORRESPONDRE.**

TRANSFERT — *Voir* **CORRESPONDANCE.**

TRANSFORMABLE — *Voir* **ASSURANCE.**

TRANSLUCIDE — *Voir* **TRANSPARENT.**

TRANSMETTRE — *Voir* **LIVRER.**

TRANSMISSIBLE — *Voir* **POSTE.**

TRANSPARENT — Les adjectifs **transparent** et **translucide** ne sont pas équivalents. L'un et l'autre se disent des choses qui se laissent traverser par la lumière, mais ce qui est **transparent**, comme le verre très clair, permet de distinguer nettement les objets à travers son épaisseur, tandis que ce qui est **translucide**, comme certaines matières plastiques, ne permet de les distinguer que vaguement. On ne peut dire, par exemple, d'un tuyau d'arrosage en matière plastique qu'il est *transparent*: un tuyau (*voir* **BOYAU**) d'arrosage en matière plastique ne peut être que **translucide**.

TRANSPORTABLE — *Voir* **POSTE.**

TRANSPORTER — *Voir* **«RELOCALISER».**

TRAPPE — TRAPPEUR — Employer le mot **trappe**, vieux vocable d'origine germanique comme le terme anglais **trap**, au lieu de **piège** pour désigner tout «dispositif destiné à prendre morts ou vivants des animaux terrestres ou des oiseaux» est du mauvais langage populaire. On dit correctement *piège à oiseaux, piège à souris et à rats*, etc. **Trappe** est le nom des pièges formés d'une fosse dissimulée par des branchages ou une bascule et dans laquelle les bêtes tombent en mettant le pied dessus. Dans le vocabulaire de la chasse, **trappe** est synonyme de *chausse-trape.* Dans tous les autres cas, qu'on parle d'engins à monture métallique, à mâchoirs, à crans, à engrenages, à ressort, ou en forme de boîte en bois ou en métal, **piège** est le mot juste. Il ne faut pas dire [BOÎTE-TRAPPE] *à petits fauves*, mais *boîte-piège à petits fauves* ou *pour petits fauves* (*voir* **PRÉPOSITIONS, EMPLOI DES...**).

Le mot **trappeur**, emprunté de l'anglais **trapper** dérivé de **trap** (il ne semble pas qu'il ait été employé en Nouvelle-France: le Conseil souverain appelait *coureurs de bois* les habitants du pays qui faisaient la chasse des fauves et le commerce des pelleteries avec les Amérindiens), est incorrect par conséquent quand on l'utilise pour désigner des chasseurs qui prennent des bêtes non par le moyen de **trappes**, mais avec des **pièges**. Ces chasseurs sont des **piégeurs**.

Se garder de traduire littéralement l'expression anglaise **speed trap** par [TRAPPE DE VITESSE] ou [PIÈGE DE VITESSE], suites de mots dépourvues de sens. Il faut employer le mot **zone** et dire *zone de contrôle de vitesse.* Les **zones** de contrôle de vitesse ne sont des **pièges** pour les automobilistes qui roulent trop vite que lorsqu'elles ne sont pas indiquées. Se rappeler que **trappe** n'a pas comme **piège** le sens figuré de «traquenard».

TRAVAILLANT — Le substantif [TRAVAILLANT] employé au Canada au lieu de **travailleur**, au sens de «personne qui travaille»: *c'est un bon* [TRAVAILLANT], serait, d'après certains auteurs, un mot dialectal venu de Normandie.

Employé adjectivement en parlant d'une personne, ce mot serait un terme désuet pur et simple, si on lui donnait l'acception d'«actif, entreprenant». Il y eut un adjectif *travaillant* ayant cette signification en ancien français : on disait, par exemple, *un vaillant (voir ce mot) et travaillant chevalier* pour qualifier un chevalier qui aimait se dépenser et entreprenait beaucoup de choses avec hardiesse. Il existe depuis moins d'un siècle un nouvel adjectif **travaillant**, qui sert à désigner les parties d'une machine qui travaillent par opposition à celles qui les mettent et les tiennent en marche et, en particulier, les surfaces des meules entre lesquelles les matières sont écrasées dans la fabrication de farines (*voir* **CÉRÉALES**), moutures et poudres : *surfaces travaillantes.* Cela n'a rien à voir avec les personnes. Dire *travaillant* au sens de «qui aime travailler» serait aussi commettre une faute. Quoi qu'il en soit, **travailleur** est l'adjectif qui veut dire cela. Il a cette signification depuis le XVIIe siècle.

Au lieu de *de bons* [TRAVAILLANTS] *comme lui méritent* (*voir* **MÉRITER**) *d'être bien payés*, il faut dire *de bons travailleurs comme lui* et l'on doit dire *cet élève n'est pas travailleur*, non *cet élève n'est pas* [TRAVAILLANT].

TRAVAILLER — *Voir* **EMPLOI — EMPLOYÉ — EMPLOYER** *et* **ŒUVRER.**

TRAVAILLEUR — *Voir* **TRAVAILLANT.**

TRAVERSABLE — *Voir* **PRATICABLE.**

TRAVERSE — Plusieurs vocabulaires techniques emploient le substantif **traverse** dans des acceptions particulières. En charpenterie et en menuiserie, par exemple, une **traverse** est une «pièce horizontale d'un châssis assemblée dans les montants» et la «poutrelle des poteaux télégraphiques qui porte les isolateurs» est une **traverse**.

Dans le langage courant, de nos jours, **traverse** n'a pas d'autres sens que ceux de «chemin qui s'écarte d'une grande route et qui permet d'arriver plus rapidement qu'en suivant celle-ci à un endroit ou qui conduit à un endroit où celle-ci ne passe pas»: *il y a une traverse* ou *un chemin de traverse qui mène directement à l'érablière (voir ce mot) et, dans une ville, de* «ruelle ou passage entre deux rues»: *il n'y a pas de traverse* ou *de ruelle de traverse entre ces deux longues impasses*. **Traverse** n'a ni le sens général d'«endroit par où l'on passe», ce qu'exprime le mot **passage**, ni celui d'«action de passer» ou de «moyen de passer». Dire, par exemple, *il y a une* [TRAVERSE] *entre Québec et Lévis*, au lieu d'*il y a un service de bacs* (*voir* **TRAVERSIER**) *entre Québec et Lévis*, c'est commettre une faute.

Dans le vocabulaire des chemins de fer, les **traverses** sont les «pièces de bois, de métal ou de béton posées sur le sol en travers d'une voie ferrée sur lesquelles les rails sont assujettis». Ces pièces s'appellent en anglais **sleepers** et, calquant maladroitement l'anglais, on les désigne souvent au Canada par le mot **dormant**: *on achève de poser les* [DORMANTS] *de la nouvelle voie ferrée* au lieu d'*on achève de poser les traverses*. Terme de construction, **dormant** signifie «châssis fixe, assemblage de menuiserie et de serrurerie, dans lequel s'emboîte une porte ou le châssis (*voir ce mot*) mobile d'une fenêtre». Dire *dormant* au lieu de **traverse**, c'est commettre un anglicisme.

Traverse n'a pas le sens d'«endroit où une voie ferrée croise une route ou une rue». Un «endroit où une voie ferrée croise une route ou une rue au même niveau» est un **passage à niveau**, non une [TRAVERSE DE CHEMIN DE FER], mauvaise traduction littérale de **railway crossing**.

Un endroit où une voie ferrée, une route en croise une autre en passant au-dessus est un **saut-de-mouton**: *on a remplacé par des sauts-de-mouton les passages à niveau qui rendaient cette route dangereuse.*

TRAVERSÉE — *Voir* **PASSAGE — PASSAGER.**

TRAVERSIER — Le substantif **traversier** ne désigne pas un bateau, mais l'adjectif **traversier** se dit d'un petit bateau qui fait le va-et-vient entre deux points peu éloignés des rives opposées d'un cours d'eau ou d'un lac: *une barque traversière* (*voir* **CHALOUPE**).

Un «bateau à fond plat, souvent de grandes dimensions, qui sert à faire passer des voyageurs, des marchandises et des voitures d'un bord (*voir ce mot*) à l'autre d'un cours d'eau» est un **bac**.

Pas plus que **traversier**, le substantif **passeur** ne désigne un bateau. **Passeur** est le nom de celui qui conduit un **bac** ou une **barque traversière**. C'est abusivement qu'on emploie le mot comme adjectif: il ne faut pas dire [BATEAU PASSEUR]. Les bateaux à fond plat qui vont et viennent entre Québec et Lévis, par exemple, ne sont ni des [BATEAUX PASSEURS] ni des [TRAVERSIERS], mais des **bacs**. Dire *traversier* au lieu de **bac**, c'est commettre une faute.

Pour ce qui est de **ferry-boat**, terme emprunté à l'anglais, depuis longtemps utilisé en France pour désigner un «bateau aménagé pour le transport de wagons de chemin de fer», se rappeler que l'Administration française propose de lui substituer le mot **transbordeur.**

TRÉBUCHER — *Voir* «**ENFARGER**».

TRÉMA (...SUR LES MAJUSCULES) — *Voir* **SIGNES ORTHOGRAPHIQUES.**

TREMPÉ — L'adjectif [TREMPE], employé au lieu de **trempé** et de **mouillé**, est patois. Il n'a jamais été français. Il ne faut pas dire *il avait marché sous une pluie battante et il était* [TREMPE] *quand il est entré*, mais *et il était trempé* ou *trempé jusqu'aux os*. Outre celui de «très mouillé par la pluie», on sait que l'adjectif **trempé** a le sens général d'«imbibé, imprégné d'un liquide, abondamment mouillé». Se rappeler que, sauf en parlant d'un terrain et l'on dit alors de préférence *détrempé*: *des chemins détrempés*, pris dans cette acception, **trempé** est toujours suivi d'un complément déterminatif: *visage trempé de larmes, pain trempé de café, être trempé de sueur*. Pour dire qu'une chose est imbibée d'eau, on se sert de l'adjectif **mouillé**: on fait tremper du linge qui, une fois sorti de l'eau, sera **mouillé**. Il ne faut pas dire *elle venait de prendre une douche et avait les cheveux* [TREMPES] ou [TREMPÉS], mais *elle venait de prendre une douche et avait les cheveux mouillés.*

TRESSE — *Voir* **COUETTE.**

TRIBUNAL — *Voir* **BANC.**

TRICOT — *Voir* **CHANDAIL** *et* **PULL-OVER.**

TRISTESSE — *Voir* **BLEU.**

TROMBONE — *Voir* **BROCHE.**

TROMPERIE — *Voir* **REPRÉSENTATION.**

TROT — Prendre garde que le *t* final du vieux mot français **trot**, dérivé de **troter**, ancienne forme de **trotter**, est muet. Il faut prononcer *grand tro* et *petit tro, course au tro* et *tro attelé* (*voir* **ATTELAGE — ATTELER**).

TROU — *Voir* **GOLF.**.

TROUBLE — Le substantif **trouble** n'exprime pas comme le terme anglais **trouble** auquel il a donné naissance des idées que rendent des mots tels que **difficulté**, **ennui**, **panne**, **peine** et **souci**.

Au singulier, **trouble** se dit d'un état d'agitation, d'angoisse, de confusion, de désarroi, de détresse, et du mauvais fonctionnement d'une activité physiologique ou psychique: *son regard égaré révélait le trouble dans lequel cette nouvelle venait de le plonger* et, au pluriel, *des troubles mentaux*. Quand on parle de **troubles**, au pluriel, à propos non d'une personne, mais d'une société, on parle d'émeutes, de soulèvement. **Trouble** ne se dit pas des choses qui se font avec effort, qui causent du désagrément, non plus qu'aux arrêts de fonctionnement des mécanismes artificiels.

Ce sont des anglicismes que l'on commet quand on dit, par exemple, *il a du* [TROUBLE] *à marcher* au lieu d'*il a de la difficulté à marcher*, ou *cela m'a causé bien du* [TROUBLE] au lieu de *cela m'a causé bien des ennuis*, ou *un* [TROUBLE] *de moteur l'a obligé à interrompre son voyage*, au lieu d'*une panne de moteur l'a obligé à interrompre son voyage*, ou *je m'étais donné beaucoup de* [TROUBLE] *pour lui faire plaisir* au lieu de *je m'étais donné beaucoup de peine* (ou *je m'étais mis en quatre*) *pour lui faire plaisir*, ou *être dans le* [TROUBLE] au lieu d'*avoir des soucis*, etc.

TROU D'HOMME — L'expression **trou d'homme** désigne, dans le vocabulaire de l'industrie, une « ouverture arrondie pratiquée dans le plafond d'un réservoir ou dans l'enveloppe d'une chaudière industrielle et fermée par un tampon autoclave pour la visite et l'entretien » et, dans le vocabulaire de l'armée, une « ouverture ménagée dans le plancher d'un char d'assaut comme sortie de secours ».

Une « ouverture fermée par une plaque au-dessus d'une conduite d'eau, de gaz, etc., ou d'un égout permettant d'y accéder pour la surveillance, pour des travaux ou des réparations à effectuer » est un **regard**, c'est-à-dire une ouverture qui permet de regarder pour la surveillance. Il y a déjà plus d'un siècle que le mot **regard** a pris cette acception.

Le même mot anglais **manhole** traduit **trou d'homme** et **regard**, et c'est commettre un anglicisme que de dire *trou d'homme* quand il faut dire **regard**. Au lieu d'*il y a un* [TROU D'HOMME] *devant la maison et je regardais des ouvriers y descendre comme dans un puits*, il faut dire *il y a un regard devant la maison*, car il n'y a pas de **trous d'homme** dans les rues.

TROUVER — *Voir* **LOCALISER.**

TROUVER (SE...) — *Voir* **FILER.**

TRUITE — *Voir* **POISSONS.**

TUBE — *Voir* **LUMIÈRE.**

TUILE — Encore un mot qui met en relief l'action corruptrice de l'anglais sur le français au Canada. Dans les vocabulaires de l'architecture et de la construction, le substantif **tuile** n'a qu'une signification : « petite plaque de terre cuite ou d'une autre matière, comme la pierre ou le marbre, servant à couvrir des toits » : *les toits de tuiles sont aussi rares au Canada que nombreux en France.*

Le mot anglais **tile** et **tuile** ont une même origine étymologique, un verbe latin qui signifiait « couvrir » ; mais, tandis que le français ne dit **tuile** qu'en parlant de toits, l'anglais désigne par le nom **tile** toute petite plaque de revêtement, qu'il s'agisse de recouvrir des toits, des sols (*voir* **PLANCHER**) ou des murs. Les plaques (de ciment, de grès, de faïence, de linoléum (*voir* **PRÉLART**), de plastique, etc.) qui servent à paver des pièces d'une maison ou à revêtir des murs sont, en français, des **carreaux**. Parce que le mot **tuile** ressemble à **tile**, les **carreaux** sont appelés *tuiles* au Canada. Dans cette acception, [TUILE] est une faute. Les expressions [TUILE] *murale* et [TUILE] *de sol* sont dépourvues de sens. Il faut dire *carreau de revêtement mural* et *carreau* *pour sol.* Il ne faut pas dire *les murs de la salle de bains sont revêtus de* [TUILES] *de faïence*, mais *les murs de la salle de bains sont revêtus de carreaux de faïence.* Au lieu de *le sol de la cuisine est recouvert de* [TUILES] *en plastique*, il faut dire *de carreaux en plastique.* Il ne faut pas dire [TUILE ACOUSTIQUE], mais *carreau d'insonorisation.*

Le mot singulier **carreau** désigne aussi un sol pavé de **carreaux** ou d'un revêtement de panneaux de linoléum ou de plastique imitant un ensemble de **carreaux** : *laver le carreau de la cuisine* et *le carreau de la salle de séjour formait une mosaïque de couleurs chaudes.* **Carreau** est dans ce cas synonyme de *carrelage.*

Les **carreaux** de revêtement ne sont pas nécessairement carrés. Par extension, de petits plaques à pans coupés, hexagonales ou octogonales, portent aussi le nom de **carreau**.

«TUQUE» — Il semble bien que le mot **tuque**, employé au Canada depuis le XVIIIe siècle pour désigner un «bonnet d'hiver en tricot de laine à bord généralement roulé, en forme de cône, dont la pointe est presque toujours ornée d'un gland ou d'un pompon», vient du provençal. En langue d'oc, le vocable **tuco** signifiait «hauteur, butte, sommet, tête». Il a donné à l'ancien français le mot **tuquet** pour dire «monticule» et c'est peut-être de ce **tuquet** apporté par quelques ancêtres qu'est né le canadianisme **tuque**. Le bonnet appelé **tuque** est d'invention canadienne et l'on ne trouve aucune coiffure tout à fait semblable ailleurs. Rien ne s'oppose à son emploi ni à sa présence dans les dictionnaires.

TUYAU — *Voir* **BOYAU** *et* **TRANSPARENT**.

TYPE — *Voir* **LIGNE**.

U

U — La lettre **U** majuscule, le plus souvent précédée de la préposition *en*, sert à désigner et à décrire certains objets dont la forme ressemble à celle de cette lettre ou à celle du *v*, celle-ci ayant été la première manière d'écrire **U** en français : *fer en U, membres d'U d'un treillage, le double U d'un arbre fruitier, petit aimant en U, les crampillons* (*voir* **CRAMPE — CRAMPILLON — CRAMPON — CRAMPONNER**) *sont une sorte de petits clous en U*, etc., mais on ne peut ainsi l'utiliser, comme fait l'anglais, en parlant d'une action.

Dire, par exemple, [VIRAGE EN U], c'est commettre une faute sous l'influence de l'anglais **U turn**. **Demi-tour** est le terme à employer pour désigner l'action d'une personne ou d'un véhicule qui fait la moitié d'un tour pour retourner sur son chemin. Il ne faut pas dire *l'accident a été causé par un automobiliste qui faisait un* [VIRAGE EN U] *entre deux intersections*, mais *par un automobiliste qui faisait demi-tour entre deux intersections.*

UNIFORME — *Voir* **COSTUME.**

UNION — Prendre garde que, si le mot **union** peut se trouver dans le nom d'un **syndicat** : *l'Union des artistes*, on ne peut l'employer comme synonyme de **syndicat** : *Union des artistes est le nom d'un syndicat.* L'expression *union ouvrière* désigne un groupement de **syndicats**, non un seul.

En Amérique du Nord, le terme anglais **union** signifie « syndicat de travailleurs » et c'est un anglicisme que l'on commet quand on dit *union* pour désigner un **syndicat**. Il ne faut pas dire *les* [UNIONS] *intéressées appuient ce projet de loi* quand on veut dire *les syndicats intéressés appuient ce projet de loi* (*voir ce mot*).

UNIQUE — *Voir* **DIFFÉRENT.**

UNIVERSITAIRE — UNIVERSITÉ — L'emploi des mots **universitaire** et **université** comporte des difficultés particulières au Québec. En France, il y a un enseignement public d'État aux trois degrés, c'est-à-dire qu'il y a des écoles primaires, des maisons d'enseignement secondaire et des maisons d'enseignement supérieur, grandes écoles et universités. Comme c'est par l'enseignement universitaire ou supérieur que l'État réalise parfaitement la formation qu'il veut donner à ses administrés et que celle-ci commence à l'école primaire et se poursuit à l'école secondaire, il est logique que le mot **Université** ait pris le sens d'«ensemble des enseignants de l'enseignement public»: *le ministre de l'Éducation nationale s'est adressé hier à toute l'Université*, c'est-à-dire à tous les instituteurs (*voir ce mot*) et à tous les professeurs des lycées et des universités de l'enseignement public, qui ensemble constituent l'Université de France.

Il serait actuellement absurde d'employer au Québec le mot **université** pour désigner l'ensemble des enseignants des maisons d'enseignement public, étant donné l'état actuel de l'Université du Québec et l'importance des universités traditionnelles du Québec qui sont toutes des établissements privés. Il y est également impossible d'employer le nom **universitaire** pour désigner, comme en France, un membre du corps enseignant de l'État. Bref, comme le nom **universitaire** n'a plus, depuis plusieurs années, d'autres sens que celui de «personne qui enseigne au nom de l'État», il est pratiquement inutilisable au Québec. Il est fautif de dire, par exemple, *les* [UNIVERSITAIRES] *et les étudiants de l'Université Laval ont accueilli ce matin un visiteur éminent.* Il faut dire *les professeurs et les étudiants* (*voir ce mot*) *de l'Université Laval ont accueilli ce matin un visiteur éminent.*

Il est également fautif de désigner par le nom **universitaire** un diplômé d'une université. Il ne faut pas dire *l'association des* [UNIVERSITAIRES] quand on veut dire *l'association des diplômés d'une université.*

Quant à l'adjectif **universitaire**, il n'a que deux significations: «qui se rapporte à l'enseignement supérieur donné par les universités»: *les diplômes universitaires, une ville universitaire,* et «qui appartient à une université»: *les bâtiments universitaires.* On ne peut donc pas qualifier d'**universitaire** une association de diplômés d'université. Il faut dire *cercle des diplômés de l'Université de Montréal*, non *cercle* [UNIVERSITAIRE] *de Montréal.* Mais une **université** peut mettre un **cercle** (lieu, maison ou salles où se réunissent pour étudier, se divertir, manger, etc. un groupe de personnes formant une collectivité ou une association) à la disposition de ses professeurs et de ses étudiants et cette maison ou ces salles porteraient correctement le nom de *cercle universitaire*, puisque ce cercle appartiendrait à l'**université**. À la vérité, le [CENTRE SOCIAL] de l'Université de Montréal est un *cercle universitaire.*

Voir **ACADÉMIE — ACADÉMIQUE.**

USAGÉ — *Voir* **MAIN (DE SECONDE...).**

USINE — *Voir* **INDUSTRIE** *et* **PLAN.**

USUEL — *Voir* **RÉGULIER.**

V

VACANCE — VACANCES — VACANCIER — C'est une faute courante au Canada de confondre le mot singulier **vacance** et le mot pluriel **vacances**. Une **vacance** est l'«état d'une charge, d'un poste, d'un emploi qui est inoccupé» *(voir* **POSITION**) : *il y a une vacance au service de la comptabilité*, ou *la vacance créée à la cour supérieure par la mort de ce juge n'a pas encore été remplie*, ou encore *les démissions de ces trois administrateurs* (*voir* **DIRECTEUR**) *créent des vacances* (pluriel du nom singulier) *qu'il ne sera pas facile de combler.*

Le mot pluriel **vacances** signifie deux choses. Dans les vocabulaires de l'enseignement et de la justice, c'est le «temps de suspension annuelle des travaux», études et audiences : *la plupart de nos élèves passent leurs vacances à la campagne ou au bord de la mer* et *les vacances des tribunaux n'interrompent pas tout à fait l'administration de la justice.* Une simple interruption des études pour quelques jours dans une maison d'enseignement est un **congé**. Dans la langue courante, **vacances** signifie «repos d'au moins plusieurs jours que l'on s'accorde pour se distraire»: *le médecin me conseille de prendre de courtes vacances.* Retenir qu'il ne faut pas dire *prendre* [UNE VACANCE], mais *prendre des vacances* et qu'il ne faut pas écrire *aller en* [VACANCE], mais *aller en vacances.*

Le «repos annuel auquel les salariés ont droit en vertu de la loi et des conventions collectives en continuant de recevoir leur rémunération (*voir* **APPOINTEMENTS**)» est le **congé payé**. Un **congé** est un «temps durant lequel on a reçu la permission de s'absenter». Les **congés payés** ne sont pas nécessairement des **vacances**. La loi accorde le repos, mais les **salariés** ne se l'accordent pas tous. Certains se procurent un revenu supplémentaire en travaillant pendant leur **congé payé** et ceux-là peuvent dire correctement *j'ai travaillé pendant mon congé, de sorte que je n'ai pas pris de vacances cette année.* De même un **salarié** qui avait décidé de profiter de son **congé** pour se reposer et qui doit passer la majeure partie de son temps à réparer la maison (*voir* **CAMP**) qu'il a louée à la campagne dira aussi correctement : *quel congé ! ce ne sont plus des vacances, je passe mon temps à travailler.*

La plupart des gens en **vacances** vont dans les lieux de **villégiature**. On les y désignait naguère par les termes **villégiateur** et **villégiaturiste**. On les appelle aujourd'hui les **vacanciers**. **Villégiaturiste**, lancé il y a quelques années, n'a obtenu aucun succès et on ne le lit ni l'entend presque jamais. Le bon usage actuel préfère **vacancier** à **villégiateur**.

Le terme **estivant** désigne toutes les personnes qui fréquentent les stations de **villégiature** d'été. Quant au mot **hivernant**, il ne se dit que des personnes qui passent l'hiver ou une partie de l'hiver dans un lieu dont le climat leur convient mieux que celui du pays ou de la région où ils habitent le reste de l'année.

VACILLER — *Voir* **CANCELLATION — CANCELLER** *et* «**CHAMBRANLER**».

VACUUM — *Voir* **VADROUILLE**.

VADROUILLE — Sauf dans le langage populaire au sens figuré de «promenade sans but défini», **vadrouille** est un mot qui ne s'emploie que dans la marine. Il désigne un «gros tampon, généralement de laine, emmanché pour le nettoyage des ponts».

Le **balai** est une «brosse — assemblage de fils, de filaments souples, de cordes — munie d'un long manche pour l'entretien des sols (*voir* **PLANCHER**), des murs et des plafonds». Une «brosse pour l'entretien des sols, des murs et des plafonds munie d'un manche court» est une **balayette**.

Le **balai**, fait de vieux cordages, dont on se sert pour laver et éponger les ponts de navires, ne s'appelle pas *vadrouille*. C'est un **faubert**.

Au Canada, on emploie fautivement le mot **vadrouille** pour désigner un **balai** dont la **brosse** est formée par un large faisceau de gros fils, généralement de coton, disposés en forme de franges et montée sur une plaque mobile pour nettoyer à sec. Un **balai** de cette sorte est un **balai à franges**.

Un **balai mécanique** composé de «brosses roulantes montées dans un petit chariot muni d'un long manche» se nomme aussi **balayeuse**.

Un «appareil de nettoyage des sols qui fonctionne par aspiration des poussières» n'est pas un [BALAI ÉLECTRIQUE], car il ne comprend aucune **brosse**; c'est un **aspirateur**. L'**aspirateur** nettoie mais ne balaie pas. L'aspiration s'effectue en faisant le vide à l'intérieur d'un sac qui fait partie de l'appareil et les physiciens nomment le vide **vacuum**, mais ce mot latin n'est pas usité dans le langage courant. L'anglais, lui, l'emploie couramment et, selon un procédé cher à cette langue qui consiste à désigner un objet en joignant à son nom générique l'indication de l'action principale de sa préparation (*voir* **LAIT**) ou de son fonctionnement, il nomme l'aspirateur **vacuum cleaner**. Désigner en français l'**aspirateur** par le mot **vacuum**, simple abréviation de **vacuum cleaner**, est évidemment un anglicisme.

Certains **aspirateurs** sont munis de **brosses** étudiées pour divers travaux. On désigne ces appareils par des noms qui conviennent à leur utilité: l'*aspiro-laveur* pour sols lavables, l'*aspiro-balai*, qui dépoussière non seulement les sols, mais aussi les meubles et les tentures, l'*aspiro-batteur*, qui bat les tapis afin de mieux les dépoussiérer.

L'appareil qui nettoie et cire ou encaustique parquets et carrelages (*voir* **TUILE**) à l'aide de **brosses** dont chacune accomplit un travail particulier de décapage et de lavage ou de lustrage est un *balai ciro-laveur.* On dit en abrégeant un *ciro-laveur.*

Employer [MOPPE] pour désigner un «balai pour nettoyage à l'eau des sols» c'est commettre un autre anglicisme. C'est le mot anglais **mop** prononcé et écrit à la française. Il faut dire **balai à laver**.

VALABLE — VALIDE — Dans le vocabulaire du droit, les adjectifs **valable** et **valide** ont le même sens : «qui a les formes et les conditions requises pour être reçu et pour produire son effet», à cette nuance près que **valide** se dit plutôt des choses dont la valeur est constatée et **valable**, de celles dont la valeur doit l'être. On dit d'une quittance qu'elle est **valable** et d'un acte timbré rédigé dans la forme exigée par la loi qu'il est **valide**.

Hors du domaine juridique, **valide** et **valable** n'ont rien de commun. **Valide** signifie seulement «en bonne santé» : *il y a plus de malades et d'infirmes dans ce village que d'hommes valides.* **Valide** est aussi un substantif dans cette acception : *l'humanité se partage entre valides et malades.* C'est commettre une faute que de parler, par exemple, de *prévisions météorologiques* [VALIDES] *jusqu'à minuit* ou d'*une suspension d'hostilités* [VALIDE] *pour trois jours.*

Valable signifie «acceptable, admissible» : *un interlocuteur valable.* Le mot s'emploie de plus en plus, cependant, dans le sens général de «qui a une certaine valeur» dans tous les cas où l'on parle de qualité et non de prix : *un poème valable.* La plupart des lexicographes s'opposent à cette nouvelle acception, qui n'en gagne pas moins du terrain. Certains qui connaissent la signification de **valide** disent *prévisions météorologiques valables jusqu'à minuit* et *suspension d'hostilités valable pour trois jours.* C'est du langage ampoulé.

Pour exprimer l'idée de «qui a une certaine valeur», [VALIDE] est une faute et *valable* est discutable. Mieux vaut s'exprimer avec naturel, simplement, et dire : *voici* ou *ce sont là les prévisions météorologiques de la journée* ou *pour demain* et *une suspension d'hostilités de trois jours.*

VALEUR — En Amérique du Nord, le vocable anglais **value** a, entre autre sens, celui de «marchandise, article de qualité, avantageux».

En termes de finance, le mot **valeur** signifie «effet de commerce (action, obligation, titre, etc.)» : *avoir des valeurs en banque*, mais il ne désigne pas des objets de commerce. Dire, par exemple : *ce magasin vend les meilleures* [VALEURS] *à rabais,* c'est commettre un anglicisme. Il faut dire *ce magasin vend à rabais les meilleurs articles*, ou *des articles de qualité*, ou *les articles les plus avantageux*, etc. (*voir* **VENTE**).

Un objet de commerce **avantageux** a de la **valeur** (au sens d'utilité) et la **qualité** d'un objet est le facteur principal de sa **valeur** (au sens de prix) ; **valeur**, dans la langue commerciale, est un terme abstrait.

Voir **DÉNOMINATION.**

VALEUR (DE...) — Le mot **valeur** a eu dans la langue classique le sens figuré de «conséquence, effet». *Affaire de valeur* signifiait *affaire de conséquence.* De là vient probablement que les Canadiens ont fait de *de valeur* une locution adjective qui exprime l'idée de «regrettable, malheureux» dans une proposition commençant par *c'est* ou *il est*: *c'est* [DE VALEUR] *qu'il soit malade si souvent.*

Ce *de valeur* n'a dû être au début qu'une façon familière de dire en abrégé *de valeur* (au sens de «conséquence») *regrettable*: *la rupture de ce traité est de valeur car elle entraînera la guerre.* Non seulement le mot **valeur** n'a plus cette acception, mais il n'a jamais eu celle de «conséquence regrettable». C'est commettre une faute que de dire *c'est* [DE VALEUR] au lieu de *c'est malheureux* ou *c'est regrettable.* On dit aussi: *c'est dommage!* **Dommage, malheureux** et **regrettable** sont les termes à employer.

VALISE — Une **valise** est un «sac de voyage en cuir ou en similicuir qui se porte à la main». Par définition, la **valise** est souple et légère.

Une «sorte de petit coffre presque toujours rectangulaire, de forme parfois arrondie, tenant lieu de valise, en fibre vulcanisée, en plastique ou en quelque autre matière» est une **mallette**. Par définition, la **mallette** est rigide ou semi-rigide. On nomme aussi **mallettes** les coffrets ressemblant à des **mallettes** dans lesquels sont fixés ou dans lesquels on enferme pour le transport certains appareils portatifs comme des machines à écrire (*voir* **DACTYLOGRAPHE**), des électrophones (*voir* **PHONOGRAPHE**), etc.

Une **malle** est un «coffre de n'importe quelle matière, cuir, plastique, bois, tôle d'acier, d'aluminium etc., d'assez grandes dimensions, dans lequel on place des objets qu'on emporte en voyage». Il y a des **malles** spécialisées: les **malles-garde-robes**, par exemple. *Voir* **POSTE**.

Valise n'est pas un terme générique. On ne doit pas employer ce mot pour désigner une **malle** ou une **mallette**. Il ne faut pas dire *cette* [VALISE] *mesure deux mètres de longueur et un mètre de hauteur et de profondeur*, mais *cette malle mesure...* Au lieu de *je pars en voyage avec deux* [VALISES] *rectangulaires en plastique*, il faut dire *je pars en voyage avec deux mallettes en plastique.* Une **valise** qui sert à la fois de sac de voyage et de porte-documents est une **serviette-valise**.

Voir **AUTOMOBILE**.

VALOIR — La valeur d'une chose s'apprécie en unités monétaires; non la valeur d'une personne. La richesse d'une personne ne détermine pas sa valeur. On dit d'une personne, au figuré, qu'elle **vaut** son pesant d'or pour exprimer le sentiment qu'elle **possède** des qualités morales exceptionnelles. L'appréciation se fait ici par comparaison: cette personne **possède** en qualités morales par rapport aux autres personnes l'équivalent des qualités chimiques de l'or par rapport aux autres métaux. Elle possède en qualités un poids en or.

À proprement parler, le verbe **valoir** n'a pas le sens de «posséder», tandis que la locution verbale anglaise **to be worth** l'a au propre et au figuré. Dire de quelqu'un qu'il [VAUT] cent mille dollars pour traduire l'idée que ses biens

valent cent mille dollars, c'est commettre un anglicisme. Il faut dire de cette personne qu'elle **possède** cent mille dollars (de biens sous une forme ou sous une autre). On dit aussi correctement *sa fortune s'élève à cent mille dollars* ou *son avoir vaut cent mille dollars.*

VASTE — *Voir* **IMPORTANT.**

VEILLE — VEILLÉE — VEILLER — Au premier sens de **soirée**, «espace de temps qui s'écoule entre la fin du jour et le moment où l'on se couche pour dormir», **veillée** est resté vivant dans le langage populaire de certaines régions et que les écrivains utilisent par stylisme. Plutôt que *j'ai passé la veillée à lire*, on dit correctement *j'ai passé la soirée à lire*. Au sens de «réunion familiale ou mondaine tenue le soir pour le divertissement des personne présentes», [VEILLÉE] au lieu de **soirée** est aussi un peu vieilli.

Dans les campagnes de France, au XVIe siècle, on appelait *veillée* ou **veillois**, premièrement, une assemblée de villageois ou d'artisans qui se réunissaient le soir pour travailler ensemble tout en causant; deuxièmement, de façon générale, une **soirée** que plusieurs personnes passaient ensemble, et le mot a été employé dans ces deux acceptions jusqu'au XIXe siècle; enfin, une réunion de garçons et de filles du peuple tenue le soir où les garçons s'amusaient à divers jeux tandis que les filles, quenouille sur la hanche, filaient. On continue de dire au Canada *aller en* [VEILLÉE], *il y a eu une grande* [VEILLÉE] *de famille chez nos voisins hier, je suis rentré tard d'une* [VEILLÉE] *de danse*, etc. Dans tous ces cas, le français moderne dit **soirée.**

Le substantif **veillée** ne s'emploie plus au sens de «réunion» que dans quelques expressions consacrées: *veillée d'armes, veillée funèbre* ou *mortuaire.* Son seul autre sens actuel est celui de «nuit passée à soigner un malade ou à garder un mort»: *cette infirmière* (*voir* **GARDE-MALADE**) *a fait cinq veillées de plus qu'elle ne devait ce mois-ci.*

La privation ou l'absence de sommeil, c'est la **veille**: *cette longue veille m'a épuisé.* **Veille** désigne aussi l'«action de garder la nuit»: *deux heures de veille près d'un malade*, le «fait d'être conscient»: *l'état de veille* et «le jour qui précède»: *la veille de son départ.*

Un **veilleur** est une personne qui reste éveillée pour garder pendant la nuit. Au sens de «qui a l'habitude de se coucher tard», ce mot est fautif. Il ne faut pas dire *il ne se couche jamais avant l'aurore*: *c'est un* [VEILLEUR], mais *il préfère la nuit au jour* ou *il aime veiller.* [VEILLEUX] est un mot patois.

VÉLOCIPÈDE — VÉLODROME — *Voir* **BICYCLE — BICYCLETTE.**

VENDEUR — Est **vendeur** ou **commerçant** quiconque vend des valeurs (*voir ce mot*) ou des marchandises: **commerçants** de valeurs et de services comme les corps constitués qui émettent des actions et des obligations, les compagnies d'assurances, etc.; **producteurs**, c'est-à-dire personnes ou entreprises qui créent des produits agricoles ou industriels; **marchands**, c'est-à-dire **commerçants** de marchandises qui vendent en gros ou au détail; **négociants**, c'est-à-dire **commerçants** de marchandises qui vendent en gros ou en demi-gros; **fournisseurs**, c'est-à-dire **commerçants** de qui l'on achète habituellement certaines marchandises; et «employés chargés de la vente dans un établissement de commerce», mais le mot se dit spécialement de ces derniers: *il y a des centaines de vendeurs dans un grand magasin* (*voir* **DÉPARTEMENT — DÉPARTEMENTAL**). Les autres **vendeurs**, sauf dans un acte de vente ou de façon générale, ne sont jamais désignés que par les noms qui les caractérisent.

Un **vendeur** qui voyage afin de visiter à domicile et d'accroître la clientèle d'un **commerçant** de marchandises est un **commis voyageur**. Le mot **voyageur** se prend absolument dans ce sens et il est correct de dire **voyageur de commerce** comme synonyme de **commis voyageur**. Il semble même probable que cette dernière expression disparaîtra au profit de la première. On dit aussi **représentant de commerce**, mais le **représentant** habite généralement la région où il est chargé de la vente, y a un bureau où les clients vont le voir autant qu'il va les visiter.

Un **dépositaire** est un **marchand** qui vend au détail comme représentant d'un **fournisseur** ou d'un **producteur**, c'est-à-dire sans acheter les marchandises qu'il offre aux consommateurs avant de les avoir vendues: *dépositaire de journaux et de revues, dépositaire d'appareils électriques.*

Un **concessionnaire** est un **négociant** ou un **marchand** qui a reçu d'un **producteur** ou d'un **fournisseur** le droit exclusif de vendre ses marchandises dans une région ou dans un quartier déterminé.

Pas plus qu'un **commerçant**, un **négociant**, un **marchand** ou un **fournisseur**, un **dépositaire** ou un **concessionnaire** ne peuvent être appelés **vendeurs** que dans le sens général de «personne qui vend»: *notre concessionnaire à Rimouski est le seul vendeur de nos produits dans toute votre région.* Il ne faut pas dire d'un **marchand** d'automobiles, par exemple, qu'il est *un* [VENDEUR] *Renault*, mais qu'il est *un concessionnaire Renault.* Ce **concessionnaire**, lui, a des **vendeurs** qui sont chargés de la vente des voitures dans son établissement.

Le substantif **vendeur** désigne toujours une personne ou une entreprise qui vend, jamais un produit à vendre. Les expressions *cet article est un bon* [VENDEUR] et *cet article est un mauvais* [VENDEUR], employées en parlant d'un produit d'écoulement rapide et d'un produit que peu de consommateurs sont disposés à acquérir, sont des anglicismes: contrairement à **vendeur**, le mot anglais **seller** s'applique également aux personnes qui vendent et aux articles qu'elles vendent.

Best-seller ne se traduit pas par *bon* [VENDEUR] *de librairie.* Il faut adopter le mot anglais, ce que font beaucoup de Français, ou dire *super-succès de librairie*: *ce livre est un best-seller* ou *ce livre est un super-succès, voici le dernier super-succès de librairie* ou *voici le dernier best-seller.*

Voir **SOLLICITEUR.**

VENDRE — L'argot américain a donné aux verbes anglais **to sell** et **to buy** les sens figurés nouveaux de «convaincre de, persuader de, faire accepter» et d'«admettre, reconnaître comme vrai, accepter en s'engageant à agir».

Les verbes **vendre** et **acheter** n'ont pas ces acceptions. Il ne faut pas dire *il a* *réussi à me* [VENDRE] *son idée* ou *il n'a pas eu de difficulté à* [VENDRE] *son projet à ses supérieurs*, mais *il a réussi à me convaincre de son idée* et *il n'a pas eu de difficulté à faire accepter son projet par ses supérieurs.*

De même, il ne faut pas dire en réponse à une proposition *j'*[ACHÈTE] *cela*, mais *j'admets cela* en parlant d'un argument, ou *j'accepte* en parlant d'un projet, ou encore, familièrement, s'il s'agit d'une proposition visant à une combinaison financière, *je marche.*

VENTE — Le mot **vente** a plusieurs sens. Premièrement, il signifie «contrat écrit ou verbal par lequel on cède un objet moyennant le paiement d'un certain prix duquel le vendeur et l'acheteur sont convenus comme en représentant la valeur»: *nous n'avons jamais fait autant de ventes en une seule journée* et *j'ai fait cette vente de chaussures à perte.* En deuxième lieu, **vente** a le sens d'«action de vendre»: *vente à l'encan* (*voir ce mot*) et *la vente de mon commerce a été pour moi une bonne affaire.* Troisièmement, **vente** désigne la profession du vendeur (*voir ce mot*): *la vente exige un ensemble de qualités que tous les vendeurs ne possèdent pas* et *la psychologie de la vente.* **Vente** est employé comme synonyme de *commerce*: *mettre un objet en vente, la vente des produits de beauté ne cesse de prendre de l'expansion* et *cet article est de bonne vente.* Enfin, **vente** se dit de la «mise en vente» d'un certain nombre d'articles en parlant d'un bazar temporaire de charité: *une vente de charité, une vente au bénéfice d'une oeuvre de charité.*

Mais **vente** n'a jamais eu le sens de «mise en vente de marchandises au rabais», qui est l'une des significations du mot anglais **sale**. C'est commettre un anglicisme que de prêter cette acception à **vente**. *Des bas offerts à prix de* [VENTE], *une grande* [VENTE] *d'automne* ou *de printemps*, [VENTE] *à la suite d'un incendie* et [VENTE] *de faillite* sont autant d'anglicismes. Ce qu'on veut dire, c'est **vente à rabais** ou **solde**. *Il y aura vente à rabais d'articles de jardinage la semaine prochaine* signifie «il y aura cession d'articles de jardinage moyennant le paiement d'un prix inférieur au prix ordinaire», mais *il y aura une vente d'articles de jardinage la semaine prochaine* exprime seulement l'idée qu'on vendra des articles de jardinage aux prix courants.

Rabais signifie «diminution de prix» de façon générale: *vente d'un article à rabais, acheter des articles au rabais, faire un rabais général de dix pour cent pour toutes les marchandises en vente.*

Un **solde** est une «quantité de marchandises vendues par liquidation ou simplement au rabais». C'est aussi l'«action d'offrir une quantité de marchandises à un prix inférieur au prix ordinaire». Une **vente** de tissus à prix très abaissés n'est pas *une* [VENTE] *sensationnelle de tissus*, mais *un solde de tissus à prix sensationnels.*

Dans le vocabulaire commercial, **liquidation** signifie «action de vendre à bas prix des marchandises afin de les transformer rapidement en argent liquide». Se garder de confondre **liquidation** et **écoulement**. L'**écoulement** est le «débit lent ou rapide de la vente», tandis que la **liquidation** est un moyen d'accélérer l'**écoulement** de marchandises. Il ne faut pas dire *ce magasin annonce une vente d'*[ÉCOULEMENT], mais *ce magasin annonce une vente de* *liquidation*, c'est-à-dire «annonce qu'il vend à rabais par besoin d'argent liquide».

Remise, en termes de commerce, se dit spécialement du **rabais** accordé sur la quantité : *nous faisons une remise de dix pour cent sur ces articles pour cent unités.* Le mot se dit aussi pour désigner une réduction de prix accordée à certaines personnes seulement : *nous faisons une remise de dix pour cent aux élèves et aux étudiants* (*voir ce mot*), ainsi que la commission qu'on paye à certaines personnes chargées de vendre des marchandises pour soi ou de faire pour soi des recettes ou des recouvrements (*voir* **COLLECTER — COLLECTEUR —COLLECTION**) : *nous faisons à nos camelots une remise de cinq cents par journal vendu.*

L'**escompte**, dans la langue commerciale, est le **rabais** accordé à un acheteur lorsqu'il paie comptant plutôt que d'acheter à crédit ou lorsqu'il paie avant l'échéance quand il achète à crédit : *nous accordons à tous nos clients un escompte de deux pour cent pour paiement à dix jours.* [GRANDE VENTE : 20 % À 40 % D'ESCOMPTE] est du charabia. Il faut dire *soldes : 20% à 40% de rabais.*

Cet emploi abusif d'**escompte** est évidemment attribuable à l'influence de l'anglais, le mot **discount** ayant le sens de «rabais» dans la langue commerciale. Les magasins appelés en anglais **discount stores** ou **discount houses** sont des **maisons de rabais** en français. Un néologisme a été proposé : **magasin minimarge**.

La **prime** commerciale est un moyen de publicité. C'est un **rabais** sous forme de timbres, de bons ou de cadeaux, ou un objet donné aux acheteurs, mais les objets ainsi remis aux acheteurs sont généralement désignés par le mot **cadeau** plutôt que par **prime** : *chaque boîte de ce détersif contient un cadeau.*

Quant à employer le mot **aubaine** au sens d'«articles offerts à rabais» : *comptoir d'*[AUBAINES] et d'«offre d'articles à des prix diminués» : [AUBAINES] *du jour à notre magasin*, c'est une faute. Le terme **aubaine** n'a qu'une signification : «avantage inattendu et inespéré» dans n'importe quel domaine : *c'est une aubaine que vous veniez me visiter aujourd'hui, car vous seul pouvez me fournir l'explication que je recherche* et *c'est une aubaine que ce solde d'imperméables, car je n'avais plus assez d'argent pour en acheter un au prix courant* (*voir* **RÉGULIER**) *et nous partons ce soir.* Au lieu de *comptoir* ou *rayon des* [AUBAINES], il faut dire *comptoir* ou *rayon des soldes* ou *du bon marché* et, au lieu de *les* [AUBAINES] *du jour à notre magasin*, on dit correctement *soldes* ou *rabais du jour à notre magasin.*

Voir **CHARGE — CHARGER** *et* **DISPONIBLE.**

VENTILATEUR — *Voir* **AUTOMOBILE** *et* **ÉVENTAIL.**

VÉRANDA — *Voir* **GALERIE.**

VÉRIFICATEUR — VÉRIFIER — *Voir* **AUDITEUR, CHÈQUE** *et* **CONTRÔLE — CONTRÔLER.**

VERRE — VERRERIE — L'art de faire le **verre** s'appelle la **verrerie**, nom abstrait. Une usine où l'on fait du **verre** et des objets en **verre** est une **verrerie**, nom concret individuel, et les objets en **verre** se désignent ensemble par le nom concret collectif de **verrerie**. Acheter des objets en **verre**, c'est acheter de la **verrerie**, comme acheter des bijoux, c'est acheter de la bijouterie.

Le nom concret individuel **verrerie** sert à désigner une entreprise ou le bâtiment qu'elle occupe, non un assortiment d'objets destinés à un usage déterminé. Il y a *la verrerie culinaire*, qui comprend tous les plats en **verre** qui peuvent être utiles pour faire cuire des aliments, mais un assortiment de plats en **verre** ne forment pas [UNE VERRERIE]. Il y a *la verrerie de table* qui comprend tous les articles pour la table fabriqués en **verre**: carafes, brocs, verres et coupes, vases de toutes sortes, etc., mais un assortiment d'articles en **verre** pour la table n'est pas une [VERRERIE]; c'est un **service**: *service de verres, service à liqueurs, service à déguster, service à orangeade, service à crème glacée*, etc.

Il ne faut pas dire *une belle* [VERRERIE] *est un cadeau de noce précieux*, mais *un beau service de verrerie de table* ou *un beau service de verres est un cadeau précieux*. Au lieu de *j'ai commencé à constituer ma* [VERRERIE] *bien avant mon mariage,* une jeune femme dira correctement *j'ai commencé à constituer mon ensemble de services de verres bien avant mon mariage* ou *j'ai commencé à acheter des verres bien avant mon mariage et j'ai peu à peu complété mes services*.

Bref, les «vases à boire en verre ou en cristal» qui s'appellent **verres** forment des **services**, non des [VERRERIES], et l'ensemble des **services** que l'on possède ne forment pas [UNE VERRERIE] mais sont de la **verrerie**: *cette femme possède de la très belle verrerie*.

Voir **SALADE** *et* **VITRE**.

VERROU — VERROUILLER — *Voir* **BARRER**.

VERS — *Voir* **CONTRE**.

VERSATILE — Le terme est français, mais pas dans tous les sens du mot anglais **versatile**, qui, comme lui, vient directement du mot latin **versatilis**. **Versatile** signifie «inconstant, qui change facilement d'opinions»: *bien fou qui se fie à un esprit versatile*, et rien d'autre que cela, sauf dans le vocabulaire technique des sciences naturelles.

L'anglais **versatile** a plusieurs autres acceptions. Il veut dire «doué de talents divers»: une personne qui peint, chante et joue du piano est **versatile** et un **versatile genius** est un génie universel ou un esprit encyclopédique; «qui s'adapte à n'importe quoi»: **versatile mind** signifie «esprit très souple»; en parlant des choses, «qui a plusieurs usages»: un **versatile appliance** est un appareil qui remplit plusieurs fonctions, comme certains appareils ménagers qui, à l'aide de divers accessoires, battent, broient, émulsionnent, hachent ou malaxent des aliments ou des préparations culinaires. Ce sont des appareils adaptables ou des appareils tous usages, selon les cas.

Chaque fois qu'on emploie le mot **versatile** dans l'un de ces trois sens, on commet un anglicisme. Remarquons que cet anglicisme est aussi utilisé en France sous l'influence du langage commercial des multinationales.

VERSO — *Voir* **ENDOS — ENDOSSATAIRE — ENDOSSEMENT.**

VERT — *Voir* **GOLF.**

VESTE — VESTON — *Voir* **GILET.**

VESTIAIRE — *Voir* **CHAMBRE.**

VESTIBULE — *Voir* **PORTIQUE.**

VÊTEMENT — *Voir* **BUTIN.**

VÉTÉRAN — Le mot **vétéran** a été créé au XVIe siècle d'un adjectif latin qui signifiait «ancien, vieux» pour désigner l'ancien soldat romain qui quittait l'armée après un certain nombre d'années de service. Par extension de sens, **vétéran** se dit d'une personne qui s'adonne (*voir* **ADONNER** *et* **S'**...) depuis de nombreuses années à une forme d'activité, profession, métier ou sport, et le mot s'applique particulièrement au vieux soldat: *l'officier qui dirige cet état-major interarmées est un vétéran de l'armée canadienne; ce candidat qui a été élu cinq fois à l'Assemblée nationale est un vétéran de politique dans notre région.*

En Amérique du Nord, on a donné au mot anglais **veteran** le sens de soldat licencié, d'ancien militaire; le mot français n'a pas cette acception. Il faut dire **ancien combattant.**

Les **vétérans** de l'armée canadienne sont les plus anciens soldats sous les drapeaux des régiments canadiens; ceux qui ont servi dans l'armée canadienne et qui ont été licenciés (*voir* **DÉCHARGE**) sont ses **anciens combattants.** De même, un soldat qui a combattu dans une guerre ou dans une expédition militaire n'est pas un **vétéran**, mais un **ancien combattant** de cette guerre ou de cette expédition. Si ce soldat est encore sous les drapeaux, on dira, par exemple, *voici un ancien de la campagne d'Égypte* ou encore *voici un de nos vétérans qui a fait la campagne d'Égypte* et, s'il a été licencié, *voici un ancien combattant qui a fait la campagne d'Égypte.* On ne saurait dire *je vous présente un* [**VÉTÉRAN**] *de la campagne d'Égypte.*

VÉTILLEUX — *Voir* **PARTICULIER.**

VEXER — *Voir* «**BÂDRER**».

VIBREUR — *Voir* **SONNETTE.**

VICE-ROI — *Voir* **GOUVERNEUR.**

VICTIME — Les personnes blessées comme les personnes tuées sont des **victimes** d'un accident, d'un sinistre. Il ne faut pas dire *l'incendie a fait deux* [**VICTIMES**] *et trois blessés*, mais *l'incendie a fait cinq victimes, deux morts et trois blessés.*

Cette faute, pourtant souvent commise, s'explique mal. Ce n'est pas un anglicisme.

VIDANGE — VIDANGER — Le verbe **vidanger**, l'un des dérivés de *vide*, signifie «vider» en parlant de tonneaux et de réservoirs. **Vidange** (mot singulier) signifie «action de vidanger».

Voir **AUTOMOBILE.**

VIDANGES — VIDANGEUR — Il n'existe pas de **vidangeurs** ni de **vidanges** dans les villes canadiennes. Les **vidangeurs** étaient les hommes qui vidaient les fosses d'aisance avant la généralisation des installations sanitaires modernes et les **vidanges** (mot pluriel) étaient ce dont ils vidaient ces fosses. Mais il y a encore des **vidanges** et des **vidangeurs** dans les campagnes.

Les ouvriers chargés d'enlever les **ordures ménagères** dans les villes sont les **boueurs.** On dit mieux **éboueurs.** Le terme **éboueur** désigne officiellement en France ces ouvriers. Ils portent ce nom évidemment parce que les premiers **éboueurs** devaient enlever la boue qui se formait sur le pavé des rues en même temps que les ordures ménagères.

L'**enlèvement des ordures ménagères**, non l'[ENLÈVEMENT DES VIDANGES], par les **éboueurs**, non par les [VIDANGEURS], fait partie du service municipal qui s'appelle le **service du nettoiement**, non le [SERVICE DES VIDANGES].

VIGNETTE — Employé comme synonyme d'**estampe** (*voir ce mot*), d'**illustration**, de **gravure** et de **cliché**, le mot **vignette** est un mot désuet. Plus ancien que l'imprimerie, le vocable **vignette** était utilisé dès le XIIIe siècle pour désigner un ornement en forme de rameaux de vigne. Spécialisé dans le vocabulaire des arts graphiques, **vignette** eut d'abord la seule signification de «petit dessin en forme de branches et de feuilles de vigne ornant le titre d'un livre, ou le commencement, ou la fin des divisions d'un livre». Il a ensuite désigné n'importe quel «petit dessin ornant un titre de livre ou placé au commencement ou à la fin des chapitres», ainsi que la **gravure** du dessin et le **cliché** servant à sa reproduction, puis, par extension, tout «dessin encadrant une image» et toute illustration, mais il n'est plus employé dans ces acceptions depuis longtemps.

Le mot ne désigne plus guère aujourd'hui que les «étiquettes portant un petit dessin, qui est généralement une marque de fabrique, à coller sur les boîtes et les bouteilles» et, particulièrement, les «petits dessins à coller par lesquels l'État reconnaît avoir reçu le paiement de certains droits», comme les timbres-poste.

L'expression [BAS DE VIGNETTE] employée par les journalistes au Canada au lieu de **légende** pour dire «texte imprimé sous une image» est fautive. Il ne faut pas dire *les* [BAS DE VIGNETTE] *de ce journal illustré sont généralement aussi intéressants que les images*, mais *les légendes sous les illustrations de ce journal sont généralement aussi intéressantes que les images.* Il ne faut pas demander *avons-nous reçu de la photogravure les* [VIGNETTES] *qui doivent illustrer ce reportage?* mais *avons-nous reçu les clichés pour l'illustration de ce reportage?*

VILEBREQUIN — *Voir* **AUTOMOBILE.**

VILLA — *Voir* **CAMP — CAMPER.**

VILLAGE — VILLE — *Voir* **CITÉ.**

VILLÉGIATEUR — VILLÉGIATURE — VILLÉGIATURISTE — *Voir* **VACANCE — VACANCES — VACANCIER.**

VIRER — Dans le langage courant, le verbe **virer** intransitif n'a qu'un sens en parlant des personnes: «aller en retournant sur soi-même», mais on ne le rencontre guère dans cette acception que joint au verbe **tourner**, quasi-synonyme dont il renforce le sens: *ils tournaient et viraient comme des forcenés.*

Il s'emploie dans le vocabulaire de l'automobile et celui de l'aviation au sens d'«avancer en tournant»: *la voiture a viré trop court* et *l'avion a viré sur l'aile.* Cet emploi vient tout droit du vocabulaire maritime: *virer vent devant, virer au nord.*

Les automobiles et les avions **virent** donc comme les bateaux, mais le mot ne s'emploie pas dans ce sens en parlant des personnes: on commet une faute en disant, par exemple, *au carrefour, les deux vagabonds ont* [VIRÉ] *à droite* au lieu de *ont tourné à droite* ou *se sont dirigés vers la droite.* De même, il ne faut pas dire [VIREZ DE BORD] au lieu de *tournez-vous,* non plus qu'*il s'arrêta soudain et* [VIRA DE BORD] au lieu d'*il s'arrêta soudain et fit demi-tour* (*voir* **U**).

L'expression *virer de bord* est cependant correcte au sens figuré de «changer de parti, d'opinion»: *hier encore il était socialiste, mais il a viré de bord.*

On trouve le verbe **virer** transitif dans quelques vocabulaires techniques. En termes culinaires, on dit *virer des crêpes* et, en termes d'agriculture, *virer la terre*, mais, dans ces deux vocabulaires, le mot tombe en désuétude. On préfère maintenant *sauter* ou *faire sauter des crêpes* et *retourner la terre.* En termes de banque, on **vire** une somme quand on la fait passer d'un compte à un autre et les photographes **virent** une épreuve quand ils en changent la teinte. Dans le vocabulaire des couleurs, **virer à** a le sens de «devenir par changement»: *le blanc de ce tissu a viré au jaune.*

Prendre garde que **virer** n'est pas synonyme de **chavirer**. Il ne faut pas dire *ils n'étaient pas loin du rivage quand leur embarcation a* [VIRÉ] au lieu de... *a chaviré.* Quant au verbe **revirer**, il appartient uniquement au vocabulaire maritime. Sauf dans le langage familier au sens figuré de «changer d'opinion, de parti», il est toujours fautif de l'employer à n'importe quel sens de **tourner**, **retourner** et **virer**: [REVIRER] *à droite,* [REVIRER] *un chèque,* [REVIRER] *un vêtement,* [REVIRER] *sur soi-même*, etc.

VISA — VISER — *Voir* **CHÈQUE.**

VISIÈRE — *Voir* **PALETTE.**

VISIONNEUSE — *Voir* **CAMÉRA.**

VISON — *Voir* **ANIMAUX.**

VITE — L'adverbe **vite** signifie «avec une certaine promptitude» et «avec une certaine rapidité»: *il a répondu vite à notre demande* et *il a fait vite tout ce travail.* Se garder de prêter à **vite** le sens de «de bonne heure» et de l'employer à la place de **tôt**. Il ne faut pas dire, par exemple: *les enfants commencent* [VITE] *à* *désobéir*, mais *les enfants commencent tôt à désobéir.* Se garder d'employer *vite* au lieu de *rapide : il est* [VITE] *dans ses mouvements* est fautif, il faut dire : *il est rapide dans ses mouvements.*

VITRE — **Vitre** n'est pas synonyme de **verre** (*voir* **VERRE — VERRERIE**). Le **verre** est une substance et la **vitre** est un objet fait avec cette substance. Une **vitre** est un « panneau de verre » employé pour garnir une fenêtre (*voir* **CHÂSSIS**) ou une porte.

Une bouteille cassée ne se transforme pas en *morceaux de* [VITRE], mais en morceaux de **verre** qu'on nomme **tessons**. Il ne faut pas dire *les enfants s'amusent avec des billes en* [VITRE], mais *les enfants s'amusent avec des billes* (*voir* **MARBRE**] *en verre.* Un œil artificiel n'est pas *un œil de* [VITRE], mais *un œil de verre.*

Un *regard vitreux* est un regard terne comme le **verre**, non comme une **vitre**. Le mot **vitre** vient d'un mot latin qui signifiait « verre »; il a pris le sens particulier de « panneau », mais l'adjectif **vitreux** se rapporte au **verre**, non aux **vitres**.

Une **vitre** épaisse de bonne qualité se nomme **glace** : *les glaces des vitrines des magasins, les glaces des portières des voitures de chemin de fer*, etc. Une petite **vitre** carrée s'appelle **carreau** (*voir ce mot et* **TUILE**) : *le châssis de chacune des fenêtres de la salle de séjour porte douze carreaux.* Il est inutile de préciser en disant *carreau de verre* quand on parle d'une fenêtre.

« **VIVOIR** » — Le canadianisme [VIVOIR] est bien formé, mais il a deux défauts graves. Il désigne la « pièce de la maison où la famille vit, par opposition à celles où l'on travaille, où l'on mange, où l'on dort ». C'est prêter au verbe *vivre* un sens abusif : un gourmand dirait que c'est dans la salle à manger (*voir cette expression*) que l'on *vit vraiment.*

Vivre ne signifie pas seulement se délasser, se distraire, recevoir des amis. L'erreur vient de ce que [VIVOIR] est, à la vérité, un simple calque de l'anglais **living-room**, l'idée de **room** s'exprimant en français par le suffixe *oir* comme dans **parloir**, « salle où l'on va parler », et dans **boudoir**, nom formé par ironie pour dire « pièce où l'on boude ».

Mieux vaudrait employer le mot anglais tel quel prononcé à la française en lui donnant le sens de « salle de séjour », ce que font un certain nombre de gens par snobisme, si **living-room**, anglicisme franc, comme [VIVOIR], anglicisme masqué — et c'est là le second défaut de [VIVOIR] —, ne s'opposait sans motif raisonnable à un terme français usité couramment par l'ensemble des francophones, l'expression même de **salle de séjour**, le plus souvent abrégée en **séjour**, c'est-à-dire « salle où les membres de la famille séjournent entre leurs travaux et autres occupations personnelles pour se délasser, se distraire et recevoir des amis ». [VIVOIR], autant que **living-room**, est à proscrire.

> Se rappeler que l'anglais, langue synthétique d'évocation et de description, dit les choses autrement que le français, langue analytique de définition, et qu'exprimer avec des mots français employés à contresens une pensée formée à l'anglaise, ce n'est pas parler français.

VOIE — *Voir* **OPTION.**

VOIE DE FAIT — *Voir* **ASSAUT.**

VOISINAGE — VOISINER — *Voir* **MAGASINAGE — MAGASINER.**

VOITURE — *Voir* **CHAR.**

VOITURE DE POMPIERS — *Voir* **CAMION.**

VOITURE-SALON *ou* **VOITURE-CLUB** — *Voir* **TICKET.**

VOL — *Voir* **ENVOL — ENVOLÉE.**

VOLANT — *Voir* **AUTOMOBILE.**

VOLER — *Voir* **REVOLER.**

VOLTE-FACE — Se rappeler que le mot est féminin. Il ne faut pas dire [LE] *volte-face de ce politicien lui a fait perdre des partisans,* mais *la volte-face de ce politicien...*

VOTANT — *Voir* **ÉLECTEUR — ÉLECTORAT.**

VOTATION — VOTE — VOTER — Le mot **votation** tombe en désuétude. Prendre garde que **votation** n'a pas le même sens qu'**élection**. Il désigne l'«action physique de voter» et on ne le trouve plus guère que dans l'expression *mode de votation*, tandis qu'**élection** indique l'«action intellectuelle de choisir qu'accomplissent ou réalisent plusieurs personnes en votant»: *le mode de votation n'est pas le même aux élections françaises qu'aux élections américaines.* Il ne faut pas dire *il y aura* [VOTATION] *demain dans trois circonscriptions* (*voir* **COMTÉ**), mais *il y aura élection demain.*

L'opinion que chacun des **votants** (*voir* **ÉLECTEUR — ÉLECTORAT**) exprime en déposant un bulletin s'appelle **suffrage**. Le mot **vote** est synonyme d'**élection** et de **suffrage**, sauf qu'**élection**, au sens de choix par **suffrages**, ne se dit qu'en parlant de personnes, tandis que **vote** se dit pour les personnes et pour les choses : *le vote sur ce projet de loi aura lieu demain* et *voici venu le moment du vote pour le choix du président.*

[PRENDRE LE VOTE] est un anglicisme. C'est le calque de **to take the vote.** Il faut dire *procéder au scrutin* (sur une proposition), ou *mettre aux voix* (une proposition) et *on demande la mise aux voix* (d'une proposition), ou *on demande un vote* (sur une proposition).

Se rappeler que le verbe **voter** n'est transitif qu'en parlant des choses: *on vote un projet de loi, des crédits, des remerciements*, mais on ne peut dire *M. Franjeu a été* [VOTÉ] *unanimement à la présidence* au lieu de *M. Franjeu a été élu à l'unanimité.*

Scrutin désigne l'ensemble des **suffrages** exprimés dans une **élection** et est synonyme d'**élection**: *dépouiller le scrutin* et *la veille du scrutin.*

VOÛTE — Un ouvrage de maçonnerie cintré, c'est-à-dire un ouvrage dont les matériaux (pierres, briques d'argile, briques en verre recuit, etc.) s'appuient les uns sur les autres pour former une surface concave plus ou moins courbe, se nomme **voûte** : *les voûtes de certaines églises gothiques sont très élevées.* Le mot ne s'emploie que pour désigner les ouvrages de cette sorte qui se trouvent à la partie supérieure d'édifices ou de vastes salles où ils tiennent lieu de plafond.

Le mot anglais **vault**, emprunté au français, a conservé cette signification, mais il en a acquis d'autres qu'il faut se garder d'attribuer à **voûte**. Beaucoup de caves (particulièrement pour la conservation de boissons et d'autres provisions) des anciennes maisons avaient la forme d'une **voûte**. Par analogie, un endroit souterrain ou secret et inaccessible comme une cave qui sert à assurer la protection de biens est un **vault**.

On commet des anglicismes quand on parle de [VOÛTES] *pour conserver les fourrures pendant l'été* et quand on appelle [VOÛTES] les salles blindées, à l'épreuve du feu et du vol, où l'on place dans les banques et d'autres maisons d'affaires l'argent, les titres et les registres qui y sont gardés. Les fourrures sont conservées dans des **garde-fourrure** (*voir* **ENTREPÔT**) et les salles blindées des banques sont des **chambres-fortes**.

L'anglais nomme aussi **vault** les constructions souterraines qui servent de sépulture. Il ne faut pas dire *cette famille a une* [VOÛTE] *au cimetière*, mais *cette famille a un caveau.*

Un «souterrain maçonné servant de sépulture» est un **caveau.**

VOYAGE — Le mot **voyage** a les deux seuls sens suivants: «fait ou action de parcourir un chemin assez long pour aller d'un lieu à un autre»: *il ne laisse jamais passer une année sans faire un voyage* et simple «allées et venues»: *ma secrétaire a fait cinq voyages au bureau de poste aujourd'hui.*

Voyage a eu d'autres significations au Moyen Âge. Il a servi à désigner le chemin qu'on parcourait. Une expédition militaire était un *voyage* et l'argent nécessaire à l'expédition était aussi le **voyage.** Mais **voyage** n'a jamais eu, ni en ancien français, ni en français classique, ni en français moderne, le sens qu'on lui prête au Canada de «nombre de personnes qu'un véhicule peut transporter à la fois» et il n'a plus que rarement aujourd'hui celui de «charge portée ou qui doit être portée par une personne ou un véhicule», sans que cette dernière acception soit une faute. De là vient l'expression utilisée en français populaire au Canada: «*J'ai mon voyage.*»

Employé dans ces acceptions, au lieu de **charge, chargement, brassée,** etc., le mot est désuet. Il ne faut pas dire *cet autocar a son* [VOYAGE] *et vous devez attendre le prochain* mais *cet autocar a sa charge* ou *est complet et vous devez attendre le prochain.* Au lieu de *Jean a apporté trois* [VOYAGES] *de bois à brûler dans la cheminée,* on dira plus correctement *Jean a fait trois voyages de la maison au bûcher pour apporter du bois à brûler dans la cheminée* ou *Jean a apporté trois brassées* ou *trois boîtes de bois du bûcher pour la cheminée.* Le **bûcher** est le lieu, l'abri où l'on serre le bois à brûler. Un «chargement d'une quantité fixe» est une **charge:** une charge de foin.

Voir **CHÈQUE** *et* **OUVERTURE.**

VOYAGER — *Voir* **PRENDRE PLACE.**

VOYAGEUR — *Voir* **CHÈQUE, PASSAGE — PASSAGER** *et* **VENDEUR.**

VU QUE — *Voir* **QUAND.**

W

W — *Voir* **CAMPING.**

WEEK-END — Le français a emprunté ce mot à l'anglais au début du siècle. Il signifie dans les deux langues «repos entre les jours ouvrables d'une semaine civile et les jours ouvrables de la semaine suivante». Ce repos comprend dans certains cas non seulement le samedi mais le vendredi et le samedi qui terminent une semaine et, dans d'autres, non seulement le dimanche mais le dimanche et le lundi qui commencent la semaine suivante. Ces périodes de repos de trois jours sont de *longs week-ends.* Une semaine civile commence le dimanche, non le lundi, et dire *fin de semaine* au lieu de **week-end**, c'est fausser le sens du mot *semaine.*

Les Anglais ont été les premiers en Europe à terminer la semaine ouvrable avant le samedi soir. Les Français ont appelé cette semaine ouvrable écourtée *semaine anglaise.* Le repos du samedi après-midi, puis de toute la journeé du samedi qui s'ajoutait à celui du dimanche, fut la *fin de semaine anglaise.* L'anglais, langue d'imagination qui procède volontiers par glissements d'une idée concrète à une autre plutôt que par associations de définitions, eut tôt fait d'appeler **week-end** (traduction littérale: *fin de semaine*) un repos chevauchant deux semaines. Le français ne permet pas d'inclure dans le mot *fin* une idée de début, de commencement. Il faut dire *partir en week-end*, non *partir en* [FIN DE SEMAINE].

Week-end est un mot composé qui s'écrit toujours avec un trait d'union. L'anglais écrit indifféremment **week-end** et **weekend**. C'est commettre un anglicisme que de supprimer le trait d'union.

Y

Y — S'abstenir d'employer cet adverbe de lieu dans une proposition où se trouve déjà l'adverbe de lieu **où**, l'un et l'autre ayant le même sens d'« à cet endroit ». Par exemple, il ne faut pas dire *en ces lieux où s'*[Y] *conservent tant de souvenirs du passé*, mais *où se conservent...*

Z

ZONE — *Voir* **TRAPPE — TRAPPEUR.**

ZOOLOGIE — ZOOLOGIQUE — Chacun des deux premiers *o* de **zoologie** et de **zoologique** doit être prononcé: *zo - o - logie* et *zo - o - logique.* L'abréviation de *jardin zoologique* s'écrit *zoo* et se prononce *zo - o.* En France, le langage populaire saute souvent le second *o* et dit *le zo,* mais les grammairiens condamnent cette suppression à cause de l'étymologie de **zoologie** qui vient du grec **zoon**, «animal», mot dont la prononciation était *zo - on.*

En anglais, deux *o* qui se suivent se prononcent *ou* et c'est sous l'influence de cette langue qu'on dit fautivement au Canada *aller au* [ZOU], au lieu d'*aller au zo - o.* Il ne faut pas dire *le* [ZOU] *de Granby,* mais *le zo - o de Granby.*

INDEX

des termes et locutions

EN ANGLAIS

traités dans cet ouvrage

denomination — V. DÉNOMINATION
department store — V. DÉPARTEMENT
dependant — V. DÉPENDANT
deposit — V. DÉPÔT
deputation — V. DÉPUTATION
deputy-minister — V. MINISTRE
deputy returning officer
— V. OFFICIER
develop (to...) — V. DÉVELOPPER
development — V. DÉVELOPPEMENT
dial tone — V. TÉLÉPHONE
different — V. DIFFÉRENT
dine (to...) — V. SALLE À MANGER
dinette — V. DÎNETTE
dining-room — V. SALLE À MANGER
direct — V. DIRECT
director — V. DIRECTEUR
discard (to...) — V. ÉCARTER
discharge — V. DÉCHARGE
discount — V. VENTE
discount stores — V. VENTE
disgrace — V. DISGRÂCE
disgraceful — V. DISGRÂCE
dispose of (to...) — V. DISPOSER
disqualification
— V. DISQUALIFICATION
disqualify (to...)
— V. DISQUALIFICATION
dissatisfied — V. SATISFAIT
district — V. DISTRICT
domestic — V. DOMESTIQUE
dominion — V. PROVINCE
don't be so positive — V. POSITIF
double — V. DOUBLE
double space — V. ESPACE
double-window — V. CHÂSSIS
drastic — V. DRASTIQUE
drastically — V. DRASTIQUE
drive — V. FLOTTAGE
drive (to...) — V. FLOTTAGE
driver — V. FLOTTAGE, GOLF
drunkometer — V. ALCOOTEST
dry cleaner — V. TEINTURERIE
due to — V. DÛ
duty — V. DEVOIR
duty (on...) — V. DEVOIR
duty (to be on...) — V. DEVOIR
duty (to go on...) — V. DEVOIR
eagle — V. GOLF
eastern townships — V. ESTRIE
effect (to the... that) — V. EFFET
egg-nog — V. LAIT
elaborate (to...) — V. ÉLABORER
electorate — V. ÉLECTEUR
electrolier — V. LUMIÈRE
elevator — V. ÉLÉVATEUR
eligible — V. ÉLIGIBLE
emotional — V. ÉMOTIONNEL
emphasis — V. EMPHASE
employ (in my...) — V. EMPLOI
employ (in the... of) — V. EMPLOI
employee — V. EMPLOI
enter (to...) — V. ENTRÉE
entry — V. ENTRÉE
enumeration — V. ÉNUMÉRATEUR
equity — V. ÉQUITÉ
erratic — V. ERRATIQUE
estimate — V. ESTIMATION
estimate (to...) — V. ESTIMATION
evaporated milk — V. LAIT
eventually — V. ÉVENTUELLEMENT
exchange — V. CHANGE, TÉLÉPHONE
executive — V. EXÉCUTIF
exhibit — V. EXHIBER
exit — V. EXIT
extension — V. EXTENSION, LOCAL
extra — V. EXTRA
extraordinarily — V. EXTRA
fairway — V. GOLF
false pretences
— V. REPRÉSENTATION
fan — V. AUTOMOBILE, ÉVENTAIL
farm clubs — V. CLUB
favor (to...) — V. FAVORISER
favour — V. FAVORISER
favour (in... of) — V. EN FAVEUR DE
feel (to...) — V. FILER
feel (to... like) — V. FILER
ferry-boat — V. TRAVERSIER
festival — V. FESTIVAL
figure — V. FIGURER
figure (to...) — V. FIGURER
file — V. FILIÈRE
file (to...) — V. FILIÈRE
filing — V. FILIÈRE
filing cabinet — V. FILIÈRE
fill (to...) — V. REMPLIR
final — V. FINAL
finalize (to...) — V. FINALISÉ
finance — V. FINANCE
finance (to...) — V. FINANCE
finnen haddock — V. POISSONS
first floor — V. PLANCHER
fixture — V. LUMIÈRE
flirt — V. KNOCK-OUT
floor — V. PLANCHER

Achevé d'imprimer
en août mil neuf cent quatre-vingt-quatre
sur les presses de l'Imprimerie Gagné Ltée
Louiseville - Montréal.
Imprimé au Canada
10-0784